復刻版

子供の世紀

大阪（日本）児童愛護連盟＝発行

第12巻

1939年1月〜40年2月
（17巻1号〜18巻2号）

六花出版

復刻版『子供の世紀』第12巻

刊行にあたって

一、本復刻版は、一九二一年に設立された大阪（日本）児童愛護連盟の機関誌『コドモ愛護』『子供の世紀』（一九二三〜一九四四年）の現在確認されている全二二三冊を復刻するものである。

一、第1巻巻頭に菊池義昭氏・内田塔子氏による解説を掲載した。
また第15巻巻末に「総目次」のデジタルデータをＣＤ－ＲＯＭに収録し、付す予定である。

一、本巻の原資料収集にあたっては、左記の機関のご協力を得た。改めて御礼を申し上げます。（順不同・敬称略）
日本玩具博物館、北海道大学附属図書館、北海道大学大学院医学研究科・医学部図書館

一、資料の中には、人権の視点から見て不適切な語句・表現・論もあるが、歴史的資料の復刻という性質上、そのまま収録した。

一、資料の中の個人の名前・本籍地・出生年月日などの個人情報については、個人が特定されることによって人権が侵害されるおそれがあると考えられる場合は、一部を[redacted]で伏せた。本復刻が学術研究に活用されることを目的としていることを理解されたい。

一、刊行にあたってはなるべく状態の良い原資料を使用するように努力したが、原本の状態や複写の環境等によって読みにくい箇所があることをお断りいたします。

一、復刻にあたって、原資料を適宜縮小し、復刻版一ページにつき四面を収録した。

（編集部）

［第12巻 目次］

巻号数●発行年月――復刻版ページ

●全巻収録内容

第1巻	一巻三号～四巻一二号 解説＝菊池義昭・内田塔子
第2巻	五巻一号～六巻四号
第3巻	六巻五号～七巻六号
第4巻	七巻七号～八巻一〇号
第5巻	八巻一一号～九巻一二号
第6巻	一〇巻一号～一一巻二号
第7巻	一一巻三号～一二巻四号
第8巻	一二巻五号～一三巻六号
第9巻	一三巻七号～一四巻八号
第10巻	一四巻九号～一五巻一〇号
第11巻	一五巻一一号～一六巻一二号
第12巻	一七巻一号～一八巻二号
第13巻	一八巻三号～一九巻四号
第14巻	一九巻五号～二〇巻六号
第15巻	二〇巻七号～二二巻四号 付録＝総目次デジタルデータ（CD－ROM）

大正十三年二月二十日第三種郵便物認可
昭和十三年十二月廿八日印刷納本
昭和十四年一月一日發行（毎月一回一日發行）

恒久國防・國民體位向上

子供の世紀

人的資源の愛護號

第十七巻 第一號

大阪市立北市民館内
日本兒童愛護聯盟

『子供の世紀』（第十七巻第一號）人的資源の愛護號

目次

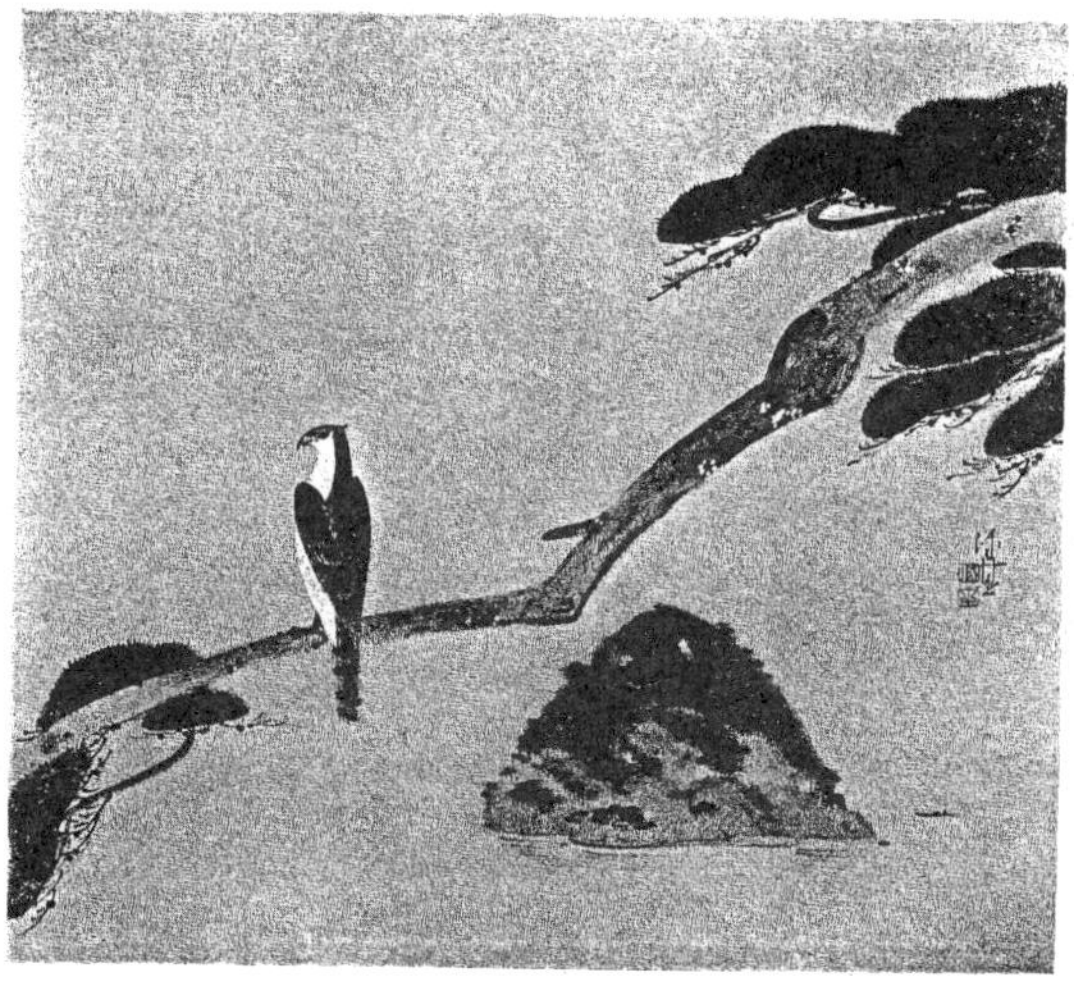

朝陽映島

高木保之助氏筆

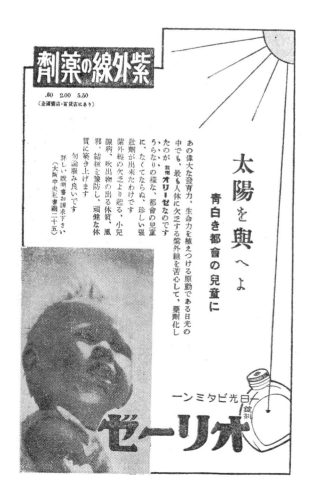

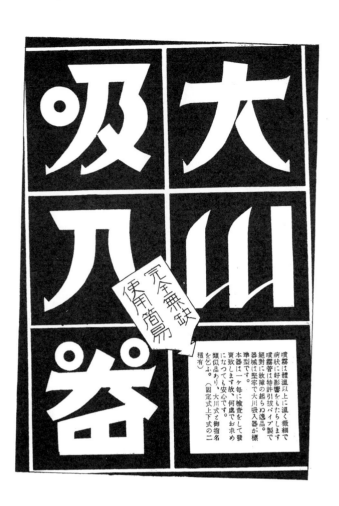

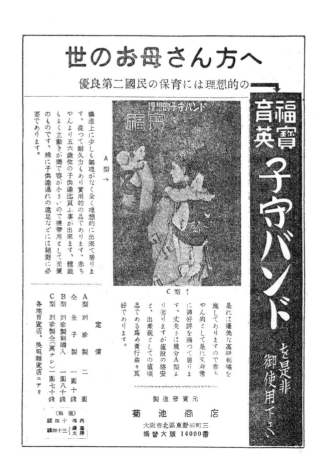

上手な吸入のさせ方

吸入や含嗽は、あまり重い病人には著しい効果はありませんが、早くやると侮り難い効を奏するものです。外出後咽喉がちよつと變だと思ふときは、大人なら含嗽をすればよいのですが、小さいお子さんでは、それができませんから、吸入に替へます。吸入器にはいろ〳〵有りますが注意したいのは、藥液と一緒に冷い風が起り、却て吸入をしたために、よくない場合の起るやうなものを、避けるといふことです。使用上の注意といたしましては釜の湯は三分の一くらゐ注いで、なくなる前に注ぎ足します。湯のなくなつたのを知らずにゐると、破損することがあります。

アルコールを口元まで入れると、發火する虞れがあります。吸入をかけると、お寢衣やお蒲團が濕りますから、防水布やタオルをかけておき、寢たまゝの病人なら徐かにかけてあげて下さい。赤ちやんの吸入は無理にお口を開かせる必要はなく、玩具で機嫌よく遊んでゐるときでも、吸入器の方を近づけて、あたりの空氣を軟くしつとりさせて、少しづゝでも吸ひ込ませるやうにします。一回分をあまり長くかけると倦きますから、一日に三四回にしてコツプに二杯ぐらゐで結構です。終りましたら蒸しタオルで拭いて、後にクリームなどをつけてあげると、お顔の荒れを防ぎます。

吸入液の作り方

藥液はいろ〳〵有りますが、お子さんには一%の重曹水で結構です。(約一合の水に茶匙一杯)又は重曹と食鹽を各々一%の割に溶かしたものを用ひてもよろしい。

うがひ藥の作り方

二%硼酸水　硼酸は冷い水に溶け難いが微溫湯を用ひますとすぐ溶けます。大人の水藥二日分入りの瓶は通常二百瓦入りですからこれに四瓦入ればよろしい。

二%鹽剝水　鹽素酸加里は常用としてうがひに用ひるのはよくありません殊に小兒には用ひぬのがよろしい。

三%過酸化水素水　過酸化水素又はオキシフルを水百に對して三の割合に二百瓦入りの水藥瓶なれば六瓦入れます。過酸化水素はごみ、又は日光熱等にあへば酸素を發生分解して無效となりますから瓶は清潔なものを用ひ、戸棚か押入等の暗所に置かねばなりません。

このマーク
メガネ肝油球
一番よい
經濟的國民榮養素
眼鏡肝油
銃後國民の務めは
體力の充實にあり
最も效果的にして然かも經濟的なる故　時局
下に於ける國民榮養劑として最適のものなり
大阪
合資會社 伊藤千太郎商會

賀正
新東亞建設への新なる感激と榮光輝やく
御代の春………　御稜威の彌榮えを壽ぎ
併せて一層の御愛顧を御願ひ申上げます
月曜休業
大丸
大阪心齋橋

謹賀　新東亞建設の初春
皇紀二五九九年
お買物は
南海
髙島屋
大阪・なんば

靖國神社の父に告ぐ・坊やも勝つた

——第十回全東京乳幼兒審査會表彰式——

去る十一月十四日、京橋明治製菓講堂に行はれた第二次の表彰式（第一次は高島屋にて擧行濟み）は永井遞相代理東秘書官の臨場を得て、殘りの二百五十名に對し表彰狀が授與された、名譽の戰死をとげられた勇士の愛兒は可なり多數で、二十年後の躍進日本の頼母しさを思はしめた、當日は木戸厚相が特に筆を執つた掛軸が授與され、亦本聯盟功勞者大川銀三郎氏に對し感謝狀と記念品の贈呈もあつた。（上は東秘書官の告辭代讀）

總裁木戸厚生大臣勇士の愛兒達を表彰さる

日本兒童愛護聯盟主催の乳幼兒審査會は我國兒童保護運動の先達であり、且つ本審査會は此の種諸團體の指導をなして來たのであるが、例年本會は東京と大阪に於て乳幼兒愛護事業の最高人氣を掌握してる觀を呈してゐる。

上圖は過般全帝都各新聞紙上に既に報道された第十回全東京乳幼兒審査會表彰式に於て、本會總裁木戸厚生大臣代理重田技師より表彰されんとする最優良兒代表の母子達である。（會場高島屋）

最優良兒總代
大島宗治君（父宗一氏は放送局員）
野口弘子さん（父巖氏は出征中）

優良兒代表
田邊一男君（父正一氏は中支戰線出征中）
加藤芳美さん（父忠雄氏は中支戰線出征中）

長期建設への春を迎へて

こゝに大方の御清福を壽ぎ奉り
併せて客年中の御芳情御引立を
深謝奉ります
尚ほ本年も不相變倍舊の御愛顧
の程を偏に希上げます

昭和十四年元旦

松坂屋 大阪日本橋

年頭二日間は休業、營業は三日より致します

會長坂間大阪市長代理森下助役の告辭

——第十六回全大阪乳幼兒審査會表彰式——

舊臘五日大阪三越に於て擧行された表彰式は、國歌齊唱、伊勢大廟、宮城遙拜に始まり、伊藤理事長の開會の挨拶に續いて、谷口博士の審査報告あり、莊重で有益な森下助役の告辭があつた(上)　當日は審査人員約4000名の中、最優良兒186名優良兒433名が表彰され、尙中40名には大阪市長賞が授與され、最優全部には木戶厚生大臣の懸軸が授與された。(下、向つて左は森下助役)

發見創製　醫學博士 太纐壽郎氏　醫學博士 青山敬二氏　醫學博士 有馬頼吉氏

AO アーオー

結核免疫元

解說 試 進呈

本劑は獨特の培養法と合理的處理による製品にして有害なる過敏元と吸收を妨ぐる臘質とを含まず全く純粹免疫元のみより成るか故に吸收迅速、副作用皆無、而も効果確實なるは最も誇る所にして一々動物實驗によりて効力檢査を經たる後始めて市販せらる

治療的應用

潜伏結核、肺結核の初期、眼結核、外科的結核、初期泌尿生殖器結核、皮膚結核、肋腹膜炎等には7—10日に一回第一號を使用して發病防止的効果頗る顯著なり

發病防止的應用

一般虛弱者及腺病質の小兒學童等に對し、一ケ月に一回第二號を使用して發病防止的効果優秀なり

診斷的應用

AOの治療量注射の前後に於て白血球檢査により簡單に結核の存否病勢並に豫後を確斷し無危險のみならず同時に治療を兼ねたる診斷法(吉田氏反應)なり

製造所 有馬研究所

發賣元 須美商店

大阪市東區北濱四丁目四〇
振替口座大阪三〇一〇〇番

分蜜糖
耕地白糖
精製糖
酒精

資本金六千參百萬圓

臺灣製糖株式會社

富士印 グラニユ糖 角砂糖

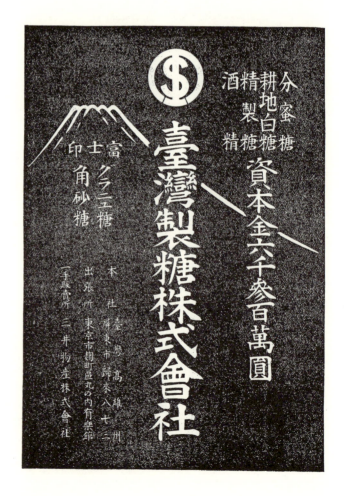

本社 臺灣高雄州屏東市歸來八七三
出張所 東京市麹町區丸の内有樂館
一手販賣所 三井物產株式會社

昭和十四年　**子供の世紀**　正月號

興亞の春を壽きて國民に愬ふ（巻頭言）

日本兒童愛護聯盟
常任理事醫學博士　余田忠吾

初日瞳々東海に昇り、扶桑萬里春風到る。

百八梵鐘の響きは昭和十三年を送り、碧鶏三唱昭和十四年を迎へ、椒酒三杯先づ、我 皇室の御安泰を奉壽し、滿支駐在征士の健祥を賀し、我銃後に於ける國民の長期建設に對する覺悟の、愈々强固ならむことを祈願せんと欲するものなり。

回顧すれば、今時日支事變の勃發するや、皇國未曾有の國難となれり。武漢三鎭廣東の陷落は、天下をして啞然たらしめたりと云へども、一面歐米をして一層我帝國に對する恐異を募らしめし動機となり、英米佛露の我に對する態度をして惡化せしめしものあるを忘る可らず。

我聖戰の目的たるや、堂々正に洵に東洋平和建設の神意に出づるものなることは、我國民の齊しく明了する處なりと言ふべし。然れども支那に於ける英米佛露の權益は頗る大なるものあるにより一朝之を失ふことあらば、彼等にとりて其關する處、甚だ至大なるは想像に難からざる處なり。茲に於て援蔣の擧に出でたるや明白なり。殊に猶太系の財閥は常に優勢を有し、抗日的態度を誘導せしが如きは、彼れにとりては、或は止むを得ざるものあらむ。

是を以て觀れば、英米佛露の援蔣的態度は急に解消することなかるべし。是れ我國が長期建設に對して覺悟を固めざる可らざる所以にして、支那に於ける皇軍將兵の忠烈無比にして、奮戰奮鬪愈々占領地の大ならんとするの時、猶長期建設の實を擧げざる可らざる所以なり。

試みに東亞の地圖を展開して觀察せん。支那大陸の如何に廣大なるかを知ると共に、忠勇無雙の我將兵によりて得たる占領地の亦た如何に廣大なるかを識る。

ソヴイエット露西亞は大軍を極東に派し　絕えず我を窺ひつゝあり。地圖によつて觀る我帝國の支那及ソヴイエット露西亞に對する形勢より論ずれば、一對數十倍の對比を呈して聊か心細き感なくんばあらず。

蔣介石の運命は假令爾後恐るるに足らずとするも、其權益の回復に汲々たる英米佛露の如きは、自己の權益擁護の爲めに援蔣の擧に出づるを以て、譬ひ蔣政權沒落すとも長く國際關係を複雜ならしむるは明白なり。是れ我帝國の一大非常時たる所以にして、茲に數年間は眞に我國民の緊張と長

期建設の實を擧ぐるを要する所以なり。

支那占領地域の廣大にして到る處日章旗を仰ぐは、我等臣民の痛快措く能はざる處なりと云へども、翻つて其整理守備に至つては、洵に容易ならざるものあるを覺えざる可らず。支那は既に到る處自治團の起つありて、其回復の急にして看るべきものありと云へども、元來支那人の習性より察すれば、其蒙昧なる奴輩の將來我將兵を苦しむるもの決して少からざるを想ふとき、窮鼠の猫を咬み、猛虎の飢ゆるに似たるものあるを覺悟せざる可らず。斯かる狀態の下に一旦ソヴイエットと國交斷絕せんか、其對立に於て要する兵數は無慮數百萬を要すべく、斯かる曉には人的要素の愈々切なるを感ずるものあり。顧みて徵兵檢査の成績及小學兒童の體格に徵して考察すれば、大軍の養成に聊か心細きものあるを感ずるもののなきにしもあらず。

支那事變の終局は恐らくば近きには非ざるべし。十年にしてやまば甚だ幸甚、二十年又三十年或は百年を要するに到るやも圖られず、我皇國の光輝は今時日支事變に於て赫々たるものありと云へども、東亞平和を確立するには未だ猶ほ其前途の形勢を計り得ざるものあり。

我帝國の運命は我國經濟力の確固と、健鬪勇士の派出と第二國民の養成とに在るは言を待たず。

國家總動員は斯かる意味に於て現時の最も肝要なる一大事にして、就中將兵の增勢と將兵の補充並に傷病兵の治癒回復を迅速ならしめ、次では第二國民を養成し國家百年の大計を樹立せざる可らざるに到達せり。

我が日本兒童愛護聯盟は、過去十九年間第二國民の養成に聊か力を盡せしもの、將來益々其國家的意義の重大なるに想ひ到り、我帝國長期建設の人的要素に關して、其の歩を急ならしめんと欲するものなり。

冀くば江湖諸賢、巨濤の將に吾等國民の眼前に襲來せんとしつゝあるを明察し、之れに對して最も善處するに力められんことを祈るものなり。

想ひ起す彼の大西鄕翁の詩。幾歷辛酸志始堅。丈夫玉碎恥甎全。我家遺法人知否。不爲兒孫買美田。

又思ふ明道之詩。道通天地有形外。思入風雲變態中。富貴不淫貧賤樂。男兒到此是豪雄。

今や我帝國は國民精神の確固と、肉體的健全とを要するや切なり。魏の曹操が吳の孫仲謀に敗られて言へり。

生子當如孫仲謀。

敗軍の將曹操に非ずして勝軍の將孫仲謀を生むは正に婦女子の國家非常時に於ける一大任務なり。

多數は力なり。我多産國は得意の多産を以て勢力扶殖に力むべく、稍々ともすれば出産減少に傾かんとするものあるを制し、能く國家の大を計るべき時なり。

昭和十四年は昭和十三年より更に一層大なる覺悟を要するものあり。茲に元頭に際して過去を回顧し將來を考察して聊か所感を吐露し迎春之辭とす。

母は家庭の太陽であれ

聯盟名譽會長
遞信大臣　永井柳太郎

一

全體人間の有つて居りまする感情の中で、親の子に對する感情、子の親に對する感情程根强いものはないのであります。小さい蟲にでも、母として子を育てようといふ强い本能があります。皆様は、夏の夜に蜘蛛が巣を掛けて、そこに母蜘蛛が、その子供を袋に入れて大事に保護して居ることを御覽になると思ひます。又或る所で大火がありまして、一羽の親鳥が燒殺されたのでありますが、その燒殺された親鷄の腹の下を見ますと、小さな雛を澤山に抱込んであつた。死ぬ時まで子供を保護して居たのであります。母親の子供に對する愛情は、如何に根强いものであるかといふことが能く分るのであります。

二

それでありますから、子供は自然に、その母の强い愛に惹付けられまして、如何に惡い者でも、母の愛に觸れた時には必ず蘇生するのであります。皆様の中に、或は御記憶の方があるかも知れませぬが、嘗て柄本富一といふ、非常に殘忍な殺人犯人が居りました。彼は色々の說敎を聞かせても、悔い改めなかつたのです。大勢の人を殺したので、死刑になつたのでありますが、その死刑を執行せらるゝ時に、京都に殘してあつた一人の母親のことを思ひ出して、その母親を思ふの情に堪へず、

「死ぬるより殺さるゝより嘆かるは都の母の今朝の悲しみ」

と書いたのであります。說敎をしても、忠告をしても、悔い改めることを知らない、殘忍な殺人犯人でも、母親の僞りなき愛には、死ぬまで感激をするのであります。

それでありますから、母親が正しい人であるかどうかといふことはその子供が正しくなるかどうかといふことを決める最も大きな力であります。

母親は子供がお腹に居る時から、常に正しい心を持つて居なければならぬ。さうすれば、その子も正しく成長するのです。私の知人に、元外國語學校の先生をして居た人があります。その外國語學校の先生をして居た人の奥さんが、姙娠をなさつたので、どうか立派な子供を産ませたい、と考へまして、奥様の部屋へビスマークの大きな額を掛けて置いた。御承知の通りビスマークは、ドイツの英雄で、何とかいふ藥の看板に出て居る顏でありまず。あのきつい顏したビスマークの寫眞を買つて來てそれを奥様の部屋に掛けて、お前はこれから子供が出來るまで、毎日ビスマークの畫を見詰めてお出でなさい。今にビスマークのやうな英雄が出來るからと、能く言付けて置いた。奥様は主人の言付を守つて、毎日ビスマークの顏を見詰めて居たのです。所で月滿ちて生れたる子供の顏を見ると、矢張り何となしにビスマークに能く似て居つたといふことであります。唯困つたことは、その凄い顏をして生れた子供が、男でなくて女であつたといふことであります。兎に角母の感化は、その子供が胎內に居る自分から、旣に子供に傳はるのであります。母親が正しい心を持つて居るかどうかで、自然に子供が正しくもなり、不正にもなるのであります。

三

私は皆様のやうなお母様方に對して色々お願ひしたいことがあります。そのお願ひしたいことの第一は、その子供さんに對して、人間といふものゝ尊さを能く敎へて戴きたいのであります。この世の中の人間は毎日々々澤山死んで行きます。學者の調べたものに依りますと、世界の人は、平均すると時計の針の一秒時間毎に一人づゝ死んで行くさうです。時計の針が一秒二秒三秒と動いて居る時に、世界の何處かに人が一人二人三人と死んで行きつゝあるのであります。その絕え間なく人の死んで行きつゝある世界の中で、あなた方だけが死なないでそこに生きて居るのはどういふ譯であるか。絕え間なく人の死んで行くのに、自分だけ死なないで生きて居るのは、これは自分でなければ爲すことの出來ない、何等か尊い天の御用を、自分に授かつて居る證據であると思ふのであります。天の御用あればこそ生きて居るのであります。だからあなた方にしても、あなた方の子供さんにしても、朝起きた時には、昨夜もこの世の中から澤山の人が死んで行つた筈である。それであるのに吾々親子でなければ成し遂げることの出來ない何等か尊い天の御用を授かつて居る證據であるといふことを考へて、天に感謝しつゝ寢床を出なければならないのであります。御飯を

食べる時にも、世の中には御飯を食べられるのは、洵に有難いと、天に對して感謝すると同時に、御飯を食べさせて貰つた御禮に思ふ存分働かなければ、天に對して申譯がなからうと思ひます。かういふ精神を以て子供の時から生活する、それが偉大なる人間となる根柢であると思ふのであります。お母さん達は、さういふ精神を子供に與へて戴きたいのであります。

四

それから第二には、自分の子供さんの何處か良い所を見付けて、その良い所を出來るだけ延ばしてやるといふことを考へなければならないのであります。皆様は大勢集まつて居られるが、同じ顏をした人は一人も居りませぬ。どなたの顏も世界にたつた一つしかない顏をして居るのです。それでありますからお顏に番號は付けてないけれども、人を見間違へる心配がない、ちやんと一人々々の顏の特色が現はれて居る。皆様の顏は良かれ惡かれ天下一品の顏であります。皆様のお顏が天下一品であるやうに、そのお顏の中に包まれて居る皆様の性格も亦天下一品なのであります。或人は物を考へることが上手です。或人は歌ふことが上手です。或人は交際が上手です。或人は彫刻をすることが上手です。或人は繪を書くことが上手です。顏が天下一品であるやうに、總ての人々は又その人々に獨特の才能を授かつて生れて來たのであります。その自分の子供の獨特の才能は何かといふことを母親が能く考へて、その子供に授かつて居る才能を出來るだけ延ばしてやるといふことが、その子供を生甲斐のある人間にする秘訣であると言はなければならないのであります。皆様は子供を叱る時に馬鹿などと一概にけなしてはならない。子供を馬鹿などと言つて叱るお母様は馬鹿なのであります。どんな子供でも、その子供でなければ出來ない仕事を授かつて生れたのでありますから、その才能を延ばしてやることが親の勤めでなければならないのであります。自分に授かつた仕事と、子供に授かつた仕事とは、決して同じでない。それだのに自分の思ふ通りのことを子供がしないからと言つて、その子供を馬鹿などと叱るやうでは、到底眞のお母さんになることは出來ないのであります。どうか子供の優れた所を見附けて、その優れた所を出來るだけ延ばすやうに務めて戴きたいのであります。

五

第三に、お母さんは家庭の中の太陽でなければならないのです。今日の日本では澤山の不良少年が出て居ます。その不良少年はどんな家庭から出るかと言ひますと、上流の家庭と下層の家庭から出るのが多いのです。眞中

の階級の家庭から不良少年の出ることは少ないのです。何故かと申しますと、上流の家庭ではお父さんもお母さんも能く外へ出て居つて子供を本當に可愛がる機會がない。子供は愛情を知らないで育つから色々な誘惑に負けるのです。下層の家庭も、日々の生活が忙がしいから、お父さんもお母さんも子供の面倒を見る暇がない。それで愛する機會がないから不良少年になり易いのであります。心から子供を愛してくれる母のあるとないとは、子供の一生涯の運命を決するのです。母親が子供を心から愛するといふことは、本當に大切な務めであるといふことを心掛けて居ないと、その家庭からとんでもない悲劇が起るのであります。

私の聽いた話でありますが、或所に非常な放蕩息子が居りました。さうして親が忠告しても從ひませぬ。親類の人々が色々言ひ聞かせても聞きませぬ。そこで親族會議を開いて、大勢の人々が寄つて、愈々その子供を勘當することにして、其處に集つた人達がその勘當狀に記名捺印することになつた。愈々名前を書くことになつて父親が筆を取上げますと、今までじつと我慢をして居た母親が、いきなりその父親の手にすがつて泣出したのです。どうかあの子を勘當しないで置いて下さい。私は假令自分の財産を殘らずあの子に費ひ果されても、あの子を他人にしたくありませぬ。私はあの子の爲ならば、乞食になつても構ひませぬから、どうか勘當しないで下さいと母親が父親の手に取すがつて泣出したのです。その放蕩息子は、自分の身の上が、今日はどうなるかと心配して家に居つたのですが、お母さんの泣出した聲が手に取るやうに聞えて、あの子の爲には乞食になつても構ひませぬと言ひ出したので、自分の今までの迷ひが、夢の醒めたやうに醒めたのです。母親があれ程までに自分を愛してくれて居るのに、自分が母の愛に背いたのは、何たる不孝であつたかといふことを悟つて、その場を駈出して來て母の膝に取すがつて、お母さん安心して下さい。僕は今日から眞面目になつて決して心配をかけませぬ、と叫んだのであります。卽ち母親の心からなる愛が、死なんとする魂をも蘇生さす力を持つて居るのであります。それ程母の力は偉大なのであります。迷うて行く子供を呼戻す力があります。親でありながら、その子を勘當しなければ始末が出來ないといふやうなことでは、親の心の何處かに缺點があるのです。あなた方お母さんは眞劍な心持で、子供を愛して戴きたいのであります。

私は北國の寒い國に生れました。だから冬は氷に鎖されます。その氷が冷たく堅くなつて、豨骨でも中々破れない。その冷たく堅くなつた氷でも一度太陽が照り輝き

ますと、自然に溫められ解かされて、淸き水になつて流れて行くのです。それと同じやうに氷のやうに冷たく堅くなつた人の心でも、太陽のやうに、熱烈な、そして依怙贔屓のない、眞實の心を有つてその子供さんを愛して戴きたい。太陽のやうに、その子供さんを溫めて戴きたい。太陽の草木に生命を與ふる如く、その子供さんの魂をそだてゝ戴きたい。家庭に太陽の如き母親を有する子供は、將來は偉人となり英雄となつて、我が國家を支へて行くのであります。日本の國家の將來が盛になると否とは、あなた方の如きお母さんの愛情の力に俟つ所大なるものがあります。どうぞお母樣方は、己れの尊き務を考へられて十分御自重下さるやうに、私はこれを心から祈りまして、私の御挨拶を終る次第であります。

第十回全東京乳幼兒審査會表彰式

祝辭

子は國の寶であります、子寶の多いことは一家の繁榮でありますと同時に又國家の繁榮であります、我國は年々出生超過約百萬を數へ、その增殖率は世界列國に優位を占めてをります、この旺盛なる人口增加の勢は正に躍進日本の姿そのものであると信じます。

我國は今、大陸に兵を進め連戰連勝しつゝある所以のものも固より御稜威の下、勇猛果敢なる皇軍の奮鬪の賜でありますが、一面また後方にこの優勢なる子寶軍が控へて居なくては、到底確信を以て長期抗戰を繼續することは出來ないのであります。

然るに飜つて思ふに、我國はその出生率に比例して死亡率の多いことも亦世界に多く類を見ないのであります、而も其死亡數の半數に近きものが五歲未滿の嬰兒であることも、惜みても尙ほ餘りある現象でありまして、我國民の平均壽命が歐米人のそれに比し著しく劣つてゐることも、亦天壽に背いて散る薄命なる少年兒童の多きに因るものと云ふべく、人道上且經濟上洵に看過し難き重大問題であります。

我民族は今や世界の一大民族として亞細亞再建の大業を目指して勇往邁進しつゝある途上、速にこの少年兒童體位の向上を計り、精神的にも、肉體的にも健全なる國民を作り、國民として各々其天壽を完からしめることこそ實に緊急の國策と云はねばなりません。

本聯盟が曩に思ひを爰に致し天下に率先して「愛せよ、敬せよ、強く育てよ」をモツトーとする育兒の指導と優良兒童の保護獎勵に專念され、本日は特に優良兒童の爲に表彰式を擧ぐることは私の最も快心とする所であります、私は茲に優良兒童として表彰の光榮を擔はれたるお母樣達に對し、衷心よりの感謝と敬意との捧げますと共に、そのお子樣達も亦必ずや將來國家の中堅たり得ることを信じ且祈るものであります。

これを以つて祝辭と致します。

昭和十三年十一月十四日

全東京乳幼兒審査會名譽會長
遞信大臣　永井柳太郎

第十六回全大阪乳幼兒審査會表彰式

會長告辭

本日茲に第十六回あかんぼ審査會表彰式を擧行するに方りまして會長として一言御挨拶を申上ます。

本審査會も年々隆盛に向ひまして、殊に本年の申込數は六千四百六十七名の多數に上りましたが、內約四千百六十五名は限られた審査能力の都合上、止むなく御斷り申さなければならなかつた樣な盛況でありました事は、洵に慶びに堪へない次第であります。

御承知の通り、今や我國は東亞の新秩序建設に邁進しつゝあるのでありますが、事變勃發以來多數の壯丁を戰線に送りましたので、此の間に於ける出產率の低下は勿論、之に伴ふ二十年後の壯丁の體位が、當然量的にも質的にも低下するであらうと云ふ事は、今日より已に豫想されるのであります。

此の秋に當りまして、將來日本を背負つて立つ所のあかんぼの體位向上に一層留意する事は、誠に緊要なる事と信ずる次第であります。

扨て本年に於ける審査の結果を觀まするに、審査總數三千三百二名中發育の最も優良なる者百八十六名、優良なる者四百三十三名、佳良なる者八百十九名、發育普通なる者千八百六十四名となつて居りまして、發育佳良以上の御子樣達が千四百三十八名で總數約四割强に當り、之を昨年の成績に比較しますれば稍々低下して居ることが分つたのであります。かういふ傾向の中にも拘らず皆樣の御子樣達が良好なる發育を遂げられました事は、天賦の體質による事は勿論、御兩親不斷の御注意と御努力の賜であると深く信じ滿腔の祝意を表する次第であります。就きましては大阪市は本會の乳幼兒保護に寄與せられつゝある功績を讃へ、尙又益々育兒思想の普及向上に資する意味の下に優良章を寄贈されたので、本會は之を今回の審査會に於て最優良兒と認められました中で、更に優秀なる男女各二十名の御子樣達に御頒ちする事に致したのであります、子は家の寶と申しますが實にあかんぼは國の寶であります。

本日表彰せられました皆樣に於かせられましては此の名譽を永く保持されまして、圓滿なる御發育に尙一層の御努力を致されますことを切に希望する次第であります。

一言簡單乍ら御挨拶と致します。

昭和十三年十二月五日

全大阪乳幼兒審査會
會長　大阪市長　坂間棟治

第十回全東京乳幼兒審査會表彰式

祝辭

本日、茲に日本兒童愛護聯盟が嚮に當店に於て催されました第十回全東京乳幼兒審査會の結果を發表され、その榮ある表彰式を擧行されますに當りまして會場高島屋側と致しまして、列席の榮を得ました事は誠に光榮に存ずる次第であります。

申す迄もなく、子はこの世の寶、とりわけ茲にお集りの赤ちゃん方は何れも嚴密な審査の結果、立派な先生方から優秀であると折紙を付けられました方々許りで親御樣のお喜びは勿論のこと、この非常時局に將來色々の意味で國家を双肩に荷つていたゞかねばならぬ方々でありまして、我々も衷心よりお祝ひ申上げると共に、親御樣方に今日の榮譽を末長く保たれて立派な第二の國民として恥かしからぬやう御養育遊ばされます事を特に御願申上げる次第で御座います。

時局は、今や愈々重大、既に廣東潰え、漢口落ち、長期建設の輝かしい、スタートが切られやうとして、銃後國民の更に一層の奮勵の望まれ居る時、このお目度い而も時局に最も意義深い表彰式の擧行されます事は、邦家の爲め、洵に、洵に御同慶に堪えない次第であります。

茲に一言、簡單乍らお祝ひの言葉を申述べる次第であります。

昭和十三年十月三十日

高島屋支配人　小瀬竹松

始めて出版された人生記錄帖

わが家の記錄

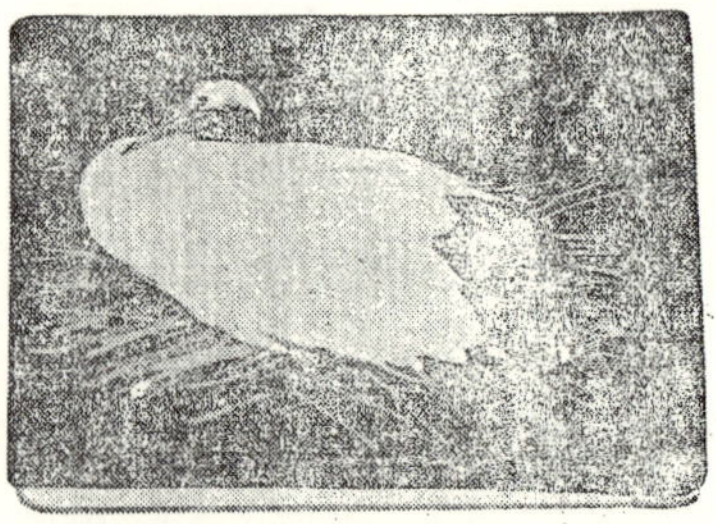

—結婚御祝品として最適—

結婚を礎石とし、家庭生活を柱として築かれゆく人生の記錄を、寫眞や記事により巨細に綴りゆき一家の歴史を完成するための貴重な記錄帖です。

四六四倍判橫綴(竪約九寸、橫約一尺三寸)百二頁
表紙裝釘—川端龍子先生筆 龍村製織所別織
各頁に樋口富麻呂先生の美麗な飾畫入

(桐箱入) 定價 十八圓

大阪高麗橋 三越 四階 圖書部

審査報告

醫學博士 中鉢不二郎

本日此處に御丈夫そうな立派な多くのお子様方を拜見することは眞に喜しいことであります。此處にお出でのお子さん達は過日の審査の日から後大した故障もなく、よく發育なされた方ばかりの様に見受けられます。中には其後思ひがけぬ病氣などで發育の悪くなつた方も少數にはあることゝ存じます。

審査當日に於きましては其當時の狀態に於て幾分の區別をつけましたが、大體に於ては皆よいお子さんでありましたので、普通兒と致しました方でも御近所の子供さんよりは良い發育の方も多いことゝ思ひます。私共はお子さんの狀態と其お母様の狀態とを見比べて、より健康そうなお子さんを優良兒と致しました。左樣御承知を願ひます。

次に此席に於て少しばかりお話申上げて置きたいことがありますのでついでに申上げます。それは今此處にお見受けする良いお子さん達を立派な體の青年子女に迄育て上げて戴きたいと云ふことであります。之が今日銃後の皆樣の大切な務めであると思ひます。此務めを完ふ致します目標はと申しますと、身心共に良發育を必要とすること勿論ではありますが、先づ身體の發育を害せず良結果を得る爲には

一、重い下痢症にかゝらぬ事

一、二—三年迄の幼少の頃に百日咳や痲疹に罹らせない樣にすること

此二つが大切なことであります。

第一の注意すべき下痢は、滿二年迄は乳の外に與へる食物を大人と別に軟かにつくつてやると云ふことで豫防することが出來ます。それは子供は滿二年頃になつて始めて齒が揃ふのでありますからそれ迄は、月數に應じて奥齒の生へぬ間は、嚙まなくてもよい形のものにするとか、奥齒が出れば少しは嚙むものを與へるが分量を加減するとかするのであります。然し食物の種類としては野菜、穀類、魚類、肉類など皆材料を取りまぜて與へることが體を健かにするに必要なことであります。

第二に注意すべき百日咳及痲疹は二—三年迄殊に一年迄に罹患する時は非常に危險であります。然るに多くのお母さん方は痲疹の方は恐がるが百日咳の方は發熱しない爲か又は大きな子供は死ぬ者が殆んどない爲か、存外恐がることが少い樣であります。之は大變な間違で小さい子供には非常に恐いもので、死亡するものが二—三割もあり、死なず共子供が非常に虚弱になるものが多いのであります。如何にしても出來るだけ之等の豫防をせねばなりません。以上申しました事は今日以後お子さんを丈夫に育てる上の要諦であります。之を以て私の報告を兼ねて皆樣へのおみやげと致します。

感謝狀

醫學博士 酒井幹夫殿
醫學博士 谷口清一殿
醫學博士 肥爪貫三郎殿
醫學博士 原田龍夫殿
(各通)

今般第十六回全大阪乳幼兒審査會表彰式ヲ擧行スルニ當リ本聯盟ガ全國ニ魁ケテ創案實施セル乳幼兒審査會ヲ開始以來多年ニ亘リ貴下ガ例年本會審査委員トシテ熱誠盡瘁サレタル功ニ對シ記念品ヲ贈呈シ聊感謝ノ意ヲ表ス

昭和十三年十二月五日

日本兒童愛護聯盟名譽會長
全大阪乳幼兒審査會總裁
遞信大臣 永井柳太郎 印

全大阪乳幼兒審査會會長
大阪市長 坂間棟治 印

大阪都市協會

皇軍鄉土部隊感謝慰問雜誌特輯號

銃後大阪の赤ん坊（課題）

—勇士の愛兒は優良兒—

伊藤悌二

新東亞建設の爲めに、限りなき勞苦も物ともされず、亦幾多の犧牲を拂つて正義の戰を戰つて下さる、我が忠勇無双の將士の方々に滿腔の感謝を披瀝すると共に、此の度の聖い大阪都市協會の企てに心からなる贊意を表し、幾山河を越えて、戰場にある皆樣に喜ばしい御報告を申上げたいと存じます。

子供は民族發展の原動力であります、此の點から長期建設なるものは、赤ん坊から出直さなければならぬと思ひます、皆樣御承知のやうに我が大阪は全國に魁けて兒童愛護を首唱し、赤ん坊審査會を創始してから十八年目、今年は其の第十六回を開催して、約四千人の赤ん坊の健康狀態を審査したのであります。

今年は特に陸軍省、海軍省の御協贊を得、木戶厚相を名譽總裁に、永井遞相を總裁に、池田知事を名譽會長に、亦例年のやうに坂間市長を會長に推戴し、皷旗堂々銃後に於ける優秀なる第二國民の意義ある育成運動を致したのであります。

皆樣どうか御喜び下さい、私共此の事業を始めて十七萬人以上の乳幼兒を審査したのですが、年々子供の健康が增進し、體力が向上してゆく事は、躍進日本の爲めに非常な力强さを感ずる次

第で御座います。殊に今年は東京でも、大阪でも光榮に輝く出征軍人の御愛兒が四百名以上づゝもあつた事です、私は每日會場の入口で、一々其の御母子の方々の誠にけなげにも御熱誠溢るゝ態度に接し、嬉し淚にくれたのです。それは勇士の御家族の方の誰れもが「此の兒の優良兒なる證明を頂いて、戰場にある父親に報告して喜ばして上げたい」、と異口同音に云はれる事であります、我が日本國民の世界無比なる强さを持つて居る源因は、實に此處にあるのではないかと信ずるのです、亦或御母さんは「此の子は父が出征して間も無く生れたので、此の子の優良兒の榮冠を獲得する事を、どんなに待つて居るか知れないと思ひます、どうか戰地の夫に好き便りをして上げたいものです」、と云はれました。

斯うした若き母性のある限り、我が大日本帝國は永久に萬々歲ではありませんか、戰場の勇士の皆樣どうか御喜び下さい、去る十二月五日の表彰式には我等の坂間市長御臨席の上、多數の勇士の御愛兒の方々が優良兒として表彰されたのであります。繰返して申上げます「長期建設は赤ん坊から」です、今の赤ん坊は二十年後には壯丁なのです、將來の日本、二十年後の日本を双肩にになつて立つ勇士達は、現在、慈愛豊かなる母性たちによつて立派に成育し、我が日本帝國の永遠の防人としての準備をなしつゝある事は實に力强い事であります。

皆樣どうか御喜び下さい、此の二三年來、赤ん坊審査會に參加さるゝ乳幼兒は、體重、身長、胸圍、頭圍等に於て從來の統計を優に凌ぐのが非常に多數で、大臣方や坂間會長を驚かして居ります。殊に第二の双葉山や玉錦にもなりさうな番外の赤ん坊もあつて、參觀の名士たちを喜ばせたのであります、兎に角我が大阪に於ては朝野の理解ある助勢により、年々乳幼兒の死亡率が減じ、煤煙の都市でありながら、珍らしくも多くの最優良兒を出して、銃後に於て萬丈の氣焰を吐いてる事は、誠に賴母しい事と存じ、以上の御報告を戰場の皆樣に申上ぐる次第で御座います。

銃後に於ける援護對策としての母子保護施設

大阪市社會部保護課

聖戰下に再び新春を迎へて、飛躍日本の雄姿を壽ぎ、新東亞建設の決意を新にするに際り、我々銃後國民の最も留念し、今後一層の努力精進を誓はんとするは一に援護の完璧を期するに在る。寒冷背を刺す戰場を馳驅する出征將士の勞苦を偲ぶと共に、家庭の中心無き遺家族の生活に些かの不安なかしめんとする努力こそ、銃後奉公の要諦でなければならない。

一

夫君を遠く戰線に送つて、家計維持の務めを双肩に擔ひ、雄々しく職業場裡に立つ婦人にとつて、大きな憂ひの種ともなるは、職業に從事の爲やゝともすれば疎かになり勝ちな子女の養育である。母親が留守居を守つて內職を始める場合、殊に家庭外に出て仕事に携はることゝなれば、今迄溫い翼下に育まれ來つた子女達の遠かに受ける影響は可成大なりと云はねばならない。母親の愛に代はる慈愛深き保育が特に銃後に於て必要とされる所以である。子女の養育のみでなく母親の纖細な手によつて支へられる生活の全てが力强い保護指導によつて安堵の域に置かれることを必要とする。動員一下、君國の爲一家の支柱を第一線に送る「名譽の家」には乳兒を背負ひ、幼兒を抱いて生活戰線に起つ婦人達も相當の數に上ることである。之等の人々を對象とする援護對策は、啻に物質的援護のみにとゞまらず、撓みなき精神的援護が要請せられる。不抑れな社會生活の前面に乘り出す遺家族婦人に對する細心の注意と力强い勵ましが間斷なく與へられなければならない。夫君の戰功を祈りその凱旋を待つ出征軍人家族より戰死者遺族に到つては尙更のことである。前者は待つあるの人であり、後者は歸らざるを弔ふ人である。一家の柱石と賴む夫を君國に捧げて幼き遺兒を守りつゝ、遠き我が兒の成長を唯一の望みとして、孤獨な生活の步みを一步一步踏み出す榮譽ある遺族の全き指導保護こそ銃後援護の大きな事業と云ひ得よう。

二

曩に母子保護の時代的要求に應へて生れ出た本市住吉

母子寮が、今次事變による戰死者遺族の母子生活者を容れ、銃後の護りに就いてから半歳、親が無くとも子供は新しい年を迎へて齢を加へ嬉々として健かな成育を遂げつゝある。寮内授產室でミシンを習ひ初めた母親達の技術も漸くにして幾らか収益を擧げ得る程度に達してゐる。遽かに起きた身邊の變化から受くる凡ゆる打撃の下に、挫けず拉げず起つ婦人達の前途には生涯を貫く新しい生活の設計が基礎付けられてゆく。毎月十五日を期して營まれる亡き勇士の慰靈祭も回を重ねること七度、靈前に祈る心も次第に落着きを得て、過去への追懐と共に將來の生活に對處する心構への確さを加へてゆくのである。

母子寮保育室に仲よく揃つた子供達

等しく名譽ある遺族の集團としての共同世帯が相互に心と心を結び付け、望みと望みを相連ねて渾然一體となる所に母子寮の本領がなければならない。和は力である。境遇を同じくする人の固き結び付きこそ大きな慰安であり、強き激勵である。滅私、君國に殉じた忠魂の見守る所、母と子の集團生活には遺兒の父君に劣らざる立派な成人を期待する切々たる母の氣概と念願が脈々として相交流するのである。

英靈安かれと祈る母子の集ひ（毎月十五日執行の母子寮慰靈祭）

三

母子寮に在る戰死者遺族達は年若くその遺兒達は極めて幼少である。今試みに現在々寮の子女達の年齢を示せば次の如くである。

年齢別	幼兒數
滿一才未滿	五名
滿二才〃	六名
滿三才〃	一二名
滿四才〃	五名
滿五才〃	二名
滿六才〃	六名
滿七才〃	二名
滿八才〃	三名
滿九才〃	—
滿十才〃	二名
滿十一才〃	二名
滿十二才〃	一名
滿十三才〃	一名
計	四七名

遺兒の成育を第一の目標とする母子の生活指導は、一時的のものでなく長期に渉つて突き進まねばならぬ苦難に備へて、確固たる不拔の精神力と自ら恃むに足る生活力の涵養に在る。今、母親達が當面せる問題は現在の問題といふよりは長い生涯を通じての問題である。差當りの生活よりも長きに渉る生活を考へねばならないのである。將來に備ふる「腕」をつくりたいといふのが母親達の切なる願望である。さり乍らこの願望も子供と寸時も離れ度くない、出來れば傍において爲し得る仕事でありたいといふ幼兒を持つた母親らしい條件附きである。授產室で孜々としてミシン仕事にいそしむ母の腦裡にさへ常に保育室で戯れる子供の姿が去來する、遲々たる技倆の進歩にも未來に強く生きんとする意力が現在のこよなき情愛を克服する苦痛の刻み込まれてゐることを知らねばならない。

戰死者遺族の適正なる生活指導と健全なる遺兒養育の二大使命を擔つた銃後施設としての母子寮は母と母、子と子の聯繫によつて孤獨と不安の境涯から團欒と安心の境地に立て、靖國の加護の下、正しく淨く明かな前途の生活構成に一段の努力を期してゐるのである。

感謝狀

伊藤千太郎殿
ネツスル及アングロスキス煉乳會社殿
乾卯食料品株式會社殿
伊藤英夫殿
（各通）

今般第十六回全大阪乳幼兒審査會表彰式ヲ擧行スルニ當リ本聯盟ガ全國ニ魁ケテ兒童愛護ノ首唱實施以來貴下ガ多年ニ亘リ聯盟ノ基礎確立ノ爲メニ熱誠盡瘁サレタル功ニ對シ記念品ヲ贈呈シ聊感謝ノ意ヲ表ス

昭和十三年十二月五日

日本兒童愛護聯盟名譽會長
全大阪乳幼兒審査會總裁
遞信大臣　永井柳太郎 印
全大阪乳幼兒審査會會長
大阪市長　坂間棟治 印

時局下に於ける榮養問題 (三)

厚生省衛生局長　林　信夫

時局極めて重大であつて各自が全能力を擧げて御奉公を申し上げ、場合によつては內地の我々も隨分無理をしても働き通さねばならぬ戰時體制下にあつてこそ、榮養の合理化を計ることは一層の重要さを持つ問題であるのであります。

（ハ）榮養と時局＝榮養が如何に吾々の健康に重大なる關係を有するか、殊に戰時に於て食糧問題が如何に大切であるか、これを世界大戰の實際について申上げて見たいのであります。

大戰勃發の當初、食糧問題については、獨逸では（1）戰爭が數ケ月ですむと豫定し（2）且つ海外より輸入出來ることを豫定し、又英國でも（1）戰爭は短期に終るだらう（2）我が優勢なる海軍力を持つてすれば海外より充分の供給を受けることが出來るだらうと考へてゐたのであります。ところが戰局が停滯して、國民の持久力が戰勝の鍵であると云ふことに氣付いてからは、兩國共相手國の糧道を封鎖する戰術をとるやうになり、英國は先づその有力な海軍で、獨逸の海岸を封鎖し、もつて獨墺の饑餓するのを待つたのであります。ところが獨逸は又ダータネス海峽を閉鎖して食糧の寶庫南ロシヤの糧道を絶ち且つ潛水艦によつて輸送の妨害をして、英國をして殆んど餓死せしむるに至らしめたのであります。けれども英海軍の制海權は米國の參加によつて力を得て、終に獨逸をして對抗の能力を失はしめ、トライオンをして「獨逸は武器彈藥の不足によつて敗れたのではなくて、食糧の缺乏によつて破れ去つたのである」と云はしめたのであります。事實獨逸は戰爭の終りにロシヤの肥沃な黑土帶ウクライナの奪取を企てたのも、全く食糧の爲であつたと云はれて居ります。戰前モルトケ將軍は「戰はずして獨逸を滅亡せしめんとすれば、獨逸の農業を失敗に歸せしめよ」との警句を吐いたと云ふことでありますが、その通りになつたのであります。

戰時中英國も獨逸も、或は食品の價格を公定し、食糧消費の節約のためには家畜にはパンの原料たる小麥を加へることを禁じ、パンの製造にはパン粉の他にジャガ薯を入れることを强制しましたが、それでも追付かず、終に食糧切符制度をとつて、一人の消費量を極度に制限したのであります。然しお互ひ人間が身體を維持し活動するには自ら一定の熱量が必要である。然るに獨逸では長時獨逸人の平均攝取量三、六四二カロリーを示したものが、一九一六年には都市に於ける一日一人の配當量は、一、三四四カロリーに、更に一九一七年五月食糧難の頂點に達した時には一、〇〇〇カロリーにまで低下するに至りました。

又食糧は單に全熱量のみではその適否を判斷し得るものではなくて、總カロリー中に含まれる含水炭素、脂肪、殊に蛋白質の含有割合が極めて大切であり、ヴイタミンの有無は勿論重要であります。

然るにかくの如く食糧が減り且つその含有割合等も充分に考へることが出來ませんでしたため、國民の體力は著しく衰へ、發育不全を招き、病毒に對する抵抗力は減少して結核、胃腸病はその罹病率が著しく高くなり、姙娠の早產、流產の增加は勿論、月經は止り、產後の乳は出なくなり、戰線の軍隊も亦苦しい粗食に陥り、戰鬪力は減殺せられ、士氣振はず、終に崩解を見るに至つたのであると云はれて居ります。

事實大戰中ウイーン市の小兒の死亡數は、戰前の約倍となり、（一九一四—一八七〇　一九一八—四、四三七）結核死亡者は戰前の二倍半（一九一四—一〇〇％　一九一八—二七九・六）にも增加してゐるのであります。

榮養如何が國民の健康に如何に重大であるかを知るものは此次事變下にあつて、我々が食糧について平時と變らぬ生活の出來てゐる事は何としても有り難い極みであると共に、寸時も食物を大切にすることを忘れてはならないと思ふのであります。

更に現在の榮養條件が如何に將來に影響するか、之れを吾國徵兵檢査の實際に見るに、岩手縣は從來壯丁の合格率に於ては常に上位を占めて居るのでありますが、時々非常に不成績のことがあるのであります。その不成績はいつも凶作年前後に生れた壯丁の受驗の時であると云はれて居ります。母性の榮養が出生兒に及ぼす影響の重大なことを知る事が出來ると思ふのであります。英國では一九〇三年の募兵に際し五人中三人迄が不合格であつたので、時の募兵司令官「モーリス少將」は「かくの如く虛弱者が多くなつては大英帝國の運命も最早や決つた」と叫んだそうですがこの事が原動力となつて英國では學校給食の法令が制言せらるゝに至つたと云ふことであります。

私は先に我國民の健康狀態を說明して、乳兒の死亡率が世界の最高であり、かつその死亡の原因の第一は先天的弱質である、下痢腸炎によるもの又多きことを述べたのでありますが、母の榮養の如何に重大であるかを痛感するのであります。世の母性よ、戰線に於て銃とるのみが御奉公ではない、その銃とる勇士を育て上げる重い任務をもつて居る母性、殊に姙婦は、自分の健康に留意し充分な榮養を攝つて以つて胎兒の健康をはぐくみ、產れ出た兒への授乳が充分出來るやうにしたらば、我國乳兒の死亡率は減少し、幾百萬の勇士が出來、平時に於ては國家發展の原動力を作り上ることが出來て、正に戰線の勇士にも比すべき御奉公となるのでありまして、御互ひにその職分に從つて御奉公をする精神を持ち度いものであります。

四、榮養對策

然らば如何にしてその大切な榮養を攝取するか、

先づ第一に先にも述べた樣に、人間にはその身體を維持するに必要なカロリー卽ち必要榮養標準があるからその標準を確立、次にその必要なる榮養を攝るために各種の食品について、その各々の榮養價を明にし、その調理法を研究し、その組合せによつて、いつ如何なる場合にも健康維持に支障なき食糧を供給し得るやうに用意しなければなりません。幸ひにも我國では國立榮養研究所に於て、日本人の標準を定め（成年男子二、四〇〇カロリー八〇グラム蛋白質）又十年の日子を費して千數百種の食物についてその榮養價を究明し、今その調理法を研究せられて居るのであります、今これ等の內容について一々御話する暇もありませんが、只一つ我國民の重要食糧たる米について申し上げねばなりません。

（イ）　七分搗胚芽米＝御承知の通り各位の協力に依つて行つた去る五月の全國健康週間に當り、政府は全國に向つて白米食を廢めて胚芽米乃至七分搗米を食べる樣に宣傳奬勵したのであります。幸ひに此の運動は婦人團體の熱心なる協力と、一般の支援の下に相當國民の間に浸潤し、旣に數府縣に於ては米穀商の申合せによつて白米賣を止めるに至り、本府亦白米をやめるやうになられた事は予等關係者の欣快措く能はざるところであります。

由來我國民は玄米を食べて居た樣でありますが、德川の中期頃風味嗜好等、味覺感覺に支配せられて米を白くするやうになつて所謂「江戶わづらひ」卽ち白米病を見るに至つたやうであります。御承知の樣に米は其の精白度の進むに從つて皮質部を除かれ、胚芽亦脫落しかくて

緊要な成分殊にビタミンBが失はれ、所謂白米病殊に脚氣の原因となるのであります。從前日本には非常に脚氣患者が多く、殊に軍隊にあつても、日淸戰爭では三一、九八二名、日露戰爭では一六一、九五四名も出して居るのであります。故島薗博士は丁度日露戰爭中に大學を卒業せられ、直ちに陸軍病院に於て診療に從事せられましたが、その實狀を見るに及んで脚氣の研究を畢生の事業とせられ、終にビタミンB缺乏食の結果たることを明かにし、ビタミンを失はしめる白米食を止めて半搗米を可とせられましたが、人々が白米を食べる習慣から容易に脫し難き難點あるを見て、更に精白度を進めたから一定分量の胚芽を殘す場合に於てはビタミンB缺乏に陷ることによつて胚芽米を世に進めらるゝに至つたのであります。かくて軍隊にあつても從前千人につき一日約一人の患者を見たものが白米を止めるに至つて日獨戰爭シベリヤ出征にも一萬人に一人もない位になつたのであつて、今度の日支事變に於ても極めて少いと云ふ事であります。

更に又白米と胚芽米又は七分搗米とを比較して見ますと、色々な點で白米は劣つて居るのであります。

今ビタミンについて七分搗胚芽米と白米とを比較して見ますと、例へば一日三合三勺の白米を食べる人は、同量の七分搗米を食べる人がその七分搗米からとるだけのビタミンを攝る爲めには各々牛乳一升一合、キャベツ七五七匁、海苔五〇枚、玉子十九個、牛肉三五二匁を食べなければならぬのであります。經濟もさることながら、胃袋もたまつたものではありません。私共七分搗を食べなれて居る者には、白い御飯は水くさいのでありますが中には何でも御飯はおいしい白米を食べてその足らぬところは副食物で補へばよいぢやないかと云はれる方もありますが、そんな事は國民の或る階級の方々には出來ましやうが、諸君我々國民の多くは左樣に充分な副食物を攝り得る階級ではありません。中には御飯さへ充分に攝り兼ねる人々も少くないのであります。眞に國民一般の榮養を考へますものには到底贊成することの出來ぬ話であります。

たゞこゝに注意して置き度いことは世間では胚芽米の方がよいのだ、七分搗米の方がよいのだと色々な議論がありますが、私の意見としては次の樣に考へて居ります。

米の胚芽は、米食者にとつては無くてはならぬビタミンを多量に含んだ重要なものでありますから、出來る限り多く胚芽を殘すやう搗き上げねばなりません。搗き方の工夫によつては胚芽を殘すこともさして困難でないのであります。然し何と申しても精白度の進むに從つて殘

當量は減つてゆきますし傷つけられますから、胚芽を落さない樣にして精白度を少くして七分の程度に止めますれば、より完全に多くの胚芽を殘すことが出來ます。加之糠の部分も多量のビタミンを多く含んで居るのでありまして、此點から申せばかやうにした七分搗は胚芽米より一層榮養的であります、又胚芽米にしても一定量以上胚芽を含んで居ないといけないのでありますから、結論して申上げると胚芽は出來る限り搗き方に工夫して之れを落さない樣にして七分に搗き上げたものが榮養の上からも吸收の上からも味覺の上からも支障がない。然し食物問題は理性の問題であると共に感情の問題であり味覺の問題であるからたゞ永い間白米を食べて來た習慣から一度に七分搗に入りにくい人は、やゝ白い胚芽米から入りなさい、然し又我々の正しき理性の手が感情を統御するのが人間生活の他と異なる點であり、嗜好も亦習慣と教養によつて是正されてゆくものでありますから、一層榮養を重んずる人は私の申す七分搗胚芽米に進んで頂き度いのみならず發育促進性B2は少ない乍ら胚芽にも糠にもあるのですからこの點にも七分搗胚芽米を御すゝめいたし度いのであります。と云ふことになるのであります。（未完）

聯盟創設満十九年と『子供の世紀』第十七巻の發行を祝し
併せて昭和十四年の新春を賀し奉る（到着順）

小兒科矢野醫院長
醫學博士
矢野雄
豊中市櫻塚七三
電話豊中二一〇三番

株式會社
三越專務取締役
北田內藏司
東京市日本橋區室町
株式會社 三越

有馬研究所
打出濱 平林病院
醫學博士
平林肇
兵庫縣武庫郡精道村
打出字一本松五番地

日本書家
吉田秋光
東京市澁谷區
向山町一〇二番地

東洋幼稚園長
岸邊福雄
東京市神田區
神保町二丁目十番地

東京女子高等師範學校教授
倉橋惣三
東京市中野區
千光前町一〇

出張賄專業
依田壯介
大阪市浪速區惠美須町
三丁目九十八番地

藥種貿易商
株式會社 里村商店
東京市日本橋區
本町三丁目九番地一

中野たに子
大阪市住吉區
晴明通二ノ二一

聯盟創設満十九年と『子供の世紀』第十七巻の發行を祝し
併せて昭和十四年の新春を賀し奉る（到着順）

小兒科專門
醫學博士
志摩次郎
和歌山市屋形町四ノ三
電話五八六番

小兒科專門
醫學博士
多田克己
名古屋市東區片端町
二丁目八番地

小兒科專門
醫學博士
大野內記
大阪市南區南綿屋町四七
電話南三二八番

日本書家
山川秀峯
東京市品川區
下大崎二ノ一八三

女性和歌雜誌『若菜』
主宰
今中楓溪
大阪府北河内郡枚方町
大字 楠葉
若菜短歌會

大阪市聯合婦人會副會長
河井やえ
大阪市東區森の宮
西の町五六〇番地

醫師
河野桃乃
神奈川縣茅ケ崎
南湖院

武藤千世子
兵庫縣武庫郡
住吉村觀音林

日本女子大學教授
生江孝之
東京市澁谷區
上智町二番地

聯盟創設満十九年と『子供の世紀』第十七巻の發行を祝し
併せて昭和十四年の新春を賀し奉る（到着順）

小兒科專門
醫學博士
酒井幹夫
大阪市東區高麗橋五丁目二十五番地

大阪市立刀根山病院長
醫學博士
太繩壽郎
大阪市外阪急沿線曾根

有馬研究所長
醫學博士
有馬賴吉
大阪市西淀川區海老江上一丁目五十七番地

高洲病院長
醫學博士
肥爪貫三郎
大阪市南區北桃谷町三五
高洲病院

菅沼小兒科醫院長
醫學博士
菅沼巖雄
大阪市東成區舍利寺町七十八番地

小兒科專門
醫學博士
松尾勇
大阪市西區西長堀南通二丁目一番地

伊吹八重子
東京市世田谷區三軒茶屋町四六

國司道輔
東京市目黑區柿ノ木坂二五二

會社員
宇井庸德
大阪市西淀川區佃町一、一〇一

聯盟創設満十九年と『子供の世紀』第十七巻の發行を祝し
併せて昭和十四年の新春を賀し奉る（到着順）

青木小兒科醫院長
醫學博士
青木市太郎
小樽市稲穂町東七ノ二五
電話二四五〇番

醫學博士
山本俊平
京都市左京區田中飛鳥井町七

北海道帝國大學醫學部小兒科醫長
醫學博士
永井一夫
札幌市南二條西十二丁目

東京市神田區駿河臺一ノ一
佐藤生活館
山下信義
靜岡縣田方郡函南村
聖農學園内

祈念
一、青年子女の遺傳學的優生結婚への自覺
二、我が國に母性と兒童保護の施設の完備
三、日本の全家庭に愛育精神の徹底的普及

コドモ愛育研究所
發育會
創立 教育勅語下賜四十周年記念
皇紀二千五百九十年紀元節
愛知縣碧海郡旭村大字鷺塚

小兒科專門
醫學博士
上村雄
西宮市今津字高潮
電話西宮一三四〇番

廣瀨小兒科醫院
廣瀨徹夫
青島鐵山路拾號

ワシミルク・ネツスル
ミルクフード
ネツスル及アングロ・スヰス
發賣元
煉乳會社
神戸市神戸區京町八十三番地

臺中州立圖書館長
細野浩三
臺中市公館一五一

聯盟創設満十九年と『子供の世紀』第十七巻の發行を祝し
併せて昭和十四年の新春を賀し奉る（到着順）

辯護士
堀川嘉夫
大阪市北區北森町
法律事務所
電話堀川四四番

小兒科專門治療
高橋新太郎
名古屋市東區上竪杉町五ノ一（カミタテスギマチ）

耳鼻科專門
醫師
瀨谷子之吉
東京市本郷區駒込林町四八

公衆衛生訪問婦協會
主任
保良せき
大阪市北區萬歳町四三番地
電話北七六五〇番

日本書家
林雲鳳
東京市本郷區駒込動坂町一一二二

芝浦スケートリンク
齒科醫師
飯田東一
靜岡縣伊東町松原

藥劑師
大平登美子
大阪市旭區森小路町六丁目九番地

西洋書家
西牧恭平
東京市世田ヶ谷區大原町一、二〇二番地

山崎治子
豊中市櫻井谷柴原八〇五

聯盟創設満十九年と『子供の世紀』第十七巻の發行を祝し
併せて昭和十四年の新春を賀し奉る（到着順）

大阪三越支店長
長瀨良直
大阪市東區高麗橋二丁目

小兒科專門
醫學博士
横田群三
豊中市岡町停留所前
電話豊中二五六七番

大阪市立扇町産院長
醫學博士
余田忠吾（ヨデン）
大阪市北區曾根崎中一丁目五七

助産婦
三宅コタミ
大阪市南區南炭屋町
電話南三〇五〇番

山口縣岩國町
町立圖書館長
森本壽一
山口縣岩國町

助産婦
山本フク
大阪市東區上本町一丁目二十一番地
電話東一二八二番

東京市
小石川區産婆會會長
風見すゞ
東京市小石川區關口臺町二六

東京市
小石川區産婆會副會長
藤原定
東京市小石川區原町三十一番地

趣味講演・童話
天野雉彦
東京市赤坂區青山南町五丁目六九

人を造れ（一）

奈良女高師教授　桑野久任

一

當今資源を言ふ場合、人的それと物的それと兩者並べ稱せられるのが常であるが、目下の時局即今の狀勢に於て最も緊急痛切に要求されるものは兩者のいづれであらうか。これは恐らく問ふだけが愚で、兩者の間に何等甲乙無しと考へるのが至當であらう。しかし「目下」とか「卽今」とか云ふやうな非常に局限された時の觀念に拘束されず、それを離れて考へるならば、人的資源のそれを遙かに超越することは論を待たない。前者は根本であり後者は末梢である。人は物を發見し物を創造し得るが物が人を見出し人を造出すことは斷じてあり得ない。だが何と云つても目下の時局、卽今の狀勢に於ては、これに對應して機宜の所置を誤らぬやう大いなる努力を要する。

先づ物的資源に就いては現存する物資を出來るだけ有効に利用するは勿論、進んで未だ顯れてゐない物資や、求めても有りさうなあてのないものに就いては、物に對する我等の知識である物資科學の威力をかりて捜索し發見し發明し創造し、持たざる國の惱みを克服し持つ國の强さを發揮し得る境地に到達するやう努めなければならない。

人的資源は一朝にして造られるものではないから、現存せる人物を出來るだけ有効に働かせる外はない。そこで學者技術家熟練工の總動員、政治家、經濟家、實業家の總動員、教育家、宗教家、藝術家の總動員、農工商の總動員、一言すれば國民全體の心身總動員が必要である。法令によるのでもなく布告にもとづくのでもなく、全く國民の發意から成る總動員が必要である。これ現代の戰爭が戰闘ばかりで勝負がきまらず、思想戰・宣傳戰・

産業戰、經濟戰一言すれば國力戰によつて最後の輪贏が決せられるからである。

以上はどこまでも「目下」「卽今」に處する心得であるが、これと同時に未來の畫策を閑却してはならない。「多忙に取紛れ」とか「目先に追はれて」とかの言分けはこの際禁物である。未來の畫策とは何か。二三十年乃至四五十年後のそれ、一言にして申さば國家百年の大計である。これは今から考へ今から立てゝ置かないと國家は危い。その一つは「人を造る」ことである。

二

宇内に比類の無い我が國體は千古を貫いて不變であり又不變であらせなければならぬ絶對のものであるが、國勢の隆昌は國民の實力の消長によつて左右さるゝことも亦爭ふべからざる定めである。若し我等の實力が他國民のそれに比して遜色なき時、我が國勢は他國のそれに比して遜色なきを得るであらう。又若し我等の實力が遙かに他國民のそれを凌駕する時、我が國勢は斷然他國のそれに優越し、萬邦の仰望する所となるであらう。かくてこそ天壤無窮の皇運を扶翼し奉つた効があり、臣民一同その慶福に浴すると同時に、皇軍六合に洽く皇德四海に敷き八紘一宇の大理想がこゝに始めて實現するであらう。養ふべきは國民の實力である。實力ある國民を養成することが國家百年の大計である。

三

實力ある國民は國家重要の資源である。この國家重要の資である人を造るには多くの歳月を要する。兵器軍械など如何に精巧を極めるものであつても、或は數十日或は數個月、長くとも晝夜工を急げば年餘にして完成されるが、これを操縱する將兵の教育に至つては數個年を費さなければものにならない。

人は胎内に生を受けてから生れるまでにざつと十個月、乳で養はれるのがほゞ一個年、乳を離れてから小學校に上るまでが約五個年、更に在學六個年、こゝでやつと國民としての教育を一通り畢へることになる。先天の素質はいろいろ違ひ、後天の環境も亦まちまちであるから、同樣の教育を受けながらも仕上つた姿はさまざまである。しかしいづれも日本人であり日本國民である。これは法律上から云ふのではない。戸籍面から云ふのでもない。人而そのものの實體が日本國民化されるからかく云ふのである。

だが世間に出るには猶一段の修業がいる。その後の道程は人每にさまざまであるが、苟くも一科一藝一業を修得していよいよ一人前になるまでには早くとも二十歳を過ぎる。渺たる五尺の人間がものになるまでには二十有

餘の歳月が流れる。これ二昔以上一世紀のほゞ四分の一我々の周圍に在る幾多の物件も大抵は廢物になり影も形も無くなつた時分である。人的資源が如何に大切であるかはこれだけでもわかる。況んやそれが有爲有能の人物たるに於てをや。又況んやそれが一團の先達であり、一黨の棟梁であり、一國の重鎭、一世の大指導者たるに於てをやだ。しかし今は時世が變つた。卓抜非凡の大人物を待望することは今も昔もかはりはないが、かゝる人の力だけでは仕事が出來なくなつた。英將も良卒を得なければ戰闘には勝てず、優秀技術も熟練工を得なければ工場は動かせない。如何にすぐれた指導者があつても國民の資質が良くなければ國家の實力は低下する。少類の穎才にひきまはされる大多數の凡才がこゝで重要な役割を演ずるのである。一口に言へば大衆が國家の重要な役割を果すのである。

大衆と云つてもこゝでは烏合のそれを指したのではない。統制された大衆、國民として統制されたそれを言つたのである。我國であれば、天皇を仰ぎ奉り滅私奉公の至誠に燃ゆる大衆である。かゝる大衆の實力がやがて國家の實力として發動するので、人的資源の重要なる所以は實にこゝに存する。

四

「數」は一つの力である。「量よりも質」とよく言はれる。一應これは最もであるが再應多數の力の偉大さが感得される。「學問は有力だと言はれるが無學も亦甚だ有力である」と嘆じた學者もある。善かれ惡しかれ「數」は一つの力である。机の上の塵は鼻息でも吹き飛ばされるが、塵積つて山となれば地球を吹き飛ばすほどの風でもなければ動かすことは出來ない。恐ろしきは多數の力であり賴もしきも亦多數の力である。

一時産兒制限と云ふことがやかましく言はれた。我國のやうな狹小な國土の上にかう殖えられては叶はない。物質は足らなくなる、生活は苦しくなる、就職は行詰る。國外に出れば排斥される。出ようとすれば先方からしめ出される。折角賣り擴めた商品までも、ボイコットされる。今のうち控目にしないと遠からず鼻をつく。そこで御苦勞樣にも海のあなたから某女史がはるばる産制の宣傳に來られた。これはペルリの來航と同樣、感謝すべきものやらすべからざるものやら考へさせられた。又同じ流れを酌む某氏夫妻が國內宣傳に躍起となられた、新聞や雜誌にもしかつめらしく論ぜられた。殊に婦人向きの雜誌には持つて來いの材料とおぼしくその廣告を見たゞけでも內容の賑やかさが察せられた。しかし期待ははづれた。産制は所期の方向には行かないで意外の方面に蔓

つてしまひ、も一つおまけに風紀を亂した。それかあらぬか某大都市の産制相談所は閉鎖を命ぜられた。

一體局限された國土の上に無暗に殖えられたら苦しくのは當然である。しかしかく殖えて行くのは苦しい環境にうち勝つてどしどし殖えて行くだけの實力があるからである。若し實力がそれに堪へなかつたらその時を限度として人口は減りはじめ、終に落着く所に落着いてしまふ。これが自然の調節で、人手でやるより無理が無く餘毒が少い。だから殖えるのは決して心配すべき事ではない。心配しなければならぬほど强い蕃殖力を持つてゐるなら、寧ろ夫は喜ぶべきことであり賴もしい事である。

若し物質が足らなくなつたら發見すればよい、創造すればよい。自然科學の効用知識の有難みはそこにある。それでも追付かなかつたらどんどん國外に出るまでのことである。苟くも心身共に强健である以上、世界いづこに行くも働く場所は見出される。――現に今日幾百かの人は濠洲の海底に眞珠を探り、何十かの船は南極の氷洋に鯨を狩つてゐる。――勿論惡戰苦闘は覺悟のまへでなければならない。

今や我々の同胞は壓迫されても排斥されてもしめ出されても、支那滿洲は云ふに及ばず南洋に濠洲にアメリカにアフリカに、天のきはみから地のはてまで、朽樹に喰ひ込む白蟻のやうに蔓こつてしまひ、世界の恐れとなつてゐる。

産兒制限喧しかりし頃、我等不敏にして世を警め人に告ぐる力がなかつたが、猶講壇上からは機會ある每にその有害無益を力說し、有緣の聽衆に警告しつゝ今日に及んでゐる。

然るに今はこうだ。何も戰爭のためとばかりは申さぬ。戰後の經營はどうなるか。東亞の振興、防共の堅壁、産業開發經濟、何一つ人手を要しないものはない。忙しい極みである。「猫の手も借りたい」と言はれるが猫では間に合はない。いるものは人の手である。日本人の手である。實力ある日本國民の手である。産兒制限どころではない。

生めよ殖やせよ强く育てよ

國家百年の大計のために。

「一國の最大資源は人口である。日本は天然資源が少いから貧乏國と云はれるが、我が國も同じ理由で貧乏國だと云はれてゐる。しかしこれはとんでもない間違ひだ。人間は鐵鑛より價値があり、多産の女は石油坑より貴重なものである。强壯な男女を持てる國はどうかして天然資源を見出し、その子孫を養つていくものだ」とはある持たざる國の人の話としてある雜誌に載せてあつた一節である。言ひまはしは亂暴であるが、それには一面どころかそれ以上の理窟があると思はれる。（未完）

金のたまる人たまらぬ人

「働けど働けどなほわがくらし樂にならざり凝と手を見る」と云ふ啄木の歌がある。時相を諷して實に好い歌だと思ふ。

然し啄木の謂ふ樂になるとは、一體どの邊の生活を云ふのであらうか。木綿物の小ザッパリした衣物に、七八十圓の家賃で、時には一寸した御馳走位を、パクつける程度の生活が心配なしに出來ればよいのか。不時の入用が出來て、家賃を其方へ流用した翌日、家主が來ても困るから、家だけは小さくても、自分のものが欲しい。また木綿物ばかりでも困る、人絹でもよいから一寸光つた物の一枚や二枚は入用だし、背廣の一着位はあつて欲しい、たまには洋食位――となると人間の生活も、何の邊が樂と云ふのか、差當り見當がつかぬ。

元來人間と云ふ奴は、年中ピイピイしてゐるのと、朝から晩まで金金と云つて、金をためることに夢中になつてゐるのと、生れながら二種族あるのではなからうか。その證據に、身代が四五十萬もあると云はれてゐる男が、食ふや食はずに、よい年をして汽車は三等寢臺車など勿體ないと云つてゐるのがあるかと思へば懷中に一圓と持つてもゐない癖に、ウエストミンスターでも燻しながら友人を誘つて燒鳥でもパクツキたいと云ふ先生あたりも仲々多い。

處でだ。此の三等寢臺氏になると、先生自身は食ふや食はずに、ピイピイ云つて、それこそ樂でない生活をして、一生懸命にためた金は、奴さん自身が何處へ持つて行く譯のものでなく、軈て、ニユツと出て來た倅にバタバタと費はれて仕舞ふのだ。謂はゞ此の倅は體の能い遺產相續稅である。

また燒鳥氏にしても、宅では女房も子供も、手を空けて首を長くして待つてゐるのに、玩具の土產の一つも持つて早く歸つて遣れば、どれだけ喜ばれるか分らないのだ。然るに此の燒鳥先生は、子供の事なんか一向に考へず、年中ブラブラしてゐる。酒のはずみで、自動車にでも、ドカンと遣られたら一體如何する。お父樣お父樣とあれ程慕つてゐた子供や、あなたあなたと、賴られてゐた若い女房なんか何んとして後の子供の始末をして行くのだらうか、思へば實に慄然たるものがある。

父として男の情けとして、時には生命保險位は考へてもよい。それには第一生命などは良い會社として推薦出來ると思ふ。

世界の醫學者が其の偉効を證明する
純正ラヂウム『ラヂオン療法』の完成
特に 神經痛・リウマチ・胃腸病・腹膜炎・肋膜炎・心臟病・高血壓・半身不隨〈に!!

ラヂオン療法創始者
長藤太先生

ラヂオン療法とは

治病に、保健に世界の醫學者が其の卓効を證明する純正ラヂウムにて作製せる『ラヂオン』は、ラヂウムのみが持つ特殊生理作用により驚異的治病力を最大限度に發揮して、萎縮、衰弱、硬化、變性した病的細胞に敏感に作用し、種々の疾患に驚くべき偉効あることが幾多名醫の臨床實驗及び一般體驗者によつて確認されるに至りました。

樣々の治療で何うしても治らぬ頑固な難症が『ラヂオン療法』で次々と見事に快癒して專門醫や一般實體者から多數の推奬や全快報告を頂き各方面に大好評を博して居ます。

これは從來の姑息な廻はりくどい治療と違ひ、純正ラヂウムの偉大な放射線が、どんな深部の病根にも直接に照射して、人體構成の根源たる體細胞に旺盛な生活力を與へ、病組織を細胞の根本から更生强化し、更に疼痛や炎症を除き、腫脹や潰瘍を癒し、代謝毒素を分解する等の偉効を發揮するからです

□五年間も苦しんだ神經痛に此の偉効!!

兵庫縣武庫郡精道村打出　奥村いく(63)樣

(前略)私の神經痛は五年以上にもなる頑固な病氣です。何んな治療をしても治らぬばかりか、齡と共に益々ひどくなりました。痛みの中心は腰ですが、時には手や足の節々まで痛くなり、殊に寒い冬や梅雨期には全く體の置き所もない程の苦しみでした。

ところが大阪に勤めてゐる倅がラヂオンを買つて來て與れましたので之れを使ひ始めますと、不思議な効果で、翌日から痛みが大變樂になり、まる三日經ちますとサシもの痛みがあさかたもなく拭ひ取つた樣に全快して一寸も再發しなくなりました。それで朝鮮に行つてゐる親類の所へ倅や、孫と一緒に、汽車や汽船の長い旅行までしましたが何ともなくお蔭樣で元氣で樂しい旅行が出來ました。

□生き地獄の思ひをした腹膜炎が見事に快癒!!

東京淺草東三筋町二九　牛越はま子樣

長い間、腹膜炎の難症に苦しみ、左下腹に圓い硬結が出來てお腹が烈しく痛んで身動きも出來ず、まるで生き地獄の苦しい思ひをしました。それに『あまり熱が高い故この硬結が化膿するかも知れぬが其時は手術をしなければならぬ』との診斷で、もう生きた心地はなく、焦れば焦る程病氣は重くなり、もう駄目かと惱んでをりました。此の時天の助けか、主人の知人からラヂオン療法の偉効を聞き、直ぐ取り寄せて治療を始めた處、驚くことには、今迄の烈しい痛みが次第に取れて二、三日の内に痛みを全然感じなくなりました。次いで硬結も消えて間もなく全快し元の丈夫な體になりました。

かうして私はラヂオンのお蔭で一命を助かりました許りでなく、なほ私は永年の月經痛と非常に頑固な便秘症で困つて居ましたのが、腹膜炎と一緒に月經痛や便秘症までも奇麗に治り斯んな嬉しい事はありません。

□慢性の胃腸病が忽ち治り稻の取り入れも出來ました!!

山形縣最上郡舟形村　長岡房江樣

私は胃腸病の爲に毎日悲しい日を過して居た者です。お粥を食べて少し仕事の眞似でもしますと、もう足が重く體がフラフラになりまるで青菜にお湯を掛けた樣になつてをりました。一日も早く全快し家族の人と同じ御飯を食べて働き、人手の少ない我家の手傳ひが出來る樣になりたいと思つても少しも快方に向はず本當に辛う御座居ました。

先月、東京にゐる兄(巡査)が御商會樣のラヂオンを買求めて送つて下さいましたのでこれを使用致しましたところ、一週間の間にズンズンと良くなり、二週間とたゝない内に稻こき機械もグングン運轉致す事が出來る樣になりました。私は嬉しくて嬉しくてたまりません。胃腸病が治り、フラフラも取れ、今は一生懸命に働いてをります。こんな力仕事をしては又病氣にならぬかと心配しましたが二週間たつても三週間すぎても、ラヂオンのお蔭で少しも再發せず、稻の取入れも無事に濟みました。何卒お喜び、御安心下さい。御商會樣と、ラヂオンを買つて下さいました兄夫婦とに厚く厚く感謝致してをります。

× × ×

『ラヂオン』の定價は、純正ラヂウム含有量により、第一號拾五圓、第二號參拾圓、第三號四拾五圓、基準型七拾五圓、特一號百五拾圓、特二號參百圓、特三號四百五拾圓、送料內地二十一錢、海外四十九錢。

(1)第一、二、三號は主に皮膚、筋肉、腹部、肺等の軟部組織の病氣や小兒の病氣に適す。

(2)特一、二、三號は主に頑固な病氣、硬部組織の病氣、又は醫家用に適します。

(3)基準型は兩者兼用として前記(1)にも(2)にも適し殆ど總ゆる病氣に使用出來ます。

發賣元、東京市芝區下高輪町五二番地、テーシー商會ラヂウム研究所振替東京一六三九八四番又は東京市小石川區音羽町『大日本雄辯會講談社代理部』振替東京六六二九番でお取次致します。

尚ハガキで申込次第『ラヂオン療法』の詳細な說明書『ラヂオン新療時代』を無代で進呈致します。

要救護家庭の日常生活と其の衞生狀態 (四)

慶應義塾大學醫學部病院
醫學博士(小兒科)　小川三郎
醫學士(產婦人科)　門口義六

九、出產異常

(第廿一表) 出產異常

流產		二七
早產		五
難產	母が難產なりと稱せしもの 一〇	二一
	陣痛微弱 五	
	假死 六	
死產		三
鉗子分娩		三

一見して流產が異常に多いと同時に出產に當つて難產假死等が相當多く、流產の如きは一〇一名の母親中二一名(二〇%)に見られ其の原因の何によるかは愼重に考慮を要する重大問題として、第五章の小兒死亡因の所で再論する。

十、父母の健康狀態

父八九名、母一〇〇名に就ての調査であるが、父八九名は來診不可能であつたゝめ問診によつて定めた。從つて詳細に檢診すれば恐らく、尙相當數の疾病が發見されるものと思ふ。

表に依つて男女を比較すると、父は母より疾病件數及び疾病者數が遙かに多く、約半數には何等かの疾病があることになる。疾病の種類から云ふと、花柳病が最も多く、次いで呼吸器系、消化器系、神經性疾患、循環器系等が多い。

猶茲に注意すべき事は此の花柳病に就ては嘗て黴毒、又は淋疾に罹患した事のある男性が甚だ多數で之は等閑視出來ない問題である。且余(小川)の經驗によれば此の階級の人々は經濟的且時間的不如意のためと無智と不道

徳のために花柳病の罹患を苦慮せず、萬一罹患した場合も之を醫學的に完全と認めるまで治療することなく中斷するのが普通であつて例へば黴毒の場合でも砒素劑の注射二—三回（合計〇・五—〇・六瓦）を行つて局所の硬結が去つてしまふと決して來院することなく放置するのが常である。であるから斯樣な人々が將來再び何等かの機會に發病することあるを憂ふるのであるが、從來左樣な患者を餘り診察した事のないのも又不思議である。

（第廿二表）　父母健康狀態統計表

（括弧內は經過せる病）

	男(父)	女(母)	計
皮膚泌尿器系			
黴毒	五(一一)	一	六
淋病	四(一八)	二(三)	六
腎臟疾患	一	二(一)	三
性病	〇(一)	|	|
膀胱炎	|	一	一
			一六
呼吸器系			
肺炎	二(一)	|	二
喘息	四	一	五
肋膜炎	三(三)	一(二)	四
其他	一	|	一
			一二
消化器系			
胃カタル	四	〇(五)	四
胃潰瘍	三	|	三
胃下垂	一	|	一
胃痙攣	|	一	一
			九
眼疾			
トラホーム	二	三	五
失明	|	一	一
翳膜炎	一	|	一
			七
神經性疾患			
神經痛	二	一	三
精神病	一	|	一
頭痛持	一	|	一
神經衰弱	一(一)	|	一
ヒステリー	|	一	一
			七
血液、循環器系			
貧血	|	一	一
心臟疾患	二	|	二
脚氣	二(一)	二(三)	四
			七
外科的疾患			
痔疾	三	三	六
脱肛	一	〇	一
			七
結核性疾患			
肺結核	二(一)	〇(一)	二
腹膜炎	|	〇(三)	〇
カリエス	〇(一)	|	〇
			二
婦人科疾患			
子宮頸管カタル	|	一	一
腰痛	|	一	一
其他子宮疾患	|	一(一)	一
			三
急性傳染病			
チフス	|	〇(三)	〇
僂麻質斯	一(一)	一	二
			二
虚弱	|	三	三
			三

	男	女	
疾病總件數	四七	二八	七五
疾病者數	四三	二五	父　八九
健常者數	四五	七五	母　一〇〇

第五章　小兒の狀態

小兒四〇九名の年齡別、性別、各世帶に於ける小兒數等は既に前章で述べたから以下小兒が乳幼期の榮養法、離乳法、現在の榮養狀態、健康狀態、死亡因統計等に就て述べて見る。

一、乳幼兒時代の榮養法

四七八名の小兒中、牛乳榮養三二名、母乳及び煉乳榮養一〇名、母乳及び牛乳榮養一〇名、母乳及び「米の粉」榮養二名で、其他は全部母乳榮養である。

從つて人工榮養兒が比較的多く、分けても煉乳、「米の粉」等を用ひて居る者が少からずあることが注目される。此の人工榮養の多いのは、出產時の母體の健康狀態にも關係するところが深いが、一面には誤つた育兒智識就中舊來の「言ひ傳へ」「隣人の淺薄な經驗に基く誤つた助言」等に從つて授乳を中止した者も可なりある。

例へば、此の附近の母親が持つ難問解決の場所は共同水栓のある處で、相互に「ニュース」を交換し合ふには絕好の機關であるが「良質物品の廉賣」や「他人の噂話の交換」といふ生命に責任のない話と、專門的智見を必要とする「育兒上の指示」とを混同するあげく、輕々しく素人診斷に從つて授乳を中止し、勝手に「〇〇ミルク」に變更したり、煉乳、粉乳、米の粉の類を全く「良い加減の稀釋度」で與へたりして居るものが殆どであつて、後述する小兒死亡因別表から推測するも、實に斯樣な階級の母親に對する育兒法の「正しい敎育」の必要を痛感せざるを得ない。

二、離乳法及び離乳時期

（第廿三表）　離乳法及び離乳時期

離乳の食餌	粥を與へてから	一二八
	直ちに米飯を與ふ	一三七
離乳の時期	一年以下	三一
	一年	五一
	一年半	一一四
	二年	五六
	次の子が出來る迄	五二

榮養法の中に離乳といふ重要な問題がある。離乳法では「乳から直ちに粥を與へる」といふのが愼重な部類の方で大多數は「乳から直ちに米飯を與へる」といふ大膽さである。此の事で痛感するのは、同じ東京市內であり乍ら斯樣に急速大膽な乳兒の食餌の變更をして居て然も後述する樣に、急性消化不良症で死亡する乳兒が思つたより少數であることは離乳期に見る重症消化不良症が必ずしも離乳期の食餌如何、又は氣候（高溫、高濕）といふ樣な條件のみによつて發生するものでないことを雄辯に物語つて居る。

次に離乳の時期であるが、之も甚だ不正確のもので、本邦の如きは其の始期と終期との間に一年以上も間隔がある。本表では粥を與へ始めた時を標準として計算したが、大體一年半前後が一番多く、一般に豫想して居た處よりは遲く、中には次の子が出來るまで授乳するといふ漫然とした授乳者も少くない。

三、小兒榮養狀態

（第廿四表）　小兒榮養狀態

榮養の可否	乳幼兒	學童	小學卒業以上	計
上	二四	一五	一一	五〇
中　上	六	四	二	一二
中　中	五八	八二	一五	一五五
中　下	二四	三四	二	六〇
下	一七	二一	四	四二
計	一二九	一五六	三四	三一九

一般に評して榮養狀態は「中の下」即ち餘り良くない者が多く、年齡的には幼少な者の方が稍々不良の傾向があり、顏色蒼白のものも甚だ多い。

此の小兒の榮養狀態に關聯して考へねばならない事は、要救護階級の「缺食兒童」の問題であるが、余等の調査材料である各世帶の小兒は皆、各自の家庭又は當醫療部のある「セトルメント」給食部で相當に食事を與へられて居るから、榮養不良の原因として食品の量の不足から由來するものとは思はれない、從つて原因的に考慮すべき條項としては寧ろ乳兒の母乳不足、離乳方法の非合理、食品就中種類（要素成分）の不足、非衛生的住居等の不良性に歸着する點が多分にあると思はれる。（未完）

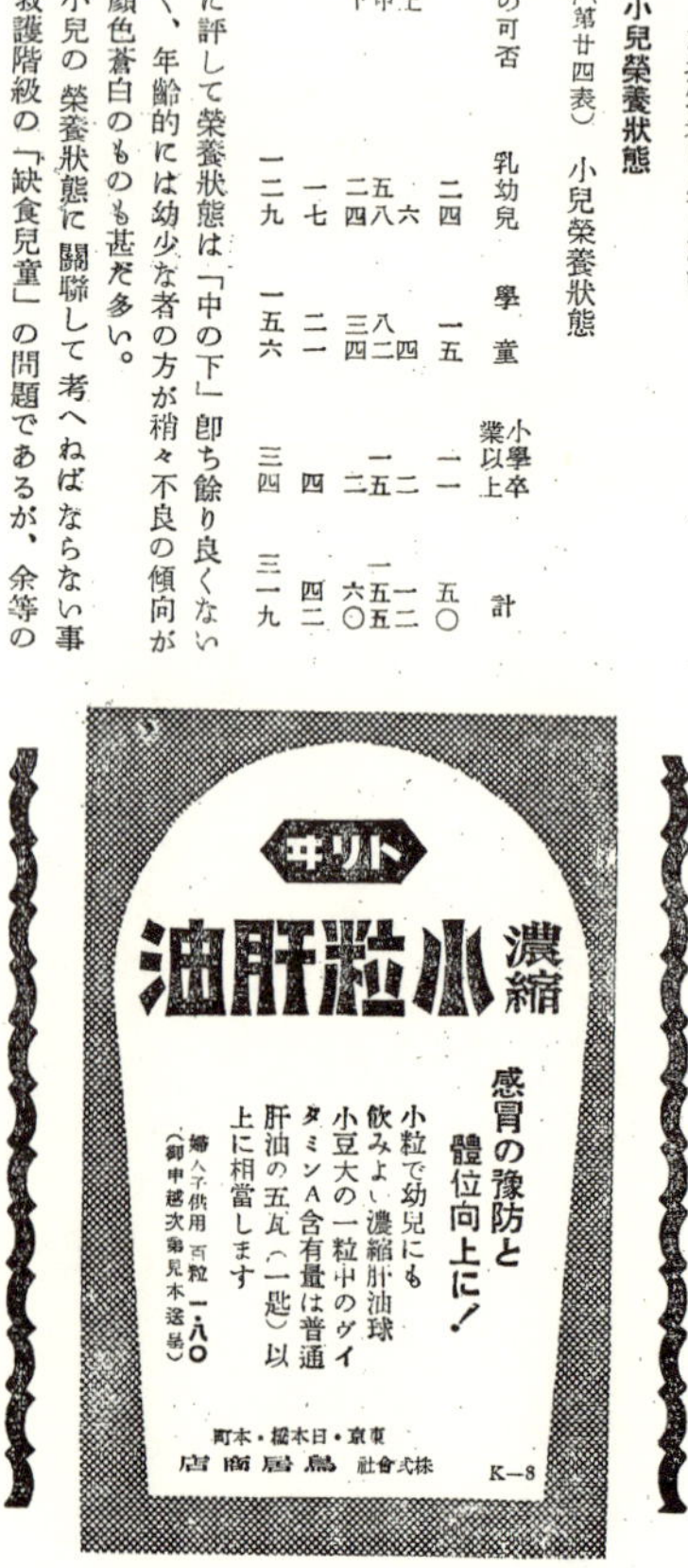

胎教に就いて（八）

文學博士　下田次郎

娯樂嗜好も上品なものを適度に取ることは良いのであります。優美なる音樂を聽き、又自らも緊張せぬ程度で唱歌をしたり奏樂することは、精神を快活にし、しばし理想の境に我れを逍遙せしめるもので結構であります。花卉を賞でて、人界以外に自然の美を樂しむことも好いことであります。しかし嗜好に偏して、これに溺れたり餘り歡樂を追ふこと急にして刺戟の强いものに、滿足を見出さうとすることは避けねばなりません。

演劇、寄席、活動寫眞の如きも、卑猥、殘酷なるもの悲哀に過ぎるもの、肉感的、挑發的にして感情を激動せしめるものはすべてこれを避けねばなりません。沖縄では姙婦を慰める爲に、近所の婦人などが芝居に連れて行くさうでありますが、出し物が上品で强い刺戟を與へぬものゝ外は、まづ見ない方がよいと思ひます。見世物なども怪奇にして、戰慄するが如きものには近づかぬがよい。餘り人だかりのして居る所にも覗かないが安全であります。犬殺しが犬を殺して居る所などは、決して見てはいけません、男子でさへ見ると、いつまでも氣持がわるくていけないものであります。屠獸場の如きも同樣であります。厭なものがあつたならば、目を背けて通ることです。活動寫眞などの繪看板でも、ひどいものは見ぬようにしなければなりません。小學に「目邪色を視ず、耳淫聲を聽かず」といひ、病源論に「須らく端正莊嚴、清淨和一、傾視なく邪聽なからしむべし」といへるは皆同じ用意に出でたるものであります。

四、讀み物に注意すべき事

貝原益軒は「凡讀書の樂は、色を好まずして悅深く、山林に入らずして心閑に、富貴ならずして心ゆたけし。此の故に、人間の樂是に代ふるものなし。天地陰陽を以て、道の法となし、古今天下を以て心を遊ばしむる境界にして、其の趣至りて大に、ひろきこと極りなし。一日書を讀むの樂至れるかな」と申されました。食物は肉體を養ふもので、一日でも食事をせぬものはありますまい。書物は精神を養ふ食物であつて、精神の向上進歩を圖るものは、一日とても書物と離れることはつらいやうに感じます。古今東西の書物に由つて、幾多の偉人の面目を窺ひ、その貴き教を受け、その靈妙なる精神界に逍遙することを許されるのは、人生の價値を高め、人生に大なる希望と悦樂あらしむる所以で、人間の本懷ではありますまいか。しかし書物を讀まぬ人には、斯る高尙なる生活の門戶は鎖されて居るので、低い暗い憐むべき生活にまごついて居るやうな事になります。讀書は人間らしき生活には缺くべからざるものであります。而して讀書は、學校に居る時のみならず、生涯なすべきものであり、又獨り男子のみならず、女子もなさねばならぬものであります。

書物は形が小さくて場所は取らず、幾十百冊でも靜かにおとなしく、一室の隅に並んで居るものであります。しかしその內容に至つては、天地間のあらゆる事物を包含し得るものであります。大なる思想、淸き精神、眞なるもの、善なるもの、美なるもの、皆これを書物の中に求めることが出來るのであります。書物は作者の眞の精神の籠るところで、立派なる書物に取り圍まれて居る人は、多數の良友偉人に取り圍まれて居るが如きもので、如何なる場合にも、その中に忠實なる助言者、慰安者、同感者を見出し、高尙なる指導者、激勵者を求めることが出來るのであります。

されば姙婦の座右に、內容のうるはしき書物のあるといふことその事が既に心の淸き喜びを誘ふものであります。況してやその或るものを手に取つて讀み、百花爛漫たる精神の花園を逍遙することの幸福は、如何ばかりでありませう。小學に姙婦のために「瞽をして詩を誦せしむ」といひ、千金に「名香を焚燒し、口に詩書、古今の箴誡を誦す」といふも故なきことではありません。

文學書も姙娠中は純潔で上品なものゝみを讀むやうにし、人事の暗黑面を描いた厭な感じのするものは、手に取らぬやうにしたい。又刺戟の強い感情を激動せしめるが如き書も避けねばなりません。姙婦は常に精神上春日の朗かなる光明の中に、生活する事を努むべきであります。書物は其の光明の世界を作り出すものたるべく、暗黑の陰影を心中に蟠らしむるが如きものであつてはなりません。しかし良書でも、餘りに讀み耽るのはよくありません。すべて適宜といふ事を忘れないやうにしたいものであります。

今日は書物の洪水時代ともいふべき時で實に仕方のな

いほど書物があります。從つて詰らぬものも多く、否詰らぬ方が多く、惡魔の手先ともいふべき有害なものも少くありません。思想上、道德上恐るべき有毒のバチルスを散布する書物も、美裝されて机上を飾らしむべく續々出て來ます。「有害の書を公にせる人は、彼れの墓に入りても、なほ罪惡を犯しつゝあるものなり。彼は自ら腐敗しつゝある間になほも世人を腐敗せしめつゝあればなり」と言つた人もあります。而して偶書物を讀んでも斯る有害有毒の書物を好愛して、知らず〳〵その毒に中りて、その文字に咀はれつゝある婦人も少くないと思ひます。姙婦の注意すべきは書物の選擇であります。

書物のみならず新聞や雜誌に就ても、同樣の注意を要します。否婦人は書物よりも、新聞や雜誌を讀む方が多いから、一層その選擇には注意せねばなりません。今日は精神上如何に良好なる影響を讀者に及ぼすかを問ふよりも、唯强烈なる刺戟を讀者に與へることを主とするものが少くないから、特に姙婦はその選擇に注意し、悲慘殘酷の感を起し、劣情を挑發し、又は罪惡を報ぜる記事などは、讀まぬやうにしたいものであります。雜誌でも輕佻浮華なるものを避けて、實質の良いものを選ばねばなりません。

五、言語擧動を愼むべき事

姙婦はただに內に宿す所の思想を純正にし、精神を平和ならしめるのみならず、その外に發する所の言語擧動をも愼まねばなりません。所謂「口に贅言を出さず」又「端一誠莊惟れ德之行ふ」とは、卽ち姙婦の言語擧動に對する要求であります。卽ち、姙婦は常に上品に言ひ、上品に行ふことを心掛けねばなりません。外が整へば、自らそれが內に影響して、心も立派になる傾きがあります。下品に運ばれる身體の中に、上品な子が潛んで居るといふことは、少くも思想上からは、大なる矛盾としか見えません。又他を愛し、いつくしみ、善事を行ふて、品性の高い人となることを努めたいものであります。

要するに姙婦は、自分は今如何なる身であるか、如何に重大なる責任を有するかを自覺して、うるはしき精神と行爲とに由つて、來るべき樂しき日を待たねばなりません。

六、姙婦と夫

妻が初めて姙娠の秘密を告げて、その喜びを共にするものは夫であります。姙娠となれば、一番妻の賴りになるものは何といつても夫であります。生みの親よりも誰よりも、力になるものは夫で、夫の我れを如何に見、如何に待遇されるかは姙婦に取つては最も重大な事であり

ます。特に初めての姙娠であらば、女は子を生むものと聞き傳へて居たが、その生む者に自分がなつたかと不思議の中にも、不安が伴ふものであります。それ故、昔の胎教の事を說いた本の中にも、よく產の時いかがあらんかなど心配せぬやうにと書いてあります。それで、常でもさうでありますが、特に妻が姙娠と分つた時からは、夫は一層妻にやさしくして、心配せぬやうに努める事が肝要であります。夫さへ親切にしてくれゝば、百萬騎の味方を得たやうに、姙婦は思ふものである。卽ち夫は妻に對して言語擧動をやさしく、妻の言ふことをしんみり聞いて、面倒くさがつたり暴言を吐いたりしてはいけない。又外出する時も、出先と歸る時間とを言つておいて安心させ約束の時間には相違なく歸るやうにし、特に夜分は早く歸るがよろしい。十二時になつても、一時になつても、まだ歸らないと妻は何か異變でもあつたのではないかと心配し、日頃品行の良くない夫ならば、嫉妬心も起るであらう。戶が叩かれるまでは、寢ようとしても寢られず、ひとり物思ひにくよくよして夜を明かす事もある。漸く歸つて來ても猩々のやうになつて、熟柿くさい息を吐いて、妻を怒鳴りつけるが如きは、甚だよろしくない。外に妾を蓄へ、醜業婦と戯れるが如きは言語道斷で、妻の憂慮だけでも、良い子の生まれる氣遣ひはない。前にも段々例を擧げた通り、論より證據、夫が不品行で家庭が亂れて居る內に立派な子が生れたためしがない。低能兒、不良少年、不良少女、極道息子、野良娘の名產地は、こんな內に極つて居る。ミシユレー女史は、その著「理想の母」に於て、次の如く言ひました。

「女子は純潔なるべきも、男子は純潔なるを要せずとは是れ一方に高き標準を定め、他方には低くして勝手なる標準を設くるものにして、この大なる恐るべき誤謬のために社會は嘗て悲慘なる結果に苦しみ、今猶苦しみつゝあり。

信實にして純潔なる男子と、信實にして純潔なる女子と結婚し、兩々相重んじ、相愛し、相敬する時、こゝに始めて眞の家庭の基礎は築かるべきなり。斯る家庭に生れ、且つ養育せられたる兒女や幸福なりといふべし。彼れは完全なる父と母とを有するもの、その幼年期乃至成年期が、すべて圓滿にして調和せる發達を遂げ得んこと固より言ふを待たず」

秘密もなく、嫉妬もなく、心に何等蟠りもない純潔無垢の夫婦が、生ける萬物の發長を造り上ぐべく、相互の愛情は愈々濃く、尊敬と自重とは益々强くなるほど尊い生活はありますまい。我等はこれを神聖なる生活といひたい、宗教といひたいのであります。

夫は懷姙の妻に親切にして安心を與へるに止まらず、その語る所のものは、妻に善良なる影響を與ふるものでありたい。時には笑談もよろしいが唯上品にありたい。夫の話すのを聞くことが何となく妻には精神の向上であり、勇みであり、福音であるやうにありたい。かくの如くなれば夫の言語は、卽ち生ける書物であります。是に於て夫の日頃の修養が有りがたくなる譯であります。

「女子の生活は眞に豊穰なる生活なり。その夢みる觀念は血となり、肉となるものなり。その觀念に愛の息を吹きかくれば、その夢は身體となり兒童となるなり。汝の與ふるうるはしき思想より、女子は兒童を造り上ぐ。祖國に就て語れ、彼の女は英雄を夢みるべし。彼の女は自ら如何に爲すべきかを知らずして、唯これを神に一任す。而して神はその爲すべき事を爲すべし」とは「愛」の著者ミシユレーの言であります。夫たる者は、身ごもれる最愛の妻に語るべき何物を有するかを考へねばならぬ。

夫は日頃妻に身邊の用事を爲して貰ふことが多い。しかし、妻は使ふばかりの者ではない、使はれる事もあつてよろしい。姙娠中は身體が自由でないから、夫は成るべく自分の事は自分でして、餘り妻を煩はさぬがよい。夫には日頃朝起きると夜具は蛇が脫けたやうに、穴を開けたまゝで來て妻に着物を着せかけて貰ひ、右の事を左にもせず、一から十まで妻の手を取る人もあつて、世話のやけること、子供の外に大人の子供が一人居るほどである。日本の夫には特にそれが多いが餘り感心した事ではない。それで少くも妻が身重の間は、夜具の上げ下ろしや着物の脫ぎ着を始め、自分の事は夫が自分でするやうにしたい。それで夫の見識が下るものではない。ミシユレーは產褥に於ける最良の看護人は夫であるとまで言つたが、姙娠中でも夫が妻にやさしくしてくれる事程、妻にうれしい事はあるまい。たとへ多くの用事は召使がするにしても、折々夫が自ら手を下して世話をすることがどれほど妻には、うれしく感じられ、濃き愛情を味はふ事が出來やう。しかし、それは姙娠中のことで、產がすみ一人前の身體となつたならば妻はまた元の如く働かねばならぬ。「產揚げ句夫使ふが癖になり」ではいけない。

尙後れ馳せながら序に言ふが、新婚旅行は胎教の上からは餘り良くないと思ふ。新婚當時は愛情が燃え盛つて居るから、その時受胎すれば良いやうであるが、汽車に揺られたり、運動が激しかつたり、見ず知らずの旅で不安を感じたりすることがあれば、胎兒のためには良くないのである。新婚旅行はこの點からも考へて貰ひたい。

大戰時に於ける獨・伊・英・佛・墺等の兒童保護施設（四）

厚生省技師　南　崎　雄　七

（五）佛　蘭　西

人口減退を以て有名なる佛蘭西は一面に於ては各種兒童・母性保護事業に於ける開拓者であることは讀者の識らるゝ通りであつて、今日歐米で採用されつゝある母性兒童保健施設の多くは佛蘭西に於て最初考案されたものが多い。例へば小兒ヘルスセンターの如き牛乳供給所の如き何れもそうである。

佛國は人口増加と乳兒死亡防止の爲めにいろ〱の國家的、又は私的の施設を行つた。卽ち一八七四年十二月二十三日發布のルーセル法の如きは、保姆委託の小兒で二歳以下の者の管理及び小兒の寄宿舍に關する規定であつた。其後小兒に關する規定は十九世紀末迄に制定されなかつた。一九一三年七月十四日の法律の中には貧困にして三兒以上を有する兩親、二兒以上を有する父親、一兒以上を有する母親には各々一兒を增す每に年金六〇フラン乃至九〇フランを支給する旨の規定が加はつた。其他一九〇九年十一月の法律は產婦出產前後八週間の休養に對し失職の保證（工場主に對し）一九一三年六月七日の法律は分娩後一定の休養期間の規定、一九一三年六月三十日の法令は母性給付等各種の法令をも出した。

又學者としてはピナール教授、ボンネー博士ポール・スュトラウス博士などに依り戰前から各種の提案がせられた。就中一九一七年三月十三日のピナール教授の母親保護案（工場に於ける）は次の如きものであつた。

軍需品工場殊に戰時に於ける發展の結果人口減少の危險あるを以て工場に働く姙婦にして直接保護を充分に受けざる女工には次の事項を適用すると云ふのである。

一、女工は適度の勞力及び時間を勞役に服すること最長六時間、夜業は禁止

二、一九三六年六月の休息時間法は戰時工場の女工に適用すること

三、兒童、婦人衞生相談所は醫師之を司どること醫師は必要に應じ女工の仕事を變更し或は調節し又は禁止し得ること

四、母乳奬勵の爲め保育中の母に賞與金を與ふること

五、姙婦又は保育中の母親は其の健康狀態の如何に依り勞務の變更、減少、中止すること之に代る手當金を與へること

六、產婦の爲に保育金を設け必要に應じ託兒所を設くること

又政府に於ては一九一六年十二月ボンネー博士の報告を基本として次の事項を議した。

一、姙娠して居る者は勞働を變更し得ること

二、過業及び夜業は禁止すること

三、晝間及び半日勞働は差支へないこと

四、立働の繼續期間長いものゝ禁止

五、筋肉勞働、姙娠に有害、胎兒動搖の勞働は禁止

六、出產前四週間の休暇は軍需工場の女工に限ること

七、仕事變更に依り賃銀を減額せぬこと

八、戰時工場は醫師の指揮に從ひ醫師又は產婆の定期診察を行ふこと

等であつた。

佛蘭西の戰前に於ける出生率は人口千に付き一九程度であつた。この時代の乳兒死亡率は生產百に付き一一內外である。戰時に入りてより出生率は著しく低下し人口千に付一一乃至九程度に下つたが、この間の乳兒死亡率は一九一五年―一九一八年の高かつたのに比し大體平時と異つた率で無かつたのである。之を出生率に隨伴するものと解すれば著しく高いことになるが。然らざれば平年と大差ないか又は幾分かの高率であると見て差支ない。

フランスの乳兒死亡をこの程度に喰止めたのは矢張り官民の之に對する努力と見てよい。卽ち以下述べるやうな努力の跡を見るのである。

佛國戰時前後の出生率と乳兒死亡率

年次	人口千に付出生率	出生百に付乳兒死亡
一九一〇年	一九・六	一一・一
一九一一年	一八・七	一一・七
一九一二年	一九・〇	七・八
一九一三年	一八・八	一一・二
一九一四年	一八・一	一一・一
一九一五年	一一・八	一四・二
一九一六年	九・五	一一・七
一九一七年	一〇・四	一二・五
一九一八年	一二・一	一四・一
一九一九年	一三・〇	一一・九
一九二〇年	二一・四	九・九
一九二一年	二〇・七	一一・五
一九二二年	一九・三	八・五

（備考）一九一四年より一九一八年間は戰時期間出生率低下せるも一九一五年―一九一八年を除き他は著しき乳兒死亡の低下を見る能はず。

巴里に於ては一九一四年八月乳兒死亡防止國民聯盟主ボール・シュトラウス氏の主張に基き、戰時巴里は母子救濟に關する特別の組織團體を創設することゝなり、同年九月一日公衆救護局に母子救濟中央局が設立された。此目的は同局長の聲明した所に依ると巴里は戰時中姙婦及び三歳以下の小兒を有する貧困な婦人に醫學上法律上の保護を與へると云ふのであつた。而して同局は既設の產科病院及び其他の兒童福祉事業と提携し其の事業を統一し出來る丈其の效果を擧げんとしたのである。特に晝間託兒事業の如きは一九一四年八月以前は單に晝間託兒事業のみであつたが姙婦收容所や產後靜養所等の事業も行ふやうになつた。而して貧困の姙婦は之を政府經營の十一ヶ所の收容所に收容し、不足の場合は私立團體に委托した。私立のものに委托する場合は婦人一人に付き一フラン半を支給したが一九一六年以後は之を二フランに增額した。

戰時巴里の軍政府に於てかゝる私立事業に支給した金額は一九一五年に一躍一五三九六九フランに增加した。かゝる資金は同局は之と一般寄附市及政府の補助から受け入れた。戰時開始後第一年に於て凡ての產科病院、產婦收容所は產床の數を三倍に增加する必要を生じた。開戰第一年間の巴里に於ける生產數三七、八一五人中三三、〇〇〇人が同局の保護の下に分娩し、戰時第二年には巴里の出產數の九割五分二厘が同局の保護の下に分娩し、更に戰時第四年目には九割七分三厘に達した。換言すれば巴里の出產で政府の手を借らずに分娩したものは漸く百人に達しないと云つてよいと云ふことである。戰時巴里軍政府は產婦を病院に入院せしめ、又退院せしむる爲めに徹夜自動車を馳らしたと云ふことである。

かゝる收容所の效果は自己授乳の母を增加せしめ棄兒を減少せしめ收容所に於ける乳兒の死亡は全然なくなつたとさへ云はれて居る。同局は早產兒又は羸弱兒に「インキュベーター」を使用し母乳哺育を爲し得ない母の代りに乳母を附した。戰時初年には將來の使用に供するため多量のコンデンスミルクを公衆救濟の爲め政府に貯藏した。一九一四年八月九日には牛乳の缺乏を來したが其の一部分は市營牧牛による乳兒授乳所の牛乳を以て之に當てた。之等の牧牛からは一日に一萬二千リットルの牛乳を無料若くは安價に供給した。

牛乳供給所は何れも其の事業を擴張し公設食事供給所では育兒中の母及び姙婦には無料で食事を供給した。食事後には乳兒及び幼兒に關する保育講話が行はれた。かゝる食事供給は約百二萬に達したと云ふ。然るに次年には給食を請ひに來る人數が減少したが之は婦人の從事範圍が擴大したのが原因であると云つて居る。其でも一九一七年、一八年は戰前の三倍に增加したのである。

公衆救護局の奬勵で兒童健康相談所の數も增加したが一面には出產兒數の減少に拘らず母親で相談所へ相談に來る件數は激增したと云はれて居る。

巴里以外の地方でも同様の兒童保護事業は繼續された。地方では相互扶助會と小兒保護會とが之等の事業に努力を致した。戰時中地方の小町村にも兒童相談所の恩惠を及ぼさんとする計畫が行はれた。例へば一九一四年の夏にはアルプス縣地方に巡回相談所が設置され村々には一ヶ月二回巡回する相談所が施設された。

戰時中も佛國は母性兒童の保健的教育宣傳には其の手を緩めなかつた。一九一八年の一月にはシヤトル地方では巡回兒童衞生展覽會が開催されたが、之はフランスに於けるこの種の催し物の最初であると云ふ。活動寫眞や模型や書物ポスター等を自動車に載せて地方を巡回し講演と展覽とで、宣傳運動に努めた。之等の施設は國內各處で行はれた。

又家庭訪問は凡て不慣れの婦人を用ひたが一九一七年には巴里に之等の業務員に對する學校が設置された。又ボルドーに於ても兒童福祉に關する教習所が一九一七年十一月に設立され女教員、女學校生徒、小學校の少女に理論及び實技上の訓育を與へ且つ將來兒童保護事業に携はらんとする若き婦人の教育を授けた。

一九一七年には兒童福祉補助學科を設立すべしと云ふ教育法律案が提出せられ其の目的としては十六乃至十八歳の少女は補助科二年間に一年少くとも百時間の割を以て衞生學初等醫學及び育兒法を學ぶべきものとしたが議會では否決された。

母性給付及び育兒割增金は一九一三年六月十七日、七月三十日の法律を以て規定されたが之を擴張することに戰時は努力が拂はれた。

更に一九一七年一月二十三日發布の產婦手當金の規定は之を職業の有無を問はず凡て分娩手當を受ける婦人及

び政府から特別の保護を受けて居る被保險者に及ぼした。更に一九一七年十二月二日の法律は母性給付は不充分な收入の婦人の凡てに及ぶことに修正された。

一九一四年に於て母性給付を受けたフランス婦人は六五、三〇五人、一九一五年には六六、一三六人、戰時中保育割增金及び產婦給付として政府の支出した額は三百萬フラン以上に上つた。又工場主で其の女工の產婦に母乳奬勵のため保育割增金を與へたものもあつた。又巴里の百貨店ボンマルシュでも一九一七年乳兒を出產した母親には其都度二〇〇フランを、生後引續き母乳哺育をしたものには十ケ月間毎月一二〇フランを與へた。

兵役手當金及び小兒保育割增金の外に戰時中母性補助の手當金の特別法律がある。乃ち一九一四年八月五日兵役に服する男子の家族に對する補助法案通過し、其後二三の改正を經て十六歲以下の兒童には一フラン二五サンチーム母親には一フラン七五サンチーム更に二人以上の兒童を有するものには特別手當を與へた。

女工は戰時となつて佛國も他國と同樣男子が動員を受けて出兵し工場に補充された女工中一四〇人に對し約一人の姙婦があつた。四十歲以下の婦人中一三%は姙婦であつたと云ふ。（未完）

金州南山の小石

西村誠三郎

大連の女學校で、乃木祭の日に、生徒に一場の講演を賴まれた。私は旅先だつたが、校長が古い友人なので、早速承諾した。

講演の日までは、まだ二日ある。幸ひ翌日が日曜だつたので、私は獨り節を携へて金州に出掛けた。それは古い記憶を呼び起す許りでなく、現在の金州も見たかつたからだ。

其日は滿洲にも珍しい、大氣の透き通つた秋晴の日だつた。大連驛から列車に乘り込んで行くと、車窓に眺める四圍の風光が、次々と私の記憶を蘇がへらせる。そうして乃木大將夫人に隨行して、南山に赴いた事が、既に三十年の昔の事だが、腦裡の中にはつきり浮んで來る。それは忘れもしない、明治四十二年十二月一日である。

乃木大將夫人は、大將が東鄕元帥と共に旅順の白玉山頂の表忠塔落成式に、陸海軍の建設委員長として參列されるため渡滿されたので、それに從つて來られたのだ。大將夫人は無論公式では無かつた。謙遜な夫人は式場でも、たゞの一遺族として一般の席に參列された。大將夫人が滿洲に來られたのは、後にも先にもこれ一度であつたが、それは言ふまでもなく、愛兒勝典、保典兩少尉の戰死の跡を弔はれる母性の優しい心であつたのである。

私は當時若い新聞記者だつたので、偶然にも社命で、大將夫人に隨行する事を命ぜられた。泉水子現在の周水子まで列車で行つて、旅順から來られる大將夫人一行をプラットホームに迎えた。無論此の行も非公式のものだつた。大將夫人一行は、此處で私の乘つて來た列車に乘り換えるのだつた。

十二月一日と言へば、滿洲でもう相當寒いのである。而かも其日は朝から少し風立つて、冬枯の裏淋しさを覺えるのだつた。

驛に降り立つた大將夫人を見ると、小柄な體軀に、霜降のセルのコートを着けて、肩の所には稍々古びた獵虎

の肩掛をされてゐる。頭部は風除のために、古風な納戸色の縮緬の頭巾で包まれて、張のある眼丈け出してゐられる、褐茶色の袴も穿いてゐられた、足は踵の高くない黑靴だつた、お供に姪だと言はれる若い夫人が一人隨伴してゐたそれに案內のための二人の將校がゐた一人は總督府の吉水中佐で、も一人は第一師團副官の卯木少佐だつた、列車に這入られた大將夫人は窓際に座を占められ若い夫人と向ひ合された。列車の中は大將夫人一行と、私のほかにもう一人他の新聞記者がゐた丈だ。

大將夫人は口重の方らしいが、それでも力强い聲で、割合に快活に話された。二人の將校が、窓外を見ては切りに說明する。周水子の驛近くに、保線丁場に使用してゐる赤煉瓦の二階家があるが、これが乃木大將が旅順攻擊の初期に當つて起居された司令部の跡だ、至極手狹なものだが、今でもその儘保存してある。大將夫人はこれをも見られた。

南關嶺を過ぎると、其處はもう南山の麓だ、南山と言つても、それは低い丘陵續きの禿山だ、今では其後移植した松が育つてゐるが、當時は殆んど樹らしい樹は無かつた。列車は金州驛に到着した。大將夫人は民政署用意の馬車に乘つて直ちに南山に向つた。一行も其後に續いた、山麓で徒步になつて細い道をぽつ〳〵と登つた。

南山の頂上には、鎭魂碑があつた。今では立派な神社もあるが、戰爭直後で出來てはなかつた。大將夫人は、手にした細卷の洋傘を杖にして步いた、坂道の仲途で時折立留つて、周圍の模樣を見られた。

此附近の地形は相當雄大なものがある。遼東半島の突角が、左右から金州灣と鳩灣でくびれて、大和尙山は眞近に聳えてゐる。南山麓は緩やかな傾斜地だ、大將夫人は碑の前に來られると其處に蹲踞まれた。兩手の手袋を脫して、柏手を三度打つて稍々しばらく默禱を行つた、若い婦人が半巾を出して眼鏡のかげを拭はれるを私は見た。

禮拜が濟むと、卯木少佐の南山戰況の話が可成り詳細に現地を指して說明された、大將夫人は一々それに合點されて聞き入られた。山頂に立つてゐると、海から吹き上げる冬の潮風は、なか〳〵に寒い下山しやうとした時大將夫人は偶然足下に落ちてゐる小石を、二つ三つ拾はれて記念のためにと紙に包まれた、巖山で小石より外に拾ふものとては無い、下山しながらも途々大將夫人は、乃木少尉の戰死當時の模樣などを種々と聞かれた。

旅順では第一聯隊で兄が戰死し、此處では第十五聯隊で弟が戰死を致しましたのぢや。

大將夫人はこうも言はれた。此言葉は今でも私の耳に

殘つてゐる。話の應待をしてゐた吉永中佐も答へるに言葉が無くて、只ハイハイと言つてゐた。他のものは無言に大將夫人の心中を察する丈である。

大將夫人は山麓から又馬車に乘つて一度驛に歸ると、此度は八里庄の乃木少尉戰死の場所に向つた。八里庄は驛の北方に當る雜木林のある低い丘だ、乃木少尉が負傷後當時我軍の野戰病院の在つた所に收容されて、絕命されると假りに埋葬した所だ、低い盛上に乃木少尉戰死の場所と印した木標が立つてゐた。大將夫人は茲でも暫時禮拜された。當時世話になつた支那人民家の事なども聞かれた。

それから金州城東門に廻られて、城內の民政署に赴かれ晝餐を攝られた。午後の一時を南京書院公學堂女子部に過されて、支那人兒童の教育振りを參觀され、二時十分の列車で金州驛から再度旅順に歸られたのだ。

金州南山の小半日、それは大將夫人にとつて盡きせぬ深い想ひ出となつたに相違ない。

私はあれこれと當時の事を偲びながら、禮拜を濟すと南山に立つて眼下に開かれてゐる風光を眺めた、空から降つて來る暖かい秋の日射に時の移るのも忘れてゐた。南山麓の模樣は當時とは大分變つてゐる。皇軍の苦戰した所は、全部肥沃な果樹園となつて、林檎の圓い木立が無數に續いてゐる、鳩灣近くの金州城外には競馬場が出來てゐて、日曜なので競馬が催されてゐるので、場內を豆のやうな馬が駛つてゐるのが見える、金州の城壁も古びた土色に眺られるが、今は全然平和の天地である。私は、とう〳〵松の根元の雜草の中に座り込んだ。身近に咲いてゐる風鈴草や、河原撫子の花が可憐である、太陽が段々と西に傾いた、薄ら寒い風が何處となく吹き起つて來る。列車の到着時間も迫つたらしいので、摘むともなく摘んだ花と、路傍の小石を二つ三つ拾ひ添えて山を下つた。

金州驛で賣つてゐる赤い林檎、それは血の色を思はせるやうな新鮮なものだが、その一籠をも買ふ事を忘れなかつた。夜の友人との食卓には、それが並べられた林檎は金州の名物である。

金州南山と乃木大將夫人、それは私の一生忘れないものである。

賀川豊彦氏『死線を越へるまで』（六）

村島歸之

一四、熱情の人

氏はいつも心に憂ひを持つてゐる人のやうに、寂しい悲しげな面持をしてゐた。しかし、一度友人と議論を闘はす場合などになるとまるで人格の變つたかのやうに、眞劔となり熱を含んで、果ては涙を浮べて對手を論難することさへあつた。

或時は形式主義に墮ちた敎會に嫌らず、敎會堂の門前に立つて禮拜に出かけて來た人たちに呼びかけて牧師である秦庄吉氏（明治學院の敎授でもあつた）を驚かした。秦牧師は今、桑港の敎會を牧してゐるが、賀川氏の外遊を迎へては、屢々應援說敎を依頼した。筆者もその集りに出たが、秦牧師は當年の賀川學生を思ひ出してゐたかどうか、不幸にして聞きもらした。

その頃は恰度日露戰爭直後であつたが、氏は同じ明治學院の學生だつた沖野岩三郎氏や加藤一夫氏と、世に阿れない議論をして物議をかもしたこともあつた。

神學部の學生であり乍ら軟派に傾いてゐる學生を論難しそのため、學生たちから袋叩きとなつたこともあつた。

又或時は、皮膚病を、餘りのきたなさから路傍に捨てられた犬を拾つて來て、ひそかに寄宿舍の自室の本箱の片隅に飼養して友人たちから文字通り鼻つまみになつたこともあつた。

いや、犬だけではなく、病みほゝけた路傍の乞食の窮情を見るに忍びず。これを寄宿舍へ連れ歸り、乞食には自分の蒲團を貸し與へ、自分は蒲團なしで寢たこともあつた。自分の口すぎすら十分でない給費生の身を以てしてである。

社會事業界の元老生江孝之氏も青山學院の學生だつた頃乞食を養つたといふ物語が殘つてゐるが、賀川氏のそれと正に好一對の揷話である。

これは奇を衒つた譯ではない。たゞイエスの「汝ら互に相愛す

べし」のみことばを實踐したまゝである。

賀川氏の德島中學時代、明治學院時代の揷話は鑓田研一氏著「賀川豊彦」に面白く記されてゐるから、本篇には、その荒筋を記すだけで止めた。

一五、菜食主義の實踐

賀川氏は、明治學院寄宿舍時代から「菜食主義」の實踐者だつた食堂に出る食物の中でも、肉類は一切たべなかつた。それを知つた友人たちは氏の肉と自分の野菜を交換して貰ふために、氏の隣席に坐ることを競ひあつた。

尤も氏の菜食主義は、明治學院時代に初まつたのではなく、仍つて來るところは頗る古かつた。

明治の中葉に生れた文學青年の誰もが一度は經驗したやうに、氏もまた中學生時代にトルストイに心醉した。尤も氏は一般の中學生とは違つて、哲學的に深く掘り下げて行つたゝめに、單なるトルストイの小說の愛好者であるよりは、トルストイの思想の咀嚼者であつた。

トルストイの無抵抗主義は、早くも中學時代から氏の思想深く浸み込んで、成長後も變るところがなかつた。

菜食主義もトルストイの感化として、青年時代の氏を支配した。

氏が菜食主義に注意を向けた抑もの最初は、しかし、トルストイの感化以前であつた。米國伯爵の名で著聞してゐる山崎今朝彌氏（筆者もよく知つてゐる）が、日露戰爭より少し前頃、米國の水治療法學の泰斗ケロッグ博士の著「粗食論」を飜譯して出版してゐたのを、當時十七歲の賀川氏が耽讀し、米國人が一年に軍艦何隻に相當する牛を食するといふこと、肉食は死毒があつて有害であること、肉食者は菜食者に比して短命であり、傷をしても化膿し易いこと惣じて美食は榮養にならず、むしろ粗食の方が榮養の點において優つてゐることなどを知り、大に共鳴するところがあつた。これに加ふるに、トルストイの菜食論である。多感の青年豊彦氏は忽ち菜食論者となつて了つた。

しかし、百パーセントの菜食實踐なつたのは、稍遅れて前記の明治學院時代から、大正二年、アメリカに留學するまでの九年間だけであつた。

「死線を越えて」の中にも、菜食主義についてこんな會話が主人公新見と、友人篠田との間に交はされてゐる。

「菜食主義でしてね、而もそれが、極端な好で……」

「へえ、妙な眞似をおつぱじめたものだね」

「しかし、人間が、肉を食ふのが不思議なのですよ。生理學上から云つても、又胃の構造やら齒の構造を研究して見ても、人間は菜食動物ですからな。」

「肉を喰ふのが不思議だつて？　君のやうなグニャ〳〵の身體で肉を食はな死んでしまふぞ。」

「なあ、肉を食はぬと死ぬのなら、日本の百姓はみな死んでしまいますよ」

菜食主義を實行してゐた頃の氏は、今日のやうに肥滿しては居ないで、見るからに瘦せてゐた。勿論、胸部を蝕む病氣のゆへで

もあつたが、菜食のために、餘分の脂肪の沈下を見てゐないためでもあつた。

面白いことには、菜食主義を實行してゐた頃の氏が、二十代の青年であつたのにも拘らず、人一倍黑い頭髮に白髮が混つてゐたことで、渡米して、已むなく內食をせねばならなくなつてからは、その白髮はいつの間にか消えて了つた。その代り、肉食の報ひとして、今日も氏を惱ましてゐるところの腎臟炎が見舞ひ、氏を水膨れにして了つた。

一六、好きな食べもの

菜食實行時代の氏はどういふ風にして榮養をとつてゐたか。貧しい暮しをしてゐる氏には、ヴィタミンがどう、カルシュームがどうと、フラスコとばかりで研究して、美味求眞を實行する譯には行かない。

手近かに得られる雜魚類が唯一の肉類で、他は豆腐、油揚、梅干、果物、味噌汁、大根、特に味噌汁は殆んど毎日缺かすことがなかつた。これは今もつゞゐて、夫人の母堂の作られる味噌汁は、氏を喜ばす最大の美味である。

大正十一二年、氏が神戶の貧民窟の中の說敎所で、毎日曜日の午前六時から早天禮拜を守つた頃、禮拜が終ると、氏はいつも數人の遠方からの禮拜出席者を自宅へ伴つて、母堂手製の味噌汁を振舞ふのを常とした。元大阪市助役池原鹿之助氏や、山本綿布社長山本瀕彌太氏や、赤ン坊健康審査會の草分けとして知られる伊藤悌二氏や、そして筆者などがその常連であつた。

氏は大根も香の物として攝らず、專ら煮付として食するのだが、氏は「これは石灰質の土の大根だ」「いや、これは火山灰の土で出來たに違ひない」と、大根の育つた土の質をさへ言ひ當てた。

薩摩芋や里芋は好きだが、ぢやが芋は好かない。白米は一切とらず、專ら麥食である。水も生水は排けて、支那流に煮沸した湯しか用ひない。下痢をしないのはこのためだといつてゐる。

氏の菜食は、外國の直譯のベジテリアンのそれではなく日本流の粗食主義であつたのだ。

今日では、絕えず內外を傳道して歩かねばならぬため、この粗食主義も實行を阻害され勝ちであるが、自宅では大體において今これを實行してゐる。

氏に何がお好きですかと訊く者があると、氏は言下に味噌汁と言ふ。それから？と重ねて訊くと、握飯の燒いたのもおいしいと言ふ。氏が年少の頃、德島の田舍の祖父が燒いてくれた握飯のうまかつたことを忘られないのである。

蕎麥も好き、うどんは更に好きだ。うどんの中でも、きつねうどんが大の好物である。お壽司も嫌ひではない。甘いものはと？質問すると、「疲れた時には糖分を要求しますが、そういふ時は、蜜があつたら蜜がほしいですね。」といふ。

せんべいは嫌だが、カキモチは好きだといふ。

しかし、大體において、出されたものは何でも感謝して頂いてはゐるが、美食よりも粗食の方が好ましく、殊においしい味噌汁があれば、山海の珍味以上に賞味する氏なのである。

十七歲からの粗食論は、環境の支配を受けて多少の歪曲を餘儀なくされたとはいへ、なほその本質は失はれずにゐる譯である。

尤も、粗食主義が氏の結核に如何なる影響を與へてゐるか、またこれに倣ふことの善い惡いについては醫家について聞かれねばならない。

氏も「私の行き方は、すべて私のみにおいて眞實さを持つだけで、必ずしも他の病友たちが、その儘、模倣されて善いものとは考へません」——といつてゐる。

一七、闘病史

氏の病歷は前にも述べたが、此處で、もう一度總ざらへをする必要がある。

氏は十二歲の時、大患に罹り、ついで十四歲、德島中學二年在學中に再び發病し、醫家は結核だと診定した。

「この年頃の結核は進み易いものだから、學校も一時休學して、田舍で十分養生しなければいけない。幸ひまだ初期だから、今のうちに養生しさへしたら、きつと癒るから」と醫者は切に忠告した。しかし、既に父を喪ひ、母と死別し、生さぬ仲の母の下にあつた氏である。殊に唯一人賴みとする同母兄の端一氏が放蕩に身を持ち崩して、家運も漸く傾いて來てゐた時である。氏が胸を病んで故山に歸臥しやうとしても、青山白雲は昔日の如く氏を迎へやうが、錯綜した人間感情は、溫き手を延べてくれさうもなかつた。

自分の病を思ひ、家を懷ひ、十四歲の少年豊彦は、とつおいつ思ひ惱んだが、性來敗けぬ氣の氏は、たとへ病が少しくらゐ惡くなることがあつても、好きな學問をやめる氣にはなれなかつた。

氏は引きつゞいて中學へ通つた、十六歲の年には、兄の破產によつて更らに大なる衝擊を受け、寄宿先の塾を出て叔父の家の「居候生活」に這入つた。多情多感の少年豊彦氏の心は、いつも密雲に閉された儘だつた。かうした少年の精神的の惱みが、既に蝕れ初めたその健康の上に善き影響を齎す筈はなく、十七歲の年には再度發病し、初めて喀血をさへ見た。

四十度近くの熱さへ續ゐた。「もう駄目だ」と、醫者も、周圍の人々も見離したぐらゐだつたが。しかし、神はまだ氏を見放しはし給はなかつた。

十八歲の春、再び喀血した。たとへ、この少年の火のやうな信仰があるとしても、三度、この病魔に襲はれては、もう助かる見込みはあるまいと思はれた。この時もマヤス博士は親切にいたわつてくれて、漁師の家で養生させてくれた。そして不思議にも氏は三度起き上ることが出來明治三十八年八月、無事中學五年の課程を終へ上京して明治學院高等部神學科に入學したのであつた。

明治學院における氏の特異性に富んだ生活が始まつて二年目、氏は寄宿舍においても又もや喀血した。寄宿生たちは動搖したが肝腎の氏は極めて平靜だつた。しかし十一圓の給費だけでは、十分の榮養も、藥も得られなかつた。氏は熱心神に祈つた。涙と共に祈つた。

夜半、冷たい寄宿舍の煎餅蒲團の中で、同室の學友中山昌樹氏に知れないやうに、靜かに祈つた。

「自分には大きな使命が殘されて居ます。それを果さずに死にますことは何としても口惜しうございます。主よ、御こゝろならば、どうか僕べをこの病床から立ち上らせて下さいませ」
祈りは聽かれて、氏は殆んど醫者の手を借りることなく癒やされた。

一八、傳導先にて病む

三十九年夏休みが來た。氏は保養かた〴〵岡崎の教會を扶けるため出かけて行つた。神學部の給費生にはかうして夏休み中を、どこかの教會を扶ける義務があつたのである。しかし教會の仕事は主として日曜だけで、他の日は暇があるので程遠からぬ蒲郡で保養されることが許された。氏は此の教會を扶けることを心から喜んだ。

そして傳道の方略や説教のプランが、氏の胸をわく〴〵させてゐた。しかし、此處へ着いた三日目には、氏は又しても喀血してゐる自分を見出して、さすがに暗然となつた。血を見て怖れたのではない。こうして折角、傳道に遣はされ乍ら、このために働きの出來ないことを悲しんだのである。

たとへて見ると、勢ひ込んで驀進して來た車が、十字路の信號燈の赤ランプに止められたやうなものである。前途を急いでゐればゐるだけ、このストップはたゞ焦燥そのものに外ならない。

氏は信號の青が出るまで、そこで靜止してゐなければならなかつた。

それでなくとも榮養の不十分な寄宿舍の賄ひの中からさらに肉類を友人の野菜と交換してゐた氏は、榮養は決して十分であつたとはいへなかつたに違ひない。勿論、肉類が無ければ全然榮養が攝れないといふのではないが、肉を除いた殘りの寄宿舍の食事なるものを、如何に贔屓目に見ても、榮養價値十分なりとは考へられないのである。

氏を支へてゐたのは、物の榮養よりも、寧ろ心の榮養であつた。しかし、それさへもおのづから限度があつた。氏の肉體は信仰と熱情を越えて、痛められてゐた。夏のこの傳道に來て、つひに病ひは吹き出して了つたのである。咳が引つきりなしに出た。痰も切れにくゝなつた。

それでも、幾分加減のよい日曜日の朝は、自分に課せられた教會を手傳つた。それは勿論、無理だつた。無理だとは自分でも十分判つてはゐるが、それでも手を拱いてゐる譯には行かなかつた。

仕事と病氣の二筋道を掛けてゐる病者――特に餘裕のない無產の病者――には、皆この惱みはある。

他人に「無理をしないが善い」「疲れたら休むがいゝ」といふが、それは責任のない他人だから言へるのであつて、當事者にはそれは「出來ない相談」である場合が多いのだ。

全國に散在する百二十萬を越える病友の多くは、この「出來ない相談」を聞かされて、耳がタコになつてゐるに違ひない。

せめて、この病者のために、最も安價な療養所の增設こそ望ましいのだ。社團法人白十字會が、恩賜金を拜受し、茨城縣鹿島海岸に、一日一圓六十五錢のサニタリアムー恩賜保養農園を經營、し五十名を越ゆる醫員看護婦の手篤き醫療看護の下に、約百廿名の初期及び恢復期患者を收容しつゝあるなどは最も好ましき事でなければならない。

それはさておき――。

旅衣 （二）

ツカダキタロウ

一、郷土愛

岡山の大森次郎氏は、社會事業殊に隣保事業に熱心なる先覺として有名でありますが、又同時に「郷土愛」の發露者としての熱には、誰しもが尊敬せずには居られません。

同氏は、岡山縣和氣郡香登村の出身でありますが、

「郷土香登（カヾト）を、日本一の村となすのが、自分の誇りである。」

との信念から郷土に於ける昔古の事情に關して具さに調査して熱心に知人に吹聽されて居るのであります。

「郷土を愛せよ。」

等と大聲で叫ぶ人々を、私は澤山に知つて居りますが、或は又郷土教育などと殊更らしく研究發表などなされるのを屢々見聞致しますが、何れにも餘りに感心し得ません。

それよりも、たとへそれは歷史上の研究でないにしても、自らの郷土の尊い物語りを調べて他の土地に誇り得る數々を知り得たならば、これを語る者も亦聞く者もどれ程に我が郷土を愛する事でありませう。

私は幸に大森氏にその郷土談の一端を聞く事を得たので、其の幾分なりとも傳へて、如何に山陽の僻村なる香登の、郷土史に輝かしきかを示しませう。

二、臥龍松

數年前の事であります。長島愛生園を訪れた時の事でありますが、所用にて岡山まで迎へて下さつた田尻醫官の厚意で名勝「臥龍松」なる巨松を拜見した事があります。此の地が「岡山縣和氣郡香登村」であつたのです。臥龍松は、天然記念物として保存されて居り、往年には宮殿下の行啓まで仰いだ事のある美事なものでありまして、當時詳しく承つた事もありましたが今は忘れ終つて居ります。

處が、この記念すべき松樹は實は今一本、村内に存在するとの事でありますが、その方は非常に發育惡くて、見る影もなき有樣であると聞いて、甚だ興味深いものがあります。

樹を植ゑて置きさへすれば、年月が經て巨樹となり、必ず世に珍重される事とのみ思ひ勝ちの私には、此の事は眞によい教訓であります。同じ村里に、時期を同じうして植ゑられた松樹が、今も猶存在せるにも不拘、一本は天下の名松となり、他は然らずと聞くは、人生行路の好暗示、教訓として尊い事と思ひます。

三、熊山

香登の北方「熊山」は、兒島高德義興を擧げし舊跡として有名にして、今もその碑石が古の義擧を物語つて居りますが、この熊山の地は、天下の五戒壇の一つとして有名なるものであります。

五戒壇とは、比叡山延曆寺、奈良東大寺、下總の藥師寺、太宰府の觀音寺及びこの大瀧山の五つにして、三十三坊竝び建ちて、西高野との稱ありしものの由です。

由來、香登をはじめとして、此の地一滯に往昔は、秦一族の移り住みし地にして、古くより土地開發され、產業盛にして、當時勢力竝びなき秦一族の建立した功ありし事想像に難からずとの事であります。

兒島高德の物語りに關しては諸說多けれども此の地熊山にの

こる戒壇こそは、歷史上の著名なる事實と稱さるべく、鑑眞和尙の開基に關しても逸話あり、和尙は非常に匂ひを嗅ぎわける力ありて、香登の名もその開基說に因緣を有する由であります。

四、鶴山

香登の北に大瀧山あり、南には鶴山と稱さる小丘ありて、此の地「京都」に非常に似たる形狀をなすとか聞きますが、この鶴山こそは、前方後圓型の巨大なる古墳であるのです。

數年前、鶴山の最高所より、巨大なる石棺が發掘され、約四尺五寸幅の二間に餘る石棺の蓋には、美事なる彫刻のありし等は、如何に先住民族の、文化に秀でてゐたものなりしかを證するものと稱されて居ります。

鶴田の南方には、瀨戶、沖、平島、瀉瀨、江尻、等々と、海洋に關する地名の數々ある點等より察するに、兒島半島邑久郡邊は、昔は多數の島々の散在せしものにて、此の地に秦一族の移り住み、其の文化を以て北遊せしものかと思ふとの事であります。

鶴山の南接地「油杉」、は、弓月王（ユスキノキミ）を祀れる地にして、應仁天皇十五年、弓月王は百二十七縣の民を連れて移り住みたりと記されてありますが、これ秦氏の祖でありまして、世に「融通王」と稱するのであります。

更に南に「眞德」と稱さるのは、弓月王の子眞德王の名に因めるを見れば、この邊の往古の事情を知ると共に、鶴山の古墳の意義も察し得られませう。

五、秦族

雄略天皇の頃、秦酒公（サカギミ）なるもの、御命を奉じて秦族を集め、一萬數千人を連れて捧物をなし、其の功により「兎豆麻佐の臣」を賜ひ、大藏長官に任ぜられたと記されてありますが、是れ我が國最初の大藏大臣にして、「太秦」（京都市外）を賜ひて、其の地に住ひせしものと聞きます。

然るに「太秦」なる地名、異服に「うづもりまさる」とも解され、產業の盛なりし事を證するとも言はれて居りますが又、歐洲シリヤ國の事を、「太秦」と記す事を見れば、現在も猶は秦族はユダヤ人種にして、財政の技に長けたるやとも思はれます。

京洛の地太秦の里に、有名なる廣隆寺の門外の小社に「太辟神社」の祀られるあり、これを「ダビデ神社」と呼ぶあたり、秦族ユダヤ人說に有名なる材料でもありませう。

とまれ秦族の功蹟たるや、葛野の地に平安宮を一建立にて獻納せしを初めとして、秦川勝等聖德太子に愛され佛教弘通の爲に力を致す等、そのに功により「惡田二百町步を播州に賜ふ」と、大和の斑鳩寺記錄にあるが如く賞されて居るのであります。

播州、斑鳩の太子廟はこの趾と稱されてゐます。

六、邑久

邑久とは大伯（國造佐起足尼(スクネ)）の名より來るとも稱さるれども「多々來る」との意味より起りたるにあらざるやと思ふとの事であります。と申す譯は、邑久郡一帶の地名より往古の事情を察し得るに數々あるからであります。

「長船」は日佐（オサ）船氏の住みし土地にして、日佐は通辯の事であります。

「土師」は、國府村にありますが、これは出雲民族の土師（ハジ）の住みし地。

「吉井の氏神」は、野彌の宿禰を祀つてあります。

「須惠」美和村の東須惠、西須惠は、「据物」即ち食器類を作りし一族にして「土師」族は建物に長じてゐたのであります。

「邑久五郷」とは、土師郷、香登郷、須惠郷に、「靭負郷」（長船の邊）礎の郷（國府邊）を稱するものにて、一郷は五十戶なる故一戶約四十人の大家族制なりし故、約二千人近くの人々が住む郷が五つ、約一萬人の先住人のありし事を思へば、此の地の繁昌ぶりが察せられませう。

七、甚五郎の「瀧」

「當社創立の年月詳かならずと雖も、村民相傳ふるに、當浦創造の時當社を勸請し、以て產土神となす。紀伊國風土記を按ずるに、紀伊國造家舊記に何々。神武天皇の御宇天道根命、二種の神寶を奉戴し紀伊國加太浦（潟見浦）に至ると。當社は即ち其の鎭宮の基跡なるべしと、故に天照皇大神一座を鎭す土人相傳ふ。日前神宮の頓宮なるべし爾後、藤原光德なるもの當郷を領せし時、其の祖神を合せ祀りしに依り、春日の社號を冠すと言ふ。役行者小角も當社を崇拜すと。相殿に住吉大神を祀りしは、地面海に臨むに依り中世合せ祀りしならん。

元弘年間、護良親王紀州に落居ありし時、社殿にお隱れありしと。藤原藤房も、當社に崇拜ありて、神鏡を寄進ありしなり、前原鏡とて今に存す。

當時は北山の半腹（八幡山と相傳ふ）に在りしを慶長元年十一月國主桑山修理亮、更に當地に遷し再營あり、鳥居なども再營なりしなり。羽柴筑前守秀長も神鏡を寄進あり、今に保存せり。本殿は國主桑山修理亮の造營と、其の構造の莊嚴の極みに依り、文部省より國寶に指定せられしなり。」云々。

以上が和歌山縣加太町春日神社の略誌であります。

紀州加太浦は「淡島さま」（婦人安產の神）で有名なる小都でありますが、春日神社の本殿は、上記の如き國寶でありますのに、絕えて訪ふ人のないのは惜しい事であります。

天下の名匠左甚五郎の造りし本殿丈けあつて、小さな建築ながら、彫刻の結構さは實に美事なものであります。

殊に、正面欄間にある「龍」は白眉のものでありまして、全國數々の僞りの甚五郎作とは格段の違ひであります。

あたら名勝を、世に隱すが如き態度を取りつゝありと聞く、淡島神社の社司の反省を促す所以、實に茲に存する事を附記しませう。

八、大谷の石佛

「抑々當山は坂東十九番の靈場にして人皇五十二代嵯峨天皇の御代高祖弘法大師の開基なり。

今其の由來を尋ねるに、往古當山の巨岩穴に數萬歲を經たる大蜂巢を營み、里人を盤惱ます事多年なり。因りて今此の邊を荒針郷と稱す。大師此の苦難を救はんと當地に巡錫せらる。當時は谿谷に草木繁茂し、鬱々として晝猶闇く、雲烟湧起して咫尺を辨ぜず。大師山に入りてより天忽ち快晴、岩石異光を放つと。故に天開山と稱す。

大師一七日を參籠し、眞言の祕法を修し、又滿願の夜自然石の峭壁面に丈六の千手觀音其他大小十七尊を彫鏤し、自ら開眼の祕法を修しめ、以て群崩濟度の道を行ひ、密法を以て遂に大蜂を封じ給ふ。後に一寺をなし「天開山大谷寺と號す」

上記は大谷（おほや）觀音の由來記の一節であります。

宇都宮市外大谷の石佛は、一千一百二十九年前のものと稱されて、本邦に於ける石佛の雄でありますが、大谷石の性質もろくして破損甚だしきは惜しい事であります。

此の地方「大谷石」の產出に

恵まれ、往古は「羊羹一本」と石一本と稱されし程に、安價に供給されし爲め、木材を用ひるよりも經濟的に使用されし爲め宇都宮市鹿沼町を中心にして、石造の家が頗る多いのであります。今も猶、盛んに大谷石材を切り出して居りますが、スバラシイものであります。

「お止山」（これが今では山の名稱になつてゐる）登ると、四方の景色が展開し、大正天皇も再度御登り遊ばされしとか聞きます。

「觀妙義榛名之奇于此近郊平易之地尤可喜」とは、栃木縣知事で正五位溝部惟幾氏の碑文にして、

「明治三十三年九月二日　皇太子殿下枉駕此地稱其景之語也
謹錄之永表　殿下之芳躅」

と添記されてあります。

九、汗かき阿彌陀

宇都宮市に二つの國寶あり、一を清嚴寺の鐵塔婆、他を一向寺と「汗かき阿彌陀」となす。一向寺にその國寶阿彌陀を見る。

鎌倉佛の初期ならんかと思はるゝ金佛にして、藝は本丸の隅にありて城主の信仰せしものの由、衣の肩に四百九字とかの文字の彫刻されあるは珍らしく、城主の改名など見ゆると聞く。

事變凶事等ある時は、この阿彌陀の顔面より胸にかけて、一度の内に汗流るゝを見る。「汗かき阿彌陀」の名ある所以にして文字の彫刻あるは珍らしく、今一體何處にかあるとの事なるも詳かならずと言ふ。

最近では、原首相遭難の前日關東震災の前日等、數日間の「汗かき」ありし由なるも、昨年七月初旬、二日に亘りて「汗かき」給ひし後、三日にして支那事變發せりとか。

合金の故に氣候の變り目には「汗かく」ならんと言ふものあるも、時期一定せず、然も衣等には一切汗なき由なれば、何れにせよ珍らしき現象となん申すべく、國寶として指定されあるは、衣の文字の由なりとか。

とまれ見聞のまゝに記して、研究家のをしへを乞ふこと右の如し。

十、鹿沼音頭

一、花の鹿沼でサーチョイト見
せたいものは
鹿沼屋臺にさつきにさくら
（ソレ）お國自慢のナー鹿沼
土　サテ　ドントチャッチ
ヤセー〳〵

二、千手お山のサーチョイト觀
音さまは、花に醉ふたか浮
かれて出たか（ソレ）はづか
しいやらナー　頰かむり
サテ　ドントチャッチャセ
ー〳〵

三、ジャズが流れてサーチョイ
トネオンが招きや
しのぶその夜の三日月さま
も（ソレ）淨いた顔してサー
お成り橋サテドントチャッ
チャセー〳〵

四、起きよ〳〵とサーチョイト
サイレン響きや
工場々々にモーターが廻る
サテ　ドントチャッチャセ
ー〳〵

五、さつき地藏にサーチョイト
あかりをつけて
鹿沼繁昌とお願をかける
（ソレ）おぼこ娘はナー　片
ゑくぼ　サテ　ドントチャ
ッチャセー〳〵

六、山でも木をきりやサーチョ
イト斧さへはづむ
男なりやこそどんと打つ音
に（ソレ）乙女つばきがナー
散りたがる　サテ　ドント
チャッチャセー〳〵

七、暑さ忘れとサーチョイトま
たかこつけて
會ひに來たのは黑川河原
（ソレ）小麥螢もナー　身を
焦す　サテ　ドントチャッ
チャセー〳〵

八、嫁にとるならサーチョイト
鹿沼の娘　いつもさら〳〵
世渡り上手　（ソレ）麻のこ

ゝろでナー　しんしまり
サテ　ドンチャッチャセー
〳〵

九、祭りばやしのサーチョイト
調子に惚れて
ついて來た事に素知らぬ顔
で（ソレ）蔭にかくるナー
お月さま　サテ　ドントチ
ャッチャセー〳〵

十、花が見たさにサーチョイト
城山來たら
さくら過つてもつゝじが咲
いて（ソレ）　續く日和にナ
ー　人の山　サテ　ドント
チャッチャセー〳〵

十一、大麻

鄕土の誇り「大麻の研究」を鹿沼地方の麻畑より聞く。また旅衣の幸福であります。致て、旅衣を大麻にて作らんとするには非ざれども、重要なる國產品なれば、大略を記して共に學ぶ事と致しませう。

大麻は一年生植物で、莖は四角形綠色で、淺い溝が通じてゐる。丈の高さ六、七尺から一丈以上に及び、畠の周圍は短かいものがある。

莖の中心には髓があつて周圍の材質は粗大な細胞からなり、極めて脆い。その周圍に靱皮を利用するもので外皮は荒い、纖維は兩端が細い圓筒狀の細胞から成り、亞麻に似てゐる。是等は俗に云ふ麻の葉形で、五乃至九の小葉の集つた綠色掌狀等である。

莖に對生し尖端に行つて互生となるが、この互生莖の出る時期を以て收穫期としてゐる。葉は披針形鋭尖頂で粗な鋸齒緣をなしてゐる。雌雄異株で、雄花は複總狀で梢頭に生じ、五個の綠色萼片と同數の雄芯を具へ、雌花は葉腋に密生し單一の萼と二個の柱頭を持つてゐる雌芯とよりなる。

果實は外面滑らかに光澤があり、多量の油を含有し、黝色で帶季灰色若くは淡色の斑を有してゐる。我が國の麻種中には約三五%の脂油が含有され、之を搾取すれば黃褐色乾性の油となる。

根は主根支根に分れてゐるが殆んど鬚根の狀態を呈してゐる。風害に弱いのもそこに原因の一つがあると思ふ。

品種は、「赤木型」「青木型」「白木型」の三基木型に分類され、播種は四月下旬より五月中旬迄の間に、一段步四升乃至八升を普通とする。

播種したものは七、八日頃發芽する。間引は普通四回に行ふ初回は二寸內外に生長した時に行ひ、主として短いものを間引き、大いさを揃へる爲に行ふ。第二回は其の後一週間の內に行ひ長短のあるもの及び、密生に過ぎたものを除く。第三回第四回は、各一週間を隔て行ふ。

中耕は「うれかき」でする。第一回第二回の間引の時にする。除草は普通間引に併せてするが麻の生長するに隨ひ太陽の光をうけないので餘り草は生えないから、初め一、二回だけ行ふ。

播種してから凡そ百十日前後に收穫する。收穫は早くとも後れない樣に注意する。早いものは收量少く强靱力に乏しいが、遲いものは光澤を失ひ質粗剛になり品質を損する。

收穫は晴天を選んで行ふ。麻を拔く場合には、さきに蟲害にあつたもの、短いものをとりさる。これを中麻取り又は根麻取と言ふ。次に長莖のものを十五六本位集めて握り引拔き根の土を打落し、交互にX形に積み重ねる拔きとつて塚に重れた庖丁（長さ二尺位でさしみ庖丁の如きもの）をもつて根及び葉を切り落す。そして之を束ねて製麻するのである。

以上が國產大麻の栽培要點であります。

十二、麻の調製

◎「湯浸し」は俗に「むす」と言ひ拔き取つた日に行ふ。其の方法は多々畑地に麻風呂を据え、湯を充分に沸騰せしめ、一把を根元を下にして浸し後引上げて倒にし上部を浸すと同時に他の一束を根元より先に浸漬す。そして同時に二把づつ少きは十五把多きは三十把を一回として行ふ。浸漬の時間は最初能く沸騰せる內は、一分間前後若くは湯の中を二三回少し許りの高さに上下したるばかりで充分である。

◎「乾燥」湯浸し終れば夜露を受けない所に立て掛け、明くる日木の下に中央よりも稍根元に近い所を載せ、一本竝べに薄く擴げて乾燥し、正午頃半廻轉と共に、先端と根元との位置を交換し乾燥す。

◎「洗滌」乾燥したるものは、仕事の都合上貯え置き後、或は直ちに水洗をなす。朝食前に浸し、食後引き上げるか、或は水中の儘足で踏み付け水分が皮に浸透するを待つて引上げ束を解いて竪木の上に竝べ乾燥す。一日乾燥すれば二ケ所束れ、屋根裏又は二階等に貯藏す。

◎「鬱蒸」貯藏したる麻を精製するには先づ鬱蒸す。俗に「ネカス」と言ひ、蒸床に於て行はれる。蒸床は納屋若くは臺所の一隅に設ける。

「ねかす」には、先づ貯え置いたものを、一握り位に改束し根元を揃へ先端凡そ一寸程押切にて切斷する。これを麻舟中に水を汲み之に浸して水分の落ちる間は、立て置き元の方を揃へて床に入れる。

床に入れる一回の分量は、一度に挽き得る程度にす。普通三日目に適度に鬱蒸し剝皮出來る。鬱蒸の程度は外皮飴色に變じ、粘氣を生じ、滑かになり、外皮たやすくはげるやうになつた時にする。

◎「剝皮」適度に鬱蒸したなら取り出して、川水又は舟中で浸し、揚げて水滴を去り、長さ六尺五六寸、幅二尺位に竹又は麻稈で編んだ簀の上に一把程宛のせ束を解き、その右端に莚をしいて坐り、一、二本乃至三・四本を左手にとり右手で皮をひくと、莖は皮と離れ前に出る。

◎「麻挽」剝皮したものを、流水又は溜に入れ、全部しめつたら引き上げて水を切り麻挽箱に入れて挽く。

一束分を挽き終れば、乾燥しないうちに束をつくり、日光の直射しない室內で、竹竿に長くかけ、一、二日或は二、三日で乾燥する。

前の方法で製造されし麻は、種々の樣式で結束し包裝されて賣り出される。

以上の如くして、鹿沼の特產品「火麻」は、鄕土の誇りを輝やかすに至るのであります。

十三、蒲の花がたみ

久方の日影にうとき谷を出でて、木傳ひあさり鳴く友を求むと言ふなるに、物の靈なす人として、何れが友を思はざる、之を懷ふにも科あるべし。利慾に語らひ淫樂に集ひ、酒食によりて親しかりしは思ふに似たるも忘るゝに早かり、學問の道の等しくて志の異ならぬのみ、わすれんとすれどわすれがたく懷ふにも裕餘あり。「之を誰ぞ」と人に問はれんに修靜庵にます者なかりき、此の人や學びの道の吾にひとしく心樣さへ似たりけり……世に韜の隔なく「睦み語ひぬる折に、言はれし事の耳に止りなつかしくも悲しくも、寤覺めぬ老が曉には、過ぎ越し方の胸にみちて、傍に立つこともありけり」

上記は、江戶深川の人瀧澤馬琴が、その友蒲生君平の思ひ出を記した「蒲の花がたみ」の一節であります。

「人よくその人を知らんとすればその友を見よ」とか、藤田幽谷、本居宣長、平田篤胤等と親交深く然も友として尊敬を受けし蒲生君平は、實にも偉人であります。

街頭醫學

人工榮養のやり方 ごく「自然」がいゝ

近頃の兒童健康相談所に持ちかけて來る相談のうち離乳期前の人工榮養の事がその大牛を占めてゐる所を見ますと、まだ人工榮養についての充分な知識がないやうに考へられます、殊に之から寒くなつて參りますと、此人工榮養についても充分な知識をもつ事が大切です、人工榮養とは母乳がなくて代用品として牛乳又は粉ミルクを用ひて育てゝ行く場合をいふのですが、只今はコンデンスミルクよりもずつと便利な牛乳や粉ミルクが多く用ひられます、人工榮養のやり方については大體その人によつて異なるのが當然であり、また分量の多少も濃淡も生後何ケ月位だつてゐるかといふ事に依つて違ふわけです、それに其時に應じて、其稀釋程度或はそれの添加物、例へば砂糖その他の含水炭素、白米粉、玄米粉、麥芽糖、重湯等を用ひますが、これ等の添加物は必ずしも入れなければならないといふものではないのです、殊に赤ちやんの食餌は毎日の事であり、數回にわたつて與へねばなりませんから矢鱈に添加物のみにとらはれて複雜した食餌を與へぬやうに注意して戴きたいと思ひます、まるで藥劑の調合のやうに牛乳何瓦に砂糖何瓦、それに玄米粉をどの位混ぜるかといふやうな事のみとらはれぬことが大切で恰も母乳の如く極く自然に與へなければなりません、では、人工榮養の分量はと申しますと、牛乳の場合、これを稀釋度に分けますと全乳、三分の二乳、二分の一乳、三分の一乳の四種に分けられます、生れて間もない時は三分の一乳（つまり水三に乳一の割）を與へれば宜しいが、近頃では二分の一乳を用ひる事が多いやうです、それから生後三週間から一ケ月もしたら二分の一乳（つまり水と牛々）にして三ケ月位まで續け、百日位經過したら三分の二乳を與へ生後六ケ月前後から全乳を與へてもよくまた三分の二乳で水の代りに重湯を用ひるのも結構です、重湯の薄いものは二分の一乳時代から與へてよろしいのです。（醫學博士田村均氏談）

犯され易い乳齒─野菜・果物を召上れ

乳齒に現れるカリエス、つまり齲蝕と永久齒に現れるカリエスとは甚だしく趣きを異にしてゐます、永久齒のカリエスは前齒部よりも臼齒部に專ら現れますが乳齒の場合は前齒が先にカリエスになり特に上顎前齒部に多く發生します又肉眼で見ても永久齒の場合は患部が黑くなつたり、崩壞したりしますが、乳齒の場合は崩壞しないで齒の前面が黑くなります「みそ齒」の原因としては大體次の三、四を擧げることができませう、乳齒の出現當時は琺瑯質の表面に薄い膜──これはネスマイス氏膜と云はれてゐます──があつて肉眼で見ることはできませんが擴大してみますと膜の表面に澤山の凸凹のある事が分ります、それにこの時代の食物は大部分が母乳です、たとへ離乳期になつても牛乳や重湯等の軟食物が主で、咀嚼による自然の清掃が不行屆きである上にそれ等の食物が齒表面の凹凸部に停滯齲蝕するから「みそ齒」が生じるのです。

又この「みそ齒」の生じる頃は一般に睡眠時間が長いといふことにも重要な關係があります、起床中は常に唾液を分泌し口がよく運動する爲齒牙は或程度自然に淸掃されるのですが、睡眠時間が長いのでさういふ生理的作用がないのです、その他榮養不良結核黴毒ビタミンA、D、カルシウム分の不足による骨傷害等も「みそ齒」の原因に數へられてゐます。

「みそ齒」は將來齒列不整の原因になりますから永久齒が生え始めて尙「みそ齒」が殘つてゐるやうであれば治療しなければなりません。

母乳の良否も齒質に大きな關係を持つものですから母親自身常に健康狀態に注意すること、齒や骨質に必要な食物を召上つて良い母乳を出すやうに氣をつけて欲しいものです、齒質や骨質を强くする食物としては、大根、人參、白菜、トマト、椎茸といつたやうな纖維の多い野菜

や果物がよろしいのです、かうした食物をそれぞれ食べないやうに調理して離乳した子供に與へる樣にしますと自ら「みそ齒」の豫防にもなり健康な永久齒を生む基礎になります（醫學博士青山勇三氏談）

感染率の激しい幼兒の百日咳

百日咳は百日咳菌の感染で起るもので、患兒の呼氣あるひは喀痰によつて直接に感染するのは勿論、また喀痰の衣服、器具、手指等に附着したものから間接にも感染します、そして家中で一人がかゝると他の子供達もほとんど全部感染し、またほんの短時間、百日咳の患兒と接觸しただけでもすぐ感染する程、感染力は非常に強いものです、二歳から五歳の小兒が一番罹りやすいのですが、乳兒でも初生兒でも罹ることがあり、十歳以上になると罹ることが少いのですがたまには大人でも感染することがあります、感染してから發病するまでには三日乃至十五日（平均八日）かゝりますが、發病の初めには呼吸器の加答兒症状結膜刺戟症状、時に輕い發熱等を伴なつて咳が起ります、咳は初めは通常の感冒の時のものと同樣ですが、一週間乃至十日もたつと百日咳に特有の痙攣性の咳が發作的に來るやうになり、夜間は殊に頻繁に起ります、この發作は自然にも起りますが、また精神感動、食物嚥下、多食、冷水飲用、音響、光線の刺戟などが動機となつて起ることもあります、發作が起ると短い咳が多數引續き時々強く息を引き、最後に粘てうな氣色あるひは白色な粘液を喀出し、あるひはおう吐して發作がやみますが、發作中は顏面は充血し、あるひは紫色になり、靜脈はふくれ、はなを流し、粘液、血液を鼻腔よりもらし、時に顏面に輕度の浮腫を起し、その他ヘルニア、脫紅、粘膜出血、鼻血等を起すことがあります、發作は少い時には一日十回位のこともありますが多い時は五六十回にもなります、全身の状態は多くは強くをかされ、食慾は不良で、年齢の小さい程強く衰弱し餘病を併發しやすく危險です、併發症の中で多くてこはいのは加答兒性肺炎、肺結核、氣管支腺結核、氣管支擴張等で、百日咳の經過中高熱を發した時など特に警戒を要します。

豫防と治療

百日咳はすでに發病して特有の症状を呈するやうになつてしまつては治療がなかなか困難ですから、なるべく罹らないやう豫防に注意しなければなりません、流行時に患者に近よらないこと、感冒に罹らないやうにするのは勿論ですが、毎年百日咳ワクチン豫防注射をすることは非常に有效で、これによつて感染を全く防ぐことが出來、あるひはよし罹つても輕く經過さすことが出來るもので是非おすゝめしたいものです、近所に百日咳患者のある時、比較的續いた咳をし殊に晝間よりも夜間に回數が多くまぶたが腫れる樣子でもあり、なほ咳の終りに粘てうな粘液でも出すやうな場合、多くは間違ひなく百日咳ですから早速清潔な陽あたりのよい暖かい室に隔離して換氣にも注意を要します、發熱合併症のない時は、天氣のよい暖かい風のない日は戸外に出すのもよろしく、入浴も差支へありませんが、浴後風邪にかゝらないやうに注意が必要で、冷風、濕潤、塵あいは避けなければなりません、食事は滋養のものを少量づゝ分與するのが宜しく、辛いもの、酢つぱいもの、香料、その他刺戟性のものは避け精神感動も避けなければなりません。

療法としては、吸入法、咽喉藥液塗布、藥劑内服、注腸療法、血液注射療法、理學的療法等があります、ワクチン注射は初期には有效ですが、發作のながく續いたものにはビタミンCの注射が特に有効のやうに思ひます（小兒科中山喜美雄博士談）

恐ろしい子供の病氣「自家中毒症」の流行

世の中の文化がすゝめばすゝむほど、病氣は一般に少くなるのが普通です、これは醫學の進歩、衛生思想の普及などから見て當然ですが、病氣の種類によつては逆に多くなつてゐるものがないでもありません、こどもに多い『自家中毒症』がそれで年を追つて多くなる一方で今年も亦非常に多い、これにをかされる子供は三歳から十歳のものが一番多く、それも神經質のものが多い、症状は嘔吐が主で毎日これをくりかへし、四日から一週間つゞくと治りますが、嘔吐するときにはお腹に非常な不快感を伴ひ、また脈搏が大變多くなります、熱のないのが普通ですがあつても高い熱は出ません、症状からいふと疫痢に似てゐますが、熱のない點が高熱を伴ふ疫痢と違つてゐます、この發作は少いもので一年に二回くらゐ、多いものでは一年に十回以上にも及ぶものがあります。

そして年齢の長ずるにつれて自然に治つて行くのですが、死ぬ場合もないではありません。

外國では『周期性嘔吐症』といつてをり、わが國ではビタミンBの缺乏症だといはれた時代があり、今でもこの說を信用してゐる醫者もありますが、これは間違ひです、最近では植物神經系統の過敏による、いはゆる「アレルギー現象」だといふ說が一般に行はれてゐますが、自分はこの說には納得出來ません。

發病の動機は肉體的精神的の昂奮で、お祭とか家庭にお客が來たとか、運動會、遠足、映畫などがしばしば誘因となります

風邪を引くのもよくない、したがつてこの病氣を持つてゐる子供には、さうした肉體的精神的の昂奮をなるべくさけるやうにすることが第一です、治療法はヒマシ油を用ひた時代もありましたが、これは食餌が原因で發病すると考へてゐたためで、子供はこのためかへつて苦しむばかりです。

發作中は物を食べさせない方がよく、のどがかはいたら水をのむ程度にして置く、氷砂糖などをしやぶらせるのもよい、有效なのは各種の鎭靜劑でその他には治療法がありません（東大講師醫博山本康裕氏談）

感冒に睡眠不足や不規則な生活は禁物

急にまた寒くなつたため感冒患者が大變多くのりました、腺病質の人は一般に感冒に罹りやすいものですが、扁桃腺肥大とか、鼻の病氣のある人、それから睡眠不足活、生の不規則、不攝生などから身體の抵抗力が弱くなつて感冒に罹り易い人も多いのです、或はまた偏食の人は永年の間に知らず識らずある種の榮養素に不足を來して病氣に對する抵抗も減退してゐる場合が多いものですが、かういふ人も感冒におかされ易い體質ですそれで、どうして感冒にかゝるかといふ事をよく知つて置くことも感冒豫防に至極大切な事です、私達の衣服と皮膚との間の溫度といふものは攝氏卅三度から卅四度位を常に保つてゆく必要があるのですが、その際ひどい寒氣に當ると、その部分の熱が急に奪はれますから感冒に罹る事になるわけです、之と同じ理由で汗をかいた時、其まゝにして置くと水分の發散の時急に熱を奪はれますから感冒に罹ります、湯上りに薄着をして風邪を引くのも、うたゝ寢をして感冒にかゝるのも同じ理由からです、マスクは冒感の豫防に大變效果があつて、冷い空氣も一度マスクを通して入る時は柔げられて咽喉を刺戟する事も少いので豫防になると同時に、傳染も防ぐわけです、しかし空氣があまり乾燥するといふことは感冒の原因になりますから部屋の中では火鉢には必ず藥罐をかけて湯氣をたて調適の濕度を保つことが必要です、なほ感冒の氣味があつた時にはすぐに手當をする事が大切で、家庭では含嗽（硼酸八・〇、オキシフル一二・〇、薄荷水八・〇、水四〇〇・〇グラム）をするとか、咽喉に藥（ルゴール氏液）を塗るとか、濕布或は蒸氣吸入等が效果があります、そして夜寢る前には頓服としてはアスピリン（大人一・〇グラム）がよろしいが、その外の風邪藥でしたら違つたものを二種程混ぜて頓服すると、一種類の藥を服用するより効果がありまず、熱い饂飩などを食べて布團をよく着て寢ると汗が出ますが、其汗をよく拭いて寢衣を着換へて寢ますと翌朝は普通の輕い感冒なら大概治つてしまひます發汗をしたら、一旦乾燥した布で身體を摩擦しておやすみ下さい（醫學博士糸川欽也氏談）

上手な濕布と吸入と含嗽の仕方

醫學博士　一色　征

◎胸部濕布の施し方

そろそろ流行性感冒が流行して來ます。次いで肺炎も增加して參ります。

我が日本では一般に肺炎時には必ず胸部溫濕布を施す事が常識となつてゐますから、次に其の施し方を述べませう。

胸部溫濕布（一般にプリスニッツ氏溫濕布を行ふ）は肺炎に特効的に作用するものではないが之に依つて多少とも經過を良好ならしめるもので、下手に施すと却て病勢惡化を招く。

胸部濕布を行ふには、一般に市販にある濕布帶、濕布カバーを用ふるが便利ですが自製せられてもよろしい。

濕布のあて方　は先づ濕布帶を溫湯に浸して充分絞りカバーの上に載せ、手早く背から廻して胸で合せ強く胸部を緊迫しないやう、且つその邊緣が外にはみ出し下着をぬらさぬやう注意してカバーにつけてある紐で結んで置くのです。大約三四時間毎に濕布帶の濕りが乾き切らぬうちに交換するのがよいが、餘り度々交換して却て患兒の安靜を妨げぬやう、殊に睡眠中は之を妨げぬやう力めた方がよろしい。

濕布交換を手早くする爲めに濕布帶を二組作つて置くのがよろしい。交換時には乾いた手拭で皮膚の濕りを充分に拭ひ取り、亞鉛華澱粉を充分に撒布して置くと濕布まけが少い。

胸部溫濕布を施した時は患兒を暖かき寢床に入れて置く事を忘れぬやう。之を忘れると却て風邪を引き添へ易い。

濕布に用ふる藥劑としては溫湯に二%位に硼酸を加へるのが一般に用ひられてゐる。

所により日本酒で溫濕布する方があるが氣持が良くない。近來パスター樣の濕布劑があります。

芥子濕布　溫湯の代りに芥子を布袋に入れ溫湯で振り出したものに濕布帶を浸して溫濕布する場合がある更に又芥子泥の貼布又は纏絡を用ふる事がある。

芥子泥を作るには新しい芥子にメリケン粉を混じ熱湯にて煉り芥子泥を作り直接「リント」に塗るかガーゼに伸ばしてその上に更に「ガーゼ」をのせ胸部に貼布す。貼布後五分間位觀察して、皮膚が充分發赤すれば直に除き去る。芥子泥をはがした後は微溫湯でよく拭き取り、その後に普通の溫濕布を施す。此の時に泥を充分拭き取らぬと水疱が出來易い。此を一日二—三回繰返す。

芥子泥濕布は衰弱の甚だしい時、痙攣性の子供や濕疹の強い時には用ひぬ方がよい。それ故に醫師の指示を受けた上で行ふやうなされ度い。

◎頸部溫濕布の仕方

患兒の頸の幅に切つた「ガーゼ」を三—四枚重ねて糸で緣取りをしたものを溫湯で充分に絞り、頸部に一まわり卷いて、その上を同じ幅の油紙でくるりと一まわり卷き繃帶をして置きます。三時間毎位に交換します。

◎吸入のさせ方

咳が出て咽喉の痛む時吸入をかけると呼吸器の炎症をやわらげ、粘液分泌を少くし或は痰の喀出を容易にし痰がよく切れ咳が少くなるのです。

吸入器は患兒から一尺位前方に置いて霧を吸入させ患兒の胸には防水布をかけて濡れないやうにします。小さい赤ちゃんでも無理に口を開ける必要はなく口を開けて泣いてゐる時は却て容易に吸入させられます。

吸入をかける時の注意

一、最初は吸入器の口を患兒に反對の方向に向け一通り噴き出させ霧になつてからかけないと時々火傷をします。

二、吸入器の直ぐ傍に口を近づけぬやう遠目からかけて終つた後はよく拭いて「クリーム」でもつけてお顏の荒れを防ぎませう。

三、釜がごう〲と音を立てゝきた時は直に「ランプ」を消し水を補給すること。
四、吸入中は必ず附添人が居るやうに。
五、藥の分量は一回に「コップ」二杯位にし、一日三—四回行ふ。
吸入藥としては百倍の重曹水(水約一合一茶匙)又は百倍の重曹水食鹽水等分のものを用ふ。

◎含嗽を致しませう

季節風の吹き荒ぶ日或は外出から歸つた時には少し大きい幼兒には含嗽をさせるやうよい習慣をつけませう。食事の後も口すゝぎと一緒に含嗽をいたしませう。含嗽をすると咽喉についてゐる黴菌やほこりをすつかり洗ひ流し、氣がせい〲とします。

含嗽藥としては、
一、百倍の重曹水
二、五十倍の硼酸水必ず溫湯で溶かす事、冷水には溶けません。
三、五十倍又は百倍の過酸化水素水(冷暗所に貯ふ)を用ひ數回から〲と含嗽を繰返します。

第十六回全大阪乳幼兒審査會

市長賞受領者(男子)

生後	乳幼兒名	父ノ名	現住所	父ノ職業	父ノ酒量
二ケ月	森崎義彦	秀雄	此花區上福島三ノ七三	新聞記者	一合
三ケ月	井村公彦	虎夫	旭區古市北通五ノ四一二	官吏	ナシ
五ケ月	永尾一夫	廣海	奈良縣山邊郡丹波市町布留	出征軍人	少
〃	前川曠	一夫	住吉區山王町二ノ六	印刷工	二合
六ケ月	伊藤研治	直	住吉區北田邊町七四二	礦油輸入商	ナシ
〃	塚口成良	成夫	此花區春日出町下一ノ一二	會社員	少
七ケ月	佐治功	守衛	泉北郡高石町羽衣六二一	三越店員	ナシ
七ケ月	小山稔夫	俊二	東淀川區木川西之町二ノ六八	會社員	中
八ケ月	櫻井郁夫	吉兵衛	西區靭南通四ノ一九	食料品	五勺
〃	酉谷芳昌	芳夫	浪速區稻荷町二ノ九二二	金屬加工	一合
〃	關淳次	熙	住吉區帝塚山中一ノ九六	銀行員	ナシ
九ケ月	藏谷賀美雄	國次郎	西成區東四條三ノ三六	海産業	ナシ
〃	日吉借二	一夫	港區壽町二ノ二	印刷會社社員	ナシ
〃	江本庄三郎	憲一郎	兵庫縣川邊郡東谷村東畦野字長尾四	會社員	ナシ
十ケ月	原田勳	政治郎	此花區西島町一〇〇ノ一	會社員	二合
十一ケ月	吉田弘	喜一	東成區腹見町四一四	西洋洗濯	二合
一年三ケ月	加藤正晴	清一郎	旭區蒲生町一ノ五〇	鐵道省機關工	ナシ
一年六ケ月	市村廣敏	楷敏	住吉區山坂町五ノ五二	會社員	ナシ
一年七ケ月	大竹章三郎	金次郎	東區北濱二ノ二五	洋酒商	三合
一年九ケ月	酒井汪	幸雄	西區南堀江上通一ノ三八	ゴム製品	少
一年十ケ月	岳田健治	乘吉	此花區今開町一ノ一〇	會社員	一合
二年	濱本眞輝	宗七	西區薩摩堀北之町二二	米穀商	少

市長賞受領者(女子)

生後	乳幼兒名	父ノ名	現住所	父ノ職業	父ノ酒量
一ケ月	上甲悦子	八十見	東成區中道本通一ノ七八	陸軍工兵	ナシ
二ケ月	山添光代	正雄	住吉區天王寺町三〇五九	會社員	ナシ
五ケ月	清水登代美	亘	東淀川區野中南通一ノ九	寫眞業	ナシ
六ケ月	村上靖子	勇	西淀川區御幣島町二一三	鐵工所	少
〃	森本壽美	操	兵庫縣明石市右牛塚町一七七	教員	少
七ケ月	淺岡幸子	柳右衛門	住吉區田邊本町六ノ四九	警察官	ナシ
八ケ月	乾眞由美	卯一	兵庫縣寶塚壽樂莊	會社員	少
九ケ月	榎本勝美	德藏	天王寺區烏ケ辻町七〇	洋服商	一合
十一ケ月	川田和子	義廣	東淀川區豊里營原町一六六	官吏	ナシ
十一ケ月	土方靖子	時雄	豊能郡中豊島村福井四八	會社員	ナシ
一年	高橋和子	榮次郎	西淀川區浦江北一ノ一五五	メリヤス	ナシ
〃	増田知子	裕治	東成區南生野町五ノ六七	公吏	ナシ
一年一ケ月	堤典子	滿廣	南區南炭屋町二一	銀行員	ナシ
一年三ケ月	靜典子	晃	天王寺區大道二ノ六三	公吏	ナシ
一年六ケ月	高住重子	善作	此花區大野町二ノ一〇一	鐵工	二合
一年八ケ月	永江弘子	佐平	南區西賑町八ノ一	精肉商	ナシ
一年九ケ月	寺田活子	末次郎	住吉區濱口町中一ノ二九	會社員	ナシ
一年十一ケ月	東野伊都子	勝太郎	北區中之島四ノ九(帝大理學部官舍)	運轉手	ナシ

新春所懷(編輯後記)

◉聖戰下の光輝ある新春を迎へるにあたり、先づ聖壽の無窮を壽ぎ奉ると共に、東亞新秩序の建設に邁進すべき國民としての覺悟を誓ふ者である。

◉昭和十三年度に於ては木戸厚相、永井遞相初め朝野各方面の絶大なる御援助のもとに、國家的に意義ある諸般の事業を敢行した事を涙と共に感謝しなければならぬ、殊に彼の戰時體制への推進に必要な多くのものを調達した第七十三議會の眞最中、時の文相だつた木戸厚相が本會總裁たる事を快諾され、亦宛然本議會の實質的内容を形成した感のあつた、電力國家管理法に對する審議の最も白熱的な論戰の展開されつゝある御多忙な唯中にゐられた永井遞相が、絶えず本聯盟の事業の爲めに種々御熱誠な御配慮を蒙つたのは何とも御禮の申上げやうもない事なのである、新しき年に於ては一層滅私奉公の實をあげたいと念願する次第である。

◉本聯盟が全國に魁けて兒童愛護を首唱實施してから十九年目、その間本事業のために愛の無慾の奉仕をされて、今や故人となつた三野、飯島、山桝、大塚、志賀等諸先輩の英靈に對し謹んで哀悼の意を表したい、東洋永遠の平和の爲めに戰友の尊いなきがらを越えて戰ひつゝある幾多の勇士の心中を思ひ浮べ、我等も亦天の命ずる使命に向つて奮進する決心である、そして本聯盟に追隨して後より來る諸團體によき範を示す可きであると思ふ、これが天晴れ大國民としての義務であり責任なのである。

◉過般、全東京乳幼兒審査會表彰式と全大阪乳幼兒審査會表彰式擧行に際し、本會審査員として多年熱誠盡瘁された中鉢、富田二博士(以上東京)と、酒井、谷口、肥爪、原田四博士(以上大阪)、亦本聯盟基礎確立のために多年援助されて來た大川銀三郎氏(東京)伊藤千太郎、乾卯平、伊藤英夫三氏及びネッスル會社(以上大阪)に對し、それ〲木戸總裁、永井總裁より感謝狀と記念品の贈呈授與があつて、當日の式場を嚴肅ならしめ會衆一同によき印象を與へたのであつた、第一回の審査會が北市民館に開催されたのは大正十一年であるから、今から十八年前の事である、酒井老博士は當時の審査長であつて、現に浪速高等學校の學生である志賀氏の遺子香苗氏が、優良兒として表彰されてる記錄が殘つて居るから實に感慨無量である、最早や我々の事業は國家的事業であると共に、家族的事業となつて來てる事を痛感する、何故ならば昨年の如きは優良兒として表彰された赤ちやんは、母となつて優良兒を連れて來てるのである、これ程愉快な事はなく、亦國家のために祝福に値すべき事實はないのである。

◉關東大震災の直後本事業を東京に於て開催して天下の輿論に訴へた、處が相當の地位にゐる學者達がなか〲贊成しないので實に困り抜いた經驗をなめて來たのであるが、時代と云ふものは誠に有難いもので、審査會が有意義なものとして試驗濟となつた今日に於ては、當時の反對者は双手をあげて援助され、亦昨年あたりから「こちらがホントウの聯盟だ」などゝ名乘りをあげる今樣築原將軍も顯はれると云ふ珍現象迄演出する有樣となつて居る。

本誌定價 一册金參拾錢 郵稅壹錢五厘
半年分六册 金壹圓六拾錢 郵稅共
一年分十二册 金參圓 郵稅共
誌代郵稅は一切前金の事
前金切の場合は發送中止
郵券代用は一割增のこと

昭和十三年十二月廿八日印刷
昭和十四年一月一日發行(毎月一回一日發行)

兵庫縣武庫郡精道村芦屋
發行兼編輯人 伊藤悌二
印刷人 木下正人
大阪市西淀川區海老江上二丁目三七番地
印刷所 木下印刷所
電話福島(45)一五三四番 二四二六番

大阪市北區天神橋筋六丁目
大阪市立北市民館内
發行所 日本兒童愛護聯盟
電話堀川(35)一〇〇一番 一〇〇二番
振替大阪五六七六三番

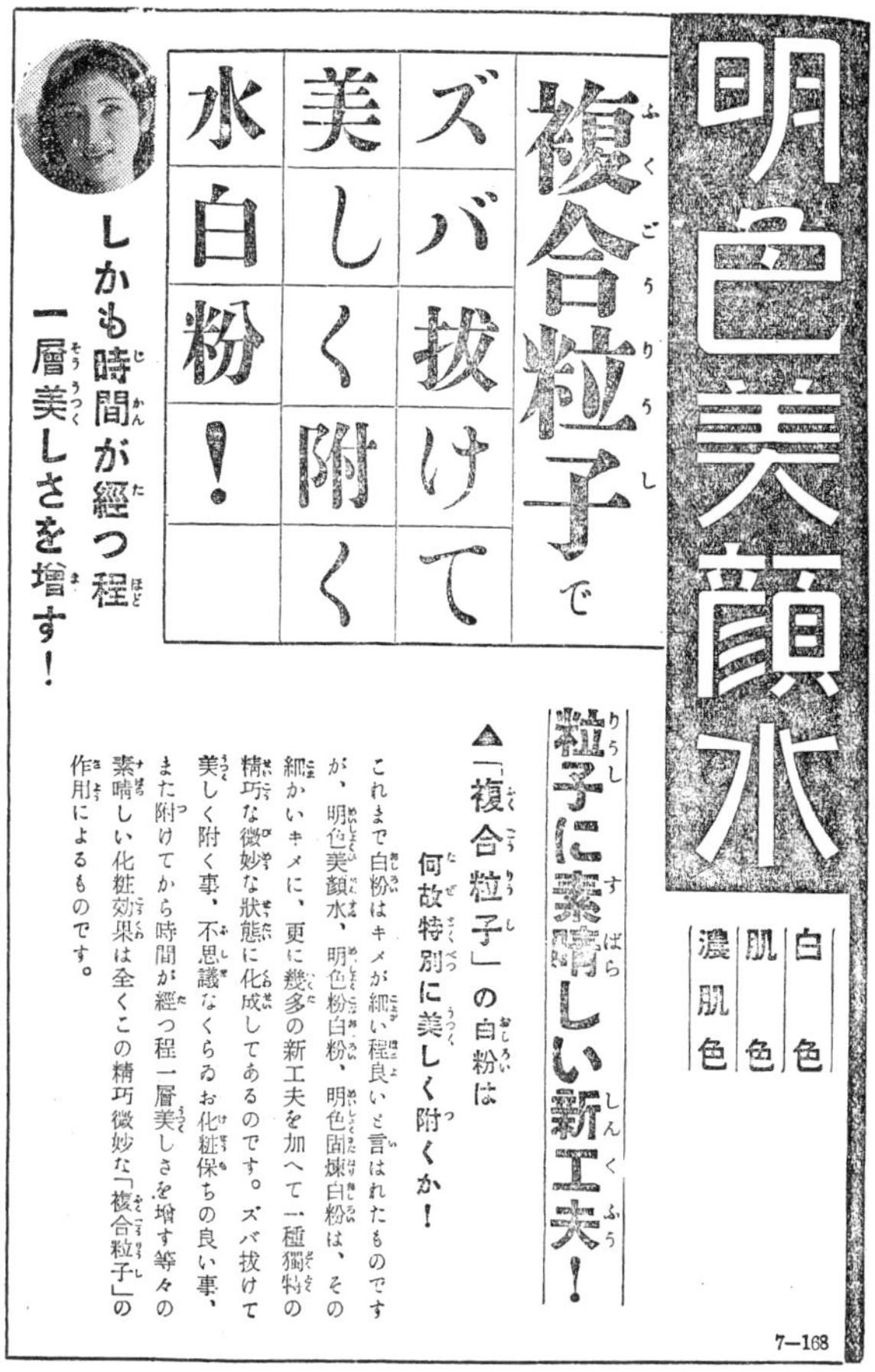

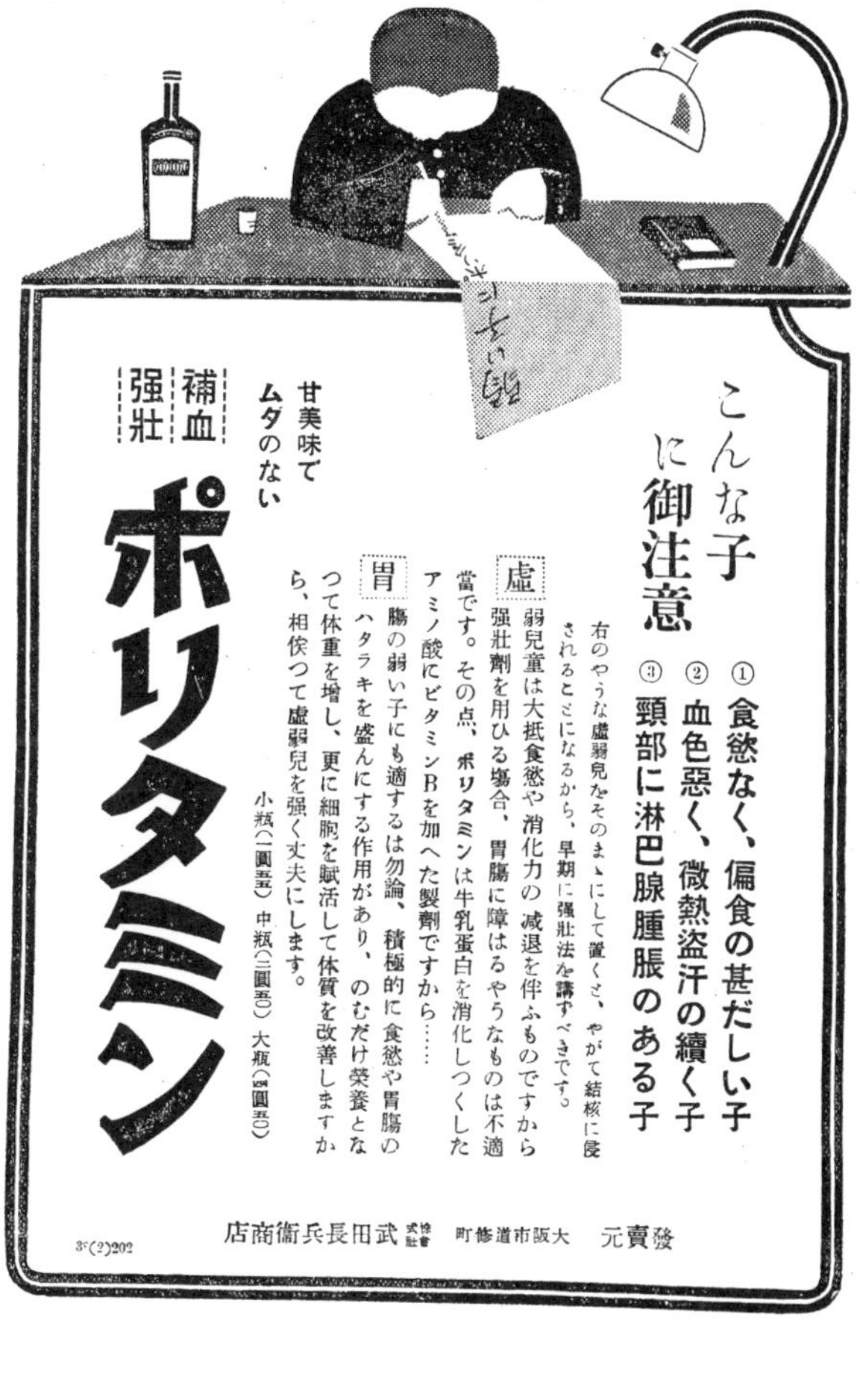

子供の世紀 第十七卷第一號
大正十三年二月二十日第三種郵便物認可
昭和十三年十二月二十八日印刷納本
昭和十四年一月一日發行(毎月一回一日發行)

【定價金參拾錢】

恒久國防・國民體位向上

子供の世紀

大正十三年二月二十日第三種郵便物認可
昭和十四年一月廿八日印刷納本
昭和十四年二月一日發行（毎月一回一日發行）

時難克服と家庭生活號

第十七卷　第二號

大阪市立北市民館内
日本兒童愛護聯盟

Kouniomi

「子供の世紀」（第十七卷第二號）時難克服と家庭生活號

目次

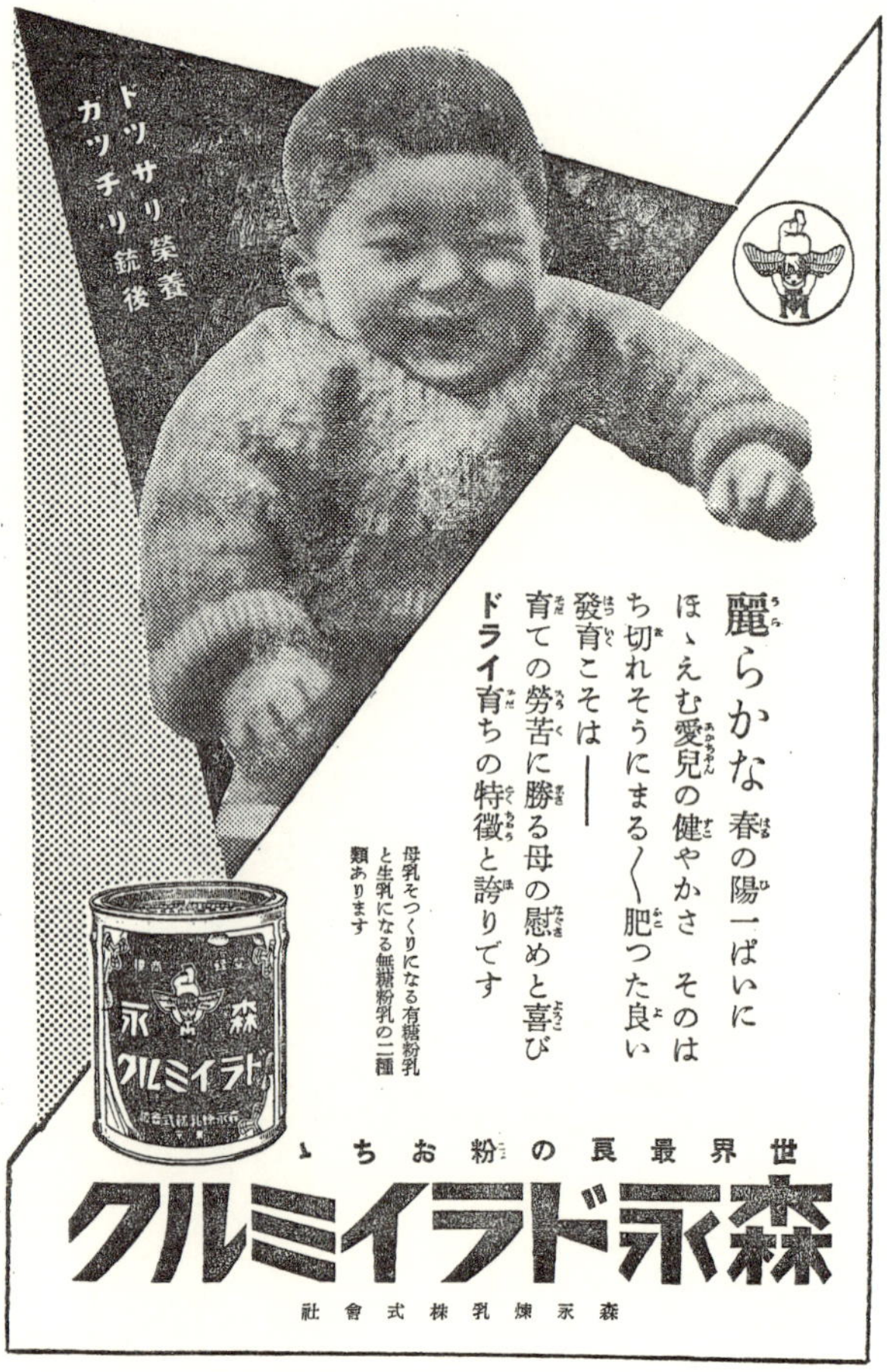
ドッサリ榮養
カッチリ銃後
麗らかな春の陽一ぱいにほゝえむ愛兒の健やかさ　そのはち切れそうにまる〳〵肥つた良い發育こそは――育ての勞苦に勝る母の慰めと喜びドライ育ちの特徴と誇りです
母乳そつくりになる有糖粉乳と生乳になる無糖粉乳の二種類あります
森永
ドライミルク
世界最良の粉おちゝ
森永ドライミルク
森永煉乳株式會社

＝家庭の任務＝

＝研究の視野＝

＝先人の足跡＝

＝育兒知識＝

大川吸入器
完全無缺
使用簡易
噴霧は體温以上に温く微細で病狀に好影響をもたらします噴霧管は特許引拔パイプ製で絕對に故障の起らぬ逸品。器械は堅牢で大川吸入器が標準型です。
本器は一ヶ毎に檢査をして發賣致しますす故、何處でお求めになつても安心です。類似品あり、大川式と御指名を乞ふ。（固定式上下式の二種有）

國史に於ける日本女性の華

和氣廣蟲

廣蟲は清麻呂の姉で、性質高潔にして至純、學識も亦非凡でありました。稱德天皇の御側近く仕へ奉り、剃髮して法均尼と稱しました。或飢饉の年、態々人を遣はして諸國の棄子を拾ひ上げ、總數八十三名を我子の如く愛育しましたので當時の人々から菩薩の再來とまで崇められました。かの清麻呂が宇佐八幡宮の御告を請けて、妖僧道鏡を斥けたことは實に萬代に輝く偉勳でありますが、宇佐へ出發するに先立ち廣蟲を訪れて此度の重大使命を告げた時、廣蟲は「正義を守るに何ものをも恐るゝ勿れ」と弟を激勵し、一層其決意を堅からしめました。此姉にして此弟あり。兩々相俟つて、皇位を守護し奉つたのであります。

東京
大阪 三越　日本女性展覽會

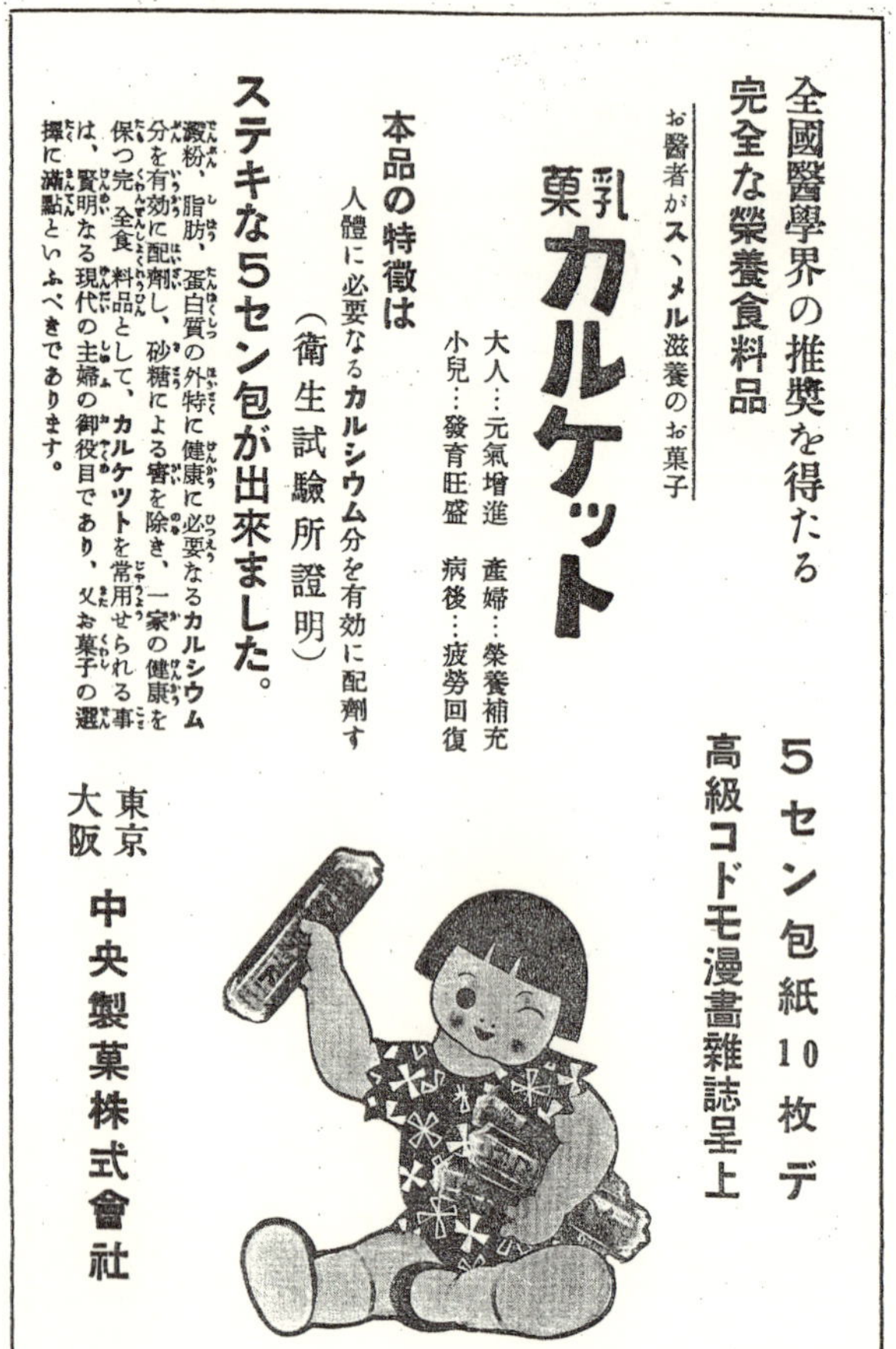

上手な吸入のさせ方

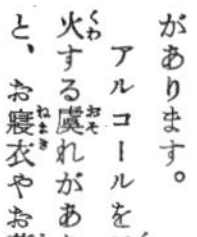

吸入や含嗽は、あまり重い病人には著しい効果はありませんが、早くやると侮り難い効を奏するものです。

外出後咽喉がちよつと變だと思ふときは、大人なら含嗽をすればよいのですが、小さいお子さんでは、それができませんから、吸入に替へます。吸入器にはいろ〳〵有りますが注意したいのは、藥液と一緒に冷い風が起り、却て吸入をしたために、よくない場合の起るやうなものを、避けるといふことです。使用上の注意といたしましては釜の湯は三分の一くらゐ注いで、なくなる前に注ぎ足します。湯のなくなつたのを知らずにゐると、破損することがあります。

アルコールを口元まで入れると、發火する虞れがあります。吸入をかけると、お寢衣やお蒲團が濕りますから、防水布やタオルをかけておき、寢たまゝの病人なら徐かにかけてあげて下さい。赤ちやんの吸入は無理にお口を開かせる必要はなく、玩具で機嫌よく遊んでゐるときでも、吸入器の方を近づけて、あたりの空氣を軟くしつとりさせて、少しづゝでも吸ひ込ませるやうにします。一回分をあまり長くかけると倦きますから、一日に三四回にしてコップに二杯ぐらゐで結構です。終りましたら蒸しタオルで拭いて、後にクリームなどをつけてあげると、お顔の荒れを防ぎます。

吸入液の作り方

藥液はいろ〳〵有りますが、お子さんには一%の重曹水で結構です。（約一合の水に茶匙一杯）又は重曹と食鹽を各々一%の割に溶かしたものを用ひてもよろしい。

うがひ藥の作り方

二%硼酸水　硼酸は冷い水に溶け難いが微溫湯を用ひますとすぐ溶けます。大人の水藥二日分入りの瓶は通常二百瓦入りですからこれに四瓦入ればよろしい。

二%鹽剝水　鹽素酸加里は常用としてうがひに用ひるのはよくありません殊に小兒には用ひぬのがよろしい。

三%過酸化水素水　過酸化水素又はオキシフルを水百に對して三の割合に二百瓦入りの水藥瓶なれば六瓦入れます。過酸化水素はごみ、又は日光熱等にあへば酸素を發生分解して無效となりますから瓶は清潔なものを用ひ、戸棚か押入等の暗所に置かねばなりません。

體力練磨を怠らぬ我等の最優良兒

上圖は福知山近郊の夜久野ケ原スキー場にてスキー練習中の米澤史朗君！
史朗君は芦屋山手小學校三年生の級長であつて當年十一歲の健康兒！
史朗君は昭和五年の本聯盟主催全大阪乳幼兒審査會にて故關市長より表彰された最優良兒！

全大阪乳幼兒審査會の審査員と奉仕者

(上) 前列向つて左、大阪帝大助教授前田博士、右端は十七年間審査會に奉仕された功勞者酒井博士、後列三人目は市民病院今泉博士、五人目は大阪市電氣局病院原田龍夫博士、他は大阪市聯合婦人會員諸姉。

大阪府立社會衛生院の學生諸姉
(大阪三越八階ベランダーにて)

怪童 賀美雄君

大阪西成區東四條藏谷國次郞氏(海產業)の子息、第十六回の本會では最も偉大なる體格の持主だつた。

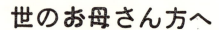

紫外線の薬剤

.60 2.00 5.50

（全國薬店・百貨店にあり）

太陽を與へよ

青白き都會の兒童に

あの偉大な發育力、生命力を植えつける原動である日光の中でも、最も人体に欠乏する紫外線を苦心して、藥劑化したのが錠劑**オリーゼ**なのです

うらなりの様な、都會の兒童に、なくてならぬ、珍しい强壯劑が出來たわけです

紫外線の欠乏より起る、小兒腺病、吹出物の出る体質、風邪、結核を豫防し、頑健な体質に築き上げます

勿論服み良いです

詳しい説明書お請求下さい

（大阪中央私書凾二十五）

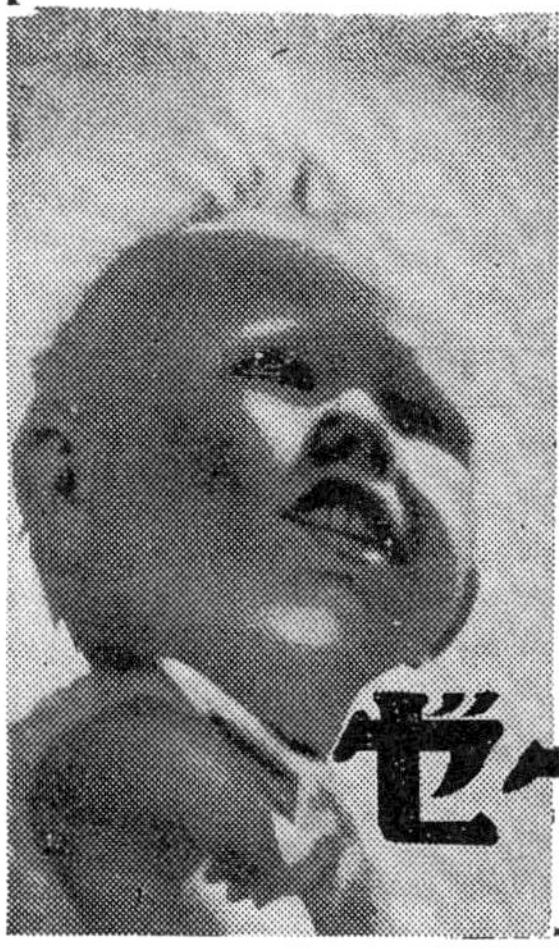

日光ビタミン

錠劑

オリーゼ

力強し勇士の坊やは優良兒

過般全帝都下の各新聞紙上に於て報道された、本聯盟の第十回全東京乳幼兒審査會の第二次の表彰式は京橋明治製菓講堂に於て行はれ、永井名譽會長より表彰された入選者多數の中出征軍人の愛兒十八名、戰死者の遺兒二名も交り、銃後にあつて愛兒の育成に努力する母の力强さが眞き夫人として報告さなつて現實に昂揚された。

前列右は鈴木晃君（澁谷千駄ヶ谷）で父君昇六氏は南支杉本部隊に屬し出征中、左は青木史江さん（父五郎氏は芝仲川町遞信省勤務）

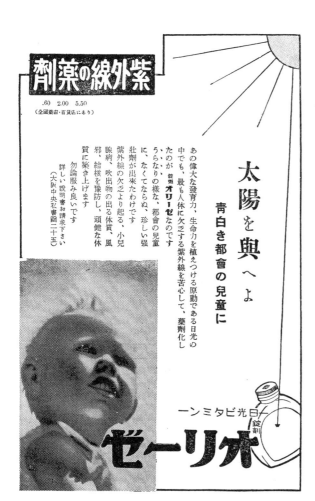

醫學博士 有馬頼吉氏 醫學博士 青山敬二氏 醫學博士 太繩壽郎氏 發見創製

AO

アーオー

結核免疫元

非常時ノ短期大奉仕

第一號五宮入一箱 大人用 小兒用 二 對シ三管ノ寄贈券ヲ挿入ス

本劑は獨特の培養法と合理的處理による製品にして有害なる過敏元と吸收を妨ぐる贜質とを含まず全く純粹免疫元のみより成るか故に吸收迅速、副作用皆無、而も効果確實なるは最も誇る所にして一々動物實驗によりて効力檢査を經たる後始めて市販せらる

治療的應用

潜伏結核、肺結核の初期、眼結核、外科的結核、初期泌尿生殖器結核、皮膚結核、肋腹膜炎等には7―10日に一回第一號を使用して發病防止的効果頗る顯著なり

發病防止的應用

一般虚弱者及腺病質の小兒學童等に對し、一ヶ月に一回第二號を使用して發病防止的効果優秀なり

診斷的應用

AOの治療量注射の前後に於て白血球檢査により簡單に結核の存否病勢並に豫後を確斷し無危險のみならず同時に治療を兼ねたる診斷法（吉田氏反應）なり

試品解説 進呈

製造所 **有馬研究所**

發賣元 **須美商店**

大阪市東區北濱四丁目四〇

振替口座大阪三〇一〇〇番

ナショナル

ナショナル丸山型コタツ

温度自由調節 二重安全装置付

100V～60W

お子達にも・・

大人にも悪いガスを出す保温器は身を悪くします

悪いガスも出ず温度の調節も自由そして一定温度を保てる保温器が一番・・

健康は買へません

お子達には特に！

ナショナル煖房器

松下電熱株式會社

昭和十四年 **子供の世紀** 二月號

三つの話題（巻頭言）

攝津太郎

東洋一の大新聞を以て誇る其の社內の一室で、然も二十年來飽く事なく一生懸命に平記者を勤めて來た某氏は、新春を迎へる度每に誰れに遭つてゞも必ず「今年こそは天下をアッと云はせるやうな大事業をしなければならぬ」、といかにも確信に充ちた面持と吹聽がましい語調で云ふのは有名な話しになつて居る、處が一言居士を以て自他共に許して居る其の室の部長は、聞くに聞き兼ねると云つた表情で斯んな名言を吐いた「日本國中のインテリが一人殘らず、双葉山、六代目菊五郎、川端龍子、近衞文麿、小林一三、德富蘇峯になつて了つても實に困りものだ、平凡人の偉大と云ふ事を知る必要がある、コツ〳〵と自分の與へられた天職にいそしむ所謂無數の無名の英雄が無かつたら、光榮ある日東帝國の大使命である新東亞の建設を一體誰れが爲すのであらうか、情ない事だ」、と。

帝大出の一法學士が或る大會社の社長秘書に任命されるや否や、社用で東北地方に御伴旅行を仰せつかり、溫泉場に一泊した迄はよかつたが、晩餐をすまして社長と共に夜店のある大通りを散步した時、社長の好物の柿を買ふやうに命ぜられた、當の秘書君果して學生時代のカンニングの手腕を發揮したのかどうか、柿の計算を誤魔化した事が、傍らに立つてた社長の發見する處となり遂に首になつた實話がある。

然しこれなどは、寺院內に秘藏されて居る國寶を、自宅へ運んで來て平然としてゐた京都の醫學博士よりは罪は輕い方である、教育のあるなしに拘はらず盜癖を根治する藥はないものであらうか。

歐洲大戰直後の我が國の社會事業界に、一時「裾模樣の社會事業」、と云ふ言葉が流行した、その頃は各方面に珍談が可なり多かつたが、歌の女神と呼ばれた京都の一貴婦人が或る貧民窟を訪づれ、街頭にはみ出してる幾多の子供たちに自携の菓子を配布した、すると我れも〳〵と大勢がたかつて來て、切角の裾模樣は泥まみれになり困り果てゝ、女神は二度と貧しい子供の友とはならないと云つたとの事であつた。

寧ろ其の時裾模樣でなく、昨今全盛を極めて居るエプロン姿の方が安全ではなかつたかと思はれるが、然し此のエプロン姿で出征軍人を驛頭に見送る際、片手に日の丸の旗、片手にゴールデンバットはどう見ても餘り見よいものではない。

— 1 —

麻疹の話

大阪市立堀川乳兒院長
醫學博士 野須新一

本年は麻疹の流行する年に當つて居る

傳染病の流行が年によつて其の模樣が違ふ事は統計の上に興味深く現はれて居る。が殊に麻疹の流行は近年隔年に其の大流行を見て居る。而も近年割合に惡性の麻疹が尠いのは不幸中の幸とでも言ふ可きか。此の傾向は全國的にも又地方的にも其の傾向があつて當大阪市に於ける麻疹流行の狀態を見ても矢張り隔年に流行して居り、本年が恰度其の當り年になつて居る。

麻疹は冬から春先にかけて最も多い

一年の中でも麻疹の流行は十一、二月頃から始まつて三、四、五月と最高を示して居る。故に今から麻疹に對する知識を養ひ、其の對策準備を心掛けて置く必要がある。

麻疹による死亡率

麻疹による死亡は年が若い程高くその中でも乳兒期が最も高く、二三%を示し、二年から六年迄の所謂乳齒期では四・五%六年—十年では〇・五%、十年以上になると〇・三%となり幼稚園時期以上になれば麻疹死は無いものと見て差支へない。尙乳兒期では生後六ケ月以前には麻疹には先づ罹らない、之は母體よりの免疫力を受けて居る爲である。麻疹による死亡原因は主として麻疹合併症の爲めであつて、殊に麻疹肺炎が最も多い死因となつて居る。其他麻疹後に來る結核性疾患（結核性腦膜炎粟粒結核等）も亦其の原因となつて居る。之等の合併症は乳兒程惹起し易いのであつて、年をとると共に病氣に對する抵抗力が強くなり合併症を起す頻度も減少して來るのである。之により麻疹により小兒を亡くしない樣に

— 2 —

するには幼少の時分にかゝらぬ様にして、六年以上になつてからかゝる様にすればよいのである。

麻疹の原因

一種の濾過性の病原體であらうと想像されて居るが今日尚不明である。而も其の病原體の抵抗力は甚だ弱いものであつて、第三者或は玩具、器物等によつて傳染する事は尠いとされて居る。傳染は主として呼吸氣道によつて行はれるもので咽頭、氣道等が侵入門戸となつて居る。而して傳染は赤いつぶ〳〵の發疹が出る發疹期が一番に強い。然し既に最初の所謂加答留期にも傳染力を有つて居るので油斷はならぬ。熱が下つてからは急に傳染する力が弱まつて來る。潜伏期は十一日となつて居る。從つてあの麻疹に特有な發疹が出て來るのが通常感染十四日目とされて居る。

麻疹の性質の良い惡いと言ふ事

即ち今年の麻疹は重いとか去年のは輕いとか言ふこの麻疹の良性、惡性と言ふ事は病原體の毒力如何に關係する事は勿論、個人の抵抗力或は罹患年齢に關係する所大であり、一部は又患者の養護治療法の適不適にもよるのであつて一概に言ふ事は出來ぬけれ共、合併症を併發する事が多い、麻疹の流行する時には麻疹の性質が惡く、然らざる時は良いと考へて差支なからう。而して大流行のある時には自然重症も多いものと考へて豫め用心するに若くはないのである。

麻疹の合併症

麻疹による合併症で一番危險なものは肺炎であつて、麻疹死亡の主な原因となつてゐる。其他中耳炎や腎臓炎等を併發する事もある。麻疹に罹ると殊に結核に對する抵抗力が弱まつて來る、爲めに結核性の病氣肺結核、粟粒結核、結核性腦膜炎等を麻疹の後に起して來る事が屢々ある、又今迄潜伏して居た結核が麻疹に罹つた爲急に病狀惡化する事もある、單に結核許りでは無く「ヂフテリア」にも罹り易くなる、而も麻疹と一緒に起つて來るヂフテリアは一般に惡性のものが多いので麻疹の流行時には「ヂフテリア」にも注意して成る可く早く「ヂフテリア」の豫防注射を受けて置く事が大切である。尚平素から榮養の惡い弱々しいお子さん方は麻疹に罹ると重く合併症を起し易いから出來る丈け麻疹に罹らぬ樣患者に接近せぬ樣に注意をし、假令罹るにしても成る丈年が經つて抵抗力が出來てから罹る樣に一段と注意が肝要である。尚同時に平素から榮養に注意をして少しでも抵抗力を強めて置く事が大切である。

麻疹の症狀

一、加答留期

始めは風邪引きに似た容態である。咳が出て、くしやみをする。機嫌が惡く熱が出て來る。只一寸普通の風邪引きと違ふ事は眼脂が多く、眼をまぶしさうに、くしや〳〵させる。くしやみの多いことである。又鼻汁、涙もよくでる。之等は粘膜の加答留症狀が強い爲めに起るのである、普通の感冒では眼の粘膜迄冒される事は尠い。此の時期の特徴として「コップリック」氏斑と言つて、口腔粘膜の頰の部分にごく微細な白色點狀の發疹が數個現はれる事である。之があれば麻疹と診斷して間違ひがない。熱は始め二、三日、三十八—三十九度迄上るが四日目頃一度三十七度近く迄下る。而して五日目頃から再び出て來る、而して又三、四日續いて八日目頃から今度は眞實に下つて來る。從つて普通麻疹であれば三十八九度—四十度近くの熱が約一週間續くのである。若し此の熱が一週間しても下らない時には何か合併症を起して來るものとして警戒をせねばならない。

二、發疹期

麻疹に特有なあの赤いぶつ〳〵した發疹は大抵四、五日目頃から出て來る、耳の後ろあたりから始まつて顔部軀幹、上肢、下肢と一、二日の中に全身に擴がつて來る。此の時期になると一層加答留症狀も強く、眼脂、羞明、流涙、鼻汁・咳嗽等も强くなつて來るのが常である。この時期が最も重い時で熱も一番高くなる。食慾も減少する。

三、恢復期

そして七日目頃から症狀も輕くなつて熱も下つて來るし、發疹の赤味も減つて暗褐色に變り表皮が剝離して來る、而して所謂落屑期に入る。で先程も述べた樣に發熱後七日（或は八日）しても尚下熱しない場合には合併症が起つたものとして充分の醫治を受けなければならぬ。

麻疹の豫防方法

大人で麻疹に罹つたことのない者は殆んどない程で一生に一度は必らず感染する病氣であり、而も其の病原體が今日尚不明であつて其の豫防法も至難とされて居る。前にも述べた樣に乳齒期の小兒では相當の死亡率があり幼少である程多く斃れるのであつて、殊に他の病氣に現在罹つて居る場合とか、或は恢復期にあるものとか、又は虛弱な兒童であるとか、又は其の流行が惡性であるとか言ふ場合には出來る丈け早く豫防法を講じ、一、感染の機會となり易い多數の人の集合する所（映畫劇場、デパート、電車、汽車の中等）には連れ出さぬ事が大切である。又二、幼稚園小學校等に於て若しも麻疹の流行してゐる場合には子供を早速休ます事、又麻疹の流行の成る幼稚園に出て居た子供は油斷なく監視して之が又家庭に於て他の兄弟や近所の子供の傳染の媒介とならぬ樣に成る可く他の子供に近付かせぬ樣にするか、又は自分の家の子供には適當の豫防方法を講ずるかする。若し自分の家に麻疹の患者のある場合には決して三、隱さずに其の出幼稚園なり又は遊び友達の家人に其の由を報告して豫め注意を喚起すると共に自宅に於ては患者の外出を禁ずるは勿論の事他の子供は決して同室せしめぬ樣、又他家の子供との出入を禁じ、四、患者の鼻汁、唾液、喀痰等の始末又患者の最近手にして居た玩具、雜誌等はなる可く他の子供に觸れさせぬ樣氣をつける。五、尚患者に附添ふ家人は決して他の子供に接せぬ樣總て患者或は傳染源を他の子供と隔離する樣注意が肝要である。然し如何に注意をして居ても其の感染を完全に豫防する事は出來ぬものであるから幼い子供には次に述べる樣な麻疹を輕く經過させるに効果ある

六、「血液注射」を行ふのが良いとされて居る。この血液注射には二通りあつて、一度麻疹に罹つて今其の恢復期にある子供の血清を注射する方法（デクウヰッツ氏麻疹豫防法）と一度麻疹に罹つた事のある大人の血液を注射する方法とがある。其の麻疹の豫防的効果の點から言へば前者即ち恢復期患者の血清注射が最も有効であるとされて居る。尚此の血液注射は共に麻疹に罹らぬ前又は麻疹の潜伏期の間に行ふてこそ有効であるので症狀が出て來てからでは効果は無い。實際問題として麻疹に罹つた子供の血液を攝ると言ふ事は中々行はれ難い事であるけれ共、若し同じ家庭に於て年上の小兒が麻疹に罹つて下の子供が未だ罹つて居ない場合而もその子供が極く弱いとか、榮養が惡いとか言ふ樣な場合には出來れば此の年上の子の血清注射を實施する事は甚だ望ましい事である。注射する血清の分量は豫防する時期によつて異る事は申す迄も無いのであつて、早期程小量で豫防効果を期待出來るのである。尚此の豫防注射の効果は先づ二箇月とされて居る。從つて病弱な小兒で流行の長引く際には一箇月か二箇月の間には重ねて豫防注射を受けるのが安全である。尚元來が健康であつて、時の流行が輕い場合には此の血液の注射を受けてから故意に麻疹に感染、發病させて輕く麻疹を經過させ、永久の免疫を獲得するのが良いとされて居る。

麻疹の家庭での手當法

一、病室　少しく暗い目にする、室内の密閉は空氣の

流通を惡くし、空氣が汚くなり易いので、患者の足の方向にある襖を一尺程開けるか、欄間を半ば開けて絶えず新鮮なる空氣の流入する樣にする。又時々窓を開けて中の空氣を換へてやる、然し患者に直接風の當らぬ樣枕元には屛風を立てる。尚空氣の乾燥を防ぐ爲め鐵瓶の蓋を取つて蒸氣を立たせる、室の溫度は攝氏二〇度位の暖かさが良い。部屋へ入つてむつとする樣な感じのするのは蒸氣が多過ぎる證據である。病室へ出入する看護人は決めて置き、他の人、殊に麻疹に罹つて居らぬ小兒の出入は固く禁ず可きである。

二、出來る丈安靜にさせる事、なる可く暖かくして置くことが必要であるが、然し無暗に溫かく蒸し過ぎぬ事も大切である。昔から麻疹に罹つた場合には冷す事を最も惡いとされて居る、然し無暗に冷す事を懼れるの餘り汚れた肌衣や襯衣や着物を着せて交換するを嫌ひ、蒲團も二枚も三枚も掛けて冷すなと言ふ意味以上に蒸して體溫の上昇で苦しんで居る患者を一層暑がらせ苦しめて得々として居る家庭を屢々見受ける。此の冷すなと言ふ事は感冒にでも感染する事に仍つて、氣管枝炎や肺炎を起してはならないから其の注意のための言葉であるから、溫めるのも程度問題にせねばならぬ。勿論高熱の爲めに睡眠が出來難く、興奮して腦症でも起しさうな場合には氷枕や氷嚢を貼して決して差支へないのである。

三、眼瞼や鼻は二%の少し溫めた硼酸水或は淸溫水で時々拭き、口腔内も同樣時々硼酸水或は一%重曹水にて清拭するか又は含嗽をさせ常に清潔に保つ事が必要である。

四、榮養食物　麻疹の際には一般に食慾が減退する。又下痢を起し易いので食物は出來る丈流動食にする、そして榮養價の多いものを攝らせねばならぬ。殊に水分の供給を充分にしてやらねばならぬ。從つて粥、牛乳、野菜スープ、肉汁、卵、白味の淡白な魚肉、軟かく煮いた或は潰した野菜、果物、果汁、白湯、番茶等と適當に按配して上手に食べさせる事が必要である。殊に麻疹の時にはビタミン類の損失が多いため、病後に屢々角膜軟化症や夜盲症等ビタミン缺乏症を起して其の恢復を遲らせ餘病併發を惹起し易い。故に恢復期には一層食物に注意せねばならぬ。尚食物の分量や與へ方も平素に比べて控へ目に適當に加減して、下痢を起さぬ樣又榮養を落さぬ樣に注意せねばならぬ。麻疹の經過中に粘液や血液の混つた大便が出て驚かされる事があるけれ共以上の色々の注意をして居れば自然に治癒するものである。

五、熱が下つてから一週間は溫かに寢かして置く、それからぼつ〳〵起して良い。但し麻疹後は非常に衰弱し

身體の抵抗力が弱まつて居るから、床を離れても傳染の危險の多い人込みには連れて行かぬやう。殊に冬季の寒い間はなるべく長く（病後二、三ケ月は）外出させずに室内で遊ぶ樣にし、一日に一―二時間は靜臥させる方が良い、殊に結核兒には斯う云ふ注意が一層必要で先に述べた榮養に就ても充分に注意すると共に、日光や新鮮な空氣に浴せしめる事が必要である、出來れば氣候の溫暖な海岸地方への轉地も結構である。

七、若し不幸にして肺炎、氣管枝炎、中耳炎、ヂフテリー、結核性疾患、夜盲症、角膜軟化症等合併症を起した場合には夫々專門醫師の指導を待つて夫々充分の治療を受けねばならぬ。

「ヂフテリー」の話

醫學博士　一色　征

「ヂフテリー」は「ヂフテリー」菌に依つて起る急性傳染病の一つで、その起る局所に依つて咽頭、喉頭、鼻腔、結膜、陰部、皮膚ヂフテリー等に分つ。

流行期　本病は春秋冬の季節に流行し、夏に少い上部氣道粘膜の加答兒は咽喉の「ヂフテリー」を起す誘因となる。

年齡と免疫　年齡から云ふと一般に二―六歲の小兒に起り易く乳兒、成人には少い。又一度本病に罹患すると一時免疫性を得るやうになるがこれは一生涯免疫力があるわけでなく數回本病に罹患する人がある。

症狀　潛伏期は二―四日である。

一、咽頭ヂフテリーでは體溫卅八度―卅九度にも昇り、鼻聲となり、全身倦怠、頭痛、嘔吐、嚥下痛を伴ひ、咽頭粘膜を見ると發赤腫脹し、口蓋部の一側又は兩側の扁桃腺上に灰白色の義膜が存在し之が剝離し難く强いて除去しやうとすると出血す。一側又は兩側の顎下線は腫脹し壓痛があり幼兒では咽頭が痛いと訴ふ。

二、喉頭ヂフテリーは前者のヂフテリーに續發して來る場合と初めから喉頭に起る場合とがあつて一般に幼兒に起り易い。一般に發熱嚥下痛を訴へ聲は嗄聲となり犬吠樣咳嗽をし患者は不機嫌となる半日―一日を經ると無聲となり喉頭の狹窄を來し呼吸困難、口唇「チアノーゼ」を起し、冷汗を出し苦悶し放置すると危險な窒息に陷る。

三、鼻腔ヂフテリーは乳兒によく來る型で他部のヂフテリーに續發する場合と然らずして原發する場合とある。一般に發熱其他の狀態輕く初めは單に鼻加答兒位に思つてゐると次第に鼻汁は血液の混じた稀薄液性となり鼻腔口唇に痂皮が出來て鼻口が閉塞され經過長く仲々治り難い。

四、結膜ヂフテリーは眼瞼腫脹し濃性の眼分泌が出る。其他陰部ヂフテリー皮膚ヂフテリー等がある。

合併症　中耳炎、肺炎、心筋炎、ネフローゼ、ヂフテリー後痲痺等である。

豫防　ヂフテリーは早期に手當をすると治り易いが手遲れると死亡率が多い。

豫防としては流行時には成可くデパート其他人混みの所へ愛兒を連れて行かぬやうにするのが一番よい。

近頃ヂフテリー豫防劑の注射が行はれてゐますが副作用が少く割合に好成績を擧げてゐる。又ヂフテリーに患り易い小兒であるかどうかは「シック」氏反應で調べる事も出來る。

「ヂフテリーアナトキシン」に依る豫防注射は十―十五日間の間隔で三回施行せねばなりませぬ。

治療　ヂフテリーと決定すれば法定傳染病の一つであるから、直に隔離し他の小兒を近けてはなりません。早期に治療すれば治り易いのですから、あわてず醫師の指揮を待ちなさい。ヂフテリー血淸は唯一最有効治劑であつて最初に大量注射を受ける方が治癒が早い。

血淸の注射を受ける時には以前に血淸注射を受けたか否かを明瞭に醫師に告げる事を忘れぬようにして頂き度い。血淸を再度注射する時は不用意に行ふと危險な血淸病を急激に起すからである。

經過中は身體を絕對に安靜にして早期に離床せぬやうにし食事は無刺戟性の淡白なものを選び心臟の弱らぬやう注意します。口腔は淸潔にし過酸化水素で含嗽を行ふ喉頭ヂフテリーで呼吸困難强く窒息しそうな形勢に陷つた時は氣管切開術を施します。

事變と小兒保護

醫學博士　廣島英夫

東亞新秩序の建設に邁進せんとする時に當つて、更に痛切に感ぜられるのは兒童保護問題である。厚生省設立の直接動機たる國民體位向上問題も、兒童保護問題に其の重點を置かなければならない。卽ち國民體位向上は遠く胎兒及び乳兒の時代より之れが對策を講じて始めて、其の效果を期待し得るのである。而かも戰時となるや、尙一層其の重要性を增加する。戰爭に際して如何に物的資源が豐富であつても、人的資源に缺くるところあれば勝敗の歸する所自ら明らかであらう。世界大戰當時獨逸は男子總數三千四百萬人中千三百二十五萬人を戰場に送り、佛國は二千萬人中八百萬人を戰場に送つたのである。卽ち男子の凡そ四〇％を召集してゐる。而かも獨逸では其の五一％卽ち五百二十三萬人、佛國は七一％卽ち四百五十八萬人の死傷者を出したのである。我國男子の總數三千二百萬人の中、その四〇％一千二百八十萬人を戰場に送るとすれば、國內には十八歲より五十歲迄の男子は殆んど居なくなるのである。かく考へれば事變が長期戰の形態を備へ來ると共に、益々人的資源の量的且質的擴充の重要なることが痛感される。而して其の爲めには胎兒及び乳兒時代よりこれが對策を圖らなければ、所期の目的を達し得られないのである。

更に飜つて戰爭が母性及び兒童に及ぼす影響をみると出生數の減少、乳兒死亡の增加、疾病の增加及び體位低下等幾多の悲慘なる事實を認めるのである。これ亦兒童保護問題が戰時に於いて、特に重要視される所以である。

抑も現代文明國に於いては旣に前世紀の末葉より出生率は低下し始め、過去四十年間に於いて英國は千人に付

き二八・五より一五・二に、獨逸は三五・八より一八・九に、佛國は二一・九より一五・三に米國は二〇・四より一七・一に低下した。我國に於いても三三・九より二九・九となり、最近漸く減少の兆を現して來たのである。

然るに戰時となると、更に著しい減少を示すのが常である。世界大戰に於いて獨逸は戰前人口千に付き二七・五であつたのが、大戰末期には一三・九となり、伊太利は三一・七より一八・一に、英國は二三・九より一七・七に、佛國は一九・〇より一二・一へと驚く可き出生率の低下を示したのである。我國に於ても本年一月より三月迄の出生數を見ると、昨年同期に比べて二萬二千餘の減少を示してゐる。又大阪市の本年九月迄の出生數は、昨年に比較して實に四千四百九十八の減少を來してゐるのである。

第二に問題となるのは乳兒死亡である。大戰に際して出生數に對する乳兒死亡數を見る時、獨逸、英國に於ては乳兒死亡率は增加してゐないが、伊太利、佛國に於ては增加してゐる。これは戰時に於ける獨英の母性及び兒童保護施設の完備と、國を擧げて母性及び兒童保護に盡力した結果と考ふ可きで、然らざれば戰時に於て當然乳兒死亡率の增加を來すことは、伊佛の例に明かである。

第三の戰時に於ける兒童の體位低下及び疾病增加は勿論容易に首肯し得られることである。世界大戰に於ける參加各國の一般死亡率及び結核死亡率の增大せる事實より見ても、又容易に推測することが出來る。

旺盛なる男子の出征を必要とする以上、戰時出生數の減少するのは、或程度止むを得ないことである。然し乍ら共他の原因に依る出生數の減少は、極力之れを防止しなければならない。受胎能力の減退、流產、死產を豫防する爲めには、能ふ限りの方策を圖らねばならぬ。受胎能力の減退は榮養と一定の關係ある故婦人の榮養をよくし、殊に「ヴイタミン」の攝取には注意せねばならない。世界大戰に於いて獨逸は食糧の缺乏を招き、婦人は榮養不足の結果月經は不順となり、姙娠能力は著しく減退し又姙娠しても流產するものが多數であつたと言はれてゐる。一定期日に健康相談を受けしめ尿及び血液檢査を行ひ、殊に黴毒の有無は是非檢査する必要がある。黴毒罹患姙婦の六〇%には流產死產を認めるのである。又戰時には男子に代りて、家庭外勞働に從事する婦人が增加するのが常である。我國に於いても最近勞働に從事する婦人は、從前に比し三〇%も增加してゐる。かゝる勞働に從事する婦人には又流產死產が極めて多いのである。從つて姙婦に對しては、工場內作業狀態に就いて特別の注意を拂ふ必要がある。又出產前後一定期日は休養を與へ

る必要がある。之等は常に工場內に醫師を置いて監督せしめなければならない。

次に必要なるは、乳兒死亡の減少を圖ることである。出生數の減少が亦止むを得ざるものとすれば、之れを補綴する意味に於いて乳兒死亡の低下對策は最も必要である。

元來我國の乳兒死亡率は高く最近漸く減少せるも、尙且出生千に付き一〇・七で、英の五・九、米の五・八、獨の六・八、佛の七・五に比較して著しく大である。而かも其の二八%は先天性弱質に原因し、一八%は肺炎、一七%は下痢腸炎に原因してゐるのである。先天性弱質は母親の健康狀態、榮養狀態に關係すること大である故過勞食餌等に注意が大切である。これが爲めに婦人勞働者を使用する工場の監督に努め、榮養の配給、牛乳の供給等を考へねばならない。又母親の結核、黴毒に由來することが多い故、これが撲滅も肝要である。肺炎は乳兒の抵抗を强くすることが大切で、先づ厚着の癖を除く可きである。又日光と新鮮な空氣に親しむことも大切である。家族の感冒は容易に乳兒に感染し、肺炎を惹起することが多い。從つてかゝる際には、乳兒と隔離せねばならない。一般に榮養狀態の良い乳兒は肺炎に罹り難い故榮養を良くすることも必要である。下痢腸炎を防ぐには第一に母乳を以て育てること、第二に正しく離乳を行ふことである。人工榮養を行ふ時には、常に醫師の指導の下に行ふことが大切である。重症なる消化不良症は離乳期に最も多く、而かもその死亡率は極めて大である。從つて離乳期は最も細心の注意を以て榮養す可きである。元來我國にては乳兒期の榮養法はよく注意するも、離乳期以後の榮養には餘り注意を注がぬ傾向がある。從つて離乳期以後に榮養狀態が急に惡くなるものが多いのである。榮養指導を行ふと共に、資力なき家庭には幼兒の榮養配給を行ふ可きである。

其他乳幼兒の傳染病に依る死亡は、上述三大原因に次いで多いのである。麻疹、猩紅熱、百日咳は隔離の勵行されぬ場合が多く、學校、幼稚園等より感染して來て、次で兄弟姉妹に傳つることが多い。從つて學校、幼稚園と家庭との連絡をよく保つて未然に之を防ぐやうにせねばならない。麻疹に對しては恢復期の血淸が豫防效果があるが、人血注射によつても或る程度豫防し得る故、病弱な乳幼兒には豫め注射して置くとよい。「ヂフテリー」の豫防注射は效果多き故、是非行ふ必要がある。百日咳は完全な豫防藥は無き故、感染せぬやう注意する。殊に生後間のない乳兒も之れに罹り得る故、年少乳兒には殊に氣をつけねばならない。又病弱な小兒にも感染せしめ

ないやうに注意せねばならない。而して之等のことは一つに母親の育兒知識の如何によるのである。母親が細心の注意と正しい育兒知識とを持つてゐて始めて、小兒を健康に導き得るのである。

尙兒童保護問題として學童の結核問題がある。學童の結核感染率は「マントー」氏反應による時は約二六%乃至四〇%である。而して此の中治療を要するものは諸家の報告によれば約二%である。大阪市に於て、保健部が行ひたる調査成績によれば、治療を要すものは一・一%で全市で三七〇〇人の要治療結核學童が存在することゝなる。これが爲めには學童をして年に二—三回は精細な健康調査を受けしめる必要があり、若し患者を發見すれば速かに小兒結核療養所に入所せしめて早期に治療を行ひ撲滅を圖るべきである。其他虛弱兒童、近視、トラコーマ、齲齒等の問題がある。學校體格檢査の徹底を期するために專任の學校醫を置くと共に、每年漫然と身體檢査を行ふのみでなく、その身體檢査の結果を效果あらしめるやう適當の方法を講ずることが必要である。入學試驗も亦再考する必要がある。入學試驗が可憐な小兒の身體に及ぼす影響は、その精神的重壓と相俟つて實に大なるものがある。よし入學しても病魔に倒れるもの殊に結核性疾患に罹るものが如何に多いかは、吾人の日常目擊するところである。

尙茲に一言したいのは小兒結核、腺病質、虛弱兒童に對する正しい學術的の解釋をその衝に當る人に持つて頂きたいことである。虛弱兒童とは何を指すやも現今明かでない。六大都市學校衞生醫間に於ても確然たる見解がないやうである。又腺病質を滲出性體質と同樣に考へてゐる人があり、又虛弱兒童卽ち腺病質と考へてゐる人もある。學童の結核、虛弱兒問題は極めて重要な問題であるが、その對策もかゝる根本的な問題より解決してかゝらねば到底完全な策を講じ得られないであらう。

以上述べ來つた事項は小兒保護の實際を略述したにすぎないのであるが、之等の實行に當つては產院、乳兒院保健所、小兒健康相談所等の增設と內容の充實を圖ることが必要である。我國に於ける之等諸施設は未だ充分とは云ひ得られず、諸外國に比して著しい遜色がある。專任の專門醫、訪問婦、巡回助產婦を置いて、姙婦、兒童の健康相談、治療、保育、家庭訪問の徹底を期せねばならない。更に牛乳の配給、榮養食の供給も行はねばならない。婦人勞働者を使用する工場の監督、託兒所の增設と所內の保健設備の指導監督にも力を注ぐ必要がある。又母性教育普及のため印刷物の配布、展覽會、講演會の開催、巡回指導、榮養講習等を屢々行ふ可きである。他

方訪問婦、助産婦等指導員の敎育養成も行はなければならない。

英國、獨逸が大戰中殊に母性及び兒童保護に國を擧げて力を致し、以つて戰爭より受けた慘禍を少くし得た事實を思ふ時、我々は事變下の母性及び兒童保護に極力意を用ひねばならない。

茲に於いて我國に於いても歐米各國にみる如き强力なる母性保護法又は兒童保護法の制定せらるゝことを望むものである。曩きに制定せられた母子保護法、保健所法の如き其の一であるが、更に母性及び兒童保護に關する全般的な强力なる法令の制定を望んで止まないのである。英國の如きは旣に一九一八年に姙産婦及乳兒保護法を設け、米國は一九一八年に兒童愛護法、一九一九年更に兒童保護最低標準を定め、一九二一年に母性及乳兒保護奬勵法を、獨逸も亦一九二二年に强力な兒童保護法を制定し、母性及び兒童保護は國家の義務なりとして多額の國庫補助をなしてゐる。かくてこそ母性及び兒童保護施設を擴充し得ると共に十分なる効果を期待し得るのである。

國力は要するに國民の數であり、國力の發展は要するに優秀なる國民數の增加である。事變下に於ける兒童保護こそは目下の緊要事である。

どちらのご家庭でもお母さま方の一ばん心配されることは……お子だちの偏食についてゞす。

……がそれは體內にヴィタミンBが不足して胃腸の機能が弱つたゝめに起ることが多いのですから、エビオス錠を續けて服ませることが一ばんです。

この錠劑は發育促進ヴィタミンと言はれるヴィタミンB複合體の一ばん濃厚な給源＝麥酒酵母の製劑で、胃腸の機能を强化して食べたものを早く且つ良く消化させますから、自然と好き嫌ひが癒るばかりでなく、榮養が充實して元氣に發育できるやうになります。

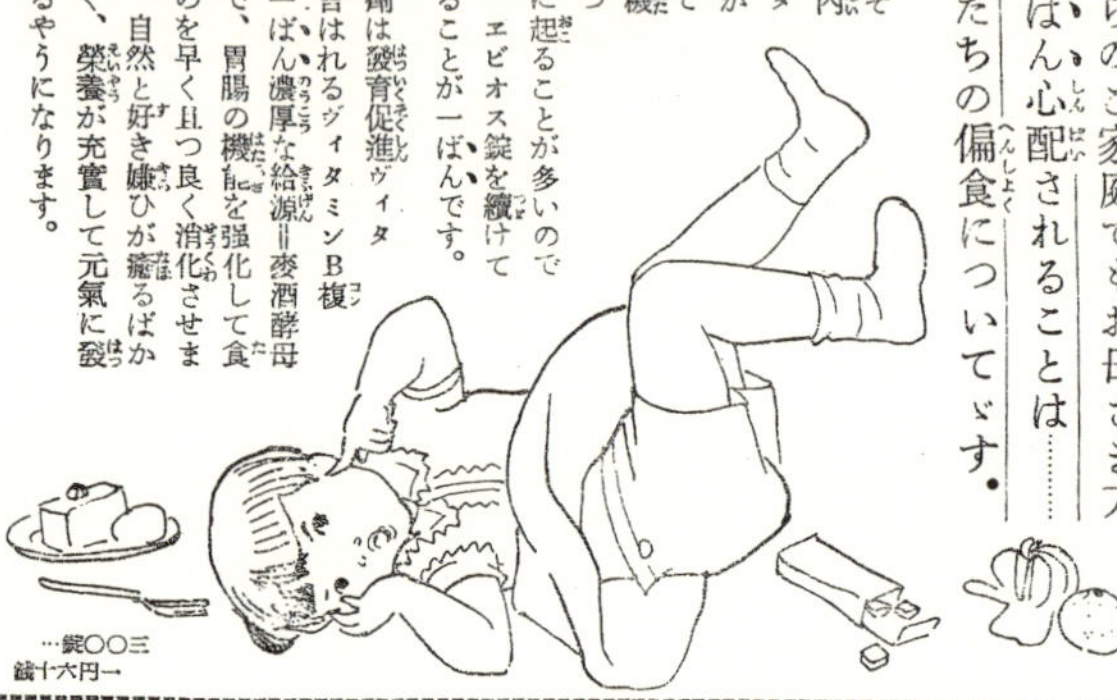

三〇〇錠…一円六十錢

ネッスルの乳製品は

優良児を作る

藥店及び食料品店に販賣致して居ます

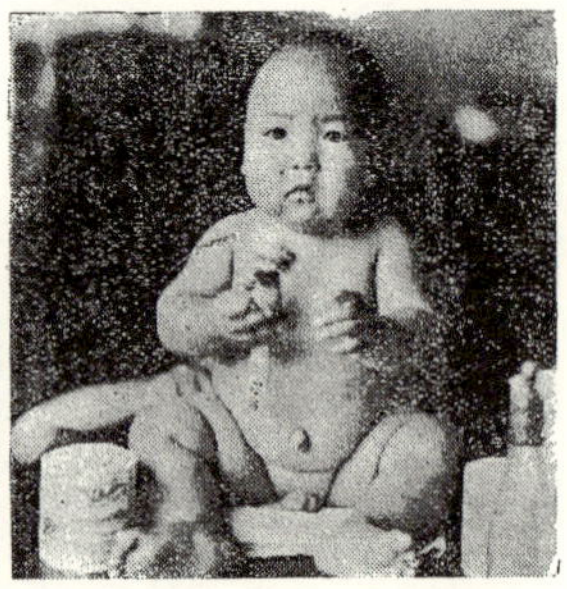

上揭の寫眞は昨年第八回京都赤ん坊審査會で發育の特に優良なるを認められて入賞せられた赤ちやんであります。京都市兒童院の御指導の下に出生時より專らワシ印ミルクを以て榮養せられ六箇月頃から更にネッスルミルクフードを補給せられたのであります。

◎見本及說明書進呈

神戶三宮郵便局私書函四一七
ネッスル煉乳會社

最良の母乳代用品

ワシミルク

ネッスルの乳製品は

優良児を作る

伊藤直三君

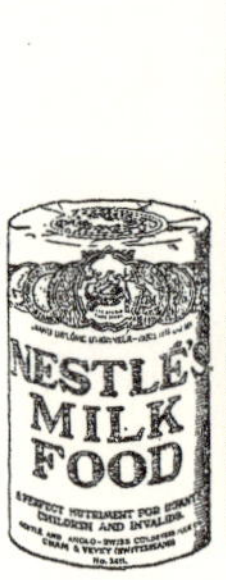

ネッスルミルクフードは藥店食料品店に販賣致して居ます

本年度の日本一健康優良兒大阪の伊藤直三君は乳兒時代には母乳が澤山あつたに拘らず離乳期に近づくに隨ひ母乳の傍ら**ネッスルミルクフード**を與へられて居た事がわかりました。乳兒後半期には母乳だけでは榮養が不足するので母乳の有無に拘らず**ネッスルミルクフード**が必要であります。

◎見本及說明書進呈

神戶三宮郵便局私書函四一七
ネッスル煉乳會社

乳兒の發育に必要な調整粉乳

ネッスルミルクフード

健康の敵〝偏食を〟を改めませう

醫學士　山田　讓

偏食がどんなに健康に惡いかと言ふ事は誰でも知り過ぎる程良く知つて居ながら兎角「好き嫌ひ」と言ふ事はあり勝ちな事です。殊に發育盛りの乳兒や幼兒にこの偏食がその健康を滅茶々々に害はしめる原因となる事は驚く程です。大體人間はある特別の場合を除いて、ある種の食物を全く或ひは殆んど食べる事の出來ないなど言ふ事が生れつきある筈はないのです。その特別の場合とは牛乳を飮むと必ず下痢するとか、卵を食べると身體中發疹が出來るとか言ふ異常體質を言ふのですが、それ以外は多少好き嫌ひの差こそあれ、決して全く口にする事の出來ないのではなくて、生れてからの習慣と言ふ事が一番大きな原因なのです、この**偏食の起る時期**は何時からでも起りますが大體に於て、母乳以外に消化し易い色々の食物をとる事の出來る時期、即ち離乳期に於てその獻立に注意して偏食の惡い癖にならぬ様注意する事と、もう一つは五、六歲の幼兒の食物から大人同様の食物に移るこの二つの時期が一番大切なので偏食も多くはこの時期に起ります。**どうして偏食が起るか**と言ふ事はその原因が一様でない丈けにわかりにくい事もありますが、先づ第一に父親なり母親なりの偏風がそのまゝ子供に移りますから、先づ周圍の人々からその偏食を除いてかゝる事が必要です。次に大體偏食と言ふ事は神經質な兒に多いものですからその方面についても充分注意して見ます。私自身は幼時鷄の肉がどうしても食べられなかつたのでしたが、それは嘗て鶏を料理してゐる光景を目撃した事が原因であつたのです。ある子供は鯛をどうしても食べない、外の魚は食べられるのに鯛だけ食べられぬ筈はないと言つて色々原因を調べた所が、鯛の刺身を食べて一家何人かゞ中毒を起したと言ふ事を話したのをその兒が耳にはさんで恐怖心を起したためとわかりました。勿論我がまゝと言ふ事も考へ親の愛の中にも「可愛い子には旅をさせる」丈けの氣持をもつて臨む事が必要です。

偏食はどうして治すかと言ふ事はその原因に從つて色々ですが、何にしても親の忍耐がなければ駄目です、先づ神經質を治し、我がまゝを正します。嫌ひなものは他の食物の中に混ぜて子供に見えない樣にして與へて見る、嫌ひなものを第一日はほんの少量食べさせて、昨日はあれ丈け食べたのだから今日はこれ丈け食べられるでせうと言ふ工合に子供の嗜好心を呼び起しながら分量を增して行く。嫌ひな食物を形の美しいもの、子供の喜びさうな形にして見る。その調理法を變へ、味をよくして見る。子供とピクニツクなどへ行つてお腹の空いた時に氣分を轉換させてあたへて見る事も大切で、親ではどうしても食べないものも他所へ行くと案外喜んで食べる事が少くありません。こうして色々とあの手この手と忍耐強く習慣づける事によつて、子供は何一つ好き嫌ひもなく、すく／＼と育ち、健康の歡喜が家中に充滿して來る事でせう。

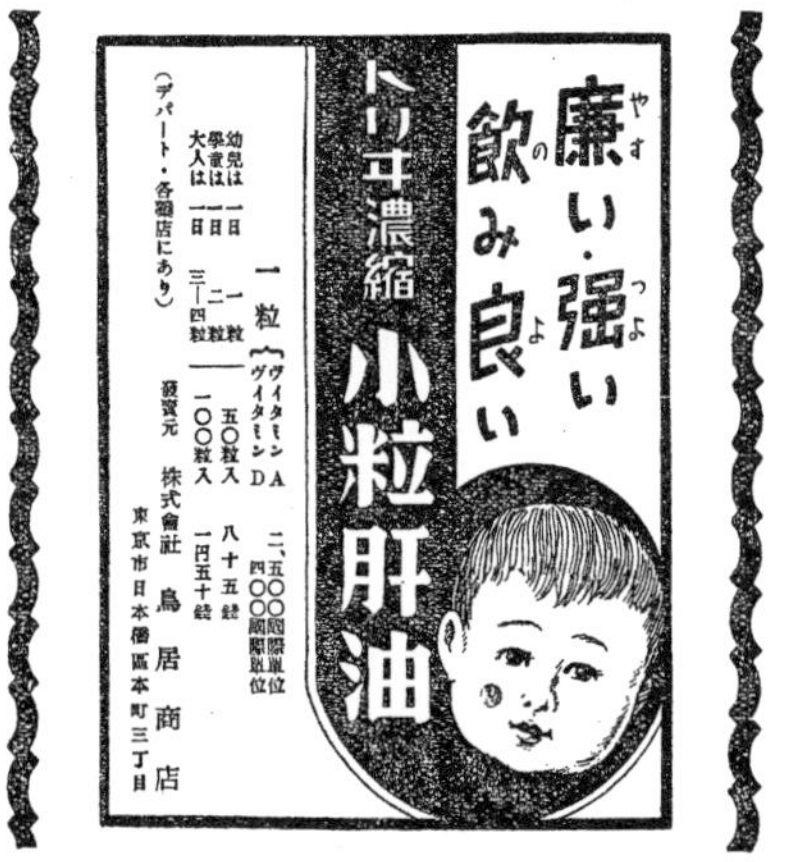

時局下に於ける榮養問題（四）

厚生省衛生局長 林 信夫

（ロ） 混砂搗と淘洗を止める事＝然し以上のやうにして皆さんが七分搗米を食べてくれましても、それを炊きますときに水洗をやられますと、例へば折角のビタミンは大部分なくなり、他の養分も洗ひ流されて結局水の中で白米にして仕舞ひますのであります。私共書生の頃下宿で自炊生活をしたときには、御米をゴシゴシ淘いで水のすむ迄流したものですが、あれでは養分を流すやうなものですから、塵を落す程度に止めて欲しいものであります。然るに現在では御米を搗きますのに砂を入れて出來るだけ早く眞白にし、又化粧砂をつけて白く見せやうとしてゐますので、自然砂を落すには洗はねばなりません。吾々は肉體美を愛するので青白い顔につけた白粉や頬紅に迷はされては美人と思つたのが肺病患者であつたりしてはたまりません。砂はそれ自身にも害がないとは云へませんし、他の養分をも損ねますし搗精中に胚芽を落しますから是非これを止めて貰ひ度いと思つてゐるのであります。御米も又今迄の樣に白くない方がよいことになれば、砂を入れなくてもよく、砂を入れなくなれば自然に精白度も下つて來ると思ふのであります。況して糠からはよい油がとれますのに、砂を入れた糠からはその油もとりにくいのであります。

又これを經濟的の立場から見ましても、我國民の一ヶ年消費高は千九百萬石を若し無砂七分搗にし淘洗しないで使ふと云ふことになりますと、混砂白米の場合に比して七百八十萬石も節約出來ることになりまして、丁度大阪市三百萬市民二年以上の食糧が生れ出ると云ふことになるのであります。又七分搗にすれば搗き減りが少いから米屋さんも白米より安く賣つてよいわけでありまして米屋さんが胚芽を落さないやう搗き方に工夫して七分に搗いて安く賣つて下されば、これこそ國策の線に沿うた

米屋さんだと云はなければなりません。國家非常時局に當り榮養上はよし、經濟上は利益であるこんなよい事はないと思ふのでありまして、私は此頃健康法の一として「腹は八分に米七分」と宣傳してゐるのであります。

（ハ） 榮養食實施の實例＝時間の關係で副食物の方面の事は申上げませんが、先にも申した通り、副食物の各養分を調べ所謂榮養獻立をして御飯は七分搗胚芽米と云ふことになりまして初めてこゝに吾等の健康に適する食事がとれると云ふ事になるのであります。

今や既に各方面に於て、之を實施し、又工場は勿論、數工場一緒になつて、又は一町村を擧げて共同炊事榮養食をやつて居るのでありまして、一日平均食費二十錢―二十五錢でありますが、或は作業能率を向上し、或は健康狀態をよくし、或は經濟上の利益を收めてゐるのであります。

例へば埼玉縣M工場では罹病率に於て五六、三％を減じ、群馬縣七ヶ村では醫療費を三百萬圓から百五十萬圓に即ち半分に減じ、埼玉縣下三ヶ村では一ヶ月一石當り食費三三圓二三より二七圓一四に一割九分も安くなつて居るのであります。又東京府下K小學校では一ヶ年間或る生徒には晝食の副食物に榮養調理（一錢一厘）を給し、他の生徒には之を與へなかつたところ一年後その身長に於て三倍その體重に於て四倍その胸圍に於て二倍も發育の程度が違つたと云ふ事であります。

實に榮養こそは健康問題の基調であり先決問題であります。夙夜ひそかに國民の保健狀態を思ひ浮べ、之を各國に比較し只管に一般が此の點に目覺められん事を衷心より希望してゐる次第であります。

五、結 語

もう私の時間が餘りありませんので澤山のことを申上げる譯には參りませんが、我々は今日支那と戰爭をして居るのであります。遙かに我々の日本の歷史と云ふものを考へて見ますと、ずつと三千年の昔から今日迄續いて來て居るのであります。祖父さん、曾祖父さんと斯う辿つて見ますと終ひに一軒の家になつて終ふのが日本であります。だから今日斯うして皆さんと別れて居りますけれ共、溫ねて見ますと、どゝのつまりは御親類であると思ふのであります。何卒まあ宜しくお願ひしたいと思ふのでありますが、左樣に血の續きに依つて日本は大きくなつて居るのであります。所で皆さんと共に歷史と云ふものを見ますと、日清戰爭があつた、日露戰爭があつた、元寇の亂があつたと云ふやうな具合に所々瘤があります。歷史の瘤があります。之は其の時に生れ合せた人

達が力を合せた力瘤であります。我々が今支那に向つて戰爭を致し、東洋に平和を持ち來さうとして居る。皆さんの努力は昭和の時代に於ける一つの力瘤となつて、後の世に殘されるのです。所が斯うしてお互ひが力を合せて銃後の運動を致し、戰場では兵士に働いて頂いても、さう申しては失禮でありますが、まあ五十年とは云ひません。百年の後には、茲にお集りの方は一人も恐らく此の世には居りますまい。

一體我々の斯うした努力が誰に依つて受け繼がれて行くか、我々の子供以外にはないのであります。斯く思ひます時に我々の家庭にしても、國家にしても何とかして此の際力強い子供を後に殘すと云ふことが、軈て我々の努力を其の子供達に讓つて行けると云ふことであります。私は最近斯う考へて居ります。最早やお互ひの身體は自分の身體ではない。病氣に患つた。早う癒さないと辛い、痛い、斯う云ふ考へでは最早ありません。斯う云ふ病氣に患つて居るやうなことでは國家のお役には立ち難い。まあ國家のお役に立つやうに早く健康にならう、立派な身體を持たう、其の御かげで自分達も亦愉快に仕事が出來ると考へて癒さなければならない時代になつて居るのであります。何卒皆さんは今日から以後自分の身體であつて自分の身體ではない。皆して國家に捧げ盡して居る身體である。病氣や弱い身體では本當の御奉公が出來ないのだから一つ身體を丈夫に仕樣、其の丈夫にしたお蔭で自分達も日々愉快に暮して行けるのだと云ふ考へになつて頂きたいのであります。何も銃を持つて戰場に立つのみが皆さんのしなければならない仕事ではありません。

明治天皇陛下の御製に「國をおもふみちに二つはなかりけりいくさのにはに立つも立たぬも」と仰せられて居るのでありまして皆さんと共にその分に應じて協力し以つて我國民健康の基調である榮養の改善に精進し度いと思ふのであります。

協力こそはそこから新しい力が生まれるのでありまして、我々が單に兩手を合せたゞけでは力が生れ出ませんけれども、さあ一つ力を合せて拍手しやうと云ふことになると、そこから音と云ふものが新しく生れ出て來るのであります。大阪三百萬市民が一つ榮養の改善に乘り出さうと云ふことになりますと、必ずそこには我々の豫想しなかつた新しい力が生れて幾多の困難を排し剛健にして難局に堪え得る市民を生み出すことが出來ると確信するものであります。古歌に曰く「鐘が鳴るかよ撞木が鳴るか鐘と撞木の間が鳴る」と。

（大阪市中之島公會堂講演要旨）

人を造れ（二）

奈良女高師教授　桑野久任

五

「量」の大切なことはこの位でさし置き、次に「質」に就いて考へてみよう。

産制を唱へる人達は「少く生んで良く育てよ」と言ふ。これは一應最もに聞こえるが甚だ險難なやり方である。若しこれが徹底的に實行されたら國は危い。

子供が少ければ手はよく屆く。教育は十分行屆くにちがひない。しかし人は教育ばかりで出來上るものではない。そこには先天的素質がある。教育はこの遺傳された素質の上に加へられる勞作である。「玉研かざれば光無し」と言はれるが、玉なればこそ研かれて光るのである。たゞの石ころなら研かれても減るばかりだ。だから良い素質を獲得することが教育に先行しなければならない。教育は子女の素質の如何を見た上でそれを適切有利な方向に伸ばしてやるわざで、素質を如何ともすることは出來ない。素質は天の成すわざで教育が如何に有力であつてもこれを生滅させるやうなことは決して出來ない。たゞある程度までそれを抑制し發揚し左右し得るのみである。しかしこれだけでも教育の重要さはたいしたものであるが。だがこれ以上に評價したら却つて錯覺に陷る。

教育の效果にも限度がある。「如何に良く育て」ても素質に掣肘されその成果には自然限度があるので、良い教育を施す前に先づ以て良い素質を得ることが大切である。それには結婚を愼しまなければならない。結婚を愼しめば良い素質を得るあてがあるが、産制によつて良い素質を捉へることは不可能である。それは「よく育て」る前に「少く生」んだ罰である。今少しくその理由を説明してみよう。

今こゝに一組の夫婦がある。それが若しその個人を觀

ても又その血統を調べても、心身共に優良で何等の缺陷も何等の障礙も無いやうな無上飛切のものであれば、その間に生まれる子供はたとひ幾人あつても盡く父母に肖た優良な子女ばかりであるはずだから、文句通り「少く生んで良く育て」ることが出來るわけである。――こんな時は「多く生んで良く育て」てもらひたひものだ。――しかしかゝる優良な種は世間に、ざらにあるものではない。否寧ろ稀有である。

「人は皆罪人なり」と言つたら酷であらうが、「人は皆多少足らない所がある」「人は皆多少歪んだ所がある」と言ふのならば宥してもらつてもよいと思ふ。たとひ多分の自惚れを持合せた人であつても若し心を虛うして自分自身を顧るならば、人こそ知らぬいろいろ足らない所や歪んだ所を、心身いづれの方面にか發見して安からぬ思ひをすることであらう。更に克明に自已の血統をたどつてみると、そこに亦思ひがけない面白からぬ事實を見出してふさぐことさへ無いとは限らぬ。かゝることは誰人にもあり得る。たゞ缺陷や障礙の種目があまりに多く、それ等の程度があまりに重い場合これを惡い種だと言ひ、それ等が少く輕い場合これを良い種だと呼ぶに過ぎない。かう考へれば良い種はその邊に澤山ある。しかし絶對無上飛切りの優良種などは稀有と云ふより絶無と云つた方が寧ろ安全であらう。かうなると「少く生んで良く育てよ」など言ふことは理想どころか幻想としか思はれない。

既に誰人でも自分自身なりその血統なりに多少の缺陷や障礙があるものとすれば、かゝるものを父母として出來た子供の中には、兩親の良い素質ばかり貰つたすばらし兒もあれば、不幸にして兩親の惡い素質のみを受けた賴りない子屑もゐるわけであるが、一番多いのは兩親と似たりよつたりのものである。

遺傳質の組合せは全く氣まぐれで、ころがした賽の目が一と出るか六と出るかのあてと同じく確率の法則に從ふことはわかつてゐるが、人力ではそれを左右することが出來ない。先天的素質は天の成す所だと云つたのはこゝである。

さてこの場合生兒の數が少かつたら子屑に當る患ひは少いが、良い兒の出來るあても亦少い。どちらかと云へば前代と似たもの即ち元の杢阿彌の現はれるあてが多くそれがため向上發展のあてが少くなる。しかし杢阿彌ならまだ我慢が出來る、若し僅かの子供のうちに子屑が出て來たらどうするか。だから子供の數は相當多くなければならない。

子供の數が相當多ければそのうちには良い兒がゐる。

子屑がまじるかも知れないが、良いのが一人でも居れば安心で次代は向上發展する機會がある。少く生んだのではこの慶びは得られない。

若し太郎と次郎が必ず良い兒であり、五郎六郎が必ず末なりへぼなり子屑であるときまつてゐれば、産制甚だ結構で「少く生んで良く育て」で間違ひ無いが、これは理論から言つても事實から見ても否定される。又たとひそれが素質からではなく教育の過誤から來るものが多いとは言へ、總領が尺八を吹く顏に出來たり甚六であつたりすることは初なりが必ずしも良い種ではないことの證據にもなる。

「われ鍋にとぢ蓋」とまではいかないまでも、結婚と云ふことが多少の缺陷や障礙を持つてゐるものどうしの結合たるを免かれないならば、かゝるものを多く所持する惡い種は極力これを避け、なるべくかゝる持合せの少い良い種を選び、その上同じ種類の惡い素質を重ねないやうに注意しなければならない。それは夫婦双方から同種の惡質を出し合はせることになると、その間に生まれた子供は一人としてこの厄介至極の負荷を免かれることが出來ないからである。良い素質を重ねるのは結構であるが、惡い素質を重ねることは斷じて禁物である。

若し重大なる缺陷や障礙を持つた兒が澤山出來たならそれこそ一家の難儀であり、一國の災禍である。それはかゝるものが一國一家の勢力をうちべりさせるからである。今は如何なる時であるか。一人でも多くの人がいる時ではないか。一國一家の勢力を内部から消耗させるやうな、病人や莫迦や氣狂や不具者の出來るやうなことは極力防止しなければならない。結婚を愼しむ要はこゝにある。それには、良い種を選び惡い種を避け、同種の惡い素質を重ねないやうにせよ。

猶こゝで一言したい。近頃滿洲移民のお嫁さん問題を聞くが、この度の事變が一段落ついたなら凱旋勇士のお嫁さんが問題になるであらう。足る足らぬの問題ではない。問題はふさはしい嫁御を選ぶことになる。

候補者となるものは無論立派な日本女子であつて、婦德に於て缺ける處無く學問技藝に於ても相當のものがあるであらう。唯心配は身體の健否である。先天的素質は今さら致方ないが、若しも平素の不注意や不攝生から何等かの故障があつたとすると、これ亦母となつた時その子供に及ぼす影響は看過出來ない重大事である。

戰爭は逆淘汰をやる。たびたび大戰を繰返すと、その國民の平均の體位や體力は低下する。かうなつては國家の憂患であり二三十年では回復出來ない大損害である。そこで今戰線に立つてゐる勇士等は心身共に强健である。その素質も大抵健全だと見なしてよからう。かゝる種は殘さなければならない。それには母たるものゝ健康

が第一の要件である。

若き女性よ遠からず母たらんとする若き女性よ。營養に氣をつけ運動に注意し、體位を高め體力を强め、以て來らん日の幸福を得られよ。これも重要なる奉公の一端であり、國家百年の大計に響くものである。

生めよ殖やせよ强く育てよ

これは目下の時局には間に合はず、即今の狀勢には何のたしにもならない標語である。しかし「目下」とか「即今」とかいふ限局された時を離れて考へるならば、これこそ二三十年後乃至四五十年後のために忘れてはならない標語である。國家百年の大計を確立するに必要な重要資源を培ふため、我等が絶叫しなければならない標語である。

今や大陸の聖戰酣はなるの時、銃後に立つて花々しい活動をつゞけてゐる女性團がある。老も若きも一つになつて赤字黑字の白襷、朝に將兵を送つて激勵の萬歳を唱へ、夕に英靈を迎へて痛惜の暗涙を手向け、或は傷病兵の慰藉に、或は慰問物資の調達に、或は遺家族の訪問に或は武運を祈る神社參拜に、日もこれ足らざる至誠の發現、寔に感激に堪へない次第である。然るにこゝに又別に一群の女性がある。一團ではない一群である。全く個々連絡の無い女性の大群がある。女人の大衆とでも呼んだらよいかも知れない。

何の見映えがあるでもなく、何の榮譽があるでもなくたゞ默々と日に夜をついで家事にいそしみ、脫ぐひまも無き玉だすき、心にかくる愛撫のいとなみ、幾人の子女を負ひつ抱きつはぐくみつ、一生の心血を働き盡して人とならしむるに努めつゝある女人の大衆母性の大群像がある。

銃後の努を逃れると咎めてよいであらうか。否、否、大いに否である。「目下」とか「即今」とかに捉はれてはいけない。局限された時間の觀念は棄却しなければ却つて錯誤に陷る。この人達の日々の勤行こそ大切なものである。彼女等は國家の礎石を築きつゝあるものである。國家の根本を培ひつゝあるものである。自覺してゐるのか自覺して居ないのかそんなことは問題ではない。どこまでもそこに其事實が在る。事實に於て彼女等は二十乃至五十年先の重要資源を創造し育成しつゝあるのである。

「人を造れ」

と言はれる前に人を造りつゝあるのである。この勞作こそ聖なる事業である。一家の私事と云ふなかれ。國家に不可缺の事業である。根本の事業であり、遠大の事業である。

銃後に於ける久遠の大業にたづさはるこれ等女性の母性的活動に對し我等は無言の感謝を捧げざるを得ない。

非常時局と家庭

奈良女高師教授 眞田幸憲

聖戰の目的達成のために國民のとるべき任務には、共通のこともあれば、夫々の立場に於て異るものもあるが、結局は相待つて擧國一致同一目的に向つて邁進し、任務遂行となるのである。即ち家庭は軍隊や軍需工場等とは異ることは云ふ迄もないから、其任務も亦同一ではない。家庭も亦各々事情は同一でないから、各事情に即した任務遂行の方法もなければならぬ。

家庭本來の任務ではあるが事實に直面して見ると、一層平素に於て留意すべきことが明となり、又事變中及事變後に對應して、善處せねばならぬことが多々ある。而して其主なるものは次の事項である。

一、家庭は教育上健全なる國民特に强兵たる資質を育成する場所であり、又經濟上所謂有効なる人的資源の養成所でもある

二、家庭生活は國民經濟生活の一單位をなして居るものである

三、國策順應は家庭生活からはじめればならぬ。

四、今日家庭生活の更新は、之によつて將來堅實なる國民生活の基礎を作ることを期せねばならぬ。

非常時局下に於ける家庭の任務認識

今や君國は未曾有の國難に遭遇し、現代民は祖先の經歷せざる時難克服の大責任を負うて、擧國一致勇往邁進せねばならぬことゝなり、事件發生以來既に一箇年を經過し、前途の益々多事多端更に一層の覺悟を要するもののあることは敢て私の言ふ迄もないのである。聖戰の目的奈邊にあるか。いかにこの目的達成は大事業であるかは、事件發生以來、之を國民に周知せしめ、眞義を認識せしめんがために、當局は元より其他に於ても種々の方法により て努力して居ることでもあり、諸君も諒知せられて居ることゝ考へるから、改めて私が之を述ぶることを省略する。唯之は日本國民の歷史的事業であり、近衛前首相も云はれて居る通り「此事業を我等の時代に解決すると云ふことは、寧ろ今日生を享けた我等同時代國民の光榮であり、我々は喜んでこの任務を遂行すべきものである」の意義に於て、各家庭としての任務を認識し、其任務遂行の責に當られねばならぬ。

非常時局下に於ける家庭は、以上の任務を遂行するに當り、平素と異り、非常の決心覺悟を以てせねばならぬことを第一に認識せねばならぬと考へる。以上之が要點を説明する。

一 家庭と子女の教育

家庭は子女を教育する重要な機關であることは、今更云ふ迄もない。時局に遭遇して何人も痛切に感ずることは、今や戰場には多數の精兵强兵を必要とし、國内には多樣の能率ある産業人を必要としてゐることである。しかるに、此等の人達の資質、其心身の修鍊は何時何處に行はれて居るかを改めて吟味することが大切である。軍人の忠勇義烈なる精神、戰鬪能力といふやうなものは勿論軍隊教育の成果であり、産業人の知能・其熟練等は或は學校或は工場商店等の專門的陶冶等が因をなして居ることは疑もないことであるが、しかし、男子が成年に達して入營する迄、或は男女就職をなすに至る迄、或は就職中も亦子女が其心身の成長發達を遂ぐる上に、最も關係あるものは家庭生活である。平素にあつても、國民が忠君愛國の精神を有し、剛健なる體力を有することは、國防に産業に或は家事に又は健全なる子女を擧ぐる主因たるは明なことであるが、非常時に際して益々この事實が證明せられて居る。更に次の事實を考ふる時は、如何に家庭に於ける青年子女の保護訓練が大切であるかは明となるのである。

(一) 小學校卒業兒童中、約八十パーセントは上級學校に進まず、直に職業に從事し或は家事事業に從事するものである。其中には青年學校や其他の社會教育の施設に於て訓練せられて居る者もあるが、とにかく成年に達する迄は專ら家庭に於て保護監督を要するものである。しかるにも拘らず、之は今日迄往々看過せられて居る。

(二) 殘り二十パーセントは上級學校に進むことゝなるが、今日の學校教育は、動もすれば知能の收得のみを重んずる結果上級學校に進めば進む程、尠くとも身體は薄弱となり、勞働には耐へざる狀態となるのは殆んど常例となつて來た。又早くも兩親の膝下をはなれ、自由放縱な生活を送るの結果は勤勞を愛好し、固有の美風たる家の精神に遠るの傾向をも生じて居る。

(三) 青少年の體位低下は今日の大問題となつて來た。榮養や衛生や、運動競技等の方面は確かに昔より進んで居るに拘らず、斯る現象を呈して居ることは種々の方面から考へねばならぬことであるが、昔の如く困苦缺乏に耐へ、剛健の精神を養ふ機會が日常生活に缺如して來たことが一重要原因ではなからうか。

(四) 壯丁檢查の際、性病にかゝつて居るため、不名譽なる結果を招いて居る者が尠くない。之などは家庭に於ける保護監督の不充分なる一現象でもある。

學校教育社會に於ても、不備不充分なことを改善せねばならぬのであるが、之は今論外とする。家庭は以上の事實に鑑み、とにかく自己の子女に對し、特に剛健の精神、勞働に耐ふる身體、困苦を忍ぶ意志を養成することを重視し、家庭生活中に之が躾をなすことゝせねばならぬ。聖戰の目的は遠大で、其達成には長期を

要する。假りに十年としても、今日の小學生が壯丁として軍務に服するの時となる。又一人前の職業人ともなるの時となる。今兒童の身體特に其一部の問題、例へば近眼や筋肉薄弱者の數を尠くすることをもつて見ても、各家庭が學校や社會と共力して保護監督の任を盡すこととせば、五年十年の將來には、確に其數を減ずることが出來ると思ふ。之は一例ではあるが、時局を契機とし將來を顧慮して、强健なる國民を養成するの重要なことが痛切に認められると思ふ。

二　國民經濟・國策と家庭

從來經濟と云へば、多くは個人の經濟、各家庭の經濟に關することが主で、此場合には其指導原則、其教訓も亦自ら此方面に關するものであつた。しかし、近來は全體主義から、國民經濟なるものが肝要な問題となつて來た。全體として考へられる經濟は或個人や家庭には不利不便なものもあつて、時としては個人的に之を忍ばねばならぬ場合も生じて來る。之は全く自由主義となつて居た經濟に統制主義のそれが代つたりする場合に、特に著しく見える現象である。しかし國民經濟は本來全く個人の事情を無視せんとするものでもなければ、個人や家庭が全體の一員たる意義が明であれば、兩者矛盾あるべきものではない。結局家庭は社會生活上重要なる經濟的單位たることには變りはないと考へるが、之は議論に亙るから之以上論ぜぬこととし、何はともあれ、現今は吾國の經濟的國策とするものに順應して、家庭生活を更新することが最大の急務だと考へる。

現今家庭が國策に順應せねばならぬことは次のことを主とする。

(一)　軍需品に要する物資は專ら其目的に使用せしめんがために、他に使用することを禁止し、或は制限することが必要となつた。之がために各家庭では、之に關する物資は家庭日用品として必須のものであつても、國策の趣旨に副ひ、之を使用することを見合すこととせねばならぬ。

(二)　金輸出を防遏するために、外國より購入する物資につき一定の統制が加へられた。各家庭では此趣旨を體しかゝる物資を消費することを避けねばならぬ。

(三)　一般に生活を緊肅して餘剩を作り、貯蓄をなさしめる。之れ物價の昂騰を防ぎ、國民の一部に收入が增加するので、其冗費濫費を防ぎ、總じて多大の國債を消化する力を備へんがためである。各家庭では此趣旨に副ひ、貯蓄なすことが必須のこととなつた。

一々詳に述べなくとも讀者が既に知悉することゝ思ふが、綿・木綿・毛糸・毛織物・鐵及其製作品・鋼・其他の金屬及其製品・革類等の使用禁止、或は制限は皆この必要から生じたものである。而して國策に應じて日常の生活をなさんには、結局從來の生活法を改新せねばならぬこととなるのである。即ち、從來使用し來れるものを全く使用せざるか、或は使用の量を減少するか、或は代用品によるか、或は不用廢品となれるものを再生するか等の方法によらねばならぬのであるから、日常の衣食住の生活に關し、其生産及消費の兩方面に亙り、著しき變化を生ずることゝなる。食につきて見れば、幸にして歐洲諸國が大戰當時になめたやうな苦難は

吾國には存せぬのであるが、しかし次の如きことを心得、適當な方法をとらねばならぬ。

一、出征者、軍需工業就職者あるため、或種の食料品の生産力が減退し、又從來輸入による食料品が減少し、或は軍需品に使用するため家庭用品が減少し、又は價格の高まれるものあり、從て充分に節約を加へ、代用品を使用する等の方法をとるの要あること。

二、長期に亙る間には穀類の生産は年によつては風害・旱害・冷害等のため、著しく其量を減ずることもあるべきを豫想し、斯る場合に對照するの覺悟を要すること。

衣につきては、根本的に從來の衣類を改新せねばならぬことゝなり、住についても、木材鐵其他建築材料の關係から、新築等の不可能であるは勿論、やがては修理に要する釘一本を手にすることだも、容易ならぬ日があるかも知れぬ。其他家具や日用品につきても非常に改新を要することゝなつた。貯蓄に至つては大多數の人は、之がために特別の收入が增加するのではなく、寧ろ物價の騰貴等により收入が減少すると同一結果となるに拘らず、貯蓄を實行するを必要とするのである。されば家庭生活に於て、非常手段として日常生活を緊縮するの外には途はない。要するに、國策に對應する家庭經濟は非常手段により、傳統的生活の大部分を改新することによらねばならぬ。

三　現時の生活改善と將來の生活

現時行ふ生活改善は單に之を目前の問題と考ふることなく、時局を契機として、戰後に於ける堅實なる生活の基礎を建設し、今日適當なりとして實行するものを永く後に繼承することゝせねばならぬ。傳統により、惰性に從ひ無意識に反復して居る國民の生活には、頗る無意味であり又無益なものが尠くない。又人間欲望の增長に伴ひ知らず識らずの間に、奢侈の風を生じて居るものもあり、又徒に泰西の風習を模倣し、舊來の良風を捨て、徒に彼に倣ひ、物的にも精神的にも無益有害な生活をなして居ることも尠くない。此等のことは今日を契機として徐に反省し、或は過去の美風を復活し、或は簡單なる生活法を建設する等のことをなし、以て次代國民のために良風美俗を殘されねばならぬ。

人或は戰後には直に自由經濟の昔に返り戰前と同一な生活の狀態となり、家庭生活も亦昔日と變りなきこととならんと思ふかも知れぬ。從つてかゝる人は現時の狀勢を應急的處置とのみ考へる。勿論廣汎な經濟生活中には、戰後元のまゝに自ら立返るものもあらんし、又かくすることが適當なものもあると思ふ。しかし國民は次のことに對して考へるならば、そんな簡單なものではない。更に强固な決心を有し、自分だけではなく子孫のために計らねばならぬこととなる。

一、支那事變の終結は何人にも豫想は出來ぬが、非常に長期に亙るものとせねばならぬ。從て應急と思ふ考へ方は第一に心掛がよくない。又日支が武力行使を停止することが直に聖戰の目的達成となるとは考へられぬ。とにかく武力・經濟力等は時局の進展に伴ひ、益々之を必要とし、戰爭は終止しても滿支を舞臺とし、其廣き國境を防衛し、共存共榮の實を擧げ

んがためには、其後の場合により、事變中と同一或はより以上の用意を要するかとも考へられる。

二、事變に要する費用を辨ずるため、發行した國債は其額百億に上るやも計り難い。之は現國民の負擔でもあり又子孫の負擔でもある。

勿論將來吾國運は益々發展し、國富は增加することも明だが、如上二條件を考へた場合、將來吾等及吾等の子孫には時難が存在し、難境が横はつて居る。之がためには一層現今の國策或は更に定めらるゝ國策に順應して現今に繼續する難關を打破し、克服するの用意と覺悟がなければならぬ。暫くにして元に復するだらうなどと考ふることは大なる誤でもあり、國家に忠實な所以とはならぬのである。

時局の將來はとにかくとしても、現に時局に對應せんがために家庭生活に改新が行はれて居る。其中には、家庭生活上かくすることが堅實な生活法であり、國民經濟上からも合理的だと認めらるべきものが多々あり、此等につきては其長所を自覺し、永く之を以て國民の風習として堅持することを期せねばならぬ。試に二三例を擧げて見る。

一、紙の冗費濫費防止　試に或種の菓子を贈物とする場合をとつて見る。容器中の菓子は紙を用ひて二重三重に包圍せられて居る。外箱に種々のレッテルが貼布せられて居る。之には菓子の濕化や破損を防ぐ必要上缺くべからざるものもあるが、凡ては必要なものではない。中には仲味の多きを僞らんがために、紙細工をなして居るものさへある。之を購ふ人には包裝紙が入用となり、贈物とするには、更に包紙や水引も必要となり、贈物を受くれば白紙二枚をたゝみ風呂敷に入れて返すことが禮とせられて居る。いかに必要以上に紙が冗費せられ又濫費となつて居るかは此一例によつても判るかと思ふ。こんな弊風は打破せねばならぬ。しかし此弊風の打破は平素ならば仲々容易のことではない。即ち製造者の競爭、販賣者のサービス競爭、所謂作法なる傳統等が織成せられて、かゝる風習をなして來たもので、一家庭や一商店の覺醒のみで廣く社會に行はるゝものを矯正することは出來ぬのである。しかるに時局は全體に對して覺醒の機會を提供し、とにかく紙を節約せねばならぬやうに要求することゝなつたのである。斯る機會こそ從來の弊風を打破する絶好の機會であり、軍國實行の場合でもある。製造者や販賣者は、競爭の手段を紙の費用以外に求め、贈答の作法に無意味な虛禮を廢することゝし、將來の良習を建設することが肝要である。

二、米の問題　目下食用米につき、七分搗、胚芽米を用ひしめんとする運動が起つて居る、誠に合理的、榮養的、經濟的なことゝ考へる。又家庭經濟と國民經濟と合致する問題でもある。しかし多年白米を食用として來た因襲上容易に國民全部が之を實行することはならぬ狀態にある。若し假りに米が缺乏して之を得ることを得ぬとせば、國家は法律を以て其使用を統制したり、切符制を用ひたり、代用食をとらしめたりすることが起つて來るかもしれぬが故に、吾國は斯る狀態とはなつて居ぬので、差當り國民の自覺自制に任せて居る。凡そ自由なる事につきては、善事と知りつゝも舊習を改むることのないのは常であるから、白米使用も

亦このまゝでは止むとは考へられぬ。從て將來にとつて極めて重要なこの問題が暫くにして立消となるの遺憾を生ずる。思ふにこの問題も、時局を契機として改新せられねばならぬものであるから、國家としても相當に統制を加ふるの要あるべく、家庭としては進んで多年の因襲を打破し、榮養を高め且一家一國の經濟力を向上せんことを期し、常食改善の途をとらねばならぬ。

三、無用贅澤の服裝、所持品一掃等　この機會に概ね西洋模倣に基因する風習は一掃せねばならぬ。又西洋模倣ではないが同一なことは改善せねばならぬ。之に關する例を擧ぐれば多種多樣である、餘りに煩惱となるから云はぬことゝする。要は時局を機として、輕佻浮薄、奢侈虛榮の風習を一掃し、且個有の美風は復興し、又新に堅實な風を建設せねばならぬ。之には各家庭の生活から出發することが捷經であり、又家庭生活に關するものが比較的多いことゝ考へる。

物の尊重、自然への感謝

近代人の通弊は媒介の方便たる金を尊重するが、其根本たる必需品としての物、又之を與ふる自然に對する感謝の念が乏しくなつたことである。所謂貨幣經濟なる時代に入つてからは、人は金さへあれば何物をも得られ、好むだけの分量は自由に得らるゝものと考へて金を得ることには苦心もし、甚しく金を尊重するが、物品につきては冗費濫費も意とせず、若し冗費濫費と考ふる場合は之を物のそれと考へずして金の浪費として居る。消費者がこんな態度であれば、生産者、販賣者は一に其要求を迎合して、結局自然資源の枯渇することなどは全く眼中になく、一に金を得ることにのみ汲々たることゝなる。又人力を過重して、自然は人力によつて征服し得らるゝものと思惟し、其恩惠に對して感謝の念を起さぬのみか全く人は自己の好むがまゝに之を利用し、又自己の力によつて在右し得るもののなるかの如き感を有して居るのである。之亦物を冗費濫用する原因ともなり、自然資源を消耗はするが、之を補償せんとする念も起らぬことゝなる。

昔物を尊重する念の厚かつた時には、紙一枚も無駄にはせぬ。食時の際には感謝の意を表し、米飯一粒だも粗末にすることはなかつた。「勿體ない」といふ語は物の尊重、自然及之に加へた人力の尊さに對する感謝の表現であり、家庭は其躾の中に「勿體ない」意義を實行に即して子女に授くることを忽にしなかつたのである。元來物は自然の惠與であり、人間は新しく一元素だも創造し得る力を有するものでない。たゞ自然の恩惠に浴し、自然の効用や、かくれた力を發見して、之を利用して生活して居るに止るものである。偶々先人が見出すことが出來なかつた効用や力を發見すると恰も自然以上の力を得た時の如く錯覺し、自然征服などと稱して居るが、之は一種の妄想であり、又自然に對する忘恩である。

古來農民は自然より受くる恩惠を感知し自然力の偉大なるを認識することが他の職業に從事する者よりは勝れて居た。これ其仕事の性質上自らしからしめたことかと思ふ。しかるに近世の工業に至つては機械の力のみを尊重し、物を尙ぶの念甚しく薄きことゝなり、特に原料採獲のためには自然資源を枯渇するも意とせず

之が補償につきては責任を負ふものと考へぬことゝなつた。而して自然の恩惠を認知せず、之を征服せりとの誇負心を有する者が集る所に都市が形成せられ、其都市の生活法が傳播して村落に及び、擧世滔として自然に對する感謝の念を忘れ、只之を利用せんとはすれど、補償の途を講ぜんとはせぬのである。こゝに於て山林の如き、濫りに之を拔採して之を補償する植林を怠つて來たために、山は崩れ、水は溢れ、時々慘害を蒙つて居る。時局に際しス・フ工業が重要なものとなつた。盛に山林を拔採することゝなるが今にして同時に之を償補する植林をなすでなければ、數十年を出でずして、朝鮮支那に見るが如き山容を現出することゝならんかと思ふ。現代人は祖先の恩惠に生き、自己の利便のみを顧慮し、子孫のためを思はずしては國民精神にも反することゝなるのである。

要するに非常時局に際し、家庭としてなすべきことは多々あるが、現在及將來を通じ物を尊重し、自然の恩惠を感謝するの念を養ふことが根本で、この根本に培ふでなければ結局は、喉元過ぐれば熱さを忘ると云ふ響の如く、當面の苦を處理するだけで、再び冗費濫費の習俗を繰返すに至ることゝ思ふ。深く根元につき省みることが何よりも肝要である。

聖戰體制に卽した家庭生活

越智キヨ

（一）何故我が國政府は國民に消費の節約を强調しますか。私共はその理由の認識を十分に深めて家計を戰時國策戰上に副はしめて、聖戰の目的遂行に協力せねばなりませぬ。

第一は軍需物資の供給を十分ならしめる爲に强度の節約を必要と致します。近代の戰争は武力戰といふよりも寧ろ物資戰であると云はれてゐます通り、戰争の爲に莫大な物資を要します。特に鐵・銅・亞鉛・鉛・錫・白金・揮發油・重油・皮革・ゴム等軍需品として重要な物資でありますから、此等は法令を以て民間の使用を制限してゐます。軍需物資はその他にも廣範圍に亘つてゐまして一々法令を以て節約を强制されてはゐないのでありますが、私共國民はそういふやうな物資についても自發的に節約を行はねばなりませぬ。

第二は國債消化の爲に節約を必要とします。我が政府は軍需品の買上げの爲に莫大の公債を國民に買つてもらつたその金で軍需品の買上げを致すので、若し國民が公債を買ふだけの金を持たなければ政府は軍需品を買ふことが出來ませぬ、從て戰争が出來なくなります。それゆゑ私共國民は能ふ限りの節約をして貯金をするか、公債を買ふか、保險に加入するか等の方法によつて貯蓄した金を政府の御用に充てねばなりませぬ。

第三は輸出を增進して國際間の收支の均衡を保つ爲であります。私共はよく承知して居る通り、重要軍需資料は我が國内の產出甚だ尠くその大部分は海外から輸入して居ります。然も之が非常な多額であります。然るに若し轉出が之れに伴はなければ、その差額だけは現金を拂はなければなりませぬ。卽ち金の現送をせねばなりませぬ。然るに我が國の金保有量は豐かとは申されませぬから、どうかして輸出を增加して金現送を避ける工風をし

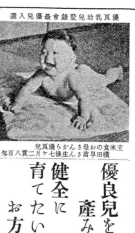

なければ外國からの信用が無くなり、爲替が下落し、外國から買ふ物品は非常に高價になり、容易ならざる窮狀に陷るに至ります。こういふ理由で輸出の增加が急務中の急務でありますから、棉花・羊毛等は一定割合のステープル・ファイバーを混用することを强制して、國內使用量を徹底的に節約して輸出向製品の製造に當てゝゐます。棉花・羊毛の他の物資にも能ふ限り國內消費を節して輸出に向けねばならない現狀であります。

第四は物價騰貴の抑制の爲に節約を必要と致します。我が政府は國際收支の均衡を保つ爲に輸出向製品の原料を除く、他の不要不急の物資は極力之が輸入の減少を計る必要がありますから、輸出入品に關する法律を制定して棉花・羊毛・麻・木材・パルプ・皮・ゴム等今迄巨額の輸入を致してゐたものゝ輸入を制限し、且不要・不急品の輸入を禁止してゐますから、自然國內の物資は非常に缺乏して參り、物價は事變前に比して可なりの騰貴を示してゐます。この物價騰貴は戰時に於ては特に重大な影響を持つから放置することは出來ませぬ。なぜならば之は國民生活を脅かすばかりでなく軍需の供給に支障を來すといふ重大な事態を來すばかりでなく、輸出の不振を來しますから、政府は物價委員會を設け或は暴利取締令や物品販賣價格取締規則等の法令を出してゐるのであります。然し斯の如く政府が物價の騰貴を抑へても國民全般特に消費に當る所の家庭の婦人が節約を强行して政府と協力しなければ、決してその目的を達成することは出來ませぬ。何となれば物價は需要を減らせば自然に騰らないで濟むのであります。彼の數月前白木綿や浴衣地の買溜を行ふてその價額の急騰を來した如きその適例でありまして私共愛國心を持つ國民としては斯ることは絕對に避けねばならないのであります。

以上述べましたことによりまして、私共國民が消費節約を强調されねばならない理由が了解されたことゝ思ひます。然らば如何なる方法によつて節約を徹底すべきかと申しますに先づ物資を愛護することであります。

（二）物資愛護とは、現に家庭にあるものを一々大切に取扱つて出來得るだけその生命を長くすることであります。又今迄簞笥の中で遊ばしてあつたものを利用するとか、不要品は之を賣却して再生の原料に充てるが如きもその一つであります。例へば古い洋服を染直して着用するとか又は穴の穿いた毛の靴下や虫害を受けた襟卷をバタ屋に賣るとかもその一つであります。我が國中流社會に於て一人の婦人が簞笥の中に仕舞つてをく衣類は平均七百圓であると云はれてゐます。之等は皆簞笥の肥料となり却て手入や保存に多大の勞力や費用や心配をかけて

ゐて實に馬鹿げたことでありますから、此の際之等を大いに整理して、數年間は新調品を加へないで、有るもので間に合はせる方針を採りたいのであります。

聞く所によれば或る婦人團體が國民精神總動員中央聯盟と共同して國民生活の改善に乘出し、服裝簡素・贈答廢止・宴會制限・集團行動の規律化・禮儀の改善・酒煙草の節制・體位向上・廢物利用等に關する事項の協議實踐化を試みやうとしてゐるとの事で之は誠に時宜に適するものであり慶賀の至りであります。時局益々緊迫を來し、且つ長期聖戰の目的遂行の爲に國民一致愛國の熱に燃えて實踐に務めその成果の上ることを切望する次第であります。

（三）國民體位向上の爲めに推奬致したいことは

（イ）夏季に於ける時計の針を一時間進めて早起き早寢にしたいことであります。現に英國に於てはサンマータイムを制定して、之によつて電氣の節約を計つてゐますが、我が國に於ても五・六・七・八の四ケ月は三十分乃至一時間進めることを現に私宅では本年五月から實行して居ります。之は勿論電氣の節約になりますが、私は寧ろ國民體位の向上の爲に主目的としたいと思ひます。このことは既に山本一博士が主張されてゐます。

（ロ）玄米食の奬勵を行ひたいと思ひます。新聞紙上の報道によれば既に大阪府を始め數縣は白米食を廢して七分搗米を用ひることに決定されたとのことで誠に結構なことでありますが國民體位向上の徹底の爲めに、寧ろ玄米食にまで進んで行く縣もあつて欲しいと思ひます。現に私宅では約三十年前から玄米食を採つて健康の增進と米の節約とを十分に體驗し得てゐるのであります。

附記　玄米飯の炊き方、玄米一容積水二容積の割合で普通の飯の如く、初め火力を强めて炊き、煮立つた時火を消します。蒸すこと五十分で再び點火して火力を普通にして煮立つてから、弱火で十分間煮たあと火を消し蒸すこと十分で實に軟かなふつくらした御飯が出來上ります。少し皮が舌に觸るので始め一週間位は食べ馴れない方には好まれませぬが、馴れるに從つてその味の美と健康增進とがはつきりわかつて參ります。

（ハ）空地を整理利用して野菜や果物作りをすることをお奬めしたいと思ひます。野菜作りは眞に愉快なもので自然界に親みを持ち、早起のためには新鮮な空氣と日光とを受けるから健康を增進すること、新鮮な野菜の供給を得るから榮養價は百パアーセントであること、野菜を買ふ費用が省けるから貯蓄が出來る等實に一擧三德の價値があります。

（ニ）短い靴下の使用又は靴下全廢、下駄使用等のこと

も既に推奬されてゐて良いことではありますが、之は決して只今持つてゐる物を捨てゝ新調すべきではないと思ひます。既に持つてゐるものは十分に大切にして使用したのちに新調せねばならないことを忘れないやうに願ひます。

（ホ）中學生の短いズボンや中學生及び小學兒童の夏服をシャツと短いズボンにする等のことは少くとも實行して成長期にあるものの體位向上と物資節約と一石二鳥の效果を納めることをお奬めしたいと思ひます。我が國の如き炎暑甚しき地にあつて詰襟服採用は甚しき間違ひといはねばなりませぬ。之は必ず開襟半袖シャツに半ズボンといふことに改良したいと思ひます。目下厚生省その他に於て國策服の研究がその歩を進められつゝありますことも喜ばしいことであります。

其の他多くの方々から種々の提案を伺ひますが、まだその實行性の乏しいといふ感じが致します。今日は理窟述べ合ひの時ではなく、直ちに實行に移すことが銃後の護りとしての義務であると信じます。切に御共鳴あらんことを御願ひ致します。

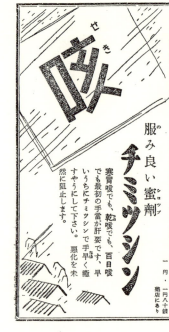

大戰時に於ける獨・伊・英・佛・墺等の兒童保護施設（五）

厚生省防疫課長　南　崎　雄　七

（六）白耳義

白耳義も佛國と同樣に近代的兒童保護運動に早くより乘り出し歐洲大戰勃發するや母性兒童保護の事業は大體之を實行した。

從つて戰時に於ける乳兒死亡率も殆ど戰前に比し其の數字には著しい差違がなかつた。卽ち戰前生產百に付一二—一三程度のものが戰前二、三年の數字であり戰時中の年も大體一致し、其より稍々少い年もあつた。唯一九一八年戰爭最後の年に僅に上昇を見たのみであつた。然し乍ら戰時の年は何れも出生率の激減を呈したのは佛蘭西其他の國と同樣で殆んど平時の半分に等しい低下であつた、戰前は人口千に付き二三乃至二二程度のもの戰時には一一迄低下したのである。交戰國の出生率の低下は何れも同じ狀態であつた。從つて出生率と乳兒死亡率との關聯問題は本論の最初に述べた議論は同じく白耳義の場合に於ても同樣であるので再びこゝに論じないことゝする。

白耳義戰爭前後の出生率と乳兒死亡率

	人口千に付出生率	出生百に付乳兒死亡
一九一〇年	二三・七	一三・四
一九一一年	二二・九	一六・七
一九一二年	二二・六	一二・〇
一九一三年	二二・四	一二・五
一九一四年	二〇・四	一一・九
一九一五年	一六・一	一一・二
一九一六年	一二・九	一〇・九
一九一七年	一一・三	一二・四
一九一八年	一一・三	一三・二
一九一九年	一六・三	一〇・三

一九二〇年	二二・一	一〇・四
一九二一年	二一・八	一一・五
一九二二年	二〇・四	一〇・七

（備考）一九一四年より一九一八年は戰爭の期間この期間中出生率は激減したるも乳兒死亡率は戰前と大差を見ない。

白耳義には一九一四年には小兒健康相談所の數は全國中に八十三ケ所あつた。この中七十ケ所は大戰中侵掠を蒙つた地方に設置されたものであつた。之等は大部分私立團體の設置經營に依るもので郡・市・州の經營によるものは極めて少數であつた。然し大部分は國庫よりの補助を受けて居た。

又給食所は戰前には二ケ所あつた、一つはブラッセルに他の一つはアントワープにあつて一日一食を限り無料にて姙娠五ケ月以上の婦人及び己が乳を以て其の子を哺育する母親には何人なるを問はず給食させて居たのである。又一九一〇年に白耳義國中にあつた托兒所若くは保育所の數は約五十ケ所あつた之等も大體私立のものであつた。

戰爭開始されて間もなく兒童福祉事業は經費困難の爲め事業續行が困難となつた。そこで兒童保護に携はつて居る多數の者は食糧救濟國民委員會の地方委員に之が援助を申請した。この委員會は戰爭の開始當時に設置せられ、全國に亘り活動して居たものである。一九一五年二月に委員會は兒童福祉事業に關する本部を設けて全國の兒童福祉事業を統一することにした。而して救助の必要ある兒童を救護する公私設の施設に對し補助を與へることを聲明した。又本委員會は兒童健康相談所や牛乳供給所の設置を促し、同時に病兒姙婦授乳母親に對する給食所をも開設した。更に一九一六年には里子、棄子々孤兒の救濟とは異なつた特殊の部を設け之を兒童救濟委員會と稱し、一九一六年七月より各州に委員、各郡市に委員を任命し兒童の榮養の監督を行ふことにした。而して之に要する費用は國民委員會と州委員會及郡市委員會にて各々三分の一を支出することにした。一家族で月收一七五フラン以下、又家族一人宛の收入月額五十フラン以下の家族に對し一定の補助をなした。

榮養問題に就ては、乳兒及三歳以下の幼兒の食物は兒童健康相談所と合議するに非ざれば之を支給することは出來ない。健康相談所は一名の醫師と數名の篤志助手とが主管し、乳兒は二週毎に一回體重測定を受け滿一歳以下は其の度數を減じて良いことにした。醫師は常に乳兒の發育狀態を注視し適當なる育兒上の注意及び榮養上の指導を爲す事が確實であり、且つ確かな醫療上の注意をなす相談所でなければ、補助金は下附されないのである。

相談所の篤志助手は專ら婦人であるが之等の人々は乳兒のある家庭を訪問して母親を助けて醫師の勸告を守らしめるやうにした。而して此の助手達は相談所の醫師に一定の報告を爲す責任があるのであり、母親は及ぶ限り母親を以て其の子を哺育するやう獎勵したが人工榮養の必要な場合には牛乳供給所で示してある標準に基いて調理された牛乳を手に入れるやう世話をしてやつたのである。

牛乳供給所の牛乳は國民委員會監督の下にある農家より購入するものも、農場の雌牛も何れも檢査を受け、牛乳供給所では殺菌してからガラス瓶に分ける。生後七ケ月迄の乳兒は殺菌して甘味を加へた牛乳のみを供給される。其後のものは穀粉を許し、十四ケ月になると、コ、アと少量のパンを與へ、二三歳のものはコ、アとスープとパンとが與へられるのである。

一九一八年には之等の兒童相談所と牛乳供給所の數は七六八ケ所存在し、九萬百三十名の兒童が其の世話を受けた。

大都市及び數ケ所の工場地では搾乳場を設け、農場から過剩の牛を手に入れることの出來ない場合は和蘭から牛を輸入し、新鮮な牛乳はコンデンスミルク及乾酪として多量に輸入した。

母親の榮養に對しては、食糧救濟國民委員會は單に分量を增加したが、之では不充分であることを知り得たので、母親給食所に來所を命じ、又來所困難な事情のある者には特別調理の食物を給與した。之は主として穀粉と牛乳から出來たものである。給食所では姙娠五ケ月以後の婦人及び分娩後九ケ月迄の母親は誰でも一日一回榮養價の多い食事を給したのである。

給食所には醫師が居て母親及乳兒の健康に留意し、母乳榮養を獎勵した。かゝる給食所の數は最初は二ケ所であつたものが四百七十三ケ所に達し姙婦七千人餘、授乳婦一萬四千人餘を救助したのである。

食糧救濟國民委員會の事業は兒童保護を司る、永久的家國機關の必要と熱望とを高め、遂に國立兒童局の設置に關する法律案は戰爭の終りに立案せられ、一九一九年二月白耳義下院に提出せられ同年九月通過した。新局は家庭内にすら兒童たると公私施設内にある兒童たるとを問はず兒童衞生に關する科學的方法の適用擴張を圖るを目的とするものであつた。

白耳義では戰爭中多くの工場は閉鎖したので、託兒所の設置必要は無かつた。唯テナントには保護者を失つた子供の爲めに乳幼兒の保育所が開設された。

食糧救濟國民委員會の兒童福祉部は日額五萬フランの金にて學校給食、子供健康相談所、牛乳供給所、母親給食、病兒給食、乳兒院費用等に費した。

かくて白耳義に於ても戰時乳兒死亡の低下を防止したのであつた。（終）

乳幼兒死亡の統計的考察（七）

内閣統計局　浦上英男

八、乳兒死亡者の身分

茲に謂ふ身分とは公生、私生の別で、公生とは所謂嫡出子、私生とは統計上庶子及私生兒を併せたものを謂ふのである。（統計作成上、庶子を私生子扱ひにすることの不合理は、公・私生子の兩者比較に當つて隨所に不便を感じさせるが、本文では此の點に敢て觸れずに置きたい）

昭和十一年本邦内地に於ける乳兒死亡者を身分別に觀ると、公生二二三、九〇五、私生二二、三七八で、公生は總數の九一・三％を占め、私生は八・七％である（此の外身分不詳七四人を算へるも、割合に直せば幾何でもない）。卽ち私生は總數の一割に滿たないのである。

此の割合を既往に遡つて見ると、大體公生の割合は漸增し、私生のそれは遞減して來てゐる。例へば六年前の昭和五年には公生九〇・二％、私生九・八％だつたが、爾後逐年殆んど規則的に公生の割合を增して居る。

右は我國内地の現象であるが、之を諸外國に就て見るとどうであらう？乳兒死亡率の低い事で著聞する和蘭に於ては昭和十一年公生九七・五％の多數に上り、從つて私生は僅々二・五％の少數に止まるのである。後述する如く各國共公生に死亡率低き事は、乳兒死亡の殆んど大部分が公生である和蘭の極めて低い乳兒死亡率を說明して餘りあるものと考へる。之に對して世界最高の乳兒死亡率を現はす南米のチリに在つては、同じく昭和十一年公生の割合五九・〇％、私生の割合四一・〇％で公生が非常に少い。卽ち此の公生兒の少い一事に依つても同國の高乳兒死亡率が或る程度迄首肯される樣に思ふ。

固より或る二國を比較し、公生の割合が多い國に乳兒死亡率が低いといふ樣な單純な結論は生れないが、乳兒死亡率が偶々同率なる二國ありと假定せば、公生、私生の割合は二國共大體近似すると看做して大過あるまい。

右に述べたチリの樣に公生の極端に少い國も珍らしいが、又和蘭の如くその多い國も澤山は見當らぬ。然し概して公生、私生の割合は八〇乃至九〇％に對する二〇乃至一〇％臺に在るものと解していゝ。今公生の割合を若干國に就て擧げると、伊太利九四・二％（昭和十一年）、瑞西九四・一％（同十二年）、英吉利九三・三％（同十年）を示し、何れも公生割合の多い部類に屬してゐる。之に對して佛蘭西の八九・〇％、獨逸の八七・四％、リスアニアの八六・八％（以上何れも昭和十年）等は九〇％臺に達しない。

獨逸の八七・四％などは我國の九一・三％或ひは伊太利の九四・二％に比較するも公生の割合著しく少いが、然しその乳兒死亡率は出生百に付六・九で、我國の一一・七は勿論伊太利の一〇・〇に比するも甚だしく低い。卽ち私生の割合が比較的多くとも社會情勢、保健狀態が良好であれば乳兒死亡率は十分低率たることを得るのである。此の反面公生ばかり多くても一般衞生狀態が不良であれば乳兒死亡率の低下は望むべくもないのである。

此の適例を擧げれば我が臺灣の數字がそれで、同地の昭和十一年に於ける公生、私生の割合は九四・四％對五・六％を現し、以上指摘せる内地及諸外國の中和蘭に亞ぎ公生割合の多數を誇つて居るに拘らず、其の乳兒死亡率に至つては一四・三といふ世界屈指の高率となつてゐるのである。

而して乳兒死亡率は公生、私生の何れに高いかと言へば、曩にも指摘した如く、どの國に於ても私生に必ず、そして斷然高いのである。（例外は我が臺灣）

身分別乳兒死亡率（出生百に付）

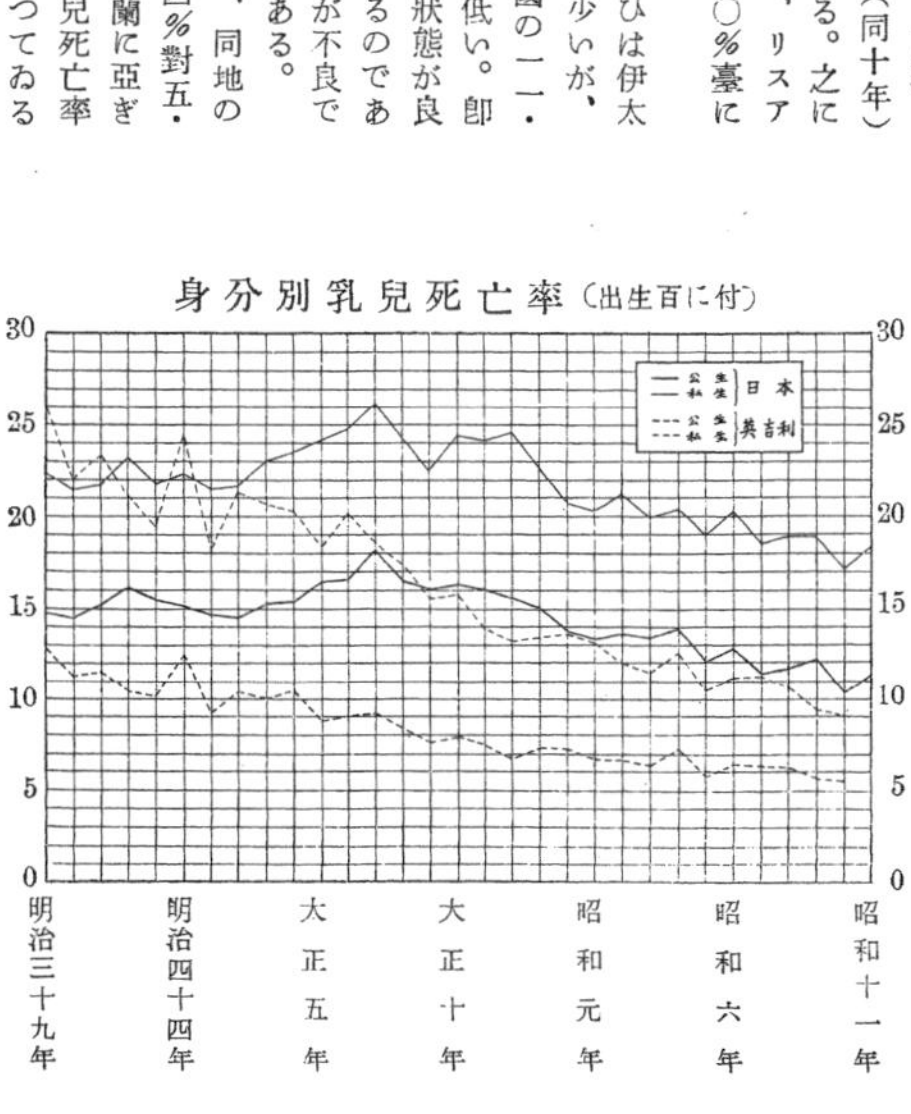

例へば本邦內地に在つても昭和十一年各々の出生百に付公生は一一・三、私生は一八・三で、私生が七・〇だけ高い。既往に就て見ても公生は大正七年に一八・〇、私生は大正五年乃至大正十二年に二四・〇以上の高率を見たこともあるが、過去三十餘年間私生により低かつたことは唯の一年も無いのである。此の現象を理解する爲特に前掲の樣な圖表を作つたが、同時に他の諸外國も我國同樣である事を示す目的から、特に英吉利を選び、其の身分別乳兒死亡率の傾向を併せ揭げて參考に供した。

御覽の通り明治の末期迄、私生乳兒死亡率は我國より却つて英國に高かつたのであるが、近年に於ては寧ろ我國の約半分に低下して居る。我國に於ける乳兒死亡率の低下度は私生より公生に著しかつたのであるが、英國では反對に私生のそれが一層目覺ましかつたのである。又日、英兩國共乳兒死亡率は公、私生に依つて相當の開きを見せてゐるが、本邦に在つては既往を通じて私生が公生の二倍に上つたことはない。然るに英國では近年こそ差が縮まつたけれども嘗つては私生が遙かに高く、公生の倍以上に上つてゐたのである。

尙諸威に在つては、昭和十一年公生三・九、私生八・三、リスアニアに在つては昭和十年一一・五に對する二三・二を示し、私生が公生に比し倍餘の高率を記錄して居る。之に對して公、私生各乳兒死亡率の差が極めて僅少な國もある。其の最も典型的なのは臺灣で、昭和十一年出生百に付公生一四・三、私生一四・二で、其の間殆んど見るべき差がないのである。

が臺灣の特異な點は其處に在るのではない。殆んど凡ゆる國の逆を行つて、公生兒よりも私生兒に死亡率の低いといふ事、之は幾らの違ひでもないと言ふもの丶決して見逃せない興味ある現象である。必ずしも每年かうとは限らないが、公生に低い年でも、公、私の差は至つて僅少なのを常とする。昭和十一年の如きは、折角私生が一四・二の低死亡率を記錄したに拘らず、曩にも述べた樣に同地では私生兒が非常に少い爲、公、私生を合した乳兒死亡率は公生兒の高率に引摺られて、之れと同率の一四・三に上昇して居るのである。從つて同地の如き、乳兒死亡率の高い原因は何等私生死亡に影響される事なく、全然公生兒に對する保護の至らぬ點にのみ依存すると解すべきである。臺灣の斯かる事實は將來大いに硏究の要があると思ふ。

ところで次表に示すチリの如きは、死亡率高き私生兒の極めて多數を占める事實がその儘この高乳兒死亡率の要因を爲すものである。茲で諸外國の公、私生別乳兒死亡率を左に表示紹介して置かう。

身分別乳兒死亡率 （出生百に付）

國名	年次	總數	公生兒	私生兒
チリ	昭和十一年	二五・二	二一・一	三四・九
臺灣	〃	一四・三	一四・三	一四・二
リスアニア	昭和十年	一二・三	一一・五	二三・二
日本(內地)	昭和十一年	一一・七	一一・三	一八・三
伊太利	〃	一〇・〇	九・九	一二・九
佛蘭西	昭和十年	六・九	六・六	一〇・八
獨逸	〃	六・九	六・五	一一・二
英吉利	〃	五・七	五・六	九・〇
瑞西	昭和十二年	四・七	四・六	七・五
瑞典	昭和十年	四・六	四・三	六・二
諾威	昭和十一年	四・二	三・九	八・三
和蘭	〃	三・九	三・八	六・三
ニユージーランド	〃	三・一	三・〇	四・四

如上我々は世界各國共私生兒の死亡率が公生兒のそれに較べて遙かに高いことを知つた。之は生れ乍らにして負はされた不幸な運命であり、從つて不可避な現象であるとも言つて言へぬ事はなからうが、併し右に揭げた日英比較圖及統計表に照らし、例へば往時本邦より高率なりし英國の私生兒死亡率が最近却つて我國の半ばに達せざる、又本邦の私生兒死亡率が一八・三の高率なるに對しニユージーランドのそれが四分の一以下の四・四、又和蘭のそれが三分の一に近い六・三の低率を示す等の諸事實は、私生兒の夭折を以て單に宿命として默殺し去るに忍びぬ何物かを感ぜしめるであらう。斯かる運命論的解釋は非人間的たるの譏りを免れ得ないのであつて、本邦に於ける私生兒の死亡率と雖も未だ〳〵十分に低下せしめる餘地あるは疑ひなく、又之が低下に向つて有らゆる努力を惜しんではなるまい。

次に本誌前月號に論じた乳兒死亡者の日齡、月齡を公生、私生に分けて觀察すると一層興味ある現象が認められる。前月號に於ては、乳兒死亡總數を主として一ヶ月未滿と一ヶ月以上一年未滿の二階級に區分して其の割合を觀たのであるが、之と同樣の方法を昭和十一年內地に於ける身分別乳兒死亡に適用すると、一ヶ月未滿の割合は公生死亡の場合が三九・六%、私生死亡の場合が五八・三%である。而して一ヶ月以上一年未滿の割合は公生に六〇・四%、私生に四一・七%なることを知る。

一ヶ月未滿を更に日齡に分つと、五日未滿は公生一六・二%、私生二六・一%、五日以上十日未滿は公生七・九%、私生一三・三%、十日以上十五日未滿は公生五・五%、私生一〇・三%、十五日以上一ヶ月未滿は公生九・九%、私生八・六%となる。即ち私生に十五日未滿の割合多く、十五日以上の割合少い所からして、私生兒は出生直後に於て特に公生兒よりも死亡の危險が多い事を窺ひ得るのである。

今諸外國に就て、公、私生別に各總數に對する一ヶ月未滿の割合を探ねると、チリは公生三八・四%、私生五〇・九%、和蘭は公生五五・一%、私生五七・三%、伊

（第五十二頁へつゞく）

要救護家庭の日常生活と其の衞生狀態（五）

慶應義塾大學醫學部病院
醫學博士(小兒科) 小川三郎
醫學士(產婦人科) 門口義六

四、小兒健康狀態

小兒疾病では、呼吸器系、眼疾、耳鼻咽喉系のものが多く、乳幼兒に稍々勝る。

個々の疾病では肺結核、氣管支炎、「トラホーム」結膜炎、或は幼少兒の發育不良、又は虛弱等が多數で何れも此の地區の非衞生狀態を反映するものばかりである。父母の健康狀態に比較して興味あることは、父親が半數に何等かの疾病(比較的慢性に經過するものが多い)を持つて居るに反して、小兒は約四分の一が罹患して居るに過ぎない事であるがそれでも此の小兒の罹患率は一般に比較して見ると驚くべき高率である。

（第廿五表） 小兒健康狀態統計表

病名	乳幼兒 男	乳幼兒 女	學童 男	學童 女	小卒以上 男	小卒以上 女	計	
消化器系								
大腸カタル	｜	｜	一	｜	｜	｜	一	一
呼吸器系								
肺結核	｜	｜	二	一	｜	二	五	二二
肋膜炎	｜	一	｜	一	｜	｜	二	
肺炎	二	｜	｜	｜	｜	｜	二	
氣管支カタル	三	二	一	一	｜	｜	七	
百日咳	二	二	｜	｜	｜	｜	四	
喘息	｜	二	｜	｜	｜	｜	二	
眼疾								
トラホーム	一	一	四	三	｜	｜	九	一六
結膜炎	一	二	｜	二	｜	｜	五	
色盲	｜	｜	一	｜	｜	｜	一	
眼瞼麥粒腫	一	｜	｜	｜	｜	｜	一	
耳鼻咽喉								
中耳炎	一	｜	｜	四	｜	｜	五	一一
難聽	｜	｜	一	｜	｜	｜	一	
鼻閉塞	｜	一	一	二	一	｜	五	
循環器系								
心臟瓣膜障碍	一	｜	｜	｜	｜	一	二	二
皮膚泌尿器系								
黴毒	｜	｜	｜	｜	｜	一	一	七
蕁麻疹	｜	｜	一	｜	｜	｜	一	
濕疹	二	一	｜	｜	｜	｜	三	
癤瘡	｜	｜	｜	｜	｜	一	一	
夜尿症	｜	｜	｜	｜	｜	一	一	
外科的疾患								
股關節脫臼	一	｜	｜	｜	｜	｜	一	六
ヘルニア	四	｜	｜	｜	｜	｜	四	
盲腸炎	｜	｜	｜	一	｜	｜	一	
其他								
僂麻質斯	｜	｜	｜	｜	｜	一	一	二三
發育不良	一	｜	｜	｜	｜	｜	一	
虛弱	九	七	五	｜	｜	｜	二一	
疾病總件數	二九	一九	一七	一五	一	五	八五	
疾病者數	｜	｜	｜	｜	｜	｜	八二	四〇九
健常者數	｜	｜	｜	｜	｜	｜	三二七	

何故父が約二分の一、母が約三分の一、小兒が約四分の一といふ罹患率であるかに就ては、父母の場合は緩慢な經過をとる所謂持病といふ形式のものが少からずあり、小兒では病氣の經過が生死何れかに急速な終局を見る傾向にある事と、一面には「セトルメント」內當醫療敎育部の長年に涉る醫療及び敎育の結果も否定し得ないものであらう。

五、小兒死亡因

流產による死亡、二七名を最高とし、滿二年以下の榮養障碍(消化不良症を含む)一五名及び肺炎一〇名が注目すべきもので、流產の點は別項に述べるとして榮養障碍及び肺炎は相互に干涉して死亡率を高めて居ると思はれる點もある。

（第廿六表） 小兒死因別統計表

原因	年齡 〇	一	二	三	四	五	六	七	八	九	一二	一七	計
流產	二七	｜	｜	｜	｜	｜	｜	｜	｜	｜	｜	｜	二七
榮養障碍（急性消化不良症）	｜	七	八	｜	｜	｜	｜	｜	｜	｜	｜	｜	一五
肺炎	｜	六	二	｜	一	｜	一	｜	｜	｜	｜	｜	一〇
早產	｜	五	｜	｜	｜	｜	｜	｜	｜	｜	｜	｜	五
腦膜炎	｜	一	一	｜	｜	一	｜	｜	一	｜	｜	｜	四
胃腸疾患	｜	｜	一	二	｜	｜	｜	｜	｜	｜	｜	｜	三
死產	三	｜	｜	｜	｜	｜	｜	｜	｜	｜	｜	｜	三
授乳障碍	｜	三	｜	｜	｜	｜	｜	｜	｜	｜	｜	｜	三
痲疹	｜	二	｜	｜	｜	｜	｜	｜	｜	｜	｜	｜	二
百日咳	｜	一	｜	一	｜	｜	｜	｜	｜	｜	｜	｜	二
痲疹肺炎	｜	｜	二	｜	｜	｜	｜	｜	｜	｜	｜	｜	二
腹膜炎	｜	｜	｜	｜	｜	｜	｜	一	｜	｜	一	｜	二
生活力薄弱	｜	二	｜	｜	｜	｜	｜	｜	｜	｜	｜	｜	二
心臟疾患	｜	二	｜	｜	｜	｜	｜	｜	｜	｜	｜	｜	二
百日咳肺炎	｜	二	｜	｜	｜	｜	｜	｜	｜	｜	｜	｜	二
ヂフテリー	｜	｜	一	｜	｜	｜	一	｜	｜	｜	｜	｜	二
精神薄弱	｜	｜	｜	｜	｜	｜	｜	｜	｜	｜	｜	一	一

丹毒	－	一	－	－	－	－	－	－	－	－	－	－	一
結核	－	－	－	－	－	－	－	－	－	一	－	－	一
グリッペ	－	一	－	－	－	－	－	－	－	－	－	－	一
乳兒脚氣	－	一	－	－	－	－	－	－	－	－	－	－	一
黄疸	－	一	－	－	－	－	－	－	－	－	－	－	一
溺死	－	－	－	－	－	一	－	－	－	－	－	－	一
自殺	－	－	－	－	－	－	－	－	－	－	－	－	一
不明	－	五	一	一	一	二	－	－	－	一	－	－	一〇
計	三〇	四二	一六	四	一	五	一	二	一	二	一	一	一〇四

（全小兒五一三名　中　一〇四名　死亡（二〇％）

要するに、小兒死亡の大部分は滿二年以下であり（例へば牛乳榮養兒三二名中半數は滿二年以下で死亡して居る）其れ以後まで生存するものは生存力の强いものゝみが殘るためか、死亡率が激減する。

又一家族の中最も多く小兒を失つたものを數へて見ると、最極端なのは一三人を姙娠して六名死亡したもの、一二人を姙娠して六名死亡したもの、八人姙娠して六人死亡して居るもの等がある。

要するに五一三名の小兒のうち、一〇四名（二〇％）が死亡して居ることは實に戰慄に價する現象であつて、姙娠から出產、授乳、離乳、等の過程を經て生理的に一般成人に略々近似の發育を遂げる滿二年までの生活が特に不良な條件に曝されて居ることが想像される。

扨て茲で流產、榮養障碍、肺炎の三つの重要な疾病に就て今少し詳細な考察を試みると

（イ）流　產

一〇一名の母親中流產の經驗ある者二一名で全胎兒數は二七名の多數である。其の中三回繰り返したものが二人、二回繰り返したものが三人ある。いま流產を經驗した母一六人に就て其の原因らしい點に觸れて見ると、一般に流產に關係深い黴毒に罹患したもの（父）三人、母で過勞によると思はれるもの二人、不攝生（海水浴）によるもの二人であつて、之等の條項も何等かの關係あるものと思はれるが、之のみでも說明し得ない點がある。

（ロ）榮養障碍及び肺炎

消化不良症の硏究、肺炎の硏究で疑問とする點は上流と下層階級とで何故死亡率、罹患率、疾病率が相違するかといふ問題である。例へば肺炎の如きも此の地區の家庭では保溫、氣流といふ樣な點では可なり惡條件にあり乍ら余（小川）の數年間の觀察からは肺炎は可なり頻數であるが。强壯のためか平氣で步いて外來に通ふ有樣で、從つて榮養狀態の不良でない限り治癒の成績も良い。

又消化不良症も決して少ない譯ではないが急性中毒性のものより慢性榮養障碍型が多く、乳幼兒の急性下痢症は一般に意想外に容易に恢復して寧ろ醫師が驚歎することが再々ある。

第六章　結　語

本文は要救護家庭の生活の實相を知る報告であり普通には行ひ得ない種々惠まれた條件のもとに可及的廣い見地から生活そのものを觀察し得た點で從來此の方面に散見するものより深く生活の實相に觸れ、豫防醫學、小兒保健上多くの興味ある結果を得たものと信ずる。

卽ち、不良住宅の問題、收入と母性及び子女の內職、食事の問題、敎育の問題、飮酒、喫煙の問題、再婚の問題、出產の問題（產褥日數）父母の健康性就中父親の罹患率、乳幼兒榮養法（榮養食品及び離乳法）、小兒の榮養狀態、小兒死亡因（流產、榮養障碍、肺炎）の問題等臨床上にも興味深い多くの知見を得た。（文獻略）

附　記

本調査は、慶應大學醫學部學生、鈴木謙一、眞喜屋實、三浦良夫、長尾靜夫、高宮篤、諸君の献身的努力に依る點多く、記して感謝の意を表す。

擱筆に臨み小兒科學敎室唐澤敎授並に產婦人科學敎室中山助敎授の御校閱を賜はりし事を深謝す。

（終）

（第四十八頁よりつゞく）

太利は公生三五・五％、私生三八・九％（以上何れも昭和十一年）を現し、程度の差こそあれ何れも我國と同樣私生兒に於て生後短期間內に死亡する者多きを示して居る。同時に公生兒は生後比較的時日を經過してから死ぬといふことが判るのである。

之を本誌前號の所論から推せば、私生兒に在つては胎兒性死因（卽ち先天的）多く、公生兒に在つては食餌性（卽ち後天的）多き結果となるのであつて、私生兒は母の體內に居る時から旣に弱いと言ひ得る。彼等の免れ難い悲運は胎兒時代から始まつて生後一層苛烈さを增すと說明出來ぬことはなからう。

尤も此の種の結論は、公生兒、私生兒各別の死亡を日齡、月齡卽ち生存期間と、同時に死亡原因と組合せ考慮して初めて與へらるべきものであるから、斯かる統計資料の缺如する今日茲で餘り斷定的な判斷を下す事は遠慮せねばならぬかも知れない。（終）

（注意）以上本文中英吉利とあるは總てイングランド及ウェールスの數字である。

身を以て教えた我が母

前遞信大臣　永　井　柳　太　郎

一

私の母は加賀藩の貧しい士族の娘ですが、母の實父の永井柳左衞門は藩の劍道指南をしてゐたやうな人でありますので、まづしい中にも母の敎育はとくべつに注意したらしい。母は字もよく書き、薙刀もつかひ、ことに裁縫は、はやくから練達して十六歲のときにはもう師匠をして、おほぜいの弟子をとり、まづしい家計をたすけてをりました。

私の父は養子で、小學校敎員をしてをりましたが、その時分の小學敎員は、いまのやうに社會的地位もみとめられず、俸給もまことに僅かなものでありましたので、母は結婚後もそのまゝ裁縫の師匠を續けて、いはゆる夫婦共稼ぎの生活でありました。私たち兄妹四人は、さうした家庭に生れたのです。父は職務の關係上任地が轉々し、鄉里の金澤市に奉職してをりました間は、ごく短かつたので、いきほひ私どもは、鄉里にのこつた母とともに暮す機會が多く、母に關する思出もおほいやうに思ひます。

裁縫の弟子は、たいてい毎日朝八時から午後五時まで居りましたが、その當時は月謝でなく、盆暮にまとめてお禮をもつて來るといふ風習でありましたので、その禮物は、おもに盆暮の經費につかはれ、母はまた別に內職をして父の收入の不足を補はねばならなかつたのでした。

その內職は、仕立物と刺繡とでありました。仕立物の方は弟子に裁縫を敎へながらしてゐたやうですが、刺繡の方は夕がた五時に弟子が歸りますと、それから夕飯の仕度をして、ごはんがすむと、とりかゝつてをりました。四十何年後のいまも瞼にありありとうつるのは、二分芯のランプの細い灯の下で、刺繡台のまへに端座しながら色とりどりの「かま絲」によりをかけたり、ほそい針でぷつりぷつりと模樣を刺してゐるわかい母の姿です。

さうして內職をしながら、私ども兄妹の復習や豫習をやさしく注意したりして、よくめんどうを見てくれたものでした。

二

父が留守の、そのさびしさの中にも、毎晩かうして母子打揃つて、ランプの下に額を寄せて、一心にそれぐ〵のしごとにいそしんだことは、子供らにとつてどれだけの勵みになつたか、樂しい日課であつたか、わかりません。

かういふ母の眞劍な生活態度が、子供ごころにも、私ども兄妹に强い大きな感激をあたへて、あのやうな辛苦をして働いて下さつたお金や物を、粗末にしてはならないと、お互にいましめ合つて、われもわれもと、出來るだけ無駄づかひをしないやうにつとめ、學校で使ふ半紙なども二枚、三枚と、その日要るだけ少しづゝ買つたものでした。また鉛筆一本でも、五分くらゐの短さになつて、どうにも使へなくなるまで、古筆の軸に嵌めこんで使つたものです。

そして一生懸命に勉强しました。

まつたく、四人のはらから希望と野心は勉强をして、學校の成績をよくし、その成績表を母にみせてよろこばせるといふことでした。幸にして私共の成績は惡い方でなく、大抵一番とか二番とかでしたが、母は苦勞も何も忘れはてたやうに、頰を上氣させてよろこんでくれたのでありました。

私は長男でしたが、十二歲になると、母は永井家代々劍道を以つて立つた家であるし、また男子は將來何になるにしても文武兩道に達して居なくてはならぬと云ふので、毎日擊劍の道場に通はせ、又夏は敎師に賴んで水泳を習はせてくれました。殊に寒稽古の時など、母は午前三時頃起きて一切の仕度をしてくれました。かゝる眞劍な母の生活態度そのものが、無言の力强い敎訓をあたへてくれたと今になつてしみぐ〵と思ひます。

三

ことに、ありがたく感じますのは父も母もともに信仰のあつい人でありました。なかにも、母は毎朝、毎夕神佛を禮拜するだけでなく、毎月十五日は太神宮さま、十八日は觀音さま、二十四日は地藏さま、二十五日は天神さま、二十八日は不動明王さま、といふ風に、どんなにいそがしくても、ちやんと着替をして私どもをつれて參詣に出かけたことでした。雪の日にも、雨の日にも缺かしたことはありません。おそらく病氣のとき以外には、一度も缺かしたことはなかつたやうです。

これが私ども子供の心に深い感激を與へ、知らずぐ〵の中、われぐ〵の心に、はやくから信仰心が芽生え、今私ども兄妹が精神生活に特殊の關心をもつやうになつたことに大きな影響があつたと思ひます。

法然上人の言葉に、

「法然は十惡を具足したる凡夫なれば、惡人正機の本願に乘托して、阿彌陀佛を念ずる身となつた。」

といふことがありますが、私どもが早くから自分の內的生活を反省して、自分の生活の矛盾から超越して、大宇宙とともに生きようとする努力をするやうになつたことが、私どもの今日の思想上にも、また日々の生活上にも大きな影響を與へてゐることを思ふにつけ、母がそのやうな多忙な、難儀な、生活におはれつゝある中で、かんじんなものを忘れなかつた。すなはち、人間の欲望の中でいちばん高い貴重なものを、私ども子供らにもわかちあたへてくれた大慈悲心を、今になつて一層ありがたく又もつたいなくおもふのであります。

賀川豊彦氏『死線を越へるまで』（七）

村島歸之

一九、神戸神學校へ

賀川氏の折角の岡崎教會應援傳道も、病氣のため十二分の働きが出來ずに、再び明治學院へ戻つて來たが、その翌年の明治四十年四月に至つて、明治學院の神學部が、神戸神學校へ移されることゝなつた。その時、氏は神戸神學校の近くに、有名な葺合新川の貧民窟のあることを知つてゐたので、少年の頃から深く心に期しつゝあつたスラム生活の實現の可能を考へ、喜んでその方へ移つて行くことゝした。

神學校の寄宿舍は下山手通りにあつた。氏はそこで行李を解くと間もなく、入學四日目に反して喀血して布引の下にあつた「神戸衛生病院に入院」した。

此處は米國のケロッグ博士の水治療法と藥食主義を主とする特色ある病院だつたが、喀血後のからだには水治療法は尙早の嫌があつたので、一週間許りで退院し明石の滝病院に移つた。

こゝで何よりも氏を慰めてくれたのは、明石海峽を隔てゝ、呼べば應へん許りの淡路島の美しき眺めだつた。

夜となれば、岩屋の燈臺の灯が旅愁に似た思ひをさせた。黎明瀬戸内海方面の方に東雲の瞼がまばたく頃は、鷗の棲む海峽の水の上に、千鳥の寂しく鳴き乍ら群れ飛ぶ景色にうつとりとなつた

此處で四ケ月間の療養生活がつゞけられ、よほど快方に向つたので退院し、再び神戸神學校へ歸つて行つた。

その時は引續く病氣のため、氏は見るかげもなく痩せ細つて、體重はわづか九貫八百匁しかなかつた。

すると氏は學校の命令で、數人の友と共に豊橋の敎會へ出かけることゝなつた。まだ充分に健康を回復してゐなかつたので、またしても喀血をした。それでも無理をしてをして敎壇に立つた。かうして苦しい「傳道」と「療養」の二筋道を進むうち秋となるや、病勢は遽かに惡化して、敎會の二階の一室に寢たまゝつひに床から頭を上げ得ないやうになつた。

二〇、死の宣告

計溫器の水銀は三十九度―四十度―四十一度と、怖しいやうに上騰し、或る日などはつひに四十二度にまで達した。

醫者は肺壞疽だと診斷し、もう駄目だと匙を投げた。

それでも、氏自身はなほ望みを捨てなかつた。醫者は自分を見捨てゝも、神は必ずや自分を救ひ給ふと信じてゐたからである。

或日は、うと〳〵としてゐると、隣室で聞きなれた醫者の聲が聞こえる。

この病氣になつたものは、異常に神經が冴へて、平常なら聞えないやうな低い囁きも、ぢつと耳を澄ますと心耳に聞えて來るものである。

「可哀想だけど、もう駄目です。德島の親戚や東京の友人などにも電報を打つて知らせた方がいゝでせう」

醫者の言葉も、他人ごとのやうにしか響かない。自分にはまだ死ぬといふ氣持が湧いて來ないからである。

でも熱は高く、息はくさい。そして身動き一つ出來ない苦しさだ。幾度か失ひかける意識を取り戻したと思ふと又半意識に落ち込んで行く。

いつの間に夜となり、いつ夜が明けたかも知らずに、幾日かが高熱と惡夢のうちに過ぎて行つたらしい。

或夕方らしかつた、ふと眠りから覺めた。窓の外は晴れてゐるらしく、西日が赤々と部屋の窓を染めてゐた。その時氏は何とも言へない美しい、しかも力强い生の力を感じた。この瀬戸際さへ切り拔けたら、きつと病氣は治る、そしてもとのやうに活躍することが出來るに違ひない、といふ何かの閃めきに似たものを感じた。

呼吸は困難を極めてゐる。吐く息さへあるかなしだ。それだのに不思議なほど落着いてゐた。氏は西日を瞬き一つせず見つめてゐた。

太陽は眼に見えない動きを續けて、一刻一刻と山の端に近づきつゝあつた。氏の全精神はその僅かに動いて行く太陽の動きに集中され續けてゐた。

その凝視が約一時間半續いた。そして陽が全く山の端に沈んでしまつて、美しい金色の空だけが殘つたとき初めて我に還つた。一時間半といふもの身動き一つ、瞬き一つせず、一つの太陽の沈んで行くのを凝視しつゞけたのである。

それに氣がつくと、何とも言へない嬉しい興奮に包まれて一時に汗が濡れるほど出て、それまで四十度を上下してゐたさしもの熱が、その晩はぐつと下つて三十七度にまでなつた。

實際これは奇蹟に近いものであつたが、しかし氏自身としては決して單なる奇蹟ではなく、强い精神力が肉體の病に勝つたのだつた。神を信ぜず、自分の生きる力を疑つてゐたら、この奇蹟は起らなかつたのである。

それからも、豫後の病勢には多少の一進一退はあつたがまづ順調に經過して、程なく起きる事が出來る樣になつた。

勿論、その後とても幾度か小喀血はくりかへしたが、それでも病の愈つた時には自傳小說を書いた。それは「鳩の眞似」と題するものだつた。そしてその「鳩の眞似」はその後「新生と改められ、十年經て、大正十年には書き足されて「死線を越えて」にまで發展したものである。このことは旣に記した通りである。

二一、蒲郡の療養生活

その頃、マヤス博士は德島を引揚げて豊橋に移つてゐた。博士は氏の健康を案じて、豊橋から程近い蒲郡へ來るやうに勸めた。氏は明治學院時代岡崎敎會へ應援に行つて、暫らくを其處に暮したことがあるので思ひ切つて再び蒲郡へ出かけて行つた。

氏は一漁師の家の離れの六疊を借りて住んだ。そして國木田獨歩が、日光中禪寺で一ケ月六圓の生活をしたのに倣つて、最も安價な簡易生活をそこで送らうとした。勿論自炊である。幸ひにして漁村に來ても氏は依然たる菜食主義者だつた。一丁一錢五厘の豆腐を買ひに自分で數丁離れた豆腐屋へも通つた。

療養生活といつても、此處では親切な看護婦さんが居る譯ではなく、家族も一人として身邊にゐてくれるのではない。氏は身の廻り一切を自分の手でやらればならなかつた。そこで氏は、生活必須品を自分の圍りに置く事にした。

二六時中床臥してゐるのではないので、机を中心に品物を圓形に配列した。最も近いところに大鉢があり、炭入があり、本があり、そしてその後方に七輪、鍋、爼板、土鍋、土碗茶瓶が分列式を行つてゐた。バケツと米櫃だけが障子の外に置かれてあつた。一切の用事は一寸手をのばしさへすれば立ちどころに用を便じた「おい、何を持つて來てくれ」と他人を勞せしめる必要は少しもなかつた。

もちろん米とぎから御飯焚きも、氏の手一つでやつて行つた。詩集「淚の二等分」の中には、「米とぎ」の一遍がある。

美しい水を汲みあげて
桶に注ぐと糠が動く
いやいやながら
手を入れて米をとぐと
妙だれ、だん〳〵白くなる
洗ひ切つて水を入れると
米も光るが、水も光る
…………………
お月さまが空に白く輝く
穢たない井戶端が
急に可愛くなる

斯うした簡易生活によつて、獨歩の六圓までは切りつめ得なかつたが、一切合財で一ケ月十五圓で事足りた。

しかし、十五圓の療養生活が果して氏の健康のために善い結果を齎らしたかどうか、それは疑問だつた。

さなきだに、消耗性の病氣である。そこへ菜食主義の實踐である。そして善き指導者たるべき良醫もゐない。たゞ一つ信仰があるだけで他のコンヂションは凡て決して善いものではなかつた。

氏はこの寂しき境地を「薄命」と題し第一詩集「淚の二等分」の中に左の如く歌つてゐる。

夢も結ばず　熱もさめず
唯思ふ――　わが生命の
夢と浮ぶを
立ち上り　筆を求めて書く
わが身薄命　神何をか
我を求むを。

筆は走らず　思ひは亂れて
淚のみせく　時は夕陽の
憎く笑ふ
五歲の秋　父母に別れ
十六　兄を失つて
孤獨！
身はイエスを　生きんとすれど
貧しき者は　天國に遠し
肉はあゝ亡びぬ
他に靈もらん　器もなし
眼をすえて　自滅の最後
ほゝえんで待つ

多分氏の心境は癒え難き病苦の中にエホバ與へ、エホバ取り給ふ、エホバの名はほむべきかな――と、絕對信頼を示しゐたであらう。

又「絕滅」と題して、こんな詩も作つてゐる。

晴れて　また降る
友なし　淋しき。
血盡き　肉枯れ
救ひなく　亡びん
まゝよ　生命を
死より　產まん
愛は　輪廻よ
十字架は　救ひ
絕滅　そこに
生命の　輝く。

「薄命」といひ「絕滅」といひ、氏は病苦の重壓に、寂しい巳が運命を願みてゐたのに違ひない。

そうした時、渥美灣の自然は、氏を慰めてくれた。

彼の音たえ　人もたえ
西窓あけて　海見れば
月中空に　ほゝえみぬ。
もやにつゝまる　片の原
夫まつ光か　漁火か
孤燈漏らすも　淋しきよ
島影思ひ　世を思ひ
我過ぎこしを　思ひきて
神の恩に　袖絞る
遠く離れて　我「愛」の
胸を思ひて　西見れば
波も動かず　月往かず

氏の全詩集の中でも、こんなセンチメンタルな詩は稀である。多感の二十臺の青年賀川が病ひを抱いて、寂しく海邊に轉地してゐる時の詩である事が容易に頷づかれる。

氏が貧民窟に這入つて後も、時々、この渥美灣の景色がなつかしく思ひ出されたらしく、

直ぐ考へるのは渥美灣の色
九ケ月も住んでゐると好きでもなかつたが

今になると戀しくてならぬ。
その次は明石海峽の色
また　富士山頂の景色
とうたつてゐるのである。

二二、命を死より生まん

蒲郡における九ヶ月の療養生活の後、氏は四十一年春再び神戸神學校へ戻つて來た。

胸の方は稍小康を得たが、此度は痔と鼻を患つて病院に這入つた。ところが手術後、血が容易に止らなくて、ひどく貧血を來しそれがため、又もや胸の方を惡くした。神學校の友人たちは、度々の發病で、賀川君もいよ〳〵駄目らしいといつて、それとなく暇乞ひに來たことさへあつた。

しかし、不思議に氏は支へられた。神は氏を見捨て給はなかつたのである。それと同時に氏の胸の中には劫然として大きな聖なる野心が湧いて來た。やがて死ぬ自分だがこの儘では死れない。そうだ「まつよ、命を死より生きん」と、氏はヘルキユウルが、自ら猛火の中に身を焚く意氣を以て立ち上つたのである。

死線を越えた多惑の詩人賀川豊彦はどこへ往かうとするのか。

目耳・鼻（七）

ツカダ・キタロウ

（四四）　神戸市の水災

神戸市は、山に近く海に近く、市街は非常な傾斜を有する急阪の地上に建てられてありますので、河川は常に「急流」をなす狀態にあります。

勿論、河川と申すほどの大きなものゝあるのではなく、殆どの河水が、全部「傾斜水」の源泉として貯水されてゐる有樣でありますので、平素、河川は不要の狀態にあり、雨天の時丈け、申し譯に「少量の水流」が生じるに過ぎぬ有樣であります。

從つて、溝を溢るゝ流水の、一時氾濫して、「床下浸水」の狀態を呈する場合は、市街の低部地帶では、常に見る有樣で氣にとめぬ程度であります。

これが、茲數十年間の、神戸の「水害」と稱されるものゝ普通の狀態であつたのであります。それ故、水に對しては、神戸市民は全然無關心であつた事は、これは否めぬ事實ではあります。

今度の「水害」にしても、雨量から云ふならば、充分に除け得る程度のものでありました。「山津浪」とか稱さる、土砂の崩壞や流木の事さえなければ、「床上浸水」程度ですむべき狀態であつたと信じてゐます。

屢々、新聞紙上でも論ぜられ、後になつてから、「先見の明」が續出した通りでありまして、「土砂の流出量」に對する不用意が、今回の慘事を生んだ事は、明白の樣であります、これは頗る殘念な事であります。

それですから、今回の災害は、「水害」と稱さるべき性質のものでは無くて、「土砂害」とか「流木害」とか稱さるべきものでありまして、殆どの家々が床上までも「土砂」が積まれ、軒近くまでも土砂の下に埋められてゐる有樣であります。

悲慘と申す言葉も、その狀況を物語るには、「いさゝか物たらぬ」氣がします。

（四五）　聞いた以上

神戸の水災を見舞ふたほどの人々は、口を揃えて申される事は「思ふたよりも災害が甚だしいのに驚いた。」

と云ふ言葉で、統制されてゐる樣であります。私自身でも、知人を見舞ふ度毎に、順々にとその慘害の甚だしきに、驚きを繰り返して居る有樣です。

これは全々「大洪水」と云ふ言葉で、想像する事の出來ぬ「山津浪」そのものゝ損害の大なる爲めでありまして、殊に「流木」の市中へ及ぼした被害は、とても前代未聞の事でありませう。

住吉川の巨岩の疊積せるを筆頭に、大石川の土砂と家屋の流失せる有樣、國際道路を幾日間も「水流」となせし布引の溪谷の損害、宇治川竝に石井川の兩側より挾まれし平野一帶の慘狀、須磨の妙法寺川流域の家屋の流失、等々の代表的水災はもとより、市中至る處に堆積せる流木と土砂を見れば、誰しも言葉を失ふのは當然でありませう。

アスフワルトに誇る、神戸市中の目拔きの大通りが、混水と泥土とで、幾日も〳〵交通遮斷されてゐた有樣は、到底見ぬ人には得心させ得ぬ慘狀であります。

やつと大通りの堆積せる泥土を取りのぞいた趾には、軒近くまで再び泥土が運び出され、何日働いても少しも「泥土取除け作業」が、はかどらぬかに見えるのは、市中到る處の實狀であります。

「慘害は半分に、復興は二倍に」記せとの事であつたとか聞いてゐます新聞紙の記事を見て、その半分に記されし慘害にさえ驚いて來た見舞客の實狀を見ての驚きは、察するに餘りありませう。

全くの處、今度の水災は「聞いた以上」でありまして、神戸市の受けた損害は、泥土取除費用丈けで參百萬圓を要するとの事でありますから、恐らく何千萬圓と云ふ巨額に達する事でありませう。

全くお氣の毒に堪えぬ次第でありますが、お互は、これをよき敎訓として、果して何を學ばねばならぬ事でせうか。

（四六）　山地開發

古今未曾有と申してもよいほどの、神戸の大水災を、その原因に遡つては、種々の意見が發表されて居りますが、此の諸說は大別左の二つに歸する樣であります。

（一）　背山を開拓して、樹林を伐採し、土砂崩壞の因をなました事

（二）　河川を狹ばめ、暗渠になどして、流水の通路を困難にせし事

然も、決つた樣に最後に附加されてゐる事は「斯くなる事は、既に事前に判つてゐた」のである旨の警告であります。

私は「神戸市民の一人として、それ程に事前から判つてゐたら何故親切に市の當局に注意をして呉れなかつたのだらうか」と、論者の冷淡な態度に、甚だ不愉快を感じるのであります。

が、それはそれとして置いて、果して諸大家が擧つて警告を發して居られる如く、我が神戸市の背山の開發が、今回の慘事の原因をなしたものであるか否や、これはお互に充分研究を要する問題であります。

由來神戸の土地は、海と山とに迫られて居ります爲めに、東西に長く〳〵のびて居りますが、猶增加する人口を收容するのには當然「山を開く」か「海を埋むる」かの、二つの方法よりは絕對に他事は無いのであります。

然も、神戸市はその「港」を生命として存在せる都市なる事は

三歳の童兒と雖も熱知せる事情を有するものにて、到底必要丈けの土地の埋立を、海岸に向つてなす事は出來ぬのであります。

然らば、唯一にして無二なる「山を拓く」事にのみ、神戸市の人口のはけ口を求めるのは當然であると信じます。此の點、お互が誤解をなすべきでないと思ひます如何でせう。

「山を開く」事のみ、我が神戸市を擴張し得るもので、最近問題の進んでゐると聞く、垂水町合併問題にしても、或は又山田村合併問題にしても、この二つの住宅地を得んとせば當然山を越して手を握らねばならぬのであります。

よしや、今回の慘害の原因が「山地開發」にありとしても神戸市の地勢を知る限りの人は、必ず「山地開發」の止むを得ざる事を得心される事と思ふのであります。

（四七）　流木の慘害

「流水に對しての計算出來てゐたが、土砂や流木に對しての豫想が全然計算されてゐなかつたのが、今回の慘事の原因である」

等と、暗渠に對する非難が續出して居りますが、果して、土砂や流木に對しての計算が人智で出來るものでせうか。

老人達は、あまりにも經濟的に河川を整理して、暗渠上を住宅に利用せしを責めて居ります。

「幅五十間、深さ三十間の新生田川は、これは出水に對しての準備で、最小限度だと加納翁も固く申し殘されたのにこれを僅かの流水通路を殘して遊步道としたから、今回の水災を大にしたのだ。」

御說は御尤もな筈でありまして、暗渠の狹い流水口を、土砂と流木とで塞いだのが、三宮繁華街を、一瞬にして泥土の底に沈めた禍因でありますが、必ずしも流水口の小なりしのみの罪ではないと思ふ事は、私丈けではありますまい。

それは、幸ひ私は數年前に、出雲の大河簸川筋の大出水と其の警戒の模樣を見るの機會を得て、流木に對する處置に關し、大いに學ぶ處があつたのですが、それとこれと比べて見る時に、私共神戸市民の、出水に對する不用心、不訓練が、禍因をなしてゐる事に氣が付かねばならぬかと思ふ點があります。

流木に對する處置にして常に洪水の害を受けつゝある地方の如くに處置し得たりとせば、今回の災害も、其の半分を防ぎ得たのではなからうかと思ふのであります。

流木に對しての無關心こそ、禍因であります。

（四八）　堅牢なる橋の害

流木に對する處置の不用意よりして、暗渠による水禍を一層甚大ならしめたと申しますが、これは同時に又橋梁に對しても申す事が出來ると思ひます。

即ち、流木の災害は、堅牢なる橋の上流に於てその害甚だしき事實は、これを雄辯に物語るものでありまして、却つて下流は川筋でさへも、水害をまぬがれてゐる珍現象に對して我々は大いに考へればならぬと存じます。

つまり橋梁なるものは、大出水の時は流木と共に流失して流木の通路を開き、以て河川沿岸の水害を除くべきものでありますが

コンクリート又は鐵にて堅牢なる橋梁を架してあります爲め、流木が堰きとめられて堰をなし、大出水流出をこゝにとゞめる爲め氾濫となし、大被害を蒙るに到るのであります。然も、僅かな費用を惜み、橋梁を益々堅固に守り其の流失を防ぎ、然も流木に對しての措置のよろしきを得ず、否、全然放棄されてゐる狀態に於ては、如何とも許し得ぬ事となりませう。

斯くの如きは、流木等に對する訓練の無き、否、不用意無關心なりし我々の弱點を、遺憾なく暴露せしものにて、お互の將來の戒となすべきでありませう。

河筋の流水が、堅牢なる橋梁の堰により阻止されし以上は、河流は低きをもとめて氾濫し、市街と云はず道路と云はず、市中到る處に泥水の川を生ぜしむるに至るは當然の事であります。

出雲の見聞によれば、神通橋の橋上には、ズラリと若者が竝び立ちて、流木は一本殘らず橋上より吊りあげて、橋にふれるさへも恐るゝ如くに防ぎ守つてゐる有樣で、これを我々の措置と比ぶる時には、天地の差あるを知り得ませう。

手をつかれて傍觀するはまだしも、流木を吊りあげる道具の一つさえも無い有樣を思へば、汗顔の至りではありませんか。

（四九）下流ほど川幅を廣く

「川普請と云ふものは、必ず下流より始めるもので、川上は其の土地開發に關しては、必ず川下の許可を受ければならぬものである。」

これは關東地方に於て、年々歳々洪水に訓練されし地方の出身の人の話でありますが、眞に洪水には尊い教訓であります。

上流を開發したり、或は堤防を築いたりする場合は、その水流の川下に及ぼす影響が甚大でありますので、川下の承諾なしには川上にては何事もなす事を得ぬとの約束は、當然の事でありませう。かくてこそ共存共榮とも申すべきでありませう。

處で、お互ひ神戸市の場合に之を考へて見ますと、眞に此の點に遺憾の多かつた事を發見出來ます。これが今回の水害を甚だしくした原因の一つでありませう。

前述の如く、東西と海とにその發展を阻止されてゐる神戸市は唯一つ殘された土地、即ち山に向つて其の開拓をなすの止むを得ざる狀態にありますが、此の場合果して下流、即ち市中を流るゝ河川に對して、如何ほどの顧慮をなせしや、これは非常に問題であります。山地開發による流水の增加に對して、何程の考慮が市中の河川に拂はれしや、これを思ふ時に、私共の不注意不用意を思はざるを得ません。

上流の開發により上流の河幅を增す處か、その反對に狹めた有樣であつた事は、今回の慘事の直接の原因の一つとして將來に對しても最も留意せねばなりますまい。

皮肉な事ですが、曾て在りし昔の通りの河幅に土砂が流出してゐるとか聞きますが、これは自然の現象とも申すべきで、止むを得ぬ事乍らお互のよき戒めでありませう。

（五〇）生田神社の教訓

源平合戰に有名な生田の森、即ち官幣中社生田神社には、一本

の松樹も無いとの事で、その物語りこそ出水に對する尊い敎訓であります。古老の語る處によれば、生田神社は往古は、布引瀧下の丸山山上にあつたのでありますが、數百年前の大出水の時に流されて、現在三宮の地に遷り訪ふたものゝ由で、その時に丸山の山崩れに對して松樹の眞に賴み難き有樣なりしを以て、以後境內に松樹を植え給はぬと傳ふのであります。

山崩れ、大洪水に對して松樹の眞に防止する力の弱き事を物語るものにて、全山松樹で覆はれてゐる我が神戸市の背山は、實に累卵の危きにあつた事は、生田神社の傳はる古老の物語りにより明白であつたのです。

然もドライブウエーに、住宅地にと、その松樹さへも伐り取りて、その後始末を充分になす事なく放置されてゐたのが、最近の實狀であつた事を思へば、眞に我々の不用意なりし事を思はざるを得ぬものがあります。

然も、布引の例にしても、今回の土砂泥水の流出せし方向は、全く舊河筋の通りであつたと聞いてゐます。即ち、「瀧道」と稱さるゝ加納町の舊生田川筋と、生田神社の流され給ひしと聞く現在の三宮筋へ向けて、その慘害を甚だしくしてゐる有樣でありまして、平野地方の石井川の土砂流出の趾を高所より見れば、全く昔の川筋そのまゝの方向なりと稱されて居ります。

「神戸は山と海との間が近く、急流であるから、河川は直線であるべきだ。」

それを、曲げに曲げて新川を開鑿したのが、今回の慘害を大にした原因であると、水災直後注意をして居られたお方のあつたのは實に尤もな事であると思ひます。

（五一）木一本水一石

水災に「火事」の話も變な事ですが、今回の水禍の原因の一つに「山火事」も數へられてゐた事を思へば、必ずしも緣無き事でもない樣でありますので、一應お互ひに考へて見るのも無駄ではありますまい。

先日も老人の話に、

「木一本に水一石と云ふて、一本の樹木は一石の水を含むと云はれたものだ。だから、山の樹を伐り倒せばそれ丈け出水が多くなるものだ。」

と云ふ事でしたが、裏山開發の危險性を如實に物語る言葉であると思ひます。

が然し、如何に樹木が茂つてゐても、それが燒け殘りの樹木であつては、駄目でありませう。年々歲々、何百町歩何千町歩と、頂から頂へ山火事で燒き盡した地方、即ち、住吉より本山村にかけて、今回の山津浪の激しかつた事を思へば、山火事の慘害の如何に懼るべきか、思ひ半ばに過ぎるものがありませう。

「恐るべきは火と水」と稱されますが、何處まで危險なのか想像が出來ません。平素の心掛けの大切なる事、實に斯くの如しでありませう。

授乳中のお母さんの心得

醫學博士　一色　征

一、授乳中の母親の食物と運動

授乳中の母親の食物に就いては昔から色々と喰べて惡いものが擧げられてゐます。例へば或る種類の野菜を喰べては赤ちやんの腸をいためるとか、果物はどんなものに限るとか云はれてゐますが此等は何れも學問的に何等根據があるわけではないのですから御心配なく平常喰べ馴れた種々の食物を偏らぬやう自己の嗜好に適するやう調杏して色々取合せて頂き度い。

又飲料もあまり多量に過ぎてはよくありませんが、相當量は必要です唯アルコール分や刺戟性食物は多量に取らぬがよろしい。

產褥中は脂肪分の强いものや刺戟性の藥味類は差控へて下さい。

授乳中には適度の運動が必要です。運動不足は却て乳汁分泌の減少を來す原因となります。又精神の過勞に陷らぬよう餘り色々の心配をしない樣にして常に平和な心を持ち續けて下さい。心配が多いと乳汁分泌の減少を來しますから適度の運動と充分の休養、睡眠を取り規則正しい生活をなさるやう努めて下さい。

一、母乳の分泌を良くするには！

お乳の分泌を良くする食物として昔からよく用ひられてゐるものを揭げますと

魚　類　鯉、鮒、どじやう、鮎、鯛、さんま、鰹。
野菜類　山芽、馬鈴薯、干瓢、大根、人參、ほうれん草。
豆　類　味噌汁、黑豆の蒸したもの其他の豆類。
其他餅、おはぎ、團子、うどん、赤飯、昆布、わかめ雜煮、牛乳。

之等の食品を色々と調理法を工夫して頂き度し。

母乳の分泌を高めるに最も大切な事は規則正しく時間を定めてお乳を赤ちやんに與へ充分にお乳を吸啜す事である。赤ちやんが充分お乳を吸ふ刺戟に依つて母乳の分泌をよくするものであります。

授乳の方法は生後一ヶ月より三ヶ月頃までは授乳と授乳との間を三時間半隔て回數を一日六回とし生後三ヶ月以後は四時間每に授乳し一日五回授乳とし一回の授乳には一般に十五―廿分として下さい。每回の授乳は片側の乳房で行ふのが通常であります。

一、乳嘴を大切に！

授乳婦は授乳前にお白湯又は二%位の稀薄な硼酸水で乳嘴を清拭し授乳後には再びよく清拭して乾いたタオルで拭いて乾燥せしめて置くやう努めて下さい。之に依つて乳嘴の裂創を防ぎ乳腺炎も豫防出來ます。

一、授乳中に妊娠した場合には！

授乳中の妊娠は、大低分娩後五六ヶ月後に多いのですから妊娠と決まれば直に離乳の準備をし、漸次混合榮養を始め妊娠五ヶ月頃までには離乳するやうにした方がよい。妊娠すれば母親の身體に變化を來すため乳汁の分泌も惡くなるものですから離乳するか或は妊娠が分娩後五ケ月頃より前に起つた時は人工榮養に次第に換へるがよろしい。何れも急にお乳を離すと失敗し易いですから次第〳〵に離乳を進めて下さるやう願ひます。

一、母體の病氣と母乳の禁止又は制限

母親が色々の傳染病、例へば腸チブス、赤痢、猩紅熱丹毒、ヂフテリー等に罹つた時は母乳を一時廢する方がよろしい。風邪の時や輕い下痢位の時は別に授入して差支ありません。たゞ風邪を乳兒に傳染させぬよう母親はマスクでも掛けて授乳するがよろしい。

乳兒が先天性黴毒である時は母乳を廢止する必要なく授乳する方が却てよろしい。

母體が結核の時はそれが開放性肺結核と云つて口から結核菌がどん〳〵出る時に母乳を廢止するがよろしく感染の惧のない結核であれば母體に惡影響を與へぬ限りは授乳を續けて差支へありません。ですから醫者と相談して頂いて授乳の禁止如何を決めて下さい。

乳兒脚氣の時は重症でない限りは授乳してよろしく、たゞ母子供に同時に脚氣の手當を怠らぬようにして頂き度い。重症の時にのみ混合榮養卽ち母乳と牛乳又は他の人工榮養品との兩方で授乳を續けます。

重症の腎臟病、心臟疾患の時も一時授乳は廢止する方がよろしい。服藥したお藥がお乳に出る事がありますがそれは醫師に聞いて授乳の良否如何を決めて下さい。

早産兒はこうして育てませう

醫學士　山田　讓

此れから愈々お産の季節ですが、銃後の家庭を守る婦人として、生れ出た赤ちやんは是非共丈夫に育て上げなければなりません。生れつき丈夫な赤ちやんは「親は無くとも子は育つ」の諺通り、何事もなくすく〳〵育ちませうが弱い體重の少い赤ちやん、特に月足らずで生れた赤ちやんはその育て方に充分注意して萬全を期さなければなりません。

早産の原因　一番多いのは母親の黴毒で、その他急性傳染病（腸チフス、肺炎等）、外傷、慢性中毒（酒、鉛）姙娠中の不攝制、長途の旅行などが原因となる事がある。

早産兒の症狀

一、體重が成熟兒より少い。（成熟兒は普通三瓩前後）

二、身長が短く胸圍が狹い。（成熟兒は普通身長五〇糎胸圍三二糎）

三、生後の體重減少が著しく且つその恢復が遲い。

四、皮膚の緊張が惡く、皮下の脂肪が少く全身に生毛が多い。

五、初生兒黃疸が著しく、その治りが遲い。

六、口內炎、鵞口瘡を起し易い。

七、身體が糜爛し易く、且つ細菌に對し抵抗が弱く免疫が少いので化膿し易く、肺炎などにかゝり易い。

八、呼吸が不規則で淺く、發作的に急に顏色蒼白となり、體溫が下り呼吸が苦しくなつて、死ぬ事があるのでこの點の注意が一番肝要です。

九、一般に哺乳する力が弱く、泣聲も弱く、睡眠し勝ちで自分から乳を飮まうとする事が少い。

十、體溫を調節し、一定に保つ事が出來ず、外の溫度に支配されて湯婆を入れると熱が高くなり、とり除くと體溫が下り、時に平溫以下になる事がある。

この樣に成熟兒に比べて、著しく弱點を持つた早産兒は特にその育て方の注意が必要で、突然顏色が變つて今迄よく乳も飮み、よく泣きもしてゐたのに、どうにもとり返しのつかない不幸に落ちる事が多いのですが殊に體重が非常に少い時は少くとも一箇月以內は專門醫師にその哺育を任せませう。

豫後　醫學の進歩につれて、死亡率も減り、外國では六〇〇〇瓦の早産兒を育てた報告もありますが、大體一五〇〇瓦以下の時は育て難く、それ以上では體重が多い程死亡する事も少く、又黴毒が原因の時に死亡率が非常に多い。

育て方

一、榮養法　母乳第一の鐵則は勿論守るべきで、哺乳力良好のときは一日六回、不良の時は回數を增して一回の哺乳量の少いのを補ひ、時には搾つて與へ、その力もない時は鼻孔より胃の中へゴム管で直接入れる。（鼻孔榮養）人工榮養の時は、むしろ濃厚な稀釋牛乳を少量あたへる方がよい。

二、保溫　完全には電氣で攝氏二六―二八度、溫度六〇%で、換氣の設備ある硝子箱の中で育てるか、簡單には湯婆、電氣コタツを入れて溫め、室內の空氣の汚れぬ樣に注意して部屋を溫める。

三、酸素吸入　强心劑注射、呼吸を良くするため「ロベリン」劑注射。

四、葡萄糖と「インシュリン」を併せ注射する。

五、「ヴイタミン」Cの注射も効果が多い。

六、性ホルモン　卽ち卵胞ホルモンと腦下垂體前葉ホルモンを併用し、或ひは卵胞ホルモンのみ單獨に注射する事により良好を得る事が多い。

七、黴毒が原因の時は「サルバルサン」劑の注射を受け母親も亦治療を行ひ次回よりの姙娠に同じ後悔を繰返さない樣にする。

生活に則した　幼兒訓育の實際

聖美幼稚園長　內山憲堂

時局下に於ける保育に於て特に幼兒の訓育と云ふことが强調されて參りましたが、幼稚園託兒所に於ける幼兒の訓育は、どうかすると無理があつたり、大人の生活を基としたり、お小言になつたりすることが多いのであります。よほど上手にやつても幼兒がよろこんで自分の生活としてやらせるのはなか〳〵難かしいのであります。そこで私の幼稚園で實際行つて居りますものゝ中から、三つばかりを擧げましてみなさまの參考にいたしたいと考へます。この「おちかひ」も「數へ歌」も「歌留多」も拙作でありますが、まだ〳〵氣に入らない文句もありますので、氣がついた時にはその都度なほしてゐます。

一　おちかひ

私の幼稚園では朝禮の默禱（この間レコードをかける）が終りますと、「おちかひ」を子供と共に申します、そしてこの週間を「おちかひ」にある內容を守る週間として家庭へも通知し、幼稚園でも特にそのことに注意を拂ふやうにしてゐるのであります

四　月（幼稚園）

第一週　今日からうれしい幼稚園

第二週　みんなで仲よく遊びませう

第三週　只今　行つて參ります

第四週　手拭ハンケチを忘れずに

五　月（愛護）

第一週　草や木を可愛がりませう

第二週　打つ子は鬼泣く子は弱虫

第三週　生きものは愛しませう

第四週　小さい子を可愛がりませう

六　月（食物）

第一週　きらいのある子は丈夫になれぬ

第二週　御飯の前には手、すんだら口

第三週　御飯は靜かによくかんで

第四週　何でもおいしくいたゞきませう

七　月（身體）

第一週　たべすぎのみすぎ病氣の基

第二週　寢びえをせぬ樣いたしませう

第三週　身體を大切にいたしませう

九　月（言葉）

第一週　きれいな言葉を使ひませう

第二週　嘘言を云ふ子は惡い子

第三週　ハイと返事ははつきりと

第四週　元氣にお話いたしませう

十　月（家庭）

第一週　御飯はこぼさずよくかんで

第二週　休まない子は强い子

第三週　弟や妹を可愛がりませう

第四週　玩具を大事にいたしませう

十一月（社會）

第一週　ひとの遊びを邪魔せぬやうに

第二週　靜かに仲よく遊びませう

第三週　弱い子いぢめはいくぢなし

第四週　道草する子はいけない子

十二月（元氣）

第一週　我慢する子は强い子

第二週　子供の火遊び火事のもと

第三週　子供は風の子寒くはないぞ

一　月（言葉）

第二週　きれいな言葉を使ひませう

第三週　嘘言をいふ子は惡い子

第四週　ハイと返事はハツキリと

二　月（自治）

第一週　自分のことは自分でしませう

第二週　出しつぱなしは惡い子

第三週　お靴はキチンと下駄箱へ

第四週　仕末する子は偉い子

三　月（自覺）

第一週　なんでも一人でいたしませう

第二週　立派ないゝ子になりませう

第三週　うれしい〳〵一年生

二　訓育かぞへ歌

四月に數へ歌を敎へまして、時々歌はせます、一番から五番迄歌はすこともあり、六番から十番迄歌はすこともあり、又は全體を男女別交替で歌はせることもあります

一つとや　人にお世話をやかせるな〳〵　なんでも自分でいたしませう〳〵（自治）

二つとや　蒲團を一人ではねのけて〳〵　泣かずに起きませう元氣よく〳〵（朝起）

三つとや　道で逢うてもお家でも〳〵　お早やう　只今　御挨拶〳〵（挨拶）

四つとや　よい子は何でもたべまする〳〵　御飯はこぼさずよくかんで〳〵（食事）

五つとや　生きものいたはり可愛がり〳〵　草木も愛してやりませう〳〵（生物愛護）

六つとや　虫歯にならないその內に〳〵　齒を朝晚に磨きませう〳〵（齒）

七つとや　泣く子は弱虫いくぢなし〳〵　元氣に仲よく遊びませう〳〵（交友）

八つとや　病は口からお菓子から〳〵　虫齒に腹痛ならぬやう〳〵（間食）

九つとや　子供は風の子寒くない〳〵　ふるへて泣く子はいくぢなし〳〵（克己）

十とや　父樣母樣大切に〳〵　言ひつけお守りいたしませう〳〵（素直）

三　訓育いろは歌留多

幼兒の生活に卽した事項で訓育方面をいろは歌留多にいたしまして、お正月には幼兒の作成した、このいろは歌留多をとつてあそびます。

（イ）一番いゝ子は素直な子

（ロ）廊下は靜かに步きませう

（ハ）齒は朝晚に磨きませう

（ニ）日本人はやさしく强い

（ホ）ほめられませうといゝ子になつて

（ヘ）返事はハイとはつきりと

（ト）父樣、母樣大切に

（チ）ちいさい子を可愛がりませう

（リ）リコーな子供は夜更ししない

（ヌ）ぬれたお手々はよくふいて

（ル）留守番する子は元氣な子

（オ）鬼より强い泣かない子

（ワ）惡ふざけは喧嘩の因

（カ）書くのは止さう壁や塀

（ヨ）夜寢びする子は朝寢坊

（タ）たれより早起元氣な子

（レ）禮儀正しく御挨拶

（ソ）そまつにするな御飯粒

（ツ）つよがりの内辨慶
（ネ）ねまきも一人で着替へませう
（ナ）泣く子は弱虫いくぢなし
（ラ）らんぼうする子は鬼
（ム）虫齒はお菓子のバイキンから
（ウ）うつかり忘れるお手洗ひ
（ヰ）ゐばつて泣き出すいくぢなし
（ノ）のみすぎ　たべすぎ病氣の因
（オ）玩具を大事にいたしませう
（ク）くしやみする時おハンケチ
（ヤ）病は口からお手々から
（マ）眞似をするなら　よい眞似を
（ケ）喧嘩はお止し　角力はおさり
（フ）蒲團も自分であげませう
（コ）子供の火遊び火事の因
（エ）遠慮もすぎると笑はれる
（テ）手傳ひ出來る子可愛いゝ子
（ア）あはてず御飯はよくかんで
（サ）先を爭ふあはて者
（キ）きれいな言葉をつかひませう
（ユ）ゆるしておやりよ人のあやまち
（メ）めいわくかけるな御近所へ
（ミ）みなりはきちんとしまりよく
（シ）親切に老人いたわるやさしい子
（ヱ）繪本はやぶらず　大切に
（ヒ）ひとを打つ子は鬼
（モ）桃太郎さんにまけない様に
（セ）先生のいゝつけまもる立派な子
（ス）好き嫌い言はずになんでもたべませう
（京）今日も一日元氣に暮さう

これは幼稚園のみならず各御家庭にて於も御利用下されば大變に幸に存じます次第であります。

寒さに負けぬ…健康兒

寒風をついて跳ぶ…走る…遊ぶ…寒さに負けぬ元氣な子供それは一粒肝油ハリバを連用してヴィタミンＡＤの滿ち足りてをる兒童です

ヴィタミンＡはお子様の發育成長を促し、かぜを引かぬよう…結核に罹らぬよう皮膚や呼吸器を丈夫にして耐寒力を强めます。ヴィタミンＤは歯や、骨を丈夫にするに大切な成分です。

ハリバはこれまでの服み難い肝油と違ひ、ヴィタミンＡＤの濃厚な高級肝油を小豆大の小粒としたものです一日僅か一－二個の連用で充分足りますから、これなら肝油嫌ひなお子さまでも喜んで服みたがります。

女學生は家庭に何を求める
愛情や衣食よりも〝若さの理解に滿足〟

東京女子大學　二宮綾子

女學生は一體家庭といふものにどんな要求と希望をもつてゐるか―〝女學生と家庭〟の關係は兩親にとつて重大な問題です。殊に近ごろの女學生は家庭に對しても複雜な氣持をいだくので、東京女子大ではＹ・Ｗ・Ｃ・Ａと協同、橫濱の某女學校生徒二百名についてつぎのやうな調査をいたしました。

×　×

まづどんなことに滿足してゐるかを擧げて見ると―スヰート・ホームといひますが、父母が優しい、よく看護してくれる、微笑で迎へてくれる、家へ歸るとホッとするなど一家團欒、言葉を代へていへば家庭の精神生活の感情的方面に滿足を感じてゐるものが最も多く下級生の三割、上級生の四割はこれを擧げてゐます。同じ精神生活でも弟妹の躾け方、教育、趣味など知的方面に就て滿足してゐるものは遙かに少く、上級生で一割、下級生で五分となつてゐます。

物質慾は下級生

食物がうまい、家が奇麗だ、欲しいものが買つてもらへる、など家庭の物質生活に滿足の意を示してゐるのは一年生で三割五分、三年生で一割八分、五年生で一割七分です。衣、食、住への關心は上級生になるほど薄らぎ、全體としてみても僅かな數字であります。兩親が揃つてゐること、弟妹が澤山あることなど家族について滿足しているのは下級生で二割、上級生で一割となつてゐます。父親の職業、地位に何よりも滿足を感じてゐると書いたものは僅か一人で、女學生が社會的な事柄には極めて無關心であるのを示してゐます。

文化生活の不滿

次に家庭への女學生の不滿は精神生活方面に集中されてゐるといつても過言ではなく、下級生の五割、上級生の八割はこれを述べてゐます。殊に教育方針がわるい、不公平だ、子供扱ひにする、勉强に理解がない、など、自分の文化生活についての不滿が實に多く現れてゐるのです。衣、食、住など物質生活に對して不滿を示してゐるのは、下級生で二割五分、上級生で一割で、家族の健康、職業などについては、滿足してゐる場合の數字とほゞ一致してゐます。

親の考ふべき事

以上の諸點からみますと、女學生は上級に進むに從つて知的、文化的な世界にめざめてきて、家庭內でもその方面の理解を要求してゐるのが判ります。が、滿足してゐることゝ不滿足な點とを對照してみれば明かであるやうに兩親や家庭は物質や愛情は十分にこれを滿たし注いでスヰート・ホームを形づくることは心掛けても、知的、文化的方面を理解し滿たしてゐることは極めて少いのです。こゝに現在の兩親方が教育的に反省しなければならぬものがあります。愛情、優しさ、物質などだけでは女學生の要求は滿たし得ないのを知ることです。

緊張が緩んだかまた犯罪がふえた
お子さん婦女子の保護を怠るな

戰爭のはじめには國民の一人殘らずが異常な緊張を覺えるので、犯罪のやうなものも減つてきますが戰爭が長びくにつれ保護や監視のゆるむところから犯罪は再びふえ、不良兒が跳梁することは歐洲大戰時の各國がそのよい例を示してゐます。この點、銃後におけるわが國の現狀はどうでせうか。最近、御殿山尋常小學校の近藤修博氏が、東京市における小學四年以上の兒童について暴行、强要、强奪、掏摸などの被害調査を行つた結果をみますと、調査人員九百卅二名のうち四百八十名―即ち五二%までが被害者であることが判りました。これを男女別にすると男子は約四〇%、女子は六〇%となり、被害者が意外に多いことは驚くべきであります。

×　×

以上の調査內容について見ますと、

被害の時　午後が最も多く、次は午前、夜といふ順。注意すべきは夜の被害が男子より女子に多いこと。被害の日―男女とも平日における被害が最も多く、休日（日曜、祭日）は男子の被害が多いが休暇は女子の被害が多い。

被害の場所―路上での被害が最も多くて約半數を占め、そしてこの路上の被害は女子の方に遙かに多い。電車通とか人家のある所は少く、淋しい人通りのない路上が大部分です。その他は神社の境內、原、橋の上、畠の中、川端、河原、土手、電車內、劇場內など。劇場內のものはみな惡質の被害で注意を要します。

◇

加害者の種類　大人が最も多く、靑年、學生、小學生の順となつてゐます。大人を細別すると紳士、勞働者、職工、商人、老人、ばたや、屑や等で、これらは多く女子にたいする加害で、多くは性的なものです。被害の種類―最も多いのは男子では暴行（毆打、投石）で次で話掛け、金錢物品の强要、强奪掏摸など女子では追尾、話掛けが最も多く、次で身體接觸、觸手、衣服の裾まくりなどの惡質のものが多い。

◇

被害者のとつた處置及び態度　男女とも逃走が約半數を占め、續いて默認、父母兄弟への相談が相當ありますが、學校の教師に相談するものは殆どありません。男女別にみると陳謝、歸宅は男子に多く、拒絕、廻り道、他家駈け込などは女子に多い。その他、にらみ返し、交番屆出、係員屆出、救助、喧嘩、應諾などがあります。

◇

學童の被害が半數以上であることは驚くべきで、都會では子供を教育するうへに、かやうな點にも注意を要することが判ります。男子の被害はまづ問題にするに足りませんが、女子の被害の性的なものゝ中には相當親たちの注意を喚起すべきものがあります。なほ被害のあつた場合の態度や處置については平素から相當程度の指導や訓練が必要と考へられます。

娯樂本に耽溺する子供
成績はよくても讀み方を間違へる
◇◇幼い時から御注意なさい◇◇

法政大學教授　波多野完治氏

智能の程度も高く學業の成績もよいのに、國語の時間には奇妙に讀本のよみ方を間違へる子供がどの學校にも相當ゐるやうです。落着きがなく、あせる性質の子供にはよくあることですが、落着いてゐてしかも知らずによみ誤りをしてしまふ子供といふのは、大抵雜誌や讀物を手當り次第に讀んでゐる子供です。

×　×

小學校の學問は凡て基礎的なことを學ぶのが目的で、讀本なども一字一句誤りなくよみ理解することが何よりも大切なのです。少年講談や少年小說は內容が粗雜なものが多いので、丁寧に讀まずに一行や二行は飛ばしても意味は判りますし、またよみを間違へても字を拔かしても誰からも注意はうけません。數多くさへ讀めば子供の一時的の興味はどん〳〵滿たされます。フリ假名が小さく澤山あるので、一つ一つ丁寧に字をたどらずに、大體の推量で讀んで行くといふこともあります。

×　×

かうした種々のことが影響して教科書を正確に讀むといふ子供に最も大切な事柄が、輕率のうちに閑却されてくるわけです。知識が進み、字を覺えるに從つて、これを更に確實ならしめ發展させる讀物を與へることは絕對に必要ですが、それには粗雜な內容の武勇傳や小說ではなく、丁寧に讀まねばならぬ文化的記事、科學記事の多いもので、しかも振り假名の少い活字の大きいものでなければならぬわけです。

×　×

子供の時のテニヲハの間違ひやよみ誤りは成長してもなか〳〵改まらぬもので、また讀物の子供の性格、精神、生活への影響も力强いものがあることを兩親は考へねばいけません。內務省が少年雜誌の內容、活字の統制に着手したのもかうした理由からでありませう。

防ぐ方法はないか
「貰ひ子殺し」問題

今に初まつた話ではありませんが、近頃また「貰ひ子殺し」がしば／＼摘發されてゐます、これは勿論重大な社會問題で、有効な實際的防止法が出來ぬ限り將來もこの種の慘劇はくりかへされることでせう、なぜ澤山のもらひ子が殺されるのかまたこれを防止するにはどんな方法がいゝのでせうか、以下は十數年の經驗から「聖友ホーム」の磯崎桂子さんが行き著いた結論で、この犯罪の原因の殆ど全部は子供に金品をつけてやること、從つてこれを廢止させることが、この犯罪を防止するの一番確實な方法だといふことになります。

金品をつけなければもらはぬなぞといふやうな人達は、子供をもらふのが目的ではなく、子供についてゐる金品欲しさにもらふので、金品さへ手に入れば子供は餘計な邪魔者となり、そこに色々の犯罪が起るのです。

眞に子供が欲しい人は金品なぞには目をつけない、むしろ自分のはうで子供の衣類を調達するやら、その他色々の支度をして子供を迎へるといふやうなわけで、從つて犯罪の起りやうがありません、それ故、犯罪防止の方策としては、子供を止むを得ずやる時に、決して金品をつけるなといふ鐵則を、事情のある世の親達に知らしめ、嚴守させればよいわけです。

また私生兒であるために、世上幾多の悲劇が澤山に見受けられます、社會としては私生兒を出來るだけ少くしなければなりませんが、しかし出來たものは致し方ありません、生れた幼兒に罪はありません、なんとかこれを救濟して行かねばなりません、世間では往々私生兒などを保護するから、若い者がよい氣になつて私生兒を作るのだ、といふ人もありますが、壓迫すればまたそれで自殺やら貰ひ子殺しのやうな色々の犯罪事件を起し易くなります。

さて貰ひ子殺しを防止する方法として、子供をやる場合、金品をつけることを嚴禁する事は前に申上げた通りとして、これを實行するにはこの際一つの機關を造り、上司産婆會並びに今日まで眞面目に産院を經營して、分娩及び乳幼兒保護の衝に當つてゐる産婆達が相互に連絡をとり、過誤なきやうに毎月一回くらゐの集會をなし、また子供を貰ひ度き人、やりたき人も、その機關に連絡して、もつて各方面打つて一丸となし、大家族主義のもとに目的達成に精進し、乳幼兒保護、養育事業に力を致し、もつて廿年後の壯丁の養成に務むることが最善にして最も現下の大勢に適せる事柄だと思ひます。

童話

歸つて來たペル

坂野潤

ペルは、お父さんが夜店で買つてこられた仔犬です。

とても可愛い犬ですが、夜になると、うるさいほど吠えるので、とう／＼捨てることになりました。

朝、幸ちやんが學校へいく時、ペルのくさりをほどいて、繩でしばりました。

なにも知らないペルは、しきりに、幸ちやんにぢやれつきます。

幸ちやんは廻り道をして、町はづれのあき地まできました。そして、そこに打ち込んである杭棒に、ペルをしばりつけると、一目散に學校の方へ駈けていきました。

朝會がすんで、教室に入つても、幸ちやんはペルのことが氣になつて、先生のおつしやることは、少しも耳に入りません。

今日は土曜日で、學校はおひるまでです。でも幸ちやんには、おひるまでが、とても長いやうに思はれました。

やつと授業が終つて、おうちに歸つてくると、捨てたはずのペルが、小さい、しつぽを、ちぎれるほど振つて、幸ちやんに飛びついてきました。

「やあ、ペルか。歸つてきてたのか」

ビツクリして、幸ちやんがいふと、ペルはクン／＼鼻を鳴らして、幸ちやんの足をペロ／＼なめまけしました。

「こんな可愛い犬、捨てられるものか」

幸ちやんはペルをかゝへて、おうちのなかへ入りました。

「捨てられたのも知らないで、歸つてきたのね。お父さんにお願ひして、もう一度飼つてやりませう」

と、お母さんもおつしやいました。

——おしまひ——

體質を考へて入浴をなさい
神經質はぬるい湯に長く 多血の人は熱い湯に短く よく拭く事が大切

（厚生省にて）

極寒になるにつれて入浴が戀しくなります、嚴寒の折は血行が兎角鈍つて來ますから、入浴は大變いい事ですがたゞ注意しないと湯冷めがしたり、風邪を引いたりして、色々な病氣を起し易いものです、入浴に一番適當な溫度は體溫より少し溫かい位の卅八、九度から四十度位までゝ、この位の溫度の湯に成るべく長い時間つかつてゐると本當に溫まるのです、それから冬はよく大根の干葉を入れたお風呂をたてゝ入る方がありますが、それは干葉に含まれてゐる成分が滲み出して皮膚を刺戟し、毛細血管の擴張を起すために大變溫まるのです、なほ干葉の外に糠を入れるとか、鹽を入れるのも効果があります、錢湯では湯の華などもよく用ひてゐますが、それもいゝ事です、かうしますと湯が軟質になりますから湯の肌ざわりもよく、湯をたのしむやうになりませう、然し入浴は體質を考へる事が必要で、神經質の人はなるべく低溫度の湯に長い間つかつてゐた方が鎭靜作用があつてよく、多血の人や卒中體質の人は湯に長く入つてゐると却て腦の血管の充血を來して卒倒することさへありますから短時間、熱い湯に入る事です、錢湯ではなか／＼さういふやうに湯の溫度を調節出來ませんから成るべく自分の體質を考へて入浴するやうにして下さい、また婦人病があつて、その急性症狀を來してゐるやうな場合には入浴すると炎症を起したり患部が化膿したりしますから、入浴はお避けになつた方がよく、慢性症狀のある方や冷え性の婦人は矢張り低溫度の持續浴がよろしいでせう、そして湯から上つた時はよく水分を拭く事が大切で、これを怠ると皮膚に殘つた水分が發散する時に體熱を奪つてゆきますから、お風呂を出て鼻をつまらせたりそれから風邪をこじらせて却々抜けない事があります、殊にお子さんなどは乾いたタオルで摩擦する程度によく拭くことが肝要です。

新春の日記（編輯後記）

◉「このねぬる朝げの風にかをるなり軒端の梅の春の初花」と云ふ、鎌倉右大臣實朝の名歌が、沁々と胸に迫る春寒料峭の二月だ、二月と云ふ月は彼の二・二六事件のあつた年、東京で中耳炎を患つて、其の前夜に大阪に戻つた事などが、不思議に思ひ出されてならぬ月である。

◉今年の正月は例年のやうに四日に、坂間市長始め中井、森下兩助役、藤原保健部長田坂社會部長、それから大谷府社會課長等各方面に親しく新春の挨拶をなし、六日早朝着京し直ちに木戸内務大臣邸に、御祝の爲め參向した、七日は厚生省に重田、椎名二氏を御訪れし、午後上野松坂屋の新年會にて天野雉彦氏から南支從軍の有益な御話しを竊ふ。

◉十日、陸軍省に梶浦軍醫、海軍省に岡崎軍醫、文部省に岩原體育課長、内ケ崎政務次官、池崎參與官に新年の挨拶をしたのであるが、現下我が國に於ける出産率の減少に伴つて、二十年後に於ける壯丁の問題の憂慮さるゝ點に就いて、いづれも熱誠此の對策に頭を悩まして居られ、本聯盟に對して國家將來のために、極力盡卒助勢されるやうに熱望され、且つ本聯盟主催の乳幼兒審査會開催當時、すくなくとも二日間の時日を割いて、若き母性たちに、最も合理的な最少限度の榮養問題、並に乳幼兒の防毒法、それから最も現實に即した恒久的な兒童の體力向上と體質の改善問題等に關して講演會を開いて頂きたいとの御希望もあつたので、本聯盟に於ては直ちに評議員會にかけ計劃を進めたい旨御答ひしたのであつた。

◉尚、十日午後、高島屋の波多野宣傳部次長と永井名譽會長邸に參上したのであるが、懇ろに書齋に通され、本年度に於ける東京の審査會は六月上旬に施行の儀決定した事を御報告申上げた、閣下は近衛内閣總辭職の前夜迄、伊豆長岡に病氣御靜養をなさつて居られた由であつたが、最早や御健康を恢復され本會の事業に關し種々御示教を仰いだ「消防は一生懸命の火の用心をしも火災があるやうに、議會の解散も豫測する事が困難だ」と云ふやうなお話しや、小川芋錢の若き日の逸話などを窺ひ、夜は西牧畫伯、富田博士を訪れた。

◉十二日は郷黨の先輩高成田醫師を、十三日は東京病院に戸川博士を、内務大臣官邸に是松秘書官を、慶應病院に唐澤、中鉢兩博士を御訪れして新春の挨拶をした、十四日、靖國神社附近の市電の中で然も二十年振りで宮崎安右衛門氏に遭つた。

◉十五日、日曜日に、大森の義弟宅を訪れたら兩國の春場所は如何ですかと誘はれた、記者は相撲なるものには平常興味がないので見た事がないのだが、頻りにすゝめられるので三時頃から出懸けた、恰度六十九連勝を續けて來た双葉山と安藝ノ海との取組が人氣を呼んだ日で、場内の熱狂混亂振りは名狀し難い程だ、强剛無敵を勝ち誇つて來た双葉は然も其の七十回目に、土俵の眞中に實に綺麗に轉んで了つた、勝つて兜の緒を締めよである、正月早々最も適切な好敎訓を受けた事は有難い事であつた。

◉十六日、厚生省に新任の永井施設課長と重田技師を御訪れして本年度事業諸般の御願ひをして市社會局に至る、十七日、午前中吉田秋光畫伯を約一年ぶりにて訪問し、それから松岡映丘先生が御生前、記者に常にすゝめられた博物館に趣き、應擧、光琳一拖、歌鷹等の繪を觀た、表慶館の滿谷國四郎氏の「二階」も大正初期の名作だと思ふ、斯樣にして十八日の鷗號にて内田誠氏から贈られた『綠地帶』を讀みつゝ西下した、今年は魚澄惣五郎先生、齋藤北市民館長の御指導で昨年來持續して來た建武中興の研究に專心沒頭しつゝあり、閑暇あれば必ず先生方の御敎示を仰いで居る。

本誌定價 一冊金參拾錢 郵税壹錢五厘
半年分六冊 金壹圓六拾錢 郵税共
一年分十二冊 金參圓 郵税共
誌代郵税は一切前金の事
前金切の場合は發送中止
郵券代用は一割増のこと

昭和十四年一月廿八日印刷（毎月一回）
昭和十四年二月一日發行（一日發行）

兵庫縣武庫郡精道村芦屋
發行兼編輯人 伊藤悌二
印刷人 木下正人
大阪市西淀川區海老江上二丁目三七番地
印刷所 木下印刷所
電話福島(45)〈一五三四番 二四二六番〉

大阪市北區天神橋筋六丁目
大阪市立北市民館内
發行所 日本兒童愛護聯盟
電話堀川(35)〈〇〇〇一番 〇〇〇二番〉
振替大阪五六七六三番

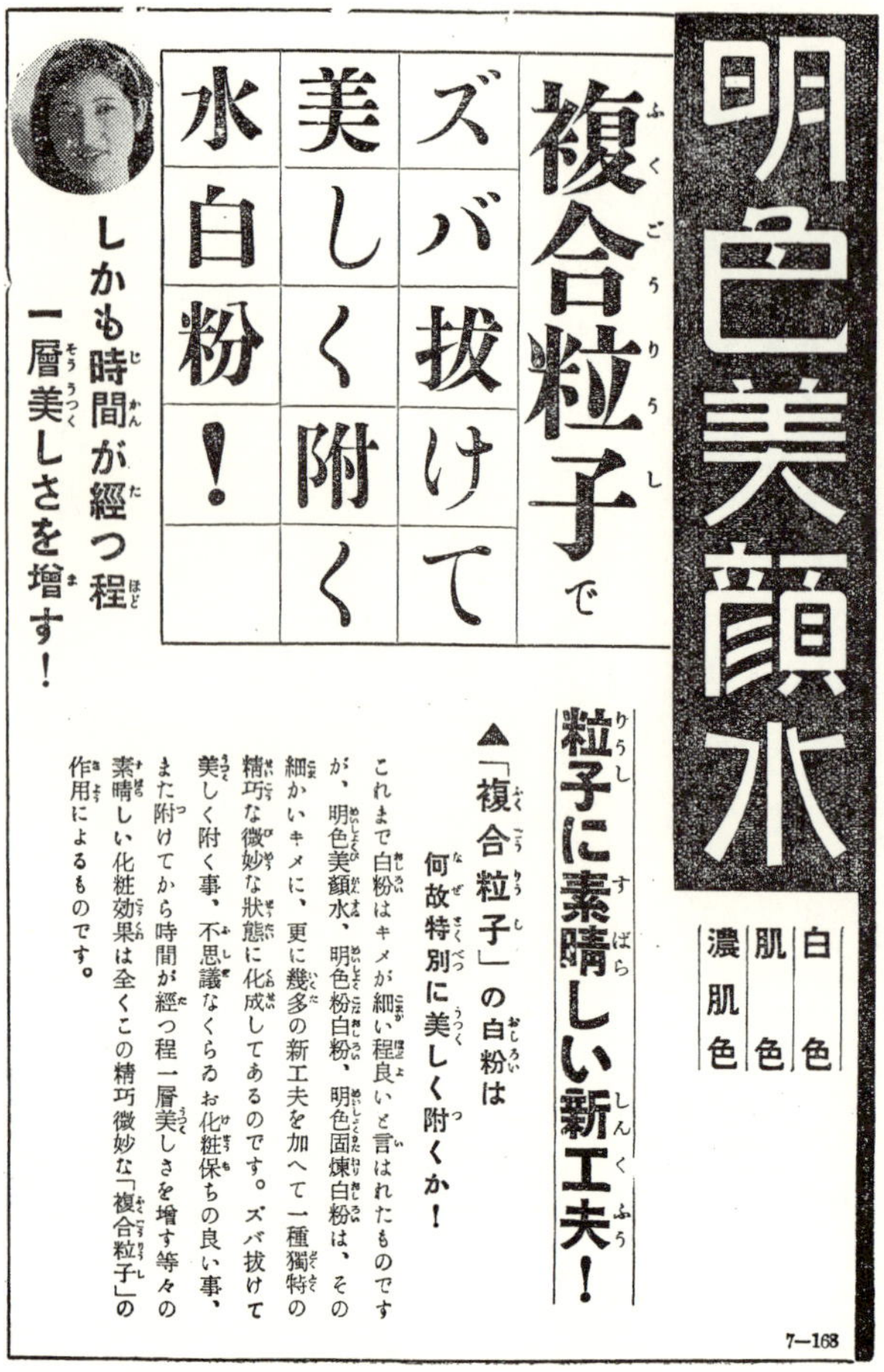

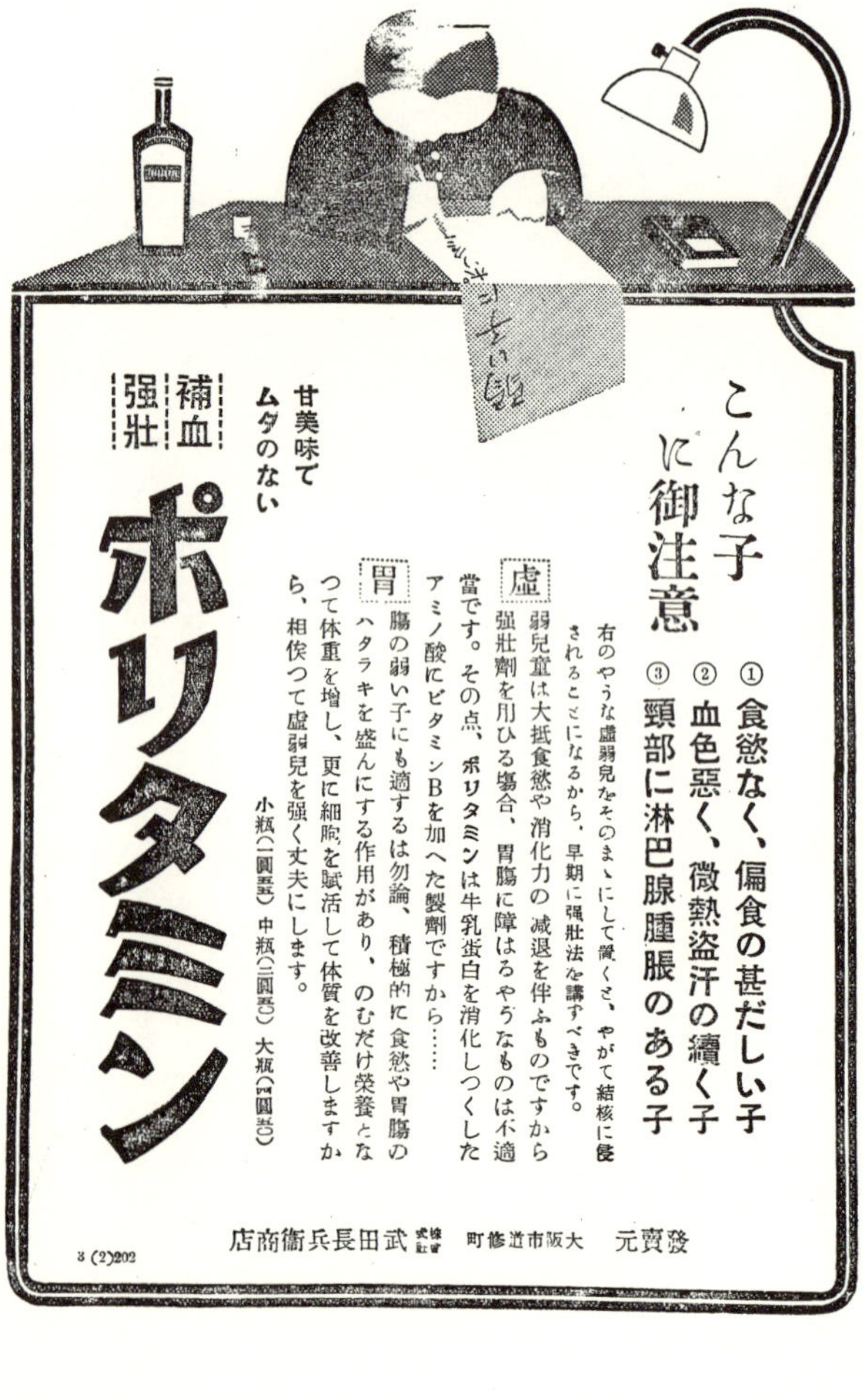

子供の世紀 第十七卷第二號
大正十三年三月二十日第三種郵便物認可 昭和十四年一月二十八日印刷納本 昭和十四年二月一日發行（毎月一回一日發行）

【定價金參拾錢】

恒久國防・國民體位向上

大正十三年二月二十日第三種郵便物認可
昭和十四年二月廿八日印刷納本
昭和十四年三月一日發行（每月一回一日發行）

子供の世紀

銃後母性の新使命號

第十七卷　第三號

大阪市北區市民館内
日本兒童愛護聯盟

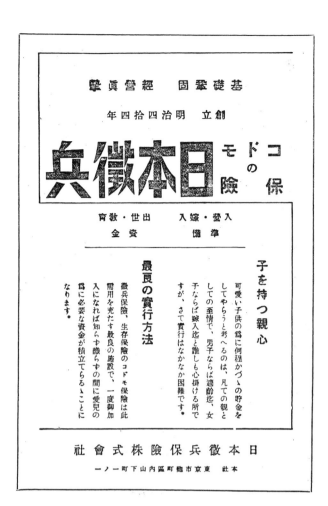

『子供の世紀』（第十七卷第三號）銃後母性の新使命號

目次

‖祖國の精神‖

‖銃後の母親‖

‖永遠の防人‖

大川吸入器

完全無缺 使用簡易

噴霧は體温以上に温く微細で病狀に好影響をもたらします噴霧管は特許引拔パイプ製で絕對に故障の起らぬ逸品。器械は堅牢で大川吸入器が標準型です。
本器は一ケ毎に檢査をして發賣致します故、何處でお求めになつても安心です。類似品あり、大川式と御指名を乞ふ。（固定式上下式の二種有）

聖戰下の乳幼兒を祝福さるゝ木戸内務大臣

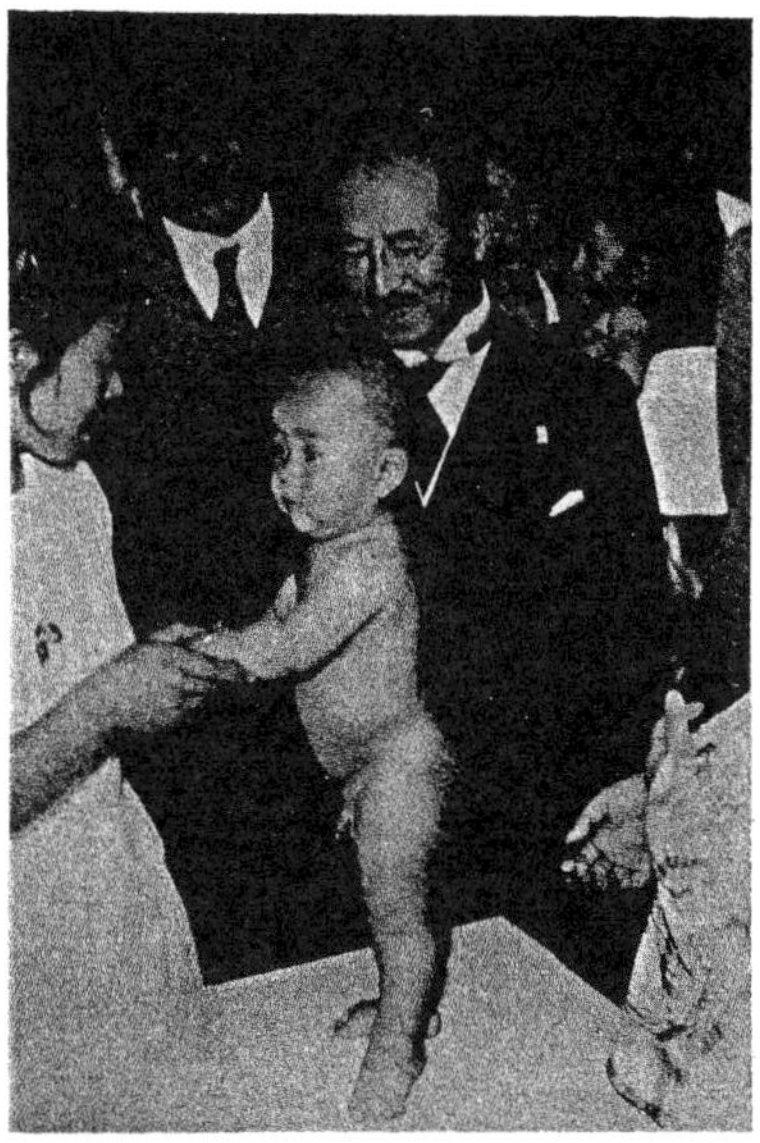

日本兒童愛護聯盟主催
第十回全東京乳幼兒審査會開催の砌、
木戸侯爵閣下には本會總裁として御臨場の上、
聖戰下の多數健康乳幼兒を祝福された。

本圖は當時同盟通信、朝日、東日、讀賣等各社映畫班の撮影するところとなり、全國各地東亞大陸は云ふも更なり、歐米諸國に迄紹介され斯方面に多大の反響を與へ、我が國の兒童愛護運動に關し萬丈の氣を吐いたのであつた。

世のお母さん方へ

優良第二國民の保育には理想的の

福寶育英 子守バンド

を是非御使用下さい

A型→

C型↑

構造上に少しも無理がなく全く理想的に出來て居ります、從つて耐久力もあり實用的の品であります、赤ちやんより五六歳位の子供達迄負ふ事が出來ます、體裁もよく立働きが樂で容が小さいので携帶用として至便のものです、殊に子供達連れの遠足などには絕對に必要であります。

是れは優美な高級刺繡を施してありますので赤ちやん向として是れ又非常に御好評を賜つて居ります、丈夫さは幾分A型より劣りますが値段の格安さ、出產祝としての値頃品である爲め賣行益々頁好であります。

定價

A型　別珍製　二圓
仝　朱子製　一圓十錢
B型　別珍製刺繡入　一圓八十錢
C型　別珍製仝（裏ナシ）一圓七十錢

各地百貨店、吳服雜貨店ニアリ

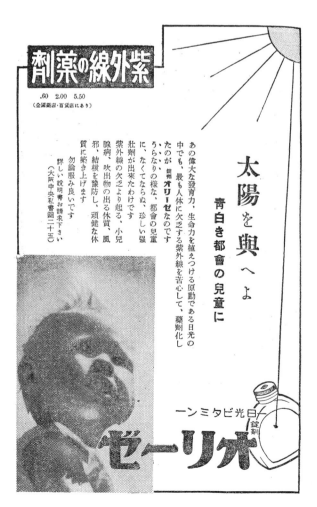

（送料）
內地　十四錢
臺灣 樺太　三十四錢

元寶發造製

菊池商店

大阪市北區東野田町三
振替大阪 14000番

紫外線の藥劑

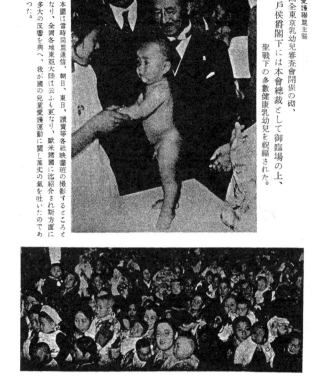

.60　2.00　5.50
（全國藥店・百貨店にあり）

太陽を與へよ
青白き都會の兒童に

あの偉大な發育力、生命力を植えつける原動である日光の中でも、最も人体に欠乏する紫外線を苦心して、藥劑化したのが……錠劑オリーゼなのです
うらなりの樣な、都會の兒童に、なくてならぬ、珍しい强壯劑が出來たわけです
紫外線の欠乏より起る、小兒腺病、吹出物の出る体質、風邪、結核を豫防し、頑健な体質に築き上げます
勿論服み良いです
詳しい說明書お請求下さい
（大阪中央私書函二十五）

日光ビタミン
錠劑
オリーゼ

上手な吸入のさせ方

吸入や含嗽は、あまり重い病人には著しい効果はありませんが、早くやると侮り難い効を奏するものです。外出後咽喉がちよつと變だと思ふときは、大人なら含嗽をすればよいのですが、小さいお子さんでは、それができませんから、吸入に替へます。吸入器にはいろ〳〵有りますが注意したいのは、藥液と一緒に冷い風が起り、却て吸入をしたために、よくない場合の起るやうなものを、避けるといふことです。使用上の注意といたしましては釜の湯は三分の一くらゐ注いで、なくなる前に注ぎ足します。湯のなくなつたのを知らずにゐると、破損することがあります。

アルコールを口元まで入れると、發火する虞れがあります。吸入をかけると、お寢衣やお蒲團が濕りますから、防水布やタオルをかけておき、寝たまゝの病人なら徐かにかけてあげて下さい。赤ちやんの吸入は無理にお口を開かせる必要はなく、玩具で機嫌よく遊んでゐるときでも、吸入器の方を近づけて、あたりの空氣を軟くしつとりさせて、少しづゝでも吸ひ込ませるやうにします。一回分をあまり長くかけると倦きますから、一日に三四回にしてコツプに二杯ぐらゐで結構です。終りましたら蒸しタオルで拭いて、後にクリームなどをつけてあげると、お顔の荒れを防ぎます。

吸入液の作り方

藥液はいろ〳〵有りますが、お子さんには一%の重曹水で結構です。（約一合の水に茶匙一杯）又は重曹と食鹽を各々一%の割に溶かしたものを用ひてもよろしい。

うがひ藥の作り方

二%硼酸水　硼酸は冷い水に溶け難いが微温湯を用ひますとすぐ溶けます。大人の水藥二日分入りの瓶は通常二百瓦入りですからこれに四瓦入ればよろしい。

二%鹽剝水　鹽素酸加里は常用としてうがひに用ひるのはよくありません殊に小兒には用ひぬのがよろしい。

三%過酸化水素水　過酸化水素又はオキシフルを水百に對して三の割合に二百瓦入りの水藥瓶なれば六瓦入れます。過酸化水素はごみ、又は日光熱等にあへば酸素を發生分解して無效となりますから瓶は清潔なものを用ひ、戸棚か押入等の暗所に置かねばなりません。

國史上に於ける神秘境大和天の川

天の川は大和の中央山嶽地帯に位し、建武中興に關係深き史蹟多く、中にも後醍醐天皇、後村上天皇、長慶天皇の御聖蹟又は御綸旨等を拜する事が出來るのである。（本誌記事參照）

（下圖）向つて右より、森田楠公精神普及會理事、東田御所坊來迎院住職、井頭氏令弟、伊藤理事、井頭利榮氏。

（天河神社前にて松坂屋白根氏撮影）

タカイ　タカイ

第二回文部省美術展覽會出品　圓鍔勝二氏作

ライオン齒科衛生院創設披露會

ライオン齒磨本舗が、今般南海高島屋に齒科相談齒牙清掃の實示並に健康指導を目的とする、ライオン齒科衛生院を創設し一層健康報國に邁進さるゝ事となり、去る二月九日より三日間に亘り、大阪全市各方面の有力家、知名の士並に各團體の代表者一千三百名を招待し、高島屋大サロンに於て披露會が催された、上圖は第三日目の愛國、國防二婦人會、小學校、幼稚園代表者招待の當日伊藤理事の祝辭演説の光景であつて、正面は同本舗常務取締役山崎麻吉氏である。

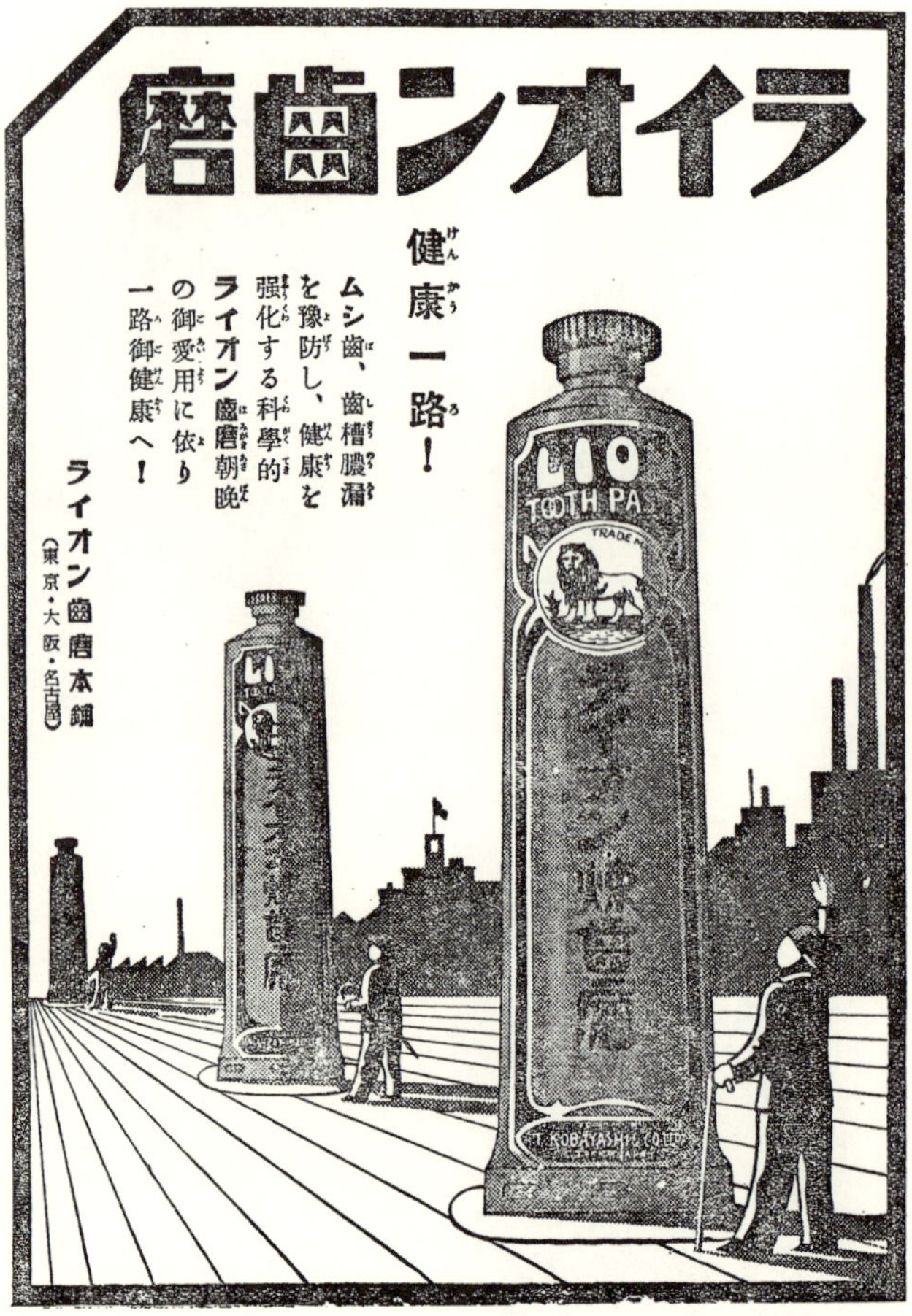

昭和十四年 子供の世紀 三月號

三月の言葉(巻頭言)

攝津太郎

昔から「眞に其の人を見んと欲せば其の友を見よ」、と云はれて居る、相當の地位、經歴、頭腦、それから富を有する人でも、周圍や後聾からの信頼と信望が絶無のために大事業の出來ない人がある、誠に氣の毒なものだ。自己の內生活の貧しい人には善き友はない、誰れしも社會國家の爲めに意味のある事業をした時を反省して見ると、その時は常にその周圍に善友のあつた時である。眞の友は酒席の友ではなく、趣味の友ではなく、亦職業の友でもない、亦友は求めて得らる可きものではなく、與へられるものであり、湧いて來るものである、結局その人の德と云ふ水準以上のものは與へられぬものであらう、幸福なる哉!仁德のある人よ!!

社會事業家は社會の寄生虫である、と云ふ人がある、其の人の論法を以てするならば、公吏員は市の寄生虫であり、會社員は株主の寄生虫であり、官吏は國民の寄生虫である、と云ふ事になる。亦「貴家の事業は兒童愛護に局限されて居るか」、と問ふ者がある、若し川合玉堂翁を訪ねて「貴家の仕事は日本畫に局限されて居るか」、と尋ね、町田總裁を訪ねて「貴家の仕事が民政黨に局限されて居るか」、と尋ねる者があるとするならば、それ程非常識な認識不足の愚問はなからう、心すべきは不用意な言葉である。

一年中東奔西走してゐて、結局何もしてゐないやうな人がある、それは恰度朝から晩迄、家中をがたびしさせてる主婦のやうなもので、騷ぎ丈が大きいから困るのである。世の中は賢明な人、押しの强い人、計劃の上手な人必ずしも所謂成功はしてゐない、自分一人であせつてみた處でたかが知れて居る、人が築きあげてくれた處から生れて來る事業——それが一番尊いのである。最後の勝利も亦其處にあると思ふ。

何處の育兒展覽會を見ても、辨當のこんだて表と、幼稚園兒の自由畫と、世界の乳幼兒死亡統計表と、特種學校の遠景寫眞位が關の山である、何とか新機軸がないものであらうか、例へば優生學に關するものとか育兒倫理に關するものとか……

古典復興に美名をかりて、藤原朝頽廢期の遊蕩文學を無理に掘り起して婦女子に阿らんとしてゐる……かれらが狩り出し得る限りの文筆者は、大概たかの知れた遊蕩文學者の年寄級だからである、妄言ではない、あまりに時局柄を辨へず、インテリ然と澄まし顏にのさばり出るからだ、わるく思ふな。……これは實に近來にない天聲人語子の傾聽すべき獅子吼であつた、大新聞誌上讀む可き處は此處だけだと極言した人があつたが、まさかさうでもあるまい。

少年教護法實施後の所感

平尾山人

我が國は一昨年以來の支那事變の結果、新東亞の建設に着手したので、吾人社會の一隅に座して以前は余り世人から省られなかつた事業も、人的資源の確保上漸く重要視され、教へ子の多數が勇躍出征し行くのを見て、これが眞に子供の世界に活ける者のみに味ふ所の大きな感激であると思ふ。同じ社會事業と稱する物の中にも養老事業の如きと比して、思はずよくもこの仕事に携はつてゐたものだとしみ〴〵と感ずる。

それに就いて舊感化法が更衣して少年教護法になつて早や五年になるが、今にして考へればよくもこの改正がこの大事變の前に實施せられてゐたことぞとこれ又嬉しくてならぬ。

私は茲に實際家の立場からこの法の實施後の所感の二三を述べて識者の參考に供し、以つてその運用の妙味を研究して相互に今事業の結果益々多忙を豫想される、少年保護事業の振興に務め、以つて皇國への御奉公の一端に資せんと思ふものである。

保護人員の增加

この法の實施と同時に喜ばしき現象の一つは保護人員の增加である、全國各府縣は其收容定員を增し一時保護所を新設して、甚だ其保護人員を增し凡そ舊に倍する位の五千名近く全國で保護收容されて、次代の日本を負ふべく目下修業中なるは誠に嬉しい現象にして、この時、院外保護の數も院內に劣らぬものあるを思はれるのである

早期發見の問題

少年教護委員制度の確立によつてその活動の結果、早

期發見の實が擧げられ、從前に比し十才前後の幼者の入學が多い關係上、十四才以上の在學者少く、それだけ感化率はよくなるのは誠に結構ではあるが、その反面之を教化する職員はそれだけ年數を多く費さねばならぬ結果となつて勞力は益々加重した。殊に院內で家庭制を採り炊事當番等の雜事に兒童を助手として使役する關係上、家庭經營上支障を來したのであるし、殊に院內の職業教育は實際上十四才以下では義務教育と衝突して行はれ難く、全く徹底を欠ぐものとなり、手ほどき位の保護と化したのは殘念である。

鑑別の問題

次にこの法の實施と同時に鑑別所が出來たので、入學兒童の測定に便利であり、入學兒童の素質は大體統制され教育上益する所多大なる反面に舊法の如き泥中の玉を拾ふが如き樂み、卽ち甚しい優秀兒を發見せぬ樣になつたのは從事者として誠に淋しく、從來警察から送られた者の中に見るが如く素質のよい天才兒童の發見は皆無と云つてよいのである。

一時保護所との關係

一時保護所なるものが出現したのは新法の一大發展であつて誠に嬉しき極みであるが、然し入學兒の多數がこの保護所の門を通つて入學するとなると問題は多い。卽ちその型が既に入學前に定められてゐる關係上、入學時の取扱は一寸便利だが然しそれでは兒童の眞の個性を見る機會がなくなり、その一時保護所の型を一度洗はねば眞に自己の思ふ通りの型に充てはめて、教育することは出來ないのは却つて手數を要する結果になる。

之が一時保護所は私立で經費も少い關係上比較的に易化兒童を手許に置き、難化兒童を順次公立の經費の多い手の揃つた、設備の整つた所へ、入學せしむる傾向にある關係上、公立は愈々粒の劣つた所謂どんぐりの背比べと云つた所になり、自活教育をする上に於ても、その中心人物を得るに困難を感ずる場合がある、換言すれば一時保護所なる篩にかけられて出たものが公立教護院の兒童と云ふ譯である、これでは全く教員の樂しみがなくなる。最も惡人救濟の佛の本願を信ずるものはこれが却つて本意かも知れぬが教護院には凡人の教師も居るのであるから愚痴の一つも出るのである。

卒業證書の効力

少年教護院卒業生は小學校卒業生と同等の資格が認定される樣になつて誠に芽出度きことである、卒業生は大

手を振つて中等校なり或は直ちに社會に飛び出せるのが新法の有難い點であるが、然し實際は中等校に進む者少く、又入學試驗を受けても通過不能である、奉公に出るにも、履歷書に書くにも勇敢に教護院出身者たるを示すまでには未だ社會は一般に理解して居らぬ。それで奉公するには出身者なるを秘密にし、中等校に行くにも一般小學校に一學期位在籍するが最も有效である、然しこの小學校同等なる關係上當局監督嚴重で職員の拂ふ犧牲は甚だ大きい、卽ち勞多くして效少い制度である。それにしても何とかして社會が早くその認識の是正に努力され、喜んで教護院出身兒を迎へる迄に吾人は又宣傳之に努めねばならぬと思ふ。

事務の複雜化

如何なる事業もその事業の發展に伴つて事務の複雜繁忙は止むを得ぬことであるが、特に少年教護院では少年教護委員との連絡その他の事務が日を追つて多くなり、多岐となり限りある職員に日夜その事務に忙殺され、直接兒童と手を握つて感化する時間の漸次減少を來したことはなげかはしい。なるべくこの種の事業は事務を簡易にして、寸刻でも兒童と接せしめる時間が多くなければ感化の實效は擧らないものと思ふ。

表彰の問題

去る紀元の佳節に少年教護委員が少年教護事業の功勞者として、始めて表彰されたのは同慶の至りで今後每例續くことゝ信ずるが、少年教護委員は名譽職にして無給であるので、自己の家業の餘暇を割いて奉仕される尊い職務である點に於て、任命後僅か滿三年にして優秀なる人格者が表彰の光榮に浴されたものと信ずる。

然し一面少年教護院の職員は少年と寢食を共にし、一意專心廿四時間の教育に苦勞を重ねてゐる、尤も俸給の制度はあるも平均小學教員以下の薄給で、尙且十五ヶ年以上にして而も最も優秀なものでなければ表彰を受けることの出來ないのは前者に比し一寸どうかと思はれる。

非常時の今日、銃後の人的資源を守る者がこんなさもしいことを思ふは戰場の勇士に對しては濟まないこと乍ら、少年教護の將來性を考へればこそ感ずるのである。

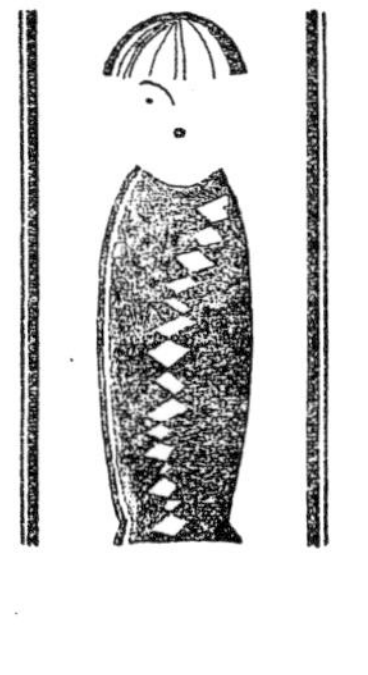

支那の「こども」は今どうしてゐるか

大阪市立天王寺市民館長　前田貞次

今度の日支事變の爲に、兩親や兄弟を喪つて、全くの一人ぼつちになり、寂しい日を送つてゐる支那の孤兒が、澤山あるといふことを聞いて、私達は非常に氣の毒に思ひ、斯うした、憐れな子供さん達を、例へ幾人でも日本へ連れて歸つて、日本の溫い手で愛育し、將來支那の重要な人物にしやうと言ふ、目的の爲に、私共一行八人、去る一月十二日、神戶を船出して北支へ參つたのであります。

恰度、神戶を十二日に出まして、十六日塘沽といふ所に着き、初めて支那の土を踏んだのでありますが、それから天津、北京、又大變な不祥事件の有りました、通州へ、それから私は唯一人で、一行と岐れて保定、石家莊、順德、彰德といふ風に順次孤兒を訪ねて回つて步いたのでありますが、この間色々變つたものを見たり、又戰爭の話も色々聞きましたが、それは追つて書く事と致しまして今日は北支で見てまゐりましたお母さんと子供さんの事に就いて、見たまゝ、聞いた儘の事を、其まゝこゝに筆を執る次第であります。

粗食に甘んじてゐる

まづ私は、支那の子供は、粗食に甘んじて居るといふ事を特に申上げ度い、尤も事變前もさうでありましたが、事變の後は一層それが、甚いのでありまして、中流以下の家庭では、御飯の『お菜』、卽副食物といふものが全然無いのであります、麥紛か黍粉のやうなものを、水で、こねて、それに、『ねぎ』とか『にら』といつたやうなものを包んで、それを油で揚げる、それ丈で、それが日々の御馳走であります。そして大抵の家では二食で、晝は喰べません、是れがもう一段低い家庭へ參りますと、粟のお粥一點張りで、「おさい」も何も、そんな、贅澤なものは全然無いので有ります。そのお粥も、食べられる時に

喰べて置かないと、こん度、いつ喰べられるか判らないといふやうな、始末ですから、支那の子供達は、この食べものが不味いとか辛いとか、甘いとか、嫌だとか、さう云つた不足がましい事は斷じて申さない、よろこんで、然も感謝をして喰べるのであります、私は斯う云ふ光景をあちらでも、こちらでも拜見致しました、それは支那の子供にだつて、好きなものもありませうし、又嫌ひなものも澤山あるだろうと思ひます、然し夫を兎や角、不足を云はないで、感謝して、喰べるといふ事は、小さい時から、さうした我儘が云へないやうに育てられて來てゐるからでありまして之を日本の子供に比べて見て如何でせうか、喰べて見ると喰べられるやうなものであつても、一ぺんは、之は嫌だとか、こんなものは喰べられないとか、必らず何か不足を云はねば喰べないといふ惡い癖をもつてゐる子供が多いと聞いて居ります、之は一つは日本のお母さんが餘りに我子を甘やかし過ぎる結果であろうと思ふのであります。

訓育の差

之は北京で見た事でありますが、北京の或日本人の小學校の前を通りますと、その學校の門前に傭車が澤山竝んで居ります、傭車といふのは人力車の事でありますが所がつい近くの支那人の小學校の前には、この傭車が一臺も無い、どうもおかしい事だと思ひ乍ら、私は暫く起つて見て居りました、すると恰度授業が終つたものと見へまして、澤山子供達が出てまゐりました、すると待ち構へてゐたやうに傭車が、その日本人の三年生か四年生位の子供に、車に乘つて吳れと勸めて居ります、すると子供は、その傭車と車賃の「應待」を致しまして、悠々と歸つて行く光景を見て、私は、日本の子供は支那の子供に比べて、贅澤だと思ふと同時に、日本のお母さん達は我子を愛する餘り、さして遠くもない道を、車に乘せて、學校へ通はせるといふ事は、支那のお母さんの教育の仕方と、隨分違つてゐるとつく〴〵思つたのであります。

で支那といふ國が絕へず戰爭をしてゐて、隨分怖ろしい目に遭つたり、又難儀な目に遭つたりしてゐますけれ共、少しもその怖い目や難儀な目に、「へこたれ」ないと云ふのは、平素之に耐へ得る丈の訓練が出來てゐるからであると思つたのであります、この平素の訓練といふことで、もう一つ感じました事は、北支でも、大原とか彰德邊へまゐりますと零下二十度から三十度位の寒さで、一度降つた雪はいくら天氣が續いても、又陽が當つても、解けるといふ事が無い位寒いのであります、殊に朝とか晩など、車に乘りますと、耳がちぎれそうで、私は毛の靴

下を二枚履いて、然も人に教へられて、その靴下の底へ赤い唐辛子を入れたり等して、大さうらしく、身構へたのでありました、けれ供、どうしても指先が冷へて、足を揃へてぢつとしてゐる事が出來ないものですから車の上で、足をピョコン〳〵動かして見たりしましたが、それでも辛棒が出來ない程冷へるのであります、ですから朝顏を洗ひます時には、旅館では必らずお湯を持つて來ることになつて居ります、處が支那の子供達は、こんな寒い時でも、一切湯を使はないで、どの子も、この子も皆水で顏を洗つてゐるのを見て、私は非常に恥かしく思つたのであります、又夜寢る時でも、藁の上にアンペラを敷いて、薄い蒲團一枚、冠つて寢るのですが、それでも寢卷を着ないで素裸で、平氣で寢る、それでゐて風邪をひかないのですから、感心せずには居られなかつたのであります、之に比べて日本の子供達はどうでせうか、この頃水で顏を洗ふ子供が何人あるでせうか、又子供に水で顏を洗はせるお母さんが幾人あるでせうか、餘程考へねばならないことかと思ふのであります、次に申上げたい事は、支那の子供は、非常に忍耐力が強いといふ事であります、蔣介石が斯う云ふ事を云つたと云ふ事を聞いて居ります、と云ふのは日本人は、とても性急で、其上熱し易く、冷め易い性質を有つてゐるから、戰爭も初めは熱を有つてゐるが、二三年もすると次第に熱が冷めて來る、そこをねらつて討てば必らず勝てる、長期抗戰をやつて最後の勝利を得るんだと、豪語したさうでありますが、確かに日本人は、ものに性急で、又熱し易く冷め易い性質を有つてゐるやうであります、それに比べますと、支那人は所謂大陸的で、ばた〳〵しない、そして忍耐力も馬鹿に強い、アノ萬里の長城や、北京の紫禁城、或は萬壽山のやうな、あゝした豪壯な大建築物を見ますと、よくもあれ丈の大層なものが出來たものだと感激せずには居られません、之は子供の時から、さう云ふ忍耐力とか根氣力とかの養成が十分されてゐるからでありまして、決して一朝一夕にこの力を造り上げる事は出來ないと思ふのであります。次に申上げたい事は、この度の事變の爲に、支那の子供達は一體どうして困窮に打克つて暮らしてゐるかと云ふ事を少し話して見たいと思ひます、私は彰徳からの歸り、除水といふところで、不幸にも鐵道の故障に出會ひました爲め、その近くの野の最ン中に汽車が約五時間立往生になつて了つたのであります、その時餘り退屈なので、汽車から降りて外へ出て、ひよつとして鐵砲の玉でも落ちてゐないだろうかといふ一種の好奇心からそこら邊りを歩いて見ました、そこは寔に廣いところで、一面畑です、その畑には何一つ見受けない、

全く砂漠と同じやうなところです、ところが、鐵道に沿つて少し草原があります、然し、草も冬枯の爲に、全く枯れ果てゝ草の蕊だけが殘つてゐる位のものです、こんな淋しい所へは人は愚か、小鳥さへ飛んで來ないと思へるのに、その草原が寔に、きれいに公園のやうに掃き清められてある、それがどうも不思議でならないので、人に聞いて見ると、それは北支は特に燃料に惠まれない所で、燃やし得るものは、どんなものでも燃す、例へば、道に落ちてある、馬の糞でも、それを拾ひ集めて、それで、お粥を炊く位であるから枯草でも木の葉でも、決してそのまゝ見捨てては置かない、子供達が、その枯草を棒切れで、横なぎに、ないで、之を拂ひ、落して、その落ちた枯草を、掻き集めて束にして家へ持つて歸るんだと、敎へられたのであります。この外小供達は毎日、停車場の附近にこぼれてゐる石炭の粉を箒と袋とをもつて拾ひに行つたり、又楊の木を削りに行つたり、斯うした仕事をどんな寒い風の吹く日でも、小さい小供が引受けて、家の手助けをしてゐると云ふ點は、支那の子供達でなければ見られない點だと思つたのであります。

之れも順徳といふ驛での一所見でありますが、驛へ汽車が到着しますと、どこから集つて來たものか七八つの子供が四五十人、皆手提の籠を持つて汽車の窓の下へやつて來て、進上、進上と云つて物を呉れと云ふのであります、私は可愛さうに思ひまして財布の中から、一錢札を四五枚出してやろうとしますと、折惡しく汽車が動き出しました、急いで窓を開けやうとしましたが、この邊の汽車は防寒の爲に窓が二重にしてあるので、二つ目の窓を開けた時は、既に汽車はスピートを出してゐました、それでも子供達は進上、進上といつて汽車に縋つて追駈けてまゐります、私は、もつてゐた札を投げてやりました、すると札は風の爲にヒラ〳〵舞つて飛んでゆきますそれを子供達は、我れ先にと爭つて追つて行く光景を見まして、私は涙がこぼれました、又同じ私達と汽車に乘つて居られました、日本の兵隊さんも皆涙を含んで居られました、斯んなに、今支那の農民は困つて居るのでありまして、この事を思ひますと、日本の子供達は寔に結構な事だと思つたのであります。

日本の子供もこの支那の子供のやうに、粗食に慣れ、寒氣に耐へ、忍耐力を養ひ、貧しい事を苦にしないやうな精神力を、私は平素養つて置かなくてはならないと思ふのであります、殊に、今日の如く、非常時に際しては一層痛切にこの事を感ずるのであります。

日本を憬れてゐる

終りに、支那の子供がいかに日本を憬れてゐるか、又

日本といふ國を研究してゐるかといふ事を申し上げたい、それは私が彰徳へまゐりました時に、彰徳の城外の石の上に七八つ位の子供が四五人日向ぼつこをしながら何か歌を歌つて居ります、それがどうも日本の歌のやうですが、まさかこんな田舍で、然も小さい子供が、日本の歌を知つて居やう道理が無いと思ひましたが、車の上から耳を澄まして聞きますと、それは寔に驚いた事には、愛國行進曲であつたのであります、私は何んだか、うれしい氣もちになつて、うつかりして城門で、歩哨の兵隊さんに帽子を取るのを忘れて終つたやうな譯であつたのであります、又、彰徳の縣知事さんが、私が連れて歸りました孤兒に對せられて、お前達は非常に幸福である、これから日本に連れて行つて貰つて、文化の發達してゐる日本の正しい敎育を享けて、きつと成功して歸りには、是非、日本のお嫁さんを貰つて歸つて來い、この事は彰徳だけの名譽ではなく支那全體の名譽であると申されました、この知事さんの言葉だけでも、支那の良民は、日本を信頼し日本を兄と思ひ師と仰ぎ、日本の進んだ正しい敎育を受けやうと躍起になつてゐるといふことが、判然と判るのであります。

支那婦人の場合

それから、お母さんの事ですが、支那のお母さんが、子供に決して甘くない、寧ろ辛ら過ぎる位であると云ふ事であります、或人は支那では子供が親より先に死ぬと親に先立者は不孝者と云つて、葬式も何もしないで野原へ棄てゝ終ふといふ慣習がある位で、支那の母は子供を愛しないなどゝ申す人がありますが、之はさう一概に解決して終ふ事は出來ないと思ひます、支那のお母さんだつて子の可愛くないものはありませんが、然し、日本のお母さんのやうに愛に溺れる所謂甘やかし過ぎるといふ事は絶對にないやうであります、ですから支那の子供は前記の如く、我張り強い性格を有つてゐるのであろうと思ふのであります、それと、支那の婦人は、街頭に一切進出しない、職業婦人なども北京や天津邊りの都會でも一切見ることが出來ません、デパートの店員も電話の交換手も皆男なんです、婦人は殊にお母さんは家から外へ出ないで、主人を守り子供の敎養に、專念して居るのであります、私はこの支那婦人の斯うしたやり方がよいとは申しませんが、然し、日本の婦人のやうに家庭も子供の敎養も打ちやらかしで、職業戰線に又社交界に出歩いて日も足らないといふ事は感心の出來ない事であると思ふのであります。

以上、至極簡單でありますが、ほんの或一部のことを申上げましたが、之に依つて凡てを御想像下さつて、日本のお母アさん達は支那の子に學ぶ點のあることをよくお考への上、一層お子供さんの御敎養に御努力あらん事を切望いたします。

入學試驗と學童の保健問題

厚生省體力局技師
醫學博士　野津　謙

中等學校入學試驗勉强を猛烈に行ふ或る小學校に於て、六學年女生徒三十名の一ヶ年間の體重增加を調査したら、僅かに百瓦であつた。六學年の女生徒といへば、大體女子青春期に入つて居るもので、一ヶ年間平均の體重增加は約四瓩である。百瓦といへば驚くべき體重不增加である。之等女生徒の體質といひ環境といひ、別に原因と考へられるものは、一ヶ年間の入學試驗勉强以外にはなかつた。之れは一ヶ年間に起つた一つの事實である。然し、之等女生徒は、女學校へ幾名入學し、其後の體重增加は前年度の分を補つて餘りあつたか、或は、爾來健康上に相當惡影響を蒙つたものか、遺憾乍ら私は其の後の調査資料を持合せてゐないから、入學試驗勉强の健康に對する惡影響をこの體重增加問題のみを以て、決定的に云々するには、聊か不滿足である。此點に關しては、科學的にもはつきりした材料を出來るだけ多く蒐集することが學校衞生に携はるものにとつて、最も大切なことである。

然し乍ら、中等學校入學試驗に就ては自分一個の經驗に徵しても、一ヶ年間午前五時より一、二時間塾通ひにて算術及讀方。登校後學課目中、體操、手工等は殆んど算術、讀方に變り、放課後又一、二時間歸宅して夜十時頃迄再び算術及讀方といふ猛勉强、勉强に非常に興味を持つてゐたとはいへ、中學入學後には、全くの虛弱生徒に化してしまつてゐた。之は試驗勉强による健康障害の生きた一列の事實である。この虛弱を健康化するに私はどれだけ苦心したか分らない。

自分のみではない、兄弟姉妹、親戚、友人は大體一度は、中等學校入學試驗の難門に惱まされ、殊に兩親、保護者にと

つては、最も悩みの種である。

茲に於て、識者の間に中等學校入學試驗緩和策が色々研究せられ、近年國民體力向上問題が重視せられてからは、體力を重視する事が津々浦々に行はれるに到つた。學課の試驗勉强にのみ重點を置いた或る小學校では懸垂の不成績によつて、府立入學者が減少したといふ樣なニュースが傳つて、入學試驗には體力の勉强も、やらなければならない府縣が段々增加して來た。

この趨勢で進んで行けば、學童の入學試驗勉强による、保健問題は或程度迄緩和される事は確である。

然らば、入學試驗問題は、このまゝにて、安心していゝものであらうか。先づ入學試驗に於ける體力の採點、之には研究すべき數多の問題がある。今後、大陸政策遂行に必要な國民體力向上の目標となるべき、體力、（一、形態的二、機能的三、精神力）の標準、測定せらるべき諸方法の相互の關係、發育型、疾病豫防問題等が、餘程研究せられなければ、妥當なる體力採點は不可能である。卽ち、科學的根據が必要である。茲にも學校衛生關係者の精進に俟たなければならないものがあるのである。次に智識による試驗の方は、私には、門外漢であるが、現在行はれて來た方法に革新の餘地は考へ得られないのであらうか。

時局下、長期建設が叫ばれ、我國の將來は、東亞の盟主として大陸政策に、すべて捧げなければならない。之は政治、產業、軍備、文化、經濟、すべて、日本の獨創力によらなければ決して成功し得るものではないと私は信じてゐる。

皇道精神に基づいて、今後大陸政策遂行に當るものはどうしても青年である。內地は老、壯年に任せて、青少年は、大擧して大陸に乘込むの氣概が必要である。私の言はんとする所は、教育の根本方針を確立して、大陸政策を目標に、すべてを指導する樣な方向に、教育が向けられて、從つて入學試驗の勉强する事が、この教育國策の線に沿つて有効である樣に、考慮せられる事が、素人の教育に對する側面觀として御讀捨を願ひたい次第である。

我々の今日考へる體力は、前記の如く、今日迄重要視された體格の外に、作業能力、精神力をも含めてゐるのである。之等の中には、智能力も亦入つてくるであらう。

入學試驗に就ても、之が智識、之が保護問題と餘りに別々に考へないで、對象は、一個の學童自體であるといふ考へ方の基に、各專門家が、一體になつて、研究的に入學試驗革新案が進められん事を希望する。

新入學兒童のお母さんへ

—豫め健康診斷を受けておきませう—

醫學博士　廣島英夫

やがて四月が參ります。本年初めて就學する兒童のお母さんに、是非入學前に豫め子供の身體や精神の發育狀態を診察して貰つておかれることを御願致します。今迄とは全く異つた學校生活をするやうになるのですから、子供にとつて肉體上精神上に相當な影響を與へます。若し身體にどこか病氣があつたり異常があつたりしますと學校へ行つて反つて惡い結果を齎します。

研究によりますと兒童が病氣であり乍ら知らずに登校してゐる場合が案外多いものであります。その中殊に鼻咽腔、眼、齒等に故障のある者が多いのです。又最近問題になつてゐます結核にしても、全學校の一—二%は治療を要するものと云はれてゐます。それが家庭も知らずに居て詳細な診察の結果發見されるのです。夫れ故就學前に詳しい診察を受ける事が極めて大切であります。一般の診察の外、**尿の檢査「ツルベルクリン」反應、血液黴毒反應斜視、アデノイド、扁桃腺肥大、耳漏聾、扁平足、姿勢異常、甲狀腺肥大、榮養不良、齒牙疾患等**を檢査して貰ふ事が大切です。殊に黴毒は學童內にさへ二—三%あると云はれてゐます。身體の發育は勿論精神的の發育不良と黴毒とは大いに關係がありますので、子供だとて黴毒を等閑視することは出來ません。

而して病氣又は異常があつた時は早く治療又は矯正して、入學時には健康な身體にしておかねばなりません。更に**入學すると色々な急性傳染病（麻疹、百日咳、猩紅熱、ヂフテリヤ等）傳染性の皮膚病や眼病に罹る機會が多くなります。**從つて豫め豫防注射や內服豫防藥の服用をしておく事もよろしい。又家庭でも此の樣な病氣に注意して、子供に少しでも病氣の兆があれば登校を止め醫師に診せるか、又は適當の處置をせねばなりません。

子供は學校といふ馴れない生活に入るのです故、豫め之に對して家庭で馴らしておく事が大切であります。殊に小人數の家庭で育ち、大勢の子供と餘り遊ばなかつた子供には必要です。大勢の中で引つ込勝にならず、元氣よく且行儀よくするように教へ、又學校では自分の氣儘を通すことは出來ず、獨り勝手の事も出來ず皆と一緒にしなければなりません。かうした事にも次第に馴らしておく必要があります。ですから今から起床、臥床等を規則正しくし、大勢の子供と遊ばす樣にするとよろしい。

而して學校は樂しい所で先生は偉い、親切な、良い人であると云つてきかせ、決して恐怖心や羞恥心を起さしてはなりません。

冬多い子供の災害

‖厚着で狹い家の中を遊ばす‖

親心が仇・禍を招く

さき頃北葛飾で一家不在中、納戸六疊間に寢かせて置いた赤ちゃん（去る五月生れ）の顔の上へ、飼猫がのそりと這ひ上り、目鼻をおさへつけて窒息死に至らしめた事件がありました。猫は寒くて煖をとるため赤ちゃんの上へのつたものらしいのです。この場合、納戸の戸や窓を閉めて、猫の入れぬやうにしておいたならば、恐らくこの慘事は起き得なかつたことでせうが、この事件は親の不注意を戒めるとゝもに、冬に向つて火傷をはじめ、俄に多くなる幼兒の災害に對する大きな警告といへます。

×　×

幼兒の災害が冬とくに多いといふことは例へば冬の一〇に對し春、秋は何れも三、夏七といふ比較によつても分ります。このやうに冬幼兒の災害が多いといふ事の原因としては、第一に衣服、次に遊び場所の制限といふ事が擧げられます。冬はどうしても厚着になりますが、そのためたゞさへ身のこなしの十分にできない幼兒は、一層身體運動の自由を失ひ、また動作も鈍くなつて機敏な行動がとれなくなります

×　×

一方、廣い戸外で遊ぶことができなくなるため、自然、狹い家の中を遊び場所にするやうになりますが、こどもは廣い外で遊ぶ時と同じ氣持で動ぎ廻ります。この結果一寸したことでも蹟いたりころんだりするやうになり、その災害も總數三〇として、室內の場合が一七となり、半數以上を占め、傷害の種類も火傷が一〇、打撲八で、その原因も湯沸し、湯タンポ、炬燵などでする火傷とか、階段、緣先から落ちてといつたものが大半を占める程で、家の中での災害が極めて多くみられます。これらの中でも殊に親の不注意によるものでは、懷爐で腹に、湯タンポで脚に火傷させたり、夜具で窒息させたりする事ですが、往來や戸外で遊ぶことの少ない割に、自轉車、自動車に轢かれたり、また農村では用水や井戸に落ちて溺死するものも率からいへば夏に劣らず、これなどは、厚着で身體の自由が利かないといふことが大きな原因でせう。

×　×

これらの災害も、親の注意一つによつては、幾らでも未然に防げることですし、子に甘い親心から寒からう、危ないからと思つてすることが却つて災害の因になつてゐることの多いのは特に注目すべきでせう。

雛人形陳列

二月九日―三月末日・四階中央

桃花優しく笑みて雪洞の灯影に映ゆる雛の節會―あでやかにも雅びやかなお雛祭りが近づきました。優雅な有職雛から新しい變り雛まで各種取揃へ陳列いたします。

大阪
高麗橋
三越

春窓獨語

今中楓溪

一

老梅、枝高くして風寒し。朝日のかげ旣に躍れり。花心玲にして礀、冷且つ徹せるものあり。吾人今更菅公を思はす。

二

梅の孤高を尋ねむとすれば、孤節たるべき也。孤節悠々、さらに孤心悠々、仰げば空更に靑し。

三

日天に中して、地上の野梅香を放てり。門前の流水、また空を浮べ、雲を流す。吾人はしづかに神つ國の姿をゑがく。

四

紙障尙明るくして、電燈すでに消えたり。家人、言なく、門外の風聲いづこに去らむとはする。

五

老梅須らく星に配すべし。月影に花笠をうつすは平凡であり、寧ろ梅の花心を傷くるに近し。星に配してこそ龍幹の

妙趣湧くをおぼゆ。更に老梅花下に立つ高士の俤を偲ぶのである。

六

空にして實、實にして空、これ人生也、人生は凡てに通ず。宗教素より然り。藝術またかくあらざるべからず。

七

和歌は水の心也、星の心也。空の心也。この天地乾坤の諸相、老梅一枝の花心に通ふものがある。欣すべきである。

八

後園前栽の梅、漸く花心を天にむけて、香浮動せり。庭石苔むしてきさらぎの風、全く止みぬ。

九

老梅に隣して稚梅あり。一は龍幹一は幼姿また楚々たるものあり。共によろし、共に詩に入り歌に入る。吾人梅花に對して人生を淋します。

一〇

梅心に相觸れて醉後の詩心また深し。櫻を賞する前に、梅あり。櫻は朝日に映ずるの嬌姿艷態を見するも、梅は、星かげにかそかに暗香をたゞよはして、默々たり。吾人の心こゝに至つて盡く。

一一

子供の心は梅の心に通ひ、その天眞さは梅の香に通ず。しかして梅の特異性は稚梅老梅によつて變ずるものでない。顧みて人は年長ずるに隨ひ童心銷磨されて天眞を失ふ。吾人今夜梅花に對して、「子供の世紀」のために感謝しその發展を祈らざるを得ない。

女よ、天汝に世界を與ふ

前遞信大臣　永井柳太郎

一

私は嘗て、東部西伯利亞に遊び、船でアムール河を下つた事がある。西伯利亞には鑛物、木材、獸皮、大豆、穀類等、特有の物產はかなり豐富であるが、然も此等は大資本の對象たるべきもので、裸體一貫の所謂出稼人の發展には、非常に不便な土地である。然るに此の發展に困難なる日本移民の少ない朔北のアムール河畔に於て、私は最も大膽に發展しつゝある多くの日本婦人を發見した。由來邦人の海外發展の草分は、醜業婦だと言はれてゐるが、これは必ずしも支那、南洋等、氣候、風土のいゝ地方に限つたことではない。荒寥たるアムール河畔、交通困難にして、草賊出沒しつゝある東部西伯利亞に於てさへ、日本の醜業婦のみは、非常な勢を以て發展しつゝあつたのである。日本人は寬永の鎖國以來、海外發展に就て、甚だしく萎縮的、退嬰的となつて仕舞つたと云はれて居る。殊に古來深窓に人となり、人間並に世間を見ることとすら禁ぜられてゐた日本婦人は、習慣が第二の天性となつて、戶外に出入することさへ億劫だと考へるやうになつた。況んや萬里の波濤を渡り、異境に出でて、未知の世界に、新らしき運命を開拓するなどとは、思ひも寄らぬことである。然も此の萎縮的、退嬰的で引込思案の標本の如く思はれて居る日本婦人が、醜業婦人としては、驚くべく勇敢に、全世界を股にかけて横行濶步しつゝあるは何故か。私は茲に日本婦人の海外進出に就て興味あり且つ意義ある問題が横はつて居ると思ふ。

二

邦人醜業婦の海外出稼ぎは、大體彼等自身の生活難に依るもの、卽ち其家が貧困で苦界に身を沈めたものと、密航誘拐者の爪に掛り、誘拐されて海外に賣り飛ばされたものと、此二つが主要の原因となつてゐる。が原因の如何は別として、彼等が今日世界の到る處に繁昌しつゝあるは、卽ち海外各地に活躍する男性日本人が、事實に於て、彼等の存在を必要とするからであるに相違ない。北は朔風肌を刺す寒冷の西伯利亞から、南は熱帶の濠洲、裏表南洋諸島に至る迄、此の邦人醜業婦の今尙ほ盛んに發展しつゝあるを見るは、要するに、需要あつての供給と見る外はない。尤も所謂娘子軍の海外發展なるものは之を歷史的に見れば、男性日本人の海外發展に先だつ事遙に遠く、男性日本人は、寧ろ此の醜業婦の後を追ふて出動じたものであるが、在住日本人の數が增加するに從つて彼等醜業婦の數も亦比例的に增加し、今日に於ては、明かに男性日本人の要求に應じて存在しつゝある。故に在外醜業婦の一掃は、廢止論者の希望する如く、中々容易のことであるまい。彼等の生活の悲慘なることは、奴隷解放前のニグローと五十步百步である。かくの如き奴隷の存在は日本文明の一大恥辱でなくて何であらう。一日も速かに其撲滅を期せなくてはならぬが、然し、一般の眞面目なる日本婦人が、今尙大奥の人形たる域を脫せず、男子と共に海外に移住して、男性日本人の事業を分擔するの精神なく、從つて海外在住邦人に獨身者が多い間は、此の邦人奴隷の數は、恐らく益々增加するであらう。春秋の筆法を以て之を論ずれば、醜業婦の海外出稼ぎを奬勵する者は、實に引込思案の內地婦人其者であると云ふことが出來る。

三

樺太の鰊漁期になると、北海道の函館邊りから漁師の稼ぎ高を狙ふ藝者や、密娼などの娘子軍が殺到する。命を的に稼いだ若い漁師の收入は、大方此の娘子軍に掻つ浚はれて仕舞ふ。樺太では此の娘子軍の事を「鰊殺し」と呼んでゐる。濠洲の眞珠採取に從事する邦人潛水夫が活躍するブルームから木曜島邊にも、又此の「鰊殺し」が跋扈して居ると聞く。海外第一線に立つて捨身の活躍を續ける勇敢なる邦人青年の所得は、かくして其大部分は醜業婦の手に落ちる。而して醜業婦の背後には、植民地の常として多くの場合、惡性の保護者が密着して居る。彼等の生活は極端に荒廢して居り、日夜酒色と賭博とに耽るのである。そこで醜業婦の所得は大半此の酒色と賭博との常習犯である惡漢の手に奪はれ、それが又大方土着の博徒に吸收されて仕舞ふから、邦人青年奮闘の

收入は、又元通り其の出稼地に返上するといふことになる。勿論、彼等の全部が左樣であるとは言はない。中には感ずべき例外の立志傳もあれば、奮闘美談もある。が海外に活動する邦人青年の多數が幾年經つても財を殘さず、同時に此等の男性同胞の所得を搾取する娘子軍の多數も亦、同じく素貧の無一物を以て終るのは畢竟、斯くの如き事情があつて、其稼高が今より八年前、シンガポール地方で此の邦人娼妓の撤廢を斷行した。シンガポール地方で廢娼が行はるゝといふので奧地のマレー半島や緬甸の蘭貢邊でも、同時に此の「日本娘」の一掃を企てたのであるが、全體を通じて五六百人の娼妓が、內地へ送還されることとなつた。始め領事の考へでは、それ等の醜業婦は、大概十年乃至二十年、同じ土地で働いたのであるから、本國に歸るにしても、旅費は勿論のこと、鄉里の父母を喜ばす貯金の少々位は持つて居るだらうと見込みを附けて居た。所が、いざ廢娼となり、歸國といふ事になつて見ると、旅費の貯蓄は愚か、或女の如きは一枚の袷すら持つて居ない。南洋の如き熱帶と違つて、日本へ歸れば、冬物の準備も必要である。國際奴隷となつて、海外三千浬の異境で肉を鬻ぐこと二十年、然も一枚の袷すら調へる事が出來ないといふに至つては、人生の悲劇も亦極まると云はざるを得ない。彼女が領事館で「只今から商賣は已めて國へ歸るにしても、御覽の如く旅費も着物もありません。それ丈は、何うか、御上の方で御心配を願ひたうムいます」といふた時、海峽植民地の領事は非常に面喰つたといふ話がある。之は其一例に過ぎぬが、之れに依つて見ても在外醜業婦の生活が、如何に荒んで居るかが分るであらう。獨身青年は孤獨の悲哀を慰する爲に、此の邦人娼妓を相手に濫費する。然も此の邦人多年の努力の結晶が、醜業婦の手を經て更に不正業者や博徒の懷に轉々し、終に元通り出稼地に流れ去ると言ふに至つては、海外生活は撤廢せざるを得ない。要するに正業婦の男子に同伴して海外發展に志す者少きことが、在外醜業婦の跋扈を促し、延いて邦人自身の活動の成果を失はしめて居るのである。

四

大體日本人は、海外發展に就て、必ずしも消極的、退嬰的の民族でない。成程寬永の鎖國は、一時、一切の海外交通を、日本人の前に封鎖した。爾來、日本人の海外發展は、英、蘭、葡、西の四箇國が、東洋方面で海賊的奪略の大活劇を演じつゝある最中に於て、此の大活劇を目の前にして一頓挫を來した。併し、我々日本人の祖先は、古來天風海潮に駕して、海外進出を企てたる勇敢な

る遠征民族である。若し徳川家光の鎖國令が此の大活劇の眞最中に於て行はれなかつたならば、印度のクライブや、阿弗利加のセシル・ローズなどは、英國より出でずして、日本より出でたかも知れない。我々日本人の祖先の中には、婦人の躬を以て大軍を率ゐつゝ大海を渡り給ふた神功皇后がある。推古天皇十五年には小野妹子が、聖德太子の命を奉じて隋に渡り「日出づる所の天子、書を日沒する所の天子に致す」と、一書を隋の皇帝に獻じた勇敢なる話がある。推古天皇の時から、平安朝の初め迄、實に二百三十年間に、二十三回の遣唐使が海を越えた。當時の航海は非常な冒險で、文字通り命懸けの航海であつた。玄海の波に難破し難船も少くなかつた。阿部仲麿は支那留學の歸途、長江河口で暴風雨に出逢つて難船し、支那沿岸を漂流して安南に漂着した。そこで歸國を思ひ止まり、玄宗皇帝に仕へて安南都督になつたと傳へらるゝ。「天の原ふりさけ見れば春日なる、三笠の山に出でし月かも」と故山を懐ふて泣いた仲麿は、遂に日本に歸らず骨を支那に埋めたのである。

淸和天皇の貞觀三年には、高岳親王(眞如法師)が佛教研究の爲め、八十歳の高齢を以て、印度渡航を企てられた。親王は肥前松浦を船出され、廣東から、安南を經て、陸路印度に出づる壯途に就かれたのであるが、途中シンガポール附近の山林で猛虎に襲はれて、薨去せられたと傳へられてゐる。これは今より千餘年前の事であるが、日本の皇族の御一人が、今より千餘年前、南洋のマレー半島に其の足跡を印せられ、且つ虎吼ゆる熱帶の蠻界に其の骨を埋められたといふ事は、日本民族の海外發展史上、特筆大書すべき事實ではあるまいか。

それから元寇の亂後、我が足利時代、即ち支那の明朝時代に入つて、有名なる海賊八幡船が活躍した。これは例の支那沿岸に出沒して、南支那海の荒天に嘯き、濱海の人心を寒からしめた倭寇である。次には、豊太閤の朝鮮征伐と、明征伐とがある。それから徳川時代に入つても、海外貿易は一時盛んに行はれ、所謂御朱印船は、遠く安南、暹羅、東京、比律賓、ボルネオ、マラッカ等の南洋各地に雄飛した。從つて其當時に於ては、海外に乘出す者が非常に多く、到る處に日本人町が出來た。比律賓のマニラ、安南のツラン、フェオ等には、三千人からの日本人町があり、暹羅のアユチヤにも數千人の日本人が居住したといふことである。斯くの如く我々の祖先は古來、交通の未だ開けず、船舶の最も幼稚な時代から天風海潮に駕して、支那南洋等の新天地に出動し、活躍した。

五

寛永十三年(一六三六年)徳川家光のキリシタン・バテレン禁止による鎖國令が布かれてから、外國との交通は一時全く杜絶するに至つたのであるが、鎖國令の實施は峻烈を極めたもので、出入共に嚴禁し、禁を犯した者は死刑に處した。當時南蠻人と呼ばれた西班牙人や葡萄牙人等の入國は斷然拒絶し、其子孫及び之を養子とした父母を全部國外に追放し、蘭、英兩國人も其家族と共に、ジヤガタラ(爪哇)嶋に追放した。其頃、長崎の築後町にヱゲレス女房年三十七、娘まん年十九、同はる年十五、孫萬吉三歳の一家があつたが、法に依つて同じくジヤガタラに追放された。有名なジヤガタラ文は、後に此の娘はるが、海南三千浬の爪哇から、母國思慕の情を訴へたものである。

「千はやふる神無月とよ、うらめしの嵐や、また宵月も空もうちくもり、時雨と共に、ふる里を出でしその日を限りとなし、又文を見じあし原の浦路はるかにへだたれど、かよふ心のおくれねば、おもひやる屋まとの道のはるけきも、ゆめにまちかくこゐぬ夜ぞなき。

御ゆかしさのまゝ、腰おれかき付け參らせ候(中略)かくうらめしき遠き夷の島に海されつゝ、きのふけふと思ひながら、はや三とせの春をすぎ、けふは卯月朔日、まだ東雲に、あすは出船と人の聞えつるに、せめて筆のあとにてもと存じ、なみだながらに、硯にむかひ參らせ候」

と書き出し、最後の所に「あら日本こひしや、ゆかしや、なつかしや、見たや〳〵」と結んである。情緒、綿々、盡くる處を知らない。宛名は「日本にて、おたつさま參る」とあるから此の少女の緣者か友達であらう。

かくの如く、寛永の鎖國令は、當時の日本を外國に對して、完全に閉鎖した。然も此の鎖國が一方に於て、當時の邦人基督教信者が、如何に幕府の壓迫あるも、信仰を捨てず、國を逃れて、比律賓、呂宋等、未開未知の蠻地に渡る眞劍味を有したる事實を語り、同時に又追放された蘭、英人の妻女となつた日本婦人や其子女が媽港や爪哇等の異國に、永住の基礎を築いた原因をなした事は抹殺すべからざる事實である。

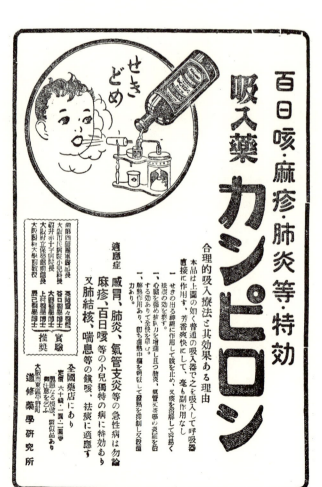

南洋のセレベスに行くと、ミナハサといふ一小王國がある。住民はマレー人種だが、其頭髪と云ひ、皮膚の色と云ひ、寸分日本人と變らない。土人は彼等の祖先は日本人であつたと確信してゐる。同國の中央部落のラゴワン附近に、大きな岩があつて、昔から其岩に文字が彫つてあつたが、それが假名交りの日本文であつたといふ説がある。祖先が日本人であると思はれては、和蘭政府の

統治上、面白からぬ結果を來すといふので、政府が此の岩の文字を削り取らせたと云はれてゐる。

土地の古老の話に依ると、今より何百年か前に、此の國のメナド港に、一團の漂流者があつて、此の漂流者が土人の娘達を娶つて定住した。其子孫が、即ち今のミナハサ人だと云ふが、此のメナドも、日本のミナト(港)から來たのではないかと言はれてゐる。又土人の家に先祖傳來の實物があるが、土人はそれをきもんと呼んでゐる。見れば一種の衣服だそうである。それから、此の地方の農具なども、日本の鋤、鍬と非常によく似て居り、然も其の名まで、すき、くはと呼んでゐると聞く。住民はヤコブ、フエルヂナンド、イサクなどゝ、基督教の名前を附けてゐるが、これ等の點より推して、ミナハサの住民は昔邦人難破船の漂着したものか、寛永鎖國當時、國外に追放された基督教信者の一團かゞ、比律賓を經由して移住したのかも知れぬと云はれて居る。

海峽植民地のシンガポールに、ジヤパン・スツリートといふ町がある。これは今より約六十年前、一和蘭船員の妻であつた日本人が、同地で夫に死別し、今のジヤパン・スツリートでバナナの露店を出したが生計に窮し、遂に肉を鬻いで口を糊した處から殘つた町名だといふが、之は恐らく南洋方面に於ける邦人醜業婦の草分であり、同時に同地邦人發展の魁とも言ふべきものであらう。何れにしても、我々の祖先には、古來、男女を問はず、海外に雄飛して、新天地を開拓せんとする鬱勃たる氣魄が漲つて居つたことは爭はれない。

六

移民問題は、民族生活並に民族文化の問題として大なる重要性を有する。全體如何なる民族でも一定の土地に固着して、異民族に接觸することを避け、外部から刺戟を受けることが少くなると、精神的にも肉體的にも萎靡して終に滅亡するに至る危險あることは、移動性の少い諸民族の歴史に徵して明白である。異境の風土に接し、異民族の文化に刺戟せらるゝこと多き民族は、必ず偉大なる發展を遂げる。殊に移民問題は、我國に於ては人口問題解決の上に、最も重要なる役目を果す問題である。近頃日本の人口増加が顯著となれるに就て産兒制限云々の説もあるが、世界の未開墾地を其未開墾の儘に放任し、富の壟斷者を其壟斷する儘にして顧みず、内外共に、何等爲すべきことを爲さずして、唯不自然なる人口により、生れ出でんとするものゝ生るべき自由を奪ひ、それによつて食糧問題を彌縫せんとするが如きは、餘りに消極的で、結局は日本の自殺に他ならぬ。我々日本人には古來、天風海潮に駕して海外に雄飛し、新天地を開拓する本能

の血液が流れて居る。私は將來の日本人は、此の祖先の本分に歸り、大に外に向つて發展し、全人類の幸福のために世界の未開墾地を開墾して、地球上に共生存權を確立しなければならぬと思ふ。

それには、今日の如く、獨身青年が、裸一貫で、無方針で飛び出す事を已めて、婦人を伴ふ堅實なる家庭の永住を目的とする海外移住を計らねばならぬ。我國の婦人は、一般に引込思案で、海外に出る事を嫌ふと云はれてゐるが、それは海外の事情によく通ぜないが爲である。一體日本人は、事毎に歐米崇拜で、鹿鳴館の無踏以來、歐米事情なら、何でも心得て居るが如き顏をすることを好むに拘らず、正にこれより大に發展せんとする歐米以外の外國事情に就ては、殆んど全然知る所がない。或人が上海の友人へ長崎縣上海市と書いて手紙を出したので、此の手紙を受取つた上海では大笑ひをしたと云ふ話があるが、これなどは、まだいゝ方である。南米と言へば、阿弗利加同樣、猛獸毒蛇が棲む野蠻國であると考へ、支那と云へば、未だに日清戰爭當時の支那を聯想するやうな人すらある。一般の男子でさへ斯くの如くである。況んや婦人に向つて南米や、南洋や、支那に輿入せよと云ふのは現在の如く、海外事情に無智な狀態では無理な話かも知れない。然るに、各地の事情が分つて見れば、猫額大の内地で、運命を開拓する餘地なく、生活難に窮迫せる人々は内に跼蹐して其沒落を待つより、大に外に發展して、新生活を建設する方が、遙かにいゝ事が明白となつて來るであらう。日本婦人に海外發展の資格がないとは云はない。醜業婦すら、天風に梳り、萬里の波濤を越ゆるのである。故に罪は敎へざるに在る。

七

近來伯剌西爾方面に、我が家族移民の移住するものが非常に多い。殊に郵船、商船の二大會社が移民航路を特設して以來、南米移民は船毎に増加の傾向を示してゐる。現在同國に於ける在留邦人總數は約五萬に達して居る。其他亞爾然丁に約二千六百人、智利共和國に約五百六十人、秘露共和國に約一萬一千人の同胞が現存して居るから、南米全體を通じて、約六七萬の邦人移民が奮鬪して居る譯である。然も之等の移民は多く婦人を伴つて居り、殊に近年伯剌西爾方面に渡航する移民は大部分が家族移民であるから、獨身青年の如く孤獨の悲哀から、間違ひを引起す人が少なく、其生活も極めて堅實で一意渡航の目的を達すべく努力して居る。

日本の海外移住は、今の處まだ其初步である。邦人移民の最も多い伯剌西爾でさへ、現在同胞の數は五萬に過ぎぬ。之れを伊太利の同國現在移民百三十七萬、葡萄牙

の百萬、獨逸の八十萬、露國の七十萬、西班牙の五十萬に比すれば、日本移民の如きは、殆んど物の數にも這入らない。日本はもつと〳〵外國に向つて發展しなければならぬ。現在我が國の在外人口總數は約六十二萬五千人と勘定せられてゐる。此の内婦人の數は二十六萬五千人を算するけれども、家族移民の少ない支那、南洋、印度、濠洲等の方面に於ては、日本人は其大部分が男子と云へば未婚の青年、女子と云へば、闇に咲く醜業婦である。外國領土で身邊の寂寥に苦しむ未婚の邦人青年と、誘惑を營業とする水商賣の邦人醜業婦とが、我が海外發展の主要分子とあつては、其結果は、即ち知るべしである。青年の生活は、環境の誘惑に依り、自然自墮落に流れざるを得ない。時とすると、海外に在る日本人で其の地の土人女と同棲して居るものがある。蘭領爪哇、スマトラ邊りで邦人醜業婦の少い奧地に活躍する日本人の中には多く爪哇女や、馬來女を携帶して居るものを見受ける。南洋では、此の種の土人女をニアイと呼んで居るが、これは歐洲に長年滯在する日本人が、時折、携帶してゐる、例の白妻と同格のものであらう。眞面目なる青年でも、長く海外に在つて婚期を逸し、然も新らしく日本から嫁を迎へんとしても應ずる者なく、偶々應ずる者もあれば、莫大な費用が掛つたり、色々條件が付いたりして面倒を生ずるため自然其地の土人女の誘惑に滿足する事になる。然も此の土人女には、特異の例外は別として、眞に日本人の爲を思ひ、つゝましく家庭を管理するものが少い。從つて非常に濫費の多い生活をせねばならぬ。そこで苦鬪幾十年、何等得るところなくして終る氣の毒な人が少くないのである。

前に一寸述べた濠洲の邦人潛水夫が、數箇月間、沖で働いた收入が、大部分、邦人醜業と、白人賣笑婦に吸ひ取られて仕舞ふのも、總て同一の原因から來た同一の結果である。

近時、南洋方面に我が沖繩の漁師が移住、出動し、殊に馬來、爪哇方面では、此の沖繩漁師の出漁が、同地漁業界の一大脅威となつてゐる程、好成績を擧げて居るといふが、これも又陸に上つては、其の稼ぎ高の全部を、飮む、打つ、買ふの三道樂に使つて仕舞ふ。生れ故鄕の沖繩は近年極度の不況で縣民は饑餓に瀕し、彼等の父老は蘇鐵の實で、露命を繫いで居ると云ふのではないか。勿論、總ての獨身青年が、悉く此の如くであるとは云はない。併し婦人を伴はざる移民に常に此の種の危險が附き纒ひ、折角大をなすべき第一線の奮鬪家が結局大をなさずして失敗に終る實例は頗る多い。私は此の事實を——特に内地の若き正業に從事する婦人に對して指摘し、而して其反省と奮發とを促したいのである。

童話と古典

魚澄惣五郎

一

いかなる時代、たとへそれが文獻の存しない樣な古代においても、またいかなる民族においても童話は行はれるものである。人間個人の精神生活や智識の發達過程は、ある一民族の精神發達と稍々相類するものが認められる。原始古代民族の想像作用、即ち人智の開けない時代の人々の想像作用は、ある條件の下に兒童の想像作用として現はし得るものであるから、比較的原始時代民族の所産が兒童の心理に合して喜ばれるのは、その兒童的な性質をある程度まで反映してゐるからである。

浦島物語の話は、わが古典たる萬葉集・丹後風土記・日本書紀等に既に起源を有してゐる存外古い話であり、又花咲爺のお伽噺に類するものとしては、犬が恩を報ゆる説話として宇治拾遺物語に御堂關白のお犬のことが記され、古今著聞集には愛兒の親しんだ犬が、愛兒の命日を知つてゐる話もある。親切な爺といぢわる爺との舌切雀の童話は、宇治拾遺物語(四十六)に雀恩を報ゆることと題して既に記されてゐる。これは思想としてはかなり進んだ因果應報の觀念に由來するが、その話の趣好は童話的である。

佛教思想やその現はれである因果思想は、舌切雀や花咲爺に最も顯著であるが、利己的な目的で樂果を得るために、即ち善果を得るためにしたといふならば、それは兒童の世界ではない。善いことは良心に順ふからする。惡いことは良心に逆ふからしないといふ立場からでなければならない。

また童話は兒童に詩的想像の世界を作り、詩的想像を湧かしめるものであるが、主眼とするところは想像世界

の醇化と感情の訓練とにあらねばならぬので、兒童の感情生活を豊かにするものであらねばならぬ。幼い時に聞いた童話が比較的成長後になつても、つまらないばか〳〵しいと感ずるものとならいのは、その醇化に存し、詩的想像であるからである。

元來童話は兒童の感情性に應じたもので、その想像の世界において恐怖・歡喜を起すものでなければならぬ。殊に子供は小さく弱いから、大人や外界の事象に何とか勝たうとし、桔抗しようとする心持がある。しかし子供はそれに敵對出來ないので、想像の世界に魔法なるものを創作し、これによつて敵をやつつける。猿飛佐助の忍術が喜ばれるのはこの點である。而もかゝる魔法使ひの話は、その筋に非常に急激な變化がある上に、その願望を實現し、心的成就卽ち勝利に對する歡喜が、兒童の感情性に應ずるからである。又兒童の想像の表徴としては直觀的で、無批判的で架空的なことが著しい。自ら多く恐れたり困ると思ふ場合、その困難の對象は大蛇・虎・熊や雷・鬼・化物・大入道等で、實生活的でなく、想像のはげしいもが多い。從つて徒らに兒童の興味本位に迎合しては兒童の心性を不純化するから、常によき心性の陶治と感情の醇化といふことを忘れてはならない。

二

今わが古文獻、殊に風土記に現れた童話的なものを、心付いたまゝにいさゝか左に記して見よう。第一に風土記であるが、これは奈良時代に編纂されたことは云ふまでもないが、今完存してゐるものは播磨・常陸・出雲・肥前・豊後の五風土記で、外に他の文獻に引用された逸文風土記が存する。その內容の主たるものは遊離的な地名傳說である。

さて「山の背くらべ」の傳說は各地に存するが、比較的古いものは逸文風土記に見える。卽ち一例としては、近江國で淺井の岡が、伊吹山と高さくらべをした時に、淺井の岡は伊吹山の姪であつたが、一夜の中に伸びて叔父さんに勝たうとした、伊吹山の多々美彥は大いに怒つて、劍をぬいて淺井姬の頸を切ると、それが湖水の中へ飛んで行つて島になつた。これが今の竹生島である。

といふ筋のものであるが、他にも背くらべの話はある。よその山の高いといふ噂をすることはなるべく控へる様にする、それがまじないともなるといふ說話であつて、例へば塵袋といふ書には、

日向の國人は癰（ヨウ）といふ腫物が出來た時に、吐濃峰（トノノ）といふ山に「常に私はあなたの山を高いと思つてゐたが、私の腫物が今ではあなたよりも高くなりました。もし

御腹が立つなら早くこの腫物を引つ込ませて下さいといつて、毎朝一・二度づゝ杵（キネ）の先をそのおできに當てると三日めには必ず治るといふ。山の神が自分より高くなるのを憎んで急いで杵を叩き伏せる樣に呪文を唱へたのである。

また先住民の信仰が影響を後世に及ぼしたものと思はれるものが常陸風土記にある。それは

那賀郡平津驛家の西に大櫛といふ岡があつて、大昔非常な大人があつて岡の上に腰をかけて手を伸ばして、海の蜃（蛤）を採つて食した。その食ひがらの貝が積み積つて丘になつたので、大朽（クチ）といふ意によつて、時の人が大櫛の岡と呼んだ。此大人の足跡は長さ三十步、廣さ二十餘步で、尿の穴の趾が二十餘步に亘つてゐる。

といふので、これは古代民族住居遺趾たる貝塚の成立を說明する爲に出來たもので、巨大な人間の力によるとしたのは、わが古代人の思想には珍らしいことで、神の觀念のなかつた時の偉大なる人であつて、いはゆる巨人種の傳說ではなからう。

また常陸國記の逸文と思はれるものに、雷神の傳說がある。

昔々兄と妹とが田植を競ひ、負けたものは伊福部（イフキ）の神の殃を受けるだらうと話し合うたのを、雷が聞いて、田植のおくれた妹を蹴ころした。兄は大いに悲しみ讎の所在を求めるために、折から傍に飛んで來た雌雉の尾に綜麻（ヘツ）を結びつけて、その後を追うて行き、伊福部岳の石屋で雷神を見つけて切殺さうとした所が、雷が恐れて、必ず君の命を聞き子々孫々に至るまで雷震の害のない樣にするからというて、憐を乞うたので、命を助けた。男は雉を德とし、世々恩を忘れるやうなことがあつたら不幸を招くであらうと誓うたので、その他の百姓は今も雉を食はぬ。

雷の神は雄略天皇の御代に小子部蜾蠃（スガル）に捕へられた話もあつて、わが古傳では餘り强くない神とせられてゐたかも知れない。

山と山との競爭の說話はなほ常陸風土記に存する。

昔御祖神（ミオヤ）が諸神の許を巡行せられた時、駿河國の福慈（フジ）岳（富士山）に到着して日がくれたので、福慈（フジ）神に宿を乞うたが、粟の新嘗の日で、家內物忌の折からである故、御宿はなり申さぬと斷つた。御祖神は立腹して、その方の住む地は永久に雪が降つて登山者も手向する人もないであらうといつた。それから筑波の岳に登つて宿を乞うた所が筑波の神が答へていふには、今夜は新嘗ではござれども、御請申さぬわけにはなるまいとい

うて、飮食を設けて接待した。御祖神は喜んで天地の極み、此地には人民が集つて飮食が豊かであらうと祝つた。この故に福慈（フジ）の山には四時降雪があるが、筑波の山には春も秋も靑々とし、以來歌舞飮食が絕えぬのである。

これは筑波山に歌舞の會が行はれる由來を說明したものであるが、各自その鄉土の山をあまりに熱心に愛するが爲に、筑波と富士との競爭となつたのである。

この他各風土記や日本靈異記をはじめ、宇治拾遺物語今昔物語等の古文獻には童話的の材料は極めて多いのであつて、われ〳〵は童話の資材を古典に求めることは、最もふさはしいことゝ思ふ。

× × ×
× × ×

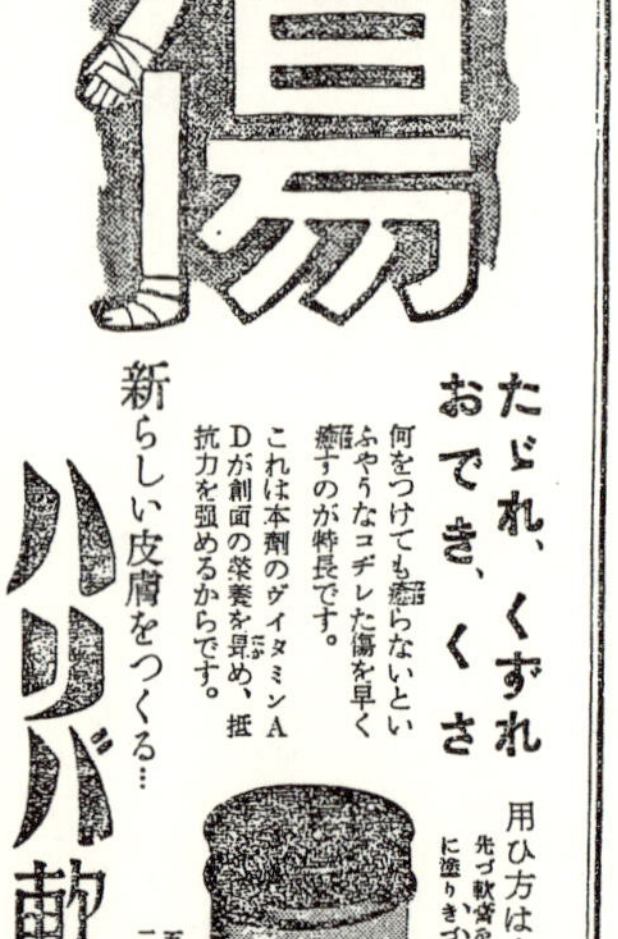

右大臣源實朝公

文學博士　故　八代國治

一、緒　言

實朝公逝いてよりこゝに七百年、星移り物變りて鎌倉は殆ど昔時の面影がないが、唯獨り鶴岡社頭に矗々たる一大老銀杏ありて名殘を止めて居る、鶴岡に參拜する每に轉た昔時を追懷して公の爲めに潸然として淚を催さないことはない。

公は鎌倉幕府第三代の年少の征夷大將軍であるが、尊王の志厚く敬神崇佛の念深く尙武勤儉能く將士を愛撫し民政に力を注ぎ、其の思想は時代を超越したる大偉人であつた。然るに江戶時代に賀茂淵翁ありて公の歌の雄壯高渾なることを推賞して萬葉集以來第一人と稱質した以外、公の人となりを公平に述べたものは殆どない、多くは優柔文弱の一貴公子として武道を顧みず終に身を亡ぼすに至つたと誤解せられて居るのは惜むべきである。

これは蓋し鎌倉幕府の記錄たる吾妻鏡を精讀しない結果である、吾妻鏡は從來鎌倉幕府の日記として最も直筆したる記錄の一として信ぜられて居つたが、之を精細に研究して見ると北條氏の盛時に編纂したもので日記でないことは余の「吾妻鏡の研究」に述べて置いた如くである。從つて北條氏の爲に辯護した點が少くない、就中賴家實朝二代將軍の記事は最も舞文曲筆が多い、この舞文曲筆の多い中から公の事蹟を考へて見ても實に立派な人格を備へた將軍であつたことが認められる、今この吾妻鏡を基として明月記、愚管抄、增鏡、保曆間記、六代勝記及び當時の文書記錄等によりて公の偉大な點を述べることゝする。

二、世　系　人　格

偉人傑士の出づる突然に起るものでない、必ずや因つて來る所が多い、實朝公の家系を考ふるに淸和天皇六代の孫經基、經基の孫甲斐守賴信以來久しく武門の棟梁と

して相模守賴義あり、八幡太郎義家あり、左馬頭義朝ありて累代名將勇士が輩出した淸和源氏である、父は六百年の武家政治を創めた偉人賴朝である、母は一世の女傑尼將軍政子である、政子の實家は八平氏の一で關東の名門北條氏である。祖父伯叔皆一代の俊傑であつた。公の姉大姫君は木曾義高の未亡人として公卿に配するをも拒み、宮中に入內するをも斷乎として退けた貞操義烈の婦人であつた、公の兄賴家は凡庸闇愚な君と稱せられて居るが、吾妻鏡、六代勝事記等によれば幼より武勇にして訴訟公平で頗る見るべき將軍であつた。この累代名將の輩出した源氏正嫡の血液を受けて、關東名門の出たる政子の腹に生れ、俊秀義烈なる兄弟を有した實朝公は固より優柔文弱の將軍でないことは自ら想像せられる。

實朝公が鎌倉名越の濱御所に呱々の聲を擧げたのは建久三年八月九日早朝であつた、この時は父賴朝は年來懇望して居つた征夷大將軍に任命された翌月で、京都の攝政兼實と東西相引汲して良政治を行つて所謂黃金時代とも稱すべき折であつたので、其の祝儀の如きも頗る盛儀を極めて名を千幡と命けて生先の幸多きことを思はしめた、賴朝の鍾愛は殊の外で、その年十二月には武藏守武田義信、相摸守大內惟義、上總介足利義兼、千葉常胤以下宿老將を召して、自ら千幡を抱きて諸將の前に出で、嬰兒の將來を守護さるべきことを慇懃の詞を以て依賴せられた。以て賴朝がいかに公に囑目したかを察することが出來る。

公は幼より聰明溫順御家人の推重する所であつたが、健仁三年九月十日十二歲を以て兄賴家の後を襲うて鎌倉の主となつた、朝廷は特に名を實朝と給ひ、征夷大將軍に任じ、從五位下に叙せられ、次で右兵衞佐に任ぜられた、翌年十三歲始めて政を聽きし以來、學問に和歌には並び行はれて諸將士の悅服する所となつた。殊に朝廷に對して恭順勤王の志篤く後鳥羽上皇の信任するところとなつた。從つて官位の如きも加賀介權右中將より累進して承元三年四月十日從三位に叙せられ、尋いで正二位に昇進し、健保二年正月美作守となり、權中納言左中將を經て、六年正月には權大納言に進み、三月左近衞大將を兼ぬ、同日左馬寮監となり十月九日內大臣に任ぜられ、十二月右大臣に轉じた、其の昇進の速なることは類例甚だ稀である、以て上皇の優遇せられたことが知られる。然るに翌承久元年正月二十八日鶴岡八幡宮に於て盛大な右大臣拜賀の式を行ふの歸途、其の甥僧公曉の爲めに殺されたのである、時に年僅に二十八歲であつた。

公將軍職を襲うてより其の薨去に至るまで十五ケ年、

其の間施政見るべきものが頗る多い、今公の勤王敬神等を述ぶる以前に公の人となりを述べよう。

公が十三歲の時であつた、結婚問題が起りて源氏の一族で北條氏の姻戚として勢望隆々たる足利義兼の女を娶るの議があつたが、公は斷然として之を退けて京都の公卿內に索めて防門大納言信淸の女を娶つて夫人とした。無論公の背後には女傑牧方があつて夫時致と共に之を援けたとはいへ、公が夙に京都を喜び京風を慕ひしを知ると共に其の聰明にして思慮あり、年少にしてかゝる事を處決する能力のあつたことが知られる。

翌年十四歲の折であつた、信乃國住人櫻井五郎なる鷹匠があつて、鵙を以て鳥を捕ふることに妙を得た、公に請うて親しく之を覽せられんことを求めた、相模守義時來りて雜談の次に公が語りて、櫻井五郎鵙を以て鳥を捕ふるといふが、予は儻に其の實を見やうと思ふが、嬰兒の戯に似るから詮なき事かといつたので、義時は勸めて之を一覽せしめた、この一事老成にして尋常の少年でない事が知れる。

建曆二年二月廿八日の事であつた、相模川の橋が朽損したので修理を加へらるべき事を三浦義村が上申した、然るに義時、廣元、善信等相談して、建久九年稻毛重成法師初めて之を新造し、供養の日結緣の爲め故將軍は渡御した後に幾程を俟たずして薨ぜられるし、重成法師も又歿に逢つた、先例不吉であるから今更再興に及ばずと定めて公に申した、公が曰く故將軍の薨去は武家執柄二十年官位を極め給うた後のことである、重成法師は己の不義によりて天譴を蒙りたるにて、全く橋建立過ではない、何ぞ不吉と稱すべきや、彼橋は箱根伊豆兩所權現參詣の要路に當り、民庶往反の便ありて其の利益は少くない。顚倒せざる以前に早く修理を加ふることが必要であるといつて修理を命ぜられた。當時は最も迷信の盛んな時代で萬般の施設一に吉凶をトして之を行へるに、公は斷然として之を退けたるはいかに以て公が時人の間に卓絕した識見を有して衷心神事及び百姓を重んじたかを知るべきである。

健保五年五月十二日のことであつた、壽福寺長老莊嚴房律師行勇營中に參つて所領相論の輩の事に就て特に依賴口入する所があつた、この僧の口入にこの度に限らず以前より既に數度周旋さるゝことがあつたので、公は大いに憤つて廣元をして曰はしめて、三寶歸依は甚だ重いけれども、政道に口を入れることは僧徒の所行ではない、早く之を停めて佛法修練を專にすべしと戒飾せられた、行勇は公の十二歲の時から佛敎の師として頗る歸依厚き僧であつたにもかゝはらず、斷乎と口入を退けて佛法と政道との區劃を明かにした、其の人物の偉大なことが察せられるのである。

承元三年十一月十四日のことであつた、相模守義時が其の郞從中有功の士を幕府の侍に準ぜられ度きことを懇望した、然るに公は之を一度聽したならば斯る輩の常として子孫の時に及んで以前の由緖を忘れ、直に幕府に參昇を企であらう。これは後難を招くの因由であるから、永く許可することは出來ないと嚴重に之を退けて許さなかつた、義時は賴朝以來の元老で、公を奉戴した外戚である、當時現に執權として關東の權を握り飛ぶ鳥を落す勢ひであつたにも拘はらず、一言の下に之を退けたるは頗る痛快である、殊に十八歲の若年の時であつたから、愈々非凡で尋常將軍の爲し得べき點でないことが知られよう。

以上述べた如く公が人となり、思想時人に卓越し、峻嚴にして寸毫も犯すことを許さざる所があつたが、又一面には溫和にして士卒を愛したる一班を知ることが出來やう、增鏡に「大方心ばへうるはしく猛くもやさしくもよろずめやすければ、ことわりにも過ぎてもの〻ふの靡き從ふさま父にもこえたり」といつて居るのは最もである、承久元年正月公の殺さる〻や一族家人の出家するもの百餘人に及んだのを見ても、公が關東武士崇敬の中心であつたことを推し得られる。

三の一、尊　王

鎌倉幕府創立に當つて源賴朝は尊王敬神崇佛を以て民心統一の大方針として最も力を盡して居る、然るに江戶時代以來、賴朝が幕府を開いたといふので勤王家の內には之を非難して簒奪の臣とする人々も少くないが、これは政權推移の自然で人力を以て如何ともすることが出來ない、余輩は寧ろ賴朝の尊王心厚かつたことに敬服する吾妻鏡を繙くに賴朝の記事は殆ど尊王敬神の歷史ともいふべきである、この事は長いから略して置くが賴朝の尊王の一二を述ぶれば、東大寺勸進上人俊乘坊重源が賴朝に手紙を送つた時に賴朝を敬稱して君といふ字を使つた賴朝は之を咎めて、君の字は天皇以外には恐れ多い、自分以後は斷然之を停むべきことを申し送つた、この一事でも賴朝の尊王心厚く其の崇高な人格が偲ばれる。殊に賴朝にとりて最も偉大な點は、武力を以て天下を取つたに拘はらず、我皇位は尊嚴にして如何なる權力、いかなる武力を以ても冒すことの出來ないことを明確に示したことである、これは未來永劫に渡りて我が皇室の磐石より猶安泰なることを一般國民に敎へたもので、實に皇室に對して一大忠臣である、されば事每に武家の跋扈を惡んで之を抑へた南朝の北畠親房も賴朝の大功を賞し、勤王論の皷吹者賴山陽も臣子の爲めに踰越すべからざる模範を立てたと賞し居る、實朝公はこの父の遺志を繼ぎて更に勤王の志が厚かつた。　（未完）

國史上に於ける神秘境天の川

伊　藤　悌　一

南朝回天事業の策源地

元中九年（北朝明德三年）閏十月五日、南朝の後龜山天皇が神璽を北朝の御小松天皇に傳へられ、御兩朝の御和談が成立するに至る五十有七年間の悲壯なりし南朝の歷史の中心地は、實に吉野の奧の「天の川」にあつたことは人の未だ多く之を知らざる所にて、それは吉野にも、高野にも、十津川にも賀名生にも、はた熊野北山川上方面にも稀なる隱れたる貴重なる古文書、史蹟、傳說の獨り天の川に最も多く存して居る事にても裏書されるのである。

天の川の山川は神武東幸の歷史を含み、天武天皇壬申の亂の歷史を含み、現に大峯山（吉野より熊野に至る連山を古來大峯山と總稱す）及び高野山の兩山開山の根本道場として、奈良平安兩朝の美術と文藝とを含み、人皇第四十五代聖武天皇、第五十二代嵯峨天皇、第五十九代宇多天皇、第六十一代醍醐天皇の勅使參向の歷史を含み遂に南北朝時代に及び……引いては明治維新の鴻業完成の爲めには、天誅組の本場となつて皇政復古の烽火を擧げしめ、いづれの時代に於ても國家に風雲急なる時、常に皇事に盡し奉る中心發祥地となつてゐるのである。

護良親王と天の川

後醍醐天皇が隱岐御遷幸後は、大塔宮は吉野、紀伊の方面に勤皇の兵を召され給ふ爲に、第一番に最も安全なる地として天の川に入り給ひし如く思はれるのである。

天の川は紀伊、大和の中間にして、御身を隱し給ふには最も都合良き位置にあり、且つ天河辨財天社は大峯山高野山開山の根本道場なりし爲め、京都聖護院宮、三寶院宮兩門跡を背影としたる、全國修驗道の大先達の居所及動靜が良く判つてゐたこと。此の全國の大先達の手に依つて、諸國の勤皇の志士に亘りをつける爲めには、天の川か吉野か熊野以外には無く、吉野は尙ほ危險地帶であり、熊野は不便であつて、天の川が最適の地であつたこと等はその重要なる理由である。

大塔宮護良親王が四條隆貞、楠木正成等と共に天の川を根據として、諸國の武士に令旨を發せられ、正成が河內へ歸城後は之れと策應して、勤皇の兵を召されたることは益々幕府を畏怖せしめたることゝて、宮としては幕軍に對抗し得る陣容を完成し給ふまでは、天の川を離れ給ふことは全く危險であらせられたのである。

「宮は熊野にも御座しけるが、大峯を傳ひて忍び〳〵吉野にも高野にも御座し通ひつゝ、然りぬべき隈々には能く紛れ物し給ひて武き御有樣をのみ顯はし給へば、いと賢き大將軍にて在すべし。」(增鏡)

尙又、增鏡、太平記共に『天河奧賀名生』と記されてあり、南朝に取つては天の川は、軍略上最も重要な秘密の場所であり、回天の事業の安息所でもあつた。

彼の吉野にて村上義光は宮の御身替りとなり、義隆は最後まで踏み止つて遂に戰死したのであるが、此の間宮は高野山に遁れ給ふとあれど、紀州には名越宗心の軍ありて危險の狀態にあれば、宮は天の川に御歸還遊ばされしやうに思はるゝのである。

元弘三年六月　後醍醐天皇の鳳輦目出度京都に御還幸あらせられ、亞いで建武中興の大業完成し、新政府が樹立せられて後に、宮は征夷大將軍として御入京の時は、未曾有の盛儀を以て御入洛遊ばれたので、それ迄天の川に御駐蹕あらせられしものゝやうである。大和名所圖會にも「護良親王寓居の所を御所坊と云ふ則來迎院なり」、と錄されてゐる。

後醍醐天皇と天の川

天皇は延元元年十二月二十一日、夜暗に乘じて、築地の崩れより、女房の姿にて花山院殿を忍び出でさせたまひ、大江景繁寮の御馬にかき乘らせまゐらせ、三種の神器を奉じて吉野へ幸せられたのであつて、此の御潛幸には曩に叡山より密かに天の川に入り給ひし懷良親王との間に、密接なる御連絡のありしことは充分御推察が出來るのである。

天皇は同年同月二十三日、一旦賀名生に行幸あらせられたのであるが、御計畫遂行の場所としては不適當なる

を以て、更に駕を天の川に進めさせ給ひ、四日間御所坊に御駐蹕あらせられたものと推察し奉るのである、何となれば前記の如く、天の川は吉野、高野山、賀名生のいづれへ行くにしてもその中央地點に位し、然かも七堂伽藍を擁する、大峯山修驗道の根本道場であり、天皇及側近の人々を御包擁申上ぐるに最適の場所であつたからである。

天皇が彼の笠置落城の時、天河鄕士の大部分が幕府の捕虜となつたものゝ如く、太平記上卷第三にも天河社僧三名の名が明記されて居る。

殊に天皇と天河社家とは淺からぬ關係にあり、南北時代以降六百年來の社家の生命なる御木像、御綸旨、御令旨、亦諸種の傳說が現に天河社家に傳つてゐる。

尙、「後村上天皇と天の川」、「長慶天皇と天の川」等につきて讀者に御紹介申上げたいが次の機會に讓る事とする。

以上『大和天河朝廷の硏究』(井頭利榮氏著)による。

天河朝廷の遺跡を探る

天河朝廷の遺跡を大和中央の山岳地帶に探るために、去る二月十五日、其の一行に參加する光榮を有した、同行者は松坂屋白根宣傳部長、井頭利榮氏それから 楠公精神普及會の森田理事等であつて、早朝大鐵の阿倍野橋を出發して下市口に下車したのは九時過ぎであつた。其處で待ち合はして居られた御所坊來迎院の東田住職と五人でタクシーに乘り、七里餘の雪道をはしつた、途中官幣大社丹生川上神社に參拜して、蛇ケ谷から川合に出たが此の間は、大谿谷に杉の林のみが眺められる高山地帶中腹の細道を急ぐので、一歩踏み誤れば奈落の底であるから誠に危險率が多い、後ろを振り返つて金剛、葛城の山々を遠く見やつた時は、古の忠臣の心事が味はれ嚴肅な氣分になつた。途中何回も材木運搬のトラックに擢れ違ふ度每にヒヤッとした、時々白根氏は下車されて山蔭の大氷柱を撮影されるのであつた。

正午頃、天河の社家井頭氏の實家に着いて、柔かな鷄肉のすき燒を頂戴したが、實にその美味は忘れる事は出來ない、それから天河神社に參拜して、神職柿阪秀元氏の御宅にて後醍醐天皇、後村上天皇の御綸旨、御村上天皇の雷電の笙、嘉喜門院白竹の琵琶その他貴重な古文書を拜觀し、それから井頭家と反對の側の山麓の社家柿阪信太郞氏宅では盛んに舊正月の餅つきであつたが、其處で天河朝廷舞樂の遺品の數々を拜觀した。

尙、時間の關係上探知する場所が數多いのであるが、遂に割愛せざるを得なくなり、歸途、長慶天皇御最期の聖地と云はれる御頭神社に參詣したのであるが、井頭氏の說の如くであつたならば、いかに敵方に見誤られ給ふたとしてもいかにも御悲慘なる御最期であつて、日本人としては到底信ずる事が出來ない感に打たれたのであつた。

歸途中越の寺井家にて拜觀した國寶級のものでは後村上、長

慶二天皇の御綸旨、古鏡、古刀劔等が多くあつたが、一番印象の深かつたのは後醍醐天皇の御鬚が保存されてある事で、如何に御辛酸を嘗め給ふたかは御想像申上ぐるだに畏き極みであつた。

白根氏は鄙に稀れなる美女を撮影されたが、それは當家の花嫁であつた由、歸りのタクシーの中で大笑ひした。寺井家の屋敷の高臺から眺めた天河の谿谷美は實に素晴らしいものであるが、その一木一草が總て南朝の悲歌が刻み込まれて居る心地がして、霞たなびく山々峯々を仰ぎながら一種名狀し難い哀れを催すのであつた。

此の天河の旅の二日前、松坂屋の御招待で大阪歌舞伎座に、中村鴈治郞追慕興行を觀て、『義經千本櫻』下市釣瓶鮓屋の場に於ける延若の十八番藝いがみの權太を絕讚し、是非その日の歸り途に下市口に下車して、お里の家で例の彌助鮨を食べやうと思つたが、過ぐる年の大火で新しく改築された鮓屋は餘りに現代的でキザだつたので中止し、又傳說の維盛卿の墓へも參らずに一路大阪さして急いだのであつた、此の日の東道役井頭氏に對し玆に滿腔の感謝を披瀝する次第である。(口繪參照)

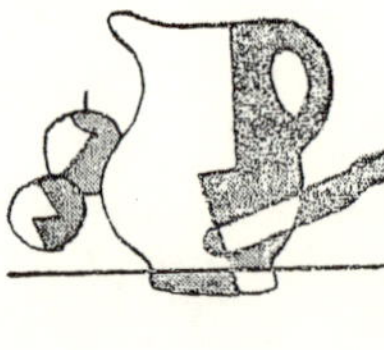

百日咳
輕いからと手當を怠り、こちらせると肺炎、氣管支などの餘病を併發しがちです。せきを始めたら早目にチミツシンを與へて下さい。症狀の惡化を未然に防ぎます。
寢る前に一匙を與へますと、夜中のせき込みを和らげ、安眠させますから翌日は非常に樂になります
チミツシン
一円
一円八十錢
藥店にあり

產兒制限の反對運動
本場のアメリカで大家族禮讚
多產奬勵は世界的傾向

國家の隆盛は民族の出產率に係るところが多いといふので近年人口問題がやかましくなり、友邦ドイツ、イタリア等では盛んに出產を奬勵し、獨身稅を課して結婚をすゝめるなどの政策をとつてゐますが、我國でも人口一千に對する出產率が大正九年の三六・二人を絕頂として、次第に減少の傾向があるため(昭和十一年は二九・六人)厚生省內に人口問題硏究會を設けて對策を考究してゐます、產兒制限の本場アメリカでは一九一五年(大正四年)の二五・一人を絕頂に減退の一路をたどり、一九三四年には一七・一人といふことになつたため、さすがの產兒制限論の本場も最近識者の間に產兒制限反對の聲が高くなつてゐます、產兒制限は生めよ殖やせよといふ神の意思に反する行爲だといふ宗教的な反對の外に、產兒制限の弊害を次の如く述べてゐます。

經濟的弊害

論者はアメリカの最近十年間における出產率低下が死亡率の低下よりも更に甚だしい點を指摘し、今後十年間には人口の自然增加(出產數から死亡數を差引いたもの)は止まり、人口の減少を來すであらうと觀測してゐます。

	一九二五年	一九三四年	減少率
出產率	二一・五	一七・一	二割
死亡率	一二・三	一一・〇	一割

その結果は人口に對する老人の割合が次第に增加し、今日ではその割合が既に一八五〇年の二倍となつてゐますが、一九八〇年には今日の三倍に達する見込で、從つて養老施設はます〳〵その重大性を加へ、青年若しくは壯年者はその生活費の大部分を費して老人の生活扶助を行はればならぬことゝなるであらう。

離婚を誘發する

離婚する夫婦の七割一分までが子供のないものであることを見ても明らかである、家族を持つことが結婚を固くする上に愛兒は父母のきづなを更に離れ難いものとする、子供は夫を家庭に引きつけ、妻も幸福でしかも忙しく家庭生活に固く結びつける、產兒制限によつて子供のない夫婦は爭ひが多くなる。

生理的弊害

人工的制限のため婦人は優鬱症に陷る危險があり、癌を發生することもあると醫師は報告してゐる、これが永續のため婦人は不妊症となる場合が多い。

道德的弊害

制限方法を知つてゐることにより惡德に對する阻止役たる恐怖觀念を除去し、青年の間に不道德が行はれ易い、從つて結婚の神聖な目的を誤り、結婚を目的とせざる情熱の滿足に走る傾向がある。

民族の衰退

產兒制限を行ふ社會層が比較的知的にも經濟的にも優秀なものである結果は、人口に對する劣者の比率を高め、延いては民族の衰運を來すものである、實に產兒制限は民族の自殺ともいふべきである、最近(一九三五年)の調によれば、敎育程度の高い夫または妻の家庭ほど出產率の低いことを實證してゐる、專門學校以上卒業の妻は小學校七、八年卒業者よりも一割五分、七年未滿の妻よりも三割一分だけ出產率が低いことゝなつてゐる。

樂しい團欒

論者は以上產兒制限論に反對した後、大家族は家庭の喜びを意味すると題して、アメリカ野球大リーグの有名なアンパイアーエメット・オームスビー氏の子福家庭(十二兒)を例示し、產兒制限論の主張する如く、子供のあることによつて經濟的な困難を來す場合があれば、社會はその一家の父の收入を增すやうな特別な考慮を拂つてやればよいと論じ、ともあれ產兒制限によつて子供を持たぬ夫婦が老年苦境に陷つて、しかも彼等をはげます子供の愛がなかつたら、それほど悲慘なものはないであらうと結んでゐます。

一年でどれ位延びるか 乳兒の運動能力

銃後の母親としての常識

銃後の母親が盡す最大の義務は二百萬人の赤ちやんを護るにある——と厚生省體力局では二十年後の壯丁の體位向上を目指して來年度豫算四十五萬圓を計上して積極的に乳幼兒保護に乘り出すことになりました。體力局案によれば新生兒全部の健康診斷及び體力檢査も重要な項目になつてゐますが、一般の母親は乳幼兒の運動能力の發達狀況を知ることが大切です、即ち乳兒期は赤ん坊が自分の身體の色んな部分を一通り動かせるやうになる時で、すばらしい躍進を遂げる時期であります。今アメリカのシヤーレイ女史の調べた所によつて、乳兒期の各月にどう云ふ運動が出來るやうになつて行くかを調べて見ると次の通りです。

一ケ月——腹ん這ひの姿勢で顎を持ちあげます
二ケ月——同じ姿勢で肩を持ち上げる
三ケ月——手を伸ばして物を摑まうとしますが、摑めたり、摑めなかつたりする
四ケ月——支へられゝば坐る
五ケ月——膝の上にエンコして物を握ります
六ケ月——椅子の上に腰掛けて、搖れる物を摑む
七ケ月——獨りでエンコ出來る
八ケ月——支へられて立つ
九ケ月——つかまり立ちが出來る
十ケ月——這ふ
十一ケ月——支へられて歩く
十二ケ月——家具を引き寄せて摑まり立ちします

我が國の幼兒に就いて神戶市立兒童相談所の尾崎清次氏の調査したのも大體同じで、唯、摑まり立ちと這ひ這ひがアメリカの幼兒より一ケ月宛早くなつてゐます。この運動能力の發達の順序を辿つて見ますと、三ケ月で首が据るのは、一番最初に子供の自由になるのは首から上即ち頭だと云ふことが判ります。その次に自由になるのは腕で、三ケ月頃から段々と腕の働きが出來て五ケ月迄の內に手で物を摑む事が自由になつて來ます。

さて、その次は腰と脚で、エンコや這ひ〳〵つかまり立ちはみんな腰と脚が自由になつて始めて出來ることであります、かう見て來ますと赤ん坊の運動能力の發達は頭から腕へ、腕から腰へ、腰から脚へと身體の上の部分から下の部分へ進んで來る順序が判ります、お誕生迄のうちに乳兒の全部が獨り立ち、獨り歩きが出來るやうになる譯ではありませんからこの下の部分の發育の完成されるのは次の幼兒期の始めに續く事になります。

育兒欄

五箇月の赤ちやんの育て方

醫學博士 野須新一

身體の發育 五箇月の赤ちやんの標準の身長や體重等は表に示した樣です。

月齡		身長(糎)	體重(括弧)(瓩)(內貫)	頭圍(糎)	胸圍(糎)
五ケ月	男	六三・八	七・三七(一・九四〇)	四三・一	四三・四
	女	六二・八	六・七〇(一・七八〇)	四一・一	四一・三
五ケ月半	男	六四・六	七・五三(二・〇〇〇)	四三・五	四三・五
	女	六三・五	六・九〇(一・八四〇)	四一・三	四一・六

精神の發育と、運動の發育

(一)仰向けにして置くと自分で頭と肩とを擧げる。(二)獨りで仰向けになつたり橫向きになつたり出來る。(三)見たものの方へ自分で腕を伸ばして摑む。(四)兩親の顏貌(怒つた顏、やさしい笑顏)で笑つたり、泣いたりする樣になる。(五)襁褓を換へる時に靜かに仰向けになつて居る。(六)玩具を取り去ろうとすると、厭がつて取られまいとする。(七)取られた玩具を探す。(八)人の表情を眞似る樣になる。

榮養の仕方 母乳榮養であれば三時間半毎にして一日六回與へる。一日の赤ちやんの哺乳全量は平均八八三瓩(四合八勺)で毎回約一五〇、〇瓩(八勺)宛の割合で飲む。牛乳で育てる場合には牛乳一〇〇、〇瓩重湯五〇瓩の割に混ぜて一回量とし之に滋養糖或は白砂糖を八、〇瓦(茶匙中山に盛つて二杯)を混じて三時間半毎にして一日六回與へる。之に「リンゴ汁」(中位の大さのもので半個乃至一個分)を一日に二回位に分けて與へる。或はトマト大根の搾り汁を三〇瓦一日一回與へる。

玩具とお守り 五ケ月ごろになると、だん〳〵人見知りしてお守りがむづかしくなつてくる。いろ〳〵と周圍から智慧づけぬ方がよい。見る玩具よりも手にもつ玩具を喜ぶ。玩具としてはおしやぶり。ゴム人形。がらがら。ゴム製の動物類がよい。

乳兒に必要な藥品 赤ちやんをもつ家庭では是非共左の如き藥品や醫療器具を備へておくと便利である。沃度丁幾。硼酸末。ワゼリン。リスリン。亞鉛華澱粉。ヒマシ油。檢溫器。消毒ガーゼ。消毒脫脂綿。繃帶。氷囊。氷枕。吸入器。灌腸器。便器。絆創膏。油紙。體溫記入表等。これらの用ひ方に就ては豫め醫師から聞いて置く方がよい。

育兒欄

六箇月の赤ちゃんの育て方

醫學博士 野須新一

身體の發育 六箇月の赤ちゃんの標準の體重や身長等は表に示した様です。

月齡		身長(糎)	體重(瓩)(括弧内貫)	頭圍(糎)	胸圍(糎)
六ケ月	男	六五・五	七・六七(二、〇四五)	四二・九	四二・九
	女	六四・二	七・〇四(一、八七七)	四一・六	四一・八
六ケ月半	男	六六・四	七・八二(二・〇八三)	四三・二	四三・五
	女	六四・八	七・一九(一、九一七)	四二・二	四二・四

精神の發育と運動の發育 (一)何か支へがあれば坐ることが出來る。(二)少し不必要に身體を押へつけたりすると厭がる。(三)慈愛に充ちた言葉と怒つた言葉とを區別するやうになる。(四)笑顏等でなく本當に笑ふ。(五)腕を延ばし、手指を動かして物體を把る。(六)襁褓をかへる時に腹這ひになつたり寢返りしたりする。(七)自發的に物に觸れやうとする。(八)色々と發音をする。(九)音調を眞似るやうになる。(十)母親を認知する。親しい人と親しくない人とを區別する。(十一)動いて居るものでも、或は靜止して居るものでも之を動かす。(十二)跳躍をする。

榮養の仕方 母乳榮養であれば三時間半毎にして一日六回與へる。一日の赤ちやんの哺乳全量は平均九〇四瓩、(五合)で毎回一五〇、〇瓩(八勺餘)の割合で飲んでゐる。牛乳で育てる場合には牛乳一二〇、〇瓩、重湯四〇、〇瓩の割合に混ぜ、之に滋養糖或は白砂糖を八、〇瓦(茶匙中山に盛つて二杯)を混じて一回量とし、三時間半毎にして一日六回與へる。尚一日一回、お乳の間に「リンゴ汁」、中位の大きさのもので半個—一個分約六〇、〇瓦—九〇瓦を二回に分けて與へる。或はトマト汁、大根の搾り汁を四〇瓦一日一回與へる。

種痘 六ケ月頃から十ケ月位までにする方がよい。時節は恰度今、秋か冬或は春先も良い。夏にはなるべく行はぬがよい。くさ、ふきでもの、又は熱ある場合には治

るまで延ばす。種痘をうける前日には入浴せしめ種痘後は種痘の場所を避けて湯で身體を拭いたり腰湯をすることは差支ない。肌着は清潔なものを用ひ糊のこわいものや地質のこわいものは用ひぬがよい。尚次の圖に示すやうな特別な繃帯は便利である。

第一圖

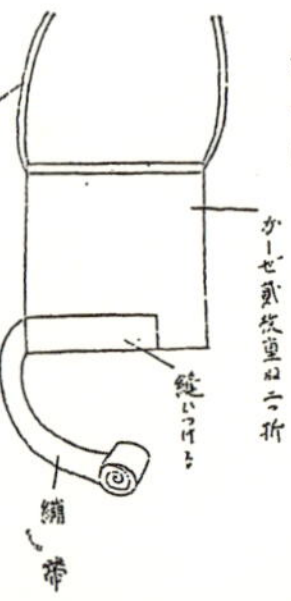

第二圖

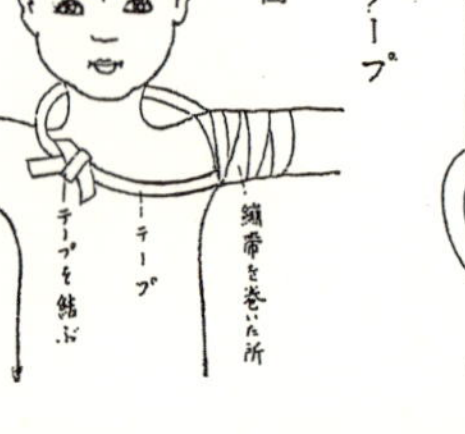

即ちガ!ゼ巾六糎長さ十糎の大さに切つたもの四枚重ねに第一圖の様に一方の縁に沿つて繃帯の端を縫ひつけ他の一方にはテープを縫ひつける。そして繃帯を縫ひつけた部位を下にして「ガーゼ」の部分を種痘した上膊部にあて、下から少しゆるやかに繃帯を巻いて「ガーゼ」の移動せぬ様にし、他方の「テープ」を患兒の首の圍りに結びつけ「ガーゼ」の下らぬやうにする。種痘をして四五日すると小さいブツツリした赤い塊まりが出來て眞中に水を持つて來る。そして之が更に二、三日の中に膿を持ち圍りが腫れて赤くなつて來る。と同時に赤ちやんは熱が出て機嫌が惡くなつて來る。之は種痘が善くついた證據である。普通第一期の種痘は右の上膊部背面に、六個植えることになつてゐる。そしてその中、二個以上に今述べた様な膿疱が出來れば善感と認められる。若し此の場合膿疱が一個にすぎぬか或は全く反應がないか或は小さな水疱がポツリと二つ三つ出來た程度のものは不善感として翌年もう一回種痘を受ける義務がある。種痘後熱高く又變つたふきでものができれば醫者に相談するがよい。尚熱があつて機嫌の惡い間は成るべく外出はさせぬよう、風邪を引き添へぬやうに注意し、お乳も平素よりは少し控へ目にし時間も規則正しくあけて飲ますやう加減をする。種痘の部位は不清潔な手で觸れぬよう、又か〳〵せぬやう注意せねばならぬ。膿汁が出て「ガーゼ」がくつついたり、衣服の裏、肌襦袢の裏に固着したりした時

は無理に引き取らぬやう。衣の上から少し溫めた「オキシフル」で濡らし、ゆる〳〵と丁寧に注意して離すやうにする。そして天瓜粉を撒布し、肌着、ガーゼを取り換へてやる。第一期の種痘を受けて七月經つたならば再び醫者を訪れて檢診を受け證明書を貰はねばならぬ。種痘證書は小學校へ入學する時に必要である。赤い腫れがひき、膿の所が全く褐色の痕で蔽はれて來ても、決して爪でその痂皮を取らせぬやう注意を要する。

皮下種痘 は一般には今日未だ用ひられて居らぬ。尚法律的にも認められて居らぬ。之は精製した痘苗を皮下注射して免疫を得る方法であり、一般の種痘の方法(接種法)に比べて瘢痕が出來ず。發熱等の反應も尠く、尚免疫効果も良いと言はれて居るが、今日尚その精製痘苗の保存上に困難があり、一般に普及する迄に至つて居ないのは遺憾である。

齒 發育の早い乳兒では六ケ月ごろに下の前齒が生え始める(生齒は子供によつて三四ケ月遲れることがある)生齒時期にはよく涎れを出す、尚手指玩具などを口に入れるから一日に何べんとなく手指を清潔に拭く。齒の生える時には熱が出たり、眠らなかつたり下痢をすることがある。よくキー〳〵と癇高く不機嫌になることがある。

七箇月の赤ちゃんの育て方

一、身體の發育 七箇月の赤ちゃんの標準體重、身長頭圍、胸圍は次の表に示した様です。

月齡		身長(糎)	體重(瓩)(括弧内貫)	頭圍(糎)	胸圍(糎)
七ケ月	男	六六・九	七・九四(二・一二三)	四三・三	四三・五
	女	六五・五	七・三五(一・九六)	四二・二	四二・二
七ケ月半	男	六七・四	八・一〇(二・一六)	四三・六	四三・六
	女	六六・七	七・五三(二・〇二)	四二・五	四二・二

二、精神の發育と運動の發育 (一)何か身體を刺戟するやうなものがあれば自分で之を拂ひ除けやうとする。(二)自分の居る場所から移動する。(三)自分の欲しいものの方へ身體を動かして其れを取らうとする。(四)忙しさうに、二つのものを手に持つて動かす。(五)たたく眞似をする。(六)お坐り(ゑんこ)が出來る。ゑんこ(なげだし坐り)を餘り長い時間させると脊骨がまがる懼れがある。(七)人見知りを始める。(八)襁褓をかへる時に寢

返りをして坐る。(九)慈愛に充ちた表情と怒つた表情とを區別する。(十)大人の手から玩具をひつたくる。

三、七箇月の榮養の仕方 母乳榮養であれば四時間毎にして一日五回與へる。此の哺乳時間を定めて之を確實に實行する習慣を養ふことがぼつ〳〵離乳に入る準備時期として最も大切である。乳兒の一日の哺乳全量は約九五〇(五合)であるから毎回の哺乳量は一九〇、〇瓩(一合餘)の割合で飲む。牛乳で育てる場合には全乳にして一回量一七〇瓦とし、之に滋養糖或は白砂糖を九、〇瓦(茶匙中山に盛つて二、五杯)を混じて四時間毎にして一日五回與へる。之に「リンゴ汁(中位の大さのもので半個乃至一個分)を一日二回に分けて與へる。或はトマト、大根の搾り汁を五〇瓦一日一回與へる。この頃にはぼつ〳〵齒が生えて涎が増し食慾も母乳以外のものに向つて起る様になり、食事中には膳の上の御馳走を慾求するやうになつて來る。之は自然の要求ではあるが乳兒が喜んで食べるに委せて不消化物を順序も無く與へることは危險な消化不良症に罹る最大原因であるので充分注意せねばならぬ。

玩具の注意 碁石簪、豆など、小兒の口より小さいもの、或は尖端のとがつたものは用ひてはならぬ。身體を動かして自分の欲しいものを取ることが出來るから、赤ちやんの近くには適當な玩具以外決してあぶない物を置かぬこと化粧用のクリーム、白粉、をなめたり、煙草を食べたり、小白銅貨を誤嚥したりして不慮の災を招くのもこの時期に多い。

齒の生える順序 圖に番號で示した順に生えて行く、そして又生えた順序で抜けかはる。健康な小兒でも齒の生え始めは三、四ケ月おくれることがある。それ以上も遲れるやうな時は一應身體を診察して貰う方がよい。

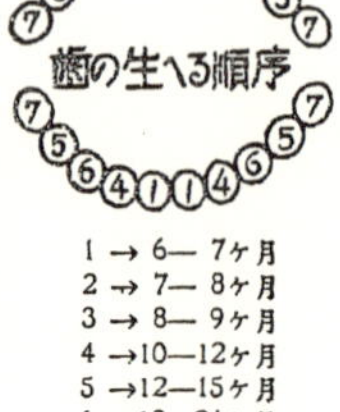

1 → 6—7ケ月
2 → 7—8ケ月
3 → 8—9ケ月
4 → 10—12ケ月
5 → 12—15ケ月
6 → 18—24ケ月
7 → 30—36ケ月

生齒熱 乳齒の生え始めの頃、乳兒は一般に涎を多く垂らし、また乳房を咬みしめたり、氣むづかしくなつてよく泣きます。そして睡眠が妨げられます。また齒の生えるために發熱することもあります。之を生齒熱と言ふて居ります。然しこの頃の赤ちやんの發熱は齒のため丈ではなく他の病氣で起ることもありますからたゞ生齒熱

だと考へて棄ておくことは危險です。

ムシ齒豫防は乳齒から　赤ちゃんの生えたての齒でも手當が惡ければムシ齒に罹ります。滿二歳以下の乳兒を調べて見ますと百人の中七八人はムシ齒に罹つて居るとの事です。このムシ齒が出來る原因は赤ちゃんの飲んだお乳の殘り渣が口の中で細菌のために醱酵腐敗して酸が出來、この酸のために齒が溶けてムシ齒が出來て來るのです。從つてムシ齒を豫防するには

一、微溫湯か、或は重曹水（一％）を脱脂綿につけ、之でそつと齒の表面を拭いてやること。

二、齒刷子（乳兒用）で水齒磨を薄めたものを浸して輕く磨く。

三、すつかり齒が生え揃ふ三歳頃からは努めて含嗽や齒ブラシの使ひ方を練習させ、朝と晩に殊に夜寢る前には是非齒磨きをさせることです。

病氣の徴候　言葉の出來ない乳兒の病氣はよく注意しないと往々手遲れとなる事がある。第一に子供が病氣か否やを知るには其子供の機嫌に氣をつけ睡眠に變りがないか否や、乳を飲む元氣の有無、發熱の有無、嘔吐の有無、大便の異狀等に氣を付けて少しでも平常とちがつたところがあれば直ぐに確かな小兒科醫師の診察をうけねばならぬ。大したこともあるまいとすてておくと取りかへしのつかぬ事となる。病兒の部屋は南向の日あたりのよい夏は涼しくて冬に暖かい部屋がよい。室内の溫度は華氏六十五度位で、冬ならば隙間からくる風を屛風でふせぎ、又戸障子の目張りをする部屋をあたためるのに炭火を用ふるときは必ずよくおこり赤くなつた火を用ひ炭火からでる惡い瓦斯を出來る丈少くする。又時々部屋を開け放ちて新鮮な空氣を入れる。

年中行事　三月

有馬敏四郎

一、雛祭（三日）

雛祭は雛遊の行事的儀式的の色彩をおびたもので、三月三日上巳の節に行はれるものである。雛の古い形は立雛と云ふものであつたが、後世に到ると所謂内裏雛と云ふ形に變り、男は束帶を女は十二單を着る樣になつた。卽ち雲上人を擬したのである。それ故此の男女一對の人形では物足りなくなり遂に之れに左右大臣、侍女、隨臣、五人雛、奴等樣々の人形を加へて飾る樣になつた。又古くは男兒も弄んだものであるが時代が降るに從ひ、女の專屬のものとなり、結婚の調度を形取つたものも出來る樣になり、其の上出産が安らかに出來るとか、早く結婚出來るとか云ふ信仰さへも附け加へられる樣になつた。

さて此の雛祭と云ふ名で呼ばれ祝はれる樣になつたのは江戸時代からであるけれども其の前に於ても雛遊びとして行れてゐた。此の遊では現今子供が人形で遊ぶのと同じ事で別に儀式もなく飾ることもなく單に人形で遊んだのであるから、時期は勿論定つて居なかつた。此の雛遊びとして行はれた時代は多く紙で作られたもので、此の作り始めた時期に就いては勿論確かに決定することは出來ない。けれども承平の頃では無かつたかと思はれる。然し此時代は前にも申した樣に勿論時期も定つて居なかつたのである。而して三月三日に人形が出され特に遊ばれる樣になつたのは江戸時代からであるが、これより先後土御門天皇の頃で當時の文獻月藻集と云ふ書物の中に飛鳥井榮雅の歌があり、それに依つて恰も三月に行はれたものゝ樣に見えるが他の文獻にも無く、まだ此の時代はさして定つては居なかつたのである故此の歌に三月三日行はれた樣に詠れて居るのも、行事としてゞはなく、偶然の一致であると思はれる。

何と云つても年中行事的色彩を帶びたのは江戸初期からであつた。

此の三月三日上巳の日に特に人形を飾ると云ふことの起つたのは、上巳の祓の時に用ひられる人形卽ち人形と雛人形と云ふものが混同されて、遂に此の日に飾られる樣になつてしまつた。斯くして江戸時代に入り上巳の具も定り、五節句の一に加へられる樣に定ると公武上下は勿論町人までもこれを飾り、上巳を祝することが行れ、後には女の節句として每年女子ある家には之れを行ひ、殊に誕生の初めての節句及び嫁した初めての時を初節句と云つて一層盛に祝することが慣例となつた。

斯くの如く盛になると今まで弄んだ男女一對の人形では物足りなくなつた

爲め、種々な人形が出來それに伴つて調度品も出來遂に内裏雛と云ふ名稱さへ附けられ現在のものを産出する樣になつた。調度の主なるものは簞笥、長持、挾箱、具箱、御厨子、黒棚、駕籠、茶道具等大體結婚道具一式を整へるのである。又當日の御馳走としては、白酒を初め貝類、菓子、草餅、蓬餅、菱餅、膳部等を供へ、飾るに桃花以てする故に一名桃の節句とも云ふ。（拙著五節句の話參照）

二、雛人形の作り方

此の飾り方は時代と地方とによつて種々異つて居る。古くは此の飾り方も定つて居らず、女雛を男雛に向つて右にやつたり、左にやつたりすることがあつた。

最近まで多く男雛は向つて右に飾つて居たが御大典後には此の飾り方を一定する爲め、兩内裏を兩陛下の御同例高御座と御帳臺とに摸し奉り、範を皇室にとると云ふ主義から男雛を向つて左に飾る樣になつた。此の飾り方は未だ一般的になつて居ないかも知れない故特に記した次第である。

内裏雛を中心として男雛を向つて左、女雛を向つて右に飾り、内裏雛のうしろには金屛風をめぐらし、又は金屛風のかはりに几帳を用ひ崇嚴を加へ、内裏雛の左右御伽犬を置く、又其の外にぼんぼりを備へ、又内裏雛中央前に三寶に「とくり」を飾りその内に神酒又は白酒を入れて置く、以上が最上段に飾るものである。

其の次の段には三人官女を置く、此の三人の内中央には立つて盃を持つ官女を、その向つて右に長柄を持つ官女、左方には銚子をもつ官女と云ふ風な配置にする。其の間に菱飾なり煎豆なりを高臺にのせて備へる。これが上から二段目である。

次の段には五人囃を置く、卽ち向つて右から云へば扇を持つて唄を歌ふもの、次が笛を吹く樂人、次は小鼓、次は大鼓、次は大鼓と云ふ順に飾る。これは現在能の囃方と地謠の位置と同じものである。其下段に左大臣右大臣を左右にして中央に御膳を種々と飾り、其の下段に右近の橘左近の櫻を向つて左に橘を、右に櫻を据ゑて三人仕丁を其の間に挾んでならべる、まづこれが良い飾り方と思ふ。今申述べたのが一通りの雛人形であるが、大抵の家にはこの外調度と云ふものが附く、これは五人囃と隨身（左右大臣）との間に一段なり二段なりを作り其所へ飾る。此の調度中に乘物等があつた場合には最も下の段に飾る。要するに左右大臣までが殿上で其の下が地下卽ち庭であると云ふ考へで飾ざられたら良いと思ふ。

しかし近來外國文化の輸入と共に西洋風の道具迄作られ、又時代の要求に依つて雛そのものもその形を變へモダン雛等も出來て來た。これは古い内裏雛に混同して飾らず別な所に飾つて少くとも江戸時代の遺風の存在して居るものは尊重して飾られることが良いと思ふ。

三、涅槃會（十五日）

涅槃會は釋迦の入滅された日卽ち二月十五日（舊曆）に各所寺院で涅槃像を掛け法會を修する。今日では三月十五

日に行れる法會である。

涅槃とは本來は不生不滅の義であるが今日では移く釋迦の入滅を云つて居る。今日此の法會の行はれるのは釋迦の涅槃卽ち入滅を悲しむのではなく、入滅後釋迦牟尼佛となり、千載不磨の佛典を世界に廣め、その德を世界になびかせられた爲め、その德卽ち佛敎の德を讃美し、その德に報ゆる爲めに祭る法會となつたわけで各寺院では盛大な法會が行れ、民間では花供御と云つて霰餅、豆を熬して佛に供へる。此の日の寺院法會中最も有名なものを擧げることゝする。

京都大雲院では巳の刻惠心僧都作の長さ二尺三寸の釋迦涅槃像を輿に乘せ衆僧は香華を捧げ行樂を奏して本堂より羅漢堂に遷す法事がある。日中は舍利會を催し、申刻に本堂に還る。この法事は釋迦の葬儀に擬したもので開山貞安上人から起つたものであると云ひ、今日でも三月十五日に此の法會が行れる。

又京都東福寺では此の日特に縱八間横四間もある大きな大涅槃像を掛け法會を營み特に一般にも拜觀を許す。又釋迦の荼毘の遺意を表し、釋迦を弔ふものとして嵯峨の淸凉寺釋迦堂前に於て大松明三基を燒く行事が此の日行れる。これは一時行れなかつたが明治十年再興され今も行れて居る、附近の人々は申すに及ばず、遠くより米穀商人農夫や、投機師などが盛に參詣し、あたかも焰は山門伽籃に反映しさながら火事の樣な有樣である。

四、彼　岸

彼岸は申すまでもなく、佛教から出たもので、卽ち煩惱の苦を脱して、菩提の果を得ると云ふ義を云ふので、煩惱を脱せず人間として迷ふのを此岸と云ひ、菩提の果を得るのを彼岸と謂つたので、佛家では春分秋分卽ち晝夜半分の日を中日と云ひ、その前後三日卽ち七日間を彼岸會と云ひ、佛事を修め諸佛に詣で亡靈に供養するのである。

此の起源には古くから諸説があつたが大体三説である。飜譯名義集によれば、波羅密諸經論より出たと云ひ、又淨土宗では觀經疏定義日觀法よりと云ひ、又蠶籃內傳、天正驗記、彼岸功德成就經及び速出生死到彼岸般若心經註等には各其の名稱が說れ書れて居る。之を云ひかへれば大体次の樣な說となつて來る。卽ち、一說、元來佛法は中道を崇ぶもので、彼岸會の季節も晝夜等分で卽ち中道である。それ故中道と云ふ上から佛事を修める爲めの最も良い期である、それ故此の日を定めたと云ふ說。二說は佛家では八王日と云つて立春、春分、立夏、夏至、立秋、秋分、立冬、冬至の日に善行を修めると云ふことが春分、秋分は特に八王日の重なものである爲め此の日には特に佛事が行れると云ふ說。第三說としては特に八王日より春秋の二節を取る由は仲春仲秋は太陽が正東より出で正西に沒す。而して彌陀佛の國は正西卽ち太陽の沒する所に當るので彌陀の在所を衆生に正しく指示し往生の願を遂げし

むる故此の日行れるといふ說である。佛典等から見て第三說が正しくは無いかと考へられる。

これに就いて簠簋內傳には、

彼岸一七日間、日遙離東方藥師瑠璃殿上直傾西方彌陀上品蓮臺之日也云々とあり、又同書卷三には

二季彼岸事、二月、八月中前三日目可註之、彼岸一七日間、以何因緣衆感懷善根哉、答日、夫彌陀藥因圓滿敎主也、先藥師東方因曼荼羅胎、全兩部、日月兩輪而爲事理本尊、故日以幾累德自東土雖望西方、更致上品上生紫磨黃金蓮臺邂逅也、然二月、八月晝夜刻分正員、不得致違、故今所述一七日間、日査離藥師眉間白毫、瑠璃殿上傾西方彌陀上品上生八葉蓮臺日也、象生傳可願行者也

と見えて居る。

要するに七日間の彼岸會は現世の苦を逃れて極樂の岸に至ると云ふ意味の佛事である。

此の彼岸會の我國で行はれたのは、古い事で、これはかへつて朝廷公家よりも民間に盛であつたかと思はれる。この行れたことの最初の文獻は蜻蛉日記中にあり、此の文獻は藤原倫寧の女、東三條兼家の室と云はれ村上天皇天曆八年から圓融天皇天延二年までの日記である故、此の頃には已に彼岸會と云ふことが行れたことゝ思ふ。此の時代は佛敎が盛であつた關係上これも當然なことゝ思れる。此の日記には民間の彼岸が書れたのであるが、これより先に佛敎即ち寺院では勿論盛に行はれ、その餘波が民間に及んだと考へても良いと思ふ。

此の日は團子、萩の餅 精進鮨などを造つて、佛に供へ彼岸參りと云つて彼岸の供養を唱へ寺院に參詣するのを例として居る。

東京では此の日六阿彌陀詣と云つて行基が作つたと云ふ一本六体の彌陀佛像を安置してある寺に參る風がある。即ち一番は禪宗の西福寺(王子町)二番、新義眞言宗豐山派の延命院(足立區下沼田町)三番、同宗無量寺(瀧野川西原)四番、同宗興樂寺(瀧野川田端)五番、天臺宗常樂院(下谷上野廣小路)六番、禪宗常光寺(龜戸)でこれは江戸砂子混故名跡志卷二にも記されてある。

此外、後世西方六阿彌陀と云ふのが出來、一番を大養寺(芝區西久保八幡町)二番を善長寺(麻布區飯倉五丁目)三番を西林寺(芝區三田四丁目)四番を正覺寺(芝區高輪北町)五番を正源寺(芝區白金臺町日吉坂)六番を祐天寺(荏原區目黑)が數へられる樣になつた。

又寺詣と共に家でも佛事をなし、又熊野の比丘尼を招いて極樂地獄を圖說した圖卷を說明させたり、巫女を招いて口寄せをさせたりする等江戸時代は盛に行れて居たのである。此の時代如何に盛であつたかと云ふ事の文獻の一二を擧げることゝする。

日次記事卷一に、

凡京師俗、彼岸中偶逢親戚之忌日、則以茶果而祭之以其祭餘之果、五相贈、或請親戚朋友而饗茶果、彼岸中稱菓子日茶子點茶日立茶食匙燒日、讀經、倭俗彼岸中尋作佛事、尼間請熊野比丘尼、使說極樂、地獄圖、是謂揭畫又請巫女代死人使說所思是謂寄中也、或念佛謂中男女、每夜聚頭人宅揭彌陀像、鳴鉦高聲唱彌陀號、其終高揚意急唱之、是謂責念佛

とあり、又續江戸砂子溫故名跡志卷一に、

彼岸中六阿彌陀參り、行基善薩一本の光明木を以、阿彌陀六体を彫刻あり、今六所に納まる、其六所を順禮する、所謂六ケ寺前集にくはし云々

とある。又江戸年中行事にも、

ひがん諸所寺院參詣多し、おく澤九品佛參り、六あみだ參りとある。

季節の病氣

肺炎の手當てに就て

肺炎は氣管支性肺炎と「クループ」性肺炎 及慢性 或は惡急性肺炎の三つに大別し、多少その症狀は異つて居りますが、その詳しい症狀は別の機會に讓るとしまして、こゝでは一般に肺炎、又は肺炎になる恐れのある氣管支加答兒の場合にはどうしたらよいか。私共の眼から見ると隨分に間違つた手當てをして、あたら尊い命を犧牲にしてゐる方が少くないのでその正しい手當て方法を述べて見ませう。

一、**靜かに臨床させて置く** 子供が寢てゐるのを嫌へば靜かに抱いて居る方が却つて安靜の目的を達し、心臟の衰弱を豫防し得ます。

二、**保溫** 室溫は大体攝氏十五度から二十度の間がよく、手足の冷えぬ樣に電氣コタツ、又は湯婆を入れます。

三、**頭部は高熱の時は氷枕で冷やす** と氣持よく眠られる事が多く、且つ痙攣などを豫防し得られます。

四、**酸素吸入** も呼吸の苦しい時は必要で、酸素を出す程度は症狀に應じて加減致します。

五、**部屋の空氣を清くする** 今迄一般に空氣の問題が等閑視されて居ました。日本部屋では冬に室溫を十五度から二十度に上げる事は仲々に困難で、煉炭、炭火、瓦斯などでは溫度をこれ丈けに上げると、どうしても空氣を汚します。戸障子に目張をし、蚊張をつり、その中で火鉢に火をかん〳〵おこして、むつとする樣な汚い空氣の中で、而も親、兄弟、親類の者などが枕頭につめ切つて二重に空氣を汚し、子供は清い空氣を吸ふことが出來なくてうん〳〵苦しんで居るといふのが今でも少くありませんが、これは甚だ間違つた考へで、近頃窓を開けひらいて肺炎の患者を治す方法がある位ですから多少溫度が低くなつても、部屋の空氣は常に清くし、欄間などを適當に開け部屋には必要以外の人は入らぬ樣にし勿論患者の枕もとで煙草を喫ふ樣な不心得は止めませう。硝子からポタ〳〵と湯氣の雫が落ちる樣なのも濕氣が多すぎるので感心いたしません。

六、**濕布** も正しく行ふと非常に效果があり、殊に芥子濕布は百効、新しい西洋芥子を藥局で求め、布袋に入れ溫湯で振り出した芥子臭のする液に濕布藥を浸し、固く絞つて、後に述べる溫室濕布と同樣に行ひ、時には芥子泥の貼布又は繃絡を用ふる事があります。

これは西洋芥子二〇—五〇瓦を最初は少しの湯で一杯にかき混ぜ次に湯を加へて稀い糊狀とし、刺戟性の芥子臭の出たのを手早く美濃紙又はフランネルに延ばし、胸部の前面に貼り、胸部の皮膚が赤くなるのを限度に(大体三分から五分位)乾いた布で綺麗に芥子をとり去り、その後は普通の溫濕布を行ひます。芥子で火傷をしない樣注意致しませう。

溫濕布 は二%硼酸水か又は湯で「ガーゼ」を三重か四重にして濡らし、これを雫の出ない程固く絞り、この「ガーゼ」の上に油紙を置き一番外側の布は、下の濡れた「ガーゼ」が少しも外にはみ出さぬ程度に大きくし、且つ腋の下を凹狀に少しくり拔き、紐をつけて前で結ぶ樣にすると便利です。大体三時間位に交換致しますが、子供がよく眠つてゐる時は時間が來たとて、無理に目を覺まさせて、子供の安靜をさまたげる樣な無智は止めませう。

七、**吸入** も昔から用ひられますが、これは百倍の重曹と食鹽等分液を作つて吸入器に附屬して居る「コップ」に二杯づゝ一日二回—三回行ふと痰の出るのをたやすくする事が出來ます。

赤ちゃんを丈夫にする日光浴に就て

醫學博士 野須新一

春寒料峭の候は寒さが増すやうに思はれ、外出にも不向の季節であり、身體はすつぼり、衣服、足袋、帽子に蔽はれて、日光に當ることも忘れがちの季節であります。從つて斯うした季節になると日光の不足のため、發育旺りの乳幼兒は知らぬ間に色々の惡い影響を受けることになります。昔から「日光の入る家には病氣なし」と言ふて居りますが、日光は色々の面白い働きを有つて居ります。殊に日光の中の紫外線と云ふ特別な光線には、不思議な作用があつて人間の健康を保つて行く上に重要な役割を演じて居るのです。殊にこの日光の働きは赤ちゃんや幼兒達の發育上著るしい効果を及ぼして居るのです。從つて赤ちゃんを丈夫に大きく育てゝ行くためには、これからの先の季節に努めて日光浴をさせるやう心掛けねばなりません。

日光浴には如何な効果があるか

(一)日光を浴すると赤ちゃんは元氣が良くなり、氣嫌がよくなる。夜分はよく眠る。(二)顏色がよくなり、皮膚も丈夫になつて風邪を引かなくなります。之は血液中の成分殊に赤血球や白血球殊に血色素が殖えて來る爲です。尙皮膚の色が黑くなり、彈力に富んで滑らかとなり毛髮も密生して來ます。(三)骨や筋肉の發育がよくなり內臟も丈夫になつて、病氣に罹らなくなります、殊に身體ががつしりとして抵抗力が出來て來ます。(四)榮養がよくなつて體重が增加し、尙寢汗等もかゝなくなります

奥さまが…
こんなご心配はありませんか？

ご主人が

お勤め先きからお歸りになる玄關を開けるか開けないかで〃あゝ疲れた〃〃だるい〃なんて仰言らないでせうか。ご無理ありません……會社で、工場で朝早くから休みなく二人分も三人分も忙しく働いて居られるんですから……しかし明日はまた元氣でお勤めに出ていたゞかなくてはならないのです。

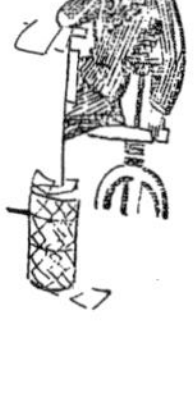

疲れを恢復するには酒の魅力もさることながら一層近代的の方法はエビオス錠のご常備です。疲勞防止ヴィタミンとまで呼ばれるヴィタミンB複合體を自然物の中で一ばん多く含んで居る榮養素です。毎食後お續けになるだけで簡單にこの成分を補ふことができ、疲勞毒素を早く解消して仕事疲れを防ぎますから、その日の疲れを明日に持ち越さなくなり、能率を倍加します

お子だち

が食べものに好き嫌ひなさいませんか——そこは親心といふもの、ご飯どきになると叱つたり、すかしたりあれもこれも少しでも多く食べさせたいと、そのご苦勢は並大抵ではありません。しかし偏食する原因はお子だちの胃腸が弱つて食慾がなくなるからです。何よりも胃腸の働きを丈夫にすることが先決問題です。

こんなお子だちにエビオス錠が貴重です。ヴィタミンB複合體の濃縮物で、弛んだ胃腸の筋肉を引き緊めてその働きを活潑にしますから、自然食慾が湧き起つて來ます。三度のご飯が待ち遠しくなり、なんでも食べるやうになります。その上食物が充分に消化され滋養分が身につくやうになりますから、榮養が高まりますひいては元氣なお子になれるのです。

(五)ヴィタミンDが身體の中に増加する、そして骨の發育を助け、齲齒や佝僂病を豫防出來ます。(六)子供の體質が良くなる。滲出性體質と云つて皮膚や粘膜が弱く、すぐに風邪を引いて氣管枝炎とか扁桃腺炎にかゝつたり濕疹が出來て困る體質の子には効果があります。その他神經性體質とか、腺病質小兒結核等の異常體質にも治療的効果があります。

日光浴の方法　仕方が惡ければ日射病を起したり、頭痛、嘔吐、下痢、食慾不振、不眠等を起すことがありますので呉々もその仕方に注意せねばなりません。土地により、季節により、年齢により、又各人の健康狀態によつてもその方法を違へねばなりません。從つて皆さんが御實行なさる場合には一應醫師に相談をなさる事が大切です。

次に示す表は有名な瑞西レーザン療養所のロリエー氏の方法であります。その方法は頸から上、頭や顏は絶對に日に當てないやうにする。その爲には傘カーテンで隱すかします。そして頸から下を五つの部位卽ち足先（くるぶしまで）、膝下、大腿部、腹部、胸部の五部に分け足先から始めて、漸次日と共にその部位を増し十日目には全身に及ぶ方法であります。乳兒や幼兒に行ふ場合には光線にあてる時間を短縮し、日毎に日光浴の時間も注意して増加して行かねばなりません。括弧の中は乳兒、幼兒に行ふ時間を示したものです。

日光浴をする上に就ての注意

(一)必ず母親が一所に行ふこと。(二)全身浴をするやうになれば、始める前に小便をさせること。(三)寒くなれば敷布團は早くから日光にあてて豫め暖めて置くこと。(四)寒く冷えて皮膚が粟だつた場合には兩手ですばやく全身を摩擦をしてやる。(五)水涕でも出るやうならば直ちに着物を着せること。(六)日光浴中にはなるべく起きて歩かせぬこと。又眠らせぬこと。何れも風邪を引き易いから。(七)水を飮ませること。日光浴を始めて身體が暖かになれば水(ゆさまし)を飮ませること。(八)日光浴が終ればタオルでよく全身を拭いてやること、決して汗ばんだまゝ着物を着せぬこと。(九)日光浴は氣永にゆつくりと行ふこと。決して効を急いでは不可ません。(十)日光浴の時期と時間、春と秋が最もよい。はじめるには夏がよい。夏であれば午前九時以前春と秋では午前九時から十二時まで冬では

（第六十八頁につゞく）

防人別歌

奈良女高師教授　岩城準太郎

防人はさきもりに充てた漢名で、さきもりは崎守の義である。邊土の要地に屯し、海外の敵地に備へて、磯の崎々を防衞する任務を帶びる兵士であつて、卽ち國防の爲に徵集せられて、北九州及壹岐對島の陣地に赴く人々を指すのである。之を防人と書いたのは、唐代の書籍に「邊要置₂防人₁爲₂鎭守₁」とあるのに據るので、正にさきもりに該當する好字面である。

さきもりを置いた起原は明らかでないが、孝德天皇大化二年には、關塞、斥候、防人を置くといふ史實があるから、國防の政務に盡瘁せられた中大兄皇子の御施設の中に必ず此の一項が重きを爲したことと想察せられる。續いて天智天皇、持統天皇の御代にも史實があり、文武天皇の大寶令の中に軍防令といふのがあつて立派に法文化せられ、制度化せられた國家の施設となつた。

防人を徵集する地方は特に指定せられてゐるわけではなかつたが、奈良朝時代、平安朝時代にあつては、常に東國人に限り、時に九州人を用ひたこともあつたが、久しからずして太宰府の献言で、東國人に復歸したことが續日本紀に見える。交通不便な當時に在つて、東國の兵士が鄕國を別れて上京し、更に難波から乘船して九州二島に航し、旅宿三年の任期を任務に盡瘁する實情は、正に現今の北滿地方守備に任ずる皇軍の勞苦に相當するものがあつたであらう。

萬葉集卷十四、及び同卷二十には之等防人に關する和歌が約一百首ほど集められてゐて、一千年以上の昔に於ける國防第一線に立つ人々、之を送る家鄕留守の人々及び之を統率して輸送督勵の任に當つた役人達の呼吸がぢかに聞き取られるのである。卷十四のは年代不明であるが、卷二十のは天平勝寶七年防人交替の際に、筑紫諸國に遣はされる防人等の詠めるものとして、一群をなしてゐるので、兵部少輔大伴家持が難波に出張して、防人動員の軍務に從ひ、直接彼等に接して、其の心情を汲みもし、又自分の述懷をもなして詠み出でた長短歌の歌作を交へて、九十首もまとまつてゐる。

おほ君の遠のみかどゝ、知らぬ火筑紫の國は、寇まもるおさへの城ぞと、聞こしをす四方の國には、人さはにみちてはあれど、鳥がなくあづまをのこは、いでむかひ顧みせずて、勇みたるたけき軍兵と、ねぎたまひまけのまにまに……

これは家持の長歌「追痛防人悲別之心歌」の冒頭であるが東國人が特に徵集せられる理由も明らかに記されてゐる。次いでこれら軍兵等が父母妻子に別れて、勇ましく難波のみ津を出航することが述べられ、

大君の御言のまにま、ますらをの心をもちて、ありめぐり……

奮鬪する勇士の家庭では、武運長久を祈つて、

齋ひ瓶をとこべに据ゑて、白妙の袖折り返し、ぬば玉の黑髮しきて、ながきけを待ち戀ふ

ことを詠じて一篇を閉ぢてゐるのである。防人は約一千人を徵集せられたらしいが、天平勝寶七年に交替したものは、出發に際して述懷の和歌を募られたらしく、その幾何かの兵員及その家族は、お國言葉をむき出しにして三十一字の短歌を防人部領使に上り、防人部領使は之を纒めて兵部少輔たる大伴家持に献じたらしいのである。

家持は之を點檢して特に拙劣なものは之を措き、半數餘りの作を採つて之を集に加へたのである。それで遠江國人の作七首、相摸國人の作三首、駿河國人の作十首、上總國人の作十三首、常陸國人の作十首、下野國人の作十一首、下總國人の作十首、信濃國人の作三首、上野國人の作四首、武藏國人の作十二首、作者不詳のもの八首を採錄して、その間に家持自作の長歌三首、短歌十六首を交へてゐる。

おほ君の御言かしこみ　磯にふりうのはらわたる　ちち母をおきて

といふ一首は遠江國の防人丈部造人麻呂の作であるが、古今に變らぬ日本軍人のこゝろねを吐露してゐるので、同下野國の防人今奉部與曾布の作

けふよりはかへり見なくて大君のしこの御楯といで立つ我れは

と共に雙璧の光を競ふものである。これらは邊陬卒伍の作であつて、而も萬葉集集中、屈指の歌作として、一千年後の今日も尙ほ生き生きと論者の心を動かす不朽の名品といふべきものである。

勇士が出發に際して、敢然と護國の御楯となる決心を詠ずると共に、鄕家の父母と妻との平安を祈る心は、又可憐の至りといはねばならぬ。

まけ柱ほめて作れる殿のごと　いませ母とじおめがはりせず

さきむりにたゝむさわぎに　家のいもがなるべきことを言はず來ぬかも

後者は常陸國若舍人部廣足の作であるが、防人に立つべき大忙がしに紛れて、留守中の妻の活計に就いて、十分

の取計らひをすることの出來なかつたことを歎じたもので、そこに家族の安全を祈るまごころが披瀝せられてゐるのである。

之に對する家郷眷族の作は、所謂無名の田舍人の所詠であつて、作品としてもうぶな感情を直敍するに過ぎないけれど、そのうぶな表現の中に切實な情緒がこもり、純眞な心もちが躍動するのである。

家にして戀ひつゝあらずは　なが佩ける大刀になりても　いはひてしがも

これは上總人の母の作で、いはひは齊ひを意味し、武運長久を願ふ義である。

庭中のあすはの神に小柴さしあれはいははむ歸り來までに

あすはの神はかまどの神で、柴をさすは齋場を假りに設けるのである。

赤駒を山野にはがし　とりかにて多摩の横山　かしゆかやらむ

武藏の國人の妻が赤駒を逸して遂に捕へ得ず、爲に夫の出征に方り徒歩で西上せしめねばならぬことを歎いた歌で、涙ぐましいまごころの溢れた作である。

草枕旅のまるねの紐たえば　我が手とつけろこれの針もち

陣中の不自由を思ひやり、自ら世話してやれぬを歎き、針と糸とを旅嚢に收めてやる妻のやさしい心使ひである。

防人に出る人は、母が手を放れて行く年若い者もあり新妻と住む青年もあり、まれには子のある者もあつたらしいのであるが、多くは一家の中の大切な壯丁である點に於いて、現今の豫後備兵士、又は應召補充兵士に似た立場にあつたらしい。それで最も氣にかゝるのは、殘る者のなり卽ち生業であつたやうである、所謂銃後の大問題はこれであつたやうである、而も、大君のまけのまにまに、決然と往く者も送り、殘る家族は唯齋ひの庭を設けて、その武運長久を祈念するのである。兵部少輔大伴家持は、この事情に鑑みて陳思歌を作り、次のやうに述べてゐる。

大君のみことかしこみ　つまわかれ悲しくはあれど丈夫の心ふりおこし、とりよそひ門出をすれば　たらちねの母かきなで、若草の妻はとりつき、平らけく我はいははむ、まさきくてはやかへりこと……

出征兵士の驛頭面會の場に見る幾多涙ぐましい光景を思はせる歌句が、かうして次々とくりのべられる。

東國の勇士が山河二百里、難波の津頭に集結し、東方生駒の山に雲のたなびくを見ては思ひに堪へぬものがあつたらう。

難波門をこぎ出て見れば神さぶる生駒高嶺に雲ぞたなびく

さりげない言葉の中に無量の感慨がこもるのである。

甥二三郎渡滿の壯途を送る

伊藤悌二

星小學校長の書翰

謹啓春寒料峭の候愈々御淸榮の段奉慶賀候

陳者此の度御甥様二三郎君には皇國の干城として御入營御名譽のことゝ御喜び申上候本朝當地雪降りに候へども多數町民兒童生徒の歡呼の聲に送られ威風堂々勇躍渡滿の壯途に上られ申候間御休心の程御願申上候

本日は又十三年度『子供の世紀』合本御惠贈に與り辱く頂戴仕候早速圖書館藏書に登錄仕り御厚情を公衆に頒ち偉大なる御事業に敬意と感謝とを捧げ度奉存候

先は右御禮まで如斯に御座候　草々敬具

昭和十四年二月二十一日

宮城縣磐城國伊具郡金山尋常高等小學校長

星泰三郎

殿

以上は申す迄も無く二十年來俗界の榮譽を捨て、南朝の忠臣北畠顯家卿の立て籠つた靈山に近い、我等の郷里に踏み止まつて、伊達政宗公の舊領地中島公の城下にて東北健兒の育英事業に寢食を忘れ、身命を捧げて居る星校長の御書翰である。

甥は入營後、二十二日早朝直ちに仙臺師團を出發、二十三日未明大阪驛に着し、本願寺難波別院に集合して上官からの諸般の訓告を受け、二十四日は身體檢査、二十五日は大阪灣第〇突堤から乘船……と云ふ通知が四五日前に郷里の實家から來てゐたのだが、星校長の溫情裕かなる御便りで、甥の出郷の有樣が映寫面を觀るやうに如實に感じられた計りでなく、然も偶然にも甥の大阪着と同日に此の音づれを手にし感慨無量であつた。

交通機關の發達してる事と、その至便な點で世界に餘り類を見ない阪神間は、省線(復々線)阪神線、阪急線、國道線とが絕えず往復して居るが、此の四軌道の孰れを利用しても、朝の五時に大阪驛に出られる線が絕無なので、如何にも文明の利器の不便過ぎる事をかこちつゝ、出迎へは二三郎の次姉の嫁いでる渡邊正一氏に御願ひする事にした。

これは後ちに聞いた事であるが、〇〇〇〇有餘名の兵隊さんが一度にどつと驛に下車しても、不定期列車のため出迎ひ人がなく、「萬歳」を叫んで吳れる者が無かつたので、御自分等が「萬歳」を三唱したらしい。尙又東北の健兒たち――主として仙臺、山形、新發田等――の服裝もまちまちで、靑年團服もあれば普通の詰襟もあり、中には牛乳配達のやうな姿の者もあり、オーバー着流しは兎に角として黑紋附に赤襷もあつたと云ふ、手にしてゐるズツクの鞄は極上等の方で、大抵の者は風呂敷包を持參したとの事である。渡邊氏は別院まで同道してみて、東北健兒たちが珍らしげに北濱街附近の高層建築に驚異の眼をみはつてゐたので、思はず吹き出して了つたらしい、それもその筈だ健兒たちは東京を素通りして來て、中には奧羽の山間僻地から直接大都市の空氣を呼吸した者もあつたのだから……

軍民一心同體の境地

渡邊氏兄弟と甥の三姉豊子と四人で、難波別院の廣庭に面會に行つたのは其の日の午後だつた、十數年來見て居るお寺の鳩の羽音迄が今日は意味ありげに耳朶に響く、今しも十何列かの縦隊の光榮ある新兵諸君に對し、仙臺からはるばる附添つて來られた交附員の〇〇副官の訓告最中であつて、それに引續いて、幾山河を越えて遠く滿洲から出迎へに來られた受領員の佐官の方が、いとも鄭重懇切を極めた告諭があつた。

「我が大日本帝國の中でも一番强いと云はれて居る、東北及北陸の健男兒を本日多數御迎へする事が出來た事は實に喜びに堪えぬ。畏くも天皇陛下の大御心を體し、大稜威のもとに諸子は帝國の名譽ある軍人として選ばれて此所まで來たのである、諸子の背後には慈愛豊かなる御兩親あり御兄姉あり、亦總ての犧牲を拂つて眞劍に我等を後援して居らるゝ、銃後多數同胞のある事を忘れてはならぬ。云ふまでもなく我が國は未曾有の難局に處して居るのであるから、諸子の責任も重且つ大である、大いなる覺悟と決心とを以て大御心をいため奉る事なく、亦銃後同胞の赤誠を無にしてはならぬ、終り。」

それから父兄、親戚、附添の者に對して交々熱涙ほとばしるやうな、然も行き屆いた訓告があつたので思はず眼頭があつくなるを覺えた。

「二度と遭はれないと云ふ淺墓な考へから、御親族方が御自宅に連れ歸られて、酒を饗應されたり、亦遊里などに連れて行かれて、取り返しのつかぬ身體にされては

國家に對し相濟まぬ次第でありますから、夜分の面會は九時迄と致します。それから一切を御まかせ願つて我々は御預りしてゆくのですから、餘分の金錢は渡されぬやうにして頂きたい、滿洲は金を使ふ場所がないのです、それに內地と氣候も左程違つてゐないから、訓練は決して苦痛ではありません、室內の設備が完全ですから寒さを感じないのであります。物品の一切は支給されますから、若し送られるなら新聞とか古雜誌がよいのであります、終り。」

斯うした情愛のこもつた御話しを聽いて居ると、誰れしもこれは血なまぐさい戰場に降魔の劍を振つて、三軍を指揮する武人の言葉とは思はれない。宜なり、はるばると山形あたりから見送つて來てゐた、老ひたる村長や父兄達は兩眼に涙をしばたたかせてゐたのである。

姉の豊子は何時までも幼少だと思つて居る弟、二三郎の列に近づいて行つて、「友達と喧嘩などするではないよ」とはなむけの言葉を送つてゐたのは笑ひ事ではなかつた、そして足元に置いた鞄の中を調べてみて、數冊の愛讀書のあるのを發見して、「國境へ迄行つて本を讀む積りだらうか」、と獨語してゐた。

受領員の士官の方が我々の方に近よつて來て懇談的に「何んでも質問があれば今の中にたゞして下さい」、と云はれたが、斯うした溫い態度で軍民一心同體であれば、我が大日本帝國は永遠に萬歳であると思はしめた、斯くてこそ我が國は世界に恐る可き何物もない事を確信させられるのである。

瞼に浮ぶ旗の波

身體檢査の二十四日の夜は「親類の方々は自宅へ連れ歸る事なく、安眠さして頂きたい」、との注意もあつたので、送別の宴のためにと買求めてあつた大鯛は無駄になり、そしてその夜は態と訪問しなかつたが、未だ一度も遭つてゐない二姉節子は、夫君の渡邊氏同道で本町ホテルを訪ねた。近村から志願して來た仲善しの某君が難波別院の庭で「僕には親戚も誰れも訪ねて來る者が無くて寂しい」、と記者に訴へてゐたが、「出發の前夜知人と遲く迄酒を飲みました」、と後で話してゐた由實に慶賀の至りである。亦「僕の親類はあちらで僕等の班長になつて吳れるのですから、御心配御無用です」、と云つて節子夫婦を慰めて吳れたとの事、實に賴母しい人物である。

二十五日、午前八時より十時迄の間に於て、大阪灣第〇突堤拔錨との通告によつて、七時に芦屋の家を出た、橋を渡つた突堤附近の倉庫の前の廣場には、百人程づゝを一隊とした三つの先發隊が、漸く九時過ぎに着いて休息してゐたが、健兒たちが其の邊りの賣店で求めた密柑やするめなどを食べ飽きた頃、四十代の紳士が長竿の先

きに日の丸の大旗をつけて、「萬歳」を叫びながら群衆の中に躍り出た。

勝つて來るぞと勇ましく　誓つて故郷を出たからは
手柄たてずに死なれよか　進軍ラッパきくたびに
瞼に浮ぶ旗の波

大聲に歌へつゝ音頭を取つたからたまらない、其の邊一帶に休息してゐた兵隊さん達は、やをら起き上つて聲を合せ聲を限りに、ありつたけの聲をふりしぼつて、今日を限りと歌ふのであつた。

處が驚く可し、反對の廣場の隅の方を見渡すと、國防婦人會の若き妙齡の婦人は白襷も勇ましく、國旗に適當な短か目の竿をつけたのを手にし、竿頭が左右の地上に觸れる程、興奮し乍ら音頭とりつゝ

ひとりの姉が嫁く宵　買つたばかりの日の丸を
運ぶ簞笥の抽斗へ　母が納めた感激を……

と大勢の兵隊さんの眞中に包圍されて、恰も和製ヂヤンダークの姿を彷彿させるやうに、調子も極めてセンチに合唱の指揮をして居るので、見廻りの馬上の憲兵も苦笑する計りであつた。

雨中大阪灣の拔錨

斯うしてゐては、切角見送りに來た甥の二三郎に遭はれないから、其の憲兵に尋ねてみると、「遂ホンノ先頃橋の向側に〇〇部隊が着いた計りです」、との事で前來た道を急いで戻り、漸くにして本人を見つけ出し別れの言葉をかはした。間も無く〇〇部隊は合唱の廣場に進軍して晝食をとる事となつたが、その頃から細雨蕭々と降り出し、それが次第に大滴の春雨と變つて來た。憲兵の案內で見送り人は天幕の中に雨を凌いで、〇〇〇〇名の東北健兒が喜福丸に乘船を終るのを待つて、我々も亦隊伍を組んで突堤迄導かれた。ラヂオ專用の自動車から「見よ東海の空あけて、旭日高く輝けば」、の愛國行進曲が高らかに天地もさけよと計り鳴り響くと共に、嚴肅な歡送の式が施行された。

見送る者、見送らるゝ者が、春雨のそぼ降る中に莊重な國歌君が代を合唱した時、一人として泣かぬ者はなかつた、傘を持たぬ者が大部分なので、殊に婦人たちは氣の毒であつた。裾をはしをり、ハンカチを頭に載せ、襟巻を打ち振り〳〵愛子愛弟を見送る健げなる樣は、日本人だけが所持する大和魂の發露であつて、これは光榮に輝く傳統に生きる日本人の特權であり誇りでなくて何であらう、實に歐米人には納得のゆかぬ境地なのである。

部隊長の熱誠こもる謝辭に續いて　天皇陛下萬歲が三唱され、嚴かな「國を發つ日の萬歲に痺れるほどの感激を、こめて振つたもこの腕ぞ……」の皇軍大捷の歌が歌はれる、次第に舷は突堤から離れ、二間三間の距離を置く頃は感激のクライマックスに達し、次第に雨量を增し、大滴の雨が帽子から背部に強く降り注ぎ、船上の健兒たちの姿が見別けのつかぬやうになつても、數々の日の丸を甲板上に振つて居る樣が止まぬのであつた。

實に健氣なる甥二三郎が遂今しがた、廣場に座して晝食をとりながら「昨夜はよく眠りました」、と云つて疲勞を征服した元氣な顏が、海上はるかな船上に浮び出て來るのである。實に生れ乍らにして愛國者だつた二三郎は鄕里の學校を出た時、此の叔父が高等の敎育をうけるやうに勸めたのであるが、彼はその時叔父の親切を拒絕して斯う云つた。

「徵兵猶豫の特典は國民大衆の前に恥づ可き事であつて、徵兵忌避罪にふれる不忠者は多く高等敎育を受けた者である、今日の敎育なるものは尾崎行雄翁の明言さるゝやうに、決して富國强兵を實現して吳れるとは思はないし、戰爭の勇士としての資格を充分に與へてくれるかどうか考へものだ、依つて私は十九歲ですが徵兵適齡前に志願して陛下の一兵卒として國家に此の身を捧げます」、と。

記者は大雨にびしよぬれになり乍ら此の二三郎の大人びた言葉を思ひ起しつゝ、いつまでも〳〵海上はるかに遠ざかり行く尊い船姿を見送るのであつた。（終）

（第六十頁よりつゞく）

午前十一時より午後二時までの時間に行ふ。（十一）場所東と南側の開いてゐる部屋を撰び南向の椽側で硝子戶を開けて直接日光にあてること。風があつて寒い日であれば硝子の一枚或は二枚を特別な「バイタグラス」（紫外線を通す硝子）に換へ、その部分を通して來る日光にあてる。（十二）日光浴は生後一―二ケ月頃から始めてよい。

日光浴の時間と身體部位の進め方

（括弧內は乳幼兒に行ふ分數を示す）

部位	胸	腹	上肢	下肢	足先
第一日					五分（2）
第二日				五分（1）	十分（4）
第三日			五分（1）	十分（2）	十五分（5）
第四日		五分	十分（2）	十五分（3）	二十分（6）
第五日	五分間	十分（2）	十五分（3）	二十分（4）	二十五分（7）
第六日	十分	十五分（3）	二十分（4）	二十五分（8）	三十分
第七日	十五分（2）	二十分（4）	二十五分（10）	三十分	三十五分
第八日	二十分（3）	二十五分	三十分（10）	三十五分	四十五分
第九日	二十五分	三十分	三十五分（10）	四十分	四十五分
第十日	三十分	三十五分	四十分（12）	四十五分	五十分

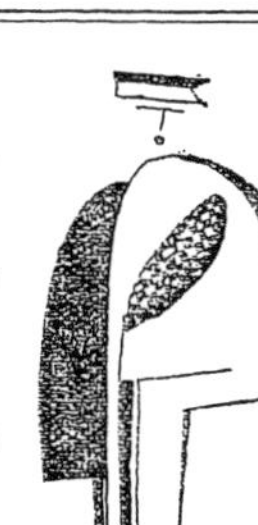

幼兒を耕す

ツカダ・キタロウ

（五二）都落ち

いろ〳〵の意味に於て、都會生活に落伍した私は、前號で御通知申しました通り、都落ちをしました。そして、誰も知らぬ南海の一漁村に居を定める事になりました。

勿論、一番主な目的は、年來の私の主張である「農村幼稚園」の創立にありますが、從なる目的の一つは、「生活の簡易化」の實行であります。

生來の薄志弱行で、幾度となく失敗を繰り返して來た「生活の單純化」を、環境の威力により實行しようと言ふのが、今度の都落ちの原因であります。

處が、世の中は眞に有難いもので、丁度都落ちを作めた其の日に、最も人情厚くして住むに適しい土地を敎へらるゝあり、然も移住の準備中に、是又其の心づもりに對して、最もよき注意を受ける事が出來たのであります。これは何よりも私の前途に對して、幸福を惑ずる次第であります。

非常時局に際して、數々統制の發令されるあり、お互に其の必要を感じつゝも、都會生活に馴れし私には、仲々御趣旨に添ひかねる數々を發見して、獨り殘念に思ふ事が再々あつたのです。

私の樣な者には、生活の單純な農村に居を移して、四圍の事情よりして止むを得ず生活を改善するより他に、適當な方法が無いと氣がついて、急に思ひ立つた日を吉日として、此の地を探し求めて來たものであります。

そんな譯ですから、いさゝか無謀に屬する位の無理矢理の生活移動でありその爲め、心の準備が皆目駄目であつたのです。これは隨分な苦痛で、閉口して案じてゐたものであります。

そこへ、丁度その心の準備にふさはしい處の記事を讀む事が出來たので、思はず嬉しさに手を拍つたのです。御迷惑でせうが私の都落ちの心境を、少しでも判つて頂く爲めに、御許しを願ひます。

（五三）週刊とサンデー

私には一つの道樂があります、否、隨分道樂の多い男である事は、旣に皆樣の御存じの通りでありますが、その一つに斯んなのがあります、それは「週刊朝日」と「サンデー每日」の愛讀者である事です。

いつかも申しました通りで、これは旅行した場合に限られる道樂で、汽車か電車にのつて旅行する場合には、必ず最近刊の「週刊朝日」と「サンデー每日」を購ひます。諸賢の中にも、「週刊朝日」や「サンデー每日」を、後生大事に抱へてゐる私の姿を、再三御覽になつた事でせう。

これ隨分古い習慣の一つで、長い間續いてゐる事です。それはこの兩誌の面白さによる事ではありますが、丁度汽車や電車の旅には、手頃であり然も車中で讀むに適はしい讀物が滿載されてゐるからであります。

が然し、私には今一つの目的があるのです。私は知らなかつたのですが、私と癩病院との關係は、知人間には相當に有名なものゝ由で、全く私には常に癩者の幸福を祈る心が、念頭から去らぬ事は事實であります。

何か一つでも手に入ると、すぐ癩病院へとの心が動くのでありまして、何とかして少しでも彼の人達を慰めてあげたいとの思が常に一杯に心を占めて居ります、これが再々の癩病院訪問となつて表はれて來る譯です。

處で、貧乏暇なしの通り、どうしても思ふにまかせぬ事のみであります。そこで考へついたのが、「讀み古しの雜誌」の寄贈であります。新聞紙一枚にも常に不自由な思ひをしてゐる彼の人々へ、古新聞紙でも古雜誌でも送つてあげられたら、萬分の一位の志は通じるだらう、と思つたのが、事の始まりであります。

そんな譯で、要不要に不拘、私は週間朝日とサンデー每日は旅每に購ひます。そして旅行の終ると共に、是を各地へ發送して來たものであります。

處が此處に重大事件が發生したのであります。それは今回の支那事變であります。そして私の友人達が出征して行つたのであります。それから、この「週刊とサンデー」にも、異變が生じたのは、止むを得ぬ事でありまして、目下は每週必ず海を渡つて、北支と中支とに戰ふ二人の友に、御奉公の千萬分の一を傳へる爲めこの「週刊とサンデー」とは私の代理をして使をしてゐます。

と、まあこんな譯合の次第であります。

（五四）「ハイキングの聖者」

これはその餘德として得た、サンデー每日誌上の物語りであります。筆者は秋田雨雀氏であります。

それは「ウルデンの聖者」と稱されたヘンリー・ソローの物語でありまして、ソローは一八一七年七月十三日、北米合衆國マサチユセツツ洲コンコードの田舍町に生れた人で、あの有名な「自然論」や「偉人論」を著し、「コンコードの聖者」と呼ばれたエマーソンの家庭に寄宿してゐた事もある位で、エマーソンに師事し、其の影響を多大に受けてゐる事が感ぜられると記されてあります。

又あの有名な詩人、ワルト・ホヰツトマンも、この近くに住んでゐたので、ソローに逢つてゐるとの事です。あの有名な詩集「草の葉」を出版したのは一八五八年ですが、その頃にホヰットマンはソローに逢つたと、ホヰットマンの傳記に記されてあるさうです。

ソローは幼年期から旅行を愛し、特に森林を愛し、ワルデンの池の傍らに自ら小屋を建てゝ住ひ、森の動植物に親しみ、アメリカ先住民族即ちアメリカ・インデアンの歴史や習俗などを研究した人であります。

實にや名大統領リンカーンが、一八六三年に「奴隷廢止令」を公布しましたが、ジョン・ブロンやエアーリンのやうな人たちの奴隷廢止運動の結果、あの有名な南北戰爭の過程を經て、この廢止令が公布されたもので、ヘンリー・ソローも、この奴隷廢止運動の熱心な支持者であつた事は申すまでもありません、ソローは先づ或る地方に旅行をしようとすると、先づ其の地方の地圖案內記の類を集めてこれを精讀し、旅行には荷物は少いほどいゝと云ふので、布又は紙で袋をつくり、必要なものをこれに入れて携帶することにしました。

その中には

一、縫　　針
一、植物の壓搾器
一、コ ン パ ス
一、小 望 遠 鏡
一、卷　　尺
一、ナイフ、小皿
一、砂 糖、食 鹽
一、テ　ン　ト

その他の品を納めてゐました、

彼は旅行中氣に入つた處があれば、何處でもテントを張り、其の中に座り、茶を煎じて飲んだりすることを無上の娯しみとしました。

パンは携帶せずに、旅行先の農家で配けてもらひ、池や河の魚を漁つて、これを自ら調理して食べることもありました。

また旅行中は止むを得ぬ場合の外は汽車にのらず、また旅館にとまると云ふやうな事は殆どなかつたさうです。夜は天幕の中でなければ百姓家や漁夫の家にとめてもらひました。ソローはこの樣にして農民や漁夫の生活に親しみ、興味と利益とを得たのです。

（五五）ワルデンの小屋

一八七五年、ソローはワルデンの池の傍の森を切り拓いて、そこに小さな小屋をつくりました。彼は一挺の斧を人に借りて森の樹を切倒して、それで柱、床、壁、屋根をつくり、殆ど他人の手を借りずに一軒の家を仕上げてしまひました。椅子、テーブルの類までソローは自分でつくり上げました。

ソローは朝早く起きて、池の水で顔を洗ひ、晝は少しばかりの畑を耕し、夜はランプの下で靜かに讀書等をしました。

このワルデンの森の生活は、ソローに一つの信念を與へました。その信念と云ふのは、

「人間の生活は簡素であればあるほど幸福」なのだといふことです。

以上は、サンデー毎日誌第十七年第三十七號所載の大樣でありますが、私はこの記を讀んで、一つの詩（文句は忘れましたが）を

思ひ出します。

それは作者も何も彼も忘れて終つてゐますが、こんな意味のものだつたと思ひます。

一人の男の人が、正しい生活を仕樣と考へて、段々貧窮に陷つて行きます。然し貧しくなればなるほど、幸福を感ずると共に、神樣が身近く來て下さる樣な氣がして來ます。そして貧窮と戰つて行きますのが、とう〳〵最後に、椅子と卓子丈けが殘つて、食する物も無くなつたと云ふ場面の詩なんです。

其の時のその男の人の言葉は、こんな樣に記憶してゐます。

「私には、もう何も殘されて居ない。唯あるものはこの椅子と卓子丈けになつた。神樣は既に隣り室まで來て居なさる。物音が聞えるでは無いが。けれども、この椅子とテーブルのある間は、神樣は此の部屋には這入り給はない。今に、私はこの最後の持物も失ふであらう。その時こそ、神樣はこの部屋に足を運び給ふのである。

とう〳〵私は勝つた。世界中のすべての物を失ふたが、遂に神樣を得た。」

とう〳〵「貧乏と神樣は隣り同志だ」と叫んだと云ふのです

「ワルデンの聖者」を讀んで、私は私の都落ちの、如何に光榮に滿ちてゐるかを、心から悅んだのでありました。

（五六）童話の新使命

今から二十年近くも以前の事ですが、私はこの記の筆者秋田雨雀先生を訪れた時の事を思ひ出します。秋田雨雀氏は、誰もが知る通りで、我が國童話界の大先輩であります。

多分現在奈良縣五條高女校の芦田正喜校長の御紹介だつたと記憶してゐますが、雜司ケ谷の鬼子母神のお宅に秋田先生をお訪れした事は、私の思ひ出の一つとして、いつ〳〵までも殘る事でせう。

失禮な申し分ですが、初對面にも拘らず丁寧に御面談下さつた秋田先生の第一印象は、頭の頗る大きな、身體の小さなお方でありました。これは野依秀一氏の講演を聞いた時にも、フトよく似てるナアと思つたほどですから、多分間違はないでせう。

矢張り先輩の一人である芦田先生の御介狀あつたればこそではありませうが、若輩の私を親切に長時間數へて下さつたのでありましたが、其の時の私の質問に對しての御說明は、今もハッキリ頭にのこつて居ります。

私の質問と云ふのは、

「童話の最も新しい傾向及將來への使命」はと云ふのでした。

若い頃は、誰しもが一度は提出しさうな質問ではありませんかれ。如何です諸君は。

處で、その御答の大樣は、

「最近（その頃ですよ）露西亞及伊太利邊りで、盛んに考へられてゐる事實は、童話を大人に話す事です。つまり、通俗講演の最も進んだ、且又最も適當な方法として、童話が盛んに用ひられてゐる事です。これはお互も注意せねばならぬ事です。

童話の形式の性質上、さうあるべきだと思ひますが、將來は我々もこの點に研究もし努力すべきでせう」

「童話を大人に、通俗講演として話す」

これは確かに卓見で、私の爾來努力して來た處であります。思ひ出すまゝに記して、感謝の意を表して置きます。

（五七）所謂慰問團

サンデー毎日の「從軍難謳」の中に、筆者中川記元氏は冒頭に斯んな記事を載せて居られます。

われ〳〵の乘つてゐる郵船の連絡船が、いよ〳〵黃浦江に入つて、上海も間近になると、日本の兵隊の乘つてゐる色々の種類の船が澤山ゐて、盛にすれちがふ。また、兩岸の陸地に立つたり步いたりしてゐる兵隊もよく見える。

「双方からお互に手を振つて萬歲々々を交換するのだが、氣が附いて見ると、こちらは三等船客や下級船員たちが主にそれをやつてゐて、上等な船客たちの間からはあまり元氣のいゝ聲が出ない。戰地へ來てはじめて會ふ日本の兵隊さんたちに心からの歡呼を送れないのは何うしたことだ。この船には上等な種類の人たちの慰問團が澤山のつてゐたが、その人たちの多くは取り濟まして、眺めてゐるばかりだ。

かへつて兵隊さんの方から萬歲をいはれて、キマリ惡さうにちよつと手を擧げる白々しい光景。

あの種の人たちが「本當の慰問」をするのは、何處で、どういふ取つて置きの手で爲されるのだらうかと考へて見た。」

どこかの市會議員の慰問團が、軍部當局より拒否されたと新聞紙で見たのも古い事に屬しますが、斯うした慰問團も絕えぬものらしい樣ですね。

（五八）足のない慰問團

それに就いて思ひ出すのは、上海より南京方面へ視察と慰問に行つて來た友人の土產話であります。それは失張り、所謂慰問團が現地で如何に迷惑がられてゐるかと云ふ事實であります。

と云ふのは、これも支那認識の不足がその原因をなしてゐるのでありますが、內地並の廣さ否狹さの考へから、交通機關の事も考へずに、續々と派遣される或は押しかける慰問團の應接やら案內の爲めに、どれ丈け忙しい軍當局が惱まされてゐるかと云ふ事なんださうです、

事變とは云へ、大戰爭とも申すべき激戰の連續であります丈けに、一切の交通機關の利用等は思ひもよらず、と云つて步いて等出來る樣な狹い土地ではない支那に於て、慰問團の送迎が、とても大變な面倒なり且又重大な「邪魔」になるのです。

「自動車」と「馬」以外には、到底進退の出來ぬ今回の戰地に於て、前線の兵士達への糧食補給、殊に命とたのむ彈藥の輸送に著ゆる努力が拂はれてゐるに拘らず、猶ほ不足勝ちの狀態にある「自動車」を、所謂慰問團の爲に割く事は、非常な苦痛でありますと共に、重大問題であるのです。

紹介狀の手前、司令部よりの命令もあり、止むを得ず無理して自動車を都合して、慰問團の足の便宜を計るのが常であるとは申せ、第一線に命を捧げてゐる兵士達の事を思へば、身を切られる樣な思ひをするとの事です。

幸に私の友人は、此の間の消息を察して、旅費を儉約してボロ乍ら自動車を一臺買求め、上海上陸以來、一度も軍當局のお世話にならずして、慰問も視察もなし、歸國に際しては、せめてものお土產にとその自動車を獻納して來たと話して吳れたのでありました。

私は、私の友人の心ばせを感謝すると共に、所謂慰問團なる人々に、反省される樣切望して止みません。

（五九）軍神橘中佐

同じサンデー毎日に、永見德太郎氏は「軍神橘中佐を偲ぶ」の一文をのせて居られますが、冒頭の數節に中佐の風格を記して居られます。

「謹嚴そのものの如き橘周太が、幼年學校の入學試驗にパスして、いよ〳〵陸軍軍人としての敎育をうくる樣になつてからは心身を練ることにつとめたのであつた。

明治十五年、明治天皇は、陸海軍人に、勅諭をお下し賜うたのである。學校では每日曜の朝、勅諭捧讀をすることになつてゐたが、彼は日曜だけは物足りなく思つて、敎官に願つてそれを謹寫し、每朝々々自習室に入つては、姿勢を正し、默讀し、暗誦してからは、弟の三郎に寫しを送り、有難い御訓を傳へたのであつた。

戸山學校敎官兼敎導大隊長のころは、一層兵の敎訓に力をそゝぎ、起床ラッパのひゞく前には、チャンと練兵場に姿を現はし消燈時間になつてから、我家に歸るのであつた。だから、彼は朝霧のこめ立つ時刻と、夜更け近くに、薄汚い軍服をつけ、外を默々と步くのが日課であつたのである。

丈夫の立てむいさを駿河なる
　　富士の高嶺も及ばざらまし

と歌つたのは、彼の理想であつたであらう。」

中佐の鄕里は、長崎縣南高來郡千々石町でありまして、雲仙バスが小濱近くに來ますと、海岸に岩石が疊々として、一大防波堤をなし、松林が長く續いて防風林をなしてゐるあたり、案內の車掌が、遙左手を指して

「橘中佐の生家」

と敎へて吳れます。

千々石は、その名の示す如く、此の地方隨一の「風波強き」地方にて、その土地柄が住民達の性格に影響する處、多大である事を思はされます。

「山水は人をつくる」とか、軍神の生まれるの地、豈偶然ならんやと思ふものがあります。

（六〇）「涙」と「笑」と

映畫「螢の光」についてと題して、岩崎昶氏がサンデー毎日に發表されてゐる一文は、童話の涙と笑に關する貴重なる文獻として、直ちに數へられる處多大と信じますので、拜借して御覽に供しませう。原文のまゝに寫しますから「映畫」なる文字を「童話」なる文字と置かへて味つて下さい。

映畫製作者の間に、大きな迷妄が存在してゐる樣子である。そ

れは、映畫に於ける「涙」と「笑」とに關してである。ある映畫を見て、見物が笑つたり泣いたりすると、その映畫が「受けた」のだと思ひこむこと、これである。

その實、見物席の「涙」や「笑」は、決して「滿足」や「感動」の證據にはならない。人間はむろんいつでも無意味に泣いたり笑つたりするものではない。だが、また必ずしも深い意味があつてさうするのでもない。つまり「涙」と「笑」の中には、心理的な現象である部分と、單なる生理的現象に過ぎない部分とが、ともに含まれてゐるのだ。

催涙ガスといふものがある。これが眼に入れば、悲しくとも何ともないのに、止め度もなく泣けて來る。笑氣と云ふ瓦斯體があるつてことを僕等は化學で習つて來たが、これを呼吸すればたとへ變人の臨終にだつてゲラゲラ笑ふことが出來るのである。もつとあたり前の事でいへば、腋の下をくすぐられゝば誰でも笑ふし、サビの利きすぎた鮨を食へば、ボロボロと涙が出る。

映畫を見ての感動や反應をこんなことに比べるといふのは亂暴千萬であらうが、しかし正直のところ、このくらゐに無意味な生理的現象でしかない「笑」や「涙」が、映畫には實に澤山ある。そしてこれを、それが形式上は同じ「笑」や「涙」であるからといふので、他の深い精神的感動から生じた「涙」や「笑」と混同することは許されない。

（六一） 亞流作品

「僕等が始終經驗することだが、全然愚劣なるドタバタ喜劇などを見て、そのしだらなさに心中立腹しながらも、顏の筋肉は笑つてゐることがある。面白くて、或はおかしくつて、笑ふのではない、笑ふより他に手がないから笑ふのだ。

くだらない笑を「くすぐり」と名附けた人は眞を穿つてゐる。この笑ひは笑氣の作用と同じく、純粹に生理的なものでしかないのだ。

泣く場合でもさうである。この場合は、笑ふ時ほど簡單ではないが、それでもあの手この手と「お涙頂戴」の道具立を、これでもかこれでもかと積み重ねれば、一通りの見物に涙を強要することは容易なことである。ことに涙線の敏感な從つて理性の鈍感な若い女人たちには、——だが、これはたゞ映畫の形をして催涙ガスでしかないのだ。だから、もし「エノケン」の映畫をかけた映畫館でドット客が笑ふたとか「螢の光」を見てハンカチを濡す女客が多かつたとかいつて、これらの映畫が大衆に氣に入つたのだと思つて、ドシドシその亞流作品を作らうなどと考へて貰ひたくないのである。實は「螢の光」を見たので、僕はこのことを書き出したのだ。こんな作品は映畫文化の進展に逆行する。

見物は映畫館に、泣きに、あるひは笑ひに來るのだ。といふいひ方も正しい。だから彼等を泣かせ、あるひは笑はせることも映畫の高貴な任務の一でなければならない。けれども見物の欲する泣き方や笑ひ方はどんなものでもいゝそれではない。昔のギリシャの哲學者の言葉で巧にいひ表はされる「淨化」をもたらすところのそれである。

「涙」と「笑」とで、あまりにも人間臭い利害や無智や狡猾を洗ひ流すところのそれである。

たゞ笑はせさへすれば、泣かせさへすれば、觀客の支拂つた入場料に對しての責任がすむといふのだつたら、映畫を見せる代りに、亞酸化窒素だの臭化ブンツォールなどを客席に振り撒いた方がたしかだ。

と、この位のことをいはなければ、映畫事業家の「涙」と「笑」とに對する、迷妄を彈劾するに足りないのだ。」

語り盡して妙と申すべきか、實際の處、「この位ゐ云はなければ、童話家の迷妄を醒し得ない」と思ひます。

（六二） 制服の魅力

「燈光」と云ふ雜誌は、燈臺勤務者の機關雜誌でありますが、北見大郎氏が「制服綺談」と題して、頗る興味ある記事を載せて居られますので、一部拜借して御覽に供しませう。

服裝の整備した軍隊が勇猛である樣に、服裝の整つた人間は確に精神も整つてゐる。この點から云へば、服裝問題は單に軍隊だけの問題でなく、國民全體であるべきだ、それかあらぬか近頃、軍人、官吏、學生その他服制ある階級以外の國民層に迄、制服制定の機運が動いてゐる。

制服は、それを着用する事に依つて氣分が引き締まる樣なものでなければ、全然價値はない。

「制服だから仕方なしに着てゐるんだけど、人前に着て出るのは恥かしい」といふ程度の制服なら、斷じて徹廢すべきである。」

以上は、燈臺長以下の職員の「制服問題」に關して論ぜられてゐる冐頭語でありますが、私はこれを、幼稚園「園兒の制服」の問題に對して他山の石としたいと思ふのであります。

殊に、最近の「女學生の制服」の制定傾向に關し、私は年來尠からず殘念に思つてゐますので、北見氏の文を拜借して、大いに當局者の反省を促したいと思ふたのであります。

「女工より劣る」のと評の多い女學生の制服の實情は、これは由々しき「精神問題」でありませう。一度、遊覽都市へお出かけになつて、ゾロゾロ歩いて居る「女學生の群」を御覽になれば、尠くも御子息のお嫁さんには欲しいとは、誰もが考へぬであらうと思はれるほどに、「不ざまな制服」の洪水ではありませんか。心すべき事でありませう。

童話

汽車の中で咲いたチユウリツプ

坂野潤

一

ミネちやんの大好きな小母さまは、もう長い間のご病氣で、遠い、遠い山の中の病院に入つてゐらつしやいます。

ある日、お父さまがお見舞にゐらつしやるので、ミネちやんは大事にしてゐるチユウリツプの鉢植を、持つていつて頂くことにしました。

小さな鉢に植つたチユウリツプには、綠色の可愛いツボミが出來てゐます。お花の好きな小母さまは、ツボミがお花になるのを樂みになさるだらうと思つて、お父さまにお願ひしたのであります。途中でチユウリツプが枯れないやうにと、ミネちやんはお水をどつさりかけておきました。

二

お父さまの乘られた汽車は、あくる日の朝病院のある、山の村に着きました。

ところが、汽車の中が暖かつたので、チユウリツプのツボミはパツと開いてゐて、それは、きれいな赤いお花に咲いてゐました。

お父さまは、せつかくツボミのまゝ持つてきたのが、途中で咲いてしまつたので、捨ててしまほうと思はれましたが、それではミネちやんの贈りものが無くなります。

お父さまはそのまゝ、チユウリツプの花を小母さまに屆けられました。パツと咲いてるチユウリツプをごらんになつて、小母さまはどんなによろこばれたでせう。ミネちやんがツボミのまゝ贈つたわけや、それが途中でお花になつてしまつたことを聞かれて、泪をながしてよろこばれたのであります。赤いチユウリツプの花は小母さまの眼に、長いこと逢はないミネちやんの顏になつて映りました。

三

私の大好きなミネちやん

ツボミのついたチユウリツプありがたう。小母さまはけふから、樂みが一つふえました。それは、ツボミが早くお花になることです。

小母さまの病氣がよくなるのが早いか、チユウリツプのお花が咲くのが早いか、どちらでせうね。

でも、どちらもきつと早いと思ひます。ミネちやん、どうもありがたう。

病氣の小母より

しばらくして小母さまから、こんなお手紙が屆いたので

「まあよかつたわ」と、ミネちやんは安心しました。

そして、お母さまに

「ねえ、お母さま。チユウリツプが早く咲いて、小母さまも、早くよくなられるといゝわねえ」と、いひました。

——をはり——

二月の日記（編輯後記）

◈六甲の連峰に仰ぐ大空は駒鳥の卵のやうに青く、久しく待つた彌生の扉は、まるで凱旋將士の跫音のやうに嚴かに訪れ、銃後國民の覺醒を促すやうである。

◈二月一日、大阪府社會課に長部主事を訪れ財團法人申請に關する手續の參考書類を頂く、二日、例年本聯盟發行の『愛兒カレンダー』を荷造りして、靜岡縣函南村佐藤新興生活館の山下法學士、熱海教會の土肥氏、伊東の飯田齒科醫師、仙臺の秋保氏、種子ケ島の有富氏、三宅島の釜地氏、阿蘇山麓の志賀氏、宮城縣の星校長等に郵送した、此の日女學校卒業を前に控へてゐる順子は修學旅行にて加古郡方面に至り、野田醬油工場や尾上ノ松を見て來た由である、夜は内田誠氏の名隨筆『綠地帶』を讀む。

◈三日の夜、我が國史研究の權威者魚澄惣五郎先生から白根、志村二氏と共に建武中興に關して興味盡きざる御高說を拜聽して益する處多かつた、そして本誌のために玉稿を頂戴した、七日、本誌第十七卷發行を記念し、多年利益を度外視して、奉仕的に本誌刊行のために盡瘁された木下正人氏に、本聯盟から感謝狀と記念品とを贈呈した、八日、本誌三月號の編輯をなす。

◈ライオン齒磨本舗が、今般南海高島屋に齒科相談齒牙清掃の實示並に健康指導を目的とする、ライオン齒科衛生院を創設し一層健康報國に邁進さるゝ事となり、九日より三日間に亘り、全市各方面の有力家、知名の士並に各團體の代表者を招待して、高島屋大サロンに於て披露會が催され、第三日目の愛國、國防二婦人會、小學校、幼稚園代表者招待の當日、祝辭を依賴されて一場の挨拶をした、十二日、過去五年間に涉る全東京乳幼兒審査會の文獻寫眞等一切を整理した、十四日、高島屋の古本展にて『後醍醐天皇御事蹟』『右大臣源實朝』『九郎判官』それから晶子女史の『朱葉集』『さこなつ』の外に仙臺の勤王家岡千仭翁の懸軸等を求めた、十五日、大和國の中央山嶽地帶に南朝の遺跡天の川を探る、十六日、東京の大川清太郎氏を神戸に迎へ、久々にて一夕大阪に歡談した。

◈十八日、大阪府の最南端、南海沿線の深日に新しく理想的な幼稚園を經營しつゝ讀書三昧に耽り、且つ太陽と土と海に親しんで居る、本誌特別寄稿家塚田氏を訪れ、土產に澤山の鄕土玩具を頂戴した、其の夜は滿洲から新入營兵の受領員として歸還した釜地利男君の來訪を受け、二十五年前を追憶した、同君は我等の新婚當時隣家に住んでゐて、文字通りの鼻たれ小僧だつたが、今や堂々たる帝國の干城として國境警備に當つてゐるのであるから全く夢のやうだ、大陸の自然界や國境の愉快な生活談を聽いて實に嬉しかつた、十九、二十日は建武中興に關する文獻と慶大教授川上漸博士の隨筆集『斷絃』『寒燈』を讀破し、二十一日は我等の最優良兒である故飯島博士の令孫、佐治功君を羽衣に訪れた、（去る五日、米澤史朗君御母子の來訪を受けた）

◈二十三日、別項記載のやうに今回入營渡滿の途に上る甥を大阪に迎へた、此の日鄕里の星校長に宛て本年度優等卒業生のために賞品として懸軸十三本を贈る、二十六日、終日二人の娘の相手をなし、二十七日は北市民館に於て志賀志那人氏の一周年記念會の打合せをなす、二十八日は三十枚程の原稿を書いた、久々で心友今中楓溪翁から本誌の發展を祝福する眞情の溢るゝ御書翰を頂戴して感慨無量だつた。

本誌定價　一冊金參拾錢　郵稅壹錢五厘
半年分六册　金壹圓六拾錢　郵稅共
一年分十二册　金參圓　郵稅共
誌代郵稅は一切前金の事
前金切の場合は發送中止
郵券代用は一割增のこと

昭和十四年二月廿八日印刷（每月一回
昭和十四年三月一日發行（一日發行）

兵庫縣武庫郡精道村芦屋
發行兼編輯人　伊藤悌二
大阪市西淀川區海老江上二丁目三七番地
印刷人　木下正人
印刷所　木下印刷所
電話福島⑮｛一五三四番／二四二六番

大阪市北區天神橋筋六丁目
大阪市立北市民館內
發行所　日本兒童愛護聯盟
電話堀川㉟｛〇〇〇一番／〇〇〇二番
振替大阪五六七六三番

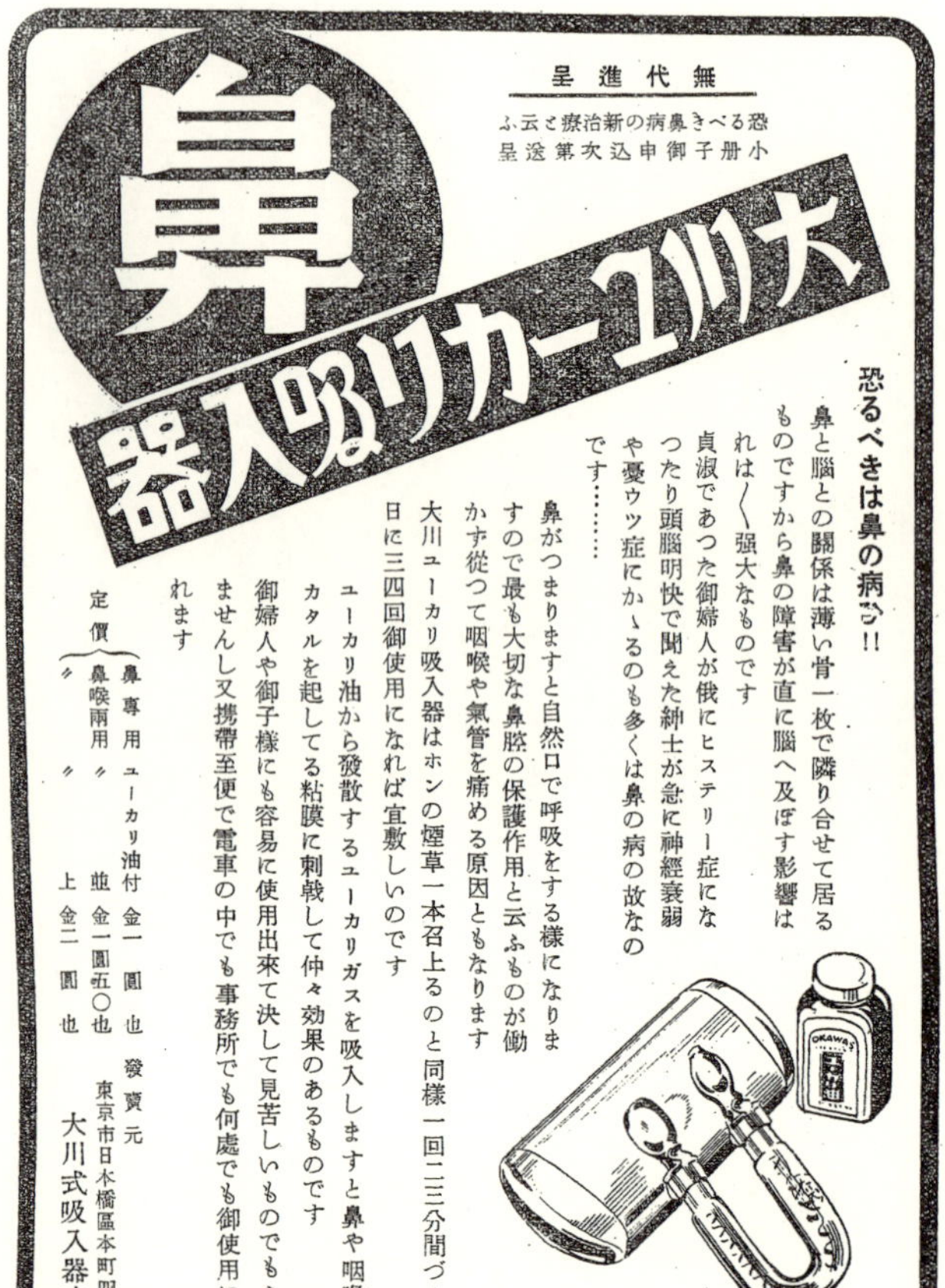

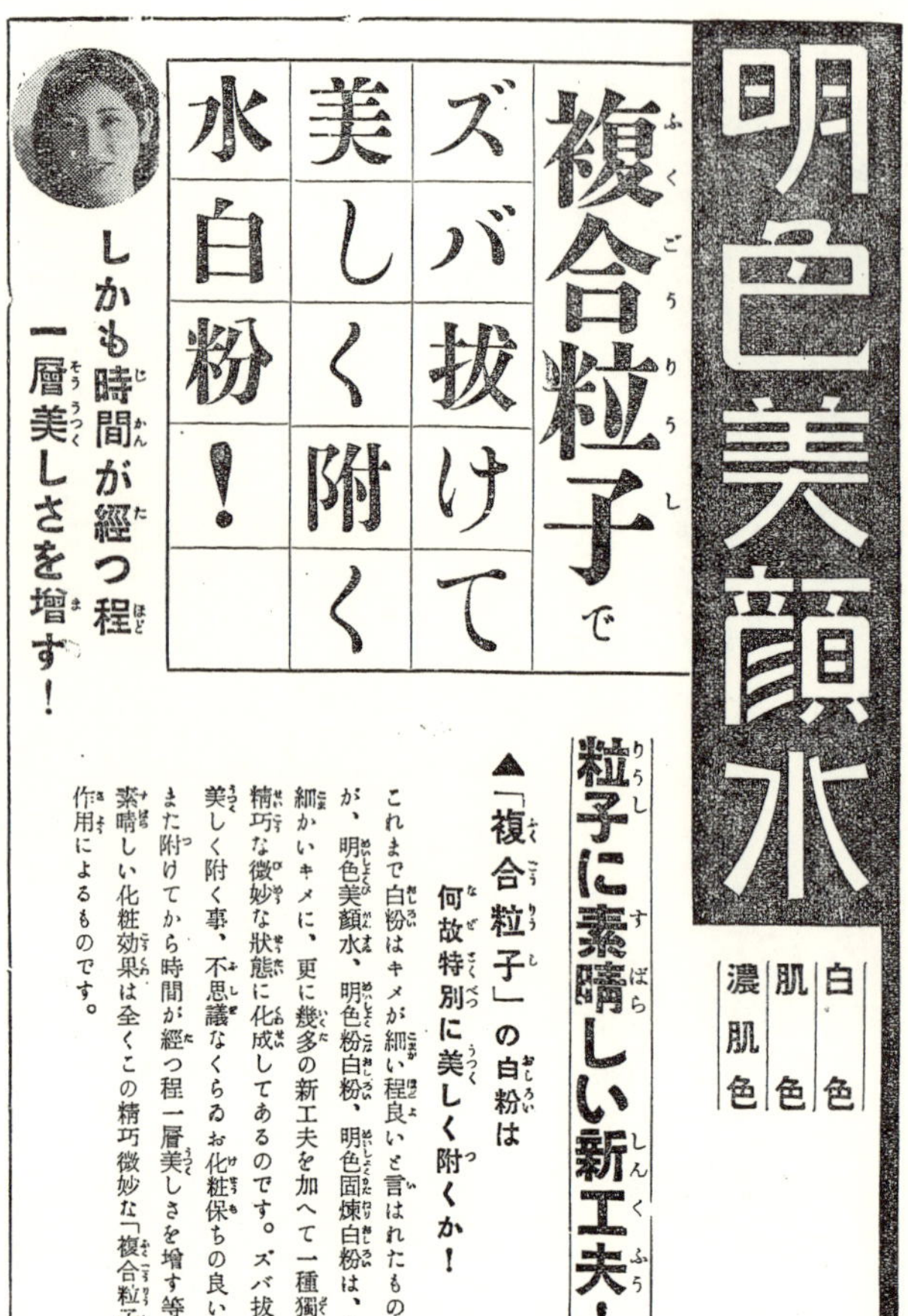

子供の世紀 第十七卷第三號
大正十三年二月二十日第三種郵便物認可 昭和十四年二月二十八日印刷納本 昭和十四年三月一日發行（毎月一回一日發行）
【定價金參拾錢】

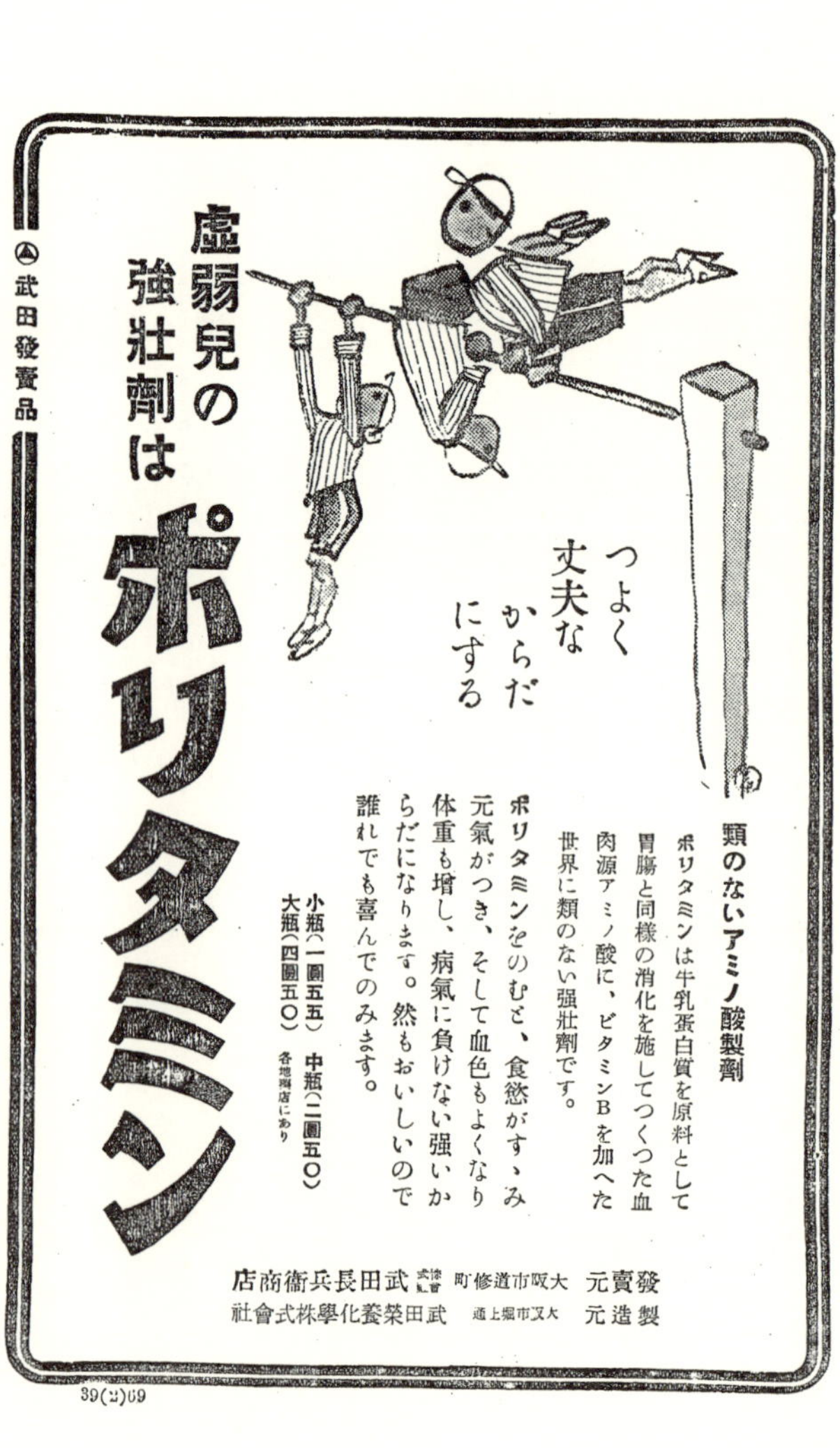

恒久國防・國民體位向上

子供の世紀

大正十三年二月二十日第三種郵便物認可
昭和十四年三月廿八日印刷納本
昭和十四年四月一日發行(毎月一回一日發行)

戰時の母子愛護問題號

第十七巻 第四號

大阪市北區北市民館内
日本兒童愛護聯盟

『子供の世紀』(第十七巻第四號) 戰時の母子愛護問題號

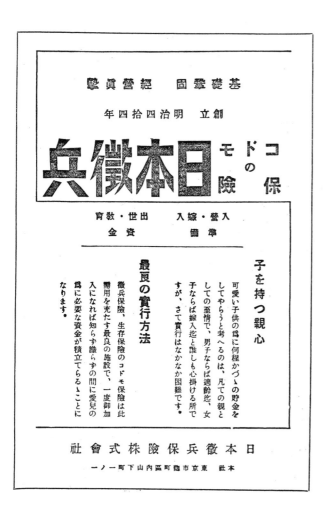

目次

時局と育兒問題

東洋の無我道

新母性讀本

第十一回全東京乳幼兒審査會

總裁廣瀬厚生大臣閣下の御一家

日本兒童愛護聯盟主催

全東京乳幼兒審査會の歴代總裁

第一回全東京乳幼兒審査會　總裁　文部大臣　岡田良平閣下
第二回全東京乳幼兒審査會　總裁　文學博士　澤柳政太郎閣下
第三回全東京乳幼兒審査會　總裁　文部大臣　水野錬太郎閣下
第四回全東京乳幼兒審査會　總裁　文部大臣　鳩山一郎閣下
第五回全東京乳幼兒審査會　總裁　文部大臣　鳩山一郎閣下
第六回全東京乳幼兒審査會　總裁　拓務大臣　永井柳太郎閣下
第七回全東京乳幼兒審査會　總裁　文部大臣　松田源治閣下
第八回全東京乳幼兒審査會　總裁　文部大臣　平生釟三郎閣下
第九回全東京乳幼兒審査會　總裁　農林大臣　山崎達之輔閣下
第十回全東京乳幼兒審査會　總裁　厚生大臣　木戸幸一閣下

上手な吸入のさせ方

吸入や含嗽は、あまり重い病人には著しい効果はありませんが、早くやると侮り難い効を奏するものです。

外出後咽喉がちよつと變だと思ふときは、大人なら含嗽をすればよいのですが、小さいお子さんでは、それができませんから、吸入に替へます。吸入器にはいろ〳〵有りますが注意したいのは、薬液と一緒に冷い風が起り、却て吸入をしたために、よくない場合の起るやうなものを、避けるといふことです。使用上の注意といたしましては釜の湯は三分の一くらゐ注いで、なくなる前に注ぎ足します。湯のなくなつたのを知らずにゐると、破損することがあります。

アルコールを口元まで入れると、發火する虞れがあります。吸入をかけると、お寝衣やお蒲團が濕りますから、防水布やタオルをかけておき、寝たまゝの病人なら徐かにかけてあげて下さい。赤ちゃんの吸入は無理にお口を開かせる必要はなく、玩具で機嫌よく遊んでゐるときでも、吸入器の方を近づけて、あたりの空氣を軟くしつとりさせて、少しづゝでも吸ひ込ませるやうにします。一回分をあまり長くかけると倦きますから、一日に三四回にしてコップに二杯ぐらゐで結構です。終りましたら蒸しタオルで拭いて、後にクリームなどをつけてあげると、お顔の荒れを防ぎます。

吸入液の作り方

薬液はいろ〳〵有りますが、お子さんには一%の重曹水で結構です。（約一合の水に茶匙一杯）又は重曹と食鹽を各々一%の割に溶かしたものを用ひてもよろしい。

うがひ薬の作り方

二%硼酸水　硼酸は冷い水に溶け難いが微温湯を用ひますとすぐ溶けます。大人の水薬二日分入りの瓶は通常二百瓦入りですからこれに四瓦入れればよろしい。

二%鹽剝水　鹽素酸加里は常用としてうがひに用ひるのはよくありませんが殊に小兒には用ひぬのがよろしい。

三%過酸化水素水　過酸化水素又はオキシフルを水百に對して三の割合に二百瓦入りの水薬瓶なれば六瓦入れます。過酸化水素はごみ、又は日光熱等にあへば酸素を發生分解して無効となりますから瓶は清潔なものを用ひ、戸棚か押入等の暗所に置かねばなりません。

日本で一番歴史の古い
權威があつて信用のおける
大川吸入器

このマーク
メガネ肝油球

一番よい

經濟的國民榮養素

眼鏡肝油

銃後國民の務めは
體力の充實にあり
最も効果的にして然かも經濟的なる故　時局下に於ける國民榮養劑として最適のものなり

大阪
合資會社 伊藤千太郎商會

世のお母さん方へ

優良第二國民の保育には理想的の

福寶育英 子守バンド

を是非御使用下さい

A型→

C型↑

構造上に少しも無理がなく全く理想的に出來て居ります、從つて耐久力もあり實用的の品であります、赤ちやんより五六歳位の子供達迄負ふ事が出來ます、體裁もよく立働きが樂で容が小さいので携帯用として至便のものです、殊に子供達連れの遠足などには絶對に必要であります。

是れは優美な高級刺繍を施してありますので赤ちやん向さして是れ又非常に御好評を賜つて居ります、丈夫さは幾分A型より劣りますが値段の格安さ、出産祝さしての値頃品である爲め賣行益々良好であります。

定價

A型　別珍製　二圓
全　朱子製　一圓十錢
B型　別珍製刺繍入　一圓八十錢
C型　別珍製全（裏ナシ）一圓七十錢

各地百貨店、吳服雜貨店ニアリ

（送料）
内地　十四錢
臺灣 樺太　三十四錢

元賣發造製
菊池商店
大阪市北區東野田町三
振替大阪 14000番

乳兒榮養不良・常習便秘

マルツエキス

乳兒便秘の根本療法

乳兒の便秘に下劑を與へたり浣腸を行つたりする事は一時的の手段であつて好い結果は齎しません。

乳兒便秘の原因は多くは與へる食餌の成分に關係するものでありますから食餌に依つて調製するのが根本の療法であります。

本劑は之の目的に創製した食餌療法劑で榮養をつけながら不適當な食餌の成分を調節し自然に排便せしめます

【見本説明書進呈】

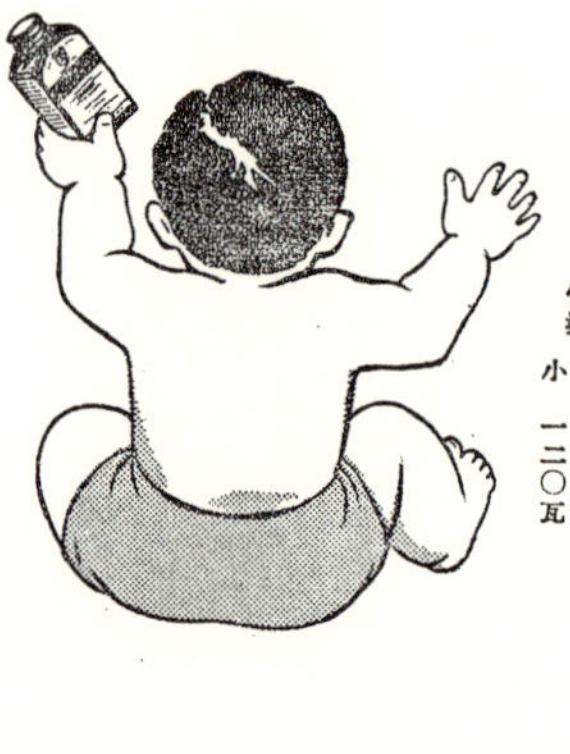

包裝　大　五〇〇瓦
　　　小　一二〇瓦

株式會社 **和光堂**
東京市神田區鍛冶町
大阪市東區南久太郎町

M'3－6

バンザーイ

第二回文部省美術展覽會出品　村井辰夫氏作

帝都下に健康母子の恒例年中行事近づく

今年も來る六月、すが〳〵しい新綠若葉の帝都下に於て、意義ある恒例年中行事としての權威を獲得して來た我等の審査會が開催されやうとしてゐる。我等の運動は我が國の兒童愛護事業史上に二十年の足跡を印し、十五萬人の乳幼兒の登錄審査をして、その成績は新學理と貴重なる經驗とを各方面に贈り、全國各地に百千の追隨模倣者を出した事は如何にも快心事である。我等は尙も先覺者としての責任を感じ、光輝ある慈愛と育兒科學との一大體系を樹立する覺悟である。

——寫眞は第二國民を祝福する永井名譽會長——

銃後を護る母性に戰時の覺悟を說く

本聯盟は獨自の乳幼兒審査會を創案して、全國の社會事業團體をリードして來た計りでなく、東京、大阪はもとより北海道、朝鮮、臺灣、支那青島等遠隔の地に講師を派遣し、恒久國防上國民體力向上に重點を置きて講演會を催し、各婦人團體、女學校等に於て、數千回に亘り戰時の覺悟、育兒衛生、榮養報國の問題に關し聲を大にして呼びかけて來た。

斯くて育兒科學上多大の貢獻を認められて來たのであるが、我等は全國を旅して國民精神總動員の切實なるを感ずる者である。

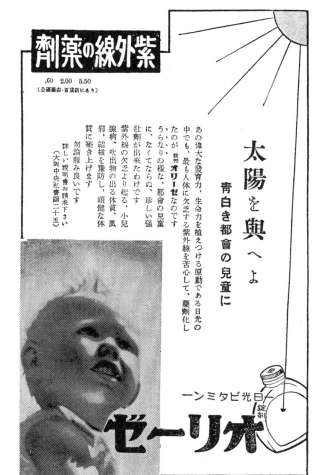

（東京京橋明治製菓講堂に於ける講演會——向つて右の懸軸は木戸內務大臣閣下の御揮毫にかゝるものである——）

醫學博士 有馬頼吉氏 醫學博士 青山敬二氏 醫學博士 太繩壽郎氏 發見創製

非常時ノ短期大奉仕

第一號五官入一箱 大人用 小兒用 ニ

對シ三管ノ浴腑劵ヲ插入ス

アーオー

結核免疫元

本劑は獨特の培養法と合理的處理による製品にして有害なる過敏元と吸收を妨ぐる臘質とを含まず全く純粹免疫元のみより成るか故に吸收迅速、副作用皆無、而も効果確實なるは最も誇る所にして一々動物實驗によりて効力檢査を經たる後始めて市販せらる

治療的應用

潜伏結核、肺結核の初期、眼結核、外科的結核、初期泌尿生殖器結核、皮膚結核、肋腹膜炎等には7—10日に一回第一號を使用して發病防止的効果頗る顯著なり

發病防止的應用

一般虚弱者及腺病質の小兒學童等に對し、一ケ月に一回第二號を使用して發病防止的効果優秀なり

診斷的應用

AOの治療量注射の前後に於て白血球檢査により簡單に結核の存否病勢並に豫後を確斷し無危險のみならず同時に治療を兼ねたる診斷法（吉田氏反應）なり

試品解説 進呈

製造所 有馬研究所

發賣元 須美商店

大阪市東區北濱四丁目四〇

振替口座大阪三〇一〇〇番

前線の将士へ！

白衣の勇士へ！

眞心をこめた

慰問袋を

實用品、新鮮食料品

娯楽用品、其他陣中

必需品等を豊富に取揃へて

特設賣場

地下二階

松坂屋

大阪日本橋

乳兒哺育上の重要問題

母乳哺育兒に最も多く見られる障碍は**乳兒脚氣**でありませう。**乳兒脚氣**は、母親に脚氣がなくても起り、又人工榮養兒でも**ビタミンBの不足**があれば脚氣に罹ることが明にされてゐます。前者の場合には母親と患者の兩者に**オリザニン**の適量を與へ、後者の場合には患兒のみに**オリザニン**を與へることによつて容易に治に就かしめ得るは多數文献の立證してゐるところであります。

× × ×

又人工榮養兒に屢々起るものに**壞血病**があります。壞血病は**ビタミンCの缺乏**を主因として起り、その初期には食慾減退、體重減少、血管の榮養障碍、蒼白、不安、不機嫌、啼泣等が觀察されると云はれてゐます。かゝる際に**三共ホーレン草末**の少量（一日量1.5瓦内外）を乳汁に添加して與へると容易に恢復することが知られて參りました。

× × ×

その他、人工榮養兒には**ビタミンA及Dの不足**から種々なる障碍（夜盲症、佝僂病等々、又は屢々感冒に罹つたりする）を起すことも知られてゐます。かゝる場合には肝油の適量又は**三共ビタミン膠球**、**三共ビタミン錠**等で之を補給することが推奬されてゐます。

オリザニン（ビタミンBの世界的始祖）末、錠、液、エキス、注射液各種

三共ホーレン草末（ビタミンCの含量アスコルビン酸として240瓱%）25、50、100・500瓦入

高橋氏改良肝油（一瓶 500 瓦入）**三共肝乳**（250・500 瓦入）

三共ビタミン膠球（20. 50. 100. 500. 1000球入）**三共ビタミン錠**（50錠入 100錠入）

東京 **三共株式會社** 室町

赤ちゃん打ち粉

パーキュロ

赤ちゃんのアセモ・タダレには勿論のこと、旦那様のお髭剃りの後にも亦、奥様やお嬢様のコナ白粉の代用にもなる、肌色芳香、一罐あれば家庭の皆様が重寶する、全く時代の要求によつて産れた新様式の撒布劑はこれです

定價 ・二〇 ・五〇

味の素直系

本舗 東京・京橋・寶製薬株式會社

昭和十四年 子供の世紀 四月號

四月の言葉（巻頭言）

攝津太郎

◎小は四頁程度の新聞より、大は百頁位の單行本に至る迄、日日配達される郵便物は一々讀み切れるものではない、資源愛護の叫ばれてる今日、自己宣傳も大概にして貰ひたいと思ふ。要するに近代人は大なれ小なれ自已を發表しないでは居れぬものと見える、博士學者ならいざ知らず、此の頃は寺院の宣傳の上手になつて來た事に驚く、神佛もせちがらくなり頭を使はねばならぬ時代とはなつた。

◎無智蒙昧の山出し女中にも、勝氣で何んでも知つたか振りにお客の前に割り込んでインテリ風を吹かす者がある、斯んな連中だらう、メニユーをプログラムなどゝ云つて奥樣を赤面させるのは、どうも天禀は致し方のないものである。

◎相等の家柄に生れて來てる者にも、實に下品で野卑なものがあるかと思ふと、裏店などで育つた者にも人品骨柄を兼ね具へ、犯し難い高貴な面魂の持主がある、人間社會の面白味も亦此の邊にあるやうな氣がする。

◎大人物の玄關番などをした者が、時々誇大妄想狂風に泰然と年長者などに接するのを見る事がある、もとより附燒双であるから大根役者が名優を眞似たよりも不愉快である、內容がなく體驗の無い言葉のいかにも齒の浮く事夥しい。

◎泣き言、呟き、不平、つまりこと〴〵に文句を並べなければ承知の出來ぬ型の厄介な人物がある。小人と婦女子の泣き言ならまだしも、堂々たる地位にある人や前途多望な青年のそれに至つては實に唾棄すべきものだ、先づ現代人性癖の厚生から出直す可きだ。

◎忽然として姿を消す人がある、刑務所へ行つたのでもない、死亡したのでもなく、無論名譽ある出征をしたのでもない、識らぬ間に見えなくなる人程淋しいものは無い、そして何年か振りで顯はれたとしたら眞に眉唾ものであらう。

◎饑饉年の猿のやうに一年中何時遭つてもがつ〳〵して金、金、金と、金以外の事を話さぬ者がある、さうした人は定めし裕福な人も羨む生活をして居るかと云ふに決してさうではない、定めし大騒ぎをされるので金の方で逃げ出して行くのであらう、氣の毒なものである。

◎日本畫壇の傑物川端龍子氏は自分の本職である畵道に精進する外、趣味とか娛樂とかを持たないさうである、圍碁もゴルフも謡曲も乘馬も酒も不必要な人には斷じて不必要なものである。

◎ペスタロツチ夫妻は戰後に於ける貧困兒、病弱兒等の養護敎育の爲めに、神々しくも獻身的な働きをした事は萬人の識るところである、然し白痴兒童のためにはどれ程骨を折つたかと云ふ事を世の識者に御示敎を仰ぎたい、昔から「馬鹿につける藥はない」と云はれて居るが、現代に於て最も顧みられてゐない低能白痴の養護事業に從事してる人々の豊かに酬へられるやう切望して止まぬ。

時局と兒童保護

厚生省兒童課長　伊藤清

國家の将來の發展は結局兒童の健全なる發育に俟たなければならない事は云ふまでもない處である。然るに戰時に於ては當面の要務に應ぜんとするに急にして、動ともすれば將來の重要なる問題が閑却せられんとするの惧れがある。

嘗てアメリカの大統領ウイルソンが兒童年に際して、「戰線に出動してゐる勇士に對し能ふ限りの事を盡すのは國民最大の義務である。之に次いでは人口の三分の一を占むる兒童を保護する事程愛國的な義務はないと信じる。」といふ趣旨の事を云つてゐるが寔に味ふべき言葉と思ふ。

戰時に於て兒童の保護に關聯し先づ考慮を要するのは人口の減少の問題である。戰時に於ては戰死や惡疫や饑餓によつて多數の人口が失はれる事は勿論であるが、夫にも增して人口の增加を阻むものは出産の中絶である。

例へば、ドイツは歐洲大戰爭に於て二百萬の戰死者を出し、五十萬の饑餓による死亡者を出したといはれてゐるが、出生の減少は實に三百數十萬に達すると推定せられてゐる。又、戰爭勃發の翌年卽ち一九一五年から戰爭終了の翌年卽ち一九一九年に至る間は交戰諸國の出生率は著るしい遞減を示してゐる、戰時事變に際して人口の減少が免れないものとすれば既に出生した乳幼兒の健全なる發育を期する事は益々重要とならざるを得ない。

然るに之等の時期に出生した子供の素質が劣惡である事は一般に云はれてゐる處である。戰時に於ける母性の心勞や過勞や生活苦等の事實を見るならば、この事も或程度止むる得ない事と思はれる。

以上の如く出生する子供自體の素質に於て憂慮すべきものがあるのみならず、子供の心身の狀態並びに境遇が惡化するの傾向にあるのである。世界大戰爭に於て交戰諸國は多數の孤兒、貧困兒、虛弱兒、榮養不良兒、不良兒等の輩出せしめたのであつて、そのため之等諸國に於ては戰時戰後に通じ兒童保護事業が劃期的躍進を遂げたのである。我國に於ても之等の事實は他山の石として深く思ひを致さなければならない處と思ふ。

不良兒童の救護と感化事業

我國には兒童の不良化の防止と不良兒等の改過遷善を目的とする少年敎護法がある。本法は昭和九年より施行せられたのであるが、從來の感化法の改正せられたものであつて、感化法施行以來四十年の歳月を閲してゐる。現在全國五十七の少年敎護院に於て、約三千の少年が他日國家のお役に立つべく敎育せられて居る。同時に約一萬の少年敎護の委員が警察當局や學校當局や方面委員等と連絡を取つて、不良兒童の早期發見や不良化の防止に努めてゐるのである。

萬一出征軍人の子女にして不良化するが如き事があつては、銃後國民として寔に申し譯のない次第である。而も父親が單に家に在るといふ事實だけで子供の養護上好影響を與へるものと云はれてゐるのである。此の際關係者の萬全の努力を必要とする所である。

兒童虐待の防止

兒童の虐待が無視すべからざる事は云ふまでもないがその心身の健全なる發育を阻害し、延いて兒童の不良化を誘發する惧れもあるのである。

從つて昭和八年兒童虐待防止法が制定せられ、虐待を受けてゐる兒童に對する保護處分を規定すると共に、兒童の虐待を豫防する爲、兒童の虐待に涉り又は之を誘發する惧れある一定の業務及び行爲に兒童を使用する事を禁止し、又は制限し得る事を規定して居る。

卽ち不具畸形を觀覽に供する行爲、乞食、輕業曲馬等公衆の娛樂を目的とする危險なる業務及び藝妓酌婦女給等の業務は之を禁止し、戶々に就き又は道路に於て物品を販賣する業務や歌謠遊藝等を行ふ業務は一定の條件を具備する場合に限り之を容認して居る。事變の推移に伴ひ兒童の虐待を誘發する樣な狀勢も一面に於て生じて來てゐるので、斯の如き事が無い樣注意の必要がある。

母子保護事業の徹底

寡婦又は病氣の夫を抱へてゐる主婦等が子供を抱へて生活困難に陷つて居る場合、その母と子を扶助し、母をして家庭維持の責任と子女養育の天職を安らかに果さしめる趣旨を以て、母子保護法が制定せられ、昨年の一月

一日から施行せられた。

本法は救貧法制の立前を取つて居るが、更に一歩進んで意義を持つてゐるのであつて、母性の尊むべき子女養育の天職を確認すると共に、子女の健全なる養育を期せんとする點に重要な意義があるのである。

本法の適正なる運用に留意し、氣の毒な母子の扶助の徹底を期する事は、現下の時局に鑑み特にその必要を痛感する。尚十三歳以下の幼者が貧困の爲生活が出來ない場合には救護法によつて保護せられるのであつて、之に依り孤兒其他不遇兒童の保護の萬全を期する要がある。

以上は既に法律の制定のある兒童保護事業について述べたのであるが、産院、乳兒院、育兒院、保健訪問婦、乳幼兒健康相談施設、虛弱兒養護施設、異常兒保護施設等各般の母性並に兒童保護事業の擴充整備を計るの要がある。而して左の諸點に鑑み特に保育所の普及發達が切望せられる。

保育所の普及と發達

第一に出征軍人の子女を養護して後顧の憂なからしめる事は銃後國民の重大責務である。而して出征軍人の遺族又は家族にして生産力を維持し又は一家の收入を擧げんが爲勤勞に從事する者は漸次增加し趨勢にあるのであつて、之等家庭の幼兒を保育所に於て適當に養護し、出征軍人をして後顧の憂なからしむると共に、その遺家族の勞働能率の向上に資する事は、銃後國民の當然の責務である。

第二に事變の進展に伴ひ、都市農村を通じて必要な勞働力の不足を告げ、婦人にして農場工場又は家庭等に於て勤勞に從事する者次第に增加しつゝある、之等勤勞母性等の乳幼兒を保育し、その勞働能力の向上を計る事は銃後生産力の維持增進上も必要である。

第三に戰時事變等に際して子女の養護は適切に行はれざるの惧れがある事は既に述べた通りで、從つて保育事業の振興を圖り、將來の國家を擔ふ第二國民の健全なる育成を計る事は、銃後の人的資源の涵養上必要である。

第四に經濟統制等の影響を受け、失業、業務不振等生活の困窮に惱む者漸く多く、一家の不足收入を補はんが爲婦人にして勞働に從事する者が次第に增加しつゝある。又、一面社會生活の困難を加ふるに伴ひ勤勞母性の數は年々增加の傾向にある。從つて保育所を設け、その勞働能率の增進を計る事は、國民生活の安定上も必要である。

最近各地方に於て常設又は季節託兒所を增設を見る事寔に著るしいものがあるが、この事は保育事業の振興の必要を如實に物語るものと云ふべく、この際斯かる機運を一段と高揚せしめ、斯業の普及發達とその內容の刷新充實を計る事は寔に緊急の要務である。

人的資源を守れ

大阪府立修徳學院　川口信教

長期戰となつた今日、都會では特に物的資源の統制等に相當に喧しく騒がれてゐるが、その割合に人的資源は前者に比し左程に云はれないのは一寸物足りない感がする。如何に年々百萬の增加を見つゝある我が國でも戰爭となつては第一に人的資源を守らねばならぬ、今日程聲を大にして人の重要を呼ばねばならぬ時はないと私は思ふ。又私個人としても、今程鼻高々と威張れる時はないと思つてゐる。

元來、少年の感化事業は平常にあつては左程かへり見られないのである、或る識者は失業者の多い平時、そんな不良な子供は一層滿洲にやつて銃の目標にしたらよいと云つた人さへあつた、然し今事變が起きて私は長年この人的資源を守つた甲斐があつたとしみじみ生き甲斐を感じてゐる。

×

これが若し養老事業であれば如何?同じ社會事業にしてもかくまで差別あるものかとつくづく感じる。

自分の敎へ子が、否同じ鍋の飯を食つた者が、社會に出て冷い眼で評せられてゐた彼等可憐なる兒等が、今日は每日の如く國家の干城として、私等の代りに祖國を守る勇士として赤だすき姿勇ましく出征して行くのを見て私は獨り泣いて喜んでゐる一人である。彼等に於ても又この事變は實に名譽回復の好機會である、正に天が彼等に與へた無上のチャンスである、立派に働いてくれと每日蔭乍ら彼等の武運長久を祈つてゐる。感化院の生活をしたものは一面勇敢であり、規律生活になれてゐるので

軍人には誠に適當してゐるのである、實によき働き場所であると私は日頃信じてゐる。

×

實際の所、私等の敎育してゐる子供は私等の力ばかりでよくなるものもあるが、中には更に政府のお世話になる不心得者も相當にゐる。先日も朝早くK君が訪ねて來た、彼は今暗い所にゐる筈なのにと思つてゐると、彼は挨拶もそこそこに懷中からお召の赤紙を示して、今度は今迄の御心配の御恩返しをして來て見せますと決心の色を表はして泣いてゐたが、事情を聞くに昨夜暗い所から公用のお召を理由に、刑の三分の二を殘して釋放されたとのことである。一夜は嬉しくて眠らずに私の所に挨拶に來たのであつた。

×

又M君は私の所を去つて十數年音信がなかつたが、最近お召を受けたのでと挨拶に來た。實に久しぶりで容相が全く變つてゐた、漸く幼顏を想ひ出して判斷した、今度はいよいよ決死である舊師の顏をこの世の見終りに來たのであると全く感激させられた。

T君は在院中倭小な子供であつたが、その後永い間どうしたかと思つてゐると最近その役場に紹介すると、國家の干城として立派に國民の義務を果してゐる勇士と判つた。

その他、軍曹になつたA君、鐵道隊にゐるT君、機銃隊にゐるS君、已に凱旋したN君等一々數へ切れない程多くの者、それに今年甲種になつたもの數名を加へると實に多數の敎へ子が御奉公の第一線に立つてゐてくれるとは、全くその當事者でなくては判らない喜びを味つてゐる次第である。

×

今事變は實に色々の所に思はぬ影響を與へてゐる。悲しんでゐる人、喜んでゐる軍需工場等百種百樣であるが私の如き全く社會の人の氣付かぬ一隅に働くものにもかくの如き大きな影響を與へてゐる。

それにつけて思ふのは、人的資源男兒の十年後を想像することは全く恐ろしい樣な氣がする、こんなつまらぬ子供がと思つてゐたものが案外大きな勇士になつて、てがらを立てられるかと思ふと聲を大にして守れ人的資源と呼ばずにはゐられない。

戰爭と子供

近代戰は單なる兵力戰に止まらずして國家の總力を擧げての戰爭なるが故に、その影響する所極めて大にして且つ各方面に及んでゐることは、世人のよく知れる所で

ある。

今私は自分の仕事としてゐる子供の問題に就いて歐洲大戰の例により考へて見ることにしたい。我が國と外國とは多少の相異あるも、大體は他山の石として事前にその對策に心せねばならぬ。

×

戰爭と一般兒童問題として世人の口にする第一は出產率の減少、出產兒の榮養不良は戰爭による銃後婦人の活動に逆比例する結果として、心身の過勞によるものなるは識者の論ずる所であつて、今回戰爭に於ても已に農村方面に於て著しくこの現象が現はれて來たと報ぜられてゐる。銃後にある指導者階級は常にこの點に留意し、いたづらに出產可能の婦人をして過勞に陷らしめぬ樣、適當に奉仕作業等に考慮を拂つてこそ國家百年の大計ともなり、大陸へ進出して長期建設の目的貫徹に支障なからしむる樣考ふべきである。

×

次に戰爭と不良兒發生の問題、卽ち私の專門として從事してゐる仕事の上から申さば、次の點よりして戰爭は不良兒の發生に重大なる關係があるから、その對策に銃後にあるものは充分心せねばならぬ。

(1) 先づ家庭には兩親ありて、その元に子供の養育に當つてこそ完全であるのに、戰爭はどうしても父を戰地に行かしめて、子供は母親の手一つに任せられる。その上父の戰死等を考へると後に殘された子供の敎育こそ最も大切な婦人の任務で、父の名譽をけがさぬ樣各般の注意が望ましい。

(2) 次に都會にては軍需工場の勞働に父も母も行き、子供は街頭に放置せられたり、母は婦人會等の世話、その他の奉仕等で家庭を留守にすること多き爲め自然子供の敎育は留守となる。

(3) 戰爭によつて都會では轉業等の爲め、家庭の生活の激變の結果、昨日迄の長者が左程でもなくなり、昨日迄の勞働者が成金になりどちらも子供の敎育に大なる影響を與へる。

(4) その上歐洲大戰の場合は、食料の不足によつて子供は食物の不足より遂に盜みを憶ひ、長期の燈火の管制はその機運を增加し、歸還兵傷兵等の態度を見てその惡い點のみ眞似る結果から、戰爭によつて子供にまで荒々しく氣のすさむ精神を與へて、獨逸等では大變不良兒が增加したかに見られる。我が國は幸に食料に不足なく、今の所燈火管制の必要もなく歸還兵、傷兵亦國民崇敬の標的となつて外國に見るが如き心配はない。あくまで大國民として子供の心身に戰爭によつて惡影響を與へては

ならぬ。

×

都會は殊に戰爭による不良化は農村よりも大きく、獨逸の如きは戰爭直後兒童保護法を發布して之が保護に力を致したのである。卽ち婦人が男子に變つて總ての職場を守つたが爲めに婦人の心身を害し、その爲めに生れる子供は殆ど異常兒となつたので戰後經營として之が保護法の發布を見たのである。農村に於ても、馬一匹の出征により男子五人の働きが增し、その上軍需工場へと都會へ男子の働き手を取られ、婦人が銃後を守つて自然心身に無理を生じ、母乳の減少となり體質の弱い兒が多く、生れてもすぐ死ぬると云つた樣な結果となつて、人口の減少を來たしたのである。我が國はまさかこゝまでには至らぬが然しそこまで考慮してその對策を講ぜねばならぬ。戰爭後の問題としては、未亡人の問題から私生兒の問題有毒兒の增加等外國には色々文獻あるも、我が國は名譽ある遺族にその問題が起る筈もなく、又名譽ある勇士の子孫に有毒兒の生れる心配も少いと思ふ。

とにかく戰爭による生活の激變、家庭の境遇の變化等子供に及ぼす影響が大きいから、我等は大陸へ進出し長期建設の大和民族としては、子供への影響をなるべく少く今後の勇士を造るべく大國民たるの自重を以つて充分子供を保護し以つて長期建設の眞の目的に副はねばならぬ特に婦人は充分心して自己の活動に足元を注意してほしい。

この親この子

×君の父は一見して一癖ありげな態度で、どこかに拔目のない目付き、常に長い着物を着流して、帶を下方に結び懷手をしてゐる人であつた。

「職業」はと聞いても質屋の番頭を勤めてゐますと、答へるのみで一向要領の常習者で、已に前科數犯の持ち主であつた。

そして父は檢擧の手が延びると高飛し、福岡にをり、東京に行き、時に滿洲や、朝鮮、北海道までも行き、半ヶ年、一年、二年とそこで働いて檢擧の手のゆるんだ頃に歸ると云ふ型を持つ人であつた。

＊

母は之に反して忠實な世話女房であつて、子供が多い關係か餘りにもみすぼらしい姿をしてゐるが、夫のかうした態度を愚痴り乍らも、そこは夫婦の腐り緣とやらで別れもせず、唯五人の子供を食べさす爲めに夫に賴らず獨り家を守るといふ風であつた。

母は內職をして細々とその日々を暮してゐるのであつたので、父の居ない時等は、全く食ふや食はずの生活で、或る時の如きは、今川燒を六ヶ買つて來て、兄弟が一つ宛食べると云ふ悲慘な日もあつた。

兄弟は、

兄十五歲、附近の某工場へ通ひ、日給四十錢×君双生兒男先に生れた方は、生後百日にして死

十二歲　男　本人惡化。

弟十歲　小學校へ

妹六歲　自宅

妹二歲　自宅

＊

母は×君胎生中は、丁度夫の初回服役中であり、精神的にも隨分苦しみ、且つ生活費にも窮したのであつた、そこで兄をつれて田舍に歸つてゐた。その時母は田舍の家の便所へ落ちたことがあつた、この不良原因に依つて×君は多少跛の嫌があるのは、母はこれが原因であると稱してゐる。

＊

×君は六歲にして扁桃腺の大患をやつて全く聲が變つてしまつた。所謂浪花節をやる人の如く聲が破れたとでも云ふべきか全く破れ鐘をたゝく樣な聲である。

その上後頭部が平で、且つ片寄つてゐる關係か、智能は非常にあるが、甚だしい性格異常であり、腺病質である。そして道德的良心は全く缺乏してゐるといつてもよい。

その上、甚だしく劍劇を好み、慘忍性を持ち刀を愛し、入院に際しては立派な木刀を持つたまゝ來た程であつた。

＊

母の言葉によると「夫は私が姙娠すると行方不明になる」別に故意に妻の姙娠を知つて父が家を離れる譯でもなからうが、とにかく父の不在のことが多かつた。

丁度父が渡滿中に×君は不良化した。子供は母の手一つでは完全に育たない、殊に男の子には父の嚴がなければならぬ。

×君は附近の家の金を持ち出したり、屋臺店の金を盜んだりして、時には十日も二十日も歸らなくて、市内を小俠客然と木刀を持つて遊んで廻り、武士のカツラを買つたりしながら、一種の妄想狂の如く、夜は空家に宿した。その中に友人も出來たのであつた。

又或時は五十餘圓攫つたので、諸國漫遊の氣持で東京に行かうと、大阪驛で怪しまれたこともあつた。

かうして何回も警察のお世話になつてゐたが遂に敎護院に入ることになつた。

＊

敎護院生活三ケ年

＊

×君は退院後故あつてその親類に當る質屋に奉公させたが、時に詐僞を働くので失敗しかけるがその都度偶然にも會する機會を與へられるので注意を加へて、表面に出さぬ樣努力してゐる、かうして度々訓諭に努めてゐればその中彼にも慾が出てどうにか過ちなく行く樣になることゝ思ふ。(終)

父なき家の家庭教育

――出征軍人遺家族のために――

今村正一

日支の事變もだん／＼進みまして、武漢の攻略、廣東の占領など、皇軍の武勳は實に目覺ましいものがあります。私共銃後の國民は身命を捧げて奉公の誠をいたして居る多數の出征將兵に對し、とり分けこの聖戰の華と散つた幾萬の戰病歿者に對して感謝の言葉もないのであります。

また私共はこの背後にあつて、「父なき家」を守つて居るお母さん方のご苦心を忘れる事は出來ないのであります。殊に私共が毎日の新聞を見て、胸を痛めます事は、戰歿勇士の遺族の事であります。

數日前の朝も私はいつもの樣に配達された新聞を手にして、先づ戰報をむさぼるやうに讀みまして、更に目を社會面に轉じますと、戰死者のご遺族の二つの寫眞と記事とに、强く心を惹かれたのであります。一つの寫眞は未亡人を中に、十歲を頭に男の子三人、もう一つは十三歲を頭に、男の子三人、女の子一人の寫眞でありました。記事を讀みますと、未亡人方の申します事は異口同音に、「遺兒達を立派に育てて、夫の靈を慰めたい」と言ふ言葉であります、けなげではありますが誠にいた／＼しいお覺悟であります。「子供を賴むぞ」と言つて出征されたお父さん、「ご心配なく」と言つて見送つたお母さん。戰場に出ては鬼神も泣かすやうな勇士も、たゞ一つの心がかりは子供の事であります。戰線より故鄕に送る勇士の手紙は大部分子供に對する心盡しであります。また何事を措いても子供だけはと懸命に留守を守つてゐるお母さん方の事を思ひますと、私共もどうか「父なき家」のお子さんが方强く賢く育つ樣にと祈らずには居られないのであります。

子供を育てる事は兩親が揃つて居てさへ、決して容易ではありません。殊に片親かけた家の家庭教育の困難な事は今更申す迄もありません。で私はこれより「父なき家の家庭教育」と題しまして、長期抗戰の聖戰に出征された、軍人の御家族方に對して、家庭教育上のご注意を申し上げてご參考にいたしたいと存じます。

×

家庭教育において最も大切な事は、人と人との接觸であります。元來私共の自覺又は意識と言ふものは、他人に接觸した時に始めて起るものであります。兒童においても同じ事でありまして彼等の漠然たる意識がお父さんや、お母さんや、兄第などから種々の刺戟を受け、或は模範を示され、或は理想を與へられ、これを模倣し、これと比較して、兒童の心が啓發され、性格が自然に陶冶されるのであります。從つて家庭教育において最も大切な事は兒童が日常接觸する家族の數と、家族相互間の關係とであります。卽ち家庭教育においては家族の質と同時に、量が大切でありまして、一人兒や、親一人子一人と言つたやうな淋しい家庭の教育よりも、兩親は勿論、祖父母も居れば、兄弟も澤山居ると言つたやうな賑かな家庭の方が遙かによいのであります。

また從來家庭教育と申しますと、すぐお母さんを聯想させるほど、母親は家庭教育の中心でありまして、必要缺く事の出來ないものでありますが、前申した通り、家庭は一個の社會であり、老若男女の協同生活體でありますから、お母さん丈けでは完全とは申されないのであります。子供達は一面においてお母さんの感化を受けると同時に、他面においてお父さんとも出來る丈け接觸してその感化を受ける事が必要なのであります。

×

昔家庭工業が盛んな時代には、子供達は家庭においてお父さんの感化を充分に受けたのでありましたが、機械工業の發達によりまして、家庭工業が廢れたゝめ、お父さん方は家庭の外で働く樣になり、その結果お父さんと子供達との接觸する機會がだん／＼尠くなり、それがために家庭教育上に種々の缺陷が生ずるやうになつたのであります。今日不良青少年が澤山出來ます原因の一つは確かにこゝにあると思はれるのであります。

かく考へて見ますとお父さんのないご家庭の教育は中々六ケ敷のであります。そこで私共は何んとかしてこの缺陷を補はなければなりません。その方法の一つとして事情が許せば、お祖父さんや、お祖母さんと同居する事もよいと存じます。もしそれが出來ない場合には他の適當な方と同居するなり、親戚の近所に住居を構へて、出來

る丈け他の人々と接觸し、元氣な賑やかな生活をする事がよいのであります。もしお母さんが朝から晩まで淋しがつて居る樣でありましたら子供達が自然悲觀的な、神經經質になつて仕舞ふのであります。殊にお父さんが戰死した場合にはお母さんの態度が最も大切であります、もしお母さんが度を失して悲しんだり、驚いたり、狼狽したり、また徒に他人の同情を求めたりすると、それが子供達にまで傳染して、不安にかられて種々な惡影響を受けるのでありますから、飽くまで冷靜に、また獨立自尊の精神を堅持しなければなりません。彼樣な譯でありますから、戰沒勇士のご家庭は勿論、出征軍人のご家庭でも留守中は子供さん達の目のつく樣な所に、お父さんの寫眞をかけて置いて、恰も父在ますが樣な氣持をもつて、心強く生活させる事がよいと存じます。

×

家庭におけるお父さんの務めの一つは、子供が父を通じて實社會に接觸する事であります。殊に男の子はお父さんが人生の行路において惡戰苦鬪して居る有樣を見たり、聞いたりして自然に實社會の片鱗を窺ひ、これによりまして、將來自から實社會に處するための、底力と準備とを與へられるのであります。これに反しまして、お母さんの手一つで育つ子供は稍々もすると家庭以外の社會を知らないために、實生活に對する豫感を缺き、一面においては社會を甘く見て、樂觀的な傾向を有すると同時に、他面においては空想的なお目出度い人間となりまして、愈々實社會に立つて生活する場合になると忽ち幼滅の悲哀を感じ、自信を失ひ、臆病な人間となり勝ちであります。

この缺陥を補ひますには、成るべく子供達を街頭に出して、種々な種類のお友達と交はらせ、出來る丈け子供が直接に實社會と接觸するやうに指導する事が必要であります。またお母さん方も家庭にばかり引込んで居らずに成るべく社會に出て、他人と接觸し、色々な經驗をして、母としての愛情をもつて子供を包む丈けでなく、時にはお父さんの樣な見識と、社會的體驗とをもつて、お子さん方を指導する事が必要であります。

更にこれを具體的に申しますと、父なき家庭では出來る丈け近隣の人々との交を蜜にし、また親戚や、友人との交際を一層緊密にして、かりそめにも孤立、孤獨に墜入らない樣に努めなければなりません。またお子さん方を幼稚園にやつたり、少年團に加盟させたりして、家庭以外の人々にも接觸する機會を出來る丈け與へる事が必要であります。また子供ばかりでなく、お母さんも或は防護團

員として働いたり、母の會に出席したり、講習會に出たり、餘裕のある方は女中を賴んでも社會公共事業にお手傳ひなどをして、見聞を廣める事は、たゞに子供の家庭教育上有意義であるばかりでなく、お母さん方の生活を幸福にし、やがてそれが家庭全體を幸福にするのであります。兎角孤獨の生活は避けなければなりません。

×

次に母親丈けの家庭教育の缺陥は可愛がり過ぎる事であります。何事でもさうでありますが過ぎてはなりません。また母が子供を愛する場合に一方的でなく、相互愛と申しましてお母さんが子供を愛する丈けでなく、子供もまたお母さんを愛するのでなければなりません。世間には子供を愛する母は澤山ありますが、子供に愛される母は尠いのであります。最も時には子供が母に甘えて朝から晩までつきまとつて離れなかつたりする事もありますが、これは母を愛するのでなくて、母を要して居るのであります。母を愛するのと、母を要するのとは外見は大差はありませんが、母を要して居るのは依賴心であり、利已心でありましてその心理狀態においてまた教育的効果において全く正反對であります。

元來教育の根本目的は兒童が親を離れて、精質的にも物質的にも獨立して生計を營む事の出來るやうな能力を與へる事でありまして、如何に智識技能を與へても獨立心を與へない教育は失敗であります。處が餘り可愛がられたり、同情されたりすると稍々もすると依賴心を增長し、獨立心を失ふ事になるのであります。この點特に戰病沒者のご遺族方においてはご注意を要するのであります。

×

第三に母親のみのご家庭における缺陥は「心配し過ぎる事であります」。子供は經驗もなく、能力も乏しいのでありますから、お母さん方が多少心配する事も、無理もない事でありますが、心配もまた過ぎてはならないのであります、心配すると言ふ心理狀態を考へて見ると中々復雜でありまして、その中には子供を信用しないと言ふ氣持や、子供を自分の思ふ通りにしたいと言ふ氣持などが多分に混合して居りまして、子供に干渉する事になり、そのため子供の生長發達を妨げる事となりますから、心配もほど〳〵にする樣にして頂き度いのであります。

×

第四に母親のみの家庭教育の缺陥は、熱心になり過ぎる事であります。これも女親一人の家庭としては無理もありません。夫なき後の婦人が、妻としての役目を果し、今はたゞ母としてのみ生き樣とするのは當然であります。從つて朝から晩まで、明け暮れ夫なき母の心は、

明るい春の御用品は清新な三越で☆
優良な品を取揃へてをります。
大阪 高麗橋
三越

子供の教育で一パイであります。早く大きくしたい、偉い立派な人にしたいと言ふ念願は片時も離れないのであります。然しこの熱心も過ぎる事は大變惡いのであります。私は十數年來子供の問題を取扱つて居りますが、お母さんが教育に熱心すぎるご家庭の子供はどうも種々の問題を起して甘く行かないのであります。元來子供と言ふものは生れつき早く大きくなりたい、偉くなりたいと言ふ氣もちをもつて居るのであります。幼い子供がお母さんの下駄をはき出したり、またお父さんの帽子をかぶつたりするのは、この心の發露でありまして笑ふ事の出來ない眞劍な氣もちであります。處がその上周圍の人々から「早く偉くなれ、やれ立派な人になれ」と言はれると子供の氣分が焦つて、希望だけが大きくなり、理想だけが高くなり過ぎて、現實の自分の力と理想との懸隔が甚だしくなりまして、その結果劣等感と言つて、自分は駄目だと言ふ氣持が起り、自信を失ひ、希望を失ひ、自暴自棄となり、或は神經衰弱となり、或は氣六ケ敷やとなり、反抗的となり、不良となるのでありますから、この點充分御注意下さつて熱心も過ぎないやうにして頂き度いのであります。

×

最後に子供の教育の秘訣の一つはお母さん方が精神的に幸福になると言ふ事であります。お母さんが精神的に幸福であれば、物質的には貧しくても、子供も自然に幸福になり、立派になるのであります。精神的に幸福な子供は心に落ちつきがあり、身體も健康となり、學業もよく出來るやうになります。でありますから六ケ敷議論はさて措いて、お母さん方は自信のある落着いた幸福の生活する事が何より大切であります。

それがためにはお母さん方が子供の教養のみに沒頭しないで、先づ自からの教養、修養に心がけて、どんな境遇に會つても、心を亂さないやうな、底力を養ふと同時に、事情の許す限り趣味生活や餘技などをも習得し、生活に餘裕をつけ、生活を樂しむ樣な工夫をする事が必要であります、この事は特に戰沒者のご家庭を護るお母さん方に申上げたいのであります。

×

日支事變もやがて終る事と存じます。然し子供を託されたお母さん方の戰はこれからであります。私共は戰後の建設に、またより大なる事のため備へて置かなければなりません。今後わが祖國は強い賢い勇士を要する事愈々切なるものがあります。かゝる際に當りまして、今は亡き父の遺志をうけて、二世三世までも大君のため、君國のために盡さうとする戰沒勇士の幼き遺兒達が、心も體も健やかにお育ちになりますやう、心からお祈りしつつ私の話を終ります。

幼い子の運動はどう導く

まづ全身を動かす 自然の遊びを助長

競爭意識より〝頑張り〟を教へる

幼兒の體育運動についてはとかく無關心に過ごされてゐる憾みがあります。幼稚園などでもたゞ漫然と遊戯をさせ、歌を敎へ、お話をし折紙などをさせるだけで、幼兒の體育について自覺してやつてゐる所は少いやうです。文字を敎へたりする幼稚園もあるやうですが、これは全く邪道です。一般に幼稚園へ行つた子は行かなかつた子よりも入學當時おませで物識りですが、二學期、三學期になれば差別がなくなるものです。早く知識が多くなつても別に頭がいゝと限らず成長するに從つて、體が惡くなり、勉强もできなくなるのが多いのですから幼年時代は何よりも體育に氣をつけることです。

×

まづ幼兒は身體的に十分に發育してゐませんから、全身的な運動がよいわけで、身體の一部を動かす部分的な運動はよくないのです。走るとか、跳ぶとか、物にぶらさがるとか、四つんばひで歩くとかいふ全身的な、しかもごく自然な運動がよいわけです。四つんばひなどは腹の運動にもなり、手足の運動にもなつて非常によいものと思ひます。スキツプやギヤロツプは滿三歳位からできる運動ですがこれは子供が嬉しいときにリズムをつけて走る方法をそのまゝとりいれた自然な運動で、殊に音樂に合せてやれば理想的です。幼兒には同じ運動を長くつゞけさせることはよくないことですから、絶えず變化を與へるやうに心掛けなければなりません。面白い樂しい環境にゐると、幼兒はその疲勞に氣がつかないでゐる場合が多いものですから、一つの運動はせい〴〵三分位にとゞめて、その後は自由な姿勢で休ませるやうにします

×

家庭では成るべく幼兒を日光に當てるやうに心掛け、外を歩かせることがよいのですが、ラヂオ體操も全身を動かす運動としてよいものです。小さな子供は大人のまねをしたがるものですから、お父さんやお母さんがラヂオ體操をすれば、一緒になつてよろこんでやります。また、お掃除なども大人のすることをしたがるものですから、お母さんは邪魔扱ひにせずに、子供に向く小さな雑巾なり、箒なりを與へてやらせるやうにすれば、全身的な運動が自然に行へるのです。かういふやうに少し注意すれば、別に運動具がなくとも立派に體育運動ができるものです。

子供に適した玩具の選び方

醫學博士 一色 征

乳幼兒の體位向上と共に健全な智能の發育、豊かなる情操の發達に與つて力があるものは子供の玩具である。

玩具は子共には一日も缺がす事の出來ないもので、毎日のお食事に次ぐ大切なものである。

玩具にも色々あつて如何なるものを子供に與へるかと云ふ事はその子供の年齡、性別、性質などは依つて違ひ衞生的な敎育的な經濟的な玩具を選ぶべきである。

乳兒は生後一ケ月位を經た頃から目が見え、耳が聞え生後三―四ケ月頃になると母親を記憶し、人見知りをするやうになつて來るのであるから、此の頃には風船、國旗、風車などを吊して目を樂しませ、或は餘り音の高くない風鈴とか、がら〳〵とかを靜かに振つて喜ばせます。生後半ケ年を過ぎると動く物に興味を覺え、自ら物を摑もうとするやうになるから、おしやぶり、人形、布製の犬とか馬などを與へる。初誕生が近づく頃には歩く練習をさせたり、危險のない木製の汽車、電車、自動車、車のついた木製の馬、象などの玩具を與へ、三―四歳頃からは男兒には三輪車、建築遊びなどの組立玩具、繪合せ、積木を與へ、女兒にはお勝手道具遊び、羽子板、お人形、折紙等で遊ばせる。

一方子供の性質に依つてもその與へ方に注意が必要である。例へば思考力に乏しい子供には積木、繪合せ、組立遊び、折紙などの工夫を要する玩具を與へて完成の喜びを引起させ、おとなし過ぎる子供には輪投げ、ボール、羽子板、紙凧、三輪車のやうな運動の出來るものを、落ちつきのない子供には積木、繪合せ、折紙、闘球盤などで精神の集中を圖るやうにします。

我儘な粗暴な子供には、つとめて犬猫、馬などの動物玩具や樂器を與へて愛情のある優しい感情を養はせる。

更に又一般に玩具は清潔で危險性のない事が最も必要

である。汚れても洗ふ事の出來る消毒し易いものを選び餘り色々の細工をしたり、塗料を施してあるものは避けた方がよろしい。有害毒な着色料の使用は嚴禁されてゐますから近來は有毒な鉛などを含有した塗料を施したものはあまり見當らなくなりましたが、粗惡な塗料をした土人形や木製玩具の塗料には注意が必要です。

又子供には怪我をさせぬものを選び、硝子、ブリキ製のものはよく怪我の因になり易く、セルロイド製のものは火の近くで持て遊ばさぬようされ度い。

乳兒期には何でも口へ入れる恐れがあるから、小さい呑み込む恐れのあるもの銅貨、簪、豆粒、碁石、風船玉、飴玉或は尖端のとがつたものを持たさぬよう呉れ〴〵も注意され度い。或る子供が誤つてコリントゲームの眞鍮球を呑み込みその爲不幸腸閉塞を起し死亡した實例を見た事がある。

一般に子供は玩具を壞したがる癖があるが、之は一面子供の好奇心をそゝる事にもなり、智能を啓發させる事にもなるので、餘り制限せぬ方がよろしい。それ故に一度に澤山玩具を買ひ與へずに少しづゝ目先を變へて色々の種類のものを與へ、それをすつかり壞し切らぬ内に仕舞つて置き時期を見て同じものを再び與へる様にし、一つの玩具で永く遊ばせ散漫な氣風に陥らせぬやうすべきである。

繪本は玩具の一種と見做すべきであるが、此は智識の發達を促し、情操を養ふ上に大變役立つものであるから繪本は子供の年齢、性別、性質に應じ高尚な教育的内容をもち、見て氣持ち良く、彩色の單純な、活字の大きいものが良く、大体お伽、地理、歴史、理科的の内容をもつた子供らしい明るい朗かな事柄を扱つたものを選んで下さい。

離乳に就いての注意

醫學博士　中鉢不二郎

離乳の話とか乳兒の食べ物とかの話の際に、どんな物を何ケ月目から與へると云ふ話の時に、ともすると天然榮養の場合と人工榮養の場合とを混同して話されて居る事がある様に思はれる。人工榮養の時に知らず〴〵の中に榮養成分の不足を來す場合があるので、之を防ぐ爲に早くから色々と工夫をしなくてはならないことが出來てくるのである。之等の事は素人のみでは不完全になることが多いので、小兒科醫に相談しながら行ふことが大切である。此處では我國で最も普通である處の天然榮養兒の乳離れに就いて大要を話したいと思ふ。其中でも母乳の不足や特種の事情によつて母乳の代りに牛乳を與へる場合母親の病氣の時は特種のことであつて一般乳兒の發育順序としての離乳ではない。此處で述べる離乳は母乳が充分ある乳兒の生齒期の平均は七ケ月前後である。若し生齒の遲いものがあつても此頃になると、健康な乳兒は大人が食べるのを見て食物を欲しがるものである。即ち乳兒の方から見れば七ケ月頃になると乳ばかりでは、充分な發育を遂げる爲には食物が不足し不調和になる故に他の食物を欲することゝなるのである。故に此の時に適當な食物を與へることが必要となるのである。之が離乳の初めである。之から後は乳兒の欲するに從つて食物の量や種類を増し、從つて乳は幾分づつ量が減じて來るわ

けである。此時に乳兒に適した食物なれば量を相當多く與へることが出來るが適せぬものなれば消化障碍を來すことゝなる。之には氣候風土、生活様式、家庭の日常食物等に關係深きことゝなる。齒の生え方や食物を嚙む狀態如何にも關係する。齒の生える狀態を見るに約一年半になると臼齒が出るのである。故にそれ迄は食物の形は嚙まなくてもよい物を與へねばならぬ。しかし人あつて「その様な軟かい物ばかりでなく、實際にはかまわず食べさせて居るではないか」、と云ふ人があるかもしれないそれは事實であるが其様な食物は少し多く食べると消化が困難な爲に病的の下痢症を來し易いのである。之が我國の乳兒下痢症の大きな原因であると思はれる。此の爲めに多く與へると下すと云ふ經驗から、二三種の食物を少々與へると云ふことになるので、一年半位迄の小兒で食物と乳と兩方を食べてるものゝ中には兎角榮養狀態が惡いものが多く見られることゝなる。故に臼齒の生える迄は嚙まなくてもよい卽ち口の中でベタ〴〵になり得る様な種類や形のもので、色々の種類を大體に於て乳兒の欲する程度により、規則正しく與へることがよいのである。農家等の様に母が家を離れて外で働く處では、家へ歸つて來る時間が大體定つてゐるので、無意識に規則正しい食事時間となり、一日五、六回となるものであるが都會生活者では此點注意が必要で、其中月數に應じて一日一―三回乳以外の食物が與へられるのである。斯くの如くして乳兒に適した形として大體充分與へて他の不足分を乳で補ふのである。只然し之等の食物は生れて始めて食べるものが多いので、消化器に馴らす意味から二―四日づゝ同量の食物に馴らして後量を増す事が大切である。處が色々の食物に對して特別に敏感で、少し量が多い時は直ちに下痢する様な小兒もある。此様な小兒には特に注意し増量せねばならぬ。

普通の家庭では一日の食物の中に統ての榮養成分を按配よく混じて與へると云ふことは困難なことであるので其不足を補ふものは母乳である。それで餘り急いで母乳を離す必要はないが母乳が多すぎては榮養成分の全量に不足を來すことゝなるので愼まねばならぬ。故に滿一年迄に一日全食量の半分以上は乳以外の食物が與へられねばならぬことゝなる。此頃は一日三回位は食物が與へられる様になる。之は一般的の目標であつて弱い小兒には特に料理法に手加減を要するのである。一年半迄あまり

故障なく發育して臼齒が四本出揃つたならば、嚙んで食べる食物を與へてよいことになり、少し分量に注意すれば食物の種類は多くなるものである。普通の御飯も食べられる様になる故に此頃を離乳の終りとしても差支ない譯である。然し二年前後になつて臼齒が二本づゝ並び乳齒が出揃ふ迄は時々乳が必要となる場合がある。卽ち病氣の時などで食慾不振となつて乳を多く欲する場合がある。故に少量の乳(二五〇―一五〇グラム)は續けて居る方が便利である。此時母乳か牛乳か何れにするかは事情によつて異なる。母乳の躾が惡ければ乳が多過ぎることゝなつて榮養は不良となる。一年半以後の乳は與へたのがよいか又は有害かと云ふことに就いては學問上未だ確と云ふことが出來ないのであるから實生活に卽して定むべきである。

之等を一括して見るならば、生れて一年以後は七ケ月頃より適當に食物に馴らされた小兒は、榮養狀態をよくする爲には、乳を從とし、乳以外の食物を主として與へられなければならぬ。此意味が諒解出來兼又は實行し難き母親に對しては「母乳を早く止めよ」と督促して、其結果前述の目的を達し得る程度となるのである。之は人によつて應用せられなければならぬことである。自然現象から推察しても乳齒が生え揃つたなら、普通ならば乳は不必要なわけである。之が離乳の終りである。又一年過ぎたなら母親の事情では、食物の方に注意する條件のもとに母乳の代りに、牛乳、山羊乳等を用ゆるのは差支ないのである。今日の處一年を過ぎた母乳が非常に惡いと云ふことは出來ない。只其補乳量の問題である。一方に於ても最も大切なことは乳以外の食物が齒の狀態に應じた形又は種類として必要だけ與へられてゐるか否かと云ふことである。今日の我國のお母様方が最も注意せねばならぬことは、之を實行することである。此事に注意を拂つて、滿二年迄の小兒を充分に發育させることが出來たならば次の代の少國民は其の健康度を今より非常に向上させることが出來るのではあるまいかと思ふ次第である。

八箇月の赤ちゃんの育て方

醫學博士　野須新一

一、**身體の發育**　八箇月の赤ちゃんの體重、身長、頭圍、胸圍の標準。

月齡		身長（糎）	體重（瓩）（括弧內貫）	頭圍（糎）	胸圍（糎）
八ケ月	男	六八・二	八・二三（二・一九〇）	四四・〇	四三・八
	女	六七・〇	七・六九（二・〇五〇）	四二・九	四二・七
八ケ月半	男	六九・〇	八・三三（二・二三〇）	四四・三	四四・〇
	女	六七・八	七・八七（二・一〇四）	四三・二	四三・一

二、**精神の發育と運動の發育**　八箇月になれば(一)つかまり立ちが出來る。(二)支へてやらなくとも獨りで坐る。(三)物を記憶する力が出來て來る。(四)這ひ這ひが出來る。(五)自分の氣に入つた玩具を選擇するやうになる。(六)人見しりをする。(七)眞似をしながら人形を啼かす。(八)自分の欲しいもの丶方へ行かうとする。

三、**八箇月の榮養の仕方**　そろ〳〵離乳の用意をする。牛乳榮養兒に用ゐる牛乳は稀釋せずに一回一合宛五回與へる。勿論之に每回滋養糖を一〇瓦（茶匙中山に盛つて二杯半）か白砂糖一〇瓦か或は角砂糖を一箇—一箇半加へて與へる。尙リンゴ汁を每回四〇瓦宛一日二回與へる。又は大根の下ろし汁三〇瓦、或はミカンの搾り汁二〇瓦、一日一回を與ふ。

母乳榮養であれば正しく四時間每に一日五回とする。

離乳　この時代からぼつ〳〵母乳を離し始めて、滿一年位までに全く母乳をやめる樣にする。もし離乳の時季が夏であれば秋まで延ばす方がよい。離乳するには先づ母乳の晝間の一回分のとき、重湯、裏漉し粥或は牛乳を最初は少量、茶匙二三杯、牛乳であれば全乳を二三勺から與へはじめ、後は母乳を補つて置く。そして他の四回は母乳を與へる。こうして四五日續け別に便の性質、機嫌、食慾等に變りがなければ粥、牛乳の分量を段々に增やし、八箇月の終り頃には母乳の一回分を、すり粥小茶碗一杯—二杯か牛乳一合に代へる。そしてこの頃の粥には、うらごしの野菜を入れて煮るか、又は野菜スープにて粥を作る。卵黃も一茶匙（スリ切り）を與へる。間食として、ウエハー、乳ボーロ等良質のものを、ウエハーであれば三分の一位から、ボーロであれば一、二箇からおちゝの時に與へ始める。

離乳期の注意　この時代には子供の食慾がすゝみ、何でもたべるから食物又は菓子などを與へ過ぎるとよく腸をこわすことがあるから、氣をつけなくてはいけない。從つて始めての食物を與へる場合には一番消化し易い形にして、最初は少量から、徐々に分量を增やして行くことが大切である。食慾が減つたり、下痢をしたりするのは食物の分量が過ぎるか、不消化のためかである。又離乳に入つてから目方が增えぬのは榮養分が足らない證據である。尙色々と味を變へて食物を調理し、色々の味に慣れさせることは偏食を防ぐ秘訣である。

玩具　この時代の玩具としては動く玩具又は音のするものが適當で起上り小法師、米搗車、運動人形、首ふり人形、オルゴール、卓上ピアノなどがよい。

耳垢　小兒が眠つてゐる時に耳を傷けぬ樣に注意して耳垢をとる。餘り尖端が尖つたものでとらぬ樣にし硬く塊まつてとれにくい時には無理にとらずに醫師に賴む方が安全である。

九箇月の赤ちゃんの育て方

一、**身體の發育**　九箇月の赤ちゃんの體重、身長、頭圍、胸圍の標準。

月齡		身長（糎）	體重（瓩）（括弧內貫）	頭圍（糎）	胸圍（糎）
九ケ月	男	六九・四	八・四四（二・二五〇）	四四・六	四四・二
	女	六八・四	七・九七（二・一二五）	四三・四	四三・二

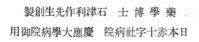

九ケ月半	男	六八・八	八・五五 (二・二八〇)	四四・九	四四・四
	女	六九・〇	八・〇八 (二・一五四)	四三・五	四三・四

二、精神の發育と運動の發育 (一)支へてやると跪坐する。(二)動作を了解する。(三)紙を破つたりする様な破壞的行爲を好んでする。(四)人の眞似をして繪本を開けたり閉ぢたりする。(五)大人の注意を喚び起す様なことをする。(六)二つの物を握つて一人で坐つて居る。(七)「居ない、居ない、ばー」をする。(八)知らない人に馴れる。

三、九箇月の榮養の仕方 大便や機嫌、食慾等に變りが無ければ離乳を更に段々と進めて行く。破碎米粥の一回分を小茶碗一—二杯(一〇〇—二〇〇瓦)とし之に野菜の裏漉し、つぶし煮を入れ混ぜにして煮るか、又は別に味付けにして與へるかする。分量は一回の粥に野菜であれば茶匙(すり切り)に大體三、四杯分と卵黄を半熟にして半個分を副菜として與へる。(勿論之は大體であり食慾に應じて増減せねばならぬ) **此頃に與へて良い副菜**としては次の樣なものである。

用ひ方	種類
裏漉し	馬鈴薯、**トーナス、ホーレン草**、豌豆、百合根、隱元豆、青豆、**花キャベツ。**
オロシ煮	人参、大根、(**クワ井**)
ツブシ煮	小蕪、**トウガン**、里芋、八ツ頭、**ズイキ**芋、**トマト、キャベツ**(細切、ツブシ)、白菜(細切ツブシ)豆腐、麩、**ユバ**、素麵、**ウドン、マカロニ、スパゲツチイ。**

右の樣な種類の副菜をグリース粥と共に與へる。勿論初めて與へる物は少量(茶匙一杯)を今迄食べ慣れた副菜と一緒に與へる。そしてそろ〳〵と増量してやる。子供には生れつき好き嫌ひは無い筈であるけれ共、餘り同じ味、形、色、同じ物を與へる事は將來の食物の好惡惹いては偏食を起す原因となり易いので成る可く**種類を豐富に撰んで、味を適當に取り換へて食べさせる**事が必要である。而して此の九ケ月の終りには母乳を二—三回粥を二回とし、その間に一回丈け時間を決めて間食としてウエハースの一、二枚か、ボーロの五、六個とリンゴ汁三〇—五〇瓦を與へる。

結核について

醫學博士　竹内茂代

(1) 果して喀血か

血が口から出ると多くも少くも直に肺病！、喀血！と思つて先づ驚愕して腦貧血を起します。卒到しないまでも失望落膽厭世自暴自棄等々喀血それ自身より尚惡い有らゆる不幸の精神狀態に陷ります。そして多くの人は第一にこの出血を隱蔽するに腐心します。

然し口から血の出たことが果して結核と限つたものではなく、他の場合が隨分多いものです。胃の出血、鼻血、齒齦の出血、咽喉扁桃腺の小血管破裂、心臟病の肺鬱血、月經の無い時に代償性月經としての喀血、寄生虫(十二指腸蟲、蛔蟲、肺ヂストマ等)の肺出血等結核以外の喀血がいくらもあります。

幽靈の世に現はれるは見る人にだけです。人間の心理狀態は格別なもので科學で說明の出來ないものが見えます。決して狼狽してはいけません。落付いて先づ安靜にして家人に告げ應急の手當を受けるのが肝要です。

(2) 眞の喀血とはどんな時起るか

喀血とは肺からの出血を云ひます。未だ病氣とも氣のつかない頃起る出血を初期喀血と申しまして僅に糸位の條になつて現はれるか、或は赤く見える位です。これは何れも氣管粘膜が充血して小さい血管が破れたのです、鼻血、齒齦出血等は此時に誤られます。

肺結核の末期、即ち第三期位になつて肺に空洞が出來ますと大きな血管が橋の樣に殘つて居てそれがすつかり犯され切斷されると息もつまる樣な大喀血を起します。血管の大小によつて出血量も異りますが致命的の出血も起り兼ねません、が場合としては極めて少いものです。

(3) 確かに喀血か

此時胃の吐血とよく誤りますが左の區別があります。

喀血	肺から咳と共に出る	鮮血色	泡末を混ず	平素肺結核がある
吐血	胃から嘔吐と共に出る	暗黒色	食片を混ず	平素胃病がある

前から肺の惡いことゝ知らぬ人は先づ肺結核であるかないかを確めるのです。咳・熱・盜汗・體重の激減等は參考になります。熟練の醫師は打診聽診によつて誤りなく肺の病氣の有無、變化の大小、部位などを確定します。醫師は全身の診察により先づ見當をつけます。

マント氏の反應　上膊に藥を種痘の樣に植ゑて翌日反應を見て其人が結核菌に感染したか否かを見ます。

血液檢査　血を採つて赤血球沈降速度を見てその速度によつて病氣が現在活動して居るか否かを定めます。

レントゲン檢査によつて肺を透視してその陰で病氣の有無、廣さ等を確めます。

痰の檢査　痰唾を檢査して結核菌の有無を知ります。

この諸點を綜合して無病か、何の病氣であるか、どの位進んで居るか等を確めます。

斯うして結核と決定したら十分靜養して治すのです。必ず治ります、又無病と云はれたらはつきり信じて決して疑つてはいけません。世の中には一寸血線が一度出た人が非常に神經を起して、何でも彼でも結核と思ひ込み一種の恐怖の病に罹り、いくら病氣でないと醫師が云つても信じないで彼方此方と轉々醫師を訪ひ、仕事も勉强もそつちのけで、肺病だと云つて貰ひたいかの態度で執拗に尋ねます。この半可通の知慧を持つて講釋をして、自ら得得として居る人を病院乞食と云ひますが世にこれ程不幸の者はありません。肺病以上厄介です。子供が一度結核性の病に罹つたなら母親が餘程注意しないとこんな氣の毒な人になつてしまひます。

或は又、病氣を本人に隱して告げない人がありますがそんなことで治療も豫防も出來るものではありません。就ては結核卽死といふ思想を根こそぎ取り去らなければなりません。「例へ結核に罹つても輕い間なら必ず治る」といふ自信を持たせ、又一方自分の病氣を他に傳染させてはならないといふ道德心を養成することが肝腎です。

(4) 處置

小量の出血ならそのまゝ主事醫なり、健康相談所なり

に行き、何の出血かを確めて貰ひ、結核と云はれたらどんな程度かをよく聽き治療の方針を確定し、なるべく早く入院して治療に專念するがよいのです。學校が後れる職業が止められない、手がない等の理由で續いて居れば必ず病は進みます。初期に發見されたのは幸福です。金がないならば無料で入院する樣、方面委員なり、結核豫防婦人委員なりに相談すれば何とかなります。金のある人もなる可く輕費の病院に御入りになり、長くゆつくり治療するがよいのです。輕く病んで一度病み上げればむしろ丈夫になり、結核に免疫します。

多量の出血は何の出血でも絕對安靜にして仰臥し、胸に氷嚢を置いて、塩水を一含位飲み直に醫師を招き指圖を乞ふのです。

豫てから肺の惡いことを知つて居るならその側に氷嚢を置き安靜にするのです。

血液の始末は結核でないと確定する迄は結核のつもりで消毒するがよいのです。血のついたものを全部燒捨てるか、煮るか、或は地を三尺位堀つて埋沒するか、或物は5%の石炭酸水一%のリゾホルムかミケゾールに浸して一晝夜置いて洗ひそれを取扱つた手とか疊等は千倍の昇汞でよく拭ひます。患者の用ひた衣類は蒸氣消毒をするのです。

(5) 喀痰の取扱——消毒

イ　結核の媒介物

結核を起す原因は結核菌でありますが、その菌のついてゐる者はすべて媒介物であります。菌は決して裸體でゐるのではなく、痰、膿、尿、白帶下、唾その他分泌物等に混つて病原地から出て來ます。そして直接には患者の使つて居る衣類、寢具、器物、書物、室內の一切の物及び接近して看病する人の着物等について傳はります。間接には路面に吐いた痰が塵芥と共に飛散して人の口に入り、便所に捨てた痰や便が汚穢屋の手を通して人の口に戻つて來ます。それ故一人一人の患者から出た痰を散らさぬ樣に消毒法を固く守り、生きた菌を決して捨てない樣にする事が結核豫防の眞髓であります。此の肺結核の痰一個には二億—四億の菌が居るのです。結核病者の着物を貰つて傳染する事は多いものです。昔の振袖火事の傳說は全く結核の傳染を物語るものです。以下消毒法の數種を述べて御參考に供します。

ロ　消毒の種類

燒灼消毒　何でも不用の物を燒捨てる法。

煮沸消毒　三十分―一時間煮る方法で煮て差支ない器物等に適して居る。

蒸氣消毒　百度の蒸氣を一時間通す方法で蒸氣釜を用ひ白布類衣類等に適する。

藥物消毒　石炭酸（一〇―二〇倍）、ミケゾトル（一〇〇―二〇〇倍）、リゾホルム（一〇〇―二〇〇倍）は共に結核菌の消毒に最も適當である。後二者は石炭酸の臭氣がない。ホルマリンは結核患者の居つた家を完全に全部消毒するに適當な方法であるが專門家に托すべきものである。昇汞水は一〇〇〇倍、靑酸々化水二〇〇〇倍は共に强消毒藥であるが、手器物に適當で痰の消毒には適さない。

ハ　痰の始末

第一法　痰は壺に入れるか、紙に取りますから壺の中にミケゾールかリゾホルムを三分位入れて置いて其の中に痰を吐や藥液と痰と同量になつたらよく混ぜ、其儘蓋をして二十四時間置けば菌は殺されますから下水に捨ててもよいものです。

第二法　痰の入つた壺に蓋をした儘釜の中に入れ、曹達小量を加へて一時間煮ますと菌は完全に死滅します。

第三法　全部の痰を紙にとり、水をかけない樣にボール箱に入れ箱の儘ボイラの火壺に入れて燒いてしまひます。

近ごろやかましい民族衛生とは

惡い病氣や遺傳をなくなす運動

醫學博士　加用信憲

『民族衛生』といふ言葉は、とかくその內容が間違はれ易いのですが『人間の種の衛生』といふことで『人間の素質を向上させる』といふことになるのです。動植物でいへば、播く前に『種を選ぶ』といふことになりますが、人間は神樣の意思によるものとして、今までさうした問題は殆どふれられず、反對に生れてから後の『育てる』といふことだけが問題とされて來ました。なるほどかうした後天的の、環境の改善や指導によつて人間の體位や素質の向上は、ある程度圖ることは出來ますが、それだけでは完全ではありません、そこでこの頃、先天的な遺傳素質の改善といふことが問題となつて來たのです、この素質淘汰の方法、即ち國民中の病的な惡性遺傳者の子孫を制限し、健全な體質者の子孫をふやすといふことが、先にいつた『民族衛生』のもつ使命なのです。

これには二つの方向があつて、一つは消極的な方法で斷種法もその一つですが、かうした法律の適用をうけなくとも、自分で自分に惡い病氣や遺傳があつて自分の子孫にそれが及ぶだらうといふやうなことが分つた場合は自發的に避姙を講ずるなり、結婚を避けるといふことになります、一方積極的方法としては結婚の合理化、結婚衛生などがこれで民族衛生の內容を分つと、『結婚の合理化』『避姙の問題』『斷種法』の三つになります、この三つの內で前の二つは、個人の自覺によつて、ある程度に改善され實行されますが、最後の斷種法は、わが國では未だ研究中であつて法令では禁止されてゐます、しかしすでに屢々議會の問題になつてゐることでもありその斷行は時期の問題でせう。

外國ではドイツが最も强制的な法令として實施してをり、アメリカ、カナダ、スイス、デンマーク、スエーデン、ノールウエー、フインランド、エスト

ニア等でも實施してゐます。

この實施の可否については、非難も相當ありますが、それよりも利益の方が遙に多いとすれば、國家的見地から一日も早く斷行すべきは當然ですが、たゞこの法令をどの程度の遺傳性心身缺陷者に適用するかといふことが、むづかしい問題でせう、今やわが國では人口の增加率も低下し、質も惡くなつてゆきつゝあるといふ實に憂慮すべき狀態でこの增加率の低下は生活の困難から一般に晩婚となり、また自己享樂に基く產兒の制限避姙となつたためでたゞ生活條件のみで行はれるかうした傾向は國家衰亡の基となり大いに考へる必要があります。

實際問題として素質のいゝ子供を生み、惡い子供を生まないといふことは、優生結婚上なかなかむづかしいことですが、たとへば血族結婚とか男女ともに似よつた缺陷を持つ者の結婚は避けること、結婚前と結婚後の生活狀況の激變、たとへば肺の弱い人などは、その結婚時期並に相手方の選擇、職業、住宅地などの條件を考慮する必要があります。

かうしたことはその專門醫に相談することが大切ですが、結婚の前に男女とも將來その結婚によつて生れるだらう子供達の素質のことを考へ、なほそれらを專門醫に相談するといふ用意は家庭のためにまた國家のために是非實行してもらひたいと思ひます。

病氣を早く知る方法と手當

醫學博士　廣島英夫

機嫌　すべて病氣になると初めは機嫌が惡くなる。常に注意して泣いたりむづかつたりする時は氣をつけて下さい。

睡眠　よくねむらず眼をさましうつら〳〵元氣なく眼をとぢて居る樣な時は、體の具合の惡い證據です。

食慾　乳を吸ふのに元氣がなくすぐ止めたり欲しがらない樣な時は、體の具合が惡いしるしです。

吐乳　飮みすぎもしないのに乳を吐くのは病氣のしるしです。

便通　便は病氣を知つたり病氣の狀態を判斷するのに最も大切ですから、一日一回は必ずよく便をしらべて下さい。

體重　體重が減つたり、又あまりふえないのは體の具合の惡い證據です。

熱　體溫は時々計つて見て下さい。

急に熱を出した時　靜かにねかせること、熱の出るには色々な原因があつて、手當もそれ〳〵違ふから手おくれにならぬうちに醫師の診斷を求めるのが安全です。

ひきつけた時　あはてないで靜かにねかし帶やひもをとき着物をゆるめ、頭をひくゝして、頭を冷し周圍を暗く靜かにして醫師の來るまでは動かさぬやうに。便通のない時は浣腸をして下さい。

下痢をした時　乳兒の下痢は飮みすぎと不規則な授乳から起ることが多いです故授乳の回數を一日一回位減らすなり、時間を正しく與へ、時間外に乳を欲しがつた時は番茶か白湯を少し與へます。人工榮養の場合はこの外に乳を薄め砂糖を少くするかその代りに滋養糖を用ふるとよろしい。若し下痢と一緒に高い熱や嘔吐のある時は乳をやめ白湯だけ與へて浣腸を行ひ、直ぐ醫師の診察を受けなさい。

家庭に必要な藥と器具　子供が急に病氣になつたり怪我をした時の爲、いつも次の樣な藥と器具を備へておくと便利です。

體溫器、吸入器、灌腸器（小兒用）、氷枕、氷囊、メートルグラス（藥をはかる器具）、ヒマシ油（便通をつけるのに用ふ。必ず備へつけておくべき藥です。）沃度丁幾（一寸傷をした時消毒用として用ふ。）硼酸（消毒劑として廣く使はれる。眼、口等を洗ふのに用ふ。）

新學年から…
肝油はお家庭でハリバを……
服ませることにしませう。
…先生からむりやりにあの油っこい肝油を服ませていたゞかなくともハリバならお母さまの手から喜んでのみます
學校で
お子さまがスク／＼伸びる春………
…今こそ健康を増進すべきときです。野に山に、新鮮な空氣を胸一ぱいに吸ひ、紫外線を全身に浴びさせて下さい。それとゝもに忘れずに肝油＝ハリバを與へてADを補給することです。か弱い皮膚、粘膜は强められ病菌や病蟲に負けぬ抵抗力がつきます。
ハリバは小豆大でもADはたつぷり…一日二―三粒で充分だから臭くなくお腹にもたれず肝油嫌ひでも樂に服めます。
ハリバ
百粒…二圓五十錢
五百粒…十圓五十錢

古歌を通して見た母心

みくに愛兒園長　瀧澤四郎

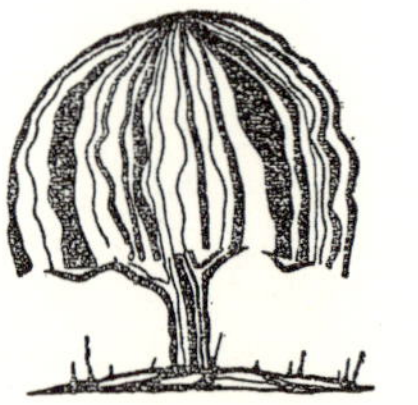

外はつめたい冬の夜風が吹きすさんでゐると見えて、ガラス戸越しに寥々と見える星影も心なしゆらめいてゐるやうに思はれますが、しん／＼と鐵瓶の湯のたぎる室の中にあくまでも靜かで暖かです。晝の遊びにつかれた子供たちは枕を並べてぐつすりと眠つてゐます。こゝまでといふきりのない牧會の仕事に席の暖まる暇のない私にとつて、稀にあたへられるかうしたしみ／＼とした世界はかけがへのないほどたふとくうれしい氣持です。暫くの間私は放心したやうに子供のおだやかな寢顔を眺めつゞけてゐましたが、やがて靜かに立つて本箱から讀みさしの萬葉集をとり出し、久しぶりでなつかしい友に逢つたやうな心持で、あちこちとのぞきながら古い昔の歌人のかざりけのないすなほな心をいろ／＼に思ひやるのでした。汲んでもらつた熱い番茶を啜りながらなほもページを繰つて居りますと、九卷のあたりにふとこんな歌を見つけました。

旅人のやどりせむ野に霜ふらば
　吾が子はぐくめ天の鶴群

私は心を打たれたのです。この歌の作者は何といふ名の人かわかりませんけれども、天平五年に遣唐使の船が難波を出る時に、その一行に加はつた或る人の母がよんだものであります。遣唐使といへば今の時代にあてはめるなら駐支大使ともいふべき人でありますから、其隨員であつたとすればいづれは相當な官職を持つた人で、もう立派な一人前の大人であつた筈ですけれども、母の身になつて見ればいくつになつても子供は不憫なものです。ましてこの人は天にも地にもたつた一人の大切な息子でありました。海山をこえて知らぬ國に行くならばどんな

苦勢があるか分りません。霜も凍るやうな寒い晩にも泊る所がなくて淋しい野原にふるへながら野宿をするのではないかと思ふと、手放してやる母の心はいとしさいぢらしさにかきむしられるやうでありました。けれどもこの母は行くなとは申しません。そして涙を一ぱいためながらも空をとぶ鶴の群にわが思ひを托すのでした。

旅人の野宿をする野原に霜が降つて寒くてたまらないやうだつたら、空をゆく鶴の群よ、私のかあいゝ大事な息子を、どうかお前の羽の下に入れて溫めてやつておくれ！御願ひだから……。

私はこの母の心に實にうるはしい二つの態度を見出すのであります。それは一つは御まかせする心、一つは祈りの心であります。

×　　×　　×

どこの世界に子供のにくい母がありませう「三千世界に子を持つた親の心は皆一つ」とは仙臺萩の政岡の名文句でありますが、子供のためには生命も惜しまぬのは母の至情であります。けれどもそれならばどの母も皆子供を本當に正しく愛し伸ばしてゐるかと申しますと、なか／＼さうでない。「人の親の心は暗にあらねども子を思ふ道に迷ひぬるかな」で、子故には罪をさへ犯す母の多いのを見ますと、まことに人事ではないと思ひます。その悲劇の原因はどこにあるのでせうか。それは母が子供を我がものとして考へることに大きな誤があるのだといはれませう。イエス樣は幼兒を抱いて「我を信ずる此の小き者の一人を躓かする者は寧ろ大なる碾臼を頸に懸けられて海に投げ入れられんかた勝れり」（マルコ九、四二）と仰せになりましたが、どんなに幼いものでも神樣から賜はつた嚴然たる人格を持つてゐるものでありまして、たとへ母であらうとも決して私すべきものではありません。實に子供は我が子であつて、しかも我が子ではないのであります、神樣よりの御あずかりもの、養育を委托せられたものであります。さう思ふとどんなに生活が苦しくとも母子心中など出來るものではありません。ウエスレーは親が子を育てるのは神樣の前に立派な養育記錄を御報告申上げられるやうでなければならないと申しましたが、神樣よりの御あづかりものである以上、母は常に子供を神樣のみ前に捧げ、御導きにすべてを御まかせする覺悟でなければ子供を立派に育てることは出來ないのであります、私情私意をさしはさんで、子供が神樣から托せられた使命をはばむやうなことがあつてはならないのです。昔エフライムの山地にハンナといふ女がありました。大變夫に愛せられてゐたのですけれども殘念なことには子供がありませんでしたので「どうか男の子を一

人下さいまし、さう致しましたら一生の間その子を神樣に捧げますから」と涙を流してエホバ神に御願ひ致しました。その祈がきかれたのでせう。やがて玉のやうな一人の男の子が生れました。待ち望んだ子ですからハンナの心持にして見れば一刻もそばをはなしたくはなかつたでせう、けれどもハンナは信仰深い女でしたから、一切の私情をすてゝ、その子が乳ばなれをしますとすぐエホバの宮につれて行きまして、祭司のエリといふ人にあづけてしまひました。それならばハンナは自分の生んだ子を人にあづけてかへりみないやうな薄情な母親だつたかといひますと決してそうではないのです。子供はかあいくて／＼たまらないですが神樣との御約束がありますから、必ずや神樣が守り導いて下さるであらうと確く信じ、一切を神の御手に御まかせし切つたのであります。そして日夜子供のことを思ひながら熱心に針を運び小さいかあいゝ明衣を作つては、毎年夫と共にエホバの宮に參詣する時、もつて行つていとし子に着せてやつたのでした。その子はサムエルといつて、一國を指導する大預言者になりました。サムエルとは「エホバに聽かる」といふ意味です。「神さま、私は愛する子供をあなたに捧げ奉ります。どうかこの子がいつも御導きに從ふことが出來ますやうに。この子にとつても、又更に私にとつても隨分とつらいこともございませうが、御旨ならば喜んで從ふことの出來ますやうに。聖旨の愛にいますことを存じで居りますが故に、父よすべてを御手に委ね奉ります」といふ信仰を以て、どうか汲めどもつきぬ母心を更に潔めていたゞきたいものであります。前に申しました歌の作者の母心はその點でほんたうにうるはしいと思ひます。「ひとりつ子が遠くへやられて淋しい怨めしい」とも申しません。そばにゐて孝行しておくれよ」とも申しません。まして上官にコンミツションをつかつて目をかけて貰うといふのでもありません。行くべき途なら千里の旅路も喜んで送つてやる、野宿をするならそれもよからう。たゞ家にあつてもとかく風邪をひきやすいひよわい身體、御上の御用の間にどんなことがあらうとも知れぬ、それが何よりの氣づかひではあるけれども、それすら寒い霜の夜には鶴が暖めてくれるであらうといふ、鶴をたのむ心は自然の愛にまかせる心、自然の愛にまかせる心はとりも直さず神樣におまかせする心であります。子供の成績や、入學試驗や就職にあくせくする母親は、くりかへし／＼この萬葉の母の心を味はねばなりません。

×　　×　　×

神さまにおまかせする心は又祈りの心でもあります。祈りの氣持はこのうたにもにじみ出て居りますが、もう

一つ、同じ作者の同じ時の歌には更にはつきりした形で表れて居ります。その歌は長い上に用語がやゝ難解でありますからこゝには引きませんけれども、それによりますとこの母は、わが子が無事に使命を果して恙なくかへつて來るやうに、すつかり神を祭る時の服裝を致しまして、身を潔めて一生懸命に御祈りをしつゞけるのであります。この涙の出るやうなまごゝろがどうしてきかれないことがありませう。その後の母子がどうなつたかは何も書いてありませんけれども、子なる役人は必ず立派に外交の使命を果して歸朝し、老いたる母のもとにかへつて朝夕まめやかに仕へ、感謝しつゝ世を終つたにちがひありません。

『わかければみちゆきしらじまひはせん、
よみの使よ、おひて通らせ』

此れは母の祈りである。信仰を以て祈れば此の山に「移りて海に入れ」といふとも亦成るであらうと主は御敎へになりました。まして愛する子のために祈る母の心に神樣の御力の加はらぬ筈はないのです。母は必ずしも伎藝學術にすぐれてゐることを要しません。色々の點で子供を指導出來ればそれに越したことはないのでせうけれども、たとへ何も知らなくとも、差支へないのです。たゞ祈り心だけは片時も忘れてはなりません。惡といふ惡をしつくして荒み切つた男が、金に窮した揚句の果にむら〳〵と母親を殺して有金を捲き上げる氣をおこし、何年もよりつかなかつた我が家に忍び入つて息を殺して樣子を伺ふと、年老いてやつれた母が、今しもうすくらいともし火のもとに跪いて涙を流して自分のために祈つてゐる、それを見た瞬間、さしもに鬼のやうなその男も翻然として悔悟し、兇器を拾てゝ神の前に跪き、涙と共に母の胸にかへつたといふ話があります。この母の心は正しく神の心キリストの心ではありますまいか。ルカ傳十五章に見える放蕩息子の話は限りない神の愛をあらはして居りますが、其神樣の親心はあらはれてキリストの十字架となりました。母の祈り心はわがまゝな願であつてはなりませぬ「愛するわが子がどうか罪に陷ることなく、いつも神を仰ぎ、キリストを通して救ひを得、正しい途を歩いてゆくことが出來ますやうに。そのためにはわが身も靈も一切を捧げて悔いませぬ。生命にかへても本望です。神よ願はくは我が子を守り、御心に叶ふならば幸福な生活を御あたへ下さいませ」と祈る母は實に十字架の心を心とするものであります。母の眞摯な祈りの姿を思ふ時、どうして子が背いて行かれませう。私どものために言ひ難き歎を以て執成しの祈をして下さるキリストの御心こそは母の祈りの理想の型ではないでせうか。世

代のちがふ母と子との間には微妙な行ちがひが起りがちなものです。さうでなくとも一人〳〵の人間が各々ちがつた賜と使命とを持つてゐる以上、自分の通つた道を子供にも歩かせようとするのは親のわがまゝであります。ほんたうに子供を理解し子供の伸びるべき途に伸ばしてやるのはどうしたらよいか、これはすべての母親のもつなやみでありますけれども、子供自身も亦生れながらには罪の支配もとにあるのでありますから、子供のしたい放題にさせておくことは斷じて我が子を正しく伸ばす所以ではありません。これには一つの道しかないのであります。即ち神を標準とし、神によみせられる子となるやうに、母親自身が絶えず祈つて行くことであります。世の御母樣方、どうかキリストを通じて神を信じ、ひたすら信仰の祈をさゞげて下さい。子供に對して祈りにまさるよい贈物が又とありませうか。萬葉の母は天地の造主なる唯一の神、キリストの父なる神は知つて居りませんけれども「知らざる神」に祈る心はやがてキリストをうけ入れる心であります。「神は我らおのおのを離れ給ふこと遠からず」(使徒一七・二七)、すべてを大なるみ力に御まかせしてま心こめて祈るこの母の態度こそは世にもうるはしいものではありますまいか。

× × ×

千年の昔すでにこのやうな典型的な母心のあらはれを持ち得る私たち日本人は幸せな國民です。現代の私どもはいかなる幸かキリストの愛を知り、その中に生きることを許されて居ります。御まかせする心、祈りの心はキリストによつてはじめて完全な意義をもつものと思ひます。何ものにもまさる我子のために、生命よりもたふといとし子のために、どうか御母樣、あなたの母心をキリストによつて全きものとして下さい。世の子どもらにとつて母ほどなつかしくたふといものはありません。あなたの祈りの姿を思ふ時、子はどこにどんな境遇にあつてもきつとあなたを通して神を思ひます。かうして書いてゐる私の胸の中にも、幼き日その膝に甘えた母のにこやかな面ざしが、涙ぐましく思ひ出されてくるのであります。最後に代表的萬葉の歌を世の隱れたる母親の前に捧げやう。

『白銀も黄金も玉もなにせんに、
まされる寶子にしかめやも』

右大臣源實朝公（二）

文學博士　故　八代國治

四、後鳥羽上皇と實朝

由來我が國民は皇室を尊ぶ勤王の志厚き國民である、或は時により强弱あり、人によりて厚薄なきにあらざるも、苟くも相當の學識あり、國史に通じて國體を明めたるものは、勤王の志を起すは自然の歸趨である、江戸時代に勤王思想起り斥覇の聲盛んになりて王政復古の基礎となつたのは國學の勃興によりて國史國體の明かになつた爲めであることは周知の事柄であるが、實朝は幼より京都の風を慕ひ十三歳にして權大納言信淸の女を娶り、十五歳にして和歌の道に志し、終に萬葉集に奥義を極め聖德太子の十七箇條憲法を研究し、歷史古道に力を盡したので尊王心の一層强烈になつたのはいふまでもないことである。

承元四年六月十一日朝廷より幕府の將士中から朝廷の瀧口に候せしむる武士を撰出すべき仰せがあつた、公は仰せを奉じて千葉、小山、三浦、秩父、伊東、宇佐美、後藤、葛西以下十三派の士族に命じて撰進せしめた、瀧口は淸涼殿の瀧口に候する武士で、天皇の行幸に供奉して勅使を奉ずることを職とするから、頗る精撰を要するのである、建暦二年二月十九日には御家人中京都を警衛する大番役を往々懈怠したものがあるのを聞き、特に嚴重の命令を下して向後一ヶ月不參するものは二ヶ月勤仕せしめて諸國守護を誡飾して王事に勤めしめた、又閑院内裏燒失して再建の議があつた時に公は父賴朝の例によりて造進すべきことを奏せられたので、後鳥羽上皇嘉納あらせられ指圖を宸作して下された、で公は將士及び其師中原仲章を遣はして最善の力を致さしめた、翌年七月立柱造營を始め、十二月上棟あり造營成りて天皇移御し給ひしは翌建保元年二月二十七日であつた、造營始めから三ケ月で上棟し、五ケ月目に全部竣成したのを見ればいかに公が造營に努力せられたかを知ることが出來る、されば朝廷にても其の勤勞を思召されて正二位に叙せられたのである。

建保三年四月十八日であつた、在京御家人等洛中守護に就て、不法の事あるを聞かれたので、其の不法を大いに誡飾し、忠否に就て賞罰あるべきことを特に書狀を認めて送られた、一小事と雖ども公が朝廷に對して忽にしなかつたことが認められる。同じ頃であつた朝廷より賀茂川堤修理の命が幕府に下された、公は謹んで御請して大内惟義を奉行として近畿九ケ國の守護に命じて修築せしめた、そこで惟義は權門勢家神社佛寺領を問はず修理の杣役を課した、然るに近江丹波兩國は大嘗會の卜合國に當つたので神社佛寺權門勢家の訴訟頻々であつた、朝廷は杣課役を免除せんことを命じた、惟義は課役を免除せば修理し難いので其の不可を述べたが、公は修築上一大障害ではあるが、勅定の上は止むを得ないといふて課役を免除した、以て公が朝旨を奉ずる恭順にして忠誠である一端が伺はれる、殊に金槐和歌集に太上天皇御書下預時歌と題して

おほ君の勅かしこみちゝはゝに心はわくとも人にいはめやも
ひんがしの國に我をれば朝日さすはこやの山の蔭となりにき
山はさけ海はあせなん世なりとも君にふた心我あらめやも

の三首を收められたのは、公が勤王心の厚きことを吐露して餘りあるものである、史家或は之を評して居ながらにして名所を知るといふ歌人の偶詠が、固より深き意義あるものにあらずとして之を退けて、取らないではないが、余は特に太上天皇御書下し預る時の歌といひ、大君の勅畏み父母に心はわくとも決して口外せずと述べ、山は崩れ海は涸るゝとも君に二心なき意を誓ひ、謹嚴にして質實なるこの詠歌は、實に叡旨に奉答したるもので、公の衷情を吐露したるものと認むるものである。猶後鳥羽上皇と實朝との公武關係を觀察せばこの詠歌の意義がいかなるもので、後鳥羽上皇の叡旨が果していかなるものであつたかが推測せられる。

後鳥羽上皇は後三條天皇以來累代の御遺志を繼がれて朝權の回收に力を盡されて居る、御讓位後には院政を行ひて朝廷に於ける公卿殿上人を統一し、近畿の寺社の勢力をも總べ御領を增殖して權力の增大を謀られ、終には關東をも其の勢力の下に統一せんと謀られたのである、この際に當りて北條時政の後妻牧方頗る才略あり、其の女を權中納言實宣、坊門忠信以下公卿に嫁して朝廷に接近するの策を取つた、朝雅は上皇の信任を得て弓馬の師となつて常に院中に祗候した、これは蓋し牧方が朝廷の威力をかりて時政の前妻黨政子及び義時等に對抗する爲

めであつたが、後鳥羽上皇はこれによりて關東を掌中に收めやうと謀られたのである。この時に當つて實朝の結婚問題が起つた、義時は其の姪足利義兼の女を嫁せしめんと謀つた、然るに實朝公は固より京都を慕ひ京都を好まれたので牧方の意に從つて坊門信淸の女を娶りて夫人とした、信淸は後鳥羽上皇の御母七條院殖子の弟で上皇の信任を得て居る、其の女は西方と稱して後鳥羽上皇の妃となりて寵愛があつた、公の夫人はこの西方の妹で、牧方女婿忠信の兄弟である。さればこの結婚問題は後鳥羽上皇と實朝と相結んだ連鎖であつて公武合體の實を表はしたものである、然るに時政牧方は義時の爲めに「實朝を弑し、朝雅を將軍に擁立せんとする」といふ罪名の下に伊豆に幽屛せられ、朝雅も殺されたが、公は夫人の關係によりて京都と益々接近するの機會が多くなつた。

夫人の付添に右馬允藤原知親あり、藤原定家の門弟として音容優美和歌に巧であつた、公は建永元年初めて和歌を學んだが蓋し知親を師としたのであらう、終にこの關係によりて定家に添削を請うことゝなり、定家は之に對して直に合點を加へて返信し詠歌口傳一卷を送つた、其の後には御子在家傳來の秘書等を傳受した、定家は後鳥羽上皇の信任を得た歌聖である、實朝はこの和歌の嗜好によりて上皇と意氣相通ずるに至つたことであらうと思はれる。されば建暦二年八月には上皇は飛鳥井雅經をして仙洞十首歌合を淸書せしめて關東に送らしめた。實朝は之を頂いて無上の光榮として賞翫して居る。建保三年七月には又上皇が坊門忠信に勅して去る六月二日の仙洞歌合一卷を送らしめて、使節の往復が絕えずあつた、實朝の營中に仕はれた女房三條局が父の爲めに京都粟田口に一堂を建立して供養したことがある、後鳥羽上皇の近習尊長法印が築垣を造進して之を助成して居る、この他前中納言範房以下上皇の近習公卿殿上人が佛事を助成して居る、こんな一小事でも上皇と實朝との間柄に密接な關係があつたことが認められる、建保二年二月のことであつた、坊門忠信より蹴鞠書一卷を送られた、これは去年十二月二日紫革襪を聽された時の秘書であつた、吾妻鏡に將軍家賞二翫諸道一給中、殊叶二御意一者、歌鞠之兩藝也とあつて、特にこれを賞翫珍重せられたことが明かである、當時上皇は蹴鞠を好み給ひ、鞠の達人宗長、家綱等を集めて行はせ、御親らは特に上達し給ひ、鞠道の長者の號を諸人より奉らせ給ひし程である、さればこの蹴鞠記を忠信より送られたのも上皇の御許を得たものであらう、又院の鞠衆大輔坊源性が鎌倉に下りて公の鞠の師となつて居る、この蹴鞠の戯によりても亦上皇と公との間に意志の相通ずる所があつたことであらう。

建保六年十月十五日後鳥羽上皇日吉社御幸の時專當童を刄傷したものがあつた、時に御幸に供奉した在京武士佐々木廣綱が犯人を誅殺した賞によりて從五位下に叙せられたので、廣綱は無双の面目とし公に上申した、公も亦其の功を賞して近江松伏別府を以て勸賞に加へられた廣綱は關東武士にて在京し後鳥羽上皇の信任を得て承久役に最も活動した一人である、從來幕府の方針として在京武士が關東の推擧によらず、任官叙位せらるゝことは嚴禁する所である、然るに公は之を咎めず却つて賞するのを見ると後鳥羽上皇と公の間には頗る默契があつたかの如く認められる。

五　實朝と義時

以上述べた樣に上皇と公との間柄は最も圓滿であつたが、公と外戚たる北條義時との關係はどうであつたらうか、初め義時は公の幼時に當りて務めて扶翼奉戴したが、公の長ずるに及びて兎角圓滑を缺いて居つた樣である、公長ずる後聰明英達よく心を政治に用ひ、事を行ふ公平にして諸將士の服する所となり從つて宿老功臣に對して、自己の意志を斷行するに憚らず强硬であつた。殊に義時の專橫に對しては快しとしなかつたやうである、承元三年の頃であつた、義時部下有功の者を以て幕府の侍に准ぜられんことを懇望した、公は斷然として之を退けたので其の一端が認められる。

建保四年九月の事である、公が左大將兼任の事を望んだ、義時は廣元をして諷諫を加へしめた、公は源氏の正統はこの時に絕ゆるから、飽まで官位を帶して家名を興さんといはれて之を退けた、義時は政子と共に力を併せて扶育したので、公にとりては師父の恩がある、普通の外戚叔甥でない又尋常の君臣でないから、義時は公に謁して親しく諫むべきである、然るに廣元をして諫めしめたのを見れば、この頃公と義時との間柄に非常に疏隔のあつたことが認められる。又廣元が義時に對した詞に「事に於て公より御下問がない」といつて居るのを見ると、公が義時や廣元等一派を快しとせず御相談のなかつたことが推し測られる。

同じ年の十一月公が渡宋の計畫を企てた時に、義時は極力之を諫めたが、公は毫も顧みず陳和卿をして船を造らしめた、これよた義時の言の聽かれない證據で公と義時との間の圓滑でなかつた證據である。

この外政治に訴訟に就ても、公親ら裁決して事を行ひ、廣元義時等と議せない事が多く、漸次義時は、公の爲めに制せらるゝに立至つたのである、公が和田義盛を信任したのも蓋し義時に對する策であつたらうと思はれる、義盛は賴朝以來の元老、宿將で武功あり、且つ侍所別當として軍事を統轄し、之に加ふるに一族に三浦義村の豪族があつたので、當時義時の專橫を制して、眞に幕府を擁護するものは義盛の外になかつたのである。實朝の之を信任したのは尤なことである。然るに義時の隱忍老猾にして多智なる表面恭順を表して年少將軍に仕へたが、先づ

中原廣元、三善善信を參謀とし、部將中自黨に不利なものは除き、都合よきものは結婚政策を以て之を招き、漸次關東を自己勢力の許に統一せんと企てた。當時元老として多くの所領を傳領して隱然一大勢力のあつたものは義盛の宗家三浦義村であつた、義時は其の女を泰時に嫁せしめて我が黨とし、義盛に對して恥辱を與へて務めて之を激ぜしめて、終に反逆を謀らしめた實朝は義盛を常に宥めて無謀輕擧を戒しめて義時と和融せしめて事なきを謀つたことが明月記に見えて居る、然るに剛勇忠直一偏にして智慮淺き義盛は、義時の挑發時態度に謀られて、終に兵を起して建保元年五月敢なくも由比濱の藻と消えたのは惜むべきであつた。

かく公と義時と事毎に衝突した結果は、知つて朝廷に接近し後鳥羽上皇に親任せられたので、寧ろ之に依りて機密の間に北條氏を制するの策をとりしにあらざるか、若し果して然りとせば、上皇の公に下し賜はりし勅書は頗る重大にして意義ある叡旨であつたことは想像に難からぬことであらう、元來北條氏の陰險殘忍なる先に外孫たる賴家を廢し、之を幽屏するも尚足れりとせず、終に之を弑した程である、今三代の將軍實朝は自ら擁立したところだが、一旦自己に不利なるに於ては他人の手を借りて之を害せしむるが如き敢て躊躇する處でない、況んや公が皇室と相通じて北條氏に不利な謀を企つることを覺つたならば、之を弑すが如きは固より當然の事である。實朝弑せらるゝ前後の事情及び鶴岡の變の有樣を察し、又實朝以後の將軍が廢せらるゝ手段もほゞ同じ方法であつたを見て頗る首肯すべき點があらう。

公が拜賀に出御以前に秦公氏が御髮に候した時に、公は自ら鬢の毛一筋を拔き、記念と稱して之を與へ、庭梅を覽して「出でゝいなば主なき宿となりぬとも軒端の梅よ春をわするな」と詠じたのを見れば、公の心中旣に決する所ありしものか、殊に二十八日の夜公が鶴岡八幡宮寶前に於て右大臣拜賀を行ひ、歸途僧公曉の爲めに害せらるゝ以前に當りて、義時は俄かに病と稱して供奉を辭して難を逃れたるは最も怪しい、抑も右大臣拜賀は關東に於ける盛儀である、後鳥羽上皇は御裝束御車以下の調度を特に下し、使者を遣はしてこの盛儀を助け給ひ、坊門忠信以下近習の公卿殿上人下向して扈從し、隨兵一千餘騎に及んだのである、幕府の元老として將軍の外戚として、義時はこの大典に供奉したことなれば萬難を排して之を勤めて無事拜賀を遂げしむべきである。然るに我に心神異例と稱して、宮寺樓門より辭して退き、小町亭に歸りて毫も顧みないのは解すべからざることである。其の後公曉が關東の主とならんとし三浦義村に援助を請へる時に、義村は義時に告げて之が處置を請うた折義時は平然として驚かず、直に誅すべき命令を下し、公曉の首が至るに及んで出居に於て之を實檢したる有樣は殆ど平常と異ならず、毫も病氣の形跡を認むることが出來ぬのみならず、豫定の計畫であつたかの如く、義時は賴家の子善哉のあるも之を退けて奉戴せず、直に後鳥羽上皇の皇子六條宮及び冷泉宮の內一方を關東の主とせんことを請ひ、上皇の許し給はざるに及び九條道家の子賴經を迎へて關東の主としたのである。されば新

井白石は斷じて義時公曉をして實朝を弑せしめたとまでいつて居る。

承久記に後鳥羽上皇白河殿內に最勝四天院を建立して、關東調伏の壇を立て呪咀し給ひしが、實朝將軍討たれし後、之を毀ち捨てられ云々として、上皇が實朝を呪咀したとして居る。承久記は著者及び出來た年代が詳でないが、恐らくは當時を去ること遠からざる時代の者で信據すべき記錄であらう、しかし其內容を精査するに後鳥羽上皇の御所爲を難じて將軍や執權を尊敬して居るのを見ると、寧ろ官軍方よりは關東方に同情ある人の書いたかの樣にも認められる、從つて呪咀のことも恐らくは當時關東方で怪しみ風說して居つたことを其のまゝ書いたものであらう、關東が常に京都に對して怪疑の眼を以て見て居ることはこの時許りではない、又同書に實朝の官位昇進の速かなのは上皇官打にせんが爲めであるといはれて居る、これも亦當時の風說を書いたものであらう。然るに後世史家之により上皇の實朝の官位をすゝめられたのは、實朝の心を驕らしめ之によりて亡ぼさんとの內意であらうといはれ居るが、元來上皇と實朝との間柄は前にいへるが如く、夫人の關係により坊門家及び蹴鞠等によりて定家、雅經等を介して東西意氣相通じ、上皇は實朝を信任遊ばされて居るのである、後鳥羽上皇が眞に衷心より實朝を惜み給ふたことは關東の訃を聞かせ給ふや、當時水無瀨殿の御遊を止めて急に還御あらせられ、二月二十一日には臨時二十二社奉幣使を發遣して臨時御祈を行はれ給ふたが、其の時の願文に右大臣實朝の早世を惜まれて居らせらるゝのを見ても呪咀又は官打の說は全然誤りであることが知られやう、されば後鳥羽上皇に奉答した三首の和歌は、最も重大なる意義を含まれ公が勤王の誠を表はしたものであることが認められやう。

伊藤雅契に

——順子孃の卒業を祝して——

今中楓溪

久に醉ひて白磁の瓶の桃の花見つゝことほぐ君の娘のため

友の子は程近く業を卒へまさん子のためわれにはかる親心

床のまの孔雀の軸を醉の眼にながめて今宵御父をほがむ

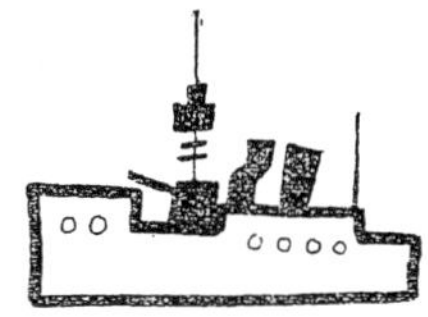

東洋の無我道を省みて銃後の赤誠に及ぶ

奈良女高師教授 伊藤恵

東洋の敎と云ふものは、昔から「和」と云ふ共通の根幹を有つてゐることについては、儒敎であれ、佛敎であれ、道敎であれ、其の言葉の方法こそ異なれ、共通したものを有つことに變りはない。兎角、和と云へば、直ぐに折衷とか、妥協とか、平均とかの意に解され易いが、爰に云ふ和はかゝる和ではない。其等の和は、所謂、歐米流の個人を本位とする功利的打算の上に作り出された謂はゞ權利義務思想上の和に外ならない。更に云へば、「我」を以て第一主義とし、他を第二義、第三義としたもの、換言すれば、「有我心」の上に加工し、工作された和である。斯樣な和であつては、表面上では如何ばかり立派に見えても、詰りは、それは「無原理」のもので、技巧上の作事から一歩も出て居らぬと云つてよい。自覺と云ふことがかゝる「我の自覺」を意味するものであるならば、其れは無原理であるとの謗を免れる譯には行かぬ。昔から東洋の儒學で云ふ所の和はかゝる和ではない。東洋で云ふ和の根柢は「無」にある。「無我」にある。爰に無我とは「有我心」を沒する樣について云ふ。

佛敎では「無我」と云ふことを重んずる。人に限らず萬物は、「四大」の和合からなると云ふ。即ち地大、水大、火大、風大から成ると云ふ。地とは堅さのあるもので、土地の如きは地大である。人は地上にあつて大地と一つゞきで地上に出來る穀物、野菜その他を常食とし、又排泄物を地上に棄てるなど都て地と一つゞきである。人には體重と云ふものゝあるのも是の方面から見るからのことである。かく地に關係を持ち地に通ずる物柄から成るのがこの五尺の身體である。是は人に限らず萬物皆に通じて更に例外がない。故に大と云ふ。水大は濕りについて云ふ。詰り水である。汗と云ひ、血と云ひ、脂と云ふ何れも濕りならざるはない。濕りは生命の存續する限りは人に限らず何事にもある。人でも、動物でも、生物でも皆然りである。若し枯死せんか、萬物は枯渇せざるを得ぬ。それで人が死せば燒きもし、埋めもする。即ち地に歸るのである。斯く濕りは萬物の通性、それで水大と云ふ。火

大と云ふは暖みについて云ふ。人で云へば體溫なるものがある。凡て生けるものには其れ相當の溫みと云ふものがある。若し死せば總身冷却し去る。この暖みは人に限らずどこにでもある。故に火大と云ふ。風大と云ふは動くものについて云ふ。人が息をするのは風大による。斯くて人と云ふも萬象と云ふも決して別のものでなく、因緣の道理に基いて假りに四大の和合して人ともなれば萬象ともなるのであるから人と云ふも萬象と云ふも決して別のものでなく、因緣の道理に基いて假りに四大の和合して人ともなれば、萬象ともなるのであるから人と云ふも萬象と云ふも畢竟一つとき、それを萬象から離れた純然たる獨立のもの、純永久のものなど思ふは人の陷り易い迷ひで、實の所は內外往來、內外不二、天地と一如と感ずべきもので、これを佛敎では一體平等と名附ける。諸行無常、諸法無我など云ふは右に述べたことから云はれるのである。天地萬象は其の變ずる側を時間的に見れば一瞬一刻と雖も變化なきを得ぬ。これが諸行無常。若し之を空間的に見れば四大の假の和合によつて人たり非人たるのである。これが諸行無常。元より之を大乘的見地からすれば、毫も消長すること莫く、物と我とは皆盡くること無く一定不變のものであつても、之を部分的に見れば、結局無常無我と云はざるを得ない。佛敎の無我觀の基くところは爰にあると思はれる。

莊子の德充符篇に「其異なるものよりして之を見れば肝膽も楚越なり、其同じきものよりして之を見れば萬物皆一なり」とあるは仲々意味が深い。個人とか個我に執着しての迷ひの產物であると云ふ。個我に執すると云ふことが有我心に囚はれることであり、眞實の生き方をする上に、種々の煩累となつて來るのである。これを譬で云へば、大海の水も水であるが、大海の一滴の水も水は水である。前者と後者とは量から云へば大なる相違であらうが、質から云へば何等違ふ所がない。大海の水もその一滴の水も同じこと。同じもの、同じことであるにも拘らず、分量に執するからまるで別物のやうに考へて了ふ。それで一滴の水が特別存在物の如くに考へて了ふ。我々は前に述べたやうに假我であり、無常である、がこのことに執してはならぬ。假我であり、無常である我等が、同時に眞我であり、常住であることに氣附かればならぬ。蘇東坡の語を借りて云へば、水と云ふも月と云ふも逝く者は斯くの如くして未だ嘗て往かざるなり、盈虛する者は彼の如くして卒に消長莫きなり(前赤壁賦)である。ところが、この眞我にして常住であるべきことに氣附かぬ。そこで個我に執すると云ふ迷ひが起つて來る。個我に執する限りは、人對人、自分對他人と云ふ對立的の根性はいつまでも終息する所がない。他人の心と自分の心との間に垣根を作り、障壁を搆へて和するところがない。親から離れたる自分を考へ、他から遊離した自分を考へ、民族からも、國家からも、歷史からも、自然からも遊離したものとして自分を考へて言動をするのである。これ現代人の陷り易い弱點ではなからうか。重ねて言へば、無我は有我心を超えた境。特別の、「我」と云ふはないのに我にこだはるので有我心が起るのである。迷妄の世界は爰から始まると云ふが佛敎の無我觀で、この小我心を破する所に大我心が成り立つ、無我とは大我に生きることであると敎ふるのである。

東洋の敎である儒敎も亦「無」の思想に立つことは疑ひを容れぬ。論語の子罕に「子四を絶つ、意毋し、必毋し、固毋し、我毋し。」とある。聖人孔子は四つの有我心を絶たれたといふ。この四つとは第一に意を絶たれた、意とは私意を挾むことで判斷其他を誤つたりするのは多くはこの私情に囚はれるからである。第二に必を絶たれた。必とは一旦心に思附いたならば、理が非でも其れを押通さんとすること。それで必期に陷らぬやうされたのである。第三に固なしとて、固を絶たれた。固とは執すること、滯ることで、未練がましきことである。惡かつたと知つたら之を改めなくてはならぬのに、敢て改むるの擧に出ないのである。孔子は固がなかつたと云ふ。第四に我を絶たれた。我とは私己に走ること。自己中心の考へや振舞のことで、この根性のある限り、自分を益々小にして了ふ。それで孔子は私己を絶たれた。以上の四つは何れも小我に閉籠ることであるから、大我に立つやう、從つて仁に歸するやう、小我に執することを絶たれたのである。何物にも、何事にもこだはることなく、虛心旦懷、光風霽月の如き心境の極致、これが仁であらう。佛敎に比して其の言葉は違ふにしても、無我の境地にその狙ひのあることは言ふまでもなからう。論語の顔淵篇にも、「子曰く。己れに克ちて禮に復るを仁と爲す。」とある。己れに克つとは私慾を拂ひ去つて己れに克つこと。私慾に囚はれるから本來の面目たる本性が現はれて來ない。それで是等の私慾物慾を拭ひとると云ふと本心たる良心に立復ることが出來る。これを禮に復ると云ふ。それで克己復禮を力說する孔門の敎は小我を制して心德を全からしめる敎であると云つてよいであらう。

老子の敎ふる所も亦無たるべきを云ふ。曰く「三十の輻一の轂を共にす。その無に當りて車の用あり。」(老子)と。輻とは車輪の輞より出でて轂にあつまる許多の細長き材。これが三十あつたので三十輻と云ふ。轂とは車輪の中央にあつて軸がその中に貫かれ三十の輻がそこに集まつてゐる部分。この輻の三十本が一本の轂に集まり、一の轂が三十本の輻を統一すればこそ、輻が輻として車が運轉するに役立ち、轂が轂として同じく車に役立つ、雙方自分を空しうすればこそ、輻が輻たり轂が轂たり得る。そこで初めて車が運轉する、それで車の用ありと云へると云ふのである。これに相當する見方は、老子の思想の各所に於て見受け得るのである。すれば老子の思想も亦佛敎の無我に通ずるものを有つてゐると云へるであらう。

東洋の敎では例へば儒敎で言へば、吾々本具の德性を發現させるが人たる者の善であるといふ。大學に「明二明德一」とあるを朱子は人が天から賦與された玲瓏たる心の本體を明かすと釋する。己が德性の成就を以て善とする故に、甲は甲の有つて生れし德性を、乙は乙の本具の德性を發現すれば其れでよい。何等そこに功利的打算的な意味があつてはならぬ。學者は學者たるの實を發揮すれば其れでよい。他人が又世間が認めなからうが、用ひなからうが、其れは別問題であつて、關心事とするに足らぬ。愛國の赤誠をもつて君國に身を捧げるのに何等求むる所がないと一般、一切の名利心を超えるのである。儒敎で天地の全體が人間に現はれるとし、天地の大德是を生と曰ふとし、天地人三才の道を全うす

べきを敎へる。天地の德は生成化育の働として現ばれ、萬物を育成して止む所が無い。ところが人の言動にはずるけたり、誤魔化したりすることはあつても、天地の德には更に之れがない。實に「天行は健」である。人は各自の「私心」を去つて「天行の健」を手本としてはならぬ。そこで「君子以て自彊して息まず。」(易經)とか「聖人は天の如く然り」(近思錄)とか云ふ。天は誠其者で、噓僞が少しもない。實に天の全德は誠の一字に歸する。それで人は己れを空しうして、天の德につかなくてはならぬ。これを「誠レ之」と云ふ。人として至誠と奮勵とを以て天地の化育に參すると云ふが、人の務めで、而してこれは「無我」であつて初めて可能であると考へるのである。

佛敎では天地の德を法身の德と云ふ言葉で言表する。佛は遍一切處の如來で、この法身を無限の智慧、無限の慈悲もて體得したのが報身で、報身は修業により法身を覺つた體即ち佛である。吾人はこの眞實の智慧、眞實の慈悲を無明長夜の燈炬として生活したらばよいと思ふ。この佛覺成就の大欲に生きて、迷ひである小我心を拭ひ拂ふ。これが無我の大行でなくてはならぬ。僞りのない眞實心である。「至心信樂」と云ひ「欲生我(佛)國」と云ふ語はかゝる無我の願行について云ふ。詰り、小我に死んで大我に生きると云ふが、佛門の第一要諦と思はれる。自分はこの點について德川時代の哲人二宮尊德翁の語を想起するのである。曰く「世人皆、聖人は無欲と思へども然らず其の實は大欲にして、其大は正大なり。賢人之に次ぎ君子之に次ぐ。凡夫の如きは小欲の尤小なる物なり。夫れ學問は此小欲を正大に導くの術を云ふ。」(二宮翁夜話)と。然らば大欲とは何ぞや、を說明して、「大欲とは何ぞ、萬民の衣食住を充足せしめ、人身に大福を集めん事を欲するなり。其方、國を開き物を開き國家を經綸し、衆庶を濟救するに在り。」(同)と言ふ。寔に味ふべき見方である。無我と云ひ、小我を絶すると云へば、そを直に消極的であるなど早合點してはならぬ。そを消極的とのみ見るは我の一面のみに執する迷ひであることは既に述べた所である。

それでは、天地の德に參すると云ひ、無我の大欲に生きると云ふは如何にして可能であらうか。私がひそかに思ふに、その之を能くなすには、自然科學的の行き方だけであつてはならない。實證的方法だけでは不可能であらう。二宮尊德翁の語りて言へば、肉眼を以てするだけでなく、更に「心眼」を開いて眞實の相を如實に直觀するでなくてはならぬ。翁曰く「夫れ天地の眞理は不書の經文にあらざれば見えざる物なり。此不書の經文を見るには、肉眼を以て、一度見渡して而て後、肉眼を閉ち、心眼を開きて能見るべし。如何なる微細の理も見えざる事なし。肉眼の見る處は限あり、心眼の見る處は限なければなり。」「夫れ我敎は書籍を尊まず、故に天地を以て經文とす。」(二宮翁夜話)と。この東洋的の見方は餘程參考になると思ふ。佛德を手本とし、人法不二、機法一體の妙境を願求するもの、實に心眼を開くでなくば到底克くし得る所ではないのである。

然らば如何にすれば執着の心を去り、小我を絕し、散亂放逸の心を收めて眞我を表出し得るであらうか。宋儒は「主一無適」と云つて、心を一點に集中し、持敬の工夫をなし、坐禪默想をば缺くべからざることゝした。この宋儒の行は純粹の儒學でなく、佛敎の禪道が相當加味されてゐることは否定すべくもない。以下少しく坐禪の淨行について語るであらう。

我が國に於て初期鎌倉佛敎の一聖者たる道元禪師(土御門天皇の御代の誕生。孝明天皇より佛性傳東國師の諡號を、更に明治天皇より承陽大師の追謚號を賜ふた人、曹洞宗の開祖)は坐禪を重んじ、坐禪あるところ佛道現成す、坐禪こそは佛覺を證する最上無爲の妙術である。佛敎は理論でないから高尙な哲理を弄んで水中の月となつてはならない。宜く直證菩提の修行をしなくてはならぬ。佛敎は體驗以外には無い。是には端坐參禪するを正門とする。人は坐禪に由つて自受用三昧の境地に入ることが出來る。換言すれば、坐禪によつて吾人の內に潛める身値を現前させ得るから、その受用は心法不二、意のまゝたり得る。而して坐禪は身心脫落なることを絶對必要條件とする。即ち、吾人は名譽、利欲に驅られる現在に死んで、自己本來の面目の現前するを要する。即ち無我たるべしと敎へた。禪宗では坐禪に因て、「直指人心、見性成佛」を體現せんとするもので、理論に執せず、煩惱邪見に囚はれず、實踐の行そのものが直に佛智に證入さするのである。生活の凡ゆる方面に禪行を活して行かんとし、一切の生活これ禪ならぬはなしとすら云ふ。從て禪道に進み得た人々は、抽象的理論に陷ることなく、克く腹の出來た人たり得るのである。光風霽月とか磊々落々とか虛心坦懷とか玲瓏透徹とか云ふ境地は禪の達人によつて克く具現し得ると思はれる。學問が進み、地位が向上し、富が增すなどすれば、兎角人は是等のものに煩ひされ、增上慢となり、地位權勢を亂用したり、富に淫したりし易い。これが執着である、こだはりである。局小の自我に閉籠るのである。儒敎にせよ、佛敎にせよ、道敎にせよ、是等のことは固く堅く戒める所、止まる所を知れ、と云ひ、富貴に淫する勿れ、と云ひ、佛德を見習へ、と敎へる。昔、梁の武帝は篤く三寶に歸依し、佛を崇び、寺塔を建立し僧尼に供養した。この功德こそ甚大ならんと思ひ、未來は定めし見事な佛地に往き得るであらうと信じてゐたので、自慢顔にて時の名禪僧達摩大師に念をおす所があつた。すると案に外れ禪師は大喝一聲「無功德」と叫んだと云ふことである。蓋し我身の未來の爲と思つての善根功德は小我の計らう心で、かゝる小我の計らひの下に於ける善事は純でなく不純である。こだはるところがあると云ふのであらう。道元禪師が「行者自身の爲に佛法を修すと念ふべからず、名利の爲に佛法を修すべからず、果報を得んが爲に佛法を修すべからず、靈驗を得んが爲に佛法を修すべからず、但だ佛法の爲に佛法を修する、乃ち是れ道なり」(學童用心集)と言はれたのは爰を戒めたのである。

禪のみが心のこだはりを排擊するのでない。小我小心に基づく善事を價値なしとするのでない。禪宗は自力聖道門であるが、眞宗の如き他力淨土門に於ても亦然りで、否な佛敎の敎は凡て右の小我小心を排除すべきを言ふ。自力他力の別はあつても大我に生きんとする點に於て變りはない。道元禪師の語に「唯我身をも心をも放ち忘れて佛の家に投げ入れて、佛の方より行はれて、是に從ひもてゆくとき力をも入れず心をも費さずして生死をはなれ佛と爲る。」(正法眼藏—生死)と云ふがあり、親鸞上人の敎學では「雜行雜修自力の心を棄つ。」と云ひ、「佛の願力に乘じ定めて往生を得。」など云ふ。我が計らひを棄て佛の願海に歸し、一心歸命の境地以外に一點の私のないことに於て共通するものがある。この一心歸命の境地、願力のまにまにの境地、こゝに自他の境を離

れ、人法不一、機法一體の境地に入るのである。生死の對立觀を離れるのである。こゝに日本的な「隨」と云ふ行じ方、行き方を見得るのである。楠木正成公が湊川に足利直義の大軍を要擊せんとするに當り、一日その山上の廣嚴寺に、明極楚俊禪師を訪れて、參禪されたことがあつた。明極禪師は歸化僧であるが、禪道の要諦に達した人で、畏くも、後醍醐天皇の御歸依を忝くしたと云ふ高德である。楠公がこの高德に參禪したと云ふのも、生死の大問題に決定する必要を感じられたためであらう。楠公が禪師に「生死交謝の時如何。」と御尋ねになると、禪師は「兩頭共に截斷すれば一劍天に倚つて寒し。」と答へた。楠公は猶不明であつたと見え更に「落處麼生」と問はれた。すると禪師は大喝一聲されたのみであつた。楠公は全身汗ばまれ、豁然として大悟し、禪師に厚く謝辭を述べて、眞に湊川に勇躍出陣されたと云ふ。この楠公の問はれし生死交謝の時は如何なるものであらうか、又生と死との兩頭を截斷せよとのことであるが、その截斷の樣を端的に更に一度明示して欲しいと云ふことであり、禪師の其れに對する答は、生とか死とかの問題に執してはならぬ、大悟徹底せば生もなし死もなし、其の跡形もなし、宇宙の大生命たる眞空妙有を體驗せよ生死を厭はず、したはず、生死を超越せよと云ふ意味であらう。自分はこの生死を超えると云ふことが、非常に尊いことであると思ふ。未だ生を知らず焉ぞ死を知らんやとも云へば云へるであらうが、反對に未だ死の問題を解決してゐないから、生の問題は分らぬとも云へる。元來、生死とは離れたものでない。生のある所、死あり、死のあるもの生ありで、生と死とは初めと終りとの關係と同じこと。それで生より論ずるも死より論ずるも、其れは五分五分のもの、詰りは水掛論に終る。日本精神よりすれば生死を越えることに眞實の意味があるのである。禪より言へば生死を超える所に佛の心に入るのである。楠公は實にこの生死を越え、生死を解脫し、宇宙の大生命に溶け込まれた譯である。弟正季と「七生報國」を固く誓つて刺し違へて最期を遂げられたが、公の犬精神は宇宙の大生命に合一し、千古萬古永へに吾等日本國民の大光明となつてゐるのである。

佛敎の無我思想は言ふ迄もなく本體の平等相についてゞあるけれども、これが實踐に向ふ場合は必らず差別相を以て具現され來るもので、これは佛敎の因緣思想に基づくからである。故に平等面にある無我の觀念を以てして而も差別面にある因緣の觀念に兩立するのであること、恰も儒敎が天の觀念に立ちつゝ差別相の實踐道德を力說するに似てゐる。かの親鸞上人が「彌陀の本願は親鸞一人がためなりけり。」(款異鈔)と云ひ、「歸命とは本願招喚の勅命なり。」(敎行信證行卷)とし、至心信樂、己れを忘れて速かに無行不成之願海(報恩講私記文)に歸して居りながら、而も「念佛申さん人々は我が御身の料は思召さず共、朝家の御爲、國民の爲に念佛を申しあはせ給ひ候はゞ目出度う候べし。」(御消息集)と國民の道を敎へてゐることに何の矛盾もない。これ當然の歸結である。楠公が參禪して大悟徹底し眞空妙有の實相に歸しつゝ、而も君國の爲に七生報國の大願成就につき邁まれたことに何の不思議もない。自分はこのことを思ひつゝ過去日本文化史上に吾が祖先が遺してくれた無數の文化的遺產に念ひを致すとき、言ふべからざる感激に打たれるのである。(以下次號)

新いろは童話
――第一回――

坂野潤

いすのうえで、いぬころが二ひきじやれてゐます。ちいさないすのうえですから、いまにおちるでせう。

とうとう、おちました。それでもいたくないのか、いぬころはなきませんでした。

ろしやのぱんうりがきました。くろいふくをきた、をんなのひとです。おとなりのくろが、さかんにほえます。

ろしやのぱんは、くろいぱんです。かつてあげると、よろこんでかえりました。

はるになつて、いろ〳〵のはながさきました。はなからはなへ、はちやてふがとびまわります。おいしいはなのみつをもらふのです。

「あかいはなさん、ありがたう」
「あをいはなさん、ありがたう」

にぐるまがとほります。いつぱいにもつをつんでゐて、とてもおもさうです。

「にいさん、おしてあげやうか」
「うん、おしてあげやう」

いち、にの、さん。
いち、にの、さん

ほたるがとんでゐます。まるで、ちいさなちやうちんをつけたやうです。

「ほう、ほう、ほたるこい」

とほくで、だれかもよんでゐます。

ほら、ほら、こんなにちかくまでとんできました。はやく、みんなでとらへませう。

へいのうえで、ねこがおひるねしてゐます。わん、わん、わん。いぬがみつけてほえました。それでもねこはへいきです。へいきでおひるね、してゐます。

こん、とん、とん。だれかが、とをたたきます「どなたですか」おかはさんがいそいで、げんかんのとをあけました。でんぽうやさんでした。

「どこからきたの」と、おとうさんがききました。

「とうきようのをぢさんからです。あすあさつくと、かいてありますよ」

きいてみんなは、とてもおほよろこびです。

ちかてつでんしやに、のりました。とてもはやくはしります。たちまち、しゆうてんにつきました。

しゆうてんは、ではあとのちかしつになつてゐます。かえりも、ちかてつでかえりませう。

りよこうからかえつたにいさんが、おみやげにりんごをかつてきました。とてもおほきなりんごです。

あかちやんが、りようてでつかまうとしますが、なかなかつかめません。りんごよりも、あかちやんのてがちいさいのです。

あまりおかしいので、みんなはわらひました。

ぬる、ぬるした、みちです。みんな、きをつけてあるきませう。

どこかのいぬが、はしつていきます。いぬは、ぬかるみだつてへいきです。とつと、とつととはしつていきました。

るすゐをしてゐると、おとなりのるみちやんがきました。

るみちやんはおもちやのるびーの、くびかざりをしてゐます。およめさんごつこをして、あそんでゐるうちにおひるのきてきがなりました。

をとこのこのかほに、すみがついてゐます。みんなはをかしいので、くつくつわらつてゐます。

わらつてなんかゐないで、だれかをしえてあげなさい

わたしぶねにのりました。あまりふねがゆれるので、めがまわりさうです。

「こわいわね、こわいわね」と、いふと
「なにも、こわくないよ。ぢつとすわつておいでよ」
と、わたしぶねのをぢさんが、にこにこわらつていひました。

――つづく――

『死線を越へるまで』（八）

賀川豊彦氏

村島歸之

二三、新時代の夜明け前

今から二十八年前明治四十五年秋、私は生れて始めてスラムといはれる地帯に足を踏み入れた。もちろん、視察に出かけただけのことである。

ところが、この四半世紀前、私が早稲田の角帽をかぶり社會政策の指導教授長井先生に引率され、朴歯の下駄でドブ板を踏みならし乍ら、恐る〳〵貧民窟に這入つた時、わが賀川氏は神戸葺合新川の貧民窟の只だ中に自ら住むこと既に二年、當時まだわが國でも類例の少かつたセツルメント事業をはじめてゐたのである。

當時私たちを引率して貧民窟へ案内せられた永井先生といふのは、讀者も想像されたであらう如く、後年の前遞相永井柳太郎氏である。永井先生は不自由な足を引づりながら、當時開院したばかりの上野車坂の救世軍病院や牛込の同軍の免囚保護事業や、萬年町の細民小學校、それから、その頃は未だ珍らしかつた玉姫公設住宅などを案内してくれられた。

そして道すがら、私たちは永井先生から、社會問題についていろ〳〵話を聞いた。

今でこそ未來の宰相を約束されてゐるほどの政治家永井先生だが、その頃はオックスフォード大學から歸られた許りで、牛津大學の水色のハツトをかぶつた先生の頭には東ロンドンのスラムの有様やトインビーホールの隣保事業などが詰込まれてゐたのであらう。

その證據には先生の講述せられる社會政策は、その學理よりも舌端火を吐く如き氏の人道主義的熱情がまづ私達の心臓をシツカと摑んだものである。

私達は永井先生の社會政策の外に浮田和民博士からギデングスの社會學を教はり、安部磯雄先生に都市論を習つてゐたが、なほ十數名の同志を叫合して安部先生を煩はし、時間外に社會主義の講義をして頂き、又相馬御風先生にお願ひして「ロシヤ文學」を講述して貰つたりしてゐた。

その頃は藩閥政治が漸く沒落の過程を辿り、民黨の憲政擁護運動が旺んを極めてゐて、政治科や法科の學生たちの注意は、これ等の政治運動に集中した形だつた。

幸徳秋水の大逆事件があつた直後で、世間極度に社會主義を嫌忌し「社會」といつただけでも危險思想のやうに思つてゐた。安部先生はこれ等の反動者を「シヤカビク主義者」だといつて居られた。いゝさいつただけでビクツとするからである。かうした時節であつたから、授業以外に社會主義の研究をやつてゐた私たちは、同窓の中でも危險思想を抱く者のやうに考へられてゐた。

民衆の中へ這入つた賀川氏を危險視する者のあつたのは素より當然のことである。

文學方面では自然主義が全盛であつた。「現實曝露の悲哀」といふ言葉が一般文學青年の間に口にされてゐた。

私たちは或年の私の運動會に「現實曝露の悲哀」と題し下層階級を現はした假裝行列をやつた事もある。私はその時「米が高い斷食せよ」と書いた旗を立てゝクリ〳〵の坊主となつて行列に加はつた。

でも實際運動方面は大逆事件の反動で、一向に華々しい展開がなく、近代勞働組合運動の先驅、友愛會（今の全日本勞働總同盟）も大正元年まではまだ地上に生れて來てはゐないで、生れ出る前の陣痛期にあつた。

社會立法方面を見ても、工場法もまだ發布されてゐなかつた。尤も法案は既に出來たところであつた。私は早稲田大學擬國會で「工場法の施行を促す」といふ演説をやつたが、それは貧民窟視察から二年後の大正三年のことであつた。

社會事業にしても、昔からあつた東京養老院や岡山孤兒院、大阪博愛社等の外には救世軍が先鞭をつけてゐる位で隣保事業の如き、僅かに一二を數へるにすぎなかつた。

しかし新時代の曙は獣々として近づきつゝあつた。いはば「新社會」の夜明前だつた。此の夜明前に、早くも大勢よりも一歩先んじて、自ら貧民窟に飛込んだ賀川氏は確かに新時代の先驅者、日本の社會運動の先覺者である。

氏の貧民窟に這入つた頃から日本の社會狀勢は飛躍的に進歩をとげた。大正六年の米騒動、大正三―九年の歐洲戰爭、大正十二年の關東大震災、これ等の事件毎に日本の社會は躍進して行くのだつた。

工場法も施行された。これにつゞいて種々の勞働立法も出來て來た。勞働組合も友愛會、信友會を始めとして漸次創立され、社會事業も私營事業のみならず市營事業が俄然整備されて來た。方面委員も創立された。これ等の社會動搖と整備の中にあつて、賀川豊彦の名は常に光り且次第にその光彩を増して行つた。

キリスト教社會事業から發足して勞働運動へ、農民運動へ、勞働教育へ、消費組合へ、協同組合へ、そして神の國運動へ――。

神戸の貧困者の救ひから發足して、日本の貧困者の救ひへ、更に日本の勞働者農民の覺醒へ、全日本人の靈の再生へ、更に世界の救ひへ、氏の存在は池の波紋のやうに、漸次四園に擴大し又現になほ進行しつゝある。

二四、スラムへ路傍説教に

話は再び元へ戻して――。

さて、神戸神學校へ移つて來た賀川氏の前には、少年の日からの憧れであつたスラムの生活への道が漸次開かれて來た。

氏は病ひの癒ると共に、路傍説教に出かけるやうになつた。場

所は神戸の盛り場である湊川公園で、毎日曜日になると、そこを根據地としてゐる福音傳道館の「修養生」と呼ばれる人々と一緒に出かけて行つて、公園や附近の遊廓に遊びに來た人々や浮浪人に呼びかけた。

しかし、傳道館が先鞭をつけてゐる湊川公園の路傍演説に参加してゐるだけでは到底、滿足出來る筈はなく、四十二年三月の第一土曜の晩、氏はつひに單獨で神戸の東端の細民地區である葺合新川へ路傍演説に出かけて行つた。

新川はわが國でも屈指の大密集地帶で、わづか六ケ町、凡そ三丁四方ぐらゐのところに、八千何百といふ人々が過群生活を營んでゐた。中でも「二疉敷」とよばれるところの、文字通り二疉一間しかない長屋が八十何戸も立ち並んだあたりは、家といふよりも小屋に近かつた。そしてそこには三人、五人、甚しきは一家九人の家族の住まつてゐるのさへあつた。

賀川氏は、このスラムの眞つ只中へ來て、路傍説教を試みやうといふのだ。左を見ても右を見ても、知らぬ顔ばかり。いや、どの顔を見てもみな一癖ありげな怖い顔だ。氏は單身敵軍に乘り込んだやうな緊張裡に、思ひ切つて、大きな聲で讃美歌をうたひ出した。

ふり仰ぐと、夜空にもキラ〳〵と光る星が見えて、しつかりやれよと、星が勵ましてくれるやうに思はれた。

何事か、物珍しさうに、ボロをまとつた勞働者やこどもが集まつて來た。氏はゴクリと唾を呑み込んで、やをら聲高く話し出した。

「地にある穢れを捨てゝ天を見なさい！」

氏は、自らもまた野に叫ぶ豫言者の一人であると考へ、元氣を出して話しつゞけた。

もちろん、聽衆は一向に判つてくれさうもなかつた。「何ぬかしてんね」といつてプイと行つて了ふもの「アーメンかいな」とひやかし半分に一寸立ち聞きして行く者が多かつた。

でも、その夜の路傍説教で一人の友達が出來た。彼は十五歳の時、此處の六軒通へ放火して九年の懲役に處せられ、このほど出獄して來た許りの男であつた。獄中で教誨師からイロハを教へられ、聖書を貰つたとかで、一廉の「信者」らしい口を聞き乍ら近づいて來て、自ら進んで『證し』を述べたりした。

怪しげな信者ではあつたが、知つた顔一人ゐない新川に馴染んで行かうとするためには、この男の力を借りることが最も近道のやうに思はれて、知り合つたその日、早速申込まれた五十錢也の無心をも快く聞き入れてやつた。

路傍説教に對する興味も次第に昂つて行つた。

二五、元町の辻説教に仆る

九月五日からは、人通りの多い元町通りに進出した。元町二丁目の市田寫眞館の角で、氏はまた一人で毎日、路傍説教を始めた。元町の路傍説教が約一ケ月もつゞいた。

或夜、その日は生憎雲からの雨もよい空で、それに疲れが出たのか氣分も少し重かつたが、毎日、同じ處で話してゐるのに、たとへ一日でも休んでは申譯ないと思つて出かけて行つた。すると

今にも降り出しさうになつてゐた雨が、恰度氏の説教のなかばのところで、到頭降り出して來た。でも、その夜は不思議にも聽衆が踏止つて聞いてくれた。氏はそれに勇氣づけられて、雨のそぼ降る中でなほも熱心に説教をつゞけた。

すると、背柱を氷のやうに惡寒の走るのを覺えた。そして見る〳〵身中がふるへて來た。熱が出たな、と思つた。けれども氏の心の熱は、からだの熱を押えた。

僕は仆れるまで福音を説くのだ。神は愛だといふことをこの人々に判らせるために……

幾度か仆れさうになつたが、つひに話を終りまで持つて行くことが出來た。そして語り終つてホットすると共に、くら〳〵と目が眩んで來た。嘔吐も催して來た。

氏はどうして、どう歩いたか判らなかつたが、やがて、瓦斯會社出張所のショーウインドーの前で、雨の舗道の上に仆れてゐる自分を意識した。

『行仆れじや』『何處の人や』『元町で辻説教してゐた青年だ』と自分を取卷く群衆の聲も耳に這入つて來た。

氏は昏倒から覺めても、なほ十分間あまりは、そこを動くことが出來なかつた。行仆れかいな、とふり向く者はあつても、手を貸して醫者の許へかついで行つてくれる人は一人もなかつた。

氏は苦しいよりも、むしろ寂しかつた。雨の滴よりも人情の方が冷たく感ぜられた。

二六、重病の床に獻身の誓

その夜、寄宿舍へ戻つても熱は四十度を下らず、醫者は肺炎の兆候があるといつた。久しく見なかつた血痰も出た。

――路傍説教は僕のからだには無理だ。もう路傍だけはやめやう――

そう思ふと、またその尻から

――いや、こんなことぐらゐでへこたれて何になる。ようし病氣がよくなつたら、此度こそは本式に腰を入れてやつて見せるぞ。元町よりも矢張り葺合新川に行かう。

いゝや、新川へ出かけて行くだけでは駄目だ。英國のセッツラーたちがやつたやうに僕も新川の中へ住み込まう。そうだそうしやう。そして一生をそこで暮して、身と心を神に捧げやう。そうだそうしやう。――

賀川氏は、一分間に百二十二も打つ脈搏を、こめかみに感じ乍ら、神に祈つた。

でも、氏の容體はなか〳〵快くはならなかつた。醫者は駄目だらうとさへいつた。

氏が死の宣告を受けたことは、これで三四度目である。

十月十六日の夜は、氏の枕許にマヤス博士や友人たちが集まつて、祈り會を催した。祈り會といふのは賀川氏にだけ聞かせる名前で、事實は最後の告別をする意味のものだつた。

氏は、でも屈しなかつた。

――自分には神から委された使命がある、その使命を果すまでは自分は斷じて死なぬ。――

氏は齒をくひしばつて、凝つと床の間の柱に電燈の光の反射する一點をみつめてゐた。一分、三分、五分……十分……十五分。

すると、不思議！凝視する光の一點が、虹のやうに見えはじめ

た。ついで自分の今臥つてゐる部屋が天國のやうに、又春のやうに感ぜられて來た。自分の今まとつてゐる垢だらけの蒲團までが錦襴のそれのやうに見えて來た。そして、自分が神のふところに抱かれてゐるやうな、まるで浸りきつたやうな實感の喜びが湧き上つて來るのを覺えた。

うれしい。あゝうれしい。

氏は病氣の事など、すつかり忘れて、法悦の境に浸つた。

すると、不思議である。熱も嘘のやうに下り、脈も殆んど平常のそれのやうに復してゐるではないか。

かくて氏は病床にあること三週間の後、再び起き上つた

この病臥中、新川の貧民窟に這入らうといふ決心が、つひにハツキリとついた。

――ウエスレーだつて肺病だつた。それであれだけの仕事をしたではないか。僕にも出來ぬ事はない。神はきつと僕を使つて、ウエスレーの働きに劣らぬ働きをさせて下さるに違ひない。――

――肺病が何だ。喀血が何だ。足にとげが立つても血は出る。內臟に小さなとげが立つたまでだ。それが何だ。自分は血を吐いてその儘死んでもいゝ。貧民窟へ行く。いゝや、もう自分は一度ならず二度、三度、死んでゐるのだ。今在るこの命は、いはゞ拾ひものをしたやうなものだ。そうだ僕は『死線を越えた』のだ。――

死線を越えた者に、何の死の怖れがあらう。自分は貧民窟へ行く。そして殘る生涯をそこに住んで、貧しき人々の善き隣人とならう。

人その友のために死す、これより大なる愛はなし――あゝ少年の日から持ちつゞけて來た夢が、つひに今まさに實現されやうとしてゐる。

感謝だ。感謝でなくて何だ。――

――神樣、有がたうございます。私はますらをの如く腰ひつからげて、貧民窟へまつしぐらに進みます――

賀川氏の半生の羅針盤は、こゝにピタリと進むべき針路を定めたのである。

兒童教育上家庭の留意すべき諸點

靑山學院綠岡小學校主事　中　山　國　六

一、家庭の精神　個人の生活行動が、その形式及內容に於て統一ある人格を必要とする如く、國家に於てその機構組織の統制と共にこれに從屬する國民が一つの指導原理によつて渾然一體であることがその存立上重要である。國家社會の礎石たる重大使命を負ふ家庭に於ては尙更形容の整備せるを以つて滿足することは出來ない。必ずやその中に生命的精神が躍動して、すべてを蔽ひすべてを導かんとする靈的生命の旺溢せることが最も大切であると思ふのである。

我が日本は、國祖の神勅が國家國民の精神的根元である。上下國民之れを信奉し以て悠久三千年無比の我國史を生成したのである。一家としても同一の理である。世に所謂舊家と稱して由緒ある家庭は必ず祖先によつて立てられたる家訓若しくは家憲ともいふべきものがあつて代々の當主と家族がその精神を繼承したるによるもの多いと思ふ。

我が日本の國體は家國一致忠孝一本である。我等は斯かる國史と國體に鑑み我が國民たることを自覺して堅實有爲なる家庭の建設を圖らなければならぬ。家庭は子女の溫床であり、一切の教育の有機的出發點（ローゼンクランツ）であることを思ふにつけても子孫の爲め美田を買ふよりも寧ろ理想的家庭をつくることに努めたいものである。

家庭の形式はやがて家庭の精神を定むるものである。ペスタロッチに於ける、家庭の形式は親子中心である。自然の歸結として、家庭の精神はやがて、親子關係の上に流るゝ精神であるといふことになるのである。氏は「隱者の夕暮」において親心子心といふ言葉を以て表現して居るのである。併し此の親心子心の相關は如何になるのであるか。教育上からは親心といふものが

第一であると考へられる。氏の一七八〇年の「隱者の夕暮」を見れば親心といふことが開卷第一の問題となつて居る。

神の親心　人間の子心
君主の親心　人民の子心
すべての幸福の本源

と親心が徹するところに子心が湧き起るのである――此の子心の自覺を以つて人生に立つ者が敎育の世界に入るときその子心の自親をそのまゝに、その自覺の人の生命を通して神の親心が人生敎育の上の親心としてはたらくといふのが一七八〇年本の「隱者の夕暮」の發端の主旨でなければならぬ。これが氏の宗敎敎育の根本精神である。而して、これがやがて家庭の精神である。一貫して照徹するものは、たゞ神の親心であり、人類はその宗敎的自覺卽ち子心の自覺の上に神の親心を信受し、此の信受の力がやがて、敎育の力となつて、敎育は人間生命を緣として、神の親心のはたらきであるといふことになる。（福島博士）

兩親の亂暴、冷酷、無慈悲、貧苦、監督不行屆、偏愛、無理解飮酒、虛榮性の亂脈、親權の沒落、風波不止、怒號叱責、等の非敎育的家庭に於ては譬へ地位財產に惠まれても、家庭敎育の完璧を期することは出來ない。家庭の自覺廓淸こそ敎育上の重要事である。先づ强調すべきものは家庭の和である。家庭が緊張することである。明朗にして溫情味のある家庭であり、愛のホームたらしむることである。而して子女に對しては嚴ならず、緩ならず、しかも、家計が如何にあつても、渴して盜泉を飮まずといふ高潔な思念に生きるといふ大精神の涵養に力め、且家庭を措いて眞の樂園は他にないといふ自覺心を持たしむることが肝要である。それには兩親の神聖なる親心こそ最も大切である、これが缺くる家庭は、太陽の消滅したる世界にも等しく、すべての生育が不可能になるのではないかと思ふ。

二、家庭の與かる敎育部面　近代に於て家庭が敎育上重要な立場に措かれて居るといふ點に於て反對するものはないと思ふ。昔希臘に於ては家庭敎育を全然無視し、國家が子女敎育の任に當つたのであつた。現代の偉大なる敎育家は大凡家庭敎育を重視してゐる。コメニウスは入學前の家庭敎育は知的道德的宗敎的一切の要素を含むことを說き、ルソーは、父を以て眞の敎訓者母を以て眞の保育者となし、ペスタロツチは眞實に人間を敎育するところは家庭以外に絕對にないといふのであつた。總じて家庭敎育といふも、學齡以前の家庭生活時代の家庭敎育と學齡以後入學してから學校と家庭とが共力し家庭が

その一部を分擔する時の、家庭敎育とは、自ら異なる點がある。前者にありては第一身體の養護に留意すること、第二訓育上身體的道德的良習慣の養成と自然を愛好する趣味と、家族に對して社界的基礎的の精神を涵養すること、第三知有上遊戲や玩具により感覺知覺を練り又年長者との交りによつて言語談話を知ること等である。茲に注意すべきは兒童の知育を過重してその天眞を害ひ早熟者を養成してはならないことである。健全なる家庭精神に基き自然的原則によることが大切である。後者卽ち入學期の兒童に對しては、心身の養護と訓育に重點を置くべきである。且學校に入學したる上は、萬事學校に一任すべきであるとの考へは甚だ誤解である。寧ろ私は學校は家庭敎育の延長であるとまで强調したいのである。敎育上學校家庭兩者共動の重要なることは、近代に於て一般に認むるところである。父兄は時々擔任敎師をたづね授業を參觀し、共同の方針の下に指導することを必要とする。米國のある地方に於ては、訪問敎師なる者を置き、學校と家庭の聯絡に當つてゐるといふことである。現今都會に於て中等學校入學試驗準備の爲め當局の嚴禁するにも拘はらず、學校に於て將た、家庭に於て準備工作の課外課業が可憐なる子女に負され所謂試驗地獄の前奏的場面の展開されつゝあることは眞に敎育上悲しむべきことである。しかしながら有意義の家庭課業は敎育上價値あることで奬勵すべきである。これには發育汪盛時の兒童たるが故に時間の制限を要すること當然とする。左に一日の家庭課業時間について諸大家の研究されたものを掲ぐ。

學年	ヤンケ氏	ハルトマン氏	ルーデー氏
第一年	十五分	三〇分	三〇分
第二年	四五分	四五分	三〇分
第三年	四五分	一時間	一時間
第四年	一時間	一時間十五分	一時間
第五年	一時間	一時間三十分	一時間三十分
第六年	一時間三十分	一時間四五分	一時間四五分
第七年	一時間四五分	二時間	二時間
第八年	一時間四五分	二時間十五分	二時間

家庭課業として課すべき事項は、主として、練習又は復習を要すべき敎材卽ち算術・國語・圖畫・手工・習字・等にして、學校に於ける敎授を確實ならしむるを主眼とし、長ずるに及びては、多少の豫習を命じて自學せしむるの必要あり。されど家庭課業を以て學校に於ける、新敎授の補充と見、學校に於ける時間の不足を家庭に於て補はんとする如きは最も家庭課業の精神に反するものにして兒童に對する過重の負擔は是に基くもの多し。故に普魯西にては、一八八四年敎務省訓令を以て、家庭課業については、「新たなる敎授又は學校敎授の補充をなすべからず」と定め一九〇八年の訓令にては「記憶材料はなるべく之れを省き復習材料を課すべく又材料の統合を計るべきこと」を訓示せり。要するに家庭課業の過不及の度は兒童の個性によりて定まること多く、例へば怠惰なる兒童は勤勉なる兒童に比して多く之を强制するの必要ある如く其の程度は上にのべた一般的考察以外更らに一々の兒童に對する特殊の事情に顧み、大いなる斟酌を加ふべきなり。（篠原博士）

三、兒童の特性

（イ）民族性　ナチスは、民族國家主義で、血と地が國家存在の根元をなすものとしてゐる。「その血液を純潔に保ち鄕土と結合を失はぬ民族にのみ永遠の生命があるであらふ」。とはプロイセン內相の言葉である。我等は言語習慣を同ふし同一運命の下に共通の精神と特質とを併有する民族の現狀を深く意識せねばならぬ。眞の敎育は、民族的規定が人間敎育の內容を內容たらしむることに肯子を置くべきであると思ふ。

少しく隣邦支那民族と我が日本民族との相違せる點を考察するに「支那民族は泥土の如く日本民族は淸流の如し」と支那民族は文章に上手で言葉が巧みで外交が上手で世界を操つてゐる、（今事變に歐米諸國に對する日本軍の行動につき逆宣傳に効を奏して居る事實がある）これが支那民族の正體である。又今時の戰鬪に於ても日の丸や外國旗を掲揚して置いて相手を引寄せて射擊をやるといふことである、これは水滸傳式戰法にも多くあることであつて此の點を非難する方が支那民族の特質を理解せないのである。大詩人小泉八雲氏は朝起きて東方に向つて合掌して柏手を打つ日出づる我國民の敬虔な姿を見て之れある哉日本の日本たる所以はこゝだと絕讚させたといふ事である。日本民族精神は淸淨潔白である、淡白である、單純である、豪快である、豪壯である、果敢である、實踐的である、又日本人の神聖なるものとして白色を好む、不幸があれば塩を撒き、正月には注連を張り、我國民程不淨不潔を忌む國民は世界何處にも其比を見ることが出來ない。皇軍一度矛を執り膺懲の軍を起すや、空に、海に、陸に、北支、中支、南支に、天馬の空を駈けるが如く、向ふところ敵なく奔馬の勢を以つて突擊して何物をも粉碎擊滅し徹底的に目的を貫徹せずんば止まざるの果敢さと豪快と豪壯の氣概を顯示して居る。又皇軍の間に於て言語使用上重視さるゝ簡單明瞭卽ち簡明や現代語として常用のモガ、モボ、インフレ、又先哲の工作せる假名文字、和歌や俳句、黑繪等の如く復雜を單純

化する日本民族の單純性を現示しゐることが理解される。以上日本民族性の持つ一面を記したるに止まるのである。要するに子女の敎育上常に民族の持つ特質を意識し其の長所の伸展と短所の矯正に留意せねばならないと思ふ。猥りに他國の風習を取り入れんとして之れを强要し、祖國民族の本質や優秀性を沒却してはならないと思ふ。今や我々は我が民族の特質を根本的に再認識し以て世界に臨むべき一大轉回期に逢着してゐる。換言すれば斯かる歷史的使命に逢遇してゐるのであるまいか。學校敎育は勿論家庭敎育に於ても再考を要することを思ふのである。

（ロ）遺傳性　精神心體の傾向が直接父母から傳はる直接遺傳と、祖先の性質が代を隔てゝ遺傳する隔世遺傳と、父母何れか一方丈けの性質を受ける特殊遺傳と、父母の性質の混合して成る混合遺傳等がある。何れにしても、父母の持つ身體的精神的のあるものが、子孫に傳はることは認めらる。茲に學問好きな子供があると、それは祖先に同じやうな人があつた事や又、狂人の祖先に狂人のあつた事實や、父が字を書くことが上手である其の子供が皆字を書くことが巧みであるといふ事實は人のよく知るところである。我々の子女の敎導にあたつて注意すべき事である。若し非常に變り種の子供を發見した時は兩親の血統に溯り之れを精査し來因を確め指導の處置方法を講ずべきであると思ふ。

（ハ）個性　同一父母の間に全く其の性質の相反した兄弟が出來、例へ何等か共通點を持つとしても絕對に同じであるといふ事は全くないのである。眞に造物主の功妙さには驚く外はない。十人十色といふ事はこの事であつて我等はこれを個性と名づけ居る。その個性は之れを二つに分つことが出來る。一は兒童の天賦自然のものを指し、二はかくあらねばならぬといふ理想的個性である。個性を尊重せよとは近代敎育上最高の原理であるが此の意味は、敎育の手段方法上の方面につき、又、敎材の撰擇上天賦自然の兒童の個性に適合せしめて行けといふ意味であつて、生れながらの非價値的の本能的、衝動的個性をそのまゝ尊重せよといふのではない、極端な自由敎育說の第一の錯誤は全く此の點にあつたのである。しかしながらルソーの云つたやうに吾人は「一の木に他の果物を生ぜしむること能はず」で敎育は何處までも兒童の自然性に立脚しなければならない事は眞理である。斯くして理想としての個性卽ち各特色ある人格にまで陶冶すべきである。要する子女の敎育上個性の尊重といふことについて其の意味の誤解なきやうにしたいと思ふのである。

四、兒童の健康と一般的注意

（イ）兒童の健康　不健康は、學業成績を不良にし、その精神を憂鬱にし、向上心薄らぎ、不活潑となり、青年期に到れば自殺、又は殺人の犯罪人となることもある。革明的青年に肺患者あり婦女月經時に犯罪が多くあるが如く身體は精神の容器である、容器が不完全であれば、內容も非常を來たすことになるのは當然である。知識萬能の現世に於て、兒童の身體に充分の理解と注意とを拂はず、只管通信簿の甲、乙のみに心奪はれ、知らず〳〵知育の一方に偏し人として生涯最も大切なる體の方面が一向顧みられずしてその將來を過まらしむる家庭の今尙存することは眞に悲しむべきことである。

（ロ）一般的注意

一、學校に出遊る時は其の原因や理由を明かにすること
二、理想としては小言叱責を嚴禁しよく言つて聽かせること。
三、一人子供に對しては左の注意が大切である。
1 學用品を亂費せしめぬこと。
2 我儘に育てぬこと。
3 兒童の要求を全部入れぬこと。
4 常に學用品に注意すること（非教育的）
5 猥りに友に物を與へぬこと。
6 溺愛に陷らぬやうに注意すること。

四、繼父母の子に對して左の注意が必要である。
1 繼父母なることを自覺せざる場合は適當なる時期に之れを諭すこと。
2 實子と先夫先妻の子と混交養育する時は兩子に對して神聖なる愛と公平とを以て之れに當ること。
3 家庭に於ける子女の最大悲劇の發生の根元は繼父母の場合である。之れを救濟するの道は、只一つペスタロッチの所謂兩親の親心より外に道はない。
五、成績不良又は低能兒のある家庭に於て特に注意を要する。尋四五年迄も放棄せず一二年の中に救濟の道を講ずること。
六、偏愛に陷らぬやう注意すること。
七、流行物について注意すること。
八、兄弟間の物も無斷で使用せぬやう注意すること。
九、歸宅時間に注意すること。
十、交友に注意すること。
十一、通信薄の成績とその實力とに注意すること。
十二、賞揚するに極端に走らぬやうに注意すること。
十三、仲間大將には注意すること。
十四、成績物を見せぬ特に注意すること。
十五、所持物には常に注意すること（本、玩具等）
十六、父親の不在、片親、若兩親、老いたる兩親の場合は特別の注意が大切である。伸び行く子供を育てる兩親は絕へざる修養が第一である、これを缺く時はその資格を失つた者と考へてよい。』

白衣の天使にさゝぐ

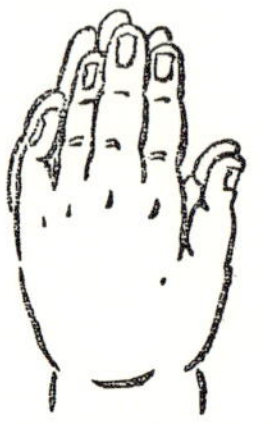

上澤謙二

天の使がこの世へ來たら

天の使の繪を見たことがあります。天の使のお話を聞いたことがあります。が、私共、天の使に遇つたことはありません。けれども若し遇つたとしたら、多分白い着物を着てゐるでせう、やさしい顏をしてゐるでせう、あたたかい言葉で話すでせう、ものしづかに振舞ふでせう。殊に困つてゐる者、弱つてゐる者、苦しんでゐる者には、親切な、行屆いた世話をしてくれるでせう、涙をぬぐつてくれるでせう、痛みをさすつてくれるでせう。若し人と人とが、敵と味方に分かれて戰ふやうなことがあつても、傷ついて兩方が倒れれば、敵と味方のけじめなく、すぐそばへ走り寄つて、泥をぬぐつて、血を洗つて、手厚い手當てをしてくれるでせう。天の使がこの世へ來たら、きつとさうするでせう。

さてさういふ心持をもつて、さういふ働きをしてくれる者が、この世にあるとしたら、我々人間の中にゐるとしたら、きつと『天の使』と呼ばれるでせう、それは一番天の使に近い存在にちがひありませんから。

ところが、さういふ者がゐるのです。どこに？——至るところに。日本海を隔てて、硝烟狂ひ彈丸吼える支那の各地に、その日本海の波を蹴つて走る船の中に、內地のおちこち、見渡す限り窓の下にベッドが並ぶ建物の中に——ゐます〳〵、晝も休まず、夜も寢ず、活動して奔走してゐるのです。

從軍の看護婦！それを『白衣の天使』とは、よくも名づけたものよ。ああ、これこそは、血と肉の吹きとぶ中に咲き出た白百合、叫びと呻きの中に湧き出た愛の泉、鐵砲と劍戟の中に現はれた慰めのオアシスであります。

應召の發車間に添乳

けれども、この天使は人であります。家もあれば、家族もあります。夫もあり、子もある人もあります。

けれども一度召集令が下れば、あらゆる關係を打棄て

て、凡ての仕事を犧牲にして、敢然として出かけて行くのです。

札幌市北十條鐵道官舍の福島正男さんところは、妻のたつみさんと、四才の長男と、當才の赤ちやんと、四人暮しの平和な家庭でありましたが、赤十字看護婦であつたたつみさんに、突然召集令が下つたのです。それも明日の朝出發といふ慌ただしいものでした。

夫婦の胸の中はどうだつたでせう、乳房を離れない赤兒を殘して行くことは、母としてどんなに辛いこと、父としてどんなに困つたことだつたでせう、けれども、皇國を思ふ忠烈心と、傷病兵士を思ふ天使的精神とは、肉親の情にさへ、見事に打勝つたのです。

翌朝、札幌驛のホームに停車してゐる急行列車の一つの窓から、晴々した顏を出して、見送りの人達と向合つてゐるのはたつみさんでした。

父親の正男さんは赤ちやんを抱いて立つてゐます。赤ちやんはバー〳〵といつては、手をふつてゐます。長男の正敏君はお父さんの袖につかまつて、お母さんの顏を一心に見上げてゐます。

この有樣を見るだけで、見送りの人達はもう胸が迫りました。

發車の時刻はだん〳〵近づいて來ます。ジリ〳〵とベルが鳴り出しました。

すると、どうしたのか、赤ちやんは急に泣き出しました。ワッ〳〵と大聲を出して、足をピン〳〵させて、お母さんの方へ手を出します。

見送りの人は見てゐられない、けれども見送らないではゐられない『萬歲』を叫ばうと手を擧げようとした時です。

『あなた、ちよつと、その子を』

小さいけれども力の籠つた聲！。その聲に正男さんは思はず赤兒を前へ突出しました。素早く受取つたお母さんは、片肌を押しひろげると現はれ出た乳房。口にふれた赤兒はバッタリ泣きやんで、スパ〳〵とおとなしく吸ふ。ジッとその顏に見入つたたつみさんの目はキラリ光つたやうに思はれました。

發車の合圖をしようとした車掌も、この有樣に手を擧げ兼ねる氣持ですが擧げないではゐられません。

『發車！』と、ウンと咽喉から押出すやうに叫んで、手を擧げました。

急いで乳房を離す、ワッと泣く、窓から差出す、外で受取る。途端にボーッ！。列車は除々に動き出しました。

その時です。お父さんの袂につかまつてゐた正敏君はいきなり兩手を擧げると『母ちやん萬歲！』と叫んで、

持つてゐた國旗を精いつぱい振りました。

その聲に連れて、初めて『萬歲』の聲がみんなの口から迸り出たのです、それまでは、餘りに切端詰まつた場面なので、出かかつた『萬歲』も引込んで忘れてゐたのでした。

『萬歲　萬歲』

波のやうに起つた見送りの聲。車は動いて行きます。次第に早く、次第に遠く。おお、その窓から半身を出して、ニッコリ笑つてゐるたつみさんの顏。

これが天使の顏でなくて何でせう。

暗いテントの中の白い影

パチ〳〵、パチ〳〵！

小銃の音が遙かにひつきりなしにひびきます。

テントの中は暗い。燈火をつけることが出來ないのです。ランプがないのでも、設備がないのでもない。光がさすと、敵に狙はれる恐れがあるからです。

ベットが足りないので、仕方なしに草や藁の上に寢てゐる兵士もあります。時々ウーン〳〵と呻きが洩れる。さぞ痛いでせうけれどもこらえてゐるのです。

『おうい、水、水！』

『腕でも足でも早く切つてくれ！』

けたたましい聲が、その中に交る。重傷で、半ば夢中になつてゐる兵士の唇か唇からとび出してくるのです。

そこには重苦しい空氣と、血腥まぐさいにほひと硝烟のむせつぽい餘臭がただよつてゐます。

時々、ドドーンと大地をふるはすやうな音がするのは味方のか敵のか、打出す重砲のひびき。

前線の近い野戰病院の夜の光景です

その呻きと聲に應じて『ハイ』『ハイ』といふ小聲の返事があちこちに聞えます。

返事と同時に白い影はスーッと動いて、呻きのそばへ聲の近くへ寄つてとまります、のぞき込みます、跪きます。さうして手をさし伸べて脈も取ります、熱も計ります、注射もします、血も洗ひます、傷も繃帶します、手足をさすりもします、兩便の世話もします、汚物もすぎます。

『あの兵士の生命があぶない。輸血しなくては……』

軍醫が首をかしげていふと、ひびきの物に應ずるやうに答があります。

『私の』『私の』『どうぞ、私のを』

競つてわが血をささげようといふのです。

ああ、その聲、その手、その姿、その心。何といつてよいか、柔和と剛毅と、細心と大膽と、愛と犧牲がいつ

しよに融け合つてゐるやうな、その氣高さ、尊とさ、力强さ。

これが天使のおもかげでなくて何でせう。

誰が書いたか掲示板へ

校庭の掲示板の前へ、オカツパの、セーラー服の女の生徒が、折重なつて集まりました。

『白衣の天使、看護婦さんを慰問しませう』そこには大き字でかう書いてあつたのです。

ところは東京市深川區明治第二小學校。東京でたつた一つ、女の子ばかりの小學校です。

ちようどその前の晩、天津の病院から入院中の兵隊さんが『私共はやさしい看護婦さんに、もつたいない程の手厚い看護を受けて居ります』と放送した翌朝だつたのです。

『慰問しませう、慰問しませう!』

贊成は鬨の聲のやうに起りました。忽ち百七十通の慰問の手紙が集まつたのです。

それを先生のところへ持つて行つて申しました。

『先生が掲示板へお書きになつたやうに、看護婦さんへ上げる慰問狀を集めました』

すると先生は妙な顏をして『ええツ』といふのです

『誰がそんなことを書いた。先生は知らないよ』

それで今度は生徒達が妙な顏になりましたが、先生はいひました。

『それはあなた方、生徒の誰かが書いたに違ひない。誰か分からなくてもいい。いや、かへつて分からない方が奥床しい。兎に角先生の方から教へられたのでなく、生徒の方から自發的にいひ出したのは非常に尊といことだ。それでこそあなた方は銃後日本の少女だ、先生はうれしくて堪まらん。早速戰地へ送ることにしよう』

それで戰地へ出す、とやがてお禮の返事が續々と來ました。どれもこれも『初めて慰問のお手紙を頂いて感激とお禮の氣持でみんな泣きました』と書いてありましたが、中にかういふ一通がありました。

『私達一組二十五人の中には、小さい子供さんを後に殘して來た方が五人もゐます。その五人は乳房を冷したり注射をしたりして、お乳の出ないやうにしましたが、故鄕にゐて毎日毎夜お乳をほしがつて泣く赤ちやんのことを夢に見ては泣き、又皆さん方のお手紙を見て、そのまごころに泣かされました。然しお國のために、戰場で重い傷を受けた勇士のことを見ると、何もかも忘れて一生懸命看護して居ります』

讀み上げた先生が半頃でつかへて泣き出しました。泣

きながらつかへながら、やつと讀みおへた時は、生徒誰一人泣かなゝ者はない、校庭は涙の海となつてしまひました。

『私達もつと〳〵看護婦さんをお慰めしませう』

『初めて慰問の手紙をもらつたなんて。私達ほんたうに氣がつかなかつたわ』

『濟みませんでした。これから一生懸命にいたしませう』

めい〳〵すすり上げながら叫び出しました。

慰問袋はドシ〳〵集まつて、あとからあとからと送り出されました。

無邪氣な天の使に近いやうな少女達の心が、あの『白衣の天使』にこんなにも心惹かれたといふことは、いかに美くしいふさはしい事實ではありませんか。

勇士も赤兒のやうになる

無邪氣なやさしい少女の心ばかりではありません『白衣の天使』の神々しい精神と、行屆いた配慮と、苦みに撓まない意志の前には、百萬の敵をも恐れない勇士も、涙に袖を絞るのです。

上海戰線で負傷して後送された一兵士は、赤十字福井支部長宛に左のやうな詩を送つて來ました。それは感激の餘り同支部から派遣された看護婦の人々にささげたものでした。

慈母におはす白衣の天使
むづかりて乳欲しとせがむ童べ
甘ゆる姿そのままに寫し出すよ
日の本の猛き男の子等
傷つきて病み伏しあるを
晝も夜も看とり働らき
ほほゑみてひた仕へます
とも〴〵に故鄕を出でて
大君にさげまつらん同じ眞心
大和男の兒にいかで變らじ
うるはしき大和撫子
その心その姿何にたとへん
日の本の猛き男の子は
心のうちに泣きて拜むよ

ほんたうにこの生きた天使に對しては、猛き丈夫も赤兒のやうになつてしまふのであります。

×

若し私達が天の使に遇つたとしたなら、その輝く光に打たれて有難い、忝けない、もつたいない思ひに滿たされて跪づくでせう。

然しこの世の白衣の天使に遇ふと、有難い、忝けない、もつたいないと思ふと共に、涙が出るのです、心が燃えるのです、胸がたぎるのです。

どうしてでせうか?。

それはこの世の白衣の天使は空高くゆらり〳〵と飛んでゐるのではないからです。あり餘る程豊かに持つてゐる惠みと祝福を、分けて廻るのではないからです。

それは血の出る天使なのです。涙をこぼす天使なのです、汗を流す天使なのです。それを堪えて、忍んで、おし隱して、働いてゐる天使なのです、いいえ、さういふ血も、汗も、涙も忘れ去つて働いてゐるのです。忘れ去るだけの恐ろしい熱と、愛と、責任感とをもつて働いてゐる天使なのです。

だからそれに遇ふ者の涙を誘ひ、心を動かすのです。

このことを思ふと、私共も、あの明治第二小學校の生徒のやうに『相濟まない』と思はないではゐられないでせう。あの負傷兵のやうに『心のうちに泣いて』拜まないではゐられないでせう。『何か出來るだけのことをしたい』と、考へないではゐられないでせう。

先づ私共は心の底から祈りませう。

『白衣の天使さん、有難うございます。傷病兵のお母さん、どうぞ御元氣でありますやうに。殘つてゐる御家族も御機嫌よくありますやうに、凄まじい戰場に咲くやさしい白百合さん、その上に神樣の御惠み豊かに〳〵ありますやうに』

心を籠めて思ひを傾けて祈るならば、この祈り、海を越えて、あの銃砲聲に包まれて、燈火もなく過ごす暗い野戰病院のテントの中まで屆かぬことはありますまい。

おお、白衣の天使達よ! 私共のこの切なる祈りをお聞きとり下さい。

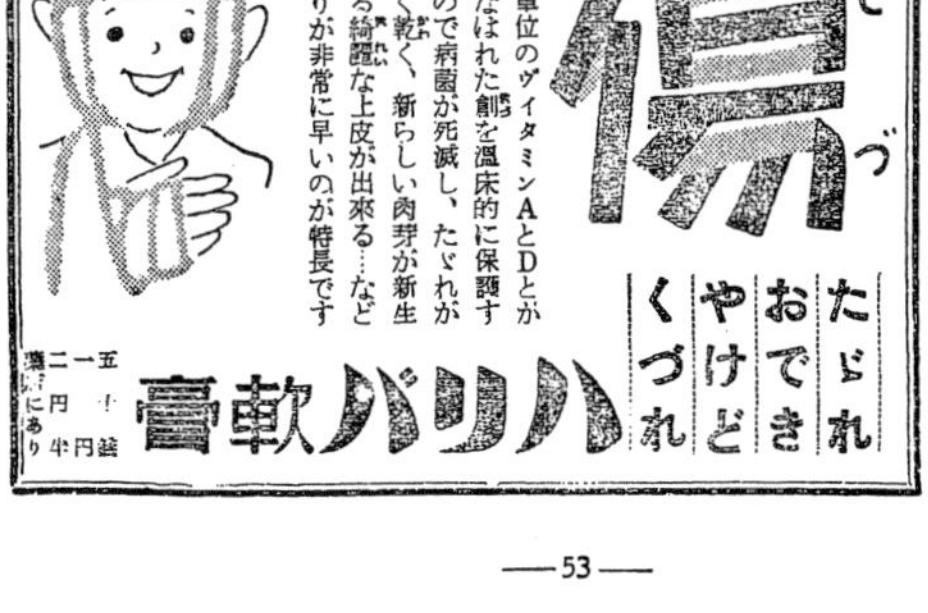

國民精神總動員第十三回全國兒童愛護週間實施要綱

(一) 名稱、目的、其他

一、名稱 國民精神總動員第十三回全國兒童愛護週間

二、目的 兒童愛護に關する知識の普及並兒童保護施設の擴充發達を圖るを以て目的とす

三、期間 昭和十四年五月五日を中心とし其の前後を通して一週間とすること、但し地方の狀況に依り適宜伸縮することを得

四、提唱 恩賜財團愛育會 財團法人中央社會事業協會

五、主催 道府縣、朝鮮總督府、臺灣總督府、樺太廳、南洋廳、關東局若くは夫等と密接なる關係にある地方社會事業協會又は之に準ずる團體

六、協贊 國民精神總動員中央聯盟

七、後援 厚生省、內務省、陸軍省、海軍省、司法省、文部省、拓務省、對滿事務局

(二) 本年度に留意すべき事項

本週間は從來乳幼兒の死亡率低下並に兒童保護萬般の施設の普及擴充を目標として提唱せられ着々其の效果を擧げつゝあるは誠に喜びに堪へざる處なるも未だ理想と相去ること遠きものあり乃ち現下の時局に鑑み愈之が目的貫徹に努め以て人的資源の涵養を圖るは刻下の喫緊事なりとす依つて本年は本週間實施に際し特に左記事項に關し最善の努力を致され度こと

一、戰沒軍人遺族、出征軍人家族の兒童保護に關しては此際特に留意し其の心身の健全なる發達に遺憾なからしむること

二、母子保護の圓滑なる運用に留意し該當母子の厚生につき最善の方策を講ずること

三、姙產婦の保護に留意し保護施設の整備擴充を圖ること

四、不遇兒童並に虛弱兒童に對する榮養補給につき適當なる方策を講ずること

五、就勞少年並勞働婦人(內職婦人を含む)の保護に關し適切なる方途を講ずること

(三) 中央に於ける實施事項

一、厚生省、內務省、陸軍省、海軍省、司法省、文部省、拓務省、並對滿事務局に對し本週間實施後援の趣旨に基きこれを各地方長官、朝鮮總督、臺灣總督、樺太廳長官、南洋廳長官、駐滿特命全權大使宛其管下に於ける本週間實施につき盡力相成樣通牒方を依賴すること

二、各地方長官、朝鮮總督、臺灣總督、樺太廳長官、南洋廳長官、駐滿特命全權大使及各地方社會事業協會長に對し其の管下に於ける本週間實施につき特に盡力方を依賴すること

三、恩賜財團濟生會、恩賜財團軍人援護會、日本赤十字社、愛國

婦人會、國防婦人會、全國育兒事業協會、日本少年敎護協會、日本少年保護協會、全日本方面委員聯盟、大日本聯合婦人會、大日本聯合青年團、大日本聯合女子青年團、大日本少年團聯盟、帝國少年團協會、日本衞生會、日本精神衞生會、中央盲人福祉協會、帝國學校衞生會、日本醫師會、日本齒科醫師會、日本藥劑師會、全國醫療利用組合協會、生活改善中央會、日本産婆會、帝國敎育會、協調會、勤勞者敎育中央會、日本海員掖濟會、日本商工會議所、全國産業團體聯合會、日本放送協會等に對し本週間實施につき協力援助を依賴すること

四、本週間實施中兒童愛護思想宣傳の爲ラヂオ特別プログラムを編成しこれが放送方を日本放送協會竝東京中央放送局へ依賴すること

五、新聞社、雜誌社、出版會社等に對し其社發行にかゝる日記帳カレンダ其他の出版物に全國兒童愛護週間を例年行事として載錄さるゝ樣依賴すること

六、本週間實施に關する記事の掲載方を新聞社、雜誌社等に依賴すること

七、兒童審査會用審査表を作成各地方主催團體に送附し其の地方に於て特に指定せる審査會につき其の原表取纏の上之が廻付方を依賴すること

八、既往に於て本週間實施に際し各地方に催されたる兒童審査會に於ける優良兒童にして現在少くも其の五年目に相當するものゝ成育狀態を調査し之が通報方を各報方主催團體に依賴すること

九、本週間實施狀況の通報方を各地方主催團體に依賴すること

10、地方に於ける兒童愛護に關する講演會、講習會、母の會、子供の會其他の催しに對し講師、出演者等の斡旋をなすこと

一一、本週間宣傳用ポスターの作成頒布
本週間宣傳の爲のポスターを作成し(希望文字挿入)これを各地方の希望により實費にて頒布すること

一二、兒童愛護マークの作成頒布
本週間實施の趣旨の宣傳竝地方に於ける兒童愛護資金造成の爲め全國一定の兒童愛護マークを作成しこれを各地方の希望により實費にて頒布すること

一三、兒童愛護に關する印刷物の作成配布
兒童心身の正常なる發育に必要なる諸般の事項を要約せる印刷物を作成し各地方廳に無料配布し一般的利用に資すること

一四、「育兒カレンダー」の作成頒布
生後十二ケ月間の各月に於ける發育標準其の他育兒に關する心得をカレンダーの樣式にて要記せるものを作成し各地方の希望に應じ實費にて頒布すること

一五、兒童愛護思想竝兒童保護施設に關する參考資料を輯錄し各地方廳に配布すること ——(以下略)——

—— 77 ——

三月の日記(編輯後記)

回興亞の春には最もふさはしい建武中興展が三月一日より華々しく大阪松坂屋に於て開催されたが、時局柄極めて意義ある催しであつた、當日會場にて戸波陸軍少將に御目にかゝる、夜は南一にて今中楓溪翁から興味盡きない歌論を窺ふ、枚方陸軍倉庫の火災の號外を手にしたのは八時頃だつたが、翁の御宅はその附近の樟葉であるから定めし歸路は御困りだつたらうと案じられた、幸ひ御宅は無事だつた由安堵した、四日はそごうにて今尾景年展をみて、大野博士を訪ふ、それより中興展に至り菱刈大將と高雄艦長松山大佐に御目にかゝる、大將には去る昭和十年の夏、梨本宮邸に於て一面識があるが、今日は親しく今昔戰爭物語りや大將の人生觀を拜聽する事が出來て嬉しかつた、夜は魚澄先生宅を御訪ねして澤山の參考書を頂戴した。

回六日、午前は花柳章太郎、柳永次郎二氏を圍む座談會に列席して繪を揮毫して貰つた、午後は三越にて岡本傳士等と共に久留島武彦先生の御講演を拜聽し、後に別室で種々懇談し有益な時を費した事を感謝しなければならぬ、八日、府立修德學院を訪れ、久々にて熊野院長、川口信敎氏等に御目にかゝり、構内の御案内を蒙り乍ら精神缺格兒童敎育の苦心談を窺つた、此處は賴山陽が曾つて河内嵐山と絶讃した風光明媚の高臺に位し、背後の山腹には有名な古墳がある、日沒頃迄川口御夫妻の御歡待を忝うして辭去し、歸途山本に下車して志賀氏御一家を見舞つた。

回十二日より三日間を費し、敏和の手傳をうけ、昭和十一、十二、十三年度の全東京、全大阪乳幼兒審査會の新聞記事全部を三册のスクラップブックに整理し、昭和六年以來の自家の寫眞をも整理した、十六日、長女順子の神戸野田高等女學校卒業式に列席し、十九日は北市民館關係物故者慰靈祭にて弔詞をのべた。

回二十一日、燕號にて上京、二十二日、厚生省にて重田、佐々木二技師に御目にかゝり、二十三日は衆議院にて杉山元治郎、庄司一郎、池崎忠孝三代議士に面會して、廣瀨厚生大臣を本聯盟主催第十一回全東京乳幼兒審査會總裁推戴に就き御願ひして頂いたところ直ちに御快諾を得たのは本聯盟の榮譽とすべきである、二十四日、貴族院にて同鄕の議員氏家清吉氏に面會、三十年前の中學時代を共に追憶し、本會議を傍聽したるに偶々交友會の青木氏の町村問題に關する質問に對し、木戸閣下の整然たる答辯は實に堂々たるものであつた、二十五日、最終日の議會に赴き、黄昏長崎東町の加川氏宅に至り、優良なる故鄕の小學校卒業の帝都見學少年諸君の歡迎會に列席して、同鄕の竹馬の友等と返らぬ過去の追懷談に抱腹絶倒した。

回二十七日、厚生省にて宇田川、椎名二氏に、陸軍省にて梶浦軍醫、吉田副官に、海軍省にて岡崎軍醫に、內務大臣官邸にて是松秘書官に御目にかゝり本年度の事業につき御願ひし、更にその次の日は同縣出身の佐々木體力局長に御目にかゝつて御示敎を仰いだ、午後は川合玉堂、服部有恒二先生を御訪れし、夜遲く上野に帝都見學生を見送つたのである、二十九日の鷗號にて東京出發の豫定であるが、兎に角斯樣にして無事來る六月の東京に於ける審査會の準備を完成し胸を撫でおろした。(東京にて記す)

本誌定價 一册金參拾錢 郵税壹錢五厘
半年六册分 金壹圓六拾錢 郵税共
一年十二册分 金參圓 郵税共
誌代郵税は一切前金の事
前金切の場合は發送中止
郵券代用は一割增のこと

昭和十四年三月廿八日印刷(毎月一回)
昭和十四年四月一日發行(一日發行)

兵庫縣武庫郡精道村芦屋
發行兼編輯人 伊藤悌二
大阪市淀川區海老江上二丁目三七番地
印刷人 木下正人
印刷所 木下印刷所
電話福島⑮(一五三四番/二四二六番)

大阪市北區天神橋筋六丁目
大阪市立北市民館內
發行所 日本兒童愛護聯盟
電話堀川㉟(〇〇〇一番/〇〇〇二番)
振替大阪五六七六三番

—— 78 ——

子供の世紀　第十七巻第四號
大正十三年二月二十日第三種郵便物認可
昭和十四年三月二十八日印刷納本
昭和十四年四月一日發行（毎月一回一日發行）
【定價金參拾錢】

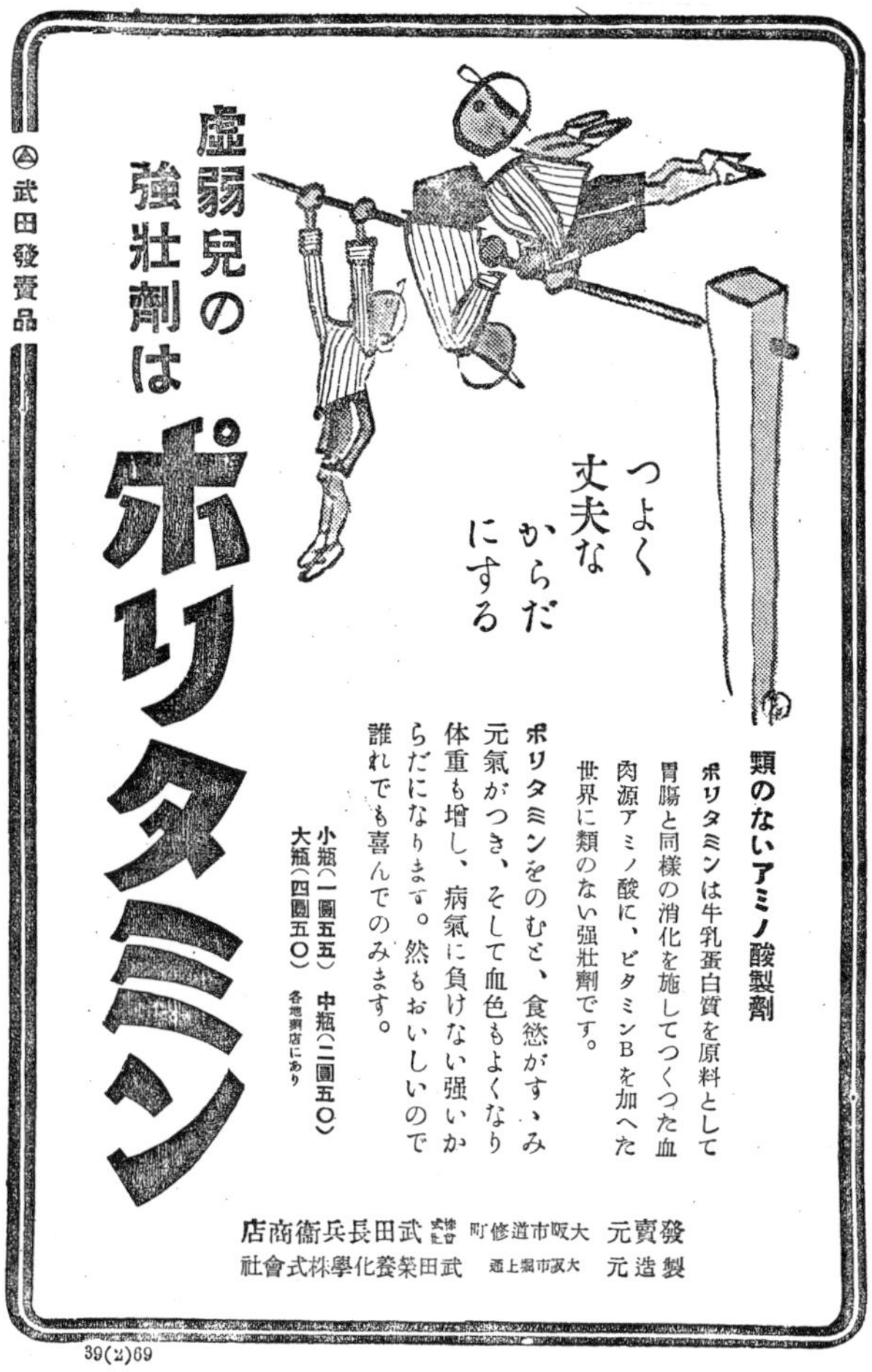

39(2)69

基礎鞏固　經營眞摯

創立　明治四拾四年

日本徴兵

コドモの保険

入營・嫁入準備　出世・教育資金

子を持つ親心

可愛い子供の爲に何程かづゝの貯金をしてやらうと考へるのは、凡ての親としての至情で、男子ならば適齢迄、女子ならば嫁入迄と誰しも心掛ける所ですが、さて實行はなかなか困難です。

最良の實行方法

徴兵保險、生存保險のコドモ保險は此需用を充たす最良の施設で、一度御加入になれば知らず識らずの間に愛兒の爲に必要な資金が積立てらるゝことになります。

日本徴兵保険株式會社

本社　東京市麴町區内山下町一ノ一

恒久國防・國民體位向上

子供の世紀

大正十三年二月二十日第三種郵便物認可
昭和十四年四月廿八日印刷
昭和十四年五月一日發行（毎月一回…）

子供愛護の普及啓發號

第十七巻　第五號

大阪市北区市民館内

日本兒童愛護聯盟

「子供の世紀」（第十七巻第五號）子供愛護の普及啓發號

目次

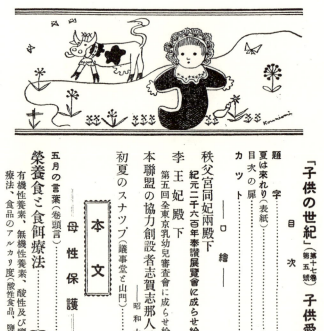

少年教護

乳幼兒愛護

先人の足跡

大川吸入器

完全無缺
使用簡易

噴霧は體温以上に温く微細で病状に好影響をもたらします噴霧管は特許引抜パイプ製で絶對に故障の起らぬ逸品。器械は堅牢で大川吸入器が標準型です。本器は一ヶ毎に檢査をして發賣致します故、何處でお求めになつても安心です。類似品あり、大川式と御指名を乞ふ。（固定式上下式の二種有）

秩父宮同妃両殿下奉讃展覧會に御台臨

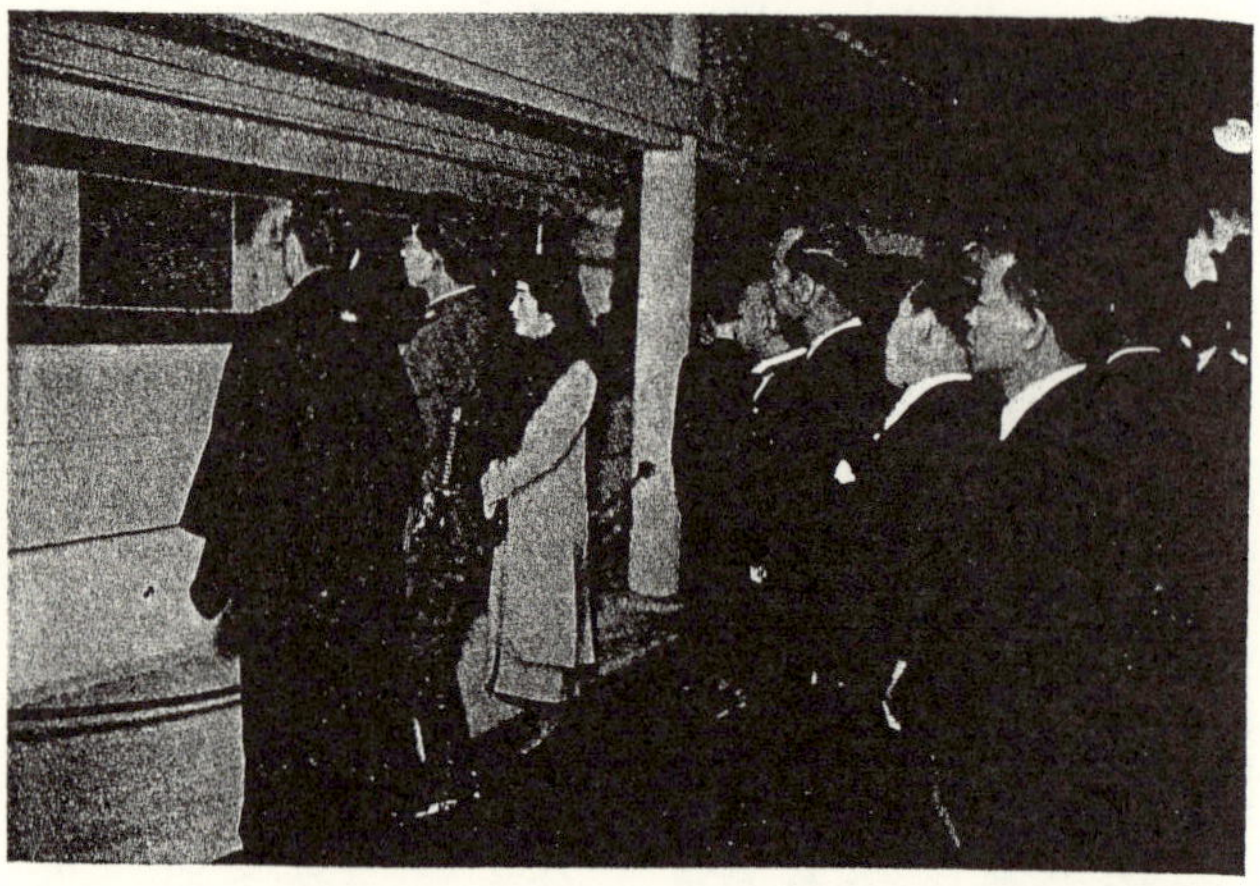

紀元二千六百年奉祝會主催
內閣紀元二千六百年祝典事務局後援
紀元二千六百年奉讃展覽會が、
去る四月十二日より二十七日まで十六日間
東京日本橋高島屋に於て開催され、
畏くも　秩父宮同妃兩殿下には、同二十日
同會に御台臨遊ばされた。

世のお母さん方へ

優良第二國民の保育には理想的の

福寶 育英 子守バンド を是非御使用下さい

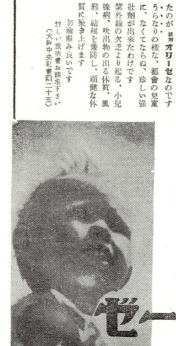

A型→

C型↑

構造上に少しも無理がなく全く理想的に出來て居ります、從つて耐久力もあり實用的の品であります、赤ちやんより五六歳位の子供達迄負ふ事が出來ます、體裁もよく立働きが樂で容が小さいので携帶用として至便のものです、殊に子供達連れの遠足などには絶對に必要であります。

是れは優美な高級刺繍を施してありますので赤ちやん向さして是れ又非常に御好評を賜つて居ります、丈夫さは幾分A型より劣りますが値段の格安さ、出產祝さしての値頃品である爲め賣行益々良好であります。

A型　別珍製
仝　朱子製
B型　別珍製刺繡入
C型　別珍製仝（裏ナシ）

各地百貨店、呉服雜貨店ニアリ

製造發賣元
菊池商店
大阪市北區東野田町三
振替大阪 14000番

紫外線の薬剤

.60　2.00　5.50
（全國藥店 百貨店にあり）

太陽を與へよ
青白き都會の兒童に

あの偉大な發育力、生命力を植えつける原動である日光の中でも、最も人体に欠乏する紫外線を苦心して、藥劑化したのが 錠剤オリーゼ なのです
いゝ、うらなりの様な、都會の兒童に、なくてならぬ、珍しい强壯劑が出來たわけです
紫外線の欠乏より起る、小兒腺病、吹出物の出る体質、風邪、結核を豫防し、頑健な体質に築き上げます
勿論服み良いです
詳しい說明書お請求下さい
（大阪中央私書函二十五）

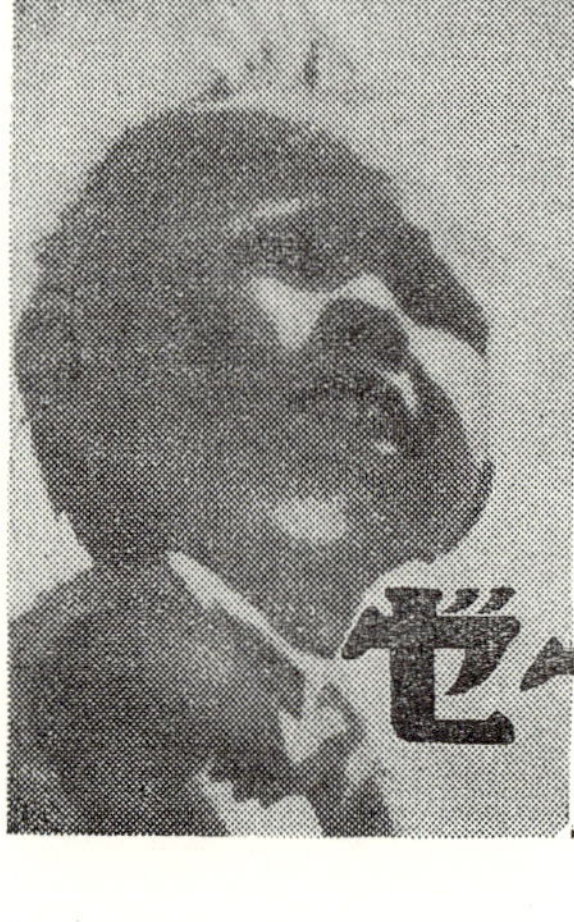

日光ビタミン
錠剤 オリーゼ

上手な吸入のさせ方

吸入や含嗽は、あまり重い病人には著しい効果はありませんが、早くやると侮り難い効を奏するものです。外出後咽喉がちよつと變だと思ふときは、大人なら含嗽をすればよいのですが、小さいお子さんでは、それができませんから、吸入に替へます。吸入器にはいろ〳〵有りますが注意したいのは、藥液と一緒に冷い風が起り、却て吸入をしたために、よくない場合の起るやうなものを、避けるといふことです。使用上の注意といたしましては釜の湯は三分の一くらゐ注いで、なくなる前に注ぎ足します。湯のなくなつたのを知らずにゐると、破損することがあります。

アルコールを口元まで入れると、發火する虞れがあります。吸入をかけると、お寢衣やお蒲團が濕りますから、防水布やタオルをかけておき、寢たまゝの病人なら徐かにかけてあげて下さい。赤ちやんの吸入は無理にお口を開かせる必要はなく、玩具で機嫌よく遊んでゐるときでも、吸入器の方を近づけて、あたりの空氣を軟くしつとりさせて、少しづゝでも吸ひ込ませるやうにします。一回分をあまり長くかけると倦きますから、一日に三四回にしてコップに二杯ぐらゐで結構です。終りましたら蒸しタオルで拭いて、後にクリームなどをつけてあげると、お顏の荒れを防ぎます。

吸入液の作り方

藥液はいろ〳〵有りますが、お子さんには一%の重曹水で結構です。(約一合の水に茶匙一杯)又は重曹と食鹽を各々一%の割に溶かしたものを用ひてもよろしい。

うがひ藥の作り方

二%硼酸水　硼酸は冷い水に溶け難いが微温湯を用ひますとすぐ溶けます。大人の水藥二日分入りの瓶は通常二百瓦入りですからこれに四瓦入れればよろしい。

二%鹽剝水　鹽素酸加里は常用としてうがひに用ひるのはよくありません殊に小兒には用ひぬのがよろしい。

三%過酸化水素水　過酸化水素又はオキシフルを水百に對して三の割合にます。過酸化水素はごみ、又は日光熱等にあへば酸素を發生分解して無効となりますから瓶は清潔なものを用ひ、戸棚か押入等の暗所に置かねばなりません。

志賀志那人氏一周年追悼會

昭和十四年四月八日
於大阪市立北市民館樓上

順序

司會　日本兒童愛護聯盟　伊藤悌二

一同着席
遺族着席
讃佛歌『のゝさま』　北市民館保育幼兒
導師入場
追悼ノ辭　大阪市社會部長　田坂茂忠
追悼ノ歌　一同（起立）
遺族挨拶
昵懇者代表挨拶　北市民館長　齋藤藤吉
讀經
燒香
導師、遺族一同退場

昵懇者團體名　（順序不同）

社會部員一同　大阪市勞働共濟會
昭和信用組合　濟交會
濟美第四方面　隣保事業協會
光德寺善隣館　社會衛生協會
日本兒童愛護聯盟　保育組合
愛隣信用組合　夾竹桃會
北市民館後援會　北市民館母の會
北市民館員一同　草燈社

李王妃殿下本聯盟の審査會に御台臨

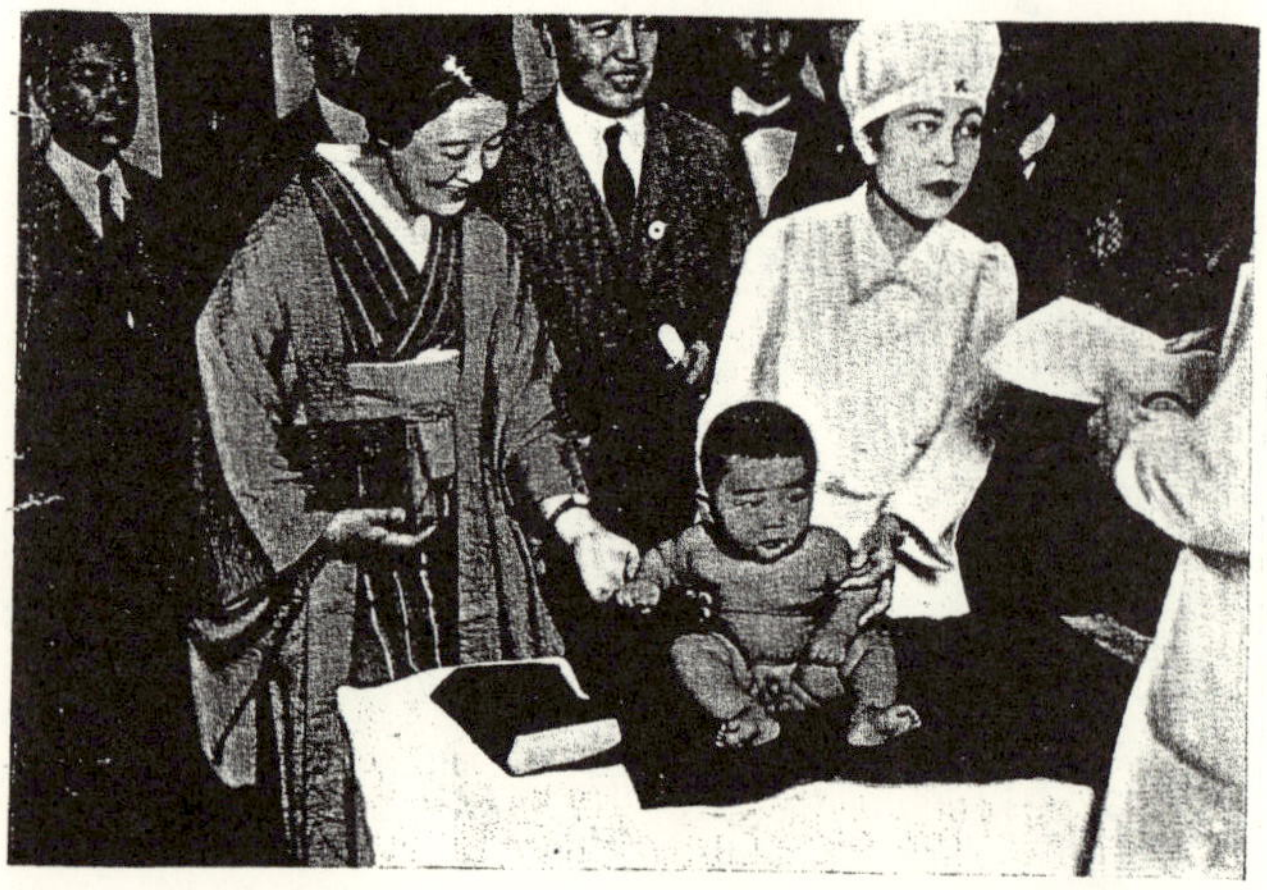

日本兒童愛護聯盟主催にかゝる第五回全東京乳幼兒審査會開催の砌、畏くも　李王妃殿下には會場にならせられ、伊藤理事長は各部門を一々御説明申上げしところ、御滿悅のやうに拜せられ種々御下問があつた。

初夏のスナツプ
——議事堂と山門——

東京日本橋
大川繁次郎氏作

兒童の健康増進に

オリザニン

（ビタミンBの始祖）

鈴木博士外二氏は、先年東京市養育院に收容された兒童（四歳乃至十二歳兒二十人）を二班に分ち、其の一班に對し、普通給與食の外に**オリザニンエキス**の一定量を與へて一ケ年間觀察の結果、

オリザニンを與へた班は
二倍强の體重増加率を示しました。

此の事實は**オリザニン**が**兒童の健康増進に良影響を與へる證左**であり、識者は一般の虚弱兒童並に發育障碍ある兒童に對し、推奬して過なき榮養劑たるを認めてゐる。

三共 SANKYO

説明書御申越次第進呈

末、錠、液 エキス、注射液各種

東京・室町
三共株式會社

赤ちやんの柔らかなお肌を護りませう！

澱粉を主としたものや鉛類を混ぜた粗悪品は、つき過ぎて却つて赤ちやんの大切な皮膚の呼吸、體溫調節の二大生理作用を妨げます。パーキユロはお肌にさらりとついて皮膚の汗と濕り氣とを吸收し、同時に殺菌と消毒を行つて黴菌の侵入を防ぎますから、副作用のない理想的な打粉だと、專門大家も非常に御推奬下さいます。

定價 二〇セン 五〇セン

◇全國有名藥店デパート化粧品店にあり

味の素本舗直系
製造元 寶製藥株式會社 東京・京橋

パーキユロ

肌色・芳香
新様式打粉

全國醫學界の推奬を得たる
完全な榮養食料品

お醫者がスヽメル滋養のお菓子

乳菓 **カルケット**

大人…元氣増進　産婦…榮養補充
小兒…發育旺盛　病後…疲勞回復

本品の特徴は
人體に必要な**カルシウム**分を有効に配劑す
（衛生試驗所證明）

ステキな5セン包が出來ました。

澱粉、脂肪、蛋白質の外特に健康に必要なる**カルシウム**分を有効に配劑し、砂糖による害を除き、一家の健康を保つ完全食料品として、**カルケット**を常用せられる事は、賢明なる現代の主婦の御役目であり、又お菓子の選擇に滿點といふべきであります。

5セン包紙10枚デ
高級コドモ漫畫雜誌呈上

東京 大阪
中央製菓株式會社

明治 赤罐 コナミルク

母乳代用・國産唯一品

用ひ方が簡易で値段の廉い

優良加糖粉乳！

砂糖を加へる手數が省ける◇
水にも湯にも溶け易い◇
消化吸收が極めて良好

明治製菓株式會社

・母乳代用品添加料・

ママーゲン

當社の獨特ママーゲン（榮養素配合穀粉）を牛乳、ミルクに粉乳に添加すれば體重増加、整腸作用顯著に、母乳代用品の効果を完璧にいたします。而かも開緘後吸濕變性のない良く價格も亦至極低廉でございます

昭和十四年　子供の世紀　五月號

五月の言葉（卷頭言）

攝津太郎

◎昔の名將樂毅は燕の昭王の命を奉じて齊の國に攻めいり、またたく間に七十餘城を落したが、莒と即墨の二城を攻めて三年の久しきに及び、遂に田單のために一敗地にまみれたと傳へられてゐる。「終りをつゝしむははじめにおいてする。」われ／＼はそのはじめからして最後のものまでも考へ、そしてその最後のものゝために準備してゐなければならない。

◎畫論の達者な繪師程繪の下手なものだ、結局繪は理窟や議論では描けぬものらしい。

◎過般大阪軍人會館に開催された全國禁酒大會が、豫期した程の來會者なく、開會當日の如き大臣の祝辭代讀などをする人々であべこべに演壇上が超滿員だつたと言ふ話しであつた、笛吹けども民衆躍らずの類か。

◎何をしてもものにならない青年が、先輩から「お前のやうな怠け者は滿洲へでも行つて、運命開拓をして來たらどうだ」と勸められ、意を決して渡滿したが、酒癖と朝寢が禍をなして戻つて來たと云ふ、懶惰者を赦す天地が無いやうだ。

◎所謂平社員時代には人道主義者を以て任じ、給料値上げの問題などでは口角泡を飛ばして鬪つた青年が、係長、課長と累進するや、以前の弱者の友は何處へやら素ツ飛んで了つた、人間は境遇以上には出でないものと見える。

◎傷きながらも、蹴爪蹴つて、鬣を振るひ颯爽と嘶く駒の姿程痛々しくも勇ましいものは無い。

◎私は社會の指導者、木鐸たる人々に御願ひしたい、斯界の權威者と自稱し、先輩と自惚れ、大學者と自負する事を止めよ！と、若し然らざれば此の地上には永遠に幸福はもたらされず、亦總親和が實現されぬであらう。

◎有り餘る程な財産も投げ出さないで「雜誌經營の秘鍵は？」など問ふ者がある、自己の勞働力も生産力も投げ出さずに事業の成功を夢み、美しい虚名を獲得せんとする人々の多い事よ、誠にお芽出度き世ではある哉。

◎現下我が國の財界實業界に於て一人の小林一三翁を持てあまして居る、敗け惜しみを云ふ連中は翁を猶太人など、悪口を吐いて居るが、いづれにしても偉いものである、この一事でも人物拂底が裏書きされていかにも情ない。

◎品行方正、學術優等の太皷判を押された一小學校の女生徒が、立派な不良少女だつたと云ふ實話がある、無論教師は神樣ではないが、一少女の要領位に眩惑されて貰ひたくないものである。

◎日本の出版文化の上に不朽の功績を殘した、警醒社主福永文之助翁は去る四月十五日、七十九年の苦難の生涯を終つた、翁は日本人の精神を豊潤、高潔にする爲め千七百餘種の書籍を出版し、拮据經營五十年間の健鬪は驚嘆の外はない、然して晩年に於ては物質にも惠まれぬ孤獨な生活をし乍ら、冷酷な社會の一偶から「噓言者」と罵られても、決して世を恨まず、寢室の壁に「人生逆境に處して神と人とに盡すべき道は潤澤に惠まれてゐる」と自書して朝夕これを讀んだと云ふ、一度躓けば寛恕しないのは社會の實相であるかどうかを疑ふ者である。

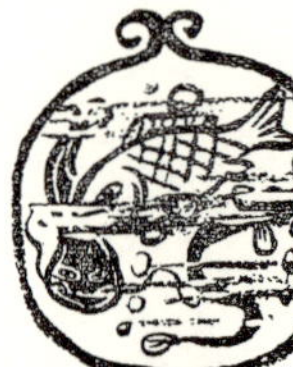

榮養食と食餌療法

ドクトル・ケロツグ述
大河平愛光譯

食餌療法とは飲食物の攝取によつて健康を維持し發育を促し、無病息災天命を全うせんとする事と、一度病におかされた時は病人に適した食物、或は更に一歩進んで積極的に治病作用のある食物の献立、調理法等を修得する事を云ふのである。

我々は常に自分の趣味は嗜好や習慣等で毎日の食事をやつてをるが、果して安心して自己の本能に任せて差支へないかどうかは疑問である。我々の本能は日毎の生活の上にきはめて重要な役割を持つてゐるのではあるが、好きな物必ずしも榮養とはならないのである。世間には餘りに美味飽食のため、知らず／＼の間に健康を害し、自分自ら天與の生命を短縮してゐる人が決して少くないのである。又之に反して境遇上やむを得ず、知らず／＼の中に榮養不良に陥り、或は無知なるがために其食物に細菌があつたり、不潔であつたり、腐敗してゐたり、或は甚だ未熟だつたりするのが原因となるばかりでなくて食品の献立が悪い場合に知らず／＼健康を害して居る哀れな人も少くないのである。昔から言はれてゐる「病は口より入る」といふ諺を、本來の意味よりもつと廣い意味に理解し、如何なる食物を如何に食すべきかといふことが現代人の最も關心を持つべき緊要な事ではあるまいか。今後我々は食物、つまり榮養といふものに對して知識をもつと的確に持つ必要があると思ふのである。

又此の事は特に病人には一層痛切に感ずるのである。病人の食物を其欲するまゝに放任し、何等これに注意指導する事がなければ治療の目的が達せられるものでない。薬物療法、物理療法と雖も適當な病人食餌法があつてこそ始めて是等の療法が有効となるものであり、又食餌法にのみ依つて其疾病が治癒する場合も多いのである。

昔から一に看病二に藥と云はれて居るが病人にあつては看護が非常に大切なのである。就中食事の世話と云ふ事に第一の重點があるのである。茲に始めて榮養の合理化の必要が叫ばれるのであるが、又之と相共に榮養食の經濟化も實現されねばならぬのである。合理的食餌法必ずしも高價なものではないのである。市場の安い食品でも其食品の組合せ、調理法に依つて完全な保健食、並に治病食が作り得られるのである。之等の理由の上より考へて榮養食、食餌療法が今日實際生活と如何に緊密な關係を有し、當然各家庭の臺所に入りこみ、全家族の發育健康の上に優秀なる、價値ある調理法を修得する事の必要を認めて貰はねばならぬ。

日常我々の口にする市場の食品の種類は凡そ四百餘りの品種を數へる事が出來るが、此の多數の食品を二つの種類に大別することが出來る。即ち植物性食品と動物性食品とである。此等の食品及び其製品は如何なる物と雖も凡て養素と云ふものから出來上つてゐるのであつて、其養素には有機性と無機性養素とある。有機性養素とは蛋白質、脂肪、含水炭素等の事であり、無機性養素とは無機鹽類のことで、これが酸性と鹽基性とに分れる。酸性といふのは燐酸、鹽酸、硫酸等であり、鹽基性とはカルシユウム、ナトリウム、マグネシウム等である。つまりどんな食品でも殆ど凡ゆる養素を含んではゐるが、其種類、量は食品によつて夫々ちがふのである。今此を次の如く分けてみよう。

有機性養素

蛋白質食品—鳥、獸、卵、乳汁、豆腐
脂肪質食品—バター、チーズ、クリーム、ラード、植物性油、揚物類
含水炭素質食品—米、パン、穀類、砂糖、澱粉、オートミール

無機性養素

無機質食品—野菜類、果物、海草等

ビターミン
A—卵の黄味、バター、クリーム、チーズ、葉綠素を有する野菜、人參、トマト
B—穀物、豆類、ほうれん草、キヤベツ、馬鈴薯、酵母
D—レモン、柑橘類、トマト、玉葱、レタス、人參大根、蕪
D—肝油、牛乳、卵の黄味

養素即ち蛋白質、含水炭素、脂肪の三大養素の作用は體成分を構成すると共に熱となり、つまりカロリーを生ずる原質である故に之を又熱素といふ。所で無機鹽類とビターミンとは熱を發生しないけれども、生活現象上、物理化學作用が行はれる爲に缺く事の出來ぬ養素であり、之又活素で有のである。

食物の榮養價値如何といふ事は第一にその食物を分析して其養素の量を定めねばならぬが、然しそれだけではいけないのである。其他にビターミン、無機鹽類の含有量も考へに入れる事は勿論非常に大切であるが、それと同時に其養分は消化吸收されなくては如何に食分は多くとも、其營食價値はないのである。

食物の消化吸收率といふものは、食品の價値に多大の影響を及ぼすものであるが、其は唯食物の種類によつて異なるばかりでなく、其食品の調理法、献立等によつても違つてくるのである。調理法に依つて食物の消化吸收が異なる場合は即ち食品を煮るか、蒸すか、燒くか、或は脂油にていためる等によつて生のまゝよりは消化吸收率が多くなるのである。例へば豆類に於て豆腐、キナ粉豆のウラゴシの如きは吸收が非常によいが、固い煮豆類は消化不良である。

更に食品の價値に就て次の事柄を考へて戴きたいと思ふのである。各食物の價値といふものは、一つの食品だけにては之を決めてしまう事は出來ないものであつて、其時の献立、即ち一緒に食べた他の食物と相對的に見て、始めてその價値を識る事が出來るのである。常に美食してゐる人には肉類の効目が少ないが、粗食の人には効果がある事である。これに反して野菜類は肉を多食してゐる人には大いなる價値を持つが、粗食をしてゐる人にとつては餘り價値がないといふ如きである。斯の如く天然の食物は皆それ／＼天賦の價値を持つてゐて、如何なる食品と雖も無駄なものは一つもないのであるが、唯その食品を價値付け、此を本當に生かすには各自の營養學上の知識の修得による他に道はないのである。

酸性及び鹽基性（アルカリ性）食餌療法

食事の型式の一つとして、又特に病人のたべる食事の型式の一つとして、酸性食餌と鹽基性食餌とがある。此はすべての食物が吸收された後、體内にて分解したものが酸性となるか又はアルカリ性となるかによつて區別があるのである。

病人のたべる食事は特にそうであるが保健食の場合にでも食餌の性質はなるべくアルカリ性の方がよいのである。又それには無機鹽類を豊富にとる必要があるのである。即ち野菜類、果物、海草等である。穀類、肉類、魚等を多食すると酸性に偏する惧れがあるのである。吾々の體内では、たえず體成分が燃燒して酸を造つてゐるのであつてその餘分の酸は尿或は炭酸ガスとして體外に排

泄されるのである。卽ち身體の內ではいくら酸が發生しても體液は一定の中性或ひは弱いアルカリ性反應を保つために餘分な酸はこのやうにして排泄されるのである。

酸は各養素によつてことなり、蛋白質より出る酸は硫酸、燐酸であるが殊に動物蛋白はこの傾向が强い。脂肪含水炭酸は分解して炭酸を生じ又胃中では鹽酸卽ち食鹽と水素とが合體して鹽酸を生ずるが此は以上の排泄さるゝ酸とはちがつたものであるが兎に角體內の餘分の酸が生じた時常にこれを中和し又排泄して酸、鹽基の平行を保つ事が必要である。卽ち硫酸は蛋白質及びアミノ酸の分解によつて生ずる所のアムモニヤによつて中和され、燐酸は野菜中のナトリームかカリウムとに合化して鹽をつくる。此等の機能の大なるものが卽ち健康體であり、此機能の尺度を測定してその人の抵抗力を知る事が出來るのである。體內に生じた餘分の酸は常に中和され排泄されねばならぬが其ため必要なるアルカリを貯藏しておかねばならない。しかしながら、かうした身體內のアルカリ貯藏もある一定の限度があるのであつて、もし貯藏のアルカリが缺乏した時に卽ち肉類、魚、貝類を多食し體內に過分の酸を生ぜしめるこれを中和排泄し得ず、酸、鹽基の平行を保つ事の出來ぬ時には蛋白質の分解產物であるアンモニヤが酸に結合して仕舞ひ甚だ異常狀態となるのである。普通このアンモニヤは尿素になるべきものであるが、此尿素が尿中に減少した場合に卽ち酸毒症の症候を起すのである。

かくの如くアルカリを必要とするが其貯藏を多くするものは鹽基性食餌であり、其中特に無機鹽類「ナトリウム」「カルシウム」「マグネシウム」等の金屬性無機鹽類である。これは鹽類の大部分がアルカリ性に働くからである。酸性に働く鹽類は、燐、硫黃、クロール等である。

體內にて酸を生ずる分量は食品の種類によつて異るが、一般に動物性食品は植物性食品に比して多量に酸を生ずるものである。

要するに食品のアルカリ度とは其灰分の呈する酸性或はアルカリ性の度合であつて、各食品中に含む無機鹽類の種類により食品を大別して酸性食品とアルカリ性食品の二つに分ける。次の表によつて一般食品の酸、アルカリ度を見る事が出來る。

食品のアルカリ度

本表は灰分一瓦を十分の一規定鹽酸及び十分の一規定ソーダにて滴定し中和に用ひたるミリ瓦數である。

酸性食品

食品	アルカリ	酸	計
牛肉（脂肪中）	二四・六〇	三三・六六	九・〇六
豚肉（同）	一五・三五	二七・八二	一二・四七
ハム	八〇・五九	八七・五四	六・九五
鷄肉（脂肪多）	二〇・〇七	四四・三九	二四・三二
鰻	一七・六九	二四・六九	七・〇〇
鮭	二三・九四	三一・二七	八・三三
鱒	一九・八五	二二・六〇	二・七五
鯉	一〇・二四	二七・五〇	一七・二六
卵	一四・八八	三九・三五	二四・四七
卵の白味	一四・二〇	二二・四七	八・二七
卵の黃味	一六・〇八	六七・九一	五一・八三
バター	一五・六四	一九・九七	四・三三
チーズ	二〇四・〇三	二二一・五二	一七・四九
米	四・六六	七・八四	三・一八
麥	二四・一五	三四・七三	一〇・五八
オートミル	二一・八四	三六・三四	一四・五〇
トウモロコシ	一九・四一	二四・七八	五・三七
マカロニ	九・三六	一四・四七	五・一一
そば粉	九・四一	一三・一八	三・七七
パン（小麥）	一五・七九	二六・七八	一〇・九九
ビスケット	一〇・〇〇	二〇・四一	一〇・四一
ココア	六四・一九	六八・九八	四・七九
チヨコレート	一六・三九	二四・四九	八・一〇
アスパラガス	六・五五	七・五六	一・〇一
葱	六・五七	七・六六	一・〇九
ソラ豆	四五・七四	三五・四四	九・七〇
エンドウ	三五・八六	三九・二七	三・四一
青エンドウ	一四・四三	一六・七二	二・二九

酒類、酒粕、乾海苔、クルミ、油揚、生揚等は凡て酸性食品である。

鹽基性（アルカリ性）食品

食品名	アルカリ	酸	計
牛乳	一三・〇八	一一・三九	一・六九
甘藷	二一・一九	一〇・八八	一〇・三一
馬鈴薯	一六・四五	九・七四	六・七一
大根	一三・四六	九・四〇	三・〇六
カブ	二〇・八六	一〇・三八	一〇・四八
人參	一五・〇三	五・九六	九・〇七
牛蒡	一五・二九	一三・七六	一・五三
キヤベツ	一八・二六	一四・一八	四・〇八
ホウレン草	三一・三五	二六・二三	五・一二
トマト	二〇・七二	七・〇五	一三・六七
南瓜	六・七三	六・五〇	〇・二三
西瓜	三・〇七	一・二四	一・八三
キウリ	七〇・〇八	三八・五八	三一・五〇
リンゴ	二・二二	一・三八	〇・八四
ナシ	六・一六	二・九〇	三・二六
サクランボ	八・〇四	五・四七	二・五七
イチゴ	六・六一	四・八五	一・七六
葡萄	一五・六六	八・五一	七・一五
乾葡萄	三五・九五	二〇・八五	九・六一
バナナ	一〇・六三	六・二五	四・三八
栗	一八・五四	八・九二	九・六二
醬油	三一八・八〇	二九二・二二	二六・五八

以上の表を見るに動物性食品は牛乳を除いて全部酸性の食品であり、穀物も又酸性の食品である。野菜はアスパラガスと葱を除いてあと全部アルカリ性の食品であり果實もアルカリ性食品である。

而して保健食餌においても、酸性食餌に比較してアルカリ性食餌を多くする事が必要であるが、病人の場合には尙更それが必要なのである。就中、熱性疾患、カタル性疾患、腫物、皮膚病、蕁痲疹等その他糖尿病、腎臟病、脚氣、リウマチ、殊に急性リウマチの場合に必要である。その他、血壓の高い場合、神經衰弱、老衰、マシドウシス等の場合には勿論必要である。かくの如くアルカリ性食餌とは、いはゆる菜食營養に一致するのである。

紙數の關係上これにて終る。願くは、主婦たる者、母たる者は一層この營養食餌の知識を得られ、家族の健康を維持し、無病息災天命を全うし、而して神の榮光を顯はされんことを。

健康の象徵

〃空は日本晴……空氣は淸い……興亞の春は僕等の天地！ハリバを服んで强く明るく、元氣で伸びよう……僕らは强い日本の兒童〃

お子樣が丸々と堅肥りで、骨組が丈夫な上に全體の均勢がとれてゐることはとりもなほさず健康の象徵です。

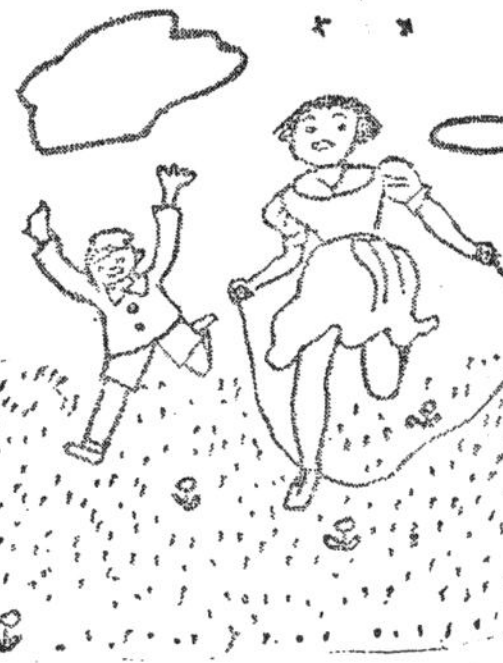

健康兒童を創るには太陽の紫外線を浴び、新鮮な空氣を胸一杯に吸ひ、常に適度の運動と睡眠とを取り……同時に肝油＝ハリバを適用して、ビタミンA Dを充分にしてをくことが大切です。

ハリバは…小豆大の甘い小粒を一日たつた二粒で足りるほど、ビタミンADが濃厚で、臭くなく、胃腸にもたれずお子さまが喜んで服みます。

季節の病氣

濕疹と其の手當法

醫學博士　野　須　新　一

春先から初夏にかけて色々の皮膚の病氣が增えて參ります。殊に抵抗力の弱い皮膚を有する赤ちやんや幼兒の皮膚病が目立つて多くなつて參ります。其の中でも一番に多くてお子さん方を苦しめお母さん方を惱ますものは濕疹であります。

濕疹はどうして出來るか

その原因は二大別されて居ます。卽ち外からの原因、（外因）と內からの原因（卽ち內因）との二つであります。**外因**としては摩擦をしたり、搔爬をしたりする事により（機械的の刺戟）又は寒冷に觸れたり溫熱に觸れたりする事により（溫熱的の刺戟）又は色々の藥を塗つたり、日光に當つたり、又は汗のために刺戟を受けて（化學的の刺戟）起つたりします。その他寄生蟲又は寄生菌によつても起る事があります。之等が主な外因とされて居ります。**內因**としては**第一に素質**であります。詰り過敏性とか又は特異質と言ふ樣なものを有つた人に起るのであります。今日の醫學上の言葉を借りますれば卽ち一つの「アレルギー」の爲めに濕疹が起つて來るのであります。言ひ換へれば色々の外からの或は內からの刺戟によつて普通以上に或は普通とは異つた反應を皮膚に起して來る、そして濕疹になつて來ると言ふのであります。乳幼兒には殊に此の內因に屬する特別な體質を有つて居る者が大變に多いのでありまして、一名之を**滲出性素質**とも言つて居ります。其他貧血、糖尿病、腎臟炎、喘息、攝護腺炎等

の内臟の病氣があると濕疹が起つて來ます。殊に婦人では月經の初めて來る時や、月經の閉止期とか姙娠の時等にも濕疹に罹り易い。又胃腸の障礙があつたり、神經系統に病氣のあるものにもよく濕疹を起します。斯うした色々の原因が夫々單獨に或は一緒になつて濕疹を起して來るのであります。で**赤ちやんや幼兒達**に起る濕疹の原因も以上述べた中にある事は申す迄もありませんが**一年以下の乳兒で一番多い誘因或は原因はお乳の飲み過ぎ**即ち過飲の場合であります。お乳の飲ませ方が不規則で、泣いたら直ぐに飮ませると言つた風の場合或はよく出るお乳を二十分も或は夫れ以上も飮ませる場合皮膚の抵抗力が弱まり一寸した原因即ち濕つたお襁褓を着せて置いたとか、襟の處が擦れたとか、汗をかいたとか、日光に當り過ぎたとか、何か虫に嚙まれたとか搔いたとか、そう言つた外からの僅かの原因によつて容易く濕疹が始まるのであります。赤ちやんに一番多いのは斯うした原因であります。これは榮養の不適當な爲めに滲出性體質と言ふ一種特別な體質を起して來るためであります。本來此の滲出性體質は先天的に遺傳に依つて兩親から受け繼ぐ場合が多いのです、然し後天的にも今述べた様な榮養方法が不適當である場合とか、不衞生的な生活環境に住んで居るとか云つた場合にも起つて來るものであります。不衞生な生活環境と言ひますと第一に不潔であります。お襁褓の取り換へを怠つたり、汚れ易い肌着の取り換へを怠つたり、汗や大小便等で汚れた衣服、蒲團の中ゴミ〳〵した掃除の行きとゞかぬ部屋、濕地にある家屋日當りの惡い部屋、新鮮な空氣の乏しい部屋、斯う言つた不衞生的な生活環境にある子供には濕疹が出來易いのです。

症狀

濕疹の始まりは瘙痒と一緒に**局部が先づ赤く**なりますそして更に進むと**丘疹**と言つて小さいぶつ〳〵した高まりが出來て之れが又一層瘙痒くなります。更にこのぶつ〳〵の頭の處に水を有つて來て小さい**水疱**が出來て來ます。之を搔いたり、こすつたりして細菌等が竄入すると内容が溷濁して終りには膿を有つ様になり所謂**膿疱**と變ります、斯うした水疱や膿疱が破れ、表の皮が剝れて表面が**濕潤して糜爛面**を表はして來ます。之が濕疹の一番極期であつて、之から段々治癒に傾き、水疱の中の漿液や膿疱の中の膿汁が乾燥して**痂皮**が出來て來ます。そし

て之が終りには自然に或は、こすつたり、搔いたりする中に脫落して**落屑**を來し、すつかり痕跡も無く治つて來るのです。大體濕疹は皆斯うした經過を取るものですが時には此の順序によらず一足飛びに落屑を起す様な事もあるのです。又元來濕疹は經過の上から**急性の濕疹と慢性の濕疹**の二種類に分たれます。急性濕疹とは前に述べました經過が比較的急性に來るものであります。慢性の濕疹と言ひますと經過が長引くために皮膚の深い所迄病氣が擴がつて、皮膚が叢固く肥厚して恰度象皮に似た感じが出て來るものであります。大抵は急性のものが慢性に變つて來る事が多いのです。**急性のものでは一―二週間から五、六週間で治癒**するものですが**慢性に變ります**と**一年以上數年**或は大人では一生之に惱むこともあります、慢性のものでも時々すつかり全治することもありますが又時々急激に急性濕疹の形で表はれて來て再發することが多いものです。

好發部位としては顏面、頭部、四肢及び陰部でありまして、其他の處には續發性に發生して來ます、尚濕疹は色々と分類されて居りますが之は省略しまして乳兒や幼兒に限つて現はれ來る滲出性體質に就て述べませう。

滲出性體質

此の體質を有つた子供は體重も標準近くあつて一見よく肥胖してゐる様に見えるもの**肥胖型**と、體重も標準以下で仲々太らず**羸瘦型**のものとに分けられて居ます。本來此の體質の子供は**皮膚や粘膜が弱く**、色々の外からの刺戟(先述)や身體の内部の一寸した故障等によつて影響を受ける。而も丈夫な乳兒では何の影響もないと思はれる様な**極く僅かな刺戟によつて直ぐに皮膚や粘膜(氣管、胃腸、膀胱)が病氣を起し**濕疹になつたり、感冒を引いたり、下痢を起したり、又は膀胱炎を起したりするものです。今**皮膚に現はれる徵候**として

(一)**脂漏** と言つて頭部、殊に顱頂部や眉毛部に灰白色又は少し黃味或は褐色を帶びた痂が出來、此の痂が落ちると下が赤く、濕潤して來、そして之が濕疹となつて行くのを見ます。

(二)**乳痂** 一年迄の乳兒に多いもので頰の所に、割に界がはつきりした、紅い斑の部分が出來、其處の皮膚が荒れて粗糙となり、皮が剝けて少し糜爛れ、小さい鱗の様な屑が出來て來るのを見受けます。

(三)**間擦疹** 皮膚の皺襞のある所とか汚れ易い所例へ

ば頤部、鼠蹊部、頸の所、腋窩、下腹部、肘關節や膝關節の屈曲部に出來る糜爛や濕疹であります。

(四)**ストロフルス** 又は癢疹とも言ひます。主に四肢や軀幹に麻實の大きさ或はそれよりも大きいぶつ〳〵した皮膚の高まり、(丘疹)又は小さい水を有つた水疱が出來非常に瘙痒の著しいものです。**粘膜の徵候**としては、(一)**氣道粘膜の「カタル」**例へば鼻加答兒、咽喉「カタル」氣管支炎等に罹り易く又一旦之に罹ると仲々治り難く時には一種特別な喘息の様な症狀を示すことがある。(二)**地圖狀舌**。舌が白く斑になり恰度地圖の様な斑が出來る。皮膚や粘膜がよく細菌の感染を來し易い結果として、(三)**頸部や顎下の淋巴腺が腫れ**たり、**扁桃腺が肥大**したりします。又(四)**胃腸や泌尿器の粘膜が弱くてよく下痢や膀胱炎**を起し易い。**其の他**皮下の組織や筋肉が柔軟で彈力性が少く、從つて身體が柔らかで弱々し相になりよくキー〳〵と**癇高く神經過敏**の症狀を表はす事が多いものです。

手當法

先づ濕疹の原因となる色々の事項に注意して出來る丈け之を避ける事が大切であります。大人であれば喘息、腎臟炎、膀胱炎、攝護腺炎、或は尿道狹窄と言つた病氣を注意してその方の病氣の手當をすることも必要です。**小兒では**一般に消化器の病氣に最も注意を要するもので、殊に過食飽食は之を禁ずべきです。從つて間食には充分注意して食べ過ぎにならぬ様注意せねばなりません。詰り**適當なる食餌療法**を行ふことが濕疹の治療に大切なのであります。**乳兒であれば人乳を與へる**のが最も宜ろしい。然し必ず**授乳は時間を決めて規則正しく**與へ決して**過飮に陷らぬ様**にせねばならぬ。尚人乳で効果のない場合牛乳や粉乳を一―二回混ぜて與へる所謂**混合榮養にす**ると濕疹のよく治る事がある。而して脂肪が少い、糖分の多い**脫脂乳**、**牛酪乳**(ビオレトン、ユレクト、エレドン)等に滋養糖を餘計に加へて與へるか、又は**重湯**、**小兒粉**、或は穀粉煮汁等を與へるのがよい。尚濕疹の出來る子は成る可く**早く離乳**を斷行する、そして「パン」粥、野菜、果實を與へる。**年長の兒童**では**野菜食を主**とし肉食を避け、過榮養は之を避けねばならぬ。**尚轉地療法**、又は**日光療法**、紫外線療法等も用ひられる。藥としては沃度劑、砒素劑、鐵劑、カルシウム劑、ビタミンB劑等を用ひられる。尚濕疹の出來易いものには成る可く石鹼

の使用を禁ずる。糠を用ひるのが良い。

濕疹に塗る藥

これは出來る丈け刺戟性を避けるものを用ひる。尚濕疹の色々の時期により原因によつて用ふる膏藥も違ふのであるから若し濕疹が出來た場合には素人療法は決して行はぬが安全である。**濕疹は早く治さぬと内訌する、**濕疹が出來たならば出來る丈け早く手當をして治さねばならぬ。皮膚は大切な呼吸作用を營む外に身體の表面にあつて身體内部の色々の臟器を保護する働きがある。此の大切な皮膚の働きは濕疹が出來ると全く防げられる。耳ならず濕疹の出來た所から絶えず色々の有害な細菌や膿の分解産物や毒物が身體内に吸收されて不知不識の間に心臟を冒し腎臟を冒す許りでなく、色々の傳染病の黴菌迄が此處から入り込み、傳染病に罹らせると言ふ事になります。昔から言はれて居る樣な濕疹は早く治すと内訌すると言ふのは迷信で、濕疹は出來る丈け早く輕い中に手當をして治さねばならぬのです。

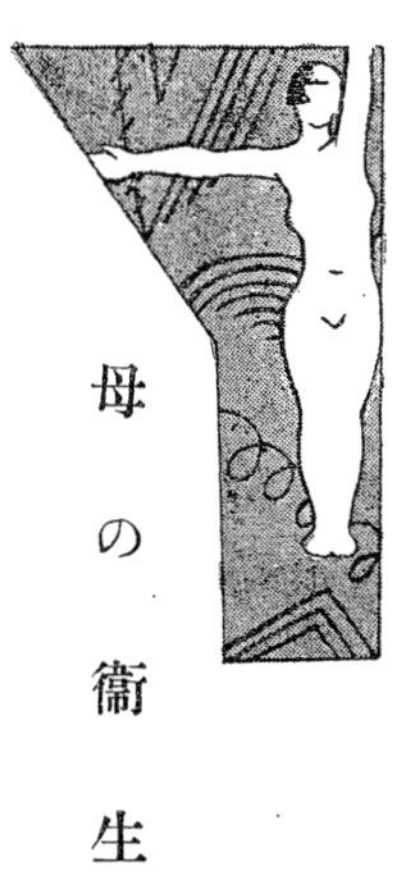

母の衛生

福田康甫

姙娠中の出血

茲に出血と申しますのは子宮よりの出血の事であります。此の出血の際には、以前に少量の出血が續き突然其の量を增して來るか、或は其の時迄何等の異常なくして突如として晴天の霹靂式に大量の出血が起る事があります。かゝる際に御當人は元より家人迄「警戒又は危險の信號」なる鮮紅色の血液の多量を見て驚き周章狼狽せらるゝのが世の常で有ります。此れは洵にもつともな事であります。此の際醫師を招かれるのは申すまでも有りませんが、其れ迄でに適當なる應急處置を、、、一瞬の猶豫なく家庭に於て施され、生命の源泉である貴重なる血液の一滴をも無益に失なはぬ樣に努力し、不側の危難を免かれられる事を希望するものであります。

以下上述せるが如く姙娠時の出血に對する家庭的の應急處置の重要性に鑑み聊さか精細に申し述べたいと存じます。

其の處置方法としては

第一に、身體の安靜、、であります、臥床して身體を安靜に保つと云ふ事其れだけで出血が著しく減少するか又は全く止んでしまひます。もし出血が非常に多量なる場合には姙婦の居合せる場所の如何なるを問はず其の場所で横になる事が必要であります。十數年前の事であります、私の記憶の中に今も尚ほ生々として居る經驗を申し上げます。或朝の事數回の經産婦で、姙娠八ケ月、今迄で何事もなく、只今朝食中に突然多量の出血が起り、着物は

勿論座蒲團や疊迄血で汚れて居りますと云ふ電話。私の頭に前置胎盤だなとぴんと參りました。早速御病人を今座つてゐられる位置でそつと横臥さし、すこしも動かしてはいけませんと注意して置き、往診しました。私の到着した時には出血は既に止んでゐました、原因は私の豫想しました通り前置胎盤でありました。

第二、便所に決して行つてはなりません、、、、、、、。姙婦が子宮出血を起しますと、出血の場所柄だけに直に便所に行きます。しかも出血を繰返す度毎に便所に通はれるが常で有ります。然し便所に於ける身體の位置は血液が子宮に集り、且つ腹壓が高まるに好都合であります、若し「イキミ」でもすれば出血量はいやが上にも增して參ります。此れも私の經驗でありますが、月經が二ケ月止つて居て二―三日來少量宛あつた出血が、今朝下腹痛を伴つて急に增加し、今便所の中で仆れて正氣を失つて居るとの電話。往診して見れば顏面は蒼白、手足は冷めたく、脈は觸れるか觸れない位で、其の數は多く、胸苦しさを訴へ、意識も多少明瞭を欠ぎ、即ち急性貧血の症狀を呈し、內診すると第三ケ月の流産でありました。色々な强心劑や「リンゲル」氏液、葡萄糖液等を注射してやつとの事で快復致しました。後での話によりますと、下腹痛が起る、出血が起る、不潔だから便所へ行くと云ふ風に、何回便所へ通ひましたか覺えて居りません、最後に參りました時に急に氣が遠くなりまして倒れ、其の物音で家人が驅つけ大騷となつたとの話でありました。

第三、身體に安靜を與へると同時に、外陰部に脫脂綿、、、、、、、の多量をあて、出來るなら丁字帶を掛けられる事であります。かくすれば止血の目的を達する事が出來ます。此の方法は血液が血管外に出れば直に凝固すると云ふ性質を利用したるものでありまして、外陰部に當てたる脫脂綿により其外界に流出する事を妨げられたる血液は子宮や膣内に溜り直に凝固します、此の凝血塊が栓となり出血部を壓迫しますから止血するのであります。此れは恰も産科醫が多量の出血の際に殺菌、、したる脫脂綿や「ガーゼ」を多量に膣內に挿入して即ち栓塞して止血せしむる方法と同一原理に基くものでありまして、唯一時的應急的に凝血塊に依つて栓塞する點だけの差があるのみです。流産の出血等にて往々見受けるのは殺菌しない普通の脫脂綿を膣に挿入せられる事であります、此れは非常に危險なる方法であります。何んとなれば立派な包裝を開いて雪の如き純白の脫脂綿を見られると、此れは清潔

であると云ふ感じが起ります。然しながらいくら清潔と感じられても細菌學的には其の中に多數の細菌殊に化膿菌(連鎖狀又は葡萄狀球菌)を證明する事が出來ますので、細菌學上の清潔狀態にあるのではありません。でありますから、かゝる化膿菌の存在する普通の脫脂綿を膣内に挿入する事は子宮内の出血部に化膿菌を輸入し、輸入されたる化膿菌は血管内に入り、全身に擴がり、彼の恐るべき敗血症(産褥に於ける敗血症を産褥熱と云ひます)を起すことになります。一二年前迄で敗血症には、これを治癒すべき方法なく、醫家に取りましては一大鬼門でありましたが、殺菌性の色素劑の研究の結果、敗血症に對し偉効を奏する「プロントヂル」の發明により絶望の敗血症を救ひ得るに至りたる事は、洵に全人類の幸福にて同慶に存じます。

第四、枕を用ひずに頭部をなるべく低く下げ、、、、、、、、、、、、、、、足の方を高く致します、これに依りて全身の血液を腦や心臟に集中せしめ、此等の生命に直接重要な器管の働を助けます。

以上述べました四つの處置は、一分否な半分も要せずして行ひ得るものであります。これにて出血に對する大體の手當を終り、次で次の方法に移ります。

第五、湯婆を入れ熱布を胸部、腹壁、四肢に貼布します。かくして貧血に依りて既に低下せる體溫の亡失を防ぎます。體溫の亡失が如何に身體に危害を與へるものであるかは冬期日本アルプスで凍死するものあるを見ても御理解出來ましやう。數年前私の親しき交りある方の夫人が精神に異常を呈し、御自宅の附近に有る池に投身され、約三十分の後に亡くなられた事が有ります。檢視により普通の溺死に於けるが如く肺中に水を吸込み窒息の結果の死亡でなく、其の池水の水溫が餘りに低かりし爲との事でありました。私自ら婦人の亡き骸を檢診して此の檢視の間違ひ無き事を知りました、外界の低溫が如何に身體の諸機關の働きを鈍ぶらせ、遂にこれを麻痺させ死に至らしむるものである事は前述の二例に依りて御判りの事と思ひます、まして出血によつて多量の血液を失ひたる人は著しく身體の保溫力を失つてゐますから出來るだけ身體を溫め保溫力の欠陷を補ふべきことは自明の理と存じます。又心臟部に溫罨法、、、、を施します、これに依りまして心臟及肺臟の機能を著しく促進さす作用があります。

第六、「イルリガートル」の備へ、、、、、、、、がありましたら、生理的食鹽水を注腸いたします。これには一方には(a)五〇

○乃至一〇〇〇「グラム」のイルリガートル」、(b)一乃至一、五「メートル」のゴム管、(c)先端の細くなつてゐる嘴管、(d)10—12番の「ネラトン」の柔かい「ゴム」製の「カテーテル」を(a)十(b)十(c)十(d)十の順序に連結します。他方には五〇〇「グラム」の微溫湯に四—五「グラム」即ち約一茶匙の食鹽を混じて生理的食鹽水を作ります。かくして此の生理的食鹽水を「イルリガートル」の内に容れます、その時「ゴム」管を「イルリガートル」に近く指にて壓迫して生理的食鹽水の流出せぬやう注意しなければなりませぬ。次に「ネラトン」の「カテーテル」に「ワゼリン」なり「オレーフ油」なりを塗りて之を滑かにし、徐々に肛門内に殆んどその全長を挿入いたします。次ぎに「イルリガートル」を徐々に一尺、二尺と高め液が直腸内に流入し始めたら其の高さに保ちます。もし「イルリガートル」を高めて三尺位まで來ても液が腸内に流入しませんでしたら、「カテーテル」を肛門より徐々に一寸、二寸、三寸と抜き出だします、そしてある所で液の腸への流入が始まりましたら、再び「カテーテル」の殆んどの全長を直腸内に挿入しまして「イルリガートル」の高さはなるべく低くするうに努力しながら液の全量が腸内に流入した後に、「カテーテル」を去ります。注意すべき大切なることは食鹽水の注腸を行ふ前に「リスリン」の浣腸を行ひ排便されることです。すると注腸を樂に、しかも完全に行ふことが出來ます。此の處置の目的は、出血によりて全身の血液の多量が失はられた場合に食鹽水を注腸致します、直腸の水分の吸收力は非常なもので約三十分位で食鹽水の五〇〇「グラム」を吸收致します。吸收された食鹽水は血管に入り血液に混じて全血量を増加を來たし、同時に血壓も高まり、血液の循環が完全に行はれるためです。

第七、もし酸素吸入器の備へがありましたら、酸素吸入を行ふことは頗る合理的の處置であります。出血のために血液を失ふと酸素の運搬者たる赤血球の數も減します、しかるに運搬者の數は減じても酸素の供給が多ければそれだけでも身體のあらゆる細胞の受ける酸素の量は増加し、此等細胞の活動力を盛にならしむる利益があります。

御參考までに申し上げますが醫療上用ゐられる(一)生理的食鹽水注射の目的は前述せし處に依つて充分御理解できたことゝ思ひます、(二)葡萄糖液の注射は血液の水量の増加と同時に榮養物であり且つ心臟を强める力を有する葡萄糖が加はるだけの利益があります。(三)輸血は

血液其のものを補給するので、水分はもとより、赤血球榮養物まですべてのものを天然自然のまゝに補給することが出來、全く理想的な方法であります。此の方法によりて人類にどれだけ多く起死廻生の大恩惠を與へてゐるか判りません。しかし輸血が今日の危險なき位置に到達いたしましたことは洵に學者の涙ぐましい努力の結晶でありまして、多くの學者が幾多の失敗に失敗を重ね、しかも不撓不屈遂にその目的を成就いたしました、歷史は人類の文化史を飾るに足る光輝ある業績であります。

以上にて姙娠時の出血に對する應急處置の大體を申述べました。次にその原因を述べたいのでありますが、これと專門的に亘り眞の御諒解を得ることは非常な困難の仕事であります。そこで姙娠の何時如何なる原因による出血が來るかと云ふことゝその主なる症狀を簡單に述べることに止めます。

(1) 姙娠の初期に來る出血

a 流産—之は姙娠の初め三ヶ月殊に第三月に起ることが最も多いのであります、此の時期の運動旅行は禁ずべきであります。

b 子宮外(輸卵管又は喇叭管)姙娠—之れは姙娠の極めて初期殊に來るべき月經が少し遲れたといふ場合に起るもので、主なる徴候は今まで何等の變狀なき婦人に「ダシヌケ」に突如として劇烈な下腹痛(これは御腹の內へ大出血を來すために起ります)を訴ふと、同時に急性貧血の症狀を呈します、又これは同時か或は遲れて膣よりの出血があります。

c 葡萄糖狀鬼胎—主なることは子宮の増大する度が非常に速にして、第三ヶ月で普通の十ヶ月位の腹となり、時々極少量の出血をなし、第三乃至第五月に至り多量の出血を伴ひて葡萄の粒のやうなものを多量に排出いたします。

(2) 姙娠の後半期に來る出血

a 前置胎盤—之れは度々御産をした方に多い、胎盤は子宮の上の方に附着してゐるのが正常であるのに、下方子宮口の附近か又は子宮の上に附着するものでありまして、お産が始りてか又姙娠中に輕陣痛を伴ふか又は突然に大出血を來すものであります。

b 胎盤の早期剝離—胎盤は子宮の上方に着き即ち胎盤の位置は正常でありますが、胎兒の生れざるに先ちて剝れて子宮内に非常な出血を起します。ので姙婦は突如劇しき腹痛を訴へ急性貧血に陷るものであります。

母を語る子供

河井道子

教師が生徒の家庭、殊に母親を知らんとせば、其生徒に注目することであります。生徒が幼稚であれば幼稚だけ、何につけても父母のこと、特別に母のことを無邪氣に語ります。追々成人するに從ひ、そう輕々しくは家庭の事は申しませんでも、彼等の自然と出る言葉の中に、又咄嗟の場合の行爲に平常の擧動に其親がよく表はれるものであります。何も親につき口では語らぬ子供が一方にあると、又他方には自分の家のことを自慢したくて仕方のない子供もあります。どちらにしても親を語つて居る譯であります。

一人の虛榮な母がありました。人から借金しようと、迷惑をかけようと一向平氣で只々自分達が有富らしく外に見せ度いのが病でした。此母に女學校ゆきの十六歳の娘がありまして彼女は同級生達に家が金持らしく云ひふらし、一枚の着物を新調すると數枚も求めたごとくに話し、一度デパートで食事をすると毎日でもする樣に吹聽して得意がつてゐましたが、彼の家庭の實際を知る人々は顰蹙して將來此娘は母親以上の虛榮者となると心配してゐました。これは子が母を語る惡い資料の一であります。もう一ッの實例を紹介いたしましよう。其は六ッになる田舍町の少女であります、彼の母は正直者とはいへ誰彼の區別なくガミ〳〵叱りつける性癖がありました。夫であらうと、子供であらうと、彼女の譴責を受けぬ者がないのです。少女は母を好きではあつたが怖がつてゐました。一日父が新聞の附錄の美人畵を娘に與へました處

娘「これ誰？」父「別嬪さん」

娘「別嬪さんて誰？」父「藝者さん」

娘「家の怖い母ちやんでなく此別嬪さん藝者さんを母ちやんにしてよ」

父も側にゐた母も抱腹絕倒したとのことですが、これが何で笑ひ事でありましよう。考へる母ならば戰慄して泣いて己が非を悔改めなくてはなりません。實に神は嬰兒の口により母を奬勵もし又譴しめもなさるので、子供のはなしを神の聲として聽くことの出來る母は幸であります。

眞に母に對して深い愛情を抱いて居る間は、必らず更生するものであります。其で子供が人前にて語る價値ある母を持つ子は幸兒であり、其母こそ良母であります。他人にとつては何程詰らないものでも、此は母の形見だとて一枚の古着を大切にしたり、流行後の裝身具を愛用するなどを見ますと、一種美しい情操に打たれるものであります。況して逝ける母の美德を至寶として大切に記憶に保存する人々には敬意を表さずには居られません。

一日某女史の講演を聽きに參りました。彼女が語る或母は彼自身の母であることに氣付いた者は少數であつたかも知れませんが、私にはよくわかり、美ましい樣な心地が致しました。かくも娘が自母を正直に何處にても稱讃できるとは全く美談であると感銘の外ありませんでした。此母なる人は武士道の精が受洗して王道の新生命に甦へりたる如き人物でありました。卽ち日本古有の婦德なる從順、柔和、謙遜、犧牲の精神に基督の信仰、希望愛の新血を輸血された基督敎的日本婦人の典型でありました。彼が外國にて客死した末娘の訃音に接し堰止めなき淚の最中、何事も知らず私用にて來訪者があつた時に彼は急ぎ淚を拭ひ、平素と變らぬ落付を以つて客に應對したる態度や、又自身が病弱になりし時と雖も、寡婦となりし娘の幼兒を引取りて、海外にての數ケ年の研究を娘に斷行させしことや、神が娘の業なる迄は地上に生命を許し給ふとの確信から、危篤なりとも娘に報知するを拒絕し、終に其信仰の如く生きながらへ、娘の歸朝をみ孫を其母に渡して安心して昇天されし實例を以つて母の美德を衆人に語りし女史如き幸福な人は幾人あるかしらと、當時の感激今も新なものがあります。私自身も私に取りては實に無比の良き母がありましたが、此女史の生れざる先より信仰に入られし母と、私の母の如く晩年に信仰を得し人とは大きな大きなひらきがあるのは當然であります。從つて羨ましさを感ずを無理ではありますまい。斯くの如き母を持つ子は普通の者よりは五十步も百步も先に進んでゆくは是又當然のことであります。恰も競技競走の場面でよく了解が出來ます、いざと云ふ間際になつて空腹だ、氣分が勝ぐれない、規定がわからない、忘れものしたなどグツつく選手と、凡ての準備が整つて活力全身に漲りスタートを切らんと身構へするものとの先着競爭は見ずして勝敗がわかつて居ります。此と同樣に母を讃美しうる者、しかも信仰ある母を讃美し得る者と、子供に無視されたり、氣の毒がられたりする母、又其迄でなくとも、子供の敬愛受け得ざる母の子が人生の向上前進の競爭場裡に立ちて、如何なる採點をするかは明白すぎる程明白であります。

一體、基督敎々化の普及せぬ社會、家庭では女性が一般に尊敬されぬゆゑか、立派な母があつても其子供が母の美德を語るは稀であります。尤も東洋には孝子は澤山出たのですが、子供が口にて母を語ることは少いし、普通の書物には割合に少いとおもひます。勿論時々は西洋かぶれした人々が態とらしい書き方で母を紹介したり、又昔の日本の母性を無理に公表しようとする如き缺陷があつて、不自然に流れる文學はあります。だが東洋では自分のものは何にても遠慮し謙讓する精神から、母も又「愚妻愚女」の圈內から脫し得ぬためかも知れません。しかし今後は此習慣を打破してよき母を自然と語り得る自由を子供に與へられ、又語るに足る母がドシ〳〵增加する事を御互に祈り度いものであります。西洋諸國では偉人が自分達の母を讃へるのは周知の處であります。リンカン・グラント將軍、ウヰルソン大統領、カイザルウヰルヘルム一世、畵家ミレー、電氣王エヂソン達の母を讃美するのは小學生でもよく知つてゐます。又普通人でも西洋人中には母を語る息子、娘が多いのであります。前述の如き惡例は除外として日本の社會、家庭にもつと母を語らしめ度いものであります。よい母が話題である處には惡魔はよりつきませんと信じます。

世に母たる者、又肉體的に母の特許なくとも、神より母性を共享した凡ての婦女は、母心の向上聖化のため、親心の源なる神に信仰を持たねばなりません。何故に肉的、心的の子女より眞の敬愛を受くるか、受けぬかを深く思慮し、如何なる方面に於て自分が彼等に代表されるかを反省して、智慧と能力と愛の源なる主キリストの上に跪づかねばなりません。かくするに依り始めて母たり姉たり師たるの資格卽ち神の御旨を行ふと云ふ焦點に引付けらるゝのであります。私共が信仰に生きて孜々として勵み銘々女としての立場を守るときに世人は冷笑して、「あんな女」の一言を以つて無視する場合にも私共の內なる人は女性としての最上の喜悅に滿たされる時が參るのであります。何故ならば主キリスト御自身が

「視よこれは我が母、我が兄弟なり、誰にても神の御意を行ふものは、是わが兄弟わが姉妹わが母なり」とて私共を語り下さるからであります。女として此以上の讃辭が地上にも天上にもないのであります。幸福なるかな神に從ふ女性！

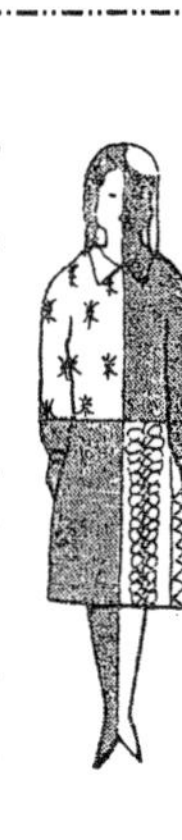

"おねしよ"をする子供

三歳までに習慣づける

愛育會 山下俊郎氏談

段々夜寒になると、つい便所におきるのが億劫になつて、寢床の中でおねしよをする子供が多くなりますが、夜のおしつこも習慣のつけ方次第で粗相をさせないで濟むものなのです。

小さい時には赤ちやんは夜おむつを當てゝ寢るのが普通です。我々の幼兒の現狀を調べてみても、二歲半頃には夜のおむつも要らなくなるのが普通であつて、いくら遲くとも三歲迄にはおむつなしになるべきが當然です。よく三歲を過ぎてもおむつを當てゝ平氣で寢かす母親を見ますが、成程蒲團は濡らさないけれどもおむつにするのでは立派なおねしよだと云ふ事を知らないのではないでせうか。そこで夜のおしつこは二歲半以前の時期から習慣づけられなくてはなりません。

ブラツツと云ふ人は一歲一ケ月乃至一歲三ケ月の間に夜定つた時間に起してさせる習慣をつけ始めるべきだと云つてゐます。

ところで、この起し方に一つの問題があります。と云ふのは起してさせる時には「おしつこしませう」と云ふ風に云つて目をさまさせる事が必要です。それも始めの內には半醒半睡の狀態でよいのですが、少し大きくなつたら、ハツキリと眼をさまさせて出來るなら步かせて連れてゆくと云ふ風にしてさせるべきです。

眠つたまゝ抱いてさせてゐたのでは、いつ迄たつても習慣がつきません。

眠つたまゝでは蒲團は濡らさないけれども、子供自身にとつては寢床の中でも御不淨でも結局變りないからです。おねしよを豫防する上からも、是非眼をさまさせる事が必要なのですが、かう云ふ習慣のついた子は案外少いのではありませんか？

少年教護讀本

川口信教

第A課　少年教護の十二年

緒　言

私は十二年の昔—大正十三年に東京の學窓を出ると、餘震まだ斷へぬ關東より安全な關西へと逃れ、大阪府立の感化院に奉職した。

時の院長武田愼治郎氏は、この仕事は地味な仕事であるから、青年の意氣にまかせて花々しく活躍して効を焦るよりは、どつしりと根を大地に下して、氣永くやられば効果は少い。それには凡そ

理想時代　三ケ年
悲觀時代　三ケ年
自覺時代　三ケ年

の三階段を經れば一人前となれないと體驗を語つて下された。

然しこの説をよく味へば、獨り少年教護事業のみならず、總ての事業は皆この三時代を經れば、ほんとうの人間になれない樣に思はれる。

然し余はこの三時代の初に更に

研究時代　三ケ年

を經た樣に思ふ。そして十二年後の今日漸く、少年保護事業家として働く自信を得た。

◉研究時代（大正十三、十四、十五年）

道府縣立感化院教諭といふ、いかめしい辭令を頂戴したものゝ、學校で學んだことが役に立つ譯でもなく、經驗がある譯でもなく、加之二十三歳の青年である私は、全くどう手を付けてよいか夢を見る樣であつた。そして總ては試誤的であつた。

最初に貰つた俸給を、祖先の靈前に供へた後記念にこれで背廣を一着買ふ豫定で、錠のかゝる行李に入れて置いて、一女生徒に盗まれ、彼兒をして無斷外出の動機を與へ、院長に叱られたのも、今に忘れられない事件である。生徒の訓戒よろしきを得ざりし爲め、一生徒が院長の許へ直訴したのもこの時代であつた。この時代は總てが失敗の連續であつて、受持家庭は度々變更させられた。

然しこの研究時代に幸か不幸か、共同で受持つてゐた對者の保姆が、退職の爲め、後任の就任まで、前後五十餘日保姆代理を勤めたことであつた。これが何よりの研究で、教護院に於ける保姆の仕事を理解するよい機會となつた。

この時代は事務や雜務も少く、教室は尋五、尋六を擔任してゐたが、教室で生徒に隨分騒がれたのには手を燒いた。

この研究時代の終期に、妻帯して保姆に奉職せしめ、二人共稼で家庭を擔任することゝなつた。

この研究時代に、兵庫、京都、滋賀、三重、愛知、長野、富山、石川、福井、神奈川の各感化院と、東京の井之頭學校、國立感化院、奈良少年刑務所、浪速少年院等を視察し、内務省社會局に於ける保護兒童講習會に出席して研究の資とした。

◉理想時代（昭和二、三、四年）

理想時代の第一歩に入つたとき、直接指導を受けたる斯界の元老武田院長の勇退があつた。

そして後任院長には新鋭の手腕家熊野隆治氏を迎へて、茲に居ながらにして、所謂二つの感化院に勤務した味を體驗するを得た。

この理想時代は、面白くて自己の理想に向つては、勇しく突進して行くもので、所謂、最も油の乘り切つた時代で、そして如何なる不良兒も自己の力で遷善出來ると考へて、子供の精神を省みず、唯自己の信ずる所を實行して行くものである。私もこの時代は自己の理想に向つて一路邁進した。

そしてこの時代は高等科生を受持つた關係からして、釋迦に於ける華嚴の説法の如く、高遠な理窟を述べたりして、得意になつてゐた時代であつた。然し講堂訓話をしても慣れない爲め自分で話さうと思つた案が、その場になると云へなくなつて、時間を過すのに困つたこともあつた。

この頃、大阪朝日新聞社より五ケ年以上感化院の勤續者として表彰され、知事別館で買喰研究の講演をして得意になつてゐたのもこの時代の一風景であつた。

◉悲觀時代（昭和五、六、七年）

この時代になつて、始めて生徒の素因の恐ろしいものであるかを覺つた。如何に教育に熱心に盡しても、到底私の力のみでは彼等少年を教化することが出來ない。退院者の保護が緊要だ。社會の理解が必要だ。環境の淨土化だ。兩親の再教育だ。優生學に立脚した素質の改善が急務だと、種々の煩悶が起つて、自己の力の如何に弱いかに氣付いた。それは理想時代に退院せしめた生徒で、素質の惡い者の失敗する者が多かつたのにもよるもので、これ等が他の機關に再収容になつたり、自殺する者、病死する者も出て、悲觀の材料のみが目に映つた。

餘りに自己の力の弱いこと、よこんな事業に見切りを付けて、他へ轉職しやうかと何度考へたか知れなかつた。

◉自覺時代（昭和八、九、十年）

無斷外出者を、私の擔任家庭より出さないこと二ケ年に及び、レコードを作つたので表彰されたのもこの時代である。この頃は子供の取扱に慣れ、總てに焦らず、落付いた氣持で教育を施してゐた。

別に訓戒らしい訓戒をしたこともなかつた。斯界の先輩故留岡幸助師に教へられた無監督の監督と云ふ超論理なるものも理解出來たし、よく飯べさせる極意も實行することが出來た。これが所謂一種の術と云ふ物かとも思ふ。教授は技術なりと云ふは、誠に至言である。この頃は低學年を教へたので、童心に還つて教育に當つた。童話も漸く物になり、講堂訓話でも喜んで生徒から迎へられる樣になつた。又實業教育としての特産の葡萄を作ることも、漸く手に入り、無斷外出の探査に行つて、市の盛場に徹夜しても苦しく思はずして、翌日は教壇に立つことが出來、且彼等の徘徊場所も凡そ見當がつく樣になつた。この時代の中頃

昭和九年十月十日に

感化法が廢止されて、少年教護法の實施となり、從來の感化院は、少年教護院と改稱され、感化院教諭が、少年教護院教諭に變名された。これは劃期的の一大變革であると云はればならぬ。

こゝで特記すべきは、昭和十年三月十五日に

皇太后陛下より少年教護事業に對し勞績尠からずとして文鎭御下賜の光榮に浴したることである。これは全く未曾有のことで只管恐懼感激泣して益々少年教護事業の爲め粉骨碎身を誓つたのであつた。

◉結

少年の教護に從事するものは、三ケ年で神經衰弱を患ふと云はれる位、心身の消耗が甚だしい激務である。

この十二年間には、多くの同僚と共に働き種々の性格の人と生活を共にして來た。

然し何れも、私を指導し且つ修養反省の資を與へて下された。かくて百餘名の退職者を見送り、中には現職のまゝ、死別した人、退職後鬼籍に入つた人も七、八名はある。そうした犧牲者には心から追悼の意を表する次第である。

この十二年間は私生活に於ても、人間らしい喜びと悲しみの連續であつた。

その主なるものを擧ぐれば

第三年　妻　帶

第四年　長男誕生

第五年　母に死別（六十三歲）

第六年　次男誕生

第十年　父に死別（七十六歲）

第十二年　大谷派社會事業叢書第九編『少年教護事業に就いて』を著作

この人間としての悲喜に遭遇しながらも唯少年の教護を天職として努めてゐる次第である。

生れて三十餘年、この賴山陽の由緒のある、河內の嵐山は、私の故郷雪の北國よりも濃い印象を殘さんとしてゐる。

第B課　少年教護体驗（一）

（氏名並に地名は總て假名）

◉或る日の電話

『チリ〳〵〳〵』

と電話の音がしたので、出て見ると、構內電話であつて、

教務主任の岡山先生が

『新入生が一人あなたの家庭へ、編入されることになつたからつれに來てください。』

とのことであつた。

時は大正十三年九月末で木の葉が一葉二葉と秋風に吹かれて散り、午後の大陽は軟く照つて、朝夕はうすら寒さを肌に感ずる頃であつた。

私は他の生徒と共に花壇の手入の最中であつたが、その手を止めて、事務所へその新入生を迎へに向つた。

それにしても、私の家庭は現在十二名で丁度定員で都合がよいのに、この上一人增加されると、机やふとん等を何んとか心配せねばならぬ。

それよりも氣にかゝるのは、

どんな子供であらうか知ら?

手を燒く樣な始末の出來ぬ子供ではないか知ら、私の家庭では永い間、無斷外出者がなく、平穩に生活してゐるのに、新人が來て現在生でも誘つて逃走し、大きな波紋を作る樣なことになりはしないか知ら

と色々案じながら事務所へ行つて見ると

そこには四十歲に手の届きそうな婦人が質素な身なりをして、歲はとつたとは云ひながら顏の輪廓も相當に整つて、別にインテリ階級とは思はれぬが、一見して職業婦人らしいタイプのお母さんが、椅子に腰をかけ、その橫に十一、二歲の目鼻正しい可愛らしい、絣の袷を着て黑い帶を締めた一少年が、うつむき加減にして立つてゐた。

私が其處へ來たのを見た、教務主任が、そのお母さんとの話を止めて

『川口先生』

『この子ですがね、本日から入學して、あなたの家庭にお世話になるのは、そしてこゝに掛けて居られるのが、この子のお母さんです』

と紹介され、そしてその親子には

『本日から直接お世話になる第六家庭の川口先生です』

と紹介された。そして

『名は大山重三郎で、歲十二歲です』

と云ひながら、調書を私の前に出された。

そこで私とそのお母さんとは挨拶を交した。そしてお母さんは

『これ先生にお禮をしなさい』

と重三郎に云はれると、

それまで默つてゐた重三郎は輕く頭を下げた。

そこで私はその調書に目を通した。

そこには親子の原籍、住所、氏名、生年月日、出生地、出生別、母の職業及び收入子供の持物及經歷、惡化の原因、特癖、教育程度、家庭狀況等が型通り記入され、別紙には院醫の診斷書と、心理檢査の成績表戸籍謄本、入學願書がついてゐる。

その間教務主任は、その婦人に、在院費及着物のこと面會に來ること、手紙を出してほしい等、或は逃走の場合のこと等話してゐられたが

『それでは、この川口先生と一緒に、その家庭の生活狀況をも見て、そして子供を第六家庭に預けて歸つて下さい』

と云はれたので、私は

『さあ一緒に參りませう』

とその母子を案內して家庭へ歸つた。

◉弱き は 女

この親子を家庭の私の室に通して、保姆である私の家內も出席し、お茶を出した。

私は調査書を見たゞけでは、この子に就て充分知ることが出來ないから、この調書に基いて母に訪れたいと思つたので、重三郎がゐては都合が惡いし、且つ一刻も早く他の生徒と馴染ませるの得策を考へて生徒の所へやつて一緒に遊ばせた。

そして先づ

『原籍は』

『京都市上京區立賣通○○町で、今は弟が戸主となつてゐます』

『現住所は』

『大阪市西成郡○○町であります』

『重三郎の生年月日は』

『明治四十五年五月四日生れでございます』

『學校は』

『○○小學校の尋常四年生です』

『重三郎の生れた所は』

『京都市の原籍地で生れました。』

『あなたの現在の職業は』

『○○電車の踏切番をしてゐます』

『失禮ですが收入はどの位でありますか』

『三十五圓位であります』

『この子の父は、今何處にゐるか知りませんか』

『多分九州にゐると思ひますが、はつきりわかりません』

私は戸籍謄本に父の名がなく、私生子となつてゐるのと、調書に七年間同棲したと記してあるところを比較して、不思議に思つたので

『なぜ七年間も同棲しながら、正式の婚姻屆を出してこの子を嫡出子とせなかつたのですか』

『それを聞かれると、私は自分の愚さを今更後悔してゐます。私は家は貧しかつたものですから、小さい時から西陣の糸織工場の女工をしてゐました。それから緣あつて一度は嫁にも行つたのでしたが、或る事情で別れて再び工場に通つてゐました。』『丁度二十六歲のときでした、長崎生れの男がその工場の男工として來ました。色白く男前であつたのと、長崎の或る工場を經營してゐる父の長男だが、京都の工場を研究に來た等と云ふ甘言に誑かされて、遂に許してしまつたのでした。』

母は今更の樣に落つる淚をぬぐいつゝ、お茶を一口飮んで話を續けた。

『そして同棲する樣になつてから、賭博の常習者であり、且つ女道樂の惡癖を持つてゐると云ふことを知つて、大いに驚きまして、よく調べて見ると、長崎の工場主の坊んとは眞赤な僞言で、十五六のとき、長崎の家を出て、下關で一度刑を受け、生家から勘當されて、諸所放浪し窮餘の末京都へ流れて來たと云ふ樣な、あばずれであつたのです。

そこですぐ別れようと思ひましたが

然しその時は、この子が旣にお腹の中で動いてゐたのでござゐます。そこで仕方がないのでそのまゝ一緒にゐますと、

男はそれを知つて、どこかへ去つてしまつたのでした。全く男と云ふ者は何と云ふ薄情者かと恨みました。そして幾度か自殺を決心致しましたが、この子が可愛想で、そのまゝ生れるのを待つてゐました。』

『その頃、工場を休んで家にゐたのですか?』

『いゝえ、何しろ家が貧しいものですから、この子が生れる、その日まで働いてゐました』

『それでは母體の爲にも、この子の爲にもよくありませんでしたね』

『體の方も勿論よくないことは判つてゐますが、それ以上に、どれだけ心を痛めたか判りませんでした』

そこで私は

『全くそれでは、胎生中の不良感動と云ふのですね、この胎生中の不良感動は生れる前から惡い先天的な負因を持つことになります。この種の子供には、この胎生中の不良感動に原因する者が多いですよ』

『そして生れるときは、別に異狀はなかつたのですか』

『はあ、私はお蔭で體が丈夫であつたので、つはりも致さず、働いてゐた關係か、お產はまあ普通のやうでした。』

『その後夫と遂に會はなかつたのですか』

『いゝえ、夫は困つたときは、とき〴〵歸りました。そして時によると三ケ月、半年位居ましたが、又飛び出しました』

そこで私は不思議に思つて

『そんな夫を、又どうして家に入れたのです』

『そこが、女の弱さとでも申しませうか、又はこの子が可愛いので、何とかして夫婦になつてこの子を育てたいと云ふ、母心も手傳つてつい入れたのでした』

『なるほど、その氣持は判りました。夫は何回程出たり、入つたりしましたか』

『四回です』

『その間、何年程この夫と關係がありましたか?』

『前後七年間です』

『その間重三郎をお手許で育てましたか』

『いゝえ、夫が家出したので、食べることが出來ずして、再び女工になる爲めに、重三郎の二歲のとき、里子にやりましたが三歲の時夫が歸つたので、里親の所からつれて歸りました。然し夫が又家出したので再び里親の所へ預けました。こんな事が二三回ありまして、預けたり、もどしたりして、五歲の時から自分の手に育てました』

『それでは重三郎一人しか生れなかつたのですか』

『因果なもので、妹が一人生れましたが、思ひ出せば、大正三年十月、私が最後に夫から逃れて大阪へ來たとき腹の中にゐたのですが、心配が元であつたのか、翌年四月に、生れて半ケ月に、幸か不幸か彼の世へ旅立ちました』

といひながら母は淚ぐんでゐた。

◉幼 兒 の 家 出

『この子は、何か病氣をしたことが、なかつたですか』

『四歲のとき痙攣を三回致しました。その時は隨分心配しましたが、幸ひに全快しました』

『不良癖は何歲位から、出ましたか―』

『里親の所から、私の所へ引取つた五歲頃からあつた樣でした。でも小さいからと思つて、そんなに氣にかけなかつたのでした』

これには私も驚いた。なるほど幼兒時代に轉々と、住居を變へ教育方針を變へることは惡いと思つた。

そこで私は

『五歲位の頃には、どんな不良癖があつたのですか』

すると母親は

『五歲のときに、五十錢、一圓と私の金を持ち出して、買喰ひや、玩具を買ひました。そして叱ると、五歲の幼兒であるのに家に歸らなかつたことが一夜あつたのには全く困りました。後で聞くと、家と家との建つてゐる間の隙間に野宿したと申したのには驚きました』

そして尙、母は言葉を續けて

『この重三郎は叱ると、必ず家出すると云ふ彷徨癖があるので困ります。それにしても、私が每日家に居れば、こんなにまで惡くはならなかつたですのに、何を云つても朝から夜まで工場に行きました關係で、益々惡くなりました。弟の家には、その中嫁も來て、子も出來たので、氣兼であつたのと、夫の周圍から行方をくらまして全然緣を切りたかつたので、大阪へ逃れて身を隱し、踏切番となり、そして何とかして、子供を每日監督したいと思ひました。

所がその頃、大阪福島の或る家の二階を借りてゐたのですが、その階下の人の金五圓を重三郎が盜んだので、その辨償に困つたこともありました。

又私が、虎の子の樣にして隱して持つてゐた七圓を盜んで、巧に隱滅したのには、閉口しました。

これでは一層一思ひに、この子と二人電車の下になつて死なうと、何度思つたかも知れませんでした。それでも母一人子一人であるので、そんな思ひ切つたことも出來ずして、遂に本日に至りまして、重三郎は益々惡くなるばかりであります。惡くなれば尙可愛いのが親の情とでも申しませうか、どうしても可愛いのです。そこで或る方面委員から、本院のことを知らして貰つてお願ひにあがつた樣な次第です。何卒先生樣方のお力で、この子が立派になる樣お願ひ申します』

と淚ながらに申されました。

第二の國民を
丈夫にお育て下さい

私だちがより健康に元氣で働いてゆくためには毎日のご飯をできるだけたくさん攝りそれを充分に消化吸收して血や肉に同化し榮養を高めることが何よりも必要です。

特にそれがお子だちの場合には――發育成長してゆくために非常にたくさんの榮養が要るのです。ですから、毎日のご飯をできるだけたくさん食べさせるやうに工夫しなければならないわけです。

ところが、どちらのご家庭でも一ばん手こずるのはお子だちの好き嫌ひです。お食事のたびにあれはいやだ、これは嫌ひとだゞをこねてお母さんを困らせるものです。滋養分の供給が減りますから、だん〳〵榮養が不足して身體が痩せ神經質になつて發育が遲れるなど――いろいろの榮養障害を惹き起すこととなるのです。

お母さまがた――こんな場合叱つたり、すかしたりしてもそれは無駄です。お子さまがたが好き嫌ひするのは身體の中にビタミンB複合體といふ榮養素が不足しそのため胃腸の働きが弱つて居る證據です。ですから何よりもこの大切なビタミンを差しあげることが急務ですが、それはエビオス錠の連用で簡單に解決できます。ビタミンB複合體のかたまりといはれる麥酒酵母の錠劑で、お子さまの胃腸を丈夫にして榮養を改善するためには誂へ向きだからです。

幼兒を耕す

ツカダ・キタロウ

六三　パチパチ小僧

「澤田正二郎氏」と言へば、知る人ぞ知ると言ふ言葉の通り「俳優」であります。然も最も新しい、そして最も有名な「俳優」の一人でありまして、「役者」と言ふ昔の呼び名の持つ意味とは違つた、「藝術家」としての感じを、誰しもが受ける人であります。

その澤田正二郎氏が、親として即ち父親として、如何に勝れた善良な父親であつたかを知る機會を得て、私は一層の尊敬の念を深うしたのが、その著「パチパチ小僧」であります。

此の著は、昭和二年三月一日に發行され、同五日に再版されたものでありますが、文藝春秋社出版部で發表されたものに拘はらず、その發行所が「新國劇事務所」であつた關係からか、一向世間的に（私共の仲間の方へは）頒布されてゐないのでありまして最近私は、例の古本探しの餘德として手に入れた一つであるのです。

四六版一四〇頁の畫と文の感じのいゝ本でありまして、定價は壹圓九拾錢ですが、頗る安價（內容と比較して）だと信じます。幹事（劇團の）俵藤氏の跋を左に御紹介しませう。

六四　本書の定價に就て

我が新國劇が、東都を離れて旅興行の每日々々に、著者澤田氏が、その二人の愛兒の爲に、多忙の中より怠らず書き送られたものゝ中の、三種だけを集めたのがこの書物であります。

最初は著者も言はるゝ通り本にする意志などは、全然なかつたものなのですが、不圖したことから、ホンの簡單な小册子にまとめるつもりで、定價も壹圓位と豫告をいたしました。

さて、愈々着手してみると、より立派なものにしたくなつて遂々、こんな贅澤をしてしまひました。

豫告の約二倍の定價になりましたけれども、この本の實費が各書店の卸値以上だといふことは專門家や書店でお調べになりましたら解つて戴けることゝ思ひます。

一言、編者として正直な言譯を申しあげ只管の御評判を希ふ次第であります。

全く俵藤氏の言葉の通りで、本にするなどの意志がなく、全然親心の發露でありますので尊い譯であります。

著者は故人でありますし、遺兒も立派に成長して、夫々父の遺

志を繼いで居られる事と信じますので、內容を一部轉載させて頂き、大方の親達の敎訓とさせて頂き度いものと、勝手な無理を考へ出した譯です。

先づ、著者の序文より寫させて頂きませう。

六五　著者として

子供！　子供！

世の中のすべての人が、子供のやうな氣持をもつてゐたら、どんなに嬉しいことでせう。

人は、子供に對する時、心身のすべての邪惡が淸められ、たゞわけもなく慈愛の泉に身をひたす。

子供は、宗敎であり、人間生活の敎訓標であります。

私は子供に對して座る時、自己を悔いさせ、はげまし、導いてくれる大きな靈魂の力を感じます。

この本は、私が、その尊い子供たちへのつゝましい捧げものなのであります。

公にする心算はなかつたのですが、こんなまはりあはせになりました。

でも、何かのお役に立ちますならば、私のよろこびはこの上もないことです。

昭和二年一月寒い夜　　正二郎生

「子供は宗敎である」然も宗敎と言ふ字にはかみさまと振假名が附してありますが、果して、どれ丈けの親が澤田氏の如き信念を持つて、子供の敎育に努力を致して居る事でせうか。

今日の宗敎家の中に、又敎育家の中に、或は又社會事業家の中に、これ丈けの覺悟と信念とを持つて、子供の敎育に從事して居る人が果して何人あるでせうか、甚だ恥かしい事であります。

「日曜學校なんどは、迷惑千萬なものだ」などと公言してゐる牧師がある。又僧侶も私は知つてゐます。

「幼稚園なんどと言ふものが附屬してゐるので困る」

こんな言葉を平氣で口にしてゐる校長（園長兼任の）や牧師が澤山にある。私自身が耳にしたのがある。

「幼稚園は女學校敎育の邪魔になる」

女學校の校長の言としては、不思議千萬な噂が世上には傳はつてゐる。こんな女學校の校長は、多分「女學校の卒業生が、母親になる事は迷惑だ」と思つてゐるらしい。

これ等は「澤正」なる一俳優の前に、恥死すべきの人種であります。

六六　澤田君の漫畫に就て

岡本一平氏の序文

澤田君が漫畫を書くと聞いたら誰しも意想外に思ふであらう、そして俳優のたかの知れた餘技と思ふであらう。筆者も最初さう思つた一人である。

ところがその製作を見て、竝にその製作をするに至つた動機を知るに及んで、輕々しく觀過すべきものでないことを悟る。これらの漫畫は、澤田君が彼の愛子の爲に日々一葉づつを、舞臺上の活動の暇に執筆したものである。旅先の繁忙より家庭の子

供を顧る至情が彼の筆を動かした。

舞臺上の澤田君は、善惡双双の劔を振りかざし、人間性の桶底まで斬り割つて示さではやまじとする藝術的勇氣凜々たるところの澤田君である。とても近寄り難い。

この漫畫を描く澤田君になると、子供の機嫌を取り、子供の無垢に拜跪する、愛に目のないパパさんの澤田君である。

更になほよくこの漫畫を觀察する。すると彼はこの漫畫の筋の中で、ひそかに子供の爲にメンタルテストを行ひ、思想上の暗示を與へ生活に就ての綿密な注意を促して居る。愛の放送の無電として、漫畫を使つて居る外に、家庭敎師の鞭としてまた漫畫を採用してゐるのを發見する。甘いパパ丈けではない。同時に賢いパパである。

かくて、漫畫を畫く澤田君を意想外でないとするものも、この賢いパパとして澤田君を見出す事を意想外とするやうになる。尊敬すべき意想外である。

僕は、漫畫が斯ういふ至純な使命に使はれた事に敬意を表し悅んでこゝに序文の徵に應じた。

そしてこの書の仲介により、澤田君の諒解が一層世に深めらるゝを希ふものである。

若し又漫畫家としての澤田君の技倆に就て訊かれたら、僕は次の臺詞をもつて答へやうと用意してゐる。

「彼はなか〳〵やるよ。」

昭和二年新春

六七　パチパチ小僧傳

第一話「パチパチ小僧傳」は九月二十四日「神戶にて」を第一信として、翌月二十三日まで一ケ月間即ち三十一信も續いてゐる漫畫物語でありまして、そのハガキには、それ〴〵に通信が附記されてあります。

これには久松さん（有名な女優で、諸君が既に御存じの通りです。多辯は禁物）の代理の通信が六通混つて居ります。久松さんの代筆は、次の「ガンコな父さん」の中にも一通ありまして、都合七通ありますが、その通信文を通して、如何に久松さんなる女優が勝れた女性（女優としては勿論の事）であるか。又同時に、澤田正二郎氏の如何によき理解者であり、助手であるかを察し得られるのです。然もそれは藝の上に於てのみならず、よき母性としても猶、澤田氏のよき父性と共に對比さるべきの感激を覺えさせられるものがあるのです。

芝居道に暗き私には、彼是の間に如何なる交涉のありしやは知りませんが、僅か六通の短文を通じて感ずる私見は、上述の如きものでありまして、果して當れるや否や、頗る自ら興深く思つて居る次第であります。

六八　久松の代筆

第十一信

毎日大入で、劇場の表には正午頃から見物が澤山待つてをります。

今日は、お父さまがお忙しいので、私から。

「正ちやんの冒險」が未だ本屋へ出ません、出ましたらすぐ買

ひます。

おばあさんへよろしく申しあげて下さいませ。

では御きげんよう。さようなら。

　四日　お二人さま　　久　松

第十三信
坊ちやんのお手紙と繪、よくわかりました。孃ちやんのお手紙は、文章がお上手だと、お父さまがほめてらつしやいました。

また、お二人でお父樣へお手紙をお書き下さい。

旅のお父さまには一番よいおなぐさめですから。

　六日　お二人さま　　久　松

第十八信
昨日はお手紙をたしかに。

皆さんへ、お言傳を申しましたら、大へんに喜んで居られました。

今日は大阪も久し振りのお天氣で御座います。お父さまは、東京から岡本さんがいらつしやいまして、お忙しいやうですから私からお便りいたします。

お孃ちやんへ、何かこれから探しにまゐります。

　十一日　お二人さま　　久　松

第十九信
大阪もあと四日になりました。早く東京へ歸り、皆さんのお顔を拜見したくてなりません。
昨日のお手紙を、見せていたゞきました。おばあさまと御一緒にいらつしやつた少女歌劇、面白かつたでございませうね。京都の、先生のお宿は、いつものところでございます。
　十二日　お二人さま　　久　松

第三十信
お父さまは昨晩、お二人さまおばあさまへお目にかゝりたくて京都をお立ちになりました。

さぞ皆さまおうれしいことでしたでせう。

今日、私たちは名古屋へまゐります。

　二十三日　お二人さま　　久　松

第三十一信
只今、六時四十四分に、お父さまが名古屋へお着きなさいました。

おばあさまが、私におせんべいを御心配下さいましたさうで、本當に、うれしう御座います。

パチ〳〵小僧、本日で終りださうで御座います。

明日から、東京の來月のお芝居のけいこになります。先生はお忙しいことでせう。

　二十三日夜　お二人さま　　久　松

六九　父さんの通信

第一信
プラツトホームを汽車がはなれるともう歸る時刻が一刻々々と近づいてゐるのです。わざ〳〵お見送りありがたうと皆さんに傳へて下さい。
さ、お父さんも一生懸命世の中の爲に働きます。

二人もよく勉強し、よく遊び、お父さんの歸るのをまつてゐて下さい。

　九月二十四日（神戸にて）　　正　父　さ　ん

第二信
神戸は雨ですが、芝居はハチきれる程の大入です。ドン〳〵お客をかへすやうな騷ぎ、安心して下さい。
明日は元町へ行つて、何かいゝおみやげを買つて送ります。
　二十五日　　父　さ　ん

第三信
この葉書はサカサマでした。
多分、パチ〳〵小僧がヒツクリかへつたからでせう。
元町に、何かよいおみやげをと思つてゆきましたが、あいにく何もありませんでした。
一生懸命にみつけます。そちらも一生懸命に勉強して下さいよ。
　二十六日　　父　ち　や　ん

第四信
神戸はいゝお天氣で、船着場にうらゝかな汽笛が鳴つてゐます。
芝居はます〳〵大入つゞきです。
みんな元氣ですか。こつちはみな元氣です。
おばあさまによろしく。
　二十七日　　正　二　郎　生

第五信
明日は神戸を打ちあげて……大阪へ。
父さんが今日を築き上げるために苦しみ戰つたなつかしい大阪へ行くのです。
昨日はまた野球をやつて大へん勝ちました。
寫眞が出來たら送ります。
　二十八日　　正　父　さ　ん
斯うして毎日々々、漫畫の物語の進展と共に「お父さんの手紙」が續いてゐます。と共に前の久松さんの通信が此の多忙さを補つてゐる有樣は實に親心の名幅とでも話すべきでありませう。

七〇　ガンコな父さん

「ガンコな父さん」二十六信、「白野竹十郎」十信が、跋書きの通り添入されてありますが「ガンコな父さん」の中に、こんなのがあります。

第七信
今日は何のたよりもありません。
なまけるのではありません。
ごめんなさい。
　七　日　二人さまへ　　父　さ　ん

第十七信
昨日は、朝から夜中の二時までの撮影でつかれてしまひました。
さすがの父さんも、すつかりへこたれました。
　十七日　正坊、桃孃　　正　二　郎

第十九信
今日は、繪と、コトバと説明とで、ハガキに餘白がありませんでしたから、別にお便りを書きませんでした。（第四十三頁に續く）

吉村畫伯の童女の繪に題す

寶塚　寺　川　信

打なびく春の日うら花かげに童女は歌ふ聲はりあげて
紅梅の匂へる花の木の下に童女は歌ふ淸き童女は
大自然の春あたたかき胸もとにいだかれてあらむ童女ははしも
まこと淸き童女にしあれば天地のありとあるもは御親なるかも
はしけやしもろ手を擴げものみなを抱きとらむとす神の如き童女
神といふ言葉かしこし身ごころも花に融け歌ふ童女たたへむ
咲く花の匂へる寧樂の古の童女さびする紅の衣

育兒欄

十箇月の赤ちやんの育て方

醫學博士　野　須　新　一

一、身體の發育　十箇月の赤ちやんの體重、身長、頭圍胸圍の標準。

月齢		身長（糎）	體重（瓩）（括弧内貫）	頭圍（糎）	胸圍（糎）
十ヶ月	男	七〇・六	八・七〇（二・三三）	四四・九	四四・六
	女	六九・五	八・二一（二・一九）	四三・七	四三・七
十ヶ月半	男	七一・三	八・八六（二・三六二）	四五・〇	四四・九
	女	七〇・一	八・三四（二・二二四）	四三・八	四三・九

二、精神の發育と運動の發育　（一）眞似をして鐘を鳴らす。（二）襁褓をかへる時横にすると、ひとりで坐る。（三）掩ふはれた物の覆ひを取り除く。（四）驚いて人に頼る。（五）支へてやると起立直立する。（六）記憶力が增進。（七）大人と組織立つた遊びをする。（八）物を投げる。（九）箱を開ける。（十）食物を口中に入れる。（十一）色彩を多少辨別する。

三、十箇月の榮養の仕方　粥（グリース粥）二回、母乳二三回、粥の分量は一回に小茶碗約（百瓦入）に一—一・五杯にする。副食物は卵黄半熟一日一個、野菜類は裏漉しとして茶匙（スリ切り）三、四杯分を一回量とす。尚間食としてはウエーハース（二枚）ボーロ五、六個を與へる。果汁を一日一回三〇—六〇瓦與へる事は勿論である。粥の分量尠き時例へば百瓦とする場合粥と同時に牛乳五勺（白砂糖にて甘味を付け）を與ふか、又は牛乳の代りに母乳を與ふるも一法である。グリース粥は白粥許りとせず裏漉し野菜入として煮くか、又は野菜スープを入れて煮くも一法であり。副食物として「かき玉汁」薄い味噌汁の中へ裏漉し野菜を混入して與ふるか、又は薄目の茶碗蒸し或はあんかけの中に入れ混ぜて與ふ。子供の欲するに委せて大人の食膳にあるも（第四十九頁につゞく）

赤ちゃんの衣服にはどんな注意が必要か

醫學博士　一　色　　征

一、着　物

赤ちゃんの皮膚は、體溫の調節が未だ不充分ですから氣候の變化に應じて、着物を加減してやらねばなりません。卽ち夏は涼しく、冬は大人より少し暖か目にしてやります。

一日の内でも朝とか、夕方の氣溫の下る時には、よく注意して風邪を引かぬやうにして頂き度い。

然しながら、餘り用心し過ぎて厚着をさすとその爲めに冬でも汗ばみ、皮膚の抵抗力も弱くなり、風邪を引き易くなつたり、汗疹が出來たりします。

赤ちゃんは大人に比べて汗かきですから、厚着にならぬやうにして、着物は呼吸や血液循環を妨げぬやう出來るだけゆつくりとし、窮屈であつてはなりません。又赤ちゃんの肌は柔かいですから皮膚を傷つけないやうな地質のものを選び、何回も洗濯の出來る地質のものがよろしい。

縫ひ方にも注意して縫目を少くし、縫目が硬いために肌を傷つける事のないやう、注意して仕立てて下さい。赤ちゃんの肌とよく擦れる個所は、特に注意して軟くしなければなりません。初生兒には肌着は縫目を外にして卽ち裏返して着せる方がよろしい。

一般に肌襦袢には、ガーゼか晒木棉のやうなものが適當です。ネルやメリンス類は、汗やお乳の爲めに汚れると、乾いてから硬くなり、柔かい肌を刺戟する心配がありますから、ネルやメリヤス類は胴着や下着、おくるみに用ふるがよろしい。

胴着や下着には、赤ちゃんの顎や頸の皮膚を傷つけぬやう、薄絹の半衿を衿巾を狹くかけて置くのがよろしい。

衣服はすべて、時々洗濯して、日光に當てなければなりません。肌着は毎日時々着換へさして、汗ばんだものや、汚れたものをいつまでも着せて置かぬやう注意して下さい。肌着は數枚着換へを作つて置いて、時々よく洗濯する事が必要です。

衣服を何枚着せると適當であるかは、季節や赤ちゃんの發育狀態や年齢で違ひますから一つ〳〵述べませぬが赤ちゃんの肌がしつとりとして汗ばんでゐるのは既に着せ過ぎでありますから、汗をかゝぬ程度に、成る可く薄着に耐へる習慣を作つて置かねばなりません。

二、お　し　め

おしめは、硬い布よりも洗ひ古した浴衣などの方が、肌さわりよく經濟的でよろしい。糊氣のあるものは、一度湯に通して糊氣をすつかり取り去つてから、おしめに仕立てて下さい。古着をおしめに仕立てる時は一度、煮沸消毒をして置くがよろしい。おしめは常に乾いたものを當てておくのがよいのですから數が多い程便利で少くとも二十組は準備して置かねばなりません。

おしめの作り方は、一般に御存知ですから、其の洗ひ方にちよつと御注意して置きませう。

おしめを洗濯する時は、最初水の中でよく振り洗ひして、汚物をよく取り去つてから、石鹼で洗ふのがよく、最初からもみ洗ひをすると、汚物が擴がつて洗ふのに時間がかゝります。

よく眠つてゐた赤ちゃんが、眼を覺して泣き出した時には、一度おしめに手を入れて大小便が出てゐないか調べて下さい。赤ちゃんは大小便の出た時は、氣持が惡い爲めに泣いて知らせるものです。

おしめの取換へを怠ると、股間がたゞれたり、風邪を引いたり、下痢をしたり致します。おしめは、常に乾いたものを當て、股間や肛門には、天瓜粉や亞鉛華澱粉を撒布して置くと、赤ん坊は常に機嫌良く遊び、よく眠るものです。

大便をした場合には、その拭き取り方に注意し、必ず前から後に向けて拭き取る可きです。その反對に拭くと女兒では膀胱カタルを起し易いのです。

生れ立ての赤ん坊などは、殊に肌が弱いですから肛門を拭く時は、溫湯で絞つた脫脂綿でよく拭いて、天瓜粉を撒布して、乾いたおしめを當てて下さい。硬いおしめで拭いてはなりません。

おしめカバーはゴム引や防水布のものは、不衞生的で、赤ちゃんには却つて惡いものですから、カバーはネル製のものがよろしい。ゴム引のものなどはよく風邪を引いたり、腸を壞したりする事が多いからです。又ゴムテープなどで胴や下肢を締付けるのはよくありません。

（終）

（第三十八頁よりつゞく）

十九日　　正太郎、桃代様　　　　父　さ　ん

第二十一信

今日も、面白いおたよりが出來ません。芝居さ、キネマで忙しいんださ、かんべんして下さい。

二十一日　　二人さま　　　　父　さ　ん

以上の如き諸通信を讀めば、如何に父なる澤田正二郎氏が、多忙の中に努力を重ねて、愛兒への通信を續けてゐたかゞ想像されます。恐らくこれは他の如何なる父親にも眞似の出來ぬ、尊敬すべき努力であるさ信じるさ共に、その心がけを學びたいものさ思ひます。

護れ幼兒の睡眠を

幼兒の睡眠を破る物は誰ぞ、次の日本を負つて立つ幼兒の大切な眠りを

醫學士　靜　野　畑　郎

ラヂオの騷音は幼兒の睡眠を破る最大の都會の呪ひでありますが、サテ幼兒の睡眠を破るものにまだ〳〵色々の物があるでせう。恐らく神經質な子供を作り上げる都會は、更に〳〵色々の幼兒を不眠に導くものを持つてゐると思はれます。子供許りでありませぬ、大人を神經質にする物は總てそれ以上に子供を神經質にするでせう。

一、晩寢の習慣

商店街でよく見かける事です。夜おそく時間外に急病で起されて、急診する路上に、十時十一時といふ時間に街頭で五ツ六ツの或は十歳前後の子供が夢中になつて遊んで居るのを見かけます。おそるべし〳〵健康な成人でさへも、眞夜中前の眠りと一時二時過ぎてからの就眠とは、身體に影響する事甚だしいのに、まだ發育盛の子供達を、深夜の街頭に遊ばす者ありとは、彼等が健全な精神と健全な肉體を持ち得ないで、甚だしい腺病質の青黑い體質の不良兒とならんとするも無理からぬ事であります。小學兒童の約十%がマントー氏反應强陽性（結核性疾患反應）なりとの東京市の學童檢査の結果を見ても、都會生活に結核は常に離れる事の出來ない問題であり、一年に一萬人の結核死亡統計、推定患者約十萬人といふに至つては、實に都會生活者の大敵軍は結核魔軍であると言ふべきでありませう。考へて見ても御覽なさい。假りにある國と交戰し十萬人の負傷者が出來たとしましたなら、國を擧げて之に當らねばならないでせう。現在東京市では此の結核軍に對し、頗る積極的に出て、厚生省、警視廳を初め各醫師會其の他の團體と協力して、年々豫防治療の功を擧げ民間の各施設に應援し、大いに其の實をあげて居るのであります。喜ぶべし、期待すべし、此の狀態をして益々進めば、遂には市の療養所に、空室が出來るであらうと思ひますのに、幼兒をして深夜の街頭

に遊ばしめ、暗い街燈の下でボール遊戲をなす等視神經を疲らせ、睡眠を奪ひ去るのは、やがて食欲を下らしめ元氣をなくし、虚弱質となす前提でありませう。私は深夜往診途上幼兒の姿を見る度に愕然として、膚に粟の生ずる思ひをする事、頗る屡々なのであります。

二、刺戟強き飲食物

不用意の間に兒童達に、恐ろしく強い印象を殘してそれが子供の一生頭に殘つてゐるといふ樣な案外な事があるといふ事實は、案外親の頭に感ずるものであります。例へば家庭の空氣が亂れた事があつたり（卽ち感情の衝突等）しますが、兒童が感じまいと思ふ事を案外知つてゐると同樣に、刺戟の强い飮食物が子供の神經を刺戟して不眠に追やる事は驚くべき程でありませう。例へば何でせう。コーヒあり、チョコレートあり、アルコールあり。砂糖菓子の中にシヨーチユーの樣に舌を刺す味の液が入つて居る菓子、葡萄糖にひたしたカステーラ、梅酒、酒のかす等を不用意の間に子供に與へる事があります、私は葡萄酒の廣告の中に、子供の發育によいと言ふ文句が入つて居る物を一度見た事がありますが、之等は餘程氣をつけなければならない問題だと思ひます。通稱ドロチョコの大きな塊を一時間もかゝつて舌が感覺のしびれるまでなめて、其の日一日食事がたべられなくなつた等といふ事實もよく見る事です。

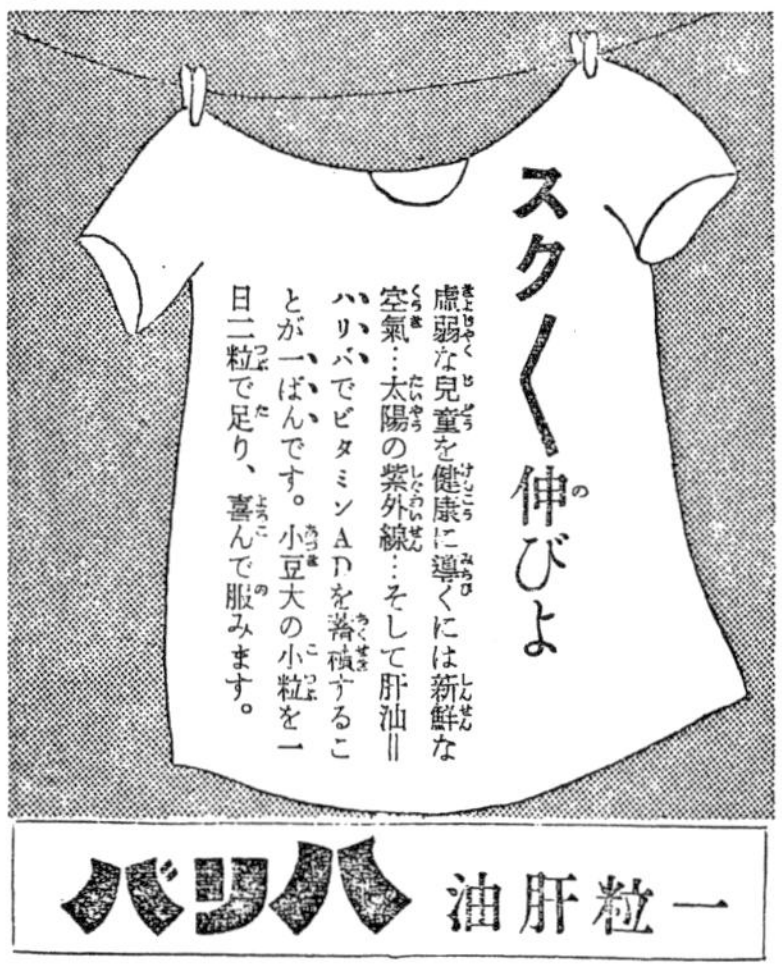

スクく伸びよ
虚弱な兒童を健康に導くには新鮮な空氣…太陽の紫外線…そして肝油＝ハリバでビタミンADを蓄積することが一ばんです。小豆大の小粒を一日二粒で足り、喜んで服みます。
一粒肝油
ハリバ

春先に多い小兒急性傳染病

醫學博士　野　須　新　一

一、麻疹　目下大流行中です、二月號に詳しく述べましたそれを御覽下さい。

二、風疹　俗に「三日ばしか」とも言ひ、大變に麻疹に似て居りますが症狀も輕く殆んど餘病を起す事も無しに濟みます。麻疹よりも之に罹る年齡が遲く、三歲から十二歲位の小兒に多く、殊に小學校へ入學する頃からの學齡期の子供に多いのが特徵です。矢張り麻疹の樣な赤いぶつ〳〵が耳の後から始まつて、顏面頭部に擴がり半日位の中に身體全體に擴がつて來ます。熱も赤いぶつぶつの出る前日頃から一、二日三十八度から三十九度程出ますが麻疹の樣に長くは續きません。又加答兒症狀も麻疹程に强く無く眼淚、眼脂、噴嚔咳も多少出ますが輕く濟みます。たゞ麻疹と違ふ所はコツプリツク氏斑と言つて麻疹の加答兒期の終り頃に口腔の頰の粘膜の所に出來る黃色の極く微少な斑點が風疹には出ぬ事です。そして今一つは耳の後や項部の淋巴腺が腫脹する事が特徵となつて居ります。合併症を起す事もありません。一口に言へば麻疹の極く輕いものと思へば間違ひがありません。然し麻疹とは違ひます。潛伏期は二—三週間となつて居ります。

手當法　安靜にして居れば宜ろしく特別の手當を要しません。

三、水痘　乳兒には少く、二歲から十歲頃の小兒に多い。傳染力は大變强く接觸する事によつて染ります。潛伏期は二週間位です。症狀。始め輕い熱と一所に顏や頭から始まり、赤い小さな斑點が出來、間も無く大きくなつて大豆や豌豆の大きさのかたまりが出來、その眞中に水を有つ水疱に變ります。そして更にこの水は溷濁して膿樣に變り、一、二日の中に乾いて黑褐色の痂皮が出來、五、六日の中に脫落して瘢痕跡も無くなります。此の發疹は皮膚許りで無く口の中の粘膜や、鼻の奧、眼の結膜、喉の奧等にも出來て來る事があります。熱も二三日、三十八度から三十九度に昇ることもありますが間もなく下ります。大體二週間程で綺麗に治るのが一般でありますが、他の重い病氣に罹つてその恢復期にあるとか又は非常に榮養の衰へて居る時には水痘が非常に澤山身體一面に出來、高い熱を出し重い容態を示すこともあります。特別に合併症と言つてありませんが水疱を搔爬したり、痂皮を剝ぎ取つたりすれば天然痘の痕の菊石と寸分違はない瘢痕を一生殘すことになりますから殊に女の子では注意が肝要です。

手當法　熱のある間は安靜にし、入浴を禁じ、食餌に注意して消化し易いものを撰び、水疱には亞鉛華オレーブ油を塗るか又は亞鉛華滑石を撒布して、出來る丈搔破等させぬ樣注意する。

四、流行性耳下腺炎　一名阿多福風と言ひます。春先（又は秋口）に多く、學齡兒童（六—十二年）が好く罹り、兩方の耳下腺が腫れる爲めに特有な顏貌となり俗に頰腫れとも呼ばれて居ます。原因は不明、潛伏期は約三週間、直接患者から患者へと傳染しますが間接に患者の用ひた器物、或は患者に接した第三者に仍つても傳染する事ありと言はれて居ます。感染は腫脹一二日前に既に可能であり、恢復期には感染する事少いとされて居ます。

症狀　一方或は兩方の耳下腺が腫れる爲め頰が耳の下前にかけて腫れ特有な阿多福樣の顏貌となり、腫れた所は壓へると痛く、口を開けたり、物を嚙む時等に一層疼痛を訴へます。腫物の爲めに耳が壓迫せられて耳痛があつたり、難聽を訴へたりします。熱は耳下腺が腫れて來ると一所に三十九度—四十度に及び二、三日で下ります。同時に頰の腫れも減つて來ます。一般に八—十日で全治します。

合併症　稀に男子では睾丸炎、女兒では乳房、卵巢の腫脹を伴ふ事があります。

手當法　熱のある間安靜にして、食物は消化し易い流動食とす。腫れた所にはワゼリン等を塗りその上を冷濕布、又は溫濕布を施す。二％硼酸水、又は二％オキシフール、等で含嗽をする。

五、百日咳の手當法　百日咳は非常に頑固で經過が長く、特有の後へヒーと引く咳は殊に夜分就寢後に多い爲め安眠を妨げられ、患者は日に日に元氣を大ひ、食慾を減じ而も咳の爲めに折角の食物も嘔吐する爲め一層榮養を冒され、長い經過中には身體の衰弱を起し肺炎等の合併症のために死亡したり、他の病氣殊に結核性の病氣を誘發したりします。而も麻疹と違つて本病は生れたての赤ちやんにも傳染するものであつて、乳兒では他に何等合併症が無くとも窒息で斃れる事が少くない。百日咳の死亡率は年齡の少い程高く、我國で調べた百日咳の死亡率で見ても總死亡率三〇・四に對して一年以下の乳兒は四六・二％、就中六箇月以下のものでは五五・〇％の高率を示して居ります。尙季節的には春先から初夏に向つて死亡率が高くなつて居りますから之からの百日咳は油斷がなりません。百日咳は手當よりも豫防が大切です。從つて何よりも大切な事は

一、患者の隔離です。百日咳の咳は大變に頑固なもので、殊に夜分寢てから激しくなります。從つて假令後へ引かなくても頑固な咳が殊に夜分によく出る樣な時には百日咳と考へて他の子供と離す樣努力が必要です。傳染の機會の多いのは兒童の集まる所、例へば幼稚園、小學校、託兒所等でそこから感染して來ては家族のものにひろげ、延いては近隣に迄も迷惑を及ぼす。故に一般家庭では百日咳患者が出た場合には特有な咳嗽發作が起つてから二箇月以上經つて咳が止んだ後でなければ登校させない樣にすると共に、家族内に百日咳が發生したならばその弟妹も潛伏期間中少くとも約二週間は模樣を見て發病する惧のない場合に初めて學校に出すといふ程道德的になつて戴き度い。

二、ワクチン豫防注射。流行期に先だち成る可く早く百日咳の豫防注射を受けること。之が現在の所有効な豫防方法となつて居る。然し一年以下の哺乳兒では其の効果も不定である。

百日咳の手當法。食物は消化し易いものを平素より少量宛回數を殖やして數回に與へる事。他に合併症が無い場合には出來る丈け日光、新鮮な空氣に觸れさせる、從つて轉地等も結構である。又入浴も差し支なし。兎に角百日咳は經過が非常に長いので一般の家庭では不斷の看護が必要である。

六、ヂフテリー流行時季　十月頃から始まつて翌年の

六月頃迄多いものです。春先にも可なり流行するものですから油斷がなりません。

症狀　響く樣なケン〳〵と言ふ一名犬の吠える樣な咳が出て、聲が嗄れて來、物を嚥み込む時咽喉痛を訴へそして熱が出て來る樣な場合、而もだん〳〵喉が詰つて息苦しく、呼吸の度にスースー又はゼーゼーする樣になつて來る場合、油斷なく醫師の診察を求めてヂフテリーか否かに注意する事が必要である。從つて未だしてない人は成る可く早くヂフテリーの豫防注射を受けて置くことである。「ヂフテリー」の豫防注射は十日乃至七日を隔てて三回に行ふ。注射施行後二、三箇月に免疫性を得る。此の免疫性は約三箇年持續すると言はれて居る。本病の詳細に就ては既に二月號に記載せられてゐる。（終）

（第四十頁よりつゞく）

のを少量だから構はぬだらう等と不用意に與へることは消化力の弱い乳兒には最も多い消化不良の原因である。必ず適當消化し易い形に裏漉すかすり潰すか、下ろして與ふべきである。

破碎米粥の分量の增やし方　は既に先月述べて居ると同樣に最初は母乳の前に茶匙二、三杯一日一回から與へ始める。そして二、三日或は四、五日の間を空けて乳兒の食慾、機嫌、便通等に注意し乍ら徐々に分量を增やして行く。そして粥の分量一回に小茶碗一―一、五―二杯迄進める、一回小茶碗一、五杯に達したならば同時に與へる母乳や牛乳は廢めて粥耳とし之に適當の副菜を添へる。途中の粥の分量一五〇、〇瓦以下の間は粥を與へて後母乳を與ふるか又は牛乳を與へるかする。その分量は粥と牛乳との全量が一六〇、〇―二〇〇、〇瓦となる樣に補ふのである。勿論子供の食慾、大便、機嫌等に應じて分量を加減すべきことは言ふ迄もない。粥を與ふる時刻は第二回食餌（晝食）又は第四回食餌（夕食）に實施するのがよい。

子に教へられる

津田節子

その一

ふくよかな牡丹の蕾、すつきりしたいちはつの立ち姿そしてそこに躍る初夏の陽ざし。狹くとも初夏の庭はすばらしいものです。

解きものをする私の手はともすれば休みがち――庭に遊ぶ子供たちの思ふまゝの言葉がきこえる故に、そして思ふまゝの姿が見える故に……

「このブランコはお腰掛よ、お客樣のにしませう」

「えゝさうよ。だから子供は腰かけてはいけないのね」

「こゝはお座敷」

「えゝ、こつちがお玄關」

「ペテーちやんがうちの子よ」

「このお人形は私の子よ」

「アラその子はお手々がないからやめませう。これ上げるわ」

「さあ初めませう。ごめん下さい」

「まあ〳〵奧樣どうぞお上り下さい」

「あのう、これお團子でございます。お嬢樣に差し上げて下さい。アノネ、お嬢樣でなくて外の人も食べていゝのよ。だけどお客樣はみんなさうおつしやるのよ――」

「えゝさうね。おいしくありませんがつていはなくては駄目よ。おいしくてもさういふのよ、大人の人はみんな」

「さうね。おいしくありませんがお嬢樣にあげて下さ

いませ」

「まあ〳〵いつもほんとにありがたうございます。ペテ子がさぞ喜こびますでせう」

「さよなら」

「さよなら」

「アラそのお蓬はおナツパね。ありがたう。お臺所において頂戴」

「どこがお臺所？」

「そこよ、ホラ下駄がアツチとコツチに汚なく脫いであるでせう。お臺所はさうぬぐものよ。お玄關はちやんと揃へて向ふ向けてぬぐけれど、お臺所はこんなにするものよ」

思はずのび上れば莫蓙二枚の上に置かれた澤山のおまゝごと道具、そしてその一方にわざとぬぎ捨てた下駄のお行儀の惡さ。そしてそれを指して物知り顏にお友達に教へる我が子の瞳。

あゝ、かうして子供たちは日に日に生活を學びつゝありつゝある！　日に日に父の、母の、そして家中の生活を吸ひとりつゝある！　母はそのあどけなさをほゝゑむ前に胸痛く震へました。

「それは母樣たちの脫ぎ方が惡かつたのよ。つい急いでそんなにしたのでせうね。やつぱりお玄關の樣にちやんと揃へるのがほんとうよ。」

つぶらな眼をみはつて可愛くうなづく二人の子供をみつめながら、愚かな母は心の中で手を合せたのでした。

その二

白魚の透き通る姿と三葉の綠。五月のくりやには胡麻の油の沸る匂ひが滿ちてゐます。夕餉の用意に心樂しい母の側にその子は近寄つて來ました。

「あのねお母さま、壽子つたらね」

チラと見るその子の面には心憎いまでの眞面目さが流れてゐました。

「あのねお便所に行つてまちがへて一番先きに何もしないのにお水で手を洗つてそれを拭かないでお便所の蓋を取つたの。だから蓋の上が少し濡れちやつたの」

オヤツと思ふ豫感が私の頭をかすめました。思はず料理の手をやすめると、その子の顏をじつとみました。

「ある。確かにある。暗さと技巧が確かにある。」

母は心につぶやきました。

「母さまの お目々見てごらん。壽子。間違へたでせう、母さまにお話するのに違つた事をいつてしまつたでせう。おしつこする前にお手々を洗ふなんて七

つの子はしないわね。母樣の方見てごらん。まちがつた事をいつてしまつた時は早くごめんなさいをするのよ。これからしませんね。さあまちさんにほんとの事をいつて賴んでいらつしやい」

いじらしくうなづいた子は、小さい聲でしかし晴やかにまちさんにいひました。

「あのね、まちさん。壽子お便所で蓋とる前に少しおしつこが洩れたの。パスツは取つたけれど蓋がぬれたの。ごめんなさいね。」

正直なお話をした安心とあやまつた輕さとでほがらかに壽子はお庭に出てゆきました。

次々に白魚を油の中に入れながら、母の心は苦しいものでした。遊びに心を入れすぎてつい間に合ひ兼ねたこのそさうをどう母に告げようかと考へたであらう。この子！　何といはふかとしばし立ち迷つて小さい胸を痛めたであらうこの子！　母の前に強いて笑顏を作つて、手を先きに洗つてしまつたので水がかゝつたと訴へ出たこの子！

迫り來る苦い思ひで母の瞳はあつくなりました。

この七つの子にこんな努力をさせ、こんな技巧をさせこんな虛僞を敢てさせたのは、この母の行ひでなくて何であらう！　必要以上にこの子を恥かしめ必要以上にこの子を恐れさせた近き過去の母の行ひが、今日のこの子の行ひを生んだのです。

正しい教育的態度、宗教的態度といふものをしつかり摑み切れない母は、かうして愛する我が子をそこなつてゆく。さうして子供に對して正しき成長をのみ要求する。何といふ我儘な母でせう。

ほんとにほんとに、正しき成長に向つて晝夜に精神する母の下にこそ、子供の正しき成長もあります。成長しない母の手にある子供に、何で正しき成長があり得ませう。

脚氣の母の乳を飲む幼兒は乳兒脚氣になります。乳を飲まないまでに大きくなつても、子供は母のすべてを時々刻々に吸ひとりつゝ受け入れつゝあるものです。自分がわざと目をつぶつてごまかさうとしてゐる自分の缺點までを、まざ〳〵と我が子のそぶりの一端に見る時の恥と驚き。私はしば〳〵それを體驗します。

私は正しくのびようと努力する。どうぞ我が子よ、正しくのびて下さい。或る怒りが悲しみに變り、悲しみか苦しい自責にうつり、その自責が努力への誓願に進んだ時は、白魚と三葉のかき揚げが皆出來上つた時でした。

優良乳幼兒登錄會最優兒入選

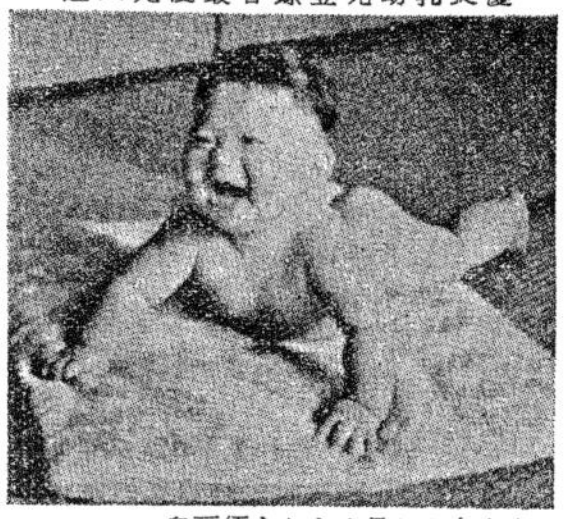

玄米食のおかあさんから優良兒
橫田早苗さん生後七ヶ月二貫八百匁

優良兒を産み健全に育てたいお方

理窟を拔きに實行して下さい

優良兒を得る驚くべき玄米食の體驗

▼姙娠中ツワリが無くトテモお產が輕い
▼生れた幼兒の體重は大低一貫內外、母乳豐富
▼泣かない、病氣しない、放つて置いても心配がない
▼幾人御產しても、母體は少しもやつれない

其他あらゆる病氣が不思議に治る

然し玄米を普通の釜で炊くと不味いとか或は炊くのに時間がかゝるとかで一般的でなかつたが最近發明された三德釜は玄米は勿論胚芽米半搗米迄も白米よりおいしく食べられる、そして消化は申分がない。

玄米食に 三德釜

世界的發明の最新式最高級壓力釜

特徵
面倒なネジは一本もない
クルツト廻せばピタリと止る
安全裝置は特許の三段構

類似品あり
御注意を乞

なぜ重寶で喜ばれるか

▼完全榮養食が出來て身體がメキ〳〵丈夫になる
▼御飯が美味しく炊け又どんな御料理でも簡單に出來る
▼鯛の頭や鷄の骨が沸騰後二十數分で豆腐の樣に軟くなる
▼取扱が誠に簡單で危險が少しもない、体裁がよく錆ない
▼三德釜は完全且つ立派な蒸汽釜故在來の釜とは其性能が違ひ、從つて價額も比較にならない、然し釜代は一ヶ月で充分償却出來る。

其他詳しい事は諸名士によつて組織されて居る

三德釜

絕對責任付

東京・京橋・新富座前
大日本興國會
玄米食指導本部へ
電話京橋(56)八〇七〇番
振替東京一〇〇〇一番

無代進呈
「子供の世紀」愛讀者に限り說明書や健康に關する美本

日本兒童愛護聯盟評議員
院長　醫學博士　肥爪貫三郎
日本兒童愛護聯盟顧問
顧問　醫學博士　高洲謙一郎

小兒科
高洲病院

大阪市南區北桃谷町三五
（市電上本町二丁目交叉點西）
電話（東一三一・五八五三
　　　東五九一三）

胎教に就て（九）

文學博士　故　下田次郎

姙婦と舅姑

若き婦人が、多年住み慣れた父母の家を離れて、見も知りもしない家に、突然嫁入つて來た時の心地は、唯不安の二字に盡きて居りませう。その中で最も賴りになるのは夫で、流石に愛情の綱で結ばれて居りますから、不安の中にも、幾分か心置きない所もあります。それで、新婦の一番氣骨の折れるのは、どうしても舅姑でありませう。たとへ佛のやうな舅姑でも、初めは、お互に氣心も分らないから、一寸した事にも嫁ははら〳〵します。舅姑はこれを察して、よく嫁を敎へ導き、萬事親切にせねばなりません。殊に姑は嘗て嫁たりし覺えもあること故、それに引き較べて、同情を以て嫁に對せねばなりません。さうすれば、嫁はあゝうれしい、有り難いと思つて、實際これほどの功德はありますまい。かくて姑嫁の間は圓滿に、家庭は春の如くになりませう。その中にめでたい事になれば、一家は益々陽氣に、睦まじく、未見の兒孫に事あらせじと、皆して嫁をいたはるやうになり、嫁も安心し、心丈夫に思つて、月滿ち時到らば、玉の如き子を生むことになるのであります。

斯ういふ工合に行くのが當然であります。二度三度となる頃には、家風も分り、經驗も積みますから、初產のやうに心配することもなく、產も輕くて濟み、良い子が生れがちです。それで一番大切で注意すべきは、最初の姙娠の時であります。

ところが、遺憾ながら世間の實際は、必ずしも註文通りではありません。舅は男子で自分に覺えもなく、又一體寬大でありますが、ともすれば姑と嫁との居合ひが、

良なことがあります。「氣に入れば氣に入つたとて氣に入らず」で、何でも嫁のする事なす事、一々氣に入らなくなる事があります。その心理は實に妙なもので、一寸男子には想像がつきません。さうでなくても、新婚當座は不安であるのに、姑がこのやうであると嫁は恰も針の蓆に座せるが如く、蔭では泣いて居るやうなことがあります。新婚早々は姙娠し勝ちで、こんな時に子が出來れば子の爲に良くないに極つて居ります。もしさうであれば初めて生れるものは可哀さうであります。それで、姑は腹の孫のためを考へて、嫁に多少氣に入らぬ事はあつても、そこをこらへて嫁に安心を與へるやうにせねばなりません。これが卽ち胎敎であります。嫁の心が曇つて居たり、惱まされて居ては、どうしても胎兒によくありません。長男長女に不出來のあるは、腹がまだよく整はなかつた爲もありませうが、一つは母の心配不安にも由りませう。姑嫁の居り合ひのよくなかつた時に出來た子は同じ兄弟の中でも、顏が醜くかつたり、弱かつたりする事がありはせぬかと思ひます。

「氷は水より生ずれども、水より氷は冷かなり。孫は我が子の子なれど、子よりも孫はあはれなり」とか言ひますが、實際孫は可愛いものと見えます。特にお祖母さんの孫の可愛がり方は、非常なものであります。それほど孫が可愛ならば、なぜ生れぬ先から孫を可愛がらぬでせう。胎內の孫は、嫁を通して可愛がるほか、可愛がりやうがありません。胎內の孫は可愛がるが、嫁は可愛がらぬといふやうに、同じ身體の扱ひ分けをすることは、生理が許しません。卽ち姙婦を愛するは、孫を愛する所以、姙婦を愛せざるは、孫を愛せざる所以であることをよく姑は合點せねばなりません。然るに、外の事には怜悧で、よく道理の分る姑が、この理屈がどうしたものか分らないで、相變らず嫁につらい人のあるのは、いかにも殘念であります。「憎い嫁可愛い孫をやたら生み」。實にこれほど矛盾した事はありますまい。こんなのは實は嫁を憎むのでなく、孫を憎んで居るのであります。それで萬一姙婦を憎む姑どもがあれば、私は「あの孫の憎みやう」と言ひたいのであります。其報は屹度あるので果して孫がよくありません。弱かつたり、引きつけたり、果ては死んだり、姑は自分の命でもと思つても仕方がありません。それでもやはり。その原因には氣が付かないで、天命だなど思つて居る人があるのは實に氣の毒な事であります。

しかしかやうな姑はまづ例外でありませう、例外であることを望みます。私は一つの例外もあらしめたくありません。すべての姑に向つて「可愛い嫁可愛い孫をやた

ら生み」と衷心から言ひ得ることを望むのであります。孫のために嫁が可愛くなつたのでもよろしい。かくて腹の中から孫を中心として、姑嫁の間が睦じければ、間に立つ夫も安心、嫁も安心嫁も安心であります。而して、孝は父母の心を安んずるにありで、子は腹に宿つただけで早くも孝子となる譯ゆゑこの位結構な事はありません。

上以は姑に向つての註文であります。しかし嫁に向つても勿論註文はあります。姑は我が最愛の夫の生みの母で、夫の尊敬し孝行する人であり、又自分が愛する以前から夫を愛してくれた人である事を思へば、どうしても姑を敬愛し、從順にして、親切に仕へねばならぬ譯であります。姑に仕ふる道を盡さずして、姑の愛のみを要求するは不合理といはねばなりません。能く嫁たるの道を盡せば、要求せずとも、自ら姑は嫁を愛せられる事になります。嫁はこゝをよく考へねばなりません。要するに姑嫁は互に寛恕の精神を以て、思ひやりが深ければ好いのであります。

舅と嫁の關係についても、大體姑と嫁について述べた事が當てはまります。尙此外に夫の兄妹、卽ち小舅小姑のあることもありませう。これも大體舅姑に對する精神を推じて行けばよいのでありますから別に述べません。唯次の話を擧げるに止めます。これは或女生徒が、私に書いて寄越したものであります。

「まことにお恥しいことでございますが、私は嫂との間に、別に爭ひも致しませぬけれども、互に打解けないので、面白からぬ思ひをして居りました。ところが先日姉がお產をしました時、あゝ姉さんも懐かしい御兩親の傍を離れて、海山隔てた旅の空で、さぞ心細いだらうと氣の毒に思ひましたので、眞心籠めて介抱いたしましたところ、姉も大層喜びまして、それ以來私を實の妹のやうに愛してくれますので、私も誠に嬉しく、今までのやうにいやな思ひはなくなり、何事も打明けて、溫かい家庭に樂しい日を送つて居ります。

嫂のお產は、兒と姉妹の眞情とを生み出したる一家二重の慶事であります。唯この眞心が姙娠の前からあつたなら、腹の子にも良い影響を與へたらうに、出た後なのが殘念であります。しかし二番目の子からは仕合せであります。どうか他家では初めの子から仕合せにしたいものであります。

姙婦と家庭

出產は家族に仲間が一人殖えることでありますから、家族の者は總がかりで姙婦をいたはり、その安心と喜びとを與へて、立派な子を生ますやうに努めねばなりませ

ん。これは兒に對し、家に對する義務なるのみならず、又國家、社會乃至人類に對する神聖なる義務であります。それで前から述べた注意に從つて、姙婦に心配、喫驚、憂愁などのないやうに、傍からせねばなりません。たとへ悲しい事が起つても、成るべくそれを慰め和らげるやうにし、又凶報なども、突然傳へて驚かさぬやうにすることが肝要であります。婦人壽草にも、

「姙婦の心氣を驚かすことを忌むこと、馬益卿の說に見えたり、たとへば遠き境の一門の愁などある時、急に告げて心を驚かすべからず。其外にも悲哀の事急に告ぐべからず。或は姙婦の座席の近所にて、急に大なる聲などして歎ひ驚かすこと勿れ。」

と注意してあります。私の知つて居る婦人に、產の近づいた頃、東京の伯父が大病との電報を、その姉が玄關から驅り込んで泣聲で傳へたため、大きな立派な男の子を流產したものがあります。これは喫驚したので、心氣が顚動したためであります。それ故、よくない事は、折を見て徐ろに又遠廻しに知らすがよろしい。知らさんで濟むなら、成るべく知らさぬがよい。喜ばしい事でも、不意であると感情を激動させますから、やはり物靜かに知らすようにしたいものであります。女中、召使など、心なきものは、その斟酌なくして、惡影響を姙婦に及ぼすことがありますから注意せねばなりません。婦人壽草に又

「姙婦の召し使ふ侍婢を選ぶべし。婢の性さわがしく、臆病にして、物事にあわてやすき者を使ふこと勿れ。かやうなる婢は、必ず麁暴なる事多くして、姙婦の心を驚かすもの也。或は怪しき物語好むで、恐しき話などする婢を忌むべし。只性姑かに、質美にして柔和に、物に慌てゝ騒がざるもの、壯年より上の婢を召し使ふべきなり。」

と言へるもその注意に外ならぬのであります。

姙婦と親類近所

獨り家族のみならず、親類近所の者も、姙婦に對して同じ注意を要します。つまり誰れでも、胎敎といふ事は心得て居なくてはならぬのものであります。孟母の三遷といつて、孟子の母はその子を教育するに、近所が良くないとて三度宿替をしたといふ有名な話があります。腹の子のために轉宅することは、餘りないやうでありますが、近所がいかにも姙婦の平和な生活に害があれば、轉宅しても良いほどのものであります。かし轉宅のために、姙婦に心身の過勞や、激動を起さぬやうにせねばなりません。

・姙婦自家或は隣家修造をなし、石を築き、土を動かし、材木を運行し多勢集まりて、喚躁すれば必ず心氣驚き、胎氣安

からず、病をなすなりと、馬益卿の說に見えたり。これのみならず、惣じて大勢群聚する所に行くべからず。又は隣家、酒肆、油肆にて、から臼の音枕に響き、油しめ木の音耳にこたふるも、胎氣を驚かす也。また鐵砲、大筒、火矢など稽古する所も、其音夥しければ必ず胎氣を動かし、姙婦子懸、子癇の病をなし、生子驚癇を患ふること間々あり。これらの事も、幼少の時より目馴、耳馴たるものは、さまで驚くことなし。聞なれざるものは、大きに驚き、胎氣に妨あり。かるが故に、姙婦は隣を選ぶことを知るべし。」

（婦人壽草）

自家又は近所が騒しく、物音常に高きは忌むべきことでありますが、近所によく喋舌る人が居て、始終やつて來て、姙婦に人の噂、厭な話や迷信談などされるのも、困つたものであります。

「姙婦は隣を選ぶ」の話には、大なる意味が存するのであります。

以上婦人壽草を引用して說いた事は、主として周圍から姙婦に惡い影響を與へないやうにといふ、消極的方面の注意でありますが、又一方積極的に良い影響を與へる事を努めねばなりません。卽ち、家族の精神的空氣が純潔で、道德的調子が高く、その間に生活すれば、自然と姙婦が良い感化を受けるやうにありたいものであります。さうして一家團欒和氣靄々として、春のやうであり、話す事柄も罪がなく、上品で、爲になるものであらば姙婦の幸福はいかばかりでありませう。それはまたやがて子の幸福であります。親類及び近所との交際も同樣であります。又餘り周圍が騷しくて、大きな音などするのがよくないと反對に、周圍が靜かで、心落つき、時々美妙な音樂などを聞き、教育ある人が訪れて、道德、文學、美術などについて、結構な話を交換するが如きは、これまた姙婦のために望ましい事であります。

姙婦と住所

住所も成るべく姙婦に良い影響を與へるやうにありたいものであります。家屋も、出來れば美術的なのがよい。日本の普通の家屋は、唯住居するといふ實用一方で、その格好や、釣合や、色の感じの好し惡しといふやうな事には、多くは無頓着といふよりは、富の程度が低いから、一般に家屋を美術的に造るだけの餘裕がないのであります。しかし成るべくは、家屋そのものからして、美感を與へるものでありたい。又室內には、適當の裝飾を施し、床や、壁には優美な掛物や額を懸け、又中床、違ひ棚などにも美術品を置き、花を挿し、或は植木鉢を置き、室の隅には、書架を置いて、內容のうるはしい書物を竝べて置くといふやうにしたい。要するに、家の內容

が皆美感を與へ、又は良い暗示を與へるやうに整へられて居るのは望ましいことであります。

又庭園なども、樹木花卉があつて、眼を慰むるに足りその間の逍遙は、適度の運動ともなるやうであると、なほ好い。それほどでなくても、緣日で求めた植木鉢が置いてあるだけでも、風情があつて、自らその中に慰みを求めることができます。

姙婦と社會

姙婦の生活して居る村、町都會などの風俗慣習及び道德は、また姙婦に影響します、風俗慣習が質朴純正で、ゆかしい所があり、健全な道德が行はれて居れば、それだけ姙婦は良い感化を受けます。しかしその反對に風習が淫靡で、墮落し、道德も腐敗し、種々の惡事惡風が行はれて居れば、姙娠に惡影響を與ふることは明かであります。社會の健全といふことは、この點からも甚だ大切であります。文明社會は少くも、教育的に良き影響を與へる社會でなくてはなりません。故に、文明國では皆社會教育といふ事に力を盡くし、人民の智識、道德、趣味を高めることに努めて居ります。それで、一般に社會の道德的調子が高く、趣味が豊かで健全であれば、その中に生活する人も、自らそれに感化されずには居りません。姙婦についても同じことであります、否並みの人よりも、その感化は一層强く働きます。

文明國はみな都市の美觀といふ事に努めて居ります。卽ち都市が一定の計畫を以て、その美化に努めるので、官衙、公共の建築物、寺院を始め、市街軒並の家屋をも成るべく美術的にするのであります。また美術館、博物館、圖書館、歷史記念等、壯麗な建築物があつて、外觀と內部と共に精神に良き或物を與へるようになつて居ります。その他美しく整へられたる公園があり、動植物園があり、町の廣場には大理石の彫刻などが立ち、雪を吐き、玉を躍らす噴水もあつて、歩いて居ても如何にも氣持ちがよいのであります。斯る都市に生活して、日常かゝる美しい物に接して居ることは、外觀の醜汚な、非美術的な都市に住むよりも、良い影響を與へるに違ひありません。

「ギリシャ國民の顯著なる體格の美は、その原因主として、絕えず母の心に與へられたる美の印象にありとは、よく人の唱ふる所なり。蓋し古昔は美術といひ建築といふも、一部の人に限られたるにあらずして、萬人に一樣に賞翫せられたればなり。繪畫の絢爛、殿堂の壯麗は、皆疑ひもなく母の心を刺戟して、その結果小兒に影響を及ぼしゝなり。然りギリシャ人は悉く美を崇拜し、美に現はさんと欲する永久の調和をば、こゝろの眼を以て見、心の耳を以て聞きたり。」

かくて彼等はその理想を捕へて、これを青銅に、大理石に、はた黄金に現はすと共に、またその體格と容貌とに現はせり。」と、デビス女史は言ひました。ギリシヤ及びローマの英雄傳の著者プルタークに據れば、ギリシヤの哲學者エンペドクレスは、婦人が姙娠中、見て愉快を感じたところの彫刻に似た子供を生んだことを擧げて居る。リカルガスの法律は、スパルタの妻に、強くて美しい人を表はせる美術を見ることを要求した。シラキニースのデオジニスは、己の姙婦に、神話中の英雄ゼーソンの繪姿を、壁に掛けて見さした。有名なる獨逸の文豪レッシングは、カリペーヂー、卽ち美しき子孫を生むの術は、國家の注意すべき問題なりとし、美術、就中彫刻は、國民の性質に影響するものである。美しき人が、美しき彫刻を作れるが如く、美しき彫刻はまた美しき人を生んだ。國家は美しき人の出來た事を、美しき彫刻に謝せねばならぬと言ひました。また或教育ある婦人が、內でよく一群の彫刻の前に坐つて居た。そして、その中でも、特に愛の使者キュピッドを好んで居た。このキュピッドは、手の甲に頰を寄せて、休んで居る姿であつた。ところが、生んだ男の子の形や顏が非常によくこのキュピッドに似て居て、數年の間は眠るといつも、キュピッドの如き姿勢を保つて居たといふことであります。レッシングの考や、この話ほどに強く且確かに、觀賞した物の影響が胎兒に現はれるとは、今日の科學では直ちに首頷れないけれども、接觸する外圍の良否が姙婦を通して、胎兒に何等かの影響あることは疑はないのであります。今日の日本に在ては、都市の美觀といふことは、まだ望めませんが、成るべくは美しくしたいものであります。また都市でなくても小い町でも村でも、その程度で美しくすることは望ましいことであります。（つゞく）

右大臣源實朝公（三）

文學博士 故 八代國治

六、敬神崇佛

尊王敬神は我が國民の固有の信念である、鎌倉幕府を開くに當つて賴朝は、尊王と共に敬神崇佛を以て幕府施政の一とした、公も亦父賴朝の遺志を繼いで敬神崇佛を以て幕府の方針、國民精神統一の策とした、公は征夷大將軍の職を襲ぎ拜賀の禮を鶴岡社頭で行つた後に和田常盛を遣して神馬を石淸水宮に献ぜられた、これは父祖以來、氏神として崇敬厚き八幡宮であつたから特に尊崇せられたのである、その後河內國高井田庄地頭を止めて社家に付して將軍家祈禱所に當てた、鶴岡八幡宮に對しては政治始の後五日目に神馬を奉り、尋で鶴岡の奉行を定め、又上下兩宮に於て法華八講を行ひて祈禱を行ひ、爾後毎年正月八幡宮に於て親しく參拜經供養を行ふのを例とした。

伊勢大神宮に對し奉ては特に崇敬が深かつた、元久元年九月二日伊勢大神宮內外宮に神馬を奉納せられ、翌日には伊勢三日平氏沒官地の新補地頭等が武威によりて大神宮上分米を押領したので、神宮から訴があつた、公大に恐れを爲し直に裁決して先例に任せて上分米を納めしめた、建保元年和田義盛の亂によりて、其の妻が夫の罪に坐して囚人となり、所領遠江國鎌田御厨を沒收せられた妻女は豐受大神宮七禰宜度會康高の女で其の所領は神宮の神領であつた、そこで禰宜から仔細を上申したので公大に驚き直に本宮領に還すと共に其の妻の罪を許した、吾妻鏡に「敬神他に異たるの故也」と記されて居る、以て公がいかに大神宮を崇敬せしかを知ることが出來やう。

嘗て駿河國建穗寺鎭守馬鳴大明神より酉歳に合戰あるべきの託宣ありしことを別當神主より上申があつた、北條義時中原廣元等は占を以て吉凶をトすべきを上申した、酉年は建保元年で和田義盛の亂のあつた年である、公は固よりこの亂の避くべからざることを知つたものか、斷然として過る夜の夢想に合へり、其に及ばずと之を退けて劍を彼社に献ぜられた。之を以て神事に對しては占トをも退けた敬神の念の强烈たることを察することが出來る。

承元四年八月九日神社佛寺領興隆の事を思ひ立ち、諸國守護に命じて不慮にして顚倒の事あるや否やを尋ねて注進せしめた、建保元年十二月七日諸國守護人に仰せて鷹狩を嚴禁せしめた、これは恐らく鷹狩を名として百姓を苦しめたから禁じたものであらう、然るに神社貢税の所に於ては制の限にあらずとして之を免除して居る、この一事でも亦公の神社を重んじた一端が伺はれる、この外箱根伊豆兩所權現、及熊野神社の信仰も熱烈で、或は親しく參拜し、或は使者を遣して奉幣して、之を崇敬し或は諸社を修造する等吾妻鏡に多く見えて居るが煩はしいから悉く省略する。

鎌倉時代の佛敎は武士道と最も密切な間係がある、この時代はいふまでもなく當時の中等國民たる武士によりて建設せられたる時代であるから、武士的精神の最も旺盛な時代であつた、この武士的精神に適應し順應すべき敎は新佛敎でなければならぬ、新佛敎は新に支那より輸入された禪宗である、而して公をして最も感化を受けしめたものも亦禪宗であつた。

禪宗は鎌倉時代の初めに當りて、能忍榮西によりて支那より輸入し唱導せられた新佛敎である、殊に榮西は再度支那に入りて天童山に於て深く禪宗を學び歸朝して博多及び京都に於て大に之を弘通しやうとしたが、延暦寺衆徒の壓迫と公卿等の之を保護するものが無かつたので、京都に居るを得ず、鎌倉に至り賴家の歸依を受けて鎌倉に壽福寺を建て、京都に建仁寺を建立し、以て鎌倉武士の信仰を受けたのである。而して公は將軍職を繼ぐの後に莊嚴房行勇を召して師とした、行勇は眞言宗の僧で初めには法華經を講じ、天台止觀を講じ、加持祈禱をも會得して居つたから、公が學んだのは專ら禪宗であつた、元久二年三月一日公は壽福寺方丈並に若宮八幡別當坊に赴いて或は法文を談じ或は蹴鞠の戯を行つた、この時は公が十四歳の時であつた、以て公が早熟にして佛敎を早く會得したことが察せられる、これから後屢々壽福寺方丈に參詣して佛事を行ふの後に方丈に於て法談することを例とした、方丈には行勇の外に其の師榮西も常に居つたので榮西より禪を會得したことゝ思はれる、建暦二年六月二十日には終に榮西の手により親しく佛舍利三粒を相傳した程である、これから行勇と共に榮西を信じ、宋本一切經五千餘卷を壽福寺に納めて親しく參詣して供養を行ひ榮西を大阿闍梨とした、公嘗て淵醉の餘り頗る病腦に苦しんだことがある、榮西時に加持に參り、良藥と稱して壽福寺より茶一盞をすゝめたので直ちに本復した、榮西はこの茶と共に座禪の餘暇に抄出した茶德を述べた書一卷をすゝめた、是が名高い喫茶養生記で、今現に壽福寺にあるものが是である、公はこの書を愛讀さると共に榮西を信ずること愈厚く、持佛堂文殊供養にも、太一厄の祈禱にも雨乞の祈禱にも、大慈寺の落慶供養にも榮西を擧げて導師とした、殊に榮西の寂日建保三年七月五日には特に使を遣して終焉に臨ましめた、以て公が榮西を信任すると共に新佛敎の信仰に熱烈であつたことが知られる。

公が果して新佛敎をよく體得し、禪宗を會得したか、之を疑ふ學者も少くないが、公が常に壽福寺方丈に赴き、榮西行勇等と法文を談じて居るのを見ると頗る會得したことゝ思はれる、殊に建保三年十二月二十九日には、公自筆を以て書寫した圓學經を供養して居る、導師は例の師行勇であつた、この圓學經と楞嚴經とは武士的精神の泉源であつた（田中博士の說に依る）公が之を親しくこの圓覺經を書寫供養して居るのを見ると公が之によりて禪宗を體得したことが認められる、榮西が舊佛敎徒の迫害を受け、一人の公卿の之を保護するものがなかつた時に、年少公の如きが新佛敎たる禪宗を信仰して武士的精神修養に供したのは、この點に於ても亦公が先覺者として時人に超越した偉人であることが知られる、果せるかな、この後鎌倉に禪宗興隆し時宗の如き國家を擁護した偉人の出でたのも實に玆に胚胎したものと言ふべきである。

建保四年六月十五日であつた、陳和卿を營中に召して對面した、和卿は造東大寺勸進上人俊乘切重源の招聘によりて來朝した宋人である、嘗て賴朝が兵馬の權を握り、幕府を開いて朝廷でも恐を爲して居つた際に、結緣の爲め和卿に對面を求めたが一言の下に拒絕して逢ふのを避けた程の怪僧である、然るに公は權化の再誕であるから恩顏を拜せんが爲めにわざと鎌倉に下つたと稱して對面を請うたのである、これによりても公が當時諸人崇敬の中心で人望のあつたことが知られやう、愈對面となるや、和卿は三度拜して頗る涕泣して、貴客は昔宋朝醫王山長老で、吾は其の門弟であるといつた、この事は去る建暦三年六月三日の夢想にて知る所である、六年後の今和卿の申詞に符合するとなし、公は大に和卿を信仰せられた、これから和卿のすゝめによりて醫王山を探らんと渡宋計畫を企て、扈從六十餘人を定め結城朝光を奉行とし、和卿をして船を造らしめたが、惜かな進水式を由井ヶ濱に行ふに及んで船が浮ばず失敗に終つた、進水の失敗した原因は明でないが初めよりこの計畫を阻止し樣と謀つた義時が、進水式の日に監臨したのを見ると頗る疑はしい點がないでもない、この渡宋計畫に就ては或は北條氏を謀らんが爲めとし、或は北條氏に害せらるゝを知りて難を宋に避けんと謀つたとし、甚だしきは煩悶の結果、神經衰弱にかゝりてこの無謀の擧ありしならんとまで謂はれて居るのは氣の毒である。公が支那に着目したのは一朝一夕のことではない、既に六年前に醫王山の事を夢みたといふのでも其の一端が推し得られる。又建保元年三月三十日公親しく壽福寺に參詣し聽聞法談があつた後に、豫れて身に隨へた弘法大師傳繪を出し、行勇をして大師求法入唐の處々を精細に觀せしめ、其の銘字の誤を直し進ぜしめて居る、これらを見ていかに公が支那に憧憬して居つたかを知ることが出來る、加ふるに榮西の如き入宋の輩、陳和卿の如き宋人によりて彼の土の風を傳聞するに於ては、遠く見學の念勃々として禁ずる能はざることは自然の勢である、況んや之によりて北條氏の難を避くるを得ば、一擧兩得兼併せ得たる良策たるに於てをや、是によりて之を見れば公の渡宋計畫もほゞ想像することが出來やう、この計畫は突飛の樣である がこの渡宋船が武藏國金澤浦へ入津した例もあつて決して無謀なことではない、況んや、大船を東海の濱に浮べて、遠く支那に遊ぶことは鎌倉男子の最壯快とする所であらう。

七、學問政治

鎌倉武士の學問は實際的で直截簡明を主として居る、從て學問は政治法律制度の研究であつた、公の學問も亦實際を主としたのである、元久二年正月十二日相摸權守中原仲章を侍讀として孝經を讀み讀書始を行はれた、仲章は明法道の家に生れ、好んで書籍を蒐集し、百家九流の學に通じて後に文章博士となつた儒者である、京都に於て餘り知られて居らぬが、三善善臣中原廣元と相對して鎌倉武士を教育するに適應した學者であつたらしい、公はこの仲章を師として學問に深く力を盡し、法律制度を明らめた、承元四年十月聖德太子の十七ヶ條憲法及び守屋沒收公田員數並に天王寺法隆寺に納め置きし重寶等の記を求めて之を愛讀した、これより聖德太子を崇拜しこれが爲めに持佛堂に於て聖德太子御影を安置して供養せられ、又太子の爲めに聖靈會を行つて居る、聖德太子は思想界の先覺者で實に我が文化史上に於ける一大功勞者である、殊に十七ヶ條憲法の如きは我が國政治法律の根本を定められたるもので、爲政者の最も參考とすべき一である、公が太子をよく知りて之を崇拜すると共に歷史古道を重んじた事が知られる、建保元年二月二日昵近祗候人中藝能の輩十八人を撰んで三番に結番せしめた、之を學問所番と稱した、各結番の月は學問所を去らず參候せしめて、時の御要に從て和歌及び支那の古語を語らしめて政道の用に供へたのである、この學問所番を置かれたのは唐太宗十八學士を置かれたのに擬したもので、貞觀政要に據つたものである、貞觀政要は實際的學問である、公が深く之を學んだ事は建保元年七月四日の吾妻鏡に「將軍家令讀貞觀政要給」と見え、同年十一月三十日の條に「將軍家貞觀政要談義、今日被終其篇、去七月四日被始之」とあるので明らかである、貞觀政要は唐の修文館學士吳兢が唐の太宗の政績を輯錄したもので、和漢共に政道の模範としたものである、鎌倉時代には特に政治上の手本とした、京都にありて後鳥羽上皇之れを精讀せられ給ふた事が明月記に見え、鎌倉にありては公の母政子京都の儒者菅爲長をして和譯せしめ假名文として精讀し政治の手本としたことが臥雲日件錄や宗吾大草

紙に見えて居る。（貞觀政要に就ては田中博士の貞觀政要と日蓮上人に據る。）公が政治の善政良法が多く吾妻鏡に散見して居るのは、實にこの貞觀政要を學びし結果に基いたものが多からうと思はれる。

公が將軍職を繼ぎし翌年の十一月であつた關東分國並に相摸伊豆の乃貢を減じて將軍代始の善政を行はれて撫民の謀を爲した、翌年の夏には御家人中故右大將賴朝自筆御書を帶するものに命じて進覽せしめた、小山、千葉兩氏は各數十通を獻上し、其の他或は兩三通或は一紙を進めた、公は悉く之を寫し留めて故將軍成敗の意趣を知り併せて後の善政を行ふの參考とした、その年の七月廿六日安藝國壬生庄地頭職の爭を親ら裁決した、これは公十三歲の時でこれが政道を聽斷した始めである、この時は義時廣元御前に候し補助して居るが、この後は殆ど公親ら裁斷して居る、同じ年の九月十八日諸國庄園鄕保地頭等事を勳功の賞に寄せ非例を備へ所務を濫妨することを嚴禁し、若し旨に違ふものは所職を改替せしめた、元久二年六月廿六日には關東國々守護檢斷地頭所務以下先規に任せて嚴密の沙汰を致さしめた、承元二年六月炎旱月餘に亘り雨降らず庶民耕作の術を失ふを聞かれて鶴岡供僧等をして江島龍穴に群參して祈雨を行はしめ、祈請受應大雨降るに及びて勷衣等を宮寺に獻ぜられた、建曆元年七月霖雨續き洪水天に漫り民百姓頗る之に苦しむや公は民の愁歎を思ひやり一人持佛本尊に向うて祈念し

時によりすくれば民の歎なり八大龍王雨やめ給へ

と詠じたのである、又建保二年六月諸國炎旱により耕作に苦しむを聞き、公は榮西を招き、祈雨の爲め八戒を持し、法華經を轉讀せしめ、義時以下鎌倉中の緇素貴賤をして各心經一卷を轉讀せしめ、公は一心不亂に潔齋して祈禱の精誠を盡された、依りて天も公の誠を納受せしが一日を越えて大雨降り、百姓の愁を救はれた、猶秋に至り民の困苦を察し、關東諸國年貢は來る秋より三分二を減ずることゝ定め、爾後每年一所づゝ次第に巡りて免ずべきことゝした、以て公が民政に力を盡し、百姓を重んじたかを察することが出來やう、嘗て公そゞろ歩きの折であつた、道のほとりに稚き兒童の母を尋ねて泣きさけぶのを見て、哀れに思ひ、其の近邊の人に尋ねた處が、父母は既に逝去したと語られたのを聞いて

いとをしやみるに涙もとゝまらすおやもなき子の母を尋ねる

と詠じて之を悲しまれた、又相摸國土屋に住せる老翁を憐んだことが金槐集に見えて居る、公が孤を養ひ老を憫み、いかにも溫情の深い將軍であつたことが伺はれる、建曆二年相摸河の橋朽損するや、廣元義時等の先例不吉

說を排して修理を斷行したるが如き、建保三年二月諸國關渡地頭に命じて旅人の煩を止め用途船賃は料田を立てゝ之を辨ぜしめた如きは、共に公が百姓及交通に大いに意を用ひたことが知らるゝのである、殊に訴訟は諸人の愁を察して親ら努めて速に裁決し最も公平を主とした。建曆元年五月小笠原牧の牧士が奉行人三浦義村の代官の不公小によりて互に鬪爭に及んだことがある、公を之を裁して公平を忘るゝの致す所となし、義村の奉行を止めた、義村は賴朝以來の元老にして豪族、且つ義時の緣者として頗る內外に重望があつたにもかゝはらず、斷然之を退けたのは尋常の將軍でないことが知られる、其の翌月のことであつた越後三味庄領家の雜掌が、訴訟に依りて鎌倉に參向し、大倉の民屋に宿したが、盜人の爲めに殺害せられた、侍所の別當和田義盛之を尋ねて敵人たる地頭代の所爲たるを明明らめて之を召し捕へた、然るに其の親類等、駿河局に依りて內密に公の母政子に訴へて代官を免ぜられんことを請うた、公は義盛の爲した所は公平で其の誤りなきを主張して終に之を免許しなかつた、司法權の獨立を認めて母政子の干涉をも退けたのは偉とすべきである、建曆二年十月には百姓の參訴の煩を思ひやり、奉行人を關東御領の國々に遣して、其國に於て民庶の愁訴を成敗せしめられた。建保四年十二月一日には諸人愁訴相積み裁斷が澁滯したのを聞き、大いに之を憂ひ年內に必ず裁決すべきの嚴令を下された。この二事共に公が常に民庶の訴訟に就て注意せられたかを知ることが出來やう。

母に贈る言葉

日本兩親再教育協會主幹 上村哲彌

（一）

子供位可愛いものはありません。「何をとぼけて今頃そんな當り前のことをいふのだ」と、冷笑を買ふかも知れません。全く親馬鹿ですが、宅に此の正月久し振りで女の子が生れましたので、今更のやうに子のいとしさを感ずる次第なのです。他人樣にはとても眠をとめて見て頂けそうもない平凡な赤ン坊ですが、私共には食べてしまひたい程可愛くて堪らないのです。妻などは朝から晩まで眺め通してゐて、尚飽くことを知らない有樣です。三年前に亡くなりました妻の母が、私共の長女の赤ン坊時代に、その可愛さの情を言ひ表はすために、創作した種々な愛稱の新造語などを思ひ出して、思はず微笑まれます。それはまるで天使をでも讚美するやうな素晴らしい形容詞のみで、他人樣の前などには恥かしくて御披露も出來ないようなものでした。又私共の友人の奧さんが、もうそろ〳〵小學校に上らうといふ、その子供さんをとらへて、「よち〳〵よち、可愛いね、ほんとに可愛いね」と、人前も忘れてなめるようにいたはつて居る姿に接してその夢中な母親の幸福を美んだ經驗もあります。

詩人の松原至大さんは「わが子を見つむ」といふ文章の中に次の如く書いてゐます。

私の妻も子供たちの一つ一つの生命を見てさまざまな言葉をつかつては、そのたまらない可愛いさを表現する。云つても云ひきれない眞實の心の響きが、日常使はれる言葉のどれにもまさつて、生き生きと光つてゐる。私達の愛の生活の最初においてさへ、耳にしたことのない美しい力の響きを湛へてゐる。しかもその言葉は、さまざまに選擇されて、移り變つて行つて、より多く力を

湛へ、より多く眞實へ歩みよつて行く。いつの間にか三人の子の母となつて

「間に合はない」

といふ言葉をつかひ出した。

「間に合はない。間に合はない。かはいくてかはいくて、間に合はない」

かう云つて私の妻は三人の子供にかわるがわる頰ずりする。

私はその言葉を聞くのが樂しみである。やがてまたそれは、他の言葉に變るであらう。どんな眞善美の言葉がまた妻の心の底から創造されてくるであらうか。

全く一篇の散文詩ではありませんか。子供は母にとつては歡びの源であり、力の泉であり、希望の光でありま す。否生命そのものでさへあるのです。おなじみの與謝野晶子さんは歌つてゐます。

末の兒の寢返るを見て白菊の
　香の立つやうに思ひけるかな

心からの微笑を以て共鳴の出來る實感です。そして何といふ處ましい母の誇りと滿足でせう。同じく女流歌人で、人としても母としても私の敬愛する茅野雅子さんに

ありがたさに涙こぼれぬ健やかに
　飯はむ子等のかたはらにゐて

といふ、泌々と日本の母らしい幸福感を歌ひあげたものや、

一筋にわが子を祈る心より
　力燃ゆるなり弱き女も

の如く、「女は弱し、されど母は强し」などいふ、金言風な概念的表現には到底もりきれない强い母性意識のはちきれた歌もあります。

また假りそめの病の床に臥しても、我が身を忘れてひたすら我が子を可愛想に思ひ、子の前に濟まなさを感ずる母心からは、原阿佐緒さんのやうな述懷も出て來るのです。

病む母にしばしはよらず夕ざりし
　門邊に吾子が吹くラツパはも

わが病めば子のおとなしくなるなども
　寂しやあわれ親たよる身は

子供の氣嫌がいゝと天にも昇るやうな喜びを覺えますが、一寸加減の惡さうな樣子でも見えると、まるで地獄に突き落されるやうな賴りなさを感じ、いよ〳〵病氣でもされると全く生命の細る思ひをするのが母心です。病む子を思ふ歌や、亡き兒を悼む歌などには、閨秀歌人の歌で傑作といふ可きものゝ却つて少いやうに思はれるのも、愛兒と一心同體の母親にとつて、その打擊と損失が

餘りに大き過ぎるからではあるまいかなどゝ、私は歌の道の素人らしい憶測もするのであります。

（二）

母にとつて子供が生命であるとすれば、子供にとつての母親は生命以上ものであります。特に幼兒にとりましては、母親は神樣でさへもあります。彼の「虛榮の市」といふ有名な小說の作者サツカレーも「幼兒の唇と胸とにありては、母こそ神に代る名なれ」と云ふ名句を殘して居ります。またユダヤには古くから、「神は同時に總ての場所に居給ふこと能はず、故にその身代りとして母を此の世に遺し給ふ」と、云ふ諺があります。子供にとつての最大の幸福は、全き安心と、絕對なる信賴とを以て、自分のか弱き生命を託することの出來る、惠み深き母を持つてゐるといふ事であり、その最大の不幸は、かゝるものとしての母を失ふことであります。何らかの原因で母を失ふならば、その損失は何ものを以てしても到底償ふことが出來ないのです。私のよく引用する歌でありますが、アララギ派の歌人島木赤彥の作に

桑の實を喰めば思ほゆ出の家の
　母なし子にてありし昔を

と云ふのがありますが、泌々と云ひ知れぬ淋しさを誘ひ出すやうな、切實な響きをもつ歌ではありませんか。母のない寂寥、亡き母への思慕、それは何時になつても、幾歲になつても消えない人の子の至情です。曾つて歌壇の問題となつた窪田空穗の傑作歌を、私は青年時代からどんなに愛誦して來たことでせう。

鉦ならし信濃の國を行き行かば
　在りしながらの母見るらむか

幼くして母を失つた薄倖の佳人白蓮夫人は、自ら母となるや

父ありて母ありなほ祖母ありて
　愛の中なる子に涙おつ

と我が兒を歌ひました。何でもないやうでゐて、讀むものに故しらぬ涙を催さしめるのは生きた體驗のもつ迫力とでもいふのでせうか。此の人の作には更に

子と眠る夜半の寢覺めに淚おつ
　われになかりし母のふところ

と、いふ一首があります。夜半添乳をし乍ら我が子とは斯くも可愛いものかと思ふにつけてもその母を持たなかつた自分自身の不幸に思ひ較べつゝ、此のいとしき者のために、我が生命をいとほしまねばならぬことを感じて淚する姿が、まざ〳〵と眼の前に描き出されるではありませんか。

世のお母樣方、お子樣方の幸福のために、何を措いて

も先づ貴女の尊い生命を惜しんで下さい。何卒健康に御留意下さい。これが日本國中のお母樣方へ第一番に御贈りしたいと思ふ、私の言葉の贈物であります。そして精々貴女方のお子樣を可愛がつてあげて下さい。子供をどんなに可愛がつても、可愛がつても、可愛がり過ぎるといふ心配は要りません。幼兒は母親の慈愛に飽き足ることなくしては、その肉體的生命の成長を完ふすることさへも出來ないといふことは。種々の實例か雄辯にこれを物語つて居ります。況んや子供の心は、母親の愛に餓る時には、どうしても健全な成長發達を遂げることが出來ないのであります。これあるがために、自然は母性本能といふものを人間に惠んで、母親をして身に換へても我が子を愛護し、慈育させるようにしてゐるのでありま す。

（三）

けれども、記憶して下さい、本能は結局盲目だといふことを。生れ乍らにして全く無力で賴りのない赤ン坊を一人前に育て上げるためにはどうしても母親の庇護と犧牲とが必要であるから、自然は强いと愛と、保護との本能を母親に惠んでゐますが、その本能の力の强い餘りに、母親はそれを濫用して却つて我が子の體と、心の健全な發達を妨げるといふ不幸な矛盾が生れて來るので す。それでは、どんなにでも可愛がれと云ふ私の前の言葉は間違ひかといふに、決してそうではありません。豊かに愛することが惡いのではなく、愛の濫用や、誤用や惡用がいけないのです。そして悲しむ可きことには、母性の本能愛の濫用、誤用、惡用は餘りに屢々隨所に發見されるのです。

母性の本能愛にはどうしても總明を加へなければなりません。茲に於て、私は世のお母さま方へ、第二の贈物として、一日も早く貴女方の敎育者としての立場を自覺して下さい、と云ふ言葉を御贈りし度いのであります。「母親は世界最大の敎育者なり」と、云ふ尊い言葉も、旣に陳腐な常套語となり切つて、それを聞いても、何ら感激の響きを感じない程にさへなつて仕舞ひましたが、然も母親は未だ、充分に自己の敎育者としての立場を自覺し、且つ其の本分を盡してゐるとは言ひ得ないのであります。幸ひなことには、特に最近に至つて、敎育とは單に知識を授けることではなくして、兒童の人格を健全圖滿に成長發達せしむることだ、との思潮が餘ほど普及して來ましたその手近な例として、私は近頃の雜誌の傾向を擧げ度い、學校の先生方が、先の頃と違つて兒童の躾の問題を種々と論議するようになつて居られる、これは實に喜ぶ可き傾向です。敎育は結局に於て躾です、董

陶です、品性の陶冶です、知識や技能の修練は勿論必要であり、忽せにすることの出來ないものでありますが、それらは要するに第二次的のものであつて、敎育の第二義諦は前者にあるのであります。

若しそれ敎育の目的が躾にあると云ふことになれば、母親が最大の敎育者だと云ふ立言が眞に生きてくるのです。我が子の躾は何時から初まらねばならぬかを先づ考へて戴き度い、それは子供が五歲になり、七歲となつて或は幼稚園、或は小學校に上るやうになつた時に至つて初めて始まるものではありません。私をして言はしむれば、その頃迄には最早子供の躾の時期は過ぎ去つて仕舞つてゐるのです。米國の有名な理學者のワツスンは人間の性格は二歲頃には大抵出來上つてゐるものだと主張してゐます。精神分析學派のフロイドとか、ジョンズとか、或は考へ方は大分違ひますが、アドラーとかユングとか云ふ錚々たる大家達も、遲くも五歲頃迄には一通り性格が完全するといふ意見に一致してゐるのであります。

それに就いて、ジクモンド・フロイドの娘で優れた幼兒分析學者である、アンナ・フロイドが面白い報告をしてゐます。數年前墺國の法延で一つの離婚裁判が行はれた、夫婦の間には二歲の娘があつたのですが、それをどちらで取るかといふことに就いて、夫方の辯護士は母親は到底その娘の敎育に通じない女だといふことを主張し、妻の辯護士は二歲位の子供に對して何も敎育のことをいふ必要はない、母の愛で世話を見れば足りるといつて、これを反駁しました。其處で裁判所は專門の學者に對して判定を依賴しました。それには所謂新心理學派のみならず、舊來の正統心理學派の學者をも半數參加せしめたのでありますが、兩派の學者の一致した決論は「子供の敎育は誕生から始まらねばならぬ」と、いふことになつて、その娘は結局父方に引渡されることになつたというのであります。（未完）

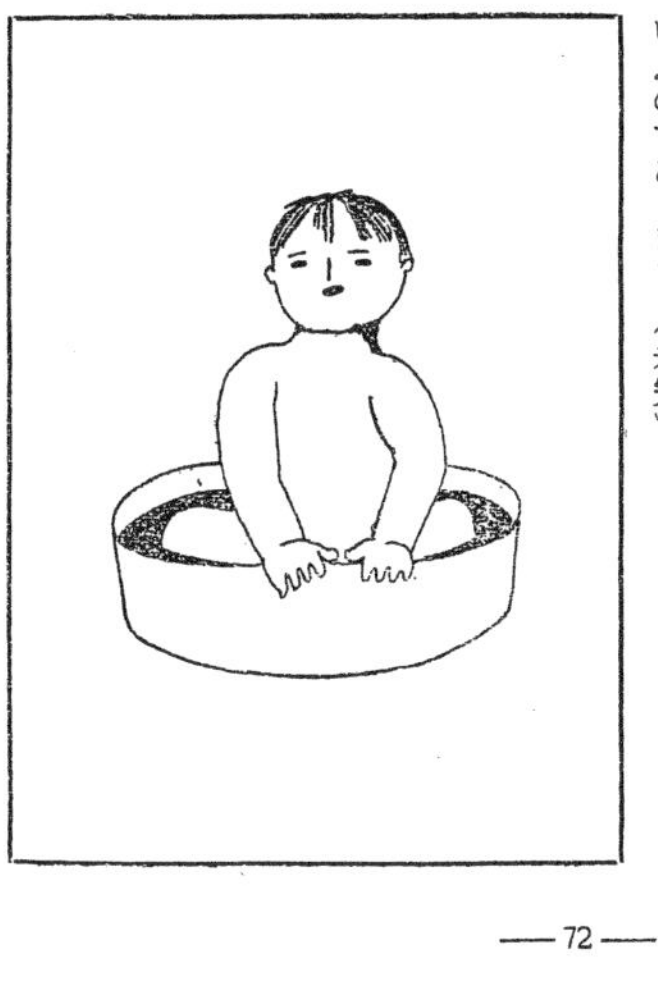

比島の怪奇と藝術

宮武辰夫

原始人の數において、種類において、フイリツピンのそれは恐らく世界にも比を見ないものであらう。しかしそれ等の研究は、土俗乃至は人種言語の方面の一部によつて朧氣なりにもなされては居るが、彼等のもつ香高い原始藝術の方面は未だに究められてゐないといふことは惜しみてもあまりあることである。然もそれらのものは日とともに加速度的に消亡しつゝあるのである。

さうした原始民藝を單なる寫眞や蒐集によるだけでなく、それらの藝術に秘められた味と香りを究め傳へることこそは、私達藝術家に課せられた大きな使命であらう。かうした念願から比島を飛石傳ひに、これら原始人を追つて山に海に、鳥獸に近い彼等純人の住居をくゞり歩いて七ケ月、文明人の思ひもおよばない怪奇と妖俗に驚きながらも、夥しい藝術を味ひ蒐め得られたことは嬉しさの限りであつた。然しこゝには、さうしたものから單に奇異を拾つて彼等の藝術の因子などを偲んで見ることにしよう。

バゴボ族の犧牲の殺戮

日本の靈峰富士の意がアイヌ語の火であるやうに、フイリツピンの南端ミンダナオ島にも土語で火の意であるアポを冠した火山アポ山が一萬尺の高さで聳えてゐる。その山瀧は夥しい邦人の蹝を積んで培はれた廟畑の廣大なうねりが見られることはあまりにも有名ではあるが、それに隣つた一大原始林には、血腥い妖習さ怪奇を今日に至るも行ひ傳へてゐるといふ原始人バゴボ族が住つてゐる。

そこはさうした部落の一つであるカテガン――品のいゝバゴボの老婆の二の腕から襟脚にかけて藍の色も鮮かに入墨が妖しくものぞいてゐる。通りすがりに呼びとめたが、自慢らしくその老婆は皮膚に唾をこすりつけて、刺青の色を深めて私に示してくれた。偶然にもかれて知り合ひの有力者モロン爺の姻戚に當るこの老婆は、私の希ひをいれて、乳房の上から下腹部にまで入れた刺青を見せてくれる事になつたが、女がその肌を他人に見せる事の絕無なこの種族としては眞にそれは僥倖といはればならない。

一個の果實が三貫目もあるといふナンカの森かげに誘つて脫ぐ上衣シノコップの下から覗かれる乳房の上には、妖しい爬蟲類の圖案が痛々しくも仔細に刻まれてある。下衣をとると下腹部から背にまで怪奇な線が深々と彫られてある。腰に卷いた布の織模樣にも爬蟲類が巧に圖案化されて、朱、黑、黃の三色によつて織られてある。乳房の上に垂れ下つた頸輪には鰐の牙がつけてある。

以上擧げたことどもは一見この老婆の原始裝飾のやうにも思へるが、私の持論として、原始社會には斷じて單なる遊戲的な補飾は成り立たない。さうしたことがこゝでもいへるのである。老婆の二の腕から乳房、下腹部にかけての圖案は鰐と蛇を圖案化したもので、これは死後第二の生活を信じてゐる彼ら原始人にとつてその途中魘獸妖怪に備へるために、身肌に強い鰐を刺靑するのであつて、その加護によつて無事に天界に行けると信じてかうしてゐるのである。

腰に卷いた布の鰐模樣も同じ念願から、肉體を侵す妖獸をのがれるといふ信仰に因つたものであつて現在でも腰に卷く布類を織り終つた場合には、嚴かな祭を布のために行つてゐる家が見られる。蛇の刺靑は、蛇を死後天界への案內者と信じてゐるバゴボ族の信仰にほかならない。最後に腕に刻んだ人形の模樣は、バゴボ族にとつては最も重要な役割をもつてをるのであつて、死後の生活を深く信じてゐる彼ら社會では、死後の生活に備へるためにさまぐ\なものが必要なわけであるが死界での從者こそは彼らの最大の念願でもある。

腕にした人形の刺靑はさうしたことに因つたものであつて、刺靑をした人形はすでにそれは神仰的存在物として、死後從者として自己に從ひ仕へてくれると固く信じてゐるが、さうした觀念が一層高潮した場合とか、村の長老が死した場合などには、その死界に人形でなく、實際の人間を連れて行くといふ信仰が起つて來るのである。

血祭カワヤン祭

人血で染めたといふ衣類を見るために私はカテガンからいくつかの原始林をくゞつてダトウ（酋長）オータイの怪奇な家屋を訪れた。何とはなしに底に銳い氣の流れるようなオータイは床の高い屋內に招じ入れたが、そこは想像にも增した妖しいたゝずまひでもあつた。蛇の形を彫つた赤ん坊吊りの鉤、槍のあとのある楯、首をとる度に一つづゝ刻んだといふ印がずらりと鞘に列んでゐる刀、結婚式の時に男女が髮を結びあつて坐すといふ臼等々。

然しさうした怪奇な數々にもまして私の眼をひいたものは、中央の大黑柱にも當る柱に結びつけてあつた枯笹であつた。その笹には吾が七夕祭の笹のやうに、さまざまのものが結びつけてある。それはパーリツシユの木の芽、パーツラの新芽、サラバク・テリナゴンなどの赤い木の葉などであるが、砂糖黍からとつた酒を入れてあるタゴーワンと呼ぶ壺も吊されてある。またその壺の下の方には赤黑い色で染めた恰も豆絞りようの布も見られる。

その布がタンコロでこの笹がカワヤン祭の時のカワヤン竹だとオータイは自慢さうに語つてくれた。

カワヤン祭とは敵の首をとつて來た報告祭のようなもので、村の青年は他部落の首を一つとつて來てカワヤン祭を濟ませると初めて一人前の男として嫁とりの資格も出來る譯であつて、吊してあるタンコロとよぶ豆絞りはその首から滴る血で染めたものでも

あつた。

元來カワヤンは男竹の一種で、その竹の株は永久に保存してその祭にのみ使用することにしてゐる。

カワヤン祭を初める場合にはこの男竹カワヤン女竹バラカーヨとを立てゝ三日前からこの竹を中心に供物をしてニットと呼ぶ神がゝりの老人が、女の腰卷を頭から被つて御伺ひを立てゝ、カワヤン祭の日を定めるのであるが、枯木が倒れたり、夜山鷄が鳴いたり皿が壞れたり、人が死んだりした場合にはさらに三日延して初めるのである。祭は三日續くが、最初の夜は女の祭りであつてバゲベ踊りと呼ぶ男性を激奮さすような身振りをしてバーツラの新芽を打ち振りつゝ踊り明すのである。青年達はかうした踊りや美しい娘達を眺めて、一刻も早く首を獲て村一番の勇者としてこれ等の娘達に迎へられようとの決心をかためるのであるが、第一夜の娘達のこの踊りこそは彼等青年にとつては決死の首狩を唆かす意義深いものである。元來原始社會では強さといふことが絕對なのである。女を娶るにもこの強さといふことがものをいふのであつて、同時に女にとつても勇者といふことが唯一の憧れでもある。

勇ましい首の獲得戰

第一夜に決意した青年達は翌日までに他部落に赴いて首を狩るのであるが、單身で入る敵部落での首の獲得戰のさまなどは想像に難くはないはずである。多くの青年達のうちから敵首を下げて歸るものは勿論僅かではあらうが、一方第二夜が村では祭とともに盛大に初つてゐる。酋長を頭に村の長老達から、懸を約した娘達に至るまで、首狩に出かけた青年達の安否を氣づかひつゝもアゴン（銅鑼）を打ち鳴らして祭を續けてゐるが、急に村で一番の老人が妖しい奇聲を擧げて村人に告げるその奇聲をバゴボ語でドラと呼んでゐるが、このドラこそは青年の一人が敵の首を下げて歸つたことを知らすものである。歡喜する村人に迎へられ、首はカワヤンの竹に供へられるが、往古はかれて娘達の手によつて絞られてある布片を、滴る首の血で染めて、カワヤン竹に吊るし、その青年の名譽と勇武を稱へたものであつた。これが古いタンコロの起源でもあるが、現在でも赤色で染めた布は、頭首を獲つた者のみに卷くことを許されてゐるほどである。

バゴボの男女の衣服ほど華美なものは少い。織布の全面は動物の骨を細くして刻んだものや、小鈴を隙間無く、怪奇な模樣を縫どつて縫ひ附けてあるが、多くは鰐の圖案化されたものである。さうした彩圖豊な衣服のうちに珍しくも暗赤色一彩の無裝飾のものが各部落に一着乃至は二着ぐらい見られるが、これこそ部落中で何十個といふ敵首を獲た最勇者にのみ許されたいはゆる血染の衣服であつて、今訪れたダトウ・オータイの父の着用したといふものがこの部落にたゞ一つ殘されてあるのである。

上衣シノマップ、下衣リノンボス、頁ひ袋カーペルから頭に卷く豆絞りタンコロに至るまで人血一色で染めてあるが、それは單調な底から不氣味な腥さが滲み出るようでもあつた。私のためにさうした血染の衣服を着けた酋長オータイの姿にも、殺氣に似たものが潜んでゐるようにさへ感ぜられた。

オータイ屋內に立てられてある枯笹も、さうした首取りの武勇を永へに稱へる記念品であつて、同時に何物にも代へ難い家寶でもある。

賀川豊彦氏『死線を越へるまで』（九）

村島歸之

二七、奇緣大親分を知る

初めて外出の出來るやうになつた日の午後、氏は待ちかれたやうにして、嘗ての日、新川で知り合つた怪しげなる信者植木――小說での名――の家を訪れて行つた。

生憎と植木は衛生掃除のゴミ挽き（塵芥集め）に行つて留守であつた。仕方がないので出直さうと、北本町の方へ露地を出やうとした時、あつといふ間に彈丸のやうに飛んで來た子供がつまづいて仆れた。

急いで起して見ると、額から血が出てゐる。子供は大聲をあげて泣き出した。

氏は早速ハンカチを取り出して血を拭ひ、その兒の家へ送つて行つた。

この兒の家へ行つたといふよりは、たえず氏を守り、氏を導き給ふ神が、そこへ行かしめ給ふたといふ方が當つてゐやう。なぜなら、その兒の家こそ、新川の大親分の家でそして、氏はこの大親分の世話で、新川に家を持つことが出來るやうになつたのだから――。

氏は親分の子供を送り届けたことが奇緣となつて、親分の信頼を受けた。親分は、氏が新川に自ら住み込みたいと云ふ希望を持つてゐるのを聞いてポンと膝をたゝいて、

――幸ひ自分の持家に、一軒空家がある――といふのだ。

渡りに船である。早速借りたいと賴み込むと、その家には少しくワケがあるといふ。

ワケといふのは、その家は前の年の暮に、わづか二十錢のポチ（祝儀）のことから殺人が行はれた家で、それからといふもの、幽靈が出るといふ噂が立つて、借手がない――といふのである。

幽靈の出る家に住むのも一興だ。氏は早速と親分からその家を借り受けることゝなつた。

六ケしいと思はれたスラムの家も、斯うして易々と手に入つた心の準備の整つてゐる氏には、スラムに移り住むといつたつて別に身の廻りの用意も何も要らなかつた。

氏は簡單に、明瞭に、神學校の寄宿舎からスラムの幽靈の長屋へ移つて行つた。

二八、貧民窟の第一夜

賀川氏が、勇躍して、神戸葺合新川の貧民窟の眞ッ只中へ移つて行つたのは、明治四十二年もあと一週間に押し詰つた十二月二十四日で、市中の教會ではクリスマス・ツリーを立てゝこどもらの喜んでゐる夕の事であつた。當時神戸神學校の先徒だつた廿二歳の氏は、縞の筒つぽを着て、熊内の高臺の神學校から、蒲團と本とを荷車に積み、學友の伊藤悌二氏(現在日本兒童愛護聯盟理事長)がこれを引き、氏がその後押しをして、葺合新川——葺合區北本町六丁目二千五十三番地——へ引越して行つた。

そこは木賃宿街の裏筋に當つてゐて、北本町六丁目の表通りからは全く見えない靜かなところだつた。せまい、手を延せば向ひ同志で握手の出來るやうな路次の兩側に、十軒づつ合計廿戸の長屋が並んでゐた。そこをさらに横へ折れると、又五戸づつ並んだ長屋があつた。氏の引越したのは十軒長屋の東から二軒目の家であつた。

表には形ばかりの格子がはまつてゐる外、殆んど戸締りもなく床も落ちかゝつてゐた。

格子に障子のかげさへない。それに表に二疊と奥に二疊あるべき筈の疊さへない。

そこで、監獄から出た許りの前記の植木と一緒に床を張り直し表の三疊には一枚七十錢で古疊を買つて來て入れた。

電燈もついてゐないので、輝かしかるべきスラム生活の第一夜は、暗闇の中で送られねばならなかつた。

誰一人、友もない淋しい師走の貧民窟に來て、始めて迎へた黄昏は、わけても寂しいものだつた。物珍しさうに格子から覗く近所のこどもの瞳にも、まだ馴染み切れない異端者扱ひの色が見えて、氏の心を一層寂しくした。

前の年の暮、人殺しがあつて、幽靈の出るといふ家の暗闇の中で、氏は只だひとり蒲團にくるまつて寢た。

かうして、賀川氏のスラムの生活は始められたのであつた。

四月の日記(編輯後記)

◉廣瀨厚生大臣閣下には去る三月二十四日、議會開會中本聯盟主催第十一回全東京乳幼兒審査會總裁を御快諾になつた事は既報の通りであるが、正式に申請書を府經由にて本省に提出の必要あり、四月一日附にて府知事宛に急送した、同日、陸軍省國分副官より協贊御認可の通牒を手にし、三日、右記審査會顧問三十名の方々に御依頼狀を郵送した、此の日新興美術院より招待狀が送られて來た。

◉四月七日、前大阪市社會部長志賀氏一周忌の法會が大軌沿線山本の邸に營まれるので朝家を出た、夜は同氏の遺稿集出版の協議會に出席、八日は引續き北市民館に於て昵懇者十六團體主催のもと追悼會が記者司會のもとに開催され、同館保育幼兒の讃歌の後、田坂社會部長、齋藤館長の追悼の辭があり、來會者三百有餘名、莊嚴に式を閉ぢた、十日、德川家達公より紀元二千六百年奉讃會に關し書狀を頂き、亦拓務大臣官房から協贊御認可の通牒を受けた。

◉十一日、前田館長の御案内にて府下南河内郡埴生村の四天王寺悲田院内隣邦兒童愛護會愛育所にある六十有餘名の支那の孤兒達を慰問し、親しく戰地から同行して來た鄭玉君、焦淑貞二女教師にも種々お話しを聽き、日沒頃まで唱歌の練習を見學して辭去した、十二日、フイリツピンのバシラン島ヤカン族酋長ダトウ・オンディン夫妻八名を吹田の大日本麥酒會社(寶塚は十八日)に案内し、十四日は彼等を濱寺新東洋の宿所に見舞つた。

◉二十日、臨時燕號にて上京、高島屋に開催中の意義ある紀元二千六百年奉讃展覽會を觀る、二十二日、明治製菓の宮本重役に遭つた處「貧民の子供に牛乳を與へる運動を興したらどうです」との御勸めを受けた、尙午後は厚生省にて潮見秘書官、宇田川博士、椎名屬官等に面會し、中野の服部蕾伯邸に至り慶子樣御永眠の弔詞をのべ、夜は白金に廣井會長を御訪れした。

◉二十五日、靖國神社臨時大祭の朝、永井名譽會長を御訪れして、愛子樣の新家庭を壽ぐ爲めに高木蕾伯の描いた紅梅の懸物を御贈りした、閣下に本年度審査會の前奏曲とも云ふ可き、六月十日の「軍國母性大會」に御講演を御願ひした、愈々『錢屋五兵衞』が左團次によりて上演される由である、正午柿の木坂の義兄宅に至り、午後大川氏宅にて偶然にも富田博士に御目にかゝり、夜は吉村蕾伯を訪れた。

◉二十六日、厚生省大臣室に於て廣瀨厚生大臣閣下に御目にかゝり、總裁御承諾の御禮を申上げ、且つ本聯盟過去十九年の歷史を御說明申したるに、其間起立されて御聽取になり、費用の點等を御心配になり種々尋ねられたのは恐縮の外はなかつた、正午、ニユーグランドにて偶然有馬伯に御目にかゝる、二十七日早朝、厚生省製作の映畫を本省御招待にて帝劇で鑑賞した、「日本の母性に捧ぐ」と云ふ標題はピツタリしてゐた、それより陸軍省醫務局に河野、梶浦二少佐を御訪れし、二十八日、改めて局長三木中將閣下に親しく御目にかゝり、審査會と母性大會の事を御願ひした、閣下の御懇情豊かな御言葉に思はず頭が下つた。

本誌定價	一冊金參拾錢　郵稅壹錢五厘
半年分六冊	金壹圓六拾錢　郵稅共
一年分十二冊	金參圓　郵稅共

誌代郵稅は一切前金の事
前金切の場合は發送中止
郵券代用は一割增のこと

昭和十四年四月廿八日印刷
昭和十四年五月一日發行(每月一回一日發行)

兵庫縣武庫郡精道村芦屋
發行兼編輯人　伊藤悌二
大阪市西淀川區海老江上二丁目三七番地
印刷人　木下正人
印刷所　木下印刷所
電話福島⑮{一五三四番 二四二六番}

大阪市北區天神橋筋六丁目
大阪市立北市民館內
發行所　日本兒童愛護聯盟
電話堀川㉟{〇〇〇一番 〇〇〇二番}
振替大阪五六七六三番

子供の世紀　第十七巻第五號
大正十三年二月二十日第三種郵便物認可
昭和十四年四月二十八日印刷納本
昭和十四年五月一日發行（毎月一回一日發行）

【定價金参拾錢】

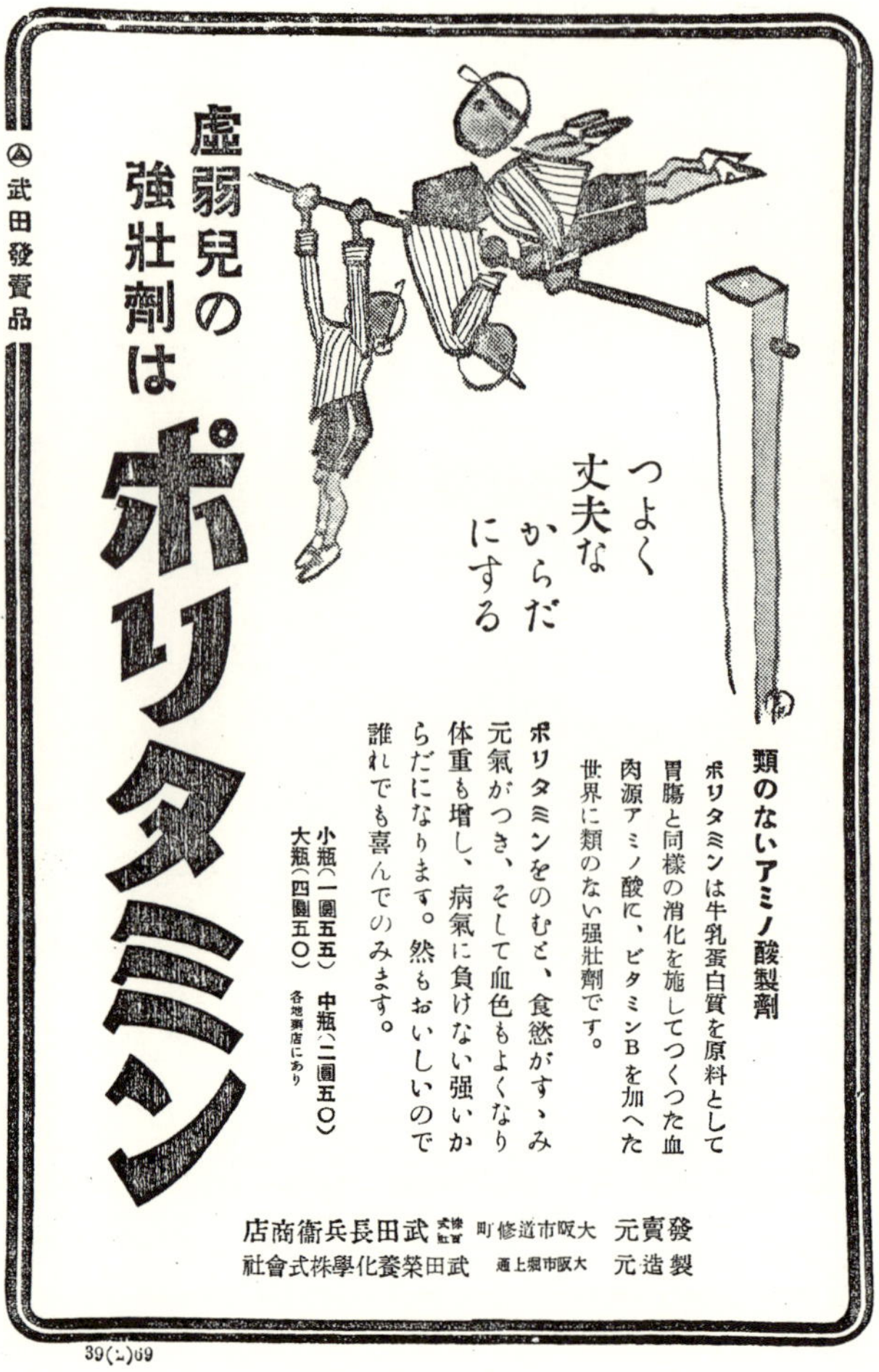

39(2)69

大正十三年二月二十日第三種郵便物認可
昭和十四年五月廿八日印刷納本
昭和十四年六月一日發行（毎月一回一日

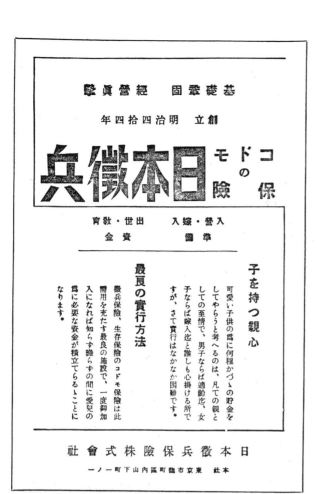

恒久國防・國民體位向上

子供の世紀

銃後の盛夏鍛錬號

第十七卷　第六號

大阪市立北市民館内

日本児童愛護聯盟

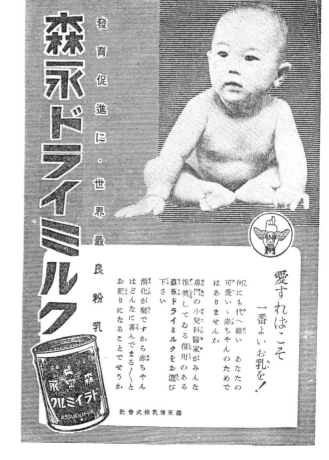

Kouniomi

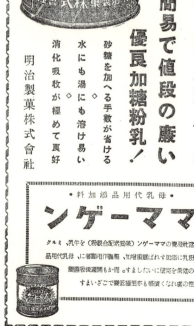

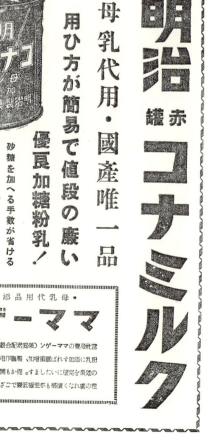

Kouniomi

大川吸入器

完全無缺 使用簡易

噴霧は體温以上に温く微細で病状に好影響をもたらします噴霧管は特許引抜パイプ製で絶對に故障の起らぬ逸品。器械は堅牢で大川吸入器が標準型です。
本器は一ケ毎に檢査をして發賣致します故、何處でお求めになつても安心です。
類似品あり、大川式と御指名を乞ふ。（固定式上下式の二種有）

照宮内親王殿下奉讃展覧會に御台臨

紀元二千六百年奉祝會主催
内閣紀元二千六百年祝典事務局後援
紀元二千六百年奉讃展覧會が、
過般東京高島屋に於て開催の砌、
畏くも　照宮内親王殿下には同會に御台臨遊ばされた。

全國醫學界の推奨を得たる
完全な榮養食料品

お醫者がスヽメル滋養のお菓子

乳菓 カルケット

大人…元氣増進　産婦…榮養補充
小兒…發育旺盛　病後…疲勞回復

本品の特徴は
人體に必要なるカルシウム分を有効に配剤す
（衛生試驗所證明）

ステキな5セン包が出來ました。

澱粉、脂肪、蛋白質の外特に健康に必要なるカルシウム分を有効に配剤し、砂糖による害を除き、一家の健康を保つ完全食料品として、カルケットを常用せられる事は、賢明なる現代の主婦の御役目であり、又お菓子の選擇に滿點といふべきであります。

5セン包紙10枚デ
高級コドモ漫畫雜誌呈上

東京
大阪　中央製菓株式會社

紫外線の薬剤

.60　2.00　5.50
（全國藥店・百貨店にあり）

太陽を與へよ
青白き都會の兒童に

あの偉大な發育力、生命力を植えつける原動である日光の中でも、最も人体に欠乏する紫外線を苦心して、薬劑化したのが 錠劑 オリーゼなのです
いういうらなりの様な、都會の兒童に、なくてならぬ、珍しい强壯劑が出來たわけです
紫外線の欠乏より起る、小兒腺病、吹出物の出る体質、風邪、結核を豫防し、頑健な体質に築き上げます
勿論服み良いです
詳しい説明書お請求下さい
（大阪中央私書函二十五）

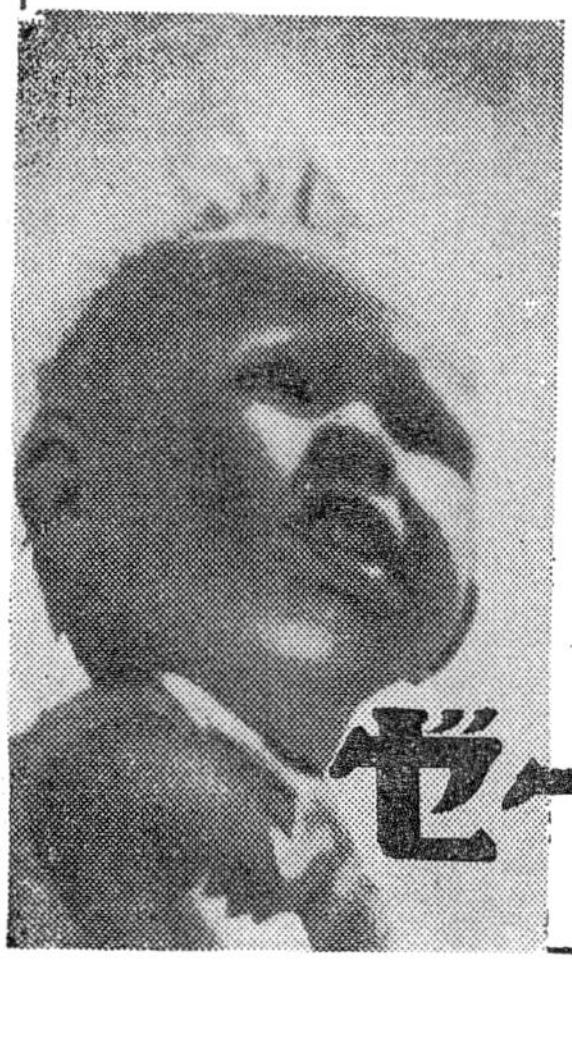

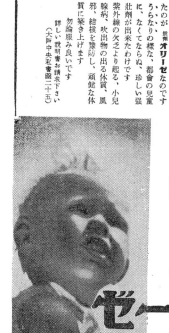

日光ビタミンー
錠劑 オリーゼ

上手な吸入のさせ方

吸入や含嗽は、あまり重い病人には著しい効果はありませんが、早くやると侮り難い効を奏するものです。外出後咽喉がちよつと變だと思ふときは、大人なら含嗽をすればよいのですが、小さいお子さんでは、それができませんから、吸入に替へます。吸入器にはいろ〳〵有りますが注意したいのは、藥液と一緒に冷い風が起り、却て吸入をしたために、よくない場合の起るやうなものを、避けるといふことです。使用上の注意といたしましては釜の湯は三分の一くらゐ注いで、なくなる前に注ぎ足します。湯のなくなつたのを知らずにゐると、破損することがあります。

アルコールを口元まで入れると、發火する虞れがあります。吸入をかけると、お寢衣やお蒲團が濕りますから、防水布やタオルをかけておき、寢たまゝの病人なら徐かにかけてあげて下さい。赤ちやんの吸入は無理にお口を開かせる必要はなく、玩具で機嫌よく遊んでゐるときでも、吸入器の方を近づけて、あたりの空氣を軟くしつとりさせて、少しづゝでも吸ひ込ませるやうにします。一回分をあまり長くかけると倦きますから、一日に三四回にしてコツプに二杯ぐらゐで結構です。終りましたら蒸しタオルで拭いて、後にクリームなどをつけてあげると、お顏の荒れを防ぎます。

吸入液の作り方

藥液はいろ〳〵有りますが、お子さんには一%の重曹水で結構です。(約一合の水に茶匙一杯)又は重曹と食鹽を各々一%の割に溶かしたものを用ひてもよろしい。

うがひ藥の作り方

二%硼酸水　硼酸は冷い水に溶け難いが微溫湯を用ひますとすぐ溶けます。大人の水藥二日分入りの瓶は通常二百瓦入りですからこれに四瓦入ればよろしい。

二%鹽剝水　鹽素酸加里は常用としてうがひに用ひるのはよくありません。殊に小兒には用ひぬのがよろしい。

三%過酸化水素水　過酸化水素又はオキシフルを水百に對して三の割合に二百瓦入りの水藥瓶なれば六瓦入れます。過酸化水素はごみ、又は日光熱等にあへば酸素を發生分解して無效となりますから瓶は清潔なものを用ひ、戸棚か押入等の暗所に置かねばなりません。

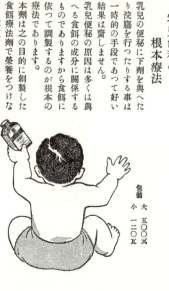

肇國創業繪巻 十

饒速日命の歸順

中村岳陵繪

天の磐船に乘りて天降りまし〻饒速日命は、長髄彦の妹をめとりて、大和ををさめたまひしが、長髄彦天津神の御子豈二柱ましまさむやと、饒速日命の天孫のみしるし物、天の羽羽矢と歩靫とを　天皇に見せ奉る天皇みそなはして、まことなりとのたまひて、佩かせる天の羽羽矢、歩靫を長髄彦に見せたまふ。彼そのの天のみしるしを見ておそれかしこめど、迷へる圖を守りて飜へす心なければ命つひに彼を殺し、衆を率ゐて順ひたまふ。

人的資源擴充强化運動

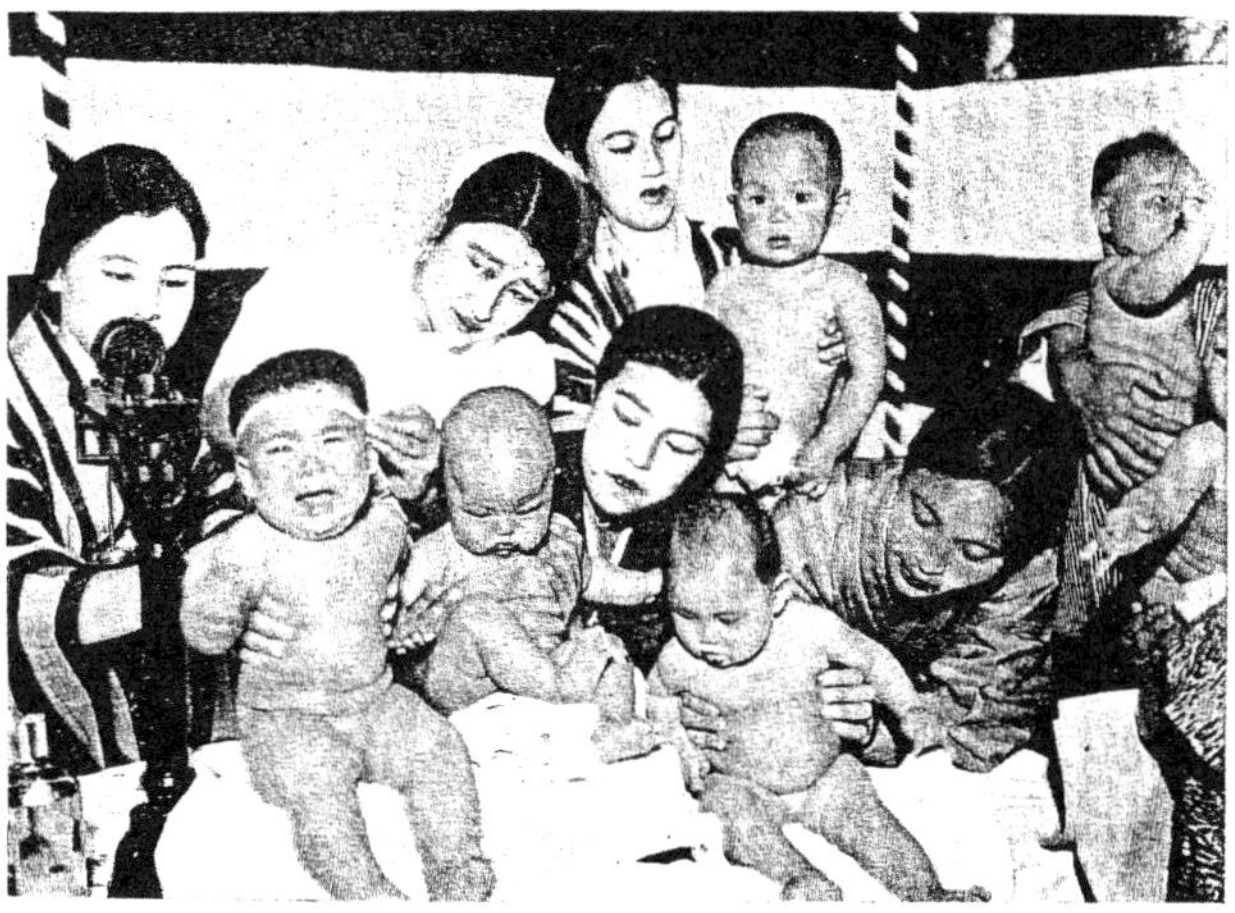

帝都に於ける意義ある年中行事の一つである、本聯盟の赤ちゃん審査會は廣瀨厚生大臣閣下を總裁に頂き、來る六月十一日より五日間、日本橋高島屋に於て開催されるのであるが、十日には軍國母性大會が施行され、永井名譽會長始め陸海軍要路の方々の御講演がある。

初夏の名畫

藤娘
山川秀峰作
山川秀峰 第三回個人展覽會

偵察
高橋亮作
第三回海洋美術展覽會

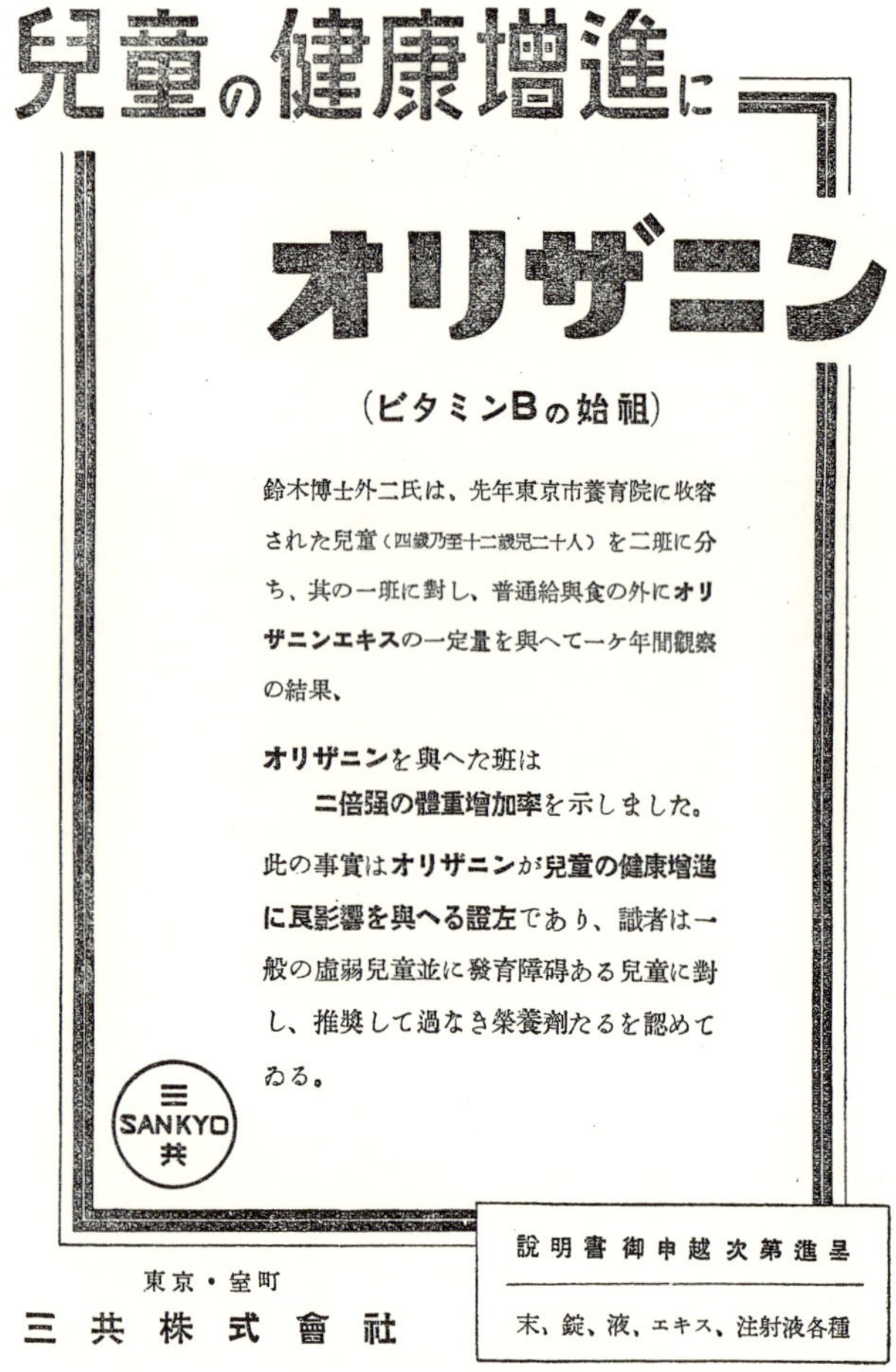

兒童の健康增進に
オリザニン
（ビタミンBの始祖）
鈴木博士外二氏は、先年東京市養育院に收容された兒童（四歳乃至十二歳兒二十人）を二班に分ち、其の一班に對し、普通給與食の外にオリザニンエキスの一定量を與へて一ケ年間觀察の結果、
オリザニンを與へた班は
二倍强の體重增加率を示しました。
此の事實はオリザニンが兒童の健康增進に甚影響を與へる證左であり、識者は一般の虛弱兒童並に發育障碍ある兒童に對し、推奬して過なき榮養劑たるを認めてゐる。
三 SANKYO 共
說明書御申越次第進呈
末、錠、液、エキス、注射液各種
東京・室町
三共株式會社

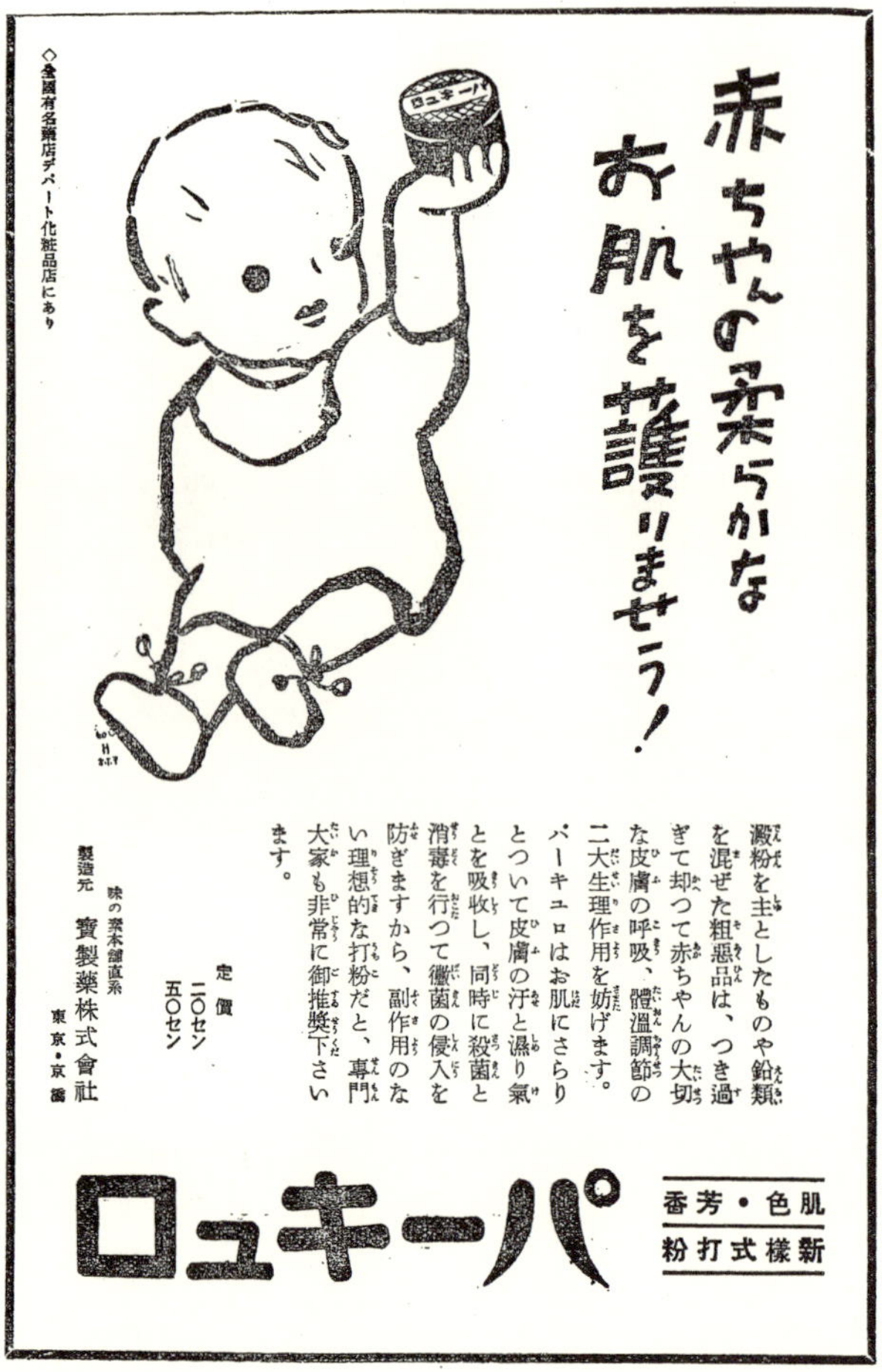

◇全國有名藥店デパート化粧品店にあり
赤ちやんの柔らかなお肌を護りませう！
澱粉を主としたものや鉛類を混ぜた粗惡品は、つき過ぎて却つて赤ちやんの大切な皮膚の呼吸、體溫調節の二大生理作用を妨げます。パーキュロはお肌にさらりとついて皮膚の汗と濕り氣とを吸收し、同時に殺菌と消毒を行つて黴菌の侵入を防ぎますから、副作用のない理想的な打粉だと、專門大家も非常に御推奬下さいます。
定價 二〇セン 五〇セン
味の素本舗直系
製造元 寶製藥株式會社 東京・京橋
パーキュロ
肌色・芳香
新樣式打粉

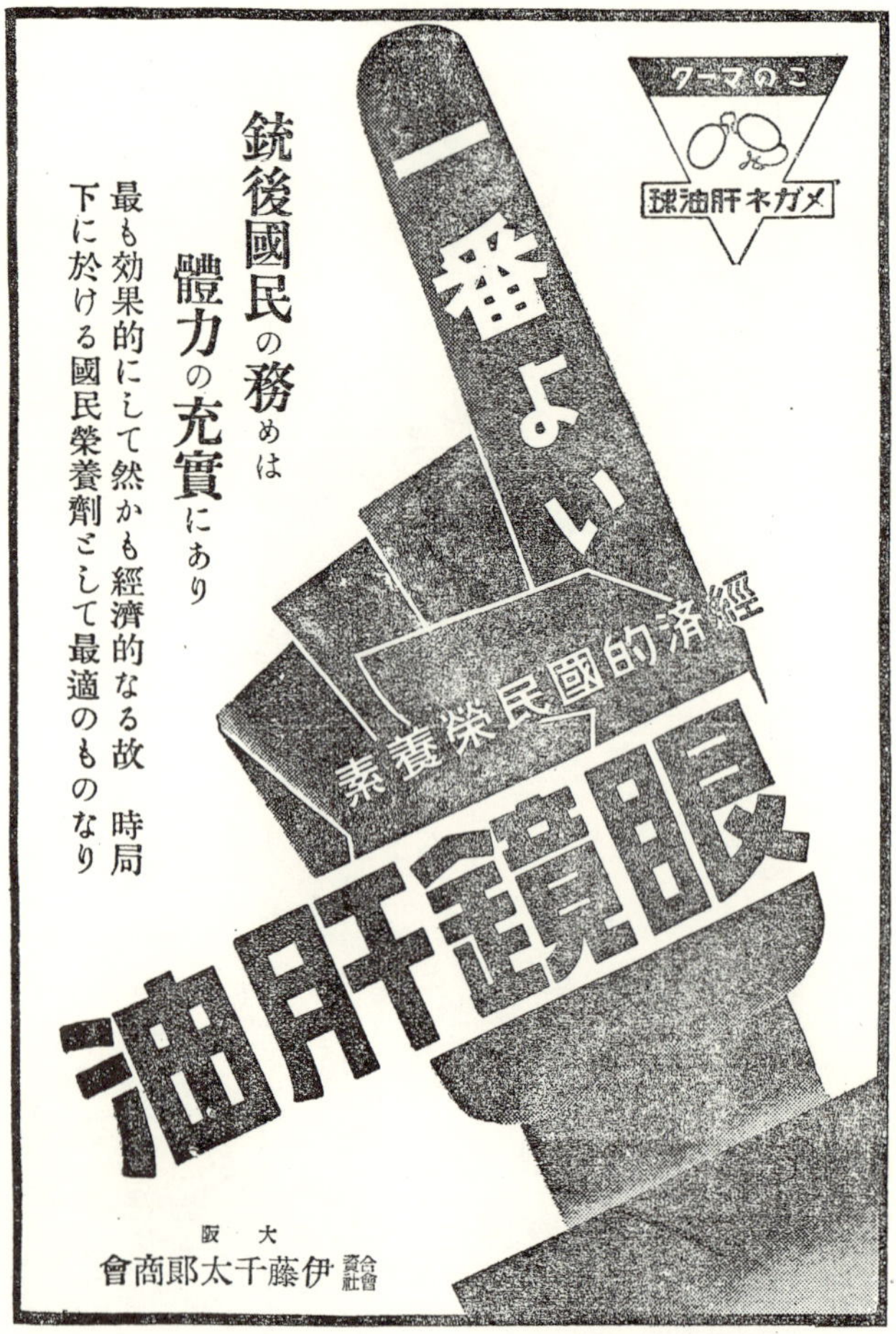

銃後國民の務めは
體力の充實にあり
最も効果的にして然かも經濟的なる故 時局下に於ける國民榮養劑として最適のものなり
一番よい
經済的國民
國民榮養素
眼鏡肝油
このマーク
メガネ肝油球
大阪
合資會社 伊藤千太郎商會

ライオン歯磨
毎日新しい氣持で活動出來る
朝の歯磨
毎夜さつぱりとして安眠出來る
寢る前の歯磨
斯くてあなたの生活は
明朗！
粒子の形、硬度共に絕對に歯を損傷せず、歯磨の生命たる吸着除去の力亦强大。爽快無比の使用感と相俟つて眞に世界的聲價を有する
ライオン歯磨、
ライオン歯磨
潤製

我等の長谷川海軍大將（巻頭言）

伊藤悌二

光輝ある戰捷の第三年に、然も國民の覺醒緊張を要する海軍記念日を前にして、去る五月二十二日、横須賀鎭守府司令長官長谷川海軍大將閣下を親しく御訪ねし、且つ將軍の御好意によりて我が國はもとより、世界の戰史上に永久に燦然たる記錄を殘したる、旗艦三笠を拜觀の光榮に浴した事は、前日迄豫期せぬ事であつただけにその感激と歡喜も大なるものがあつた。

本聯盟主催にかゝる第八回全東京乳幼兒審査會が、去る昭和十一年の初夏に開催されし砌、時の海軍大臣永野大將閣下には本聯盟の爲めに種々御庇護御援助を賜はつた事は、實に時の海軍次官たりし長谷川大將閣下の御助言に依る處が多かつた爲めで、爾來引續き大なる理解のもとに本聯盟の發展を心から御希願されて來たのであつた。

二日前に電話で副官を通じての「二十二日は日中は何時でも差支へがありませんから……」との御懇ろな御言葉を耳にしたのであるが、その日正午、横須賀鎭守府の正面玄關前に立つた時、あの中天高く屋上に輝く黄金の菊花は實に海國日本を祝福するがやうに思はれた。

閣下は本聯盟機關誌『子供の世紀』五月號と、本聯盟の事業史である『全日本兒童愛護運動寫眞帖』を交々手にされ、鄭重に頁を一枚一枚繰り展げられて事業の躍進振りを稱讃されるのであつた。

廣井會長は The Society for the Prevention to Cruelty to Children.（S.P.C.C）の運動は歐米に於ては、動物愛護運動（S.P.C.A）と併行して稱道實施されて來た事を話されると、一々頬笑みつゝ頷かれるのであつた。閣下は本年度の審査會に表彰されんとする、幾多の優良兒のため二幅の絹本に「愛せよ敬せよ強く育てよ」「精神養氣」と墨痕鮮かに揮毫されるのであつた。其處には世の常の所謂舊式な時代遲れの名士等のやうな、衒氣や豪傑風な稚氣がなく、明朗にして光風霽月、實に〇〇艦隊司令長官として某方面海上に活躍され、生々しい不朽の勳功を奏された大將軍とも思はれぬ程の懐しさ親しさを感ぜしめられる。

將軍は今年五十七歳の働き盛り、一本の白毛もなく、壯者を凌ぐ程なみづ〳〵しさを全身にみなぎらせて居らるゝのは、多端な海國日本の將來をシンボライズする如く、我等は益々信頼と聖望を大にさせられるのであつた。

「切角ですから三笠艦を見ていらしては如何です」と自動車を差廻され、將軍の御蔭を以て、彼の日本海大海戰に際し、東郷大將の側近にあつて信號長たりし大河原海軍少佐（當時二十七歳現在六十二歳）より、最も體驗的な然も肉躍り血ほとばしる感のする實話を拜聽した事を感謝しなければならぬ。「敵艦見ゆ」との報あるや、少佐は提督に從つて艦尾から艦頭へ甲板上を歩行の時、敵彈飛散の刹那刹那に、いともにこやかに部下を顧られ「こはくはないよ」と云つた面持をされ、從容自若として歩を進められたと云ふ實話は一番感銘的であつた。

當時長谷川少尉は距離測定の重任を負はれ諸星將と共に東郷提督の背後（大海戰の名畫にあり）に控へられたのであるが、その一少尉こそは今日赫々の武勳に輝く横須賀鎭守府司令長官長谷川將軍なのである。我が日東帝國をして富嶽の安きに置く爲めには第二、第三の將軍の輩出が曉望され、今日の青少年諸君の双肩にその重責が負はされて居るのではなからうか？

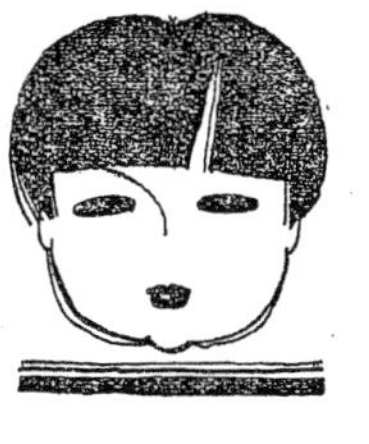

黴毒と育兒（其一）

山形市立病院濟生館小兒科
醫學博士　宇留野勝彌

◇戰爭と黴毒

昔から文明と黴毒とは正比例して多くなるといはれて居りますが、戰爭と黴毒も亦非常に密接の關係があるもので、戰爭後には必らず黴毒が多くなると申します。或る人の報告によりますと、北支の石家莊の女子は八〇パアセント迄がワッセルマン氏梅毒反應が陽性だと云ひます。一事が萬事、私共は長期抗戰の覺悟を持して居る以上、文明の敵、亡國の惡魔である黴毒に對しては認識を充分新らたにして豫防と撲滅に全力をそゝがなければなりません。

◇黴毒の傳染經路

黴毒といふ病氣は今を去る三十四年前シャウヂン及ホフマンと云ふ人が發見したスピロヘータ、パリダと呼ぶ一種の黴菌によつて人から人に直接傳染する傳染病であることは御承知のとほりです。西洋では西暦一四九三年にコロンブスがアメリカ大陸を發見したときに歸航の船中で水夫が初めてこの病氣にかゝりヨーロツパにお土産に持つて行つたといふ名高い話がありますが、我が國には紀元一五一二年に唐瘡或は琉球瘡といつて初めて流行しだしたさうで勿論支那から入りこんで來たに相違ありません。

大人の場合は殆んど全部は賣笑婦を介して浮氣男に傳染するのですが、この病氣の淋病と違つて居る一特長は黴菌は多少なりとも傷のある粘膜から侵入して傳染するもので、陰部は勿論、口腔からも感染するものです。

紅燈の下綠酒に醉ひしれて仇し女に接した男が黴毒に

苦しむなら因果應報とも云はれもしませうが、こゝに浮ばれない可憐な被害者が居ります。それはハズの梅毒を感染せしめられた善良な妻君であり、更にその妻君がマヽとなつて生んでくれた先天梅毒の赤ん坊であります。かうした一番割切れない不過な赤ん坊はドイツ、アメリカあたりでは百人中四—五人あるさうで、日本でも東京大阪の大學小兒科の調べでは百人中二人弱位居ると申しますし、昭和十年の我が國乳兒の死亡原因の統計によりますと、この先天梅毒で死ぬものが三千人も居ります。尚先天性弱質、早産といふやうな病名で死んで居る乳兒が七萬人居りますがその約一割の七千人は死の眞因は先天梅毒だと學者は力說して居りますから合計約一萬人は年々親から貰つた有難くない梅毒のためにいたいけ盛りの赤ん坊が死んで行つて居る勘定になる譯で、まことに寒心に堪へない次第です。

◇流産は多く梅毒性です

今から六十年も以前、未だ梅毒の黴菌の發見されぬときに早くもオルスハウゼンといふ學者が常習性流産は梅毒に因すといふ卓見を發表して居ります。これは全くほんとうのことで只今の學問でも梅毒の母は百人中三十八人は死、流産をやると云はれて居り、逆に流産や早産をやつたのを調べてみると百の内三十八までは立派に梅毒があるさうです。そこで死、流産をした場合は母親は先づ自分が梅毒でもありはしないかと反省してみねばなりません。而も一度ならず、二度、三度と回を重ねて流産するやうな、所謂常習性流産の時は梅毒の疑ひ一層濃厚となつて來ます。同じ流産にしても、姙娠の前半期卽ち第四ケ月位までの早い間の流産は割合梅毒性のものが、少ないのですが、反對に姙娠後半期の第七、八ケ月の死產産の方は大方梅毒性であると云はれて居ります。キンクレル氏が二百四十二回の梅毒姙婦の死、流産を調査しましたところ、姙娠四、五ケ月は四回、六回位の僅かですが、第八ケ月は六十六回、九ケ月が三十四回といふ多數になつて居りました。

◇女性の梅毒は氣がつかぬ

一體梅毒が人體に感染してからの病氣の經過は大變ながいものですが凡そ三期に分けて居ります。第一期、第二期、第三期とそれ〳〵特長のある症狀を現はして來るものですが、中には症狀がはつきりしないで血液檢査をして初めて知つたり、死、流産したり、先天梅毒兒を生んで初めて梅毒といふことが分つたといふ母親が非常に多いものです。一向氣がつかずに居る梅毒患者の內男より女の方が遙るかに多いさうで、或る學者は男なら百人の梅毒患者の六十人位が氣がつかずに居り、女なら驚く

勿れ百人の患者中八十餘人もの大多數が氣づかずに居ると云つて居ります。

御承知のとほり梅毒の檢査には血液をとつてしらべるワッセルマン氏反應又はそれに類似の色々の方法がありますが、かうした人爲的の檢査法それ自身正確とは云へませんし、梅毒の病狀によつても檢査の反應が現はれないときもあるのです。又梅毒以外の病氣でも反應が現はれることもあり、出産間近には梅毒であくも反應が現はれます。我が國の母親の何パアセントが梅毒反應陽性であるかの問題も極めて意義あることでありますが、先人の研究、私自身の調査によつて先づ約八—九パアセント位かと存じます。

◇血液檢査を過信するな

先天梅毒兒でありながら血液反應が陰性であることがまゝあります。或る學者の統計では先天梅毒兒の血液檢査で明らかに反應の現はれるのは百人中六十六人から九十二人であり、又先天梅毒兒を生んだ母親の血液をとつて調べたところ反應の出たのは百人中八十人乃至九十五人と云ひます。これを以て見れば反應が現はれないからとて安心は出來ないことを知つておく必要があります。殊に新生兒の血液では梅毒反應は殆んど常に現はれませんからその時はむしろ母親の血液をしらべる方がよい譯です。

◇第二期梅毒が最も危險

赤ん坊にとつては母親の第二期梅毒が一番危險です。卽ち一番先天梅毒として生れ易いのです。第一期梅毒の母が果して梅毒兒を生むかどうかの問題は學者の間に議論もありますが、たしかにさうした例もあると報告して居る學者もあります。卽ちスタイネルト氏は姙娠して分娩の七週間前に主人から姙婦が梅毒を傳染させられたところ、生れた赤ん坊が生後約三週間後に先天梅毒の症狀を立派に現はして來たと申します。

第二期梅毒の母親の十七回のお產中六回は先天梅毒兒を生み、十一回は浸軟兒と稱する梅毒でひどくやられて腐つたやうなみぢめな狀態で死流產を呈して來たと報告した學者があります。如何に第二期梅毒が產兒に傳染し易いかお分りだらうと思ひます。

◇第三代梅毒といふのがある

第三期梅毒になると一般に傳染しにくゝなります。先天梅毒の子供が成長して母性となり、その人が赤ん坊を生むとしますと一般には梅毒の子供ではありませんが、時として先天梅毒兒を生むことがないではありません。卽ち祖父母が梅毒でその娘に當る母親が先天梅毒、その

主人である父親が健康であるのに生れた子供が先天梅毒であれば三代梅毒と呼ぶ珍らしい梅毒の一種であります。私も一例かうした患者を診たことがあります。アウドリン氏は第四代梅毒を見たことがあるとさへ云つて居ります。日常私共が梅毒兒と診斷したときは前述した如く殆んど全部父親が梅毒でそれが母親にうつり、赤ん坊にうつつて來たと信じて居りますが、ごく稀にはこゝに述べたやうな父親は清浄無垢で梅毒兒が生れる場合もあるのですから注意を要します。（以下次號）

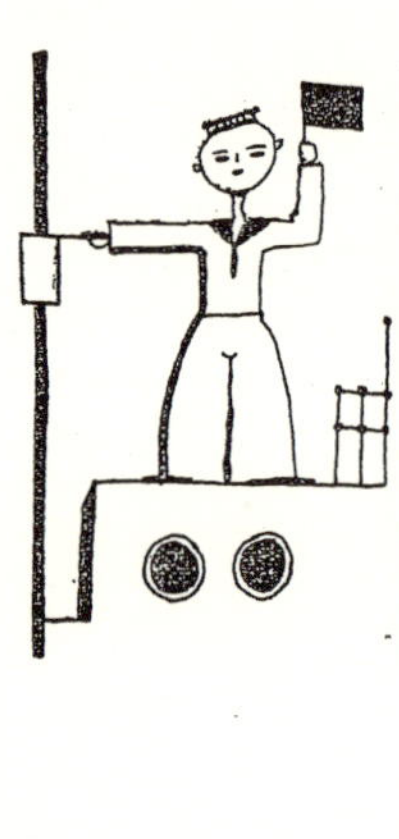

お乳の與へ方と取扱ひの注意

醫學博士　一色　征

天然榮養兒の場合

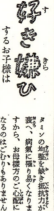

母乳は赤ん坊にとつて天賦の理想的な榮養物でありますから立派な丈夫な赤ん坊を作るためには萬難を排して母乳を與へるやうにせなければなりません。

授乳時間は規則正しくし赤ん坊の月齢に應じて三―四時間毎に授乳し一日五六回とし夜中は授乳せず母子共に安眠するがよく、一回の授乳は約十五分間片乳宛交互に與ふ。その間にお乳を欲しがれば番茶、お白湯を少量宛與へます。

乳嘴の含ませ方

添乳はせぬこと。産褥中又は病氣の時以外は添乳をせない方がよろしい、寢ながら乳嘴を含ませる事は色々の危險を伴ひ殊に夏季には授乳中に母親が疲れのために眠つてしまひ、屢々乳房で窒息さすやうな場合もありますから、注意して頂き度い。又添乳すると常に乳嘴を離さず、飲んでは休み〳〵するために飲過となり、胃腸を壞し、母親はお仕事が出來なくなりますから、添乳の習慣はつけぬがよろしい。

お乳を飲せる時は毎度に坐つて膝の上に赤ん坊を抱いてお乳を含ませ、鼻口を押へないやう、注意せなければなりません。又乳嘴をふくませる時に母親がよく自分の唾を乳頭につけて濕してふくませる方がありますが之は色々の口上の黴菌を乳兒に植付けてゐるやうなもので絶對避けなければなりません。

母親は入浴を怠らないで乳嘴を清潔に

これからは汗が出やすいのですからお母さん方は毎日入浴を怠らないで身體を清潔にし殊に乳嘴は不潔にならぬやう授乳の前後にはお湯に浸したガーゼかタオルで、よく拭ひその後を、乾いたタオルで輕く拭いて、水分を取り、清潔にしておく事が大切です。乳嘴を不潔にすると乳線炎を起し授乳毎に痛くて困る事が出來ます。若し不幸にして乳嘴に傷が出來た時は、治療を受けると共に乳房に對しては乳頭保護器を用ひてお乳を飲ますか、或は搾つて與へます。乳線炎を起しても化膿しない内は授乳して差支なく乳線炎に對しては授乳した方が早く治り易いのです。

人工榮養の場合

人工榮養品はその成分の組成が出來るだけ人乳に近いものでなければなりません。人乳に最も近い成分組成のものは牛乳であります。然しながら、消化の點からみると、牛乳は人乳よりも消化時間が長くかゝるのですから出來るだけ規則正しく與へなければなりません。牛乳又は粉乳等の與へる分量回數並に稀釋の割合等は乳兒の月齢に應じて違ひがありますから必ず保健所、乳兒院や、專門醫の指導によるのが安全であります又果汁を忘れずに與へる事も生後二ヶ月頃からの人工榮養兒には大切です。

牛乳の飲ませ方

お乳を飲ます時は先づお母さんの手を洗つて清潔にし乳首は熱湯に浸して消毒し哺乳瓶はよく洗つて乾かしたものを用ふる事が大切です。梅雨季には殊に注意して哺乳瓶や乳首に乳かすが殘らぬやうよく洗つて、乾かしておかなければ黴が生へ易いのです。次で指示を受けた通りに、お乳を調合し火にかけ、煮立つてから三分間で火から下ろし、之を冷して體溫と同じ位の溫度になつてから與へます。牛乳の場合にはソクスレット氏消毒器と云つて、一度に六本位の哺乳瓶を消毒し得る器械があれば之に入れて一度に消毒して置き、授乳時に體溫位に溫めて與へる事が出來ますが、これから夏にかけては、やはり一本宛消毒するがよろしい。お乳の溫度を調べるには哺乳瓶より一二滴を手の甲に垂らして、加減を調べるのがよく、決して乳首を吸つて加減を調べてはなりません。

哺乳する間は、常に乳瓶を持ち添へて與へる事が大切です。乳瓶を赤ん坊の側に置き、乳首をくはへさしたま

ゝで、放つて置いてはなりません。かやうな事をするとお乳が流れたり、乳首が外れたりして、着物を汚し、如何程飲んだのか分らなくなり、飲み足らなかつたり、飲み過ぎたり、お乳が冷へてしまつたり、時に氣管にお乳が入つて、むせんだりします。授乳時には哺乳瓶の口が常にお乳で充たされてゐるやうにして、介添しながら、お乳を飲ますと、空氣を飲み下すこともなく、お乳を飲んだ後で吐いたりする事もなくてよい。

牛乳の貯へ方

此れから季節には、牛乳の貯へ方に注意しないと、兎角早く腐敗し易く、從つて胃腸を壞し易いですから、充分注意して下さい。

最もよい貯へ方は冷藏庫に入れる事ですが、之がない時は井戸に吊すか、冷水の入つた桶に牛乳瓶をつけて絶へず水道の水を流し入れて、流水さして冷しておく事が必要です。或は冷水中に牛乳瓶を立てその上に布を被せその一端を水中に浸し、布にも水をかけて、冷たい風通しのよい所に貯へるもよろしい。

哺乳瓶や乳首に對して一層の注意が必要である。

哺乳瓶は廣口瓶で、內側が圓くて角のない簡單な型のものがよく、出來るだけ、隅まで洗へるものでないといけませぬ。哺乳瓶を使つた後は必ず溫湯と瓶洗用ブラシを用ひてよく洗ひ、二％の重曹水で、洗滌し、再び溫湯を通し、倒さにして黴の生えぬやうよく乾かして置くべきであります。

乳首も成るべく型の簡單な、洗ひ易いものがよく、乳嘴型で、ゴム製の、瓶口に直に被せるのがよろしい。昔より屢々用ひられる、硝子管の先端に、細いゴム管をつけ、その端に乳首をつけたものは、洗滌消毒が不充分になり易く、使用せぬがよろしい。笛のついた空乳豆と云つてゐる玩具のやうな乳豆を夜晝となくくはへさして置く事は、不衞生ですから是非止めて下さい。

乳首の吸口の孔は小さく二つ開け倒さにして一滴お乳が落ちる程度に開けるがよろしい。孔を開けるには、ろうそくの火で、縫針の尖端を赤く燒き、直に、乳首の尖端に突き通すと、譯なく孔が開き、突き刺す程度によつて、孔の大小は自由に加減出來ます。

乳首を使つた後は、食鹽でよく洗ひ、溫湯で洗滌し、乾かして、清潔なガーゼで包んで置くがよろしい。毎週一二度は煮沸消毒しておく事が、梅雨季には殊に必要であります。

育兒欄

十一箇月の赤ちやんの育て方

醫學博士　野須新一

一、身體の發育 十一箇月の赤ちやんの體重、身長、頭圍、胸圍の標準。

月齢		身長(糎)	體重(瓩)	頭圍(糎)	胸圍(糎)
十一ケ月	男	七二・〇 (二・三八〇)	八・九二	四五・二	四五・一
	女	七〇・五 (二・二六〇)	八・四七	四四・〇	四四・一
十一ケ月半	男	七二・六 (二・三九〇)	八・九八	四五・三	四五・三
	女	七一・〇 (二・二九〇)	八・五九	四四・一	四四・三

(備考) 括弧内貫

二、精神の發育と運動の發育

一、正しく椅子に坐る。
二、紐のついて居る物を引張る。
三、周圍の人々に對する記憶が出來る。
四、起立する。
五、音響を眞似る。
六、見慣れぬ人の前で怖がる。
七、大人と共に組織立つた遊びをする。
八、箱を開く。

三、十一箇月の榮養の仕方

十箇月の處で述べた様に、最初の中は粥二回、母乳、或は牛乳二回、(或は三回)として之に野菜裏濾し、卵の半熟(白味も共に)一回半個分、一日一個、豆腐、マッチ箱大一個、或は充分に熟煮した「ウドン」「ソーメン」、麩の類を與ふ。粥の作り方も最早必ずしも「破碎米」粥でなくとも米の粒を其の儘用ひて宜ろしい。たゞ注意を要するのは充分に時間をかけて煮く事である。煮方が足らぬと消化が惡い。弱火で長い時間煮熟し米粒の心まで充分柔軟となつたものは消化が甚だ良好である。牛乳或は母乳を與へる時、同時に一―二片の「マッチ」箱大の「パン」を與へる。勿論與へ始めの時分には、少量宛與へ、赤ちやんが元氣で、大便も、食慾も共に變りがないかに充分

注意をして、そろ／＼増量する。間食としてはウエーハース、輕燒、風船「アラレ」、「ビスケット」、「ビスクイ」「カステーラ」等の中から撰んで牛乳、又は母乳と共に與へる。分量は控え目にして與へる事勿論である果物は果汁の形を廢めて、下ろして與へ始める。最初は少量、林檎であれば一個分の中四分の一を下ろして匙で與へ、他は果汁の形で與へる。そして、漸次下ろしの量を増やして行き本月の終り頃には下ろし林檎半個分を一回に與へる様にする。本月の終りには粥の分量も一回子供茶碗二杯にし一日三回とし他に一回或は二回牛乳全乳一合を與ふるか、母乳を與へるかする。粥も普通粥の程度にし充分によく煮て與へる。斯くして十一箇月目に入るのである。

下痢の注意 離乳中には餘程氣を付けて居ても下痢を起し易い。殊に之からの晩春初夏の候には最もお腹を壞し易い時節にも當つて居る。從つて毎日決して油斷をしない様、食物の撰擇、お料理の仕方、食物の貯へ方に注意を拂ひ、毎日子供の氣嫌、食慾、體溫殊に大便の模様等に氣をつけ、少しでも變りのあると思つた時には離乳を進めない様、或は元に戻すかして、又そろ／＼と始める様に心掛けねばならぬ。殊に平素から直ぐに下痢し易い弱々しいお子さんには是非とも育兒日誌殊に日々の食物の事を詳はしく根氣よく記入して置く事(食餌、日誌をつけること)がお腹の病氣を豫防し又治療する上に大變に役立ちます。そうした弱々しいお子さんをお持ちのお家庭では是非共食餌日誌をつける事を御實行下さい。尚不幸にして赤ちやんが下痢をし始めたならばなる可く早く小兒科專門醫の治療を受けることです。不完全な治療をして居る内に重くなつたり、恐ろしい乳兒腸炎等に罹つたりする事が多いからです。

此頃には盛んに這ひ廻り、又物に掴まつて歩きかけるから少しも目を離されぬ。從つて子供の傍に火鉢、縫物の器具等を置かぬ様にする。椽側などから落ちぬ様氣をつける。疊、床の上には色々穢いものがついて居るから小兒の手足は度々清潔に拭いてやらねばならぬ。又未だ充分でないのに無理に歩かせようとするのは小兒の發育に害がある。

玩具 たちあるきの出來る頃の玩具としては、音のするもの又は變化するものがよく、梯子下り、だるま、器械體操、飛んだり跳ねたり、猫、鼠、餌拾鳥、ラッパ、笛、ハーモニカ、大鼓、鉦等がよい。

衣服 這ひ／＼が出來、掴り立ちの出來る頃にはなる可く、子供の運動を妨げぬやう、衣服は出來る丈けゆつくりとし、窮屈であつてはなりません。殊に手足の運動が自由になる様、注意が肝要である。何時迄もおしめで兩足を堅く緊縛することは赤ちやんの運動を妨げ這ひ歩く時期が大變に遲れる事になります。

體重測つて健康に注意

東京市特別衛生地區保健館　山田敏正

年を一つ加へるといふことは、大人にとつても、それ／＼特殊の意義を有つこと勿論であるが、發育盛りの健康な子供にとつては、特に大きな喜びでなければならぬ。幼少時代には知識といひ體格といひ、伸びる力は各方面に躍動するが、その一つに體重の増加といふことがある。

人は性により、年齢によつて大體の標準を有つてゐる。何人でも正常な發育を遂げて居れば、その標準に近いのが普通であるが、弱い子供ではなかなかこの標準に達しない。陽春の暖い頃は勿論の事、寒い時でも丈夫な子供は外に出て活潑に遊んでゐるが、虚弱な子供は屋内に萎縮して元氣がなく、斯様な子供の目方を測つてみると、多くの場合標準には達してゐない。又ふだん健康な子供でも、健康の勝れない時殊に重い病氣の時には、體重が増さぬばかりではなく、却つて減少することは誰にもよく解つてゐることである。

身體發育の形態的な標準として用ひられてゐる尺度にはいろ／＼あるが、これ等のうちには變化の激しいものと餘り目立たぬものとがあつて、身長體重などは前者に屬し、一日の間にも可なりの變動が認められる。身長は朝早くと夕方とでは一乃至二糎内外の差を示し、體重は食事や排泄に因る外、激しい運動を繼續的に行ふ場合など相當の變化が伴ふのである。

身長は特種の場合を除き、病氣によつて餘り變化するものでないが、體重は病氣による變動が可なり激しく、殊に慢性疾患などの場合には、氣の付かない初期に體重の遞減することが多い。斯様な理由から、健康増進の目標として、或は疾病豫防、早期治療を全うするため、體重は保健衛生上重大な意義を持つことになる。

現在學校には殆ど體重計があり、都

會地では浴場工場、デパートなど段々設備せられるやうになつてきたから、時々自身の體重を測つて、大いに健康上之を活用するやうにお奨めしたいと思ふ。

但し餘り神經質になつては困る。日増し發育する年少の時期に在つても、停滞期といつて餘り體重の増加しない時期がある。三四歳前後の或る期間、春季發動期の前等が之に該當し、次に大いに伸びんとする準備期に當つてゐる。又健康な者でも季節等により増加の程度に可なりの差が認められてゐるから之等の豫備知識を有つて體重測定を保健上に活用するならば、稗益するところ大なるべきを疑はない。

都會地の者は比較的身長が高く體重が之に伴はないと言はれてゐる如く、種族により土地によつて多少特異性を有つのは當然であるから、最も望ましいのは、各地方々々で測定によつて得た大體の標準を有つことである。一例として當地區で用ひてゐる標準を示せば次に掲げた表の如くである。

この標準は性別年齢別の算術平均卽ち中等度を示しこれ以上に達しなければ勝れた者とは言ひ得ないが、少くとも凡てこの標準には達するやうに努めなければならぬと思ふ。全體がこの標準以上に進めばレベルが向上し集團の優秀さを示すことになる。

發育期に於ける年齢別平均體重表（單位瓩）

年齢	男	女
乳幼兒		
新生兒	三・一	三・〇
一ヶ月	四・〇	三・八
二ヶ月	五・二	四・九
四ヶ月	六・七	六・二
六ヶ月	七・七	七・一
八ヶ月	八・二	七・七
十ヶ月	八・七	八・二
一年	九・二	八・七
一年半	一〇・一	九・五
二年	一一・〇	一〇・四
二年半	一一・九	一一・四
三年	一二・七	一二・二
四年	一四・三	一三・七
五年	一五・七	一五・二
六年	一七・一	一六・六
少青年		
七年	一八・五	一七・八
八年	二〇・二	一九・六
九年	二二・四	二一・八
十年	二四・五	二四・〇
十一年	二六・九	二七・〇
十二年	三〇・〇	三〇・五
十三年	三二・六	三四・六
十四年	三七・三	三八・八
十五年	三九・五	四〇・三
十六年	四八・四	四五・九
十七年	五一・五	四六・二
十八年	五二・九	四八・六
十九年	五四・二	四六・四
二十年	五四・〇	五一・〇
廿一年	五五・五	四七・三

學童年齢別身長別標準體重表（瓩）

身長（糎）＼年齢	6—7	7—8	8—9	9—10	10—11	11—12	12—13	13—14
101—103								
104—106	16.6 (16.4)							
107—109	17.4 (17.3)	(17.4)						
110—112	18.5 (18.9)	18.6 (18.3)	(18.6)					
113—115	19.4 (19.1)	19.4 (19.3)	19.9 (19.5)					
116—118	20.6	20.5 (20.2)	20.8 (20.9)	(21.0)				
119—121		21.6 (21.7)	21.7 (21.6)	22.3 (22.0)				
122—124			23.3 (23.0)	23.2 (23.5)	(23.6)			
125—127			24.4 (24.3)	24.5 (24.5)	24.8 (24.7)	(26.0)		
128—130				26.1 (25.7)	26.1 (26.5)	26.6 (26.4)		
131—133				27.5 (27.1)	27.2 (27.2)	27.6 (27.8)	27.7	
134—136					28.9 (29.3)	28.8 (29.4)	29.5 (29.9)	29.4
137—139					(30.7)	30.8 (31.0)	31.0 (32.0)	31.9 (33.3)
140—142						33.4 (33.1)	32.6 (33.4)	33.2 (35.0)
143—145						(35.5)	34.2 (36.5)	35.3 (37.7)
146—148							37.6 (38.7)	37.0 (39.4)
149—151								37.9 (42.6)
152—154								42.1 (43.2)
155—157								43.9

備考……括弧内は女子體重

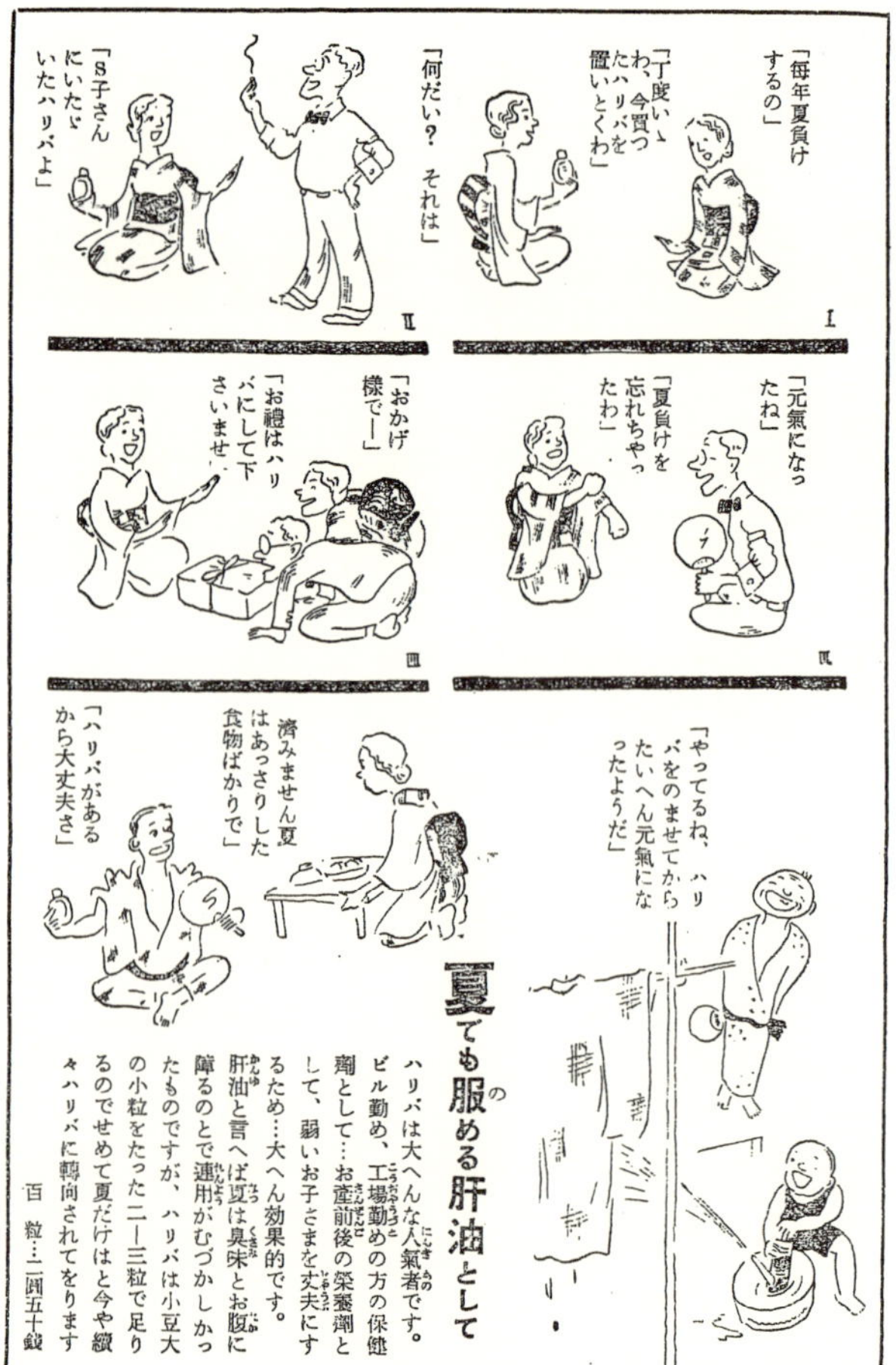

しかし、性を同じくし年齢が同じでも、既に身長に於て個人差があるのであるから、體重は一面身長に伴はなければ均整なる發育を遂げてゐるとは言ひ得ない。よつて最近は性別、身長別に各個人の標準を示し、各個人が時々體重を測りその増減を知ることによつて疾病の豫防に注意すると同時に、均整のとれた發育を目標として健康増進を圖ることになつてゐる。學童期の一例を示せば前頁の圖の如くである。

測定に當つて先づ留意することは、體重計が正しいか何うかといふことである。裸體を原則とするが止むを得ない場合には、餘分に身につけたものを考慮すれば宜しい。次に測定の時間は學校では午前十時頃をなるべく用ひることになつてゐるが、一般に之を期待しても勵行し難いことであるから同じ時間の前後であれば夕方でも結構である。入浴時を利用する場合には、お湯に入る前の方が宜しい。時間其他甚だしく違つた條件の下に測定する場合には、當然あり得べき差を念頭に置けば充分保健上に活用することが出來ると思ふ。

最後に注意要項を摘記すれば、「體重が急に減つたり、或はだん〳〵減るやうな場合には、念のため保健相談或は診察を受けて其の原因を確むること」「發育盛りの者が體重の増すべき時に減つたり若くは増さぬ場合には、何か故障あるものと考へて特に氣を付けること」、又體重の増加を圖るには、衛生上萬般の注意を必要とすること勿論であるが、特に「偏食を避け、必要な榮養を十分取ること」、「病氣異常があつたら早く治療矯正すること」「運動を適度にして休養睡眠を十分とること」「日光並びに新鮮な空氣に浴し、住居を衞生的ならしめること」「精神を常に快活に保つこと」などがよく守られなければならない。

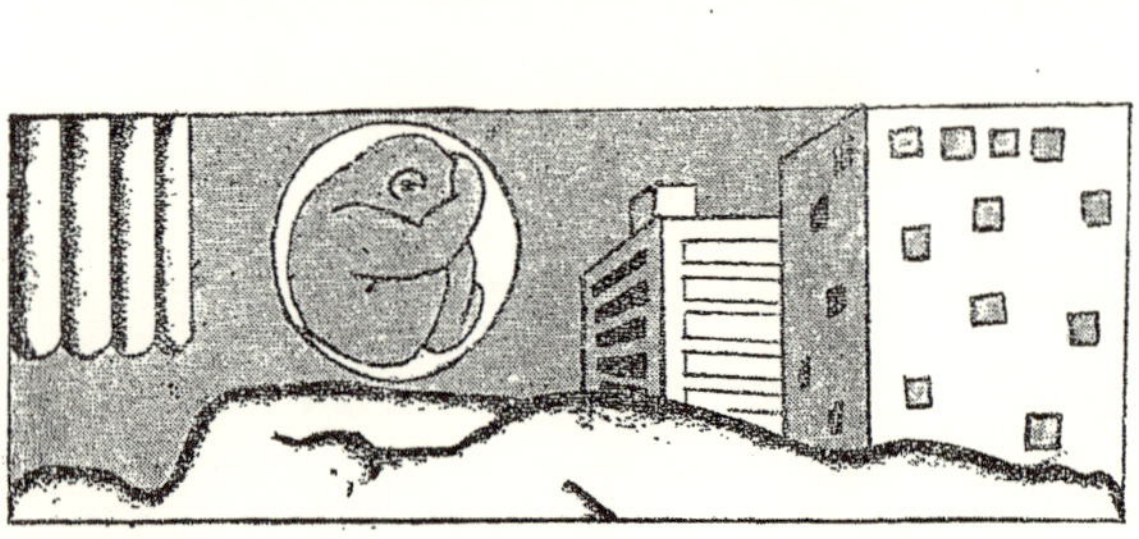

隣邦兒童愛育所日記

隣邦兒童愛育所主事
西尾示郎

三月廿五日

昨夜の雨が本降りとなつて、今日は朝から冷い雨がしと〳〵と降つてゐる。雨の中で鮒釣りをしてゐる人がある、何時もと同じやうに此處は靜かな平和な村である。

增田さん(藤井寺町の理髮屋さん)が、切角の休日を割いて、子供たちのため散髮の無料奉仕をして下さる。

阿倍野橋で、乞食がその子供に殘飯を與へてゐる姿を見る。丁度三歳ぐらゐの子供が小さな口を突き出して殘飯を食べてゐるのだが、それにつけても、現在藤井寺にゐる子供たちは幸福だと思ふ。そしてそれと同時に肝腎の日本人の子供が、街頭で物を乞ひ、殘飯を喰はねばならぬやうな狀態にある事が、少し矛盾してゐるやうにも考へられる。せめて子供だけは乞食の手から取つて、一人前に養育するやうな國家的施設が慾しいものだ。

先日の健康診斷の結果によると、トラホーム六十五パーセント、白雲二十七パーセント、濕疹五十パーセントといふ驚くべき狀態である。

三月廿六日

めづらしく來訪者が一人もなかつた。日曜の事とて、終日自由に遊はせてやる。遠く東京や靜岡からラヂオの放送で、大陸の孤兒の事を聞いて泣かされましたと言つて、拾圓、貳拾圓と金を送つて來られる。中にも野村上等兵の部隊長梅岡○○の御夫人から、「主人の部下から、こんな優しい兵士を出した事は、何より嬉れしい事です、これは些少ですが、子供達のおやつ代にして下さい」と金一封が送られて來たのには、實に感激させられた。

周海田(六歲)が大便でよごしたズボンを、サン・ルームの横にほりつぱなしにしてゐる。切角新調してやつたのに、こんなにしてしまつて困つたものである。あの子は一番小さいからといふので、皆が餘り甘えかしすぎるから、いまだに大小便の仕末が一人で出來ないのではないかと思ふ。何時までも別格待遇にするのも、善し悪しである。

三月廿七日

相變らず暖かくならない。

夕拜に出る。支那の先生たちは一人も出てゐない。信仰もないのに禮拜を强制するのが無理かも知れないが、子供だけを禮拜に出して教師が出ないのは困る。この點もう少し教育者としての責任を持つやうに注意する要がある。

周海田の汚物の仕末をしたのは高濟蓉であることが分る。しかもその行爲は自發的な行爲である。實にあの子は感心な子である。老實(ラオシー)(口數少くて、仕事だけを忠實にする者の事)とは、こんな子の事を言ふのであらう。早速兒童を全部本堂に集め、表彰式をし、褒美として文房具一式を與へてやる。

三月廿八日

今日は支那料理を作つてやる。作るのに三時間餘もかゝり大騷ぎであつたが、それだけ子供らは大喜びで、『好々(ハオハオ)』の連發をしてゐた。我々が食べるのには少し鹽からいが、子供らにはそれがとてもいゝやうだ。これから日曜日ごとに作つてやる事にする。

國旗揭揚式や禮拜の最中に不謹愼にも放屁をする子供がある。今日はそのため三人を罰として立たせる。

廻れ右の動作を教へる。いくら教へても出來ない子供がゐる。翟小亮(ヨウシヨウリヨウ)の如きは何回となく繰返へし教へても滿足に出來ない、頭もよくないやうだ。

馬吉慶(マキツケイ)が何處でもらつたのか雛を自分の布團の中に入れて愛撫してゐた。「天津事變の最中、皆貴重な財産を置いて逃げるときでも、自分が飼つてをる小鳥を連れて逃げるやうな支那人のあるのを私は見た」と山本實彥氏がその著『支那事變』の中に書いてゐられたのを思ひ出して、なる程なあとほゝ笑ましく思ふ。

三月廿八日

濱寺の新東洋における大每小學生新聞主催の隣邦兒童慰問畫贈呈式に子供を連れて行く。久方ぶりに食べる本式の支那料理は屹度子供達を滿足させた事だらう、そしてそれにも增して春の海の女性的な柔い景色が、餘り海を見た事のない子供らに大きな驚異を與へたに違ひない。

濱寺に行く電車の中で、何處で買つたかS先生が今川燒をほゝばつてゐる。その不行儀さに全くあきれる。例へ借切り電車にしても生徒が何も食べてゐないのに、先生がこんな事をしては、不行儀な事をする生徒を叱る事が出來なくなる。早速明日注意する事にする。

歸途支那の先生たちは、一寸用が有るから大鐵終點で別れさしてくれといふ。兒童を引率する教師の責任といふ事が分らないのだらうか、私が『いけない』といふとSさんの如きは、餘程私を薄情者とでも思つたのであらう、車内でシク〳〵泣き出した。尤もSさんは故鄕に殘してゐる子供に洋服を送りたいといふのだから無理もないが、たゞ私は教師としての責任上、公私の別を明らかにしなければならないと言ふ立前から大鐵で別れる事はいけないと言ふのだが、充分分らないやうである。何分にも通譯を通しての話では意志の疎通が計れない、加ふるに風俗習慣を異にしてゐるのだからいろ〳〵な誤解が生じ、お互ひ不愉快な思ひをしなければならぬのは仕方がない。しかしそのうちに、あの先生たちも言葉も分り習慣にも馴れてくれる事だらう。たゞ私としてはS先生が私を薄情な男と誤解してゐる事が何よりもつらい。私自身子供を持つ者として、親の情は分り過ぎるほど分つてゐる。またそれが當然の事である。私はたゞ誠意が、やがて凡てを解決してくれる事を信じて不愉快な氣持を耐える事にしよう。

常綠の三宅島
神着村を見る

丹木政一

昨年十月東京府下三宅島神着村に東京府のトップを切つて國民健康保險組合が設立された。筆者はこの機會に三宅島へ國民健康保險制度の趣旨に行つたので、神着村とはどんなところか、如何にしてこの離島に逸早く國民健康保險組合が設立されたかを紹介する次第である。

三宅島は、帝都の南方百浬の太平洋中に點在する所謂伊豆七島中の一孤島で周圍七里ばかりで、神着、坪田、阿古、伊ケ谷、伊豆の五ケ村から成り戸數千三百四十戸人口五千三百四十人の農漁村である。島の中央には本島最高峰の雄山がありこの山を圍んで各村が存在してをる。

本島は明治二年韮山縣に同四年足柄縣に同九年靜岡縣に同十一年東京府に屬し今日に至つたのである。

神着村は雄山の北面を占め、人情風俗は神奈川、埼玉邊農村と少しも變りはない。神着の民家の建造のごときは立派で屋根も瓦葺が多く、藁葺のごときは極めて少い。どうして家の造り方がしつかりしてをるかといへば、本島は冬期西風が强く細い柱や藁葺屋根では吹き飛んでしまふので自然堅固な建造でなければならないと聞かされた。

教育は現在村の中央に尋常高等小學校が一ある。この小學校は明治十一年新築され後增改築が行はれたが、それ迄村の教育は僧侶或は流人中の教育ある人に依り寺小屋式に授けられたものである。——流人といへば武州の俠客小金井小次郎も三宅島に流された。伊豆村には彼の設計に依つて作られた飲料水用の大きな溜池があるが今は使用されてゐない。

この島では井戸を掘つても眞水が出ない。それで雨水を溜めてこれを飲料水に使ふのであるが、昔は知らず今ではどの家にもコンクリートの大きな溜池を所有してをる。これをこの土地では井戸と稱してをるが溜池といふ方がわかりやすい。從つて貯藏量に限度があるから旱天が永く續いたら水飢饉に遭遇するであらうことは想像される。何にしても風呂のごときも水が尊くて思ふやうに使へない。

此の所謂井戸なるものは前述の小金井小次郎が此の島に流され、水の不自由を感じ流人や村の人を使つて伊豆村に大きな溜池を作り山の清水を引込み村の人々が使用したと傳へられる。現在の三宅井戸はこれが元祖だそうである。

今では各村に宿屋があるが、昔は宿屋がなく島内他村に行くときは、知人の家を自分の宿り場所に定めて置いた。これを宿と稱し今でもその風習が殘つてゐる。この宿なる關係は親類以上で祝儀や不幸のあつたときは義利固い交際をしてゐる。宿を多く持てることがまたその人の信用度を物語る一つでもあるらしい。

島は冬期暖かく霜のごときも極めて薄く、夏は涼しくこの點は樂土である。從つて病人も少く傳染病のごときは殆んどなく、最近神着小學校および青年學校において ピルケー反應を檢して見たが、高等小學校までの兒童實施者二百十一人中陽性は九人、青年學校生徒三十六人中三人のみであつたそうである。

醫師は現在村内に開業醫一人であるが、年に村から千圓ばかりを交附してをる。今では村で七十餘坪の診療所を建設し前記醫師に使用せしめてをる。なほ入院の設備もある。產婆は村で一人設置してある。昔は醫術のごときも流人中心得のある者がやつてゐたらしい。

村の理事者は保健問題には非常に熱心で、二年程前から小學校に榮養士を置いて兒童の榮養問題を研究してゐるが、その一方法として牛乳給與を實施して見たが、その成績は良好で體重のごときも統計的に見て確實に增加したとのことである。

×　　×

さて困る問題は金がないばかりに醫師にかゝれない者がある。この點はなんとか解決したいといふので二、三年前から村の理事者はこの方策に苦心してをつた。共濟組合の方法で掛金制度のことなども考へ資料も集めて立案した矢先、國民健康保險制度の制定を見てこれこそ待望の施設なりとして一轉この組合設立に邁進し、遂に昭和十三年十月國民健康保險組合の設立認可を得たのである。

神着村國民健康保險組合は全村加入の方法をとり、保險料は戶數割を標準に資力に應じ十五階級に分ち最低月五錢、最高月二圓で漁業組合から年千圓、產業組台から年五百圓の何れも寄附金がある。保險給付は療養給付と助產給付の二種で療養給付の一部負擔は二割である。療養給付費は被保險者一人當り年約二圓七十錢であるが、これは村の診養所の從來の實績を基礎にしたものである。

醫療契約は今のところ村の醫師と一點單價十六錢で契約をしてをるが、村民はこの施設に非常に感謝して保險のごときも何ら苦痛なく喜んで納めてをるとのことである。

この離島で東京府下のトップを切つて國民健康保險組合の出來たのも前記のとほり、村の理事者がかねてより この種施設の必要を感じその方法を考へてゐたために急速に事案の進捗を見たので、蓋し故なきにあらずである。

墓と教育

大阪市立天王寺市民館長　前田貞次

△

香煙の絕へない、忠臣義士の墓もさることであるが、我父、我母、我祖先の墓前に額いて、じつと眼を閉じるとき、言ふに言へない敬虔な氣もちになつて來る。

墓石に水をかけ、香華を手向けて、合掌する、このときはわづか一瞬ではあるけれども、まことに尊い神の姿となる。

△

山の墓、藪かげの墓、丘の上の墓、寺內の墓、野の墓墓場の墓など、墓は到るところにあつて、そこには墓石が靜かに眠つてゐる、之れが、我邦の美しい姿の一つだと思ふとうれしい氣がする。

しかるに、この墓石が、日に月に歲に殖えてゆくべき筈であるのに、近ごろどうしたものか、墓石の數が殖えないやうである。これは、墓を建てる人が無くなつたのであらうか、それとも建てる土地が無くなつたのであらうか、或は建てる必要を認めぬやうになつたのであらうか、兎に角墓の存在と觀念がうすれてゆきつつあることは悲しむべき現象と謂はねばならない。

△

西洋文明をこの上もなき、有難いものと思つてゐる人間は、無暗に理窟を揑上げ、その上個人主義的となり、利己主義的となつて、既に建てられた「墓」さへ忘れ勝となり、中には「墓」の不必要さへ口にする人間が存在してゐる。

それればかりではない、墓場を壞はして道をつけ、家を建て、庭園を造り、などさまざまに墓を虐げてゐる人間もある。

△

二日つづきの休日を利用して、墓參の爲に故鄕を訪ねる人、また墓參の歸りをお寺へ立寄つて院主樣から法話を聽く人、吾子を墓前にして、お祖父さまやお祖母さまの在りし昔話を聞かせる母、

この床しさ、このしとやかさ、この尊さどこかに光りがさして見へる。

△

歐洲文明を取入れることも必要であらう、がしかし、それのみに醉しれて、我國の美はしい德道を蔑にすることは斷じて容るあるべきでない。

△

墓をつくれ、

祖先の墓に參れ、

そして、けふの悅び、明日の誓ひ、小さいことでもこれを墓前に報告して祖先をよろこばしたい。

良き魂をつくるために、墓前教育を吾子の上に用ひ度い。

幼兒を耕す

塚田喜太郎

七一　京の風土記

奈良縣童話聯盟の、年中行事として每年擧行される二大祭典は稗田の阿禮祭と、保育の神「少子部螺嬴祭」とであります。

一は「お話の神」として、古事記の口述者として、語部の最後の存在として郡山町外の平和村字稗田に賣太神社として祀られ、一は奈良縣飯高に「多神社」として祀られてゐます。

共に兒童の愛護者として尊敬さるべきの神々であります。

其の少子部すがる祭が、本年は十月九日の日曜日に多神社で擧行され、地元有志はもとより關西に於ける保育界の人々、童話家等々の多數が參拜したのでありますが、今年の講話の講師は、珍らしい人でありました。

不幸にも私は出席する機會を失して、親しくお話を承る事は出來ませんでしたが、一人は我々の先輩久留島武彥氏でありまして今一人は、井川定慶氏であります。

井川定慶氏は、現在は京都の西山專門學校の教授の職にありますが、知る人ぞ知る淨土宗西山派の大先達でありまして、するが祭とは並々ならぬ緣故のある人であります。

就中、井川定慶師の著「京の風土記」は、昭和十三年七月五日の發行にて、四六版三〇三頁の隨筆集でありますが、內容實に多岐多樣に互り、大いに啓發する處があります。

東風社發行にかゝり、定價壹圓五拾錢でありまして、最近手にした最も好もしい讀物の一つであります。

七二　井川定慶師

本書の著者、井川定慶師は法然末流の念佛行者であるが、酒もいけるし、魚鳥も食べるし、其の點は世間並みの僧侶と變りはない。たゞ寺門出身の秀才達が、多く印哲へはしるのに君は京大で國史科を修了した。元よりそれは君の好む處に從つたので、その好む處の發生理由は、出身地が日本古文化發祥の大和國であり、鄕里には少子部連を祀つた神社があつたりなどして、土地の由緖が君を史癖者に育てあげたゝめであつた。日本國內の諸宗諸派とも國史の中に過古の生命を託してゐるのだから、君が國史を專攻された事は方角違ひであつたとは申上げられない。殊に知恩院史編纂を完成したのだから、それだけで法然上人へのお義理はすんだと考へてよいのだ。

その他に著者の特色といへば小男であることだ。普通の日本人なら、大てい著者の頭の旋毛を俯瞰することができるから恐らく身長五尺をいでまい。

書記によれば雄略天皇六年三月、少子部連螺嬴が誤まつて嬰兒を聚めたとあるが、嬰兒がいつまでも小さかつたとはいへない。螺嬴これを宮墻の下に養ふた時、榮養が不足したとは書いてないから、後には屈强の男子になつて宮墻を守り奉つたかと考へるが日本に於ける社會事業の元祖たるその偉效をつたへる好史料として、少子部神社のある村から、君のやうな小男が生出されたのは絕好の史蹟名勝的な存在と親しまれねでない。

その小男でありながら無限の活動力を所有し、或は放送し、或は執筆し、或は京大圖書館に、或は西山專門學校に、或は放送し、或は執筆し、東沛西沒端睨に遑なからしめるので、著者の別名を豆タンクといふ。

本書はその豆タンクの攻擊的性能から產れたもの、放つておいたら、なほ此の上、何册の書物をかく知かれない怪物の名が、大僧都井川定慶師である。

これが釋瓢齋氏の序文であり、御本人の面目躍如たるものがある樣です。

七三　少子部螺嬴

日本書記の雄略記六年の條に、

三日辛巳朔丁亥、天皇、后妃をして親ら桑こきて以て蠶事を勸めしめむと欲す、爰に螺嬴に命せて國內の蠶を聚めしめたまふ。是に於て、螺嬴誤りて嬰兒を聚めて、天皇に奉獻る。天皇大いに咲まし、嬰兒を螺嬴に賜ひて曰く、汝宜ぺ自ら養へ。螺嬴即ち嬰兒を宮墻の下に養ふ。仍りて姓を賜ひて少子部連と爲す。

とありますが、雄略天皇は大和の櫻井東方今の朝倉村の、泊瀨朝倉宮に宮居遊ばされたので、嬰兒を養つた處はその附近でありますが、稍々成長してからは、その西南の多の地方なる自分の里へ連れて歸つて保育したと言ひ傳へられ、その地方は古來「子部の里」といはれてゐるのであります。

この地にはスガルの祖を祀る子部神社、スガルを祀る小子部神社があり、小子部神社の方はスガルの氏孫だといふ氏子の家が九軒現存してゐて、千數百年來奉祀してゐられるのであります。

以上は奈良縣童話職盟のすがる祭の主意書の添書であります。

七四　孤兒院の祖

「京の風土記」にもその一四項に「すがる」と題して、JOBKよりの放送を骨子として記されてありますが、大同小異だと御存じ置き下されば大差ないでせう。

處で、いつどこで讀んだのかハツキリせぬので、いさゝか恐縮ですが、すがるが蠶を誤まつて子を集めたのは、決してすがるの思ひ違ひではなく、それ處かすがるが如何にすぐれてゐた人物であつたかを證するに足るとの記事を思ひ出します。

その說によると、すがるが子を集めたのは、決してすがるの聞き違ひではなく、わざと間違つた如くに裝つて、子を集めてこれを助け育てたと言ふのです。

何でも、その當時は非常に飢饉か何かで民が窮してゐて、至る處に棄て兒があり、如何にして是を救濟すべきかを打ち案じて心

を痛めてゐたすがるが、意を決して棄て兒を拾ひ集め、身をもつてこれを養育したと言ふのです。

これは仲々面白い觀察であつて、私はすがるを尊敬する爲にこの說に贊意を表する者でありますが、さうするとすがるは保育の神ではなくして、孤兒の神である譯です。即ち幼稚園の祖先と申すよりは、孤兒院の祖先と稱すべきでありませう。

奈良縣童話聯盟の諸賢。如何なものでせうかれ。

まさか、千數百年も前に、幼兒教育が認められてゐたとは、常識では一寸考へられそうにありません。それよりも、棄兒を養育したと言ふ、社會救濟事業の行はれたと信ずる方が當然の樣な氣がしますれ。如何でせうか。

七五 幼稚園の祖

近代の孤兒院の始まりと申ずべきは、實に天主教と稱されてゐるキリスト教舊教派の人々であるらしい事は、以前に長崎旅行記の中で記した通りでありまして、我が國孤兒院の祖は和氣清麿の妹君、和氣廣蟲と稱されて居りますが、却つて我がすがるこそ、その祖と稱さるべきではないかと思ふ次第は、前速の通りであります。そして幼稚園の祖としては、私は稗田の阿禮をこそと思つて居ります。

フレーベルを開祖とする近代幼稚園に於ても見る如く「談話」は幼兒保育中の重要なる項目とされて重視されてゐるのでありまして、然も我が國祖先の傳記を語り傳へし「語部」こそは、幼兒敎育の祖とも申すべきではありますまいか。

殊に、最後の「語部」として、古事記に名を殘してゐる「我が阿禮」は、最も勝れた女性であつて、然も「幼兒」を集めて「物語り」をなせし事は、今に傳はつてゐるのであります。斯くの如く考へる時に、阿禮をこそ保育の神として尊敬して然るべきかと思ひます。

之れ亦如何なものでせうか。

七六 洋算訓蒙圖繪

偖「京の風土記」の處々、興味ある記事を拜借して、諸君と共に啓蒙されたいものと、引つゞき本筋に戻る事に致しませう。

最近「算盤」が再び重要視されて來ましたが、明治の初年に如何に洋算が重寶がられた事かは、十分に察し得ますが、橋瓜貫一著「洋算訓蒙圖繪」に現はされた當時の世相の說明を二、三拔記してあります。當時の知識の程度を知り得ます。

電信

傳信機は人馬の勞を省き線の速なる限りは一瞬間に音信を通する至妙の機關なり

そして「初歩の加法問題」として

東京築地より横濱港迄の直距離は五里十三町あり、兵庫港までは百十里一町、函館港迄は七十五里二十八町あり、また長崎港までは二百四十四里十八町ありといふ。今此の地より各港へ傳信機を達せんとするに、その直距離の總計は幾許なりや」

などがあります。

火輪車（汽車）

水に利する者は火輪船の法あり、陸に利ある者は火輪車の奇ありと雖も陸は山川高低の險あるが故に谷を塡め小山を崩し大山は隧道を掘りて此の道を造る。故にその工程洪大なり。扨て此の鐵路は往復の二道にして此の中往來を止む。又所々望臺を設け晝の目印には旗を用ひ、夜は洋燈を用ふ。若し行く先に險ある時ば赤旗紅燈を掛けて之を警む。此の時に於ては御者蒸氣を減じ輪をひかへ以て止る。又旗燈の色白きを視る時には意に輪を縱て過ぐ、其の疾きこと飛ぶが如く車上の人、道路に在る所の人の面目を認む能はず。一時に我が百五十里を行く。又平常の定限は我が一時に六十里より八十里なり。

此の著ば明治四年の刊行であります。

七七 電車の先走り

電車が初めて日本に敷設されたのは、京都市で明治二十八年の第四回内國勸業博覽會に間に合はせるために大急ぎで行つた事業らしい。夫れより前の明治二十三年に東京で十人位乘れる電車を動かせたこともあるが、軌道法によつて敷設されたといふには至つてゐなかつた。京都の電車が日本最初といふばかりか科學獨逸のベルリンに電車が敷設されたよりも一年早かつたといふから、京都はなかなか進んでゐたものである。

ところが此の電車に先行があつた。晝間は旗をふつて夜は提燈を持つて先き走りをするといふ今の若いものには想像もつかぬ珍風景である。

京都の電車が緩行であつた事は、ずつと明治の末頃まで續き加之、單線運行であるために捗々しからぬ事凡そ氣の短かいものには向かなかつたものである。そこでこんな話がある。京都帝大圖書館の山鹿學士がまだ東大在學中、鄉里の長崎縣から東上の途中で京都の友達を訪れて一泊し、偖て東上すべく京都驛に急がんとするに、京の友の曰く

「おい急がぬなら電車に乘つて行け、急ぐなら歩いて行け」

と。それは皮肉でも何でもない事實談であつたといふから今の人は驚く。

以て當時を偲ぶべきである。

京の電車の舊式な事は、私も子供の時代にその遺風を見て知つてゐますが、「先行」の事は私は知りませんでした。何でも東京の「圓太郎馬車」には、先走りがあつた樣に聞きましたが、これもハツキリしません。

とにかく、明治初年の頃の有樣が、眼に見える樣な氣のする一文であります。

七八 少年義勇軍

「高粱の花環」、「慰定車」の二册の滿洲童話集の著書で、一躍有名になつた滿鐵の山田健二君が、その三册目の著書を滿鐵社員會より推薦書として發行したのが本書であります。そして前二著にも勝る「充實したる物語」を滿載して、昭和十三年の暮十二月二十日に、大連に於て發刊し、「社員會叢書第三十二編」との添書の許に、廣く頒布されたのであります。

序文は例に漏れず先輩安倍季雄氏の「兄弟よりも仲のよい友達」

との「肉親に優る御慈愛に添へての賞め言葉」と、著者自ら自序に記してゐる通りの名文により飾られ、自序文の冒頭には、本著書名の由來を記してあります。

「今年滿洲で一番嬉しい出來事の一つは、日本中から集つた三萬人の滿蒙開拓青少年義勇軍が、鍬の柄のかはりに擔ひ、海を渡つて堂々と滿洲に行進して來たことでせう。

そして此の少年たちは、全滿六箇所の訓練所に分れ、晝は鍬を揃へて、地平線まで續いた曠野を開拓し、夜は自分の背よりも高い銃を抱へて、交代で歩哨に立ち、自分たちの土を護つてゐます。

私は此の少年義勇軍がとても好きですし、また今年は少年義勇軍が始めて出來た記念すべき年なので、此の本の題も『少年義勇軍』としました。」

そして又私も一番心を惹き付けられたのは、十篇中の「饒河少年隊」なる、この少年義勇軍の物語であります。

「實話の持つ魅力」、「魂への迫力」が、シミ／＼と感ぜられるのは、何と言つても山田兄の前著より著しい進歩と共に、本書の價値を高め强めてゐると思はれますが、時局柄滿洲經營、日滿連帶等に關する實話、物語が一層讀者の心を打つのは、當然の事でありませう。それにしても、次々へと每年歳末に良書を著はす著者こそは、安倍氏の言の如く、

「やがて滿洲に於ける童話界の第一人者は、この人とみんなから折紙をつけられてゐる。」

通りでありまして、是非內地の少年少女諸君にも讀ませてやり度いものと熱望に堪へません。

大連市東公園町滿鐵本社內滿鐵社員會發行、四六版一八七頁、定價八拾錢です。

各篇每に扉として「寫眞版」を用ひるなど、裝訂等と共に、仲々凝つた編輯竝に製本であります。

七九　饒河少年隊

本書の第七十一頁より一〇〇頁まで、實こ三十頁の長文に至る本話は、建國の華、開拓者の英辛を、如實に示す雄篇であります。近頃の言葉で申せば

「堂々たる大文學、金塔の文字」

とも稱するべきの物語であります。

著者山田君は頭初に記して曰く。

「私は昨年十一月中旬國境虎頭の旅館で、匪賊討伐の際腰部を强打、治療のため飛行機で飛んで來た饒河少年隊のS少年（十八歳）と知り合ひ、それから二日間密林口を經て牡丹江に着くまで少年隊の血と淚の苦鬪ぶりと、それを取卷く神の樣な數名の國士たちの獻身的な指導ぶりと、胸の迫るやうな美しい話の數々を詳しく聞くことが出來た。

そしてこの少年隊の生活ぶりこそ、國民精神總動員の參考として、最も相應しいものであり、同時に一設大人の移民にさへ、取つて以て自省すべき幾多の點があると信じ、少年から聽きながらノート二册に寫したそのまゝを原稿用紙に書直して、あの大人の雜誌に發表したのが次の一篇である。」

斯くして「移民の神樣東宮中佐」をはじめ、「神の人法元辰二先生」、「國粹主義者神田大尉」、「鯁骨の大穩參事官」この四恩人の性格、功績に就いて詳しく述べてあります。

そして少年隊員の日課、その苦心等に關して、著者一流のヒシ／＼と身に迫る名文で書き綴られてあります。

八〇　太鼓は響く

一日の日課は、夏は四時半に床を離れ、五時半に點呼、食事をすませ、六時から十一時まで或は畑に、或は建築場に、或は豚小屋に銘々受持ちの職場につく。

作業中は絕對に沈默で、一切の發言は許されない。

十一時中食、一時半から再び作業開始、六時に終了して、夕食をすませて、二時間ほど語學（滿、露語）を主とした學科があり八時半點呼の後は、故鄕への便り讀書などに過してゐるうちに、九時半、消燈の太鼓が鳴響いて來る。

冬も大體この順序で、合圖はすべて寮の中央に備へつけた大太鼓で、たゞ非常呼集の時「非常呼集！」と、小さく銳く口で言ふだけだ。

手綱一本つけない裸馬で乘馬の練習をやり、日本刀を振ることも日課の一つだ。かうして每日鍛へた身體は、鋼鐵よりも堅い。

家の建築も、初は小さい家を造つてみて、その要領を呑みこみ、たうとう自分たちの住む北進寮も、それに附隨した道場から日輪兵舍、豚羊馬舍傳書鳩の小屋、蜜蜂の箱まで、數人の滿人大工を傭つたゞけで、他は全部、自分たちが伐採して來た材木を組み、自分たちが土をこれ型に入れて燒いた煉瓦を積んで造上げ、棟上げの時は、縣の役人たちを招いて、自分たちで祝詞をあげ、自分たちで作つた畑の野菜で御馳走？を作つて披露した。

かうして、大和神社の社殿も鳥居も少年隊の手で造營された。

少年隊は一番歳上が二十五歳、一番下はまだ十六だつたので、銃の方が大きいぐらゐ。

「木綿の紋付に同じく木綿の白袴、日本刀腰に手製の下駄」これが東宮中佐の奧さんから贈られた少年隊員の正裝であります。

かくして春秋二度、

「右ノ者饒河北進寮ニ於テ二ケ年間修養最モヨク學術技能ヲ修得シ、オホネ國家有用ノ材タルヲ認ム」

東宮、法元兩先生の署名捺印された修業證書を授與されて、若き國士の刻印を捺されるのであります。

以上は饒河少年隊の日常生活の拔記（原文のまゝ）であります。以てその一端を知るよすがともなれば幸甚。

八一　鍬持つ手に鋸とりて

餘りにも惠まれたる文化生活即ち、現在の都會生活に於ては、人間が「無能」になる一方である事を、お互に强く反省すべきであると感じたのは、深日へ住んで間もなくの事であります。

「栓一つ」捻れりさへすれば、水も出る、火も出る、燈火も點く、料理も出來れば、何事によらず意のまゝである現代文化生活は、一朝有事に際して、人間を全く無能者たらしむるに至るものである事は、お互に深く注意せねばならぬと信じます。

愷を持つて來た譯ではありませんが、都會生活に飽いてゐた事も實際で、田舍に住んでその「不便」より來る「勞働」の樂しさを味ひたいとの考を持つてゐた私に取つて、それも矢張、「都會人の夢」であつたことに氣づいたのは愚かしい次第であつたのです。

深日は釣の名所であることは有名でありますが、自ら釣るに非ざれば、魚を口にする事頗る困難にして、水茄子の名物さへ自ら作るに非ざれば食する機會甚だ稀であります。野菜畑に圍まれた茅屋に住みつゝ、野菜を食し得ざる事旬日に及ぶ事決して珍らしからず。

これ、土地の作物はすべて自家用にて、賣品ならざるが爲めであります。

働かざれば食ふべからず、とは田舍に於ける鐵則にして、自ら作るに非ざれば何物も得る事能はざるの實情は、私の全く想像外であります。

幼稚園誌などにも多少書いた通りでありまして、自ら鍬を取りて耕し、自ら鎚を取りて打つに非ずば、眞に不自由此の上なき生活を、田舍に於て見たのであります。

即ち、自然を自らの勞力によつて、開拓して行く生活を、その日常に繰り返へして行くのが今日に於ても猶、農村漁村の實際生活でありまして、此處にお互の學ぶべき點の多い事を敎はるのであります。

鶴嘴で藥指の過勞の爲め、毎夜指の痛みに惱みつゝ、幼稚園の砂場の穴を掘つたと記しましたが、幼稚園の戸棚一つ得るにも、自ら鋸を取り、鉋をかければならぬのであります。「創造」の苦勞と共に、「建設」の樂しみを積み嵩ねて行く處に、言ひ知れぬ「力强さ」と、「心安さ」を覺へる事は、體驗者のみの持つ特權でありませう。

斯かる事情の許に讀みし、「饒河少年隊」は眞に感銘深く讀み終ると共に、其の苦心、その努力、其の功績の輝かしさ等々を、一層痛切に感ずると共に、自らの努力足らざるを頻りに思はせらるものがあります。

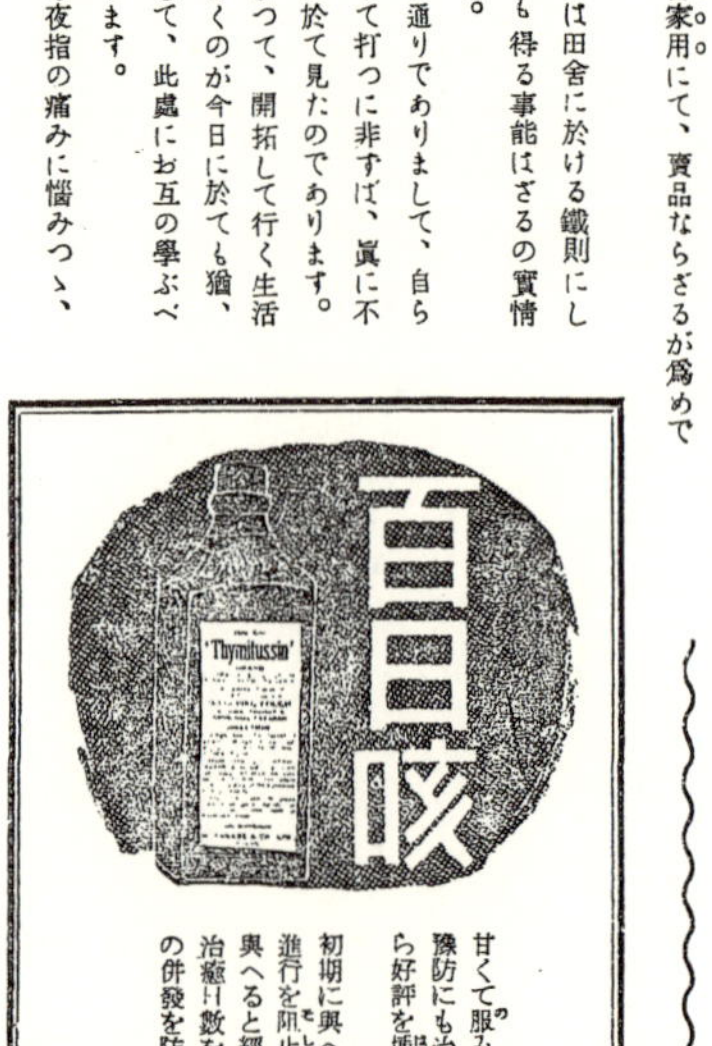

少年教護の十二年と體驗

大阪府立修德學院　川口信教

◉光明に向ふ母子

こんな子供であつたので、私は叱るとすぐ家出するといふその心は、放浪性の父の遺傳ではあるまいかと心配になつて、この點に注意し、緣なき衆生度し難しの例へ通り、逃走して行つては、敎化することは不可能のこと故、努めて居付かせるに苦心した。

然るに追々居付いてくると、頭も惡くなく、その惡化の原因が、境遇を主としたるものであつたので、比較的に易化兒童であつた。そこで成績もずん／＼よくなつて行つた。

そして重三郎が、尋常科六年の義務敎育も終つたので、私は母と相談の上、洋服裁縫の見習として委託した。

それから、今日まで彼は一生懸命この業に邁進した。

然しこの永い間には、隨分淚も流したこともあつたらしい。そして或る時には、他の店へ替りたいといつて來たこともあつたが、私は

『とにかく馬車馬的にやれ』

と勵まして歸したこともあつた。

又或る時は、無斷で、他の洋服屋へ住替へたこともあつたが、その都度探し出して私と母が元の主家へ、謝罪して歸らしたこともあつた。

そして現在では、母は永い間の踏切番も止めて、その退職金を資本に、大阪で洋服屋を開業してゐる。

或る正月、重三郎は、洋服を着て紳士然と私を訪れ

『この洋服からオーバーまで、自分獨力で仕上げました、先生見て下さい』

と私に示した。私は嬉しくて泣いた。

今では妻も貰つて、母と重三郎夫婦が心を合せて、一家が一生懸命更生に努力してゐるので店も次第に發展しつゝある。

「…………」

依然として默してゐる。

「活動寫眞でも、見たくなつたのか」

「…………」

「こゝでは毎月一、二回は活動を見せてゐるではないか」

「…………」

「それに君は、十二歳にもなるのに逃走して惡いと云ふことが、知らぬのか」

「はい、知つてゐます」

「君はこの入學以來三ヶ年間に、何回逃げた」

「今度で五回です」

「君は逃げると、惡いと知りながら、何故逃げた。そのわけを隱さず云ひなさい」

私は內心、びく／＼しながら、その原因を突込んで聞いた。

「私は親に會ひたくなつたのです」

彼の答へは、實に意外であつた。

「でも君は兩親もなく、無籍者らしいて經歷簿に書いてあるではないか」

「はい、お母さんは死んだらしいのですが、お父さんは確に、尼ヶ崎方面にゐると思ひます」

「それは、ほんとうか？、そしてお父さんの名は何と云ふのか」

「小野山善太郎といひます」
「それなら、何故入學の初めに云はなかつたのだ」
「それが、お父さんが、何處にゐるか、はつきりわからなんだので、お父さんは居ないと云つたのです」
「然しお父さんと、君とはどうして姓が異ふのか？」
「僕は、始めから野山だと思ふてゐましたら、この前に逃走したときに、僕が少さいとき居たといふ、九條方面の細い路を唯宛もなく、彷徨してゐると、僕の少さいときに見たことのあるおばさんに會つたのです、そこで私は嬉しくて、飛びついて
「おばさん」「おばさん」
と云つたが、そのおばさんは知らぬ顔をしてゐました。そこで僕は再び
「おばさん」「おばさん」と云ふと、
「お前見たいな、汚ない子知らへん」
と云つて僕の顔をよく見てゐたので、僕は
「野山の子です」
と云ふと、そのおばさんは一寸考へてから
「それではお前は、ひよつとしたら、小野山の子ではないか和らん」
と云ひました。そこで僕は始めて、自分は小野山が、ほんとうの僕の名だと思つて
「そうです〳〵僕は小野山の子です」
と云ふと
「なるほど、そう云へば少さいときの顔に、どこか似てゐるところもある」
と云ひましたので、僕は
「おばさん、僕のお父さんは、どこにゐますか知つてゐますか？」
と尋れたら
「何でも確か五六年前だつたと思ふが、尼ケ崎の鐵工所にゐると云つて來たが、それから後のことは知らん」
と云ひました。それからおばさんと色々と話をして、御飯とお菓子を貰つて、僕はすぐ尼ケ崎へ行きました。
「先生ー尼ケ崎も、大きい町ですね」
「うん、尼ケ崎は人口が三萬以上もあると云ふので、市になつてゐるよ」
「僕がどれだけさがしても、お父さんのゐる鐵工所は判りませんでした。その中にお腹が空いたので、つい惡いことをしたので、警察へつれて行かれたのです」
「そこで今度は是非お父さんに會ひ度いと思つて出たのです。先生ーこれからは出ませんから、何とぞお許し下さい」
そこで私は、清雄の無斷外出中の經路を調て後
「それでは、私が何とかして、君のお父さんをさがしてやるから、これからは、逃走してはならんぞ」
と諭した。

◎有籍者に

私は清雄を落付かせるには、父の所をさがして、父子對面させるのが最良の方法と考へて、清雄にそのおばさんの所を聞いたが
「僕は、所は解りませんが、行つたら行ける」
と云ふので、一ケ月の後、私は大阪へ行くことがあつたので、小野山をつれて行つて、漸くのことで、そのおばさんの所を訪れた。
そしてお父さんの居所と、お母さんのことで何か掴らうと思つて、そのおばあさんに色々に聞いて見たが、おばさんは
「何でも七、年位前に、この前の二階にゐられた人に、小野山夫婦と男の四五歳位の子供が一人あつたが、その子がこんなに

大きくなつたのでしやうが、その後、その階下の人も、附近の人も皆變つてしまつて誰も知つてゐる人もなく、何でもその後尼ケ崎の鐵工所にゐられるらしいですよ」

そこで私は
「何と云ふ鐵工所かね」

「それが、五六年前に一度ハガキが來た切りでそのハガキもなくなつたし、名前は解りませんよ」

「お母さんが死んだと云ふのは、ほんとうかね」

と尋れると
「お母さんのことを云はれると、始めて氣がついたのですが、そのお母さんは商賣上りみたいな人で、ほんとうの母子では、なかつたらしいですよ、さう〳〵ほんとうのお母さんはこゝへ移て來られるまでに、死んだとか云ふことでした」

これ以上は、そのおばさんの口からは出なかつた。そこで私はその日はそのまゝ清雄と歸つた。そして私は考へた。

「尼ケ崎は市でも、鐵工所が無限にある譯もない、これは探せば解らないことはない。」と、思つて、その次の機會に、直接一人で尼ケ崎へ行つて、小野山善太郎は居ないかと、大少を問はず、鐵工所を片つ端から訪れ、漸くのことで十數軒目の餘り大きくない鐵工所で、小野山善太郎なるものが四五年前に雇つてゐたことがあると云ふことが解つた。私は雀躍して喜こんだが、今は何處に居るか解らぬとのことに、又々悲觀した。

それではその小野山の本籍地又は身寄の方を知つてゐる人はないか？とそこで働いてゐる人達に訪れたら、その中で一人だけ小野山とよく飲んだと云ふ、四十歳位の職工が
「それは四國の三好郡○○村の人でした」

といふことが解つた。

そこでこの手掛りを得た私は、その後その郷里の役場より、小野山善太郎の戸籍をとり寄せて見た。

すると驚いたことには、小野山善太郎は四五年前大阪で死去し、同居者の届出となつてゐる、これで父子對面が水泡に歸した譯である。

そして更に驚いたことには、肝心の本人清雄の戸籍がないことである。然し私は母の私生子となつてゐないかと云ふ疑ひもあつてまだ失望せなかつた。戸主は善太郎の兄の富藏であることが解つたので、私はその富藏に紹介して、清雄の戸籍はどこにあるか、そして清雄の母の身元につき、心當りがあらば、知らしてくれと云つてやるとその返事に、

「弟故善太郎には 子供一人あるとは聞いてゐたが、私が弟の葬式に行つたとき會見せなかつた。その母に當る人なら、兵庫縣津名郡○○村の人であらう。善太郎がそのすえと云ふ女の人をつれて歸郷したことがあるが、入籍もしなく、その後子供一人出來たらしいが、その女は産後の日立惡しく死んだとのことである」

とのことである。

そこでは私は、その母の本籍地へ紹介して見ても、遂に清雄の戸籍はない。

愈々清雄は無籍者であると、始めて解つたので、私は清雄の伯父富藏氏に依頼して甥として入籍して貰ふ樣頼んだら、伯父さんも、まだ見ぬ甥ではあるが、血を分けた者であると思はれたか、罰金や手數料を納めて、入籍の手續きをとられたのであつた。そして名も通稱通り、清雄と決定したのであつた。

◎どん底社會

清雄の入學したときの申し立てた、調書

によれば、お母さんは死ぬし、お父さんは行衛不明で全く孤兒同樣である。お父さんと別れた事情は解らぬが、物心ついたときは、神戸市の車夫石田勘兵衛に養はれしも石田は泥醉の上、清雄を毆打すること、度々であつたので、その度にお前は橋の下から拾つて來たと云ふので、清雄は何處かにゐる父に面會したくて、雲をつかむ樣な氣持で、八歳のとき石田方を飛び出し、父を探して歩いたが、面會出來ず、遂に乞食の群に入り、時には葬式の旗持ち等をして居たが、九歳のとき、神戸より大阪へ來り、今宮の釜ケ崎を根據とせる、不良青年の三郎と云ふ者に敎唆せられて、不良行爲をなすに至りたるもので、その重なるものは、自轉車持逃を専門として、時には店頭の雜貨等を掠め歩き、それ等の品を三郎青年に渡して、その都度食事の給與を受け、又は二、三十錢位を受けて居たものである。

又この三郎が行衛不明のときは、釜ケ崎附近を巣窟とせる淫賣婦の番人をなし、その謝禮として食物や、お金を貰つて漸く空腹を凌いでゐたものである。

そこで所管署の敎護係を經て、清雄の十歳のとき、無敎育のまゝ入學したものである。

◎少年敎護の妙味

私が苦心して、有籍者として、清雄には父母代りとなつて敎育を施して、彼が十四歳のとき、彼に最も適當せると思はれる、理髪屋へ奉公せしめたるに、その後はよく辛抱して、遂に理髪師の試驗に合格し、一人前の職人として更生したのであつた。
その間、二度ばかり、父の故郷へ歸り伯父に面會したらしかつたが、丁度彼が適齡の春、私の所へ左の如き手紙が來た。（原文のまゝ）
拜啓、永らく御無音に打過ぎ、失禮の段お許し下さいませ、其の後先生樣御一同樣には御壯健にお暮しなされますとのこと、お喜び申上げます、お正月には何かとお世話に相成り厚く御禮申上げます、小生無事消光致して居りますから他事ながら御休心下さい。休日に一度參上致したいのですが、遂に御無沙汰勝ちでお許し下さい。
扨て小生四國の伯父との間に何か冷いものを感じます、眞實たよりにするのは、先生や、奥さんより外にはありません。誠に失禮ですが父母の樣な親みを感じてゐます、今回徵兵檢査の屆書に自分の一番親い人の名を書けといふ欄がありましたので、伯父の名を書かうと思つて相談したが、ことわられました。そこで濟みませんが、先生の御名を書かして頂きました。伯父は自分の名を書かれるのを、なぜいやのでせうか、僕には理解出來ません。僕が伯父の家へ關係するのが、そんなにいとわしい事でせうか、僕は考へざるを得なくなりました。いづれ拜眉の上にて　草々
三月二十日　小野山清雄
川口先生樣
奥　樣
私はすぐ返事を出して
「そんなに私を賴つてくれるとは嬉しく思ふ。そして私の名を利用しても少しも遺憾とは感じぬ。然し私の名を利用することによつて、私の職名で君の舊惡が知れるかも知れぬから心配だ」
と云ふ旨の手紙を書いて、少年敎護の職員がその敎へ子が成功すれば、するほど離れてやらればならぬ胸中を述べてやると、彼は又
「例へ舊惡が解つても、先生が私の味方なら私はなんとも思いません」
と云ふ絕對信賴の手紙に接して全く泣かされた。

東洋の無我道を省みて銃後の赤誠に及ぶ（續）

奈良女高師教授　伊藤　惠

武士道の上禪が與えた影響の甚大なることは計り知り得ざるものがある。それは禪の有する無我道を透してゞある。それに佛敎では儒敎とは異り、差別の起り來る所以を時間的に因緣思想を以てするので禪讓放伐的思想は佛敎に微塵もない。かゝる意味で佛敎の敎は日本武士道に廣く握手し、深く滲透しその日本佛敎と日本武士道とは一體不二と云つてもよい程の表裏關係をなしつゝ發達して今日に到つてゐる。佛に歸依し、佛を信ずる者は君臣關係と云ふものは單にこの世の出來事でなく、前世からの、前々世からの奇しき因緣、奇しき約束と考へ、君を君と仰ぎ奉り、君臣たることを感謝するのである。君臣の爲には一死報國、否な七世報國の赤誠を捧げまつるのである。こゝに七世とは佛敎の因緣思想の上より、いつ迄も生死を反復すると云ふ意味である。

歌聖西行法師が「よろづの道、我なき方に宿からでは、その道の達人とはいふべからず。」と云はれたと云ふ。歌道に限らず、茶道でも、其他工藝美術に至るまで、劍道其他の武道と同じやうに頭の人とならないで腹の人となることが大切である。克く肚の人となり得るためには、その道に於ける無我道三昧に入るのでなくてはならぬ。換言すれば、無念無想の境地を開拓しなくてはならぬ。その道に志した當初に於ては、仕事をしつゝも妄念雜念の往來するものがあるであらう。方式や技工の型の爲に却て窮屈であつたり、形式ばつた所があるであらう。然し其の道の進むにつれて、次第に雜念は拭ひとられ、方式や型以上の天地に濶歩するやうになつて來、遂にはその道に於て、無念無想の獨自自在の境地に歩み出で、我れをすら越えるに至るものである。又實際から云つても、我が日本の藝道にして、この無念無想の無我道三昧を狙つてゐないものは一つもないと信ずる。今や戰地に於ける我が忠勇なる將兵は、この無我道なる「捨てゝこそ浮ぶ瀨あれ。」との捨身の戰法のもとに、皇軍の武威を全世界に輝かしてゐるのではなからうか。

「佛作つて鬼作らず」と云ふ言葉がある。形の上からは立派で

あり、見事であつても其れは單に表面だけのこと上邊だけのことが多い。學問をし、教育を受けたと云つても、それは必らずしも德性の成就を意味しない。反對に現代は是等の爲に却て人間を毀して了ふ幾多の實例のあるを知つてゐる。吾々は是等のことについて、吾々の祖先の教ふる所に傾聽すべきものがないであらうか。今日は登山熱は相當に高い、寔に結構である。健康を增進することは慶すべく喜ばしい。が、吾々の祖先は、神佛を崇敬する念の極めて厚きものがあり、登山するにしてもその踏み締むる一歩一歩に、神佛の德を稱へ、神佛に感謝しつゝ、神佛の慈光を浴びつゝ、その頂上を極めたものである。全山これ神とし、一木一石と雖、神の顯現であり、佛の方便として敬虔の氣持を以て、襟を正して之に接したものである。だから、登山そのことが自分を離れた立派な大行であり、感謝の勤行になつた譯である。吾々の祖先が美術工藝に專念精進して、その作製したるものは、神々しき信心の結晶としてゞあつて、その製作に當つては一擧手一投足の端に至るまで、すべて神佛の御加護の致すところとし、無念無我の境地でもつてその仕事に當つたのである。先づ身心を淨めて一佛像成就の大願を建立、飮食を愼しみ、不淨を遠ざけ、かくて專念精進して完成成就の大果を收めてゐる。即ち、考へること、することの凡てが願行であつて、全身を打込んで無我もて之に當つた。決して理智的な細工技工からではなく、肚の底からの勤行であつたのである。自分は奈良にある我が古代文化に接するごとに頭の下るものがあるのである。

銃後の國民は、國を擧げて武士道的精神で貫くでなくてはならぬ。男でも女でも、老も若も第一線に立つ我が忠勇なる將兵の心を心として業に就くでなくてはならぬ。職業の如何を問はぬ。一死奉公、君國に捧げ、吾々の祖先の鴻恩に報ゆる覺悟が必要である。身心を淨めて神佛に仕へ、各自の仕事に萬全の策と努力を致さねばならぬ。今日内外多事の際、君國の對內、對外の實情に鑑み、國策を達成するやう國民の全部が能ふ限りの努力を拂ふ覺悟がいる。贅澤に走らず、努めて無駄を省き、質實剛健、その業に勵み、堅忍持久、いつ〳〵までも清貧に甘んじ、困苦に堪え、聊かも心の間隙を拵へてはならぬ。この際特に必要なるは、國內の摩擦相剋け、私を去り公に就き、かくて和を以て生活の根本義としなくてはならぬ。

明治天皇御製

よしあしを人の上には言ひながら
身をかへりみる人なかりけり

國のためいよ〳〵盡せ千萬の
民のこころを一つにはして

和たる限り、「情」の心は附物である。慈悲の心は武士道精神の中樞とも云ふべく、今日東亞の聖戰と云ふも、實は「不和」に對する「和」の、又「無道」に對する「聖道」の膺懲の聖戰である。これを大乘佛教で云へば、殺生に「遮」と「開」とがあるが、今日の聖戰は開の殺生であるから、當然慈悲の爲の戰爭であつて、謂はゞ、大乘行としての慈悲の大行でなくてはならぬ。これを「攝受正法上の折伏」と云ふ。我が國の膺懲せんとするは、支那國民ではなく、國民を煽動し、且東亞を攪亂するために、赤色勢力を

之に誘導し、扶植せんとする蔣介石政權そのものである。

明治天皇御製

國のため仇なす敵はくだくとも
いつくしむべき事な忘れそ

是等の諸點に鑑み、日支提携に關する銃後の關心は相當深いものがなくてはならぬ譯である。而して以上の諸項を全うするためには、そこに是非とも牢乎として拔くべからざる信念がなくてはならぬ。そは言ふ迄もなく、皇國精神の基調たる「神ながらの道」を信奉し、一意專心、神意に隨順して、其間、毫も個我の私を挾まぬと云ふ無我道の實行者でなくてはならぬ。

明治天皇御製

國民はひとつ心にまもりけり
遠つみをやの神をしへを

今宗教的に云へば、吾々が佛德を生活の指針として、之に隨順し、自らを勵ますと云ふことである。それには先づ至誠もつて貫き、何事についても、偏見妄想から解脫し、佛智照見の境地へと精進向上するに努めなくてはならぬ。又、佛の大行を倣ふことである。佛の大慈大悲を感謝し、堅忍精進して社會國家に奉公精進せねばならぬ。濟衆化他の行はかくして進められる。更に佛の無我心を手本として、一時の身命財を棄てゝも、常の身命財を證得するに努めるのである。以上のことを能くするを佛教では「般若即空」に徹すると云ふ。何事もせず、徒衣徒食し、空想に耽ることをば「空」と俗解するものがあるが、この考へは迷中の迷である。論語に「子、溫にして厲し。威ありて猛からず。恭にして安し。」(述而)とある。この文中、溫と威と恭の三は外貌について、厲の猛と安との三は内心について云つたもの。外と內とは相應しなくてはならぬ。外のみ整はなかつたならば、稱揚するに足らぬ。外貌は溫厚たるべし、而して内心は嚴肅たるべし。外貌は堂々の威あるべく、而して内心は親切慈愛あるべし。外貌は恭しくあるべし、而も內心は泰然として安くあるべしと云ふことで、かくあつてこそ武士たる者の全貌がはつきりするやうな氣がする。武士道的の嗜みのないものは、外は溫厚にして內は軟弱になり易く、外は威ありとて內猛烈を極め、外恭しく內心氣乘のみして落付かない。かゝるものは武士道精神からすれば異端であり外道である。而して右の溫、厲、威、不猛、恭、安の六は右に述べた皇道精神に出づるでなくば容易に出來ることでない。無我の精神なくては適はぬことゝ信ずる。ついては論語の右の教は支那にはなく、日本に於てのみその實を見出してゐるのである。吾々日本人はかくて、かつては支那が有せし日支共通の文化を體得して、彼等支那人の蒙を開いてやり、日支兩國民の文化的提携に迄進むでなくてはならぬと思ふ。

畏くも明治天皇が

ともすれば浮立ちやすき世の人の
心のちりをいかで拂はむ

と御製し給ふた。心の塵を拂へとの御意であると拜察する。今日の非常時は一時的短日月で解消するものとは思はれぬ。熱し易く冷め易いと云はれる我が國民は大に自肅自戒する所がなくてはならぬ。この際、自己陶醉的自惚根性は絕對に清算しなくてはなら

ぬ。これが清算を怠りつゝ、而も、持久戰に對應し得るなど考ふるは、矛盾も甚しいと云はればならぬ。元より、自尊心は必要である。然し自己陶醉は自尊心の敵である。今や未曾有の艱難辛苦が我等國民に到來した。然しこれを悲觀してはならぬ。吾等は夫等を克服し得るとの信念と自尊心がある。「憂慮に生き安樂に死す」(孟子)と云はれてゐるやうに、吾等が今艱難と戰つてゐるのは、軈て來るべき東洋百年の大計を定め、延いては世界の平和を安定せしめんが爲である。艱難は徒らに吾々に襲ひ來つたのでない。天が吾等を苦しめんために苦しめてゐるのではなく、天が吾等を試煉し、吾等をして未だ曾て見ざりし國際的使命達成に勇飛せしめんが爲であらう。孟子に「天の將に大任を是人に降さんとするや、必ず先づ其の心志を苦しめ、其の筋骨を勞し其の體膚を餓やし、行、其の爲す所に拂亂す。心を動かし、性に忍へて其の能はざる所を曾盛する所以なり。」(告子章)とあるを、吾等國民は無雜作に走り讀みする譯には行かぬ。吾等にとつての、今日の適切な言葉であり文字であると解してよくはないかと思ふ。都て事業にはこれを成し遂ぐるに別に奇術妙法があらうとは思はれぬ。如何程の大才叡知の者でも工夫と經驗とを缺いてはその達成は望まれない。昔から失敗は成功の基と云ふけれども是は人次第であつて、失敗のために、より以上の失敗を重ね、憂悽のために、一層卑屈な人間になることがあり、反對に、艱難辛苦が益々其の人物を不撓不屈の剛健な人柄にすることもある。要は人間次第である。樂は苦の種と云はれ、反對に苦は樂の種とも云はれる。これ亦、その人柄の如何が定めるのであつて、偶然が定めるのでない。福運は勤勉に伴ふに決つてゐる。家を富まし經濟を豊かにする爲には順序よく仕事をし、後々の備へをなし、無用を省き、一家揃つて努力するに限る。運と云ふものは、屢々偶然の意味に使はれ、成就するも不成就に終るも凡て偶然である。運の然らしめる所であるなど考へるものもあるが、これは運の意味を誤解したものである。聞く所によると、支那軍は戰爭の前相當の策略を廻らし愈々この戰法で相手に當ると定めて置き乍ら、愈々これから實戰に入ると云ふに及んで、俄に、策略を全部貌變して了ふことがあると云ふ。それは何故かと云ふに、愈々と云ふ場合に占つて見て、この結果に隨つて、右を左へ、左を右へと、方向轉換をやると云ふ。亡國者のしさうなことである。これなどは運は賽の轉び具合で吉凶を占ふてそれが當ることもあり、當らざることもあると云ふ意味の運の意味に使つたもので、かゝる「賽」式の運に賴ると云ふは誤れるの甚しきもので、我が國に於てもかゝる意味での運を當てにするものがあるならば、それは悲しむべきことゝ思ふのである。「武運長久」など云ふのはもつと眞面目な精神的の意味のものであらうと私は解釋してゐる。一死奉公の赤誠の向ふ所、神佛の加護は必定である、これに克つ敵のある筈がないとの神々しき意味が含まれてゐるのでなからうかと思ふ。この點に關し二宮尊德翁は次の如く言つてゐる。「世人は運を誤解す。偶然を運と思ふべからず、もし然らば運は博奕とならん。運とは運轉の運にして所謂廻り合せなり」と云ひ、又「積善の家には餘慶あり、積不善の家には餘殃あり、幾回旋回旋廻するも此の定規に外れずして廻り合すを云ふなり。佛に云ふ處の因應(因果應報の意)の道理則

是なり」(二宮尊德翁夜話)と。人力を盡しての上の運を云ふは可なるも、然らずして運を失とするは非常時の今日、國民の斷じて口にし、又行ふべきではないと考へる。要は恒久に耐へて大業を果すべく、中途より意挫けて九仭の山、功を一簣に虧くが如きことのなからんことを祈るのである。

明治天皇が

はしゐして月見るほどの戰の
場のありさまを思ひやりつゝ

と御製し給ふたのは戰友の身の上を思へとの有難い大御心と拜察する。銃後の赤誠は戰地にある我が將士の心を以て心となし、將士の心と吾等の心との間に微塵も間隙、隔りのないのを云ふ。第一戰にあるもなきも凡て赤誠報國の實を盡さればならぬ。銃後の赤誠が戰地將兵の心に反映し、戰地將兵の心が銃後の心に響く、二つの者が全く一つ、二者であるべき筈がない。今日、ラヂオに新聞に、雜誌に、講演に於て一般大衆に向つてなされる戰地將兵の活動のニュースが如何に吾等銃後の國民の熱血を湧かしむるであらうかは人の克く知る所、況や、戰地に於ける我將兵が吾等銃後の國民の赤誠に如何ばかり心を躍らせるかは決して想像に難くはない。昨日までは銃後の者であつたのに、今日は早や戰地に立つと云ふ例はいくらもある。我が國民の中、家族の者が、親戚の者が、先輩が、後輩が、先生が、生徒がと云ふやうに、戰地へ戰地へと勇ましく立つて行く。まるで自分が戰地にあるのと同じことのやうである。これらの事を考へると、銃後の我等がぐずぐずしてゐては、戰地將兵の方々に申譯がないばかりでなく勿體ないやうな氣がする。どうして吾等が徒衣徒食して居られようぞ、今や、世界を擧げて、勤勞に、產業に、百般の事業に報國の赤誠を致さねばならない。取分け、持久戰となつた今日に於ては、無我の赤心を披瀝して、戰の場に立つも立たぬも、銃後の萬全を期するに於て萬遺漏があつてはならない。就中、國民の富は直接に國力の消長に影響するから、富の增大を計ることは緊急事中の緊急事でなくてはならぬ。

明治天皇御製

しろしめす國のみいづを高めむも
積むはこがれの山にぞありける

蘆原の國富まさむと思ふにも
靑人草ぞ寶なりけり

おのがじし力盡して世を富ます
民こそ國の寶なりけり

以上無我道を中心として、吾々の心の持ち方について述べて見たのであるが、この際國民の一半を占める女性の一典型として吉田松陰の母、杉瀧子について述べて見たいと思ふ。杉瀧子は村田左中の女で、杉常道に嫁して、三男四女を擧げてゐる。その次男こそは名を矩方、又寅次郎と云ひ、吉田氏の養子となり、やがては王政維新の頃國事に盡力した松陰生先其の人である。杉氏の家は生活が裕福の方でなく城下の東の方に住して少しの田畝を耕作するかたはら、土地の青少年の教育をするのを業としてゐた。瀧子は寸時の暇も無駄にすることなく孜々として働き、良人の業を助け、或は田畝に農耕し、或は山に柴を樵り、或は野に家畜を牧

し、かくて、内となく外となく家事萬端に專念するのであつた。良人の出仕して不在であつたこと六年であると云ふが、其の間もよく家を守つて後顧の慮なからしめ、僕婢を傭ふこともせず、良人在宅の時に數倍する家事の仕事を一人で引受け、其のみならず良の老母には良く仕へて孝道を全うし、姑の妹婿たる岸田氏の寄食するを、よく世話を致し、その上岸田氏は重病に罹つて病床にありしを手篤く看病し、我が子寅次郎(後の松陰)其の他のいたいけざかりの小兒の面倒を見て母性愛の限りを盡し、子供や姑や病人の着物の修理や洗濯、果ては老人、子供の萬端の行屆いた世話をば骨身を惜まずするのであつた。

やがて、寅次郎は長じて松陰となり、松下村塾を繼いで引受けることになつた。この間、瀧子の子弟の育成を助ける心配りも亦大したものであつた。村塾の子弟を我が子のやうに面倒を見た。成績の良好なもの、勉勵業に勤むるものには、賞與を以てして一層の激勵をした。かゝる次第であつたから、塾の門弟と松陰の母瀧子との關係は切るに切られぬものであつたのである。而して、時折しも尊王攘夷の論が囂々として一世を風靡してゐるかの感があつた。平時ならば平凡であつたものが、いざ國家の異變と云ふ場合には、英雄異才の勃然と擡頭し來るのが、世間の習ひ。忠君愛國の憂國者が踵を接して現はれて來た。而してこれらの一中心として村塾が重大な役割を演じたことは云ふまでもない。これでどうして村塾が佐幕派の迫害重壓を受けずに居れやうぞ。果せるかな、幾多の憂國の士は或は捕へられ、或は殺害されるなど不慮の最後を遂げてゐる。松陰が捕へられて獄に繋がれ、尋で家に錮されたと云ふは實にこの時のことである。單に松陰一人でない。瀧子の四子が凡てこの難に遭つてゐる。その上、松陰は小塚ヶ原で斬刑に遭つてゐるし、瀧子の夫君、杉常道も亦捕へられた。これが普通の人であれば、狼狽失心の極に達するであらうが、修養があり、信ずることの堅い瀧子はさうでない。心に動搖する何物もなく、言語動作、平常と少しも變らず、その凜然たる樣は鬼神も動かされたと云ふ。其の後、明治九年の前原の亂で、瀧子の孫小太郎は仆れてゐる。一族の長老たる正韞、孫女婿玉木正誼が死んだ。かくなると近隣の者は累の及ばんことを恐れて、誰一人瀧子に近づくものがなかつたけれども、瀧子はそんなことには少しも心を動ぜず、泰然自若悠々たるものがあつたと云ふ。

吉田松陰は實に偉人である。而して松陰を生み、松陰を育て、松陰をして松陰たらしめたのは實に母、瀧子その人であつた。この人にしてこの子ありと云はねばならぬ。それでは、瀧子は如何なる信念の人であつたか、この點を最後に一言しなければならぬ。

瀧子は佛敎の熱心な信者で、而も特に親鸞上人の勸められた絕對他力の信心に篤く決定する所があつた。時には管長大谷法王に會つて法名を受け、或時の如きは當時の眞宗に於ける碩學僧島地默雷(周防妙誓寺)、大洲鐵然(周防覺法寺)、赤松連城(周防德應寺)について佛法の奧義を聽聞するなど、其の態度に極めて眞摯なるものがあつた。行住坐臥常に稱名念佛するを怠らず、而も自分一人の安心に住するだけでは滿足せず、自ら信じ、人にも信を敎へて之を誘導し、自他相携へて一味の安心に住するを以て最上無上の佛果を享く、喜の中の喜、人生の幸福之に比すべきものな

(第四十五頁につゞく)

母に贈る言葉（二）

日本兩親再教育協會主幹　上村哲彌

（四）

私は只今最も手近に自分の赤ン坊に就いてそれを實驗して居ります。躾は誕生の時から始む可きものであり、且つ始め得るものであります。私の赤ン坊は此の正月の誕生であります。豫定よりは稍早く出產しました、溢乳や吐乳をやりますのと、丁度長男が今年三月中學試驗を受けますのとで、餘り酷く泣かせることが出來ません。その爲め出來るだけ抱きあげないで靜かに寢せておくといふ方針が、途中で壞されかけたのであります。それには七十になる私の母が居りまして、子煩惱な此の老人には赤ン坊の泣くのを默つて見てゐることが到底堪えきれないで、つい〳〵手を出し、それに赤ン坊には素人目にヘルニアらしい病候もあつて、餘り泣かせると臍が膨れますので、妻もつい心配になるといふようなことも手傳つたのでしたが幸にして長男の試驗も濟みましたので、愈々本格的に、規則勵行に努めることを家内中申し合せをしたのであります。

赤ン坊の順應力といふものは實に素晴らしいものでありまして、ほんの二三日母や家内が抱いてやつたのみでありましたのに、抱いて貰ふと、抱いたのみでは滿足せず座敷を歩き廻ることを要求する迄に到つてゐたのであります。從つて寢臺にぢつと寢てゐるといふ習慣に歸すためには、三四日といふものは隨分泣かれたのであります。その間には家内が一寸隣家に御挨拶に行つて授乳の時間がほんの十分間だけ遲れたことがありましたが、その時など私の母は赤ン坊の泣くのを貰ひ泣きし、家内が歸つて見ると母は眼を泣き腫してゐるといふような光景を見せつけられては、全く彼女も一緒に泣かされたとの報告を私は聞いたのであります。そのやうな悲喜劇もありましたが終に赤ン坊は三四日で寢臺におとなしく寢る

習慣を取り戻しまして、母などは必から感心し、今度妹の所に赤ン坊が生れたら、始めから宅のやうにして育てさせるのだと、勇み立つてゐるような次第であります。只今、夜も三時間置きに眠を醒してお乳を貰つて居りますが、全く時計よりも正確でありまして、或晩の如き、お乳の催足をするのに時間が未だ來てないものですから階下に降りて柱時計を見ると全く赤ン坊の方が正しく懷中時計の止まつてゐるのを發見したといふやうなこともあります。目下夜の授乳を廢することにす可く準備中でありますが、全く赤ン坊の正直さには驚歎させられたのであります。

躾とは、正しい習慣を、絕好の時期に於て、つけてやるといふことにほかならないのであります。そして、人間生活の基礎をなすところの或種の習慣は、早く既に誕生の直後からつけ始めねばならないのであります。そのためには親の克己と、忍耐とが必要であります。首尾一貫することが大切であります。少し油斷をしたり、注意を怠つたりすると、折角つけた良習慣も忽ちにして破壞されて仕舞ふのであります。早い話が、私の家では唯今申しましたように、家内中總掛りで犧牲を拂ひ、皆が赤ン坊を抱きかゝへたい、あやしてやりたいといふ本能的な強い熱情を殺して、寢臺におとなしく寢る習慣をつけてやつたのでありますが、此自制の習慣を益々延ばし、更に次から次へと必要な良習慣を培つてやることを怠つたならば、七十の老母が貰ひ泣き迄したことは何の意味もなかつたことになるのであります。

育兒の大敵は實にむら氣であります。無方針であります。正しき一定の方針を立てたならば母親は萬難を排し、克己と忍耐とを以てそれを實行することを努めなければなりません。でありますから、その立てる方針に誤りがあつてはいけないのであります。正しき方針を立てようとすれば、どうしても兒童の本質、その成長發達の法則、兒童の本然の要求、その要求を正しく滿足させてやる方法等に對する、正確な知識を持ち合せてゐなければなりません、婦人雜誌等に載るばら〳〵な育兒記事、時々思ひ出したやうに聽く講演などのみ賴りとして、昨是今非、朝令暮改で、あれこれと思ひつきや、行き當りばつたりの躾をされたのでは、子供は堪らないのであります。どうしても良き躾をするために、母親は暇を作つて、眞劍に兒童の研究をする必要があります。其處で、私の皆樣にお贈りしたいと思ふ第三の言葉は、全日本のお母樣方、貴女方のお子さんに對する愛が眞のものであるならば何卒眞劍に育兒を研究して下さいといふことであります。

（五）

面倒臭い兒童の研究など多忙な母親にどうして出來るものか、子供のことなら母性の本能と、女學校や專門學校で勉強した育兒法とに據つて、自分はよく心得てゐると考へる母親があるとすれば、私は寧ろその良心の存在を疑ふものであります。けれども私はそれに就て取り立てゝ議論を鬪はすよりも、茲に一人の聰明な母親の言葉を借りて、無分別な母親達の反省を促すといふ一層賢明な方法を選びたいと思ひます。「子を持つ歡び」の著者カザリン・シーブリー夫人は米國に於ける名流夫人の一人で、フランスで勉強し、汎く歐米の社會事業に通曉してゐる人でありますが、著書の中で次のやうに申してゐます。

科學は如何なる眞摯、聰明な兩親に對してさへも、兒童の躾に關する一つの不動な原則を提供することは出來ない。敎育者達も兒童問題の專門家達も、社會事業家(米國の社會事業家は單なる慈善家ではなくして、心理學や、社會學や、精神衞生學を心得た立派な專門技術者です―譯者註)達も口を揃へて、兒童はその一人々々が特殊な問題の持主であつて、これを十把一束に觀る可きものではないと主張してゐる。赤ン坊は小さい機械ではなくして、誕生のそも〳〵から獨自な人格を備へてゐる。從つて一人の子供を立派に育て上げるのに役立つた規則も、之れを他の子供に應用すると却つてその健全な發達を阻止し、破壞しかねないのである。或る三人の子供を持つた母親が、途方に迷つた揚句、悲鳴を擧げ、彼女の子供達は三人が三人それぞれの心の傾きも、體のつくりも違ふので、一人前の男女を育て上げる前に、彼女の心得てゐた學說や、原則は「三回もねじれ、そつくり返り、跳ねくり廻らねばならなかつた」と告白した。けれども、科學は確に母親に對して、我が子を研究し、その長所や缺點を發見し、これを思慮深く指導して、その肉體を立派に、且つ丈夫につくり上げ、そして他人のために働くことゝ世界の進歩に貢獻することを以て、自己の最大な幸福を感ずるやうな人間に育て上げることを得しむるやうな知識を與へることが出來るのである。

子供は、シーブリー夫人の云ふやうに、各自獨特の傾向を持つてゐると共に、その一人々々が徐々に逐次に成長發達して止まないものでありますから、母親の前に次から次へて新しい問題を提供するのであります。そして敏感で、良心の銳い母親であればある程、それを見逃すことが出來ず、從つて、徒らに迷ひ惱む代りに、自分を正しく導いてくれる正確な科學的知識の獲得に努めるこ

との必要なるを痛感する筈です。然るに、今日一方に於ては、兒童の本性や、その訓育の方法等に關する學者の研究は、文字通りに日進月歩の勢ひを示して居り、然も最近の兒童研究の特色は極めて實際的な事にあるのですから、母親に熱心が缺けてさへ居なければ、直ちにそれを自家藥籠中のものとして、日常の育兒や家庭教育の上に利用することが樂に出來るのであります。我が子を愛すると稱する母親達には、最早怠慢の口實はない譯です。

終りに近づくに從つて、甚だしくお談義に墮して來ましたが、最後に一ことだけ附け加へて申し上げます。子供を正しく育て導くのには冷たい科學知識のみでは足りません。兒童研究にも況して一層大切なことは、まづ貴女方御自身の人格内容を豐かにし、清くし、高くし、深くすることであります。「環境が教育する」とのヂユラヰー博士の名言は前にも引きましたが、新しい教育の知識をもつた母親ならば、兒童の性格は善くも惡くも、外界の刺戟に對する兒童自身の反應によつて大なる影響を受けるものであつて、兒童により良い環境を與へるならば、善良な性格は益々善良になり、不良になるものも次第に改善されるといふ事實を、心得てゐるのであります。環境とは、吾々を取卷き、吾々の心身に刺戟を與へる周圍の世界といふのでありますが、兒童の心に、より力强い感化影響を與へるものは單なる外界の事物や出來事等の刺戟、卽ち所謂物的環境ではなくして、其の社會的或は人的環境、卽ち兒童の親しみ、且つ反應するところの周圍の人々であります。兩親特に母親は我が子の心を正しく導き、其の人格を立派に築き上げやうと苦心慘憺する前に、先づ自分自身の心を正し、身を淨めて一日一日を正しく生活することに努む可きであります。世のお母さま、方何卒熱心に兒童の研究を勵むと共に、併せて貴女方の教養の基礎を豐かにすることに努めて戴きたいのであります。

（第四十一頁よりつゞく）

し」と。瀧子の安心は是處にあつた。無我道の大行が決定出來てゐたのである。眞宗では眞俗二諦と云ふて、「信心を以て本とし、王法を以て本と爲す。」と教へるが、瀧子は實にこの「信心爲本」、「王法爲本」を其の儘体得し得て、行住坐臥に實踐した婦人であつたのであつた。吉田松陰は決して偶然に出現したのではなく、この母の子として出現したのである。日本男子こゝにありと云ふが私が思ふに、日本女子こゝにありとも云へると思ふのである。希くば現代の女子、松陰の母瀧子に學ぶ所があつて欲しい。これが非常時に於ける女性に對する私の一感想である。（完）

胎教に就て（十）

文學博士　故　下田次郎

妊婦と自然

妊婦に及ぼす自然の影響もまた閑却することは出來ません。白砂青松の間に、悠々自適すれば天女の降臨はなくとも、自ら天女の心地を感得せられぬこともありますまい。鳥の歌、小川の囁きに耳を澄ましめ、野の草、堤の花に眼を喜ばしむるは、自然以外に何物も與ふる能はざる慰樂ではありませんか。明媚なる自然に圍まれて、日夕そのうるはしき感化を受くることを得るは、大なる幸惠であります。この點に於て、田舍に生活する人は、都會に在る人よりも、遙に仕合であります。都會は人家櫛比し、人車の雜沓甚しく、往來の砂塵は工場の煤煙と相和して、黃塵萬丈の中に泥鮒の如く、人は喘がねばなりません。山川の眺めなきのみならず、月さへ煤けて見えます。この間にあつて僅に自然の趣をしのばしむるものは、よくて庭園位のものでありますが、そこさへ樹の葉は砂にまみれ煤に黑ずんで居ります。しかし、どんな窮屈な住居でも、箱庭の一つ、植木鉢の二つ三つは並べてあつて、圖らざる所に、紅の花や、翠の葉を認めることの出來るのは、流石に自然を愛する日本人たることを示します。都會は兎に角、日本ほど自然の風景に富んだ所は少いから、その精神上に及ぼす影響は、決して小ではありません。このうるはしき自然の惠みを、妊婦も十分に享受するやうにしたいものであります。前に妊婦に良い書物を讀むことを勸めましたが、自然は活ける書物で、これを讀む物に與へる教訓、暗示は無限であります。

以上に於て、精神の方から良き影響を妊婦に與へて、これを胎兒に及ぼすこと、卽ち胎教の話は大體濟みました。これを參考として、妊婦は胎教を能くすることを努め、夫、舅姑を始め周圍の人々も協同して、妊婦を助けいたはりて、胎教を能くするに遺憾なき事を期せねばなりません。

妊婦の身體の衛生

妊婦が衛生上注意すべきことは、精神と身體の兩方にあります。胎教はその精神の衛生でありますから、身體の衛生に關することは、嚴密にいへば、胎教以外の事であります。しかし、身體の衛生は、胎教と相待つて、良き子を擧ぐるに大切な事でありますから、左にその一般を簡單に述べます。

一、母體の變化　妊娠すると身體に種々の變化が起ります。就中月經の閉止、乳房の膨大、着色。腹部の膨大等は、其最も著しいものであります。消化機も故障を起し、惡阻、食慾不進、便秘等が現はれ、平常好める食物を嫌ひ、食べ慣れぬ物を嗜むこともあります。神經系の故障には頭痛、腰痛、胃痛等が現はれ、五官器には、夜盲、弱視、鈍聽等を起すことがあり、また睡眠不安、心悸亢進、逆上、眩暈、衄血等を起すこともあります。又血液や尿の成分にも變化が起り、下腹部が膨大するから呼吸の工合も違つて來ます。精神上の變化は前に述べたやうに、氣分が變り易く、感情の變化强くして、一體に神經過敏になります。しかし妊娠の間は、心身の特に健勝な婦人もあり又、神經痛、胃痛、頭痛、不眠がその間だけ無い婦人もあります。

斯樣に種々の變化はありますが、妊娠は病氣ではないので、やはり一種の狀態であります。

しかし惡阻だといつてほつておかずに、醫師の診察を受けて、適當の處置を施さねばなりません。また妊娠中下肢に浮腫の來ることがあります。これは腎臟炎、脚氣、心臟病でも來ることがあるから、腹部が張つて靜脈の還流が惡くなつた爲に起つた無害の浮腫であるか、それとも病氣から來たものであるか、早く醫師に見てもらつて適當の處置を採ることが必要であります。特に腎臟炎は妊娠中起り易い病氣であるから、注意せねばなりません。普通の身體でも、衛生に注意すると否とでは、餘程その健康上に違ひが起りますが、妊娠中は、別してその影響が著しいのでありますから、常にも增して、身體の衛生に注意せねばなりません。それは胎兒に對する大切な務めであります。獨り胎兒のみならず、妊娠中及び出產後の母體のためにも、大切なることであります。以下簡單に妊娠の身體の衛生について述べます。

精神の衛生は、一言に約すれば安心にあるやうに、妊

娠の身體の衛生は適度の二字に包括されると思ひます。過ぎたるはなほ及ばざるが如しで、過不及は共に良くありません。衣、食、住共に適度にして居れば、それで良いのであります。

二、榮養　妊娠となれば、消化機にも變化を及ぼし、殊に便秘し易いから、腸の運動が緩慢となり、平常の如く食物を消化し得ない事もあります。且妊娠の月が重なるに從つて、子宮は益々膨大して、腹內を充すから、胃腸は壓迫せられて、一層消化が妨げられるに至ります。それ故胃腸の衛生に注意し消化し難きものを食し、又過食することは愼まねばなりません。飮食を愼まぬと、母體の血液に變化を起し、胎兒の發育を妨げることがあります。又子宮の神經の末梢と胃の神經の末梢とは密なる連關がありますから、妊婦は胃カタルや、胃病に侵され易いのであります。惡阻や飮食物の嗜好の變化もその結果であります。胃の障害は、又子宮の方に障害を起す傾きがあります。要するに、胃と子宮とは密接な關係があつて、互に影響されるものであることを忘れてはなりません。

飮食物は、妊娠が日頃攝生家であらば、大體平常取り慣れて居るものを、續けて行けばよいのであります。しかし淡白で、消化し易い滋養物を取ることは、望ましいことであります。又山椒唐辛等の刺戟强きものは取つていけません。

飮料は成るべく清水か湯かを取るがよいのであります。茶やコーヒーなども濃いのは避けるし、酒は飮んではいけません。酒飮みの母には、馬鹿や弱い子が出來る傾きがあります。それ故妊娠中は勿論、平常でも、酒を飮まぬことであります。尙妊娠中は便秘の起り易いもので、そのために自身及び胎兒に害を及ぼすことがありますから、便秘しないやうに注意せねばなりません。

食事の仕方　食事の時は、氣分を安靜に保ち、外の事に氣を取られたり、感情が激動して居たりして、味も何も分らずに、機械的に食べるのは好くありません。一家團欒して、愉快に、無邪氣に話しながら、おいしく食べるやうにしたいものであります。又少し長くかゝつてもよいからよく咀嚼し、徐々に食べるがよいので、いらいらして、丸呑みなどするは、最もいけません。食事の早いのを、一藝のやうに云ふ風がありますが、それは間違ひであります。子供のやうに餘所見をしながら、遊びながら、食べぬ以上かゝるだけの時間は十分かけるがよいのであります。

「飮食は尤養生の第一具と雖ども饕るときは、其害少なからず。孟子に飮食の人は、人是を賤むと。飽くまで食ひ、煖に

衣、逸居して教へなければ、禽獸に近しといへり。……又淫りに多食することを戒めよ。……諺に謂る百病口より入る、百害口より出ると云、恐れずんばあるべからず。」懐胎養生訓「攝生の道は、中分を得ざれば惡し。俗にこれを養生過るといふなり。又近隣或は一門のところにいたれば、厚味美膳をそなへ、茶煎、碾茶のたぐひを以て、饗應する故に、おもひの外に飲食を過し、或はその挨拶に心氣をつひやして、やまひなき姙婦も、かへつて病を生ずる事あり、能々心得べき事なり。」(婦人壽草)

姙婦の飲食に關する古人の用意も見るべきであります。

三、運動 姙娠したならば、何もしないで、成るべく寢て居るがよいと思ふ人もありますが、それは間違で、適當の運動は必要であります。卽ち、普通の家事は矢張する方がよいのであります。尤も棚の物を取り、蚊帳を吊る等のため、延上つたり、又劇しく身體を動かしたり、ひどく力を出したり、延び上つたり、又劇しく身體を動かしたり、ひどく力を出したり、腹に力を入れたりする事はしてはなりません。洗濯、綿を入れる事、簞笥の開閉等に長く中腰、中屈みで用を辨ずることも避けねばなりません。又梯子段を屢々昇降すること、身體の屈伸を過度にすること、重いものを提げ、又は擔ふこと、舞踏の如く飛んだり、跳ねたりすることなども避けねばなりません。山に登つたり車に搖られたりすることも、好くありません。姙娠三四箇月の頃に、仲人で結婚式を擧げる日に、車で奔走して流產した婦人もあります。その頃が最も流產し易い時でありますから、式でも何でも强く動くことは斷るがよい。少し變だと思つたら、その日になつても出てはいけません、臥て居るがよい。流產は何でもない事のやうに思つて居る婦人もありますが、流產は大怪我であるから普通の產よりも、一層注意して養生せねばならぬのであります。

運動としては、天氣の良い時、庭園、公園又は野外などを靜かに散步するのは、新鮮な空氣を吸ひ、心を慰め適度の運動になりますから、疲勞せぬ限り好い事であります。それから家の中の用事も、こゝに述べた注意に背かないやうにして、成るべく自分でする方がよいのであります。坐婆必研に、

「居恒の動作、蓄鄕の職、身の級に從つて、毫も怠ことなかるべし。農婦はただ挿秧、藉草などの、前へ屈ことのみを廢してよし。貴人は朝夕に己が爲すべき業なくとも、强て園中など閑步、然るべき擧止をなして、必ず〳〵逸惰なることなく、懷姙の中、風に冐ん、寒さや感たまはんと、障屛設置、衣衾襲に被まゐらせて ただ氣の抑鬱ことのみなれば、腸胃の傳輸も自遲慢、

胸腹支痞たまふ。樵婦、田嫗などは、旦夕の營爲に障なければ、逸居べきやうもなく、副急たる病あるに非ば、藥を用る痛苦も知ず。故に產前後の障害も少。素より貴賤貧富其常を異にし、衣食坐臥にその別なきに非ど、貴も人也、賤もまた同じ人なり。體に何等の差別かあるべき。然ば、させる病なきに、何の保護の藥あらんや。」

とあります。昔の人の說でありますが、今日でも服膺すべき事であると思ひます。姙娠中適度の運動は望ましいことでありますが、なほ日頃から家事に精出すは勿論、よく身體を働かして、强壯にしておけば、姙娠して後も體力强く、產も安らかに出來ます。野蠻の婦人の產が、誠に樂で、文明の人、特に召使などを多く使つて、自分は何にもせず怠惰に暮す婦人の產が、わりに容易くないのは、その譯であります。日頃適度に働いておく事は、安產の道であることを忘れてはなりません。近頃は、學校でも女子の體育を奬勵し、女子も大分よく運動するやうになつたのは結構なことであります。しかし在學の時だけでなく、家庭の人となつても、やはり適宜に運動は續けたいものであります。これは女子の若さと美しさを永く保つ上にも有效であります。

四、睡眠 心身の疲勞を恢復して、その元氣を養ふは睡眠に如くものはありません。「人の夜な夜なねいり、氣靜まれるは、終日のいたはりを休めあすの動きなせるしわざの力の本となれり。もし夜よくいねざれば、今日のいたはりを休めがたく、明日のはたらき力なきが如し」と貝原益軒も言つて居ります。「睡眠は天然の最も良き保姆なり」と、西洋の諺にもあります。まして姙婦は、身體の養分を胎兒に取られる事多く、一體に神經も弱り、疲勞し易いものでありますから、平常よりも多く眠むがるものであります。これは自然の要求でありますから、睡眠は十分取るがよい。それ故、長者や夫が長く起きて居られても構ひませんから、姙婦は夜は早くお先へ休むがよいのであります。自分より先きに眠るといつて、怒る者があれば、それは怒る方が間違ひで、腹の孫や子を愛せぬ人々といはれても仕方はありますまい。產後でも同じ事で、非常に眠むがりますが、十分眠むらせねばなりません。「嫁一人針に寢殘る夜寒かな」といふ句がありますが、もしそれが姙婦であつたならば實に氣の毒なもので、寧ろ殘酷といつてもよい位であります。仕事ばかりでなく、芝居、寄席、集會などへ行つて夜おそくなるのもよくないので、これらは睡眠不足の上に感情の激動を招く恐れがあります。それ故面白いことでも、夜更かしはよくありません。特に、夫が道樂者で、餘所で遊んで來ておそく歸つたり、泊つたりして、姙婦が一人寢もせずに、燈下に思案投首で泣いたり、口惜しがつたりするやうな事では、姙婦のために非常によくないのみならず、良い子が生まれる筈がありません。此の如きは、夫が自己一人の下劣なる愉快を買ふために、妻や子を犧牲にするもので道德的罪惡といつてもよいのであります。姙婦は夜は早く寢かし、且安靜に眠むらさねばなりません。

しかし終日床に臥てばかり居るのもよくありません。前にも述べたやうに、適度の運動は必要でありますから眠むりが足つたならば起きて相當に仕事もし、散步などもするがよいのであります。婦人壽草にも、

「姙婦好んで睡臥することなかれ。胎長ずるにしたがつて、神氣倦み、四肢懈惰する故に必ず眠ることをたしむなり。眠るときは胎氣めぐらずして、難產の基となると、便產順知にのせたり。倭俗にこれを知りて、姙婦安臥すれば、內に宿る所の兒の形長大になりて、難產をなすとて、必ず座中を步行せしめ、或は近隣を訪はしむる也。」

とあります。それで日中眠るにしても、それは短時間に限り、眠らないでもすめば、眠らないで、時々休息しながら、適度に仕事や運動をしておけば、夜がよく眠られます。要するに、仕事、運動、休息、睡眠等、日頃から規則正しい生活をする習慣をつけておく事が肝要であります。

日中適度に働き、夕食は輕い食物を多からぬ程に取り心を安靜にして、寢床に入ればよく眠られます。因に蒲團は餘り重くないのが好く、毛布は結構であります。又寢室は天井高く、日當りがよくて日中通風をよくして置き、寒くても成るべく暖めない方がよいのであります。

五、制慾 「身孕なりと知つての後は、男女の交を嚴制、夫婦褥を同じくして臥ことなかるべし。これ自然の道理なればなり。この持戒あしければ、胎位は漸く欹斜になり、胸痞て咳嗽もあり、腰脚攣急て疼を知。劇ときは起こと態ず。……產に臨ても胎兒の位置正しからねば、順に娩ること能ず。……しかのみならず慾念の炎內に熱て、子をしてその氣質を禀しめ、胎毒もまた之が爲に燃になり、……世間に難產するものをみるに、十が八九は其夫妻多慾して、愼あしき人おほし。故に古昔は胎敎とて、胎內より子を敎ふといふは至理なり。」(坐婆必研)

以上の注意をおろそかにすると、流產の不幸を見ることもあるし、流產の癖のある婦人は特に愼まねばなりません。西洋人は、姙娠六ケ月以後は、夫婦別室に寢る風習があるといひますが姙婦の攝生上誠に好いことであります。

六、衣服 衣服は寬かで暖い物を着るがよい。全身何處も暖かい感じをもつ位にし、特に腹部と胸部は暖かにして居らねばなりません。冷たい足をして居るのもよくないので、冬に素足などは禁物であります。衣服の地質は毛織物のやうな暖かくて輕いものがよいので、伊達の薄着はいけません。窮屈な着物を着たり、身體を强く締めたりすることは、呼吸及び血行を妨げて、母體に好くないのみならず、胎兒の發育を妨げます。日本の厚い廣い帶を締め、澤山紐でぐる〳〵腰を締めるのは、習慣とはいへよくありません。しかしフランネルなどの軟く暖かい腹帶を、幅廣にして居るのは、腹部を暖め、子宮や胎兒の位置を正しく保ち、又姙婦の運動を容易ならしめる利益があります。

七、乳房 「みどり子のすがる乳房や、世のめぐみの露のはじめなるらむ」とあるやうに、乳房は嬰兒の命の源でありますから、姙娠中から大切にして、よく乳の出るやうに用意することが必要であります。それにはいつも乳房を暖かに保ち、また上から壓迫しないで、乳頭の發育を妨げないやうにせねばなりません。もし乳頭が凹んで居らば、毎日指で摘んで引き伸ばし、分娩後に哺乳が出來るやうにしておかねばなりません。乳の出る用意は身體、特に乳房を大切にするにあるは勿論でありますが、常に精神を安靜にして居ることが又頗る肝要であります。それ故乳の出るやうにするためにも、胎敎は疎かにしてはいけません。

八、清潔 居室は綺麗に掃除すると、空氣の流通をよくするとか、不斷着、夜着、襯衣等を度々洗濯するとか身體を淸潔にするとかいふ事は、平常の生活にも必要でありますが、姙娠中は別して淸潔にしなければなりません。

溫浴は淸潔法として結構であります。しかし餘り熱い湯もいけないし、また入つてぞつとするやうなのもいけません。暖かく心持よく感じて、出ても風邪をひかぬ位がよいので、在浴時間は凡そ十五分乃至二十分が頃合であります。入浴すると、氣分が爽快になり、充血し勝ちの內部の機關から、血を外部に送り出して、皮膚の働きを盛にし、神經の刺戟性を適度にし、皮膚の痒みや發疹を防ぎ、下腹部の重く張つた感じを弛めます。しかし姙娠の初めの四ケ月間は流產し易いから、入浴するなら醫者に相談した上でするが安全であります。その後でも體質によつては入浴せぬのが好い人もあります。

乳房も汚くして居、濡らして置くと、乳頭に糜爛が出來たり、疵が出來たりするから、よく注意し、出產前二

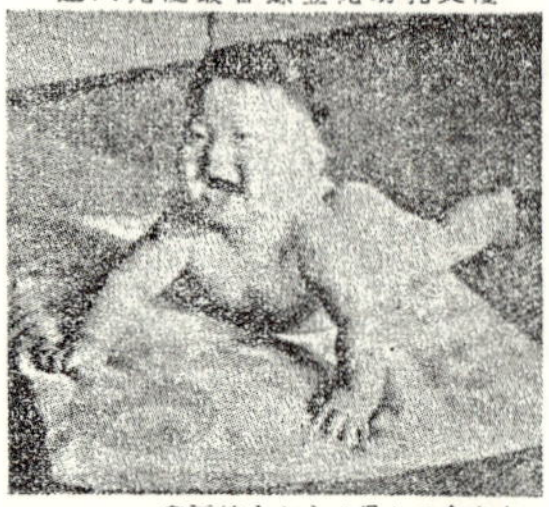

優良乳幼兒登錄會最優兒入選

玄米食のおかげさんで母から優良兒
横田早苗さん生後七ヶ月二貫八百匁

優良兒を産み健全に育てたいお方

理窟を抜きに實行して下さい

優良兒を得る驚くべき玄米食の體驗

▼姙娠中ツワリが無くトテモお産が輕い
▼生れた幼兒の體重は大低一貫内外、母乳豊富
▼泣かない、病氣しない、放つて置いても心配がない
▼幾人御產しても、母體は少しもやつれない

其他あらゆる病氣が不思議に治る

然し玄米を普通の釜で炊くと不味いとか或は炊くのに時間がかゝるとかで一般的でなかつたが最近發明された三德釜は玄米は勿論胚芽米半搗米迄も白米よりおいしく食べられる、そして消化は申分がない。

玄米食に 三德釜

世界的發明の最新式最高級壓力釜

特徴	面倒なネジは一本もない クルツト廻せばピタリと止る 安全裝置は特許の三段構	類似品あり 御注意を乞

なぜ重寶で喜ばれるか

▼完全榮養食が出來て身體がメキ〳〵丈夫になる
▼御飯が美味しく炊け又どんな御料理でも簡單に出來る
▼鯛の頭や鷄の骨が沸騰後二十數分で豆腐の樣に軟くなる
▼取扱が誠に簡單で危險が少しもない、体裁がよく錆ない
▼三德釜は完全且つ立派な蒸汽釜故在來の釜とは其性能が違ひ、從つて價額も比較にならない、然し釜代は一ヶ月で充分償却出來る。

其他詳しい事は諸名士によつて組織されて居る

三德釜

絶對責任付

東京・京橋・新富座前
大日本興國會
玄米食指導本部へ
電話京橋(56)八〇七〇番
振替東京一〇〇〇一番

無代進呈 「子供の世紀」愛讀者に限り説明書や健康に關する美本

日本兒童愛護聯盟評議員
院長 醫學博士 肥爪貫三郎
日本兒童愛護聯盟顧問
顧問 醫學博士 高洲謙一郎

小兒科
高洲病院

大阪市南區北桃谷町三五
(市電上本町二丁目交叉點西)
電話(東一一三一・五八五三)
(東五九一三)

ヶ月頃から、毎日朝夕淸水又は微溫湯で、乳房を用心して洗ひ、皮膚を强めるためには赤葡萄酒、ブランデー、燒酎などで、日に數度洗ふとよいといひます。乳頭が小いと哺乳が困難故、兒が力を入れるから、乳頭が痛み出し、又は炎症を起して、哺乳が出來なくなります。乳頭が痛んで乳のやれないほど、胸に子を抱く母の喜びを傷け、子のかはゆさうなことはありませんから、乳房は生れる前から大切にしなければなりません。

九、藥用と診察 姙娠中に溫め藥であるとか、胎兒を强壯にする藥であるとか云つて性の知れぬ賣藥を用ふる如きは甚だ心得違ひであります。姙娠中は、身體の樣子が變つて居て、藥に抵抗する力が弱くなつたり、時には常よりもよく利いたりして、意外の災を起す事があり、特に親の呑んだ藥が腹の中の子に利いて流產することなどがありますから、滅多に藥を呑んではいけません。俗人の勸めなどに耳を傾けず、信用すべき醫者に見て貰つて呑めば呑むことにしたい。懷胎養生訓にも「胎孕十月の間、善保護を加ふるときは、百人に一人も產難はあるまじ。又產婦病なきに藥を服すること勿れ。病なきに藥を服するは、太平に干戈を動すに異らず」と云つてあります。田舍などでは、彼岸のは藥が少いが、此所のは多いなどといつて、舊弊の醫者の煎じ藥などを、ガブガブ呑む者もありますが、險吞千萬のことであります。その外お水などといつて、腐つた水を飲んだりする者もあるといひますが、實に危いことであります。祈禱や呪に賴ることも當てになりません。又姙娠と氣のついた時は、產婆任せにせず、成るべく良い醫者に見て貰ふておくのがよいので、始めての姙娠には特に必要であります。姙娠四ヶ月位の時醫者に見て貰つて、もし異狀があつても適當の手當を加へれば、流產も防がれるのに、それを放つて居た爲に流產になり、後長く困つた例があります。その後とても少し身體の具合が變であると思つた時は、早速醫者に見て貰つて、適當の手當を加へねばなりません。これらを鑑定するには、どうしても良い醫者の診察を受ける必要があるのであります。

以上は姙娠の身體の養生法の大略でありますが、これだけでも心得て居たならば、隨分姙娠の幸福を完全に保ち、不幸な出來事を豫防することができませう。かくて胎敎及び身體の養生が遺憾なく行はれて、健全强壯にして優秀なる子を擧ぐることを得ば、獨り本人及び一家の喜びたるのみならず、又國家人類の喜びであります。姙婦及び周圍の人々は、その責任の重大なることを知つて完全にこれを果されんことを切望するのであります。

右大臣源實朝公 (四)

文學博士　故　八代國治

七、勤儉尙武將士を愛す

勤儉尙武は關東武士の生命であつて、鎌倉幕府の依て以て起つた所以も、天下人民を統一した所以も之れが爲めであつた、賴朝幕府を開いた後に賴朝が極力勤儉尙武を奬勵したのは尤である、公も父の遺志を繼いで勤儉尙武を主義方針とした、承元六年八月十五日鶴岡八幡宮放生會に公が親しく參拜せんとしたるに、期に臨んで隨兵以下故障を申す輩多く、別人を召すが爲めに時を發し、神事の遂亂を生じた、依りて公は大に憤り義時、廣元、善信等をして隨兵中故障を申す輩を尋問し之を處分せしめた、或は病氣により或は輕服にて不參した事を申せしが、其の中に獨り吾妻四郎助光なるもの故なく不參したことが明になつたので、二階堂行光を以て仰せて曰く、助光は指せる大名に非ざるも、累代勇士の家に生れたのを賞して特に隨兵に召加へた、最も面目を存すべき期に臨んで不參せる所爲は不都合であると詰つた、助光謝して、晴の儀に着用する爲めに兼ねて用意する鎧が鼠の爲に破損したので度を失ひて故障不參したことを答へた、公は重ねて晴儀の爲に用意と稱する鎧とは若くは新造する所が最不都合である、隨兵は行粧を飾るべきでない、只だ警衞の爲めである、茲に因て父右大將殿の御時に譜代の勇士必ずこの役に候すことに定めたのである、武勇の輩は兼ねてより鎧一領を帶せなければならぬ、若し世上の狼唳不慮に出來たらば、何ぞ重代の兵具擱て、輕々しき新造の物を用ふべき、且つは宗祖の鎧等相傳の詮なきに似る、就中恒例の神事每に新造するに於ては儉約の儀に背く、向後諸人固くこの儀を守らなければならぬと嚴密に命じ、助光は出仕を止めた、是に於て諸人大に公の意を察して互に戒めて驕侈に赴くものが絕えたといふことである。

從來公が文弱に流れて武勇を尙ばないといはれて居る

が、寧ろ之は誤であらう、建仁三年十一月廿三日十二歳を以て馬場殿に於て小笠懸を射て射藝を錬つて居る、殊に承元三年勇士を召して切的を射らしめてからは一層弓馬の術を興隆し、自らも弓馬の術を履行つて居る、又砥上原に狩獵を行ひ大に武術を錬習したこともある、建暦二年五月の弓始であつた、十人の射手中小國源兵衛三郎頼繼を召した、これ無双の精兵であつたが、弓を帶せざることを上申したので、鎭西以下諸國進献の荒木弓を與へて射さしめた、で十五度射るの處、毎度其の弦を絕ち射藝また巧妙にして養由に比肩したので、公は御感の餘り直ちに越前國稻津保地頭職を頼繼に投けた、下文に「弦麻の爲に知行せしむべし」と書かれて其の武勇と弓馬の術に秀でたのを奬勵せられた、承元四年十月十三日には諸國の牧を興隆すべきことを守護地頭に命じた、これ公が騎馬を重んじ特に牧に注目したるものであらう。

公は日常和漢武將の繪卷物又は合戰繪を好まれた、元久二年には京都守護中原親能に命じて京都の畫工をして將門合戰繪を畫かしめ、十二月に至りて二十卷成りて進納した、又嘗て和漢武將の內名譽ある士を其の師仲章をして注出せしめ、善臣廣元をして之を讀ましめ、不審ある所は再三之を問答し蒙を散ずるを樂みとした、その後公和田義盛の第に臨んだ時に、義盛は和漢將軍の影十二鋪を引出物として献上して居る、これらの事柄にて公が常に武勇を好み名譽の武將に就て人格修養に勤めたことを伺はれる、繪卷物は鎌倉時代に於て發達した美術品で最も日本國民性を發揮したものである、この繪卷發達の原因には種々あるが、重な原因は一は武士道奬勵と、二は佛法弘通の爲めであらうと思はれる、公が武勇の繪卷を好み、合戰の圖畫及び其他の繪畫を進めたのは美術を好んだが爲であるが、一は武勇を奬勵し武士道教育の題材に供したものであらう。

公が勤儉尚武を主としたのみならず、將卒を愛護した點に至つては更に特筆するに値するものがある、承元元年五月故右大將拜領の地は大罪を犯すにあらずば容易に召放つべからざることを定めて、元老宿將を優遇した、同三年十二月十五日には關東諸國守護補任の文書を備へ進ぜしめて之を閱覽し、千葉成胤、小山朝政以下賴朝の時の下文を帶するものは小過を犯すも輙く改補せざることを沙汰し、且つ向後殊に懈怠することなきことを命じて大に諸將を優遇激勵する所があつた、建保六年七月八日公左大將以後の直衣始を行ひ鶴岡八幡宮に參拜せられた時に供奉の隨兵行列中長江四郎明義と三浦左衞門尉義村と相並び、義村左に、明義右に列することに定めた、然るに義村は申して明義は高齡の人なれば自分は左に候

し難しと辭した、然るに明義はまた義村は有官の上に三浦介義澄の遺跡を繼いだ人である、尤も左に列すべきであると答へて互に辭し、この禮讓の爲め頗る時を移し、參拜の時刻が遲れたので二階堂行村公の前に至りて之を上申して裁決を請うた、公曰く各禮讓穩便尤も感ずるに餘りある、義村は年少で後榮あらんも明義は年老いて前途がない、依て左に候して子孫の眉目に備へよと命じた、義村明義の禮義の正しいことゝいひ、公の將士を愛して公平にして溫情ある處置といひ、頗る武士道上の美談といふべきである。

八、結　語

以上述べた外に、公の事蹟に就ては語るべきもの、傳ふべきものが少くない、就中和歌蹴鞠等は其の技最も秀でたので特筆すべきであるが、餘り長くもなり、且つこの方面に就ては從來より研究せられて居るから、簡單に和歌に關する私見を述べて他は悉く省略する。

鎌倉時代は本邦和歌史上に於て特筆すべき時代であつた、京都に後鳥羽順德兩天皇あらせられて特にこの道を嗜み、歌聖と稱せらるゝ定家出で、歌學に優れたる顯昭出で、詠歌に堪能なる寂蓮、長明、家隆、雅經、通具、季經あり、其の外公卿殿上人に女流に神官に僧侶に有名なる歌人頻々として輩出して、所謂新古今風の一時代をなしたが、いづれも舊態を脫するを得ずして、依然として纖巧軟弱なる平安朝時代の歌風は到底朴訥なる關東武士强健なる鎌倉武士に待たざるを得ない。

公が和歌を學んだのは建永元年十五歲の時であつた、初の師は定家の門人で、夫人の付添として鎌倉に下つた知親であつた樣であるが、承元三年自己の詠ずる所三十首を撰び京都に遣して定家の添削を乞ふた、これから定家の敎を受け萬葉集以下御子左家相傳の歌書を悉く傳へて出藍の譽高く、其の詠ずる所の歌風は剛健質朴にして萬葉集の風骨を帶び、壯大高渾なる詠歌は奈良朝以後に於ける唯一獨步の大歌人と稱せられた、賀茂眞淵翁は公の歌を評して「此大まうち君のよみ出でたまへる歌こそ奧山の谷の岩垣ふみはらゝかしいてゝ、大空にかける龍の如く勢ありて、大野う草木ももろむけ、八重たつ雲霧を拂ふ風の如く、ひたぶるにしていかくをしくみやびたるいにしへの姿にかへりたまへり」と稱贊した、公が纖巧軟弱なる歌風天下を掩ふの時に當り、武家の棟梁として弓馬の士として、武士的精神を發揮して雄大高渾たる歌調を歌うたことは、最新時代に適應した歌人であつたといふことが出來る。

之を要するに公は尊王の志厚く、敬神崇佛の心深く、

勤儉尚武、能く將士を優遇愛撫し、學問に力を盡し、民政に意を用ひ、孤を養ひ、老を憐み、蹴鞠に堪能にして歌道は千古に傑出した偉人であつた、又公は關東の野に生れたのにも關はらず、赳々たる武士に類せず、堂々として王者の風があつた、從て敵陣擊破し、堅城を拔くの猛將にあらずとするも、國を治め民を撫するの良將であつた、然るに公は學問を重んじ、和歌を嗜み、美術を愛し、資性溫雅であつたが爲めに當代の武に似ず風流な才子貴公子の如く見えたので、後世史家が深くも極めないで希世の良將、超世の偉人であつたことに氣付かず、今日に至つたものではあるまいか、公の勤王恭順なる、若し長生したらんには或は良く義時を制し、後鳥羽上皇と和融し、公武合體の實擧り、世は太平を謳歌したらんに鶴岡社頭夕べの嵐に散つたのはかへす〴〵も惜むべきであつた。

新いろは童話

——第二回——

坂野潤

か　きのきに、からすがとんできました。かきのみは、もう一つもありません。

「かあ、かあ、かあ」からすはなきました。ないてもかきのみはありません。

「はやくおやまへ、おかえりよ」

よ　うちゑんの、さくらがさきました。みんなはおおよろこびです。さくらのはなのしたで、なかよく、あそんでゐます。ようちゑんのこは、よいこ、ばかりですね。

た　んすのうえで、かた、こと。かた、こと。おとがします。ねずみがまた、いたずらしに、きてるのでせう。こねこのたまは、どこへいつたのか、ゐません。

「たま、たま。はやく、かえつておいでよ」

れ　んぺいじようへ、あそびにいきました。へいたいさんが、二れつにならんで、くんれんをしてゐました。

きれいに、はれたそらには、ひこうきも、とんでゐました。

そ　よ、そよ。そよかぜ、すずしいな。そよ、そよ。どこから、ふいてくる。そよ、そよ、そよかぜ、はるのかぜ。にじのそりはし、たいこばし。そよ、そよ、わたつて、ふいてくる。

つ　なひきが、はじまつてゐます。ようちゑんのうんどうかいです。しろもあかも、いつしようけんめいに、ひつぱつてゐます。さあ、どちらが、

つよいか、みてゐませう。

ね

このすきな、おばあさんがゐました。かあい、こねこを、四ひきも、かつてゐます。まだ、ちいさいので、ねずみを、とることができません。おばあさんは、ねるときも、ねこと、いつしよに、ねます。

な

しのはなが、さきました。しろい、きれいなはなです。

きよねんは、七つも、みがなりました。ことしは、いくつ、なるでせう。

「ら

くがきなんか、しては、いけません」と、いくらしかられても、いちらうさんは、やめません。かべでも、ふすまでも、いちらうさんのゑが、いつぱい、かいてあります。らいおん、とら、らくだ。いちらうさんは、どうぶつのゑが、じやうずです。

む

く、むく、むく。ゑんとつから、けむりが、でてゐます。まつくろな、けむりです。みてゐると、いくらでも、むく、むく、むく。でてきます。

う

しのこどもが、うまれました。かあさんうしは、とても、うれしさうです。

「こうしよ、こうし。うんと、おちちを、めしあがれ」

たかいそらでは、ひばりも、うれしさうに、うたをうたつてゐます。

ゐ

のししのおやこが、きのねつこにすわつて、ゐねむりをしてゐます。けふも、おやまはよいてんき。ちよろ、ちよろ、でてきたりすも、ゐねむりを、はじめました。

の

も、やまも、ゆきで、まつしろです。をとこのこが、みんなで、ゆきだるまを、つくりました。をんなのこも、てつだつて、めや、はなを、つけました。いぬもげんきで、ゆきのなかを、はしつてゐます。

――つゞく――

吃音のお子さんは是非この夏休になほしてあげて下さい

東京愛宕尋常校吃音學級擔任　小林宗男　訓導

一般に吃音者の苦しみは、そのどもる瞬間だけだと思つてゐる人が多いやうですが、吃音者はむしろそれを發音するまでの間に『どうして言葉の難關を切抜けようか』と絶えず頭を痛めてゐるものです、朝眼が覺めると第一にその日の言語が氣にかゝり、夜寢ようとすれば明日またどうしたらいゝだらうかと心配し、その結果、小心小膽となり、内氣となり、短氣となつてしまひます『家の子の吃音は輕いから、放任して置いても自然になほる』などゝいふ父兄がありますが、吃音は一度その癖がつくと自然になほるどころか、日増しに重くなつて、つひには一言もいへないやうになつてしまふものです。しかし吃音は病氣ではなく、一種の惡癖ですからどんなに重い吃音でも完全に治ります、ちやうど四十日の暑中休暇が來ます、吃音兒を持つ父兄はこの休暇を『愛兒の吃音矯正の爲めに與へられた四十日』と考へて、のび〳〵と學課から解放されてゐる間に完全に吃音を治してあげて下さい、その指導に當つて下さい。

父兄はこれだけの御注意を

我が子の吃音の矯正に當る父兄は是非共左の心構へを持つて頂きたい。

（イ）信念の養成――先づ最初に吃音は必ず治るといふ信念を持たせることです、吃音者は自分の吃音を恥かしく思ふ心が四六時中腦裏にあるので、なほ更發音が澁つてしまふのですから、吃音を恥づる心を除くやうに注意して下さい。

（ロ）言葉遣ひ――吃音の矯正に當る父兄は常にハツキリした正しい言葉遣ひで子供に接し必ずユツクリいはせることとまた正しい模範を示して、その通り吃音兒に繰返し、練習させて下さい

（ハ）發音の準備――發音する前に必ず氣息を吸つてから發音させること、かうすると氣息を吸ふのに時間を要するからいそいではずに濟む利益がありまた發音に必要な空氣を吸ひ入れるから容易に發音が出來るといふ二つの利益があります、この氣息を吸込む際下腹に力を入れてふくらませ、決して胸を使つたり、肩を上げないことですそして吸つた息を止めないで直ぐ聲を出すこと、この際下腹をへこませますまたいひ出しの一音を輕く引張つて發音させること、たとへば『オカアサン』といふには『オーカアサン』と初めのオの一音をおさへつけぬやう輕く長く發音します、それから言葉の切れ〳〵で息を吐くことです、卽ち發音し終つた口形のまゝで殘つた息を皆吐き出し、更に息を吸つて次の發音に移るやうにします、そして全體を通じてよく口を動かすことが大切です、吃音者は一般に口の動かし方が十分でありません、そのため一層發音が困難となり、恐怖心を增し、早口となるのです、口をよく動かすと發音が容易になるばかりでなく、勇氣が出てどもらないやうになります。

（ニ）その應用――以上の發音の準則を日常の會話、朗讀等あらゆる場合に努めて應用させたなら吃音兒は次第にどもらぬ習慣がつき、自然と忘れて治つてしまふものです、しかし指導の父兄があせつてはいけません、指導者も自分が吃音であり、それを自分で治す氣になつて根氣よく氣永に、これに當つて下さい、指導が良ければ二三週間から一箇月で治ります。

賀川豐彦氏『死線を越へるまで』（十）

村島歸之

二九、ヒゼン患者と一つ蒲團に

スラムの人となつて以來の氏の行動を、最も善く物語つてゐるのは『死線を越えて』第一卷の三百六十頁以下の記述である。これは、『死線を越えて』の最初の部分と異つて小說とはいつても、殆んど事實そのまゝである。たゞ、登場人物の名が假名となつてゐるだけである。

今、『死線を越えて』に據つて、まづ氏が貧民窟に這入つて以來四十三年五月を迎へるまでの一週間の出來事を日を逐ふて記して見やう。

明治四十二年十二月廿四日　北本町六丁目二〇五三に住込む
同　廿五日　植木、林、内山同宿を申込む
同　日　内山、押しかけ居候となり、一つ蒲團に寢る。
同　廿六日　内山のヒゼン感染す
同　日　ウヰリアム博士より玩具二行李屆く
同　廿七日　二三百人の子供に玩具を配る
同　日　クリスマス
同　日　内山と自炊を始める
同　廿八日　伊豆（繩拾ひ―病身者）寄宿
同　日　西洋乞食の古賀、醉つて來て蒲團の上に嘔吐及小便をし、一晩寢込む
同　日　植木、林、ドスで脅迫して五圓をゆする
同　日　出口、新禱を賴みに來る
同　廿九日　富田、あばれ込み、火のある七輪を投げ、氏を毆る
同　三十日　富田、二回暴れ込み、二十圓を奪ひさる、植木も殘りの五圓をせしめ去る
同　日　出口、足が立つたといつて禮に來る

賀川家の最初の客は疥癬の患者で、氏はその穢たならしい男と共に、一つ蒲團に寢なければならなかつた。

基督は『見えざる客』として、常に信者の家に臨んでゐられる譯であるが、賀川氏は、このヒゼン患者をも、基督を迎へるつもりで歡迎したのであらう。

そして氏が貧民窟で得た最初の收穫は、實にこのヒゼン患者からうつされたヒゼンであつたのだ。

ヒゼンの客は、しかし、氏にとつて大した苦痛ではなかつた。植木とか、林とか、富田とかのゴロツキが、匕首を擬して脅迫して來るのには、さすがに驚かされた事であらう。

三〇、ゴロツキの脅迫

ゴロツキは、人を殺すのを何とも思つてゐない。或るゴロツキは新入の挨拶に、生首を手土産にしたといはれる。彼等は、人殺しをすることによつて、自己の估券を增すものと心得る。土方の帳場では、多く人を殺した男ほど幅が利いた。

斯うしたゴロツキが、賀川氏のスラムに入つて來たのを見遁す筈はなかつた。特に氏が無抵抗主義者であることを知つた彼等は毎日のやうに氏の宅に押しかけては、『金をくれ』、『金をくれ』とせがんだ。

當時、新川の貧民窟の人々は、此珍奇な闖入者を目して『金持の坊々がお金を貰ひに貧民窟に來やはつたんや』と稱し又『賀川さんは耶蘇敎だと云ふから外國から澤山金を送つてくるに違ひない。俺等は夫れを取り上げてやれば善い』と稱してこれを脅迫した。

前揭、十二月廿八日の項にある西洋乞食の古賀は、氏が現に着用してゐるチョッキをくれといつてせがんだ。

受くるよりも與ふるが幸ひとしてゐる氏は、求められるまゝに捧けがえのないチョッキをも惜しげなく與へて了つた。

廿九、三十兩日にわたる富田たちの暴れ込みは、結局、金で濟むことには違ひないが、それまでの我慢は大變であつた。

これは後の話であるが、名家の成れの果だといふゴロツキは、日に幾回となく『只だの五錢でいゝから』といつて強請に來、又妻に淫賣を稼がせてゐるゴロツキは、氏が辻說敎で淫賣を攻擊したからといつてゆすりに來た。

又或る男は

『只今から、あなたの神を信じます。その證據に、神棚を持つて來ましたから、あなたが燒くなり踏むなり勝手にして下さい。そして私に金五十錢下さい』

といつて來た。氏は、その五十錢が酒代になる事を知つて斷然これを斷ると、祈禱會の最中に、大きな石を投込んだ。

さらに手荒いのになると、前記富田のやうに或は火の這入つた七輪を投げつけたり、或はドス（刄物）を引き拔いて脅迫した。

人妻十一人を妾にしてゐるゴロツキの親分は、ピストルを向けて脅迫した。

酒を呑めば、いつもピストルを放つのが癖のゴロツキもゐて、氏の家の障子でも、飯櫃でも、人形でも、目星しい品物は、みな無斷で自分の家へ持つて歸つた。

かうした手合を相手にして、常に白刄の下に立たされてゐる氏の生活は、全くワンダフルそのものであつた。

三一、スラム最初のクリスマス

かうした中に、氏を勇氣づけてくれるのがマヤス博士だつた。

前揭、貧民窟入りの三日目に、おもちやを屆けてくれたウヰリア

ム博士さあるのは、說明するまでもなくマヤス博士であつた。

貧民窟に這入つて以來、最もうれしかつたのは、三日目の晚に催したスラム最初のクリスマスであつた。

クリスマスの祝會さいつても、シャンデリア美しい敎會堂で行はれるのではなく、見るらいぶせき木賃宿阿波屋（今のイエス團のある附近）の十疊の間で、百五十人のお客を招いて行はれた。招待された客は、盲人、跛者、不具者、乞食等で、讃美歌を歌つても合唱してくれる者もなく、氏ひさりが太い聲で獨唱した。

クリスマスプレゼントは最も賓客を喜ばせた。それは竹の皮に包んだウドンの玉一つさ、蜜柑さ、菓子を入れた一袋さであつた。

かくて明治四十二年は暮れて行つた。

三二、明治四十三年の新春

明治四十三年一月一日、五疊敷で夕の禮拜、出口は二疊敷より六七の友を邁れ來る。

同　二日　植木、貰ひ子殺しの始末を持込む

同　日　たべらう（簡易葬式人夫）に負はせ赤ン坊の屍體を火葬場へ運ぶ

同　五日　第二番目の貰ひ子殺しの葬式を引受く

日　葬式費のため袷二枚を質に典す

日　最初のキリスト敎の葬式を出す

日　ペスト新川に入り旣に數名死亡

同　七日　日曜學校を始む。七十名の兒童集る。ウヰリアム博士月二十圓の補助を約さる

四十三年松の內は、貰ひ子殺しの葬式のため暮した感がある。

三三、貰ひ子殺しの葬式

貰ひ子殺しは、不景氣の產物であつた。不景氣の時には貧民窟へ外から連れて來る子供が非常に增加した。同時に、嬰兒の死ぬのがめつきりさ殖えた。氏は貧民窟へ來て約一年間に葬式を十四もしたが、その內八つまでは明かに貰ひ子殺しのものであつた。それは貧民窟の中に子供を貰ふ仲介人がゐて、そこへ口入屋あたりから來るものだつた。そしてその仲介人を經て次から次へさ貧民窟の內部だけで四人も五人もの手をくぐり、初めは衣類十枚に金參拾圓で來たさしても、第二の手に移る時には二十圓さ衣類五枚位になり、第三の手に移る時には、金五圓さ衣類二枚位に減るのだ。これさいふのも現金が欲しいからでわづか五圓の金のために、當然育つ嬰兒を故意に榮養を與へないで慢性的に殺して了ふのであつた。警察へは單に榮養不良さして屆出すのである。

明治四十四年一月二日、一人の貰ひ子が死んだので葬式をして、その後四五日してその家を訪問して見るさ、また同じ形の赤ン坊を抱へて居る。氏は先の赤ン坊が甦つたのではないかさ驚いた位であつた。それで尋ねて見るさ、食へないから又貰ふたのださ云ふ。

その女は一月ださいふのに單衣を着て居た。勿論蒲團もない。それで、衣類さ蒲團を與へたが、すぐ無くなして了つた。

その兒はその後一ケ月位は生きて居たが、濕疹で顏は全く無くなつて、眼は潰れ、鼻のあたりは老人の樣に瘦せ衰へ、全く梅干

の實そのまゝだつたが、さうさう二月の始めに死んだ。

で、今度はどうするだらうさ見て居るさ、死んで第一日目は誰れも世話する人が無いさ見えて、死骸を抱いたまゝ寢てゐたが、第二日目に行つても、まだそのまゝ死骸を抱いたまゝ寢てゐるではないか。餘りの事に氏も見るに見兼ね金が無かつたので、質を置いて葬式をしてやつた。

結局、貰ひ子殺しの心理は氏にも全くわからなかつた。

三四、男手に嬰兒を養ふ

かうした嬰兒殺しの後始末だけなら、まだ善かつた。氏はつひにその貰ひ子の一人を引取つて養はねばならぬやうになつた。

それは賀川氏が貧民窟へ這入つて間もない頃であつた。

或日貧民窟の中に住む一人の老婆が貰ひ子殺しの廉で檢擧された事を聞いて、氏は急いで警察へ出かけて行つた。するさ驚いた事にはその老婆が別に一人死にかゝつてゐる子供を連れてゐる。言ふまでもなくそれも貰ひ子で、何れはこの老婆の手に依つて命を絕たるべき運命を持つ無辜の嬰兒であつた。

それを見て氏は戰慄した。でその儘にして置くことは、どうしても出來兼ねるので、思ひ切つてその貰ひ子を引取る事さした。

當時氏は未だ神學校の生徒で、その時は試驗最中であつた。お石——嬰兒の名——は老婆の手にさいなまれて、梅干の實のやうに瘦せてゐた。その上に腸カタルで四十度以上の熱が出てゐた。

氏はその晚からこのお石を抱いて寢なければならなかつたのである。

お襁褓も仕替へればならず、乳も溶かればならない。氏は夜中幾度か起されては母の役をしなければならなかつた。（はる子夫人を娶つたのはそれから三年も後である）氏は試驗の準備よりも子供の世話で忙しかつた。氏は泣き乍ら子供の世話をした。

氏の詩『淚の二等分』は、この貰ひ子を育てた時の悲しみをうたつたものである。

おいしが泣いて、目が覺めて、お襁褓を更へて、乳溶いて、椅子にもたれて、涙くる。お石を拾ふて今夜で三晚、夜晝なしに働いて、一時れるさ、おいしが起す。それでもお母さんの氣になつて、寢床蹴立てゝ、さんで出て、きたない子抱いて笑顏する。貰ひ子殺しの、殘しの、干し損われた、この梅干の實、腸カタルで四十五度の熱、夏の短夜、世は靜か、近所の時計が一時なる、そろそろ壁が、しわきをする。

『えゝおいしも可哀想じやが、私も可哀想じや、力もないものを、助けなくちやならぬさ、敎へられた、私も——私も、可哀想じやれ』

『こら、こら、おいし、干れけた人形よ、お前も女の屑じやぞよ、こんなに男が弱つてゐる時にやあ、女が男を慰めるのがあたりまへだぞ』

『ああ、おいしが啞になつた、泣かなくなつた、眼があかぬ、死んだのじや、おいおい、未だ死ぬのは早いぜ、わしは葬式料がないんだぜ、南京虫が——壓噛んだ、お痒い！』

『おい、おいし！おきんか？自分のためばかりじやなくてちつさは私のためにも、泣いてくれんか』

『泣かないかよし、泣かしてやらう、お石を抱いて、キッスして、顏さ顏さを打合せ、私の眼から淚汲み、おいしの眼になすくつて、……』

『あれ、おいしも泣いてゐるよ、あれ神樣、おいしも泣いてゐます』

此處に唄はれたお石はその後生みの親の許へ返され、御影附近に住つてゐた。氏はその後ひそかにお石の家のあたりをさまよつて、小學校へ通ふまでに成人したお石の姿を垣間見、當時を思ひ出したさいふ。氏がなかつたら當然、妖婆のやうな貰ひ子殺しの手にかゝつて殺さるべき運命にあつたお石を——。

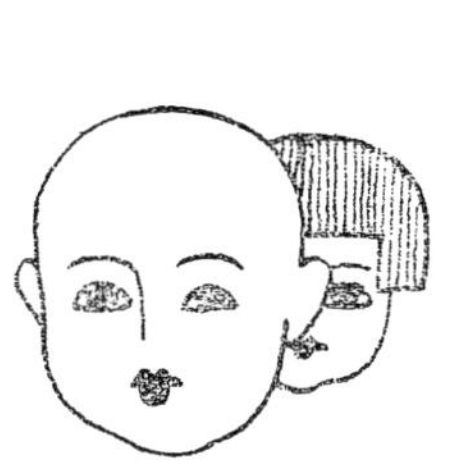

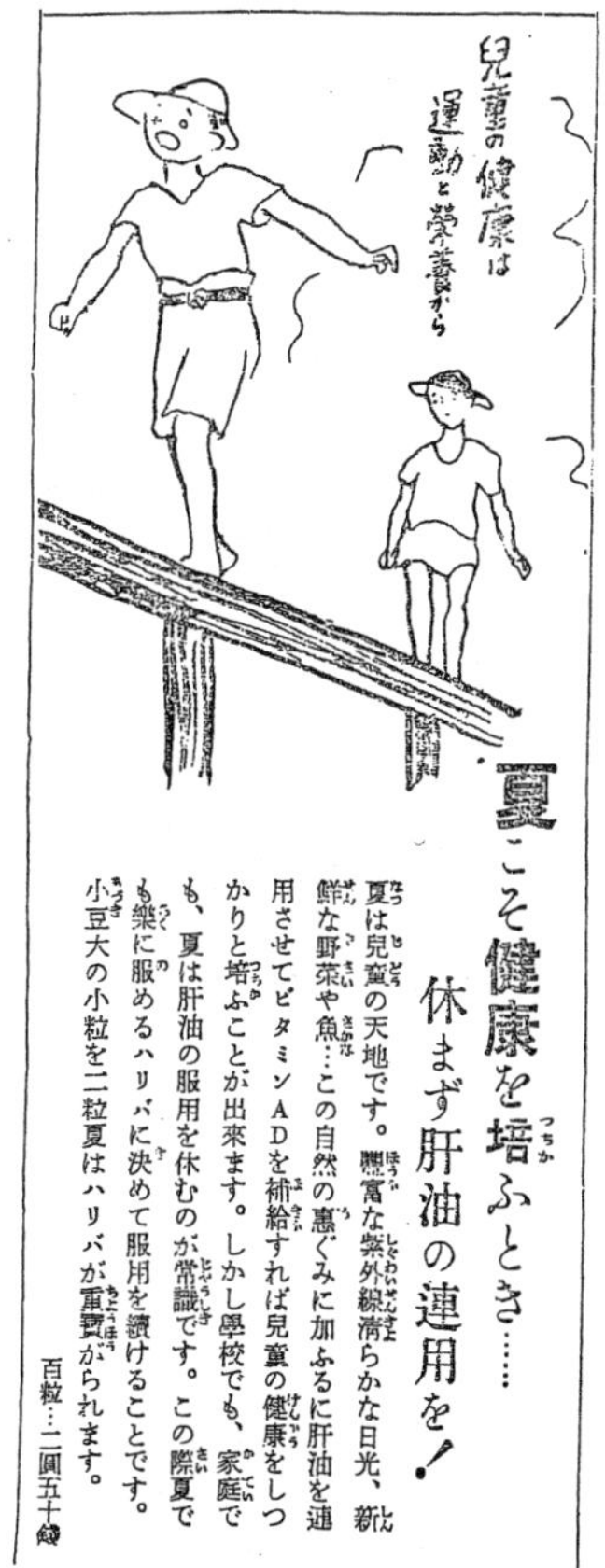

夏の太陽・子供を鍛へる
衞生にも十分注意して

厚生省衞生局指導課

夏は子供を育てるのに一番大切な時です。この時季に適當に鍛へれば益々壯健になり、頑丈な體格を造り上げることが出來ます。しかし保育上の注意を怠ると恐ろしい病氣にをかされ取返しのつかないことになります。

第一　夏には特に皮膚と呼吸器を鍛へることです。冬に風邪を引き易かつたり、すぐ扁桃腺を腫らしたりするやうな子供は、この夏の間に烈しい夏の日光、潮風や海水、森林の新鮮な空氣或は冷水摩擦などで十分皮膚や呼吸器粘膜を鍛へて丈夫にし、冬になつても感冒に罹らぬやうな立派な頑丈な體格を造る用意をすることです。

しかし夏は一體に身體の機能が弱つてゐますから、筋肉の鍛錬運動は程よくやらなければ、反つて疲勞と衰弱を增して結果が良くありません。むやみに運動をすゝめることは夏は考へものです。

第二　夏は子供の一番病氣に罹り易い時であることを心得ておくことです胃腸とか筋肉とか頭腦とかの働きが鈍くなり、消化力が大變弱つてゐますから、食慾がへつてきて、少し消化の惡い物を食べますと、直ぐに中つて胃腸を害します。

大人は自分で氣をつけて加減しますが、子供は自分で加減することを知らないので、直ぐ病氣になり易いのです。

第三　子供の身體は大人よりも抵抗が弱く、夏は殊に病氣になり易いのです。子供の皮膚は夏汗をかくと直ぐ爛れますが、これは要するに子供の身體の抵抗が非常に弱いからなのです。

第四　子供の周圍に衞生上惡いものが多いので注意を要します。乳呑み兒に與へる牛乳などはすぐ腐つて危險なものになり易いものです。その上恐ろしい傳染病の黴菌、赤痢、チフス、コレラ等が冬よりも夏の方が非常に繁殖し易く、更に傳染病の媒介をする蠅などもやたらに殖えて、いつも子供の周圍には危險があるわけです。

第五　とかく夏は子供が不養生になり易いことです。活潑に屋外で遊び廻りますので、疲れ過ぎる位疲れ、咽喉が渴きますから、やたらに飮み、腹をへらしてむやみに食べます。

夜は晝間の疲れで前後も識らずに寢床の外に轉げ出たりして寢冷をするといつた工合に、とかく不養生になり易いものです。

要するに、一方には積極的に身體を鍛へると同時に他方には消極的によく氣をつけなければならないわけです。

名作曲家の列傳（一二）

ピートロ　イリイチ　チヤイコフスキイ
Peter Ilyitch Tschaikowsky

秋保孝藏

近代音樂を味はうと志すものは露西亞の作曲家とその音樂とを研究せねばならぬ。露西亞音樂は聽く人をして一種の力ある生命に觸れしめる、そしてその粗野な力と美しい韻律とは新しい使命を齎らす。此國の音樂は他國のそれと違ひ、その獨特な音律と豐富な調和とは人を動かさずには措かない。

近代の露西亞音樂家中にて最も著名なる人物はピートロ・チヤイコフスキイである。彼は一八四〇年四月二十八日ウオチンスクに於て生れた。鑛業技師なる父はカムスコ　ウオチンスク鑛山の檢査官であつたので、地位も高く、至つて裕福な生活をしてゐた。それで彼は他の多くの樂才等の如く貧窮と戰ふ必要もなく、その少年時代は順調で多望であつた。

彼が未だ五歳に達しない頃であつたが、立派な一婦人がこの家の家庭教師として雇はれた。彼女は兄のニコラスと從姉妹リデアの世話に當つてゐた。當時ピートロは碌々着物も着ないで家中をうろつき廻つてゐるのであつたが、誰にも好かれる可愛い兒であつた。この婦人は並々ならぬ優れた婦人であつたので、子供等に與へた感化は頗る健全な有益なものであつた。

ピートロが八歳の折、一家は擧げて、セント　ペトロスブルグに移轉した。二人の子供は當地の寄宿學校に送られた。一週に一回は會へるものゝピートロに取り、母との離別は小さい心が張りさけるばかりであつた。學校はピートロの如き神經鋭敏な子供には不適當な場所であつた。學課は過重で勉強時間は餘りに長かつた。生徒等

は夜遲くまで勉强せねばならなかつた。ピートロは普通の學課以外に洋琴家フイリボフから音樂を學んでゐたが僅の間に著しき進步を遂げた。音樂はこの少年に對して特別な魅力をもつてゐた。手風琴を彈きながら街上を通るものがあれば彼の心は不思議にこれに惹かれた。管絃樂は彼の最も好んだものであつた。彼は非常に神經的な少年で、その爲に時々學校を休まねばならなかつた。

一八四九年父は轉職してアラパイエフといふ小さい町に住むことになつた。この地では大した贅澤な生活はしなかつたが、家族等は再びウオチンスクに於けるやうな生活を繰返したらしい。ピートロはセント　ペトロスブルグで習つた音樂を一生懸命練習した。然し誰も彼の音樂的才能を認めて呉れるものはなかつた。教師なしにピアノの練習にはげんだ。時には卽興曲も彈いた。兩親は彼の音樂教育を進めて呉れなかつた。それといふのは彼が餘り熱心に音樂に沒頭して再び神經的疾患に犯されるのを恐れたからである。併し彼の病氣はその頃、この地の自然に接して殆んど全快してゐたのである。

父が官吏であつたので、ピートロは法律の學校に入るのに都合がよかつた。父の勸めで、彼は十九歳になるまで法律を研究した。其の間愛する母を失ひ、悲嘆やる瀨なき苦い經驗を嘗めた。法律學校に在る間、好きな音樂に親しむことが出來ず、內心焦慮しつゝ徒らに日を送つた。彼の周圍の人々、卽ち家族や友人等はと云へば、音樂に何等嚴肅な價値を認め得ない人々ばかりであつた。法律學校卒業の頃には神經的な性癖もなくなり、多くの人々に愛される立派な青年紳士であつた。

一八五九年、ピートロが法律學校を卒業するや、裁判所の最高書記として官職についた。この職務は青年紳士の羨望の的であつたが、彼は斯る仕事に餘り興味を有たなかつた。隨つて眞劍にその事務を執らなかつた。彼はそれでも三年間この職に在つたのであるが、當時の流行を追ひ、よく歌劇を聽いたり、足繁く劇場に通つたりした。或時、彼はモツアルトの傑作 Don Giovanni を聽いた。これを聽いて非常に感激し、今まで抑へてゐた音樂熱が猛然と內に擡頭して來た。

一八六二年、セント　ペトロスブルグに音樂學校が新に創設された。チヤイコフスキイは此機を逸せず生徒として入學し、作曲や其他音樂上の問題を考究し、ピアノ、オルガン、笛等の器樂の練習にも勵んだが、その進步は著しきものであつた。時の校長ルビンシタインは專心音樂をやつてはどうかと勸めたので、得たり賢しと彼は法律を弊履の如く棄てゝこの方面に突進した。ルビンシタインの世話で數名のものに音樂を教授したり、身自ら伴

奏家となつたりした。その頃熱心に作曲の研究にもいそしんだが、小管絃樂の爲に作つたヘ調の合奏序曲は當時の作の一つである。一八六五年、音樂家たる免許狀を得又歌謠曲を出して銀メダルを領した。その翌年のことであるが、セスコウに音樂學校が新設され、ニコラス・ルビンシタインがその校長となつた。チヤイコフスキイは選ばれて、作曲と音樂歷史の教授の椅子に就くことゝなつた。彼の如く若くしてこの榮職に就くことは實に珍らしいことである。モスコウに移つてこの職に在ること十二年、此間、音樂家として多くの友人を得、その名聲は益々斯界に重きをなすに至つた。彼の友人の中に出版屋をしてゐるジヨルゲンソンと云ふ人があつた。彼はチヤイコフスキイの事業を最も多く助けた人で、その作品を出版發行することにつとめたのである。

モスコウに在つた初めの頃は、彼は校長のニコラス　ルビンシタインと同居してゐたが、その生活は頗る單純なものであつた。後になつて單獨田舍に借家して生活するやうになつたが、やはり前同樣極めて簡單であつた。彼は自己の生活には一向頓着しない人であつた。不思議にも金錢には少しの執着もない人であつた。金錢に對しては何等の價値をも知らないやうに不注意であつた。貯蓄など云ふ考へは毛頭ない。街上小供等の遊んでゐるのを見ては小錢を振撒いたりした。或時、友人ビユーローが米國で彼のピアノ曲を演奏して呉れたことに對して最後の持合せを悉く支出して高價な海外電報を以て謝意を述べた。友人等は時々彼の浪費に對して忠告を與へたが、すべて彼には馬耳東風であつた。

モスコウ音樂學校の教師になつて間もない頃、彼はハ調の合奏序曲を作つた。不思議なことにはルビンシタインはこれを賞讃しなかつた。彼は非常に失望した。然し再び氣を取りなほして次の作に取りかゝつた。次回はモスコウでなくセント　ペテロスブルグで發表しようと決心した。『冬の晝の夢』と題する交響詩は其折出來た作である。これは現今第一交響樂作品第十三として廣く知られてゐる。一八六六年、彼はこれを携へて失敗の憂目を見る事を氣遣ひながらセント　ペテロスブルグに出懸けた。作品をよく檢査し、確實な忠告を與へて呉れると思はれたアントン・ルビンシタインと教授ザレンバにこれを示した。彼等はこの作品の中に別に優れた何物をも見出し得ないと言つた。彼は非常に失望したが再び努力する決心でモスコウに歸つた。二年後『冬の晝の夢』をモスコウで演奏して見たが、非常な成功と稱讃とを贏ち得た。彼は他の多くの作曲家のやうに世評を氣にし、論爭を恐れた。それで斯る場合には彼は自己の內に隱れて世

評や論爭から遠ざかるやうにつとめた。

歌劇作家としてのチヤイコフスキイはモツアルトを師と仰いだ。彼の意見によればヴアグネルの歌劇は誤れる原則の上に建てられたもので範とするに足らない。一八六六年に作つた最初の歌劇 Voivoda はモツアルトの夫に倣つた跡が歷然としてゐる。音樂の他の部門に於ては改革的なところのある彼にして、歌劇のみは第十八世紀の古い型に倣つたのは不思議といはねばならぬ。Voivoda が完成するやモスコウ劇場に於て上演された。脚本は當時高名の劇作家オストロスキイの作であつた。初の上演は、一八六九年一月三十日であつて、その後數回繰返され、可なりの稱讃を博した。然し作曲家自身は藝術的成功をその中に認め得なかつたので、その樂譜を投火してしまつた。管絃樂の爲に作つた幻想曲 Fatum と題したものをも同じ理由の下に火に投じてしまつた。又一八七〇年完成した歌劇 Undine をもセント　ペトロスブルグ歌劇場で上演を斷られたので、同樣の運命の下に葬つてしまつた。『雪皇后』は次に出したがお伽歌劇であつて餘程骨折つた積りであつたが、充分な印象を與へ得ず失敗に終つた。

これらの失敗も彼の熱心と眞摯なる努力の精神を挫き得なかつた。今度は家庭音樂の方面に盡して見ようと思つた。其頃まで餘りこの方面に意を用ひなかつた、それといふのは、調音や絃樂の方には自信がないと感じてゐたからである。彼の最初の試はニ長調作品第十一として遺つてゐる絃樂の四部合奏曲である。五十年後の今日、その調音と美しき韻律とは多くの好樂家を喜ばしてゐる。特にその平調は優れたものである。この平調を作るに至らしめた經緯の一端を知るものはチヤイコフスキーが如何に自國風の特色や地方的色彩を尊んだかに氣付くのであらう。作曲家は、其頃每朝、彼の寢室の窓下の小屋で働いてゐる一勞働者の唄で目覺まされた。その小唄は幽幻で且つ快活なものであつた。彼はこれに聽惚れてゐたが、やがてこれを書き下して見た。このメロデイが端なくも後にかの四部合奏曲の平調に美しき調子を與ふる材料となつたといふことである。モウ一は一八七四年に出したヘ長調の絃樂四部合奏曲であつて、聽衆の大喝采を博した。だがアントン・ルビンシタインのみが喝采を躊躇した。

チヤイコフスキイは交響樂を六つ出した。其內の第二のものはハ短調のそれであつて一八七三年の作である。その最初と最後の音律は小露西亞で集めた樂旨である。この作は其年モスコウで演奏され非常な成功を見た。次に出した管絃樂は『暴風雨』と題する交響樂詩であつて

モスコウに於ても巴里に於ても非常な印象を聽衆に與へたものである。次の作はロ變短調のピアノ司伴曲作品第二十三であつて、これは彼の逸品で、この種類の作の隨一と稱せられるものである。これは彼の友人にして師なるニコラス・ルビンシタインに獻じたもので、彼は演習の折ピアノ部を受持つ約束をした。然るに愈々演習をなす折、彼はこれに酷評を下し、ピアノでは彈けないし、又この樂器には不向であると言つた。

チャイコフスキイは意外に思ひ、不快に感じたのも無理はない。ルビンシタインの名をその音譜の表紙から消し去つてハンス・フオン・ビユーロウに獻ずることにしたのである。ビユーロウは當時米國に在つたので、これを彼地で演奏し非常な喝采を博した。カルレノからパアシイ・グレエンジヤーに至るまでの洋琴家は皆この曲を彈奏して非常な喝采を博した。殊にこの二人は非常な熱心を以てこれを彈奏し、聽衆の熱情を喚起したのである。然るに母國の音樂家がこれを賞揚しないのは不思議といはねばならぬ。ニコラス・ルビンシタインは何う思つたのか、暫くしてからモスコウにて大々的な演奏會を催し、この曲を彈奏し、後馳せながら曩の不親切な行爲を贖ひ得た。

チャイコフスキイは齡正に三十五歳に達した。多くは音樂學校の爲に時を費した。時には九時間も學校で教へた事もあつた。その餘暇に於て調和に關する著作を出し、二つの音樂雜誌に寄稿してゐた。作曲の方面に於ても非常な努力を續けて來た。二つの交響樂、二つの歌劇、司伴樂、二つの絃樂四部合奏曲、其他數多き小曲等を出した。これらを完成する爲に盡したその努力と理想に對する憧憬とは非常なものであつたといはねばならぬ。

前述の歌劇の一は『鍛冶屋のヴアコーラ』で、これは一八七四年に出來たもの、他の數名の作曲家の歌劇と優劣を競うたものであつたが、到底比較にならない程の逸作で、一等二等の二重の賞讃を得た。セント　ペトロスブルグのマリンスキイ劇場で十七回も繰返して上演された。十年後卽ち一八八七年、この作は再び上演された。其時は作曲家自身に依つて改作され『二つの小さい靴』と題するものとなつて表はれた。これが上演さるゝ時、作曲家は指揮するやうに依頼された。この方面は彼が若い時分二回ばかりやつたことがあるが全く失敗であつた。この苦い經驗を持つてゐるので彼は躊躇してゐた。然るに友人等の勸告もだし難く、遂に引受けることにした。懸念に反して立派に指揮することが出來、成功ある上演を終つた。

この成功は彼の生涯に新しい時期を劃したのである。

その後三ケ月ばかり音樂指揮者として西歐洲を旅行した。祖國に歸るや、音樂協會の爲に露都に於て自己の作品の演奏を指揮した。持病の神經的疾患が起つたに拘らず見事に成功した。作曲家であると共に指揮者として廣くその名を知らるゝに至つた彼はハンブルグ、ドレスデン、ライプチヒ、ヴインナ、コツペンハーゲン、ロンドン等に於ける演奏會指揮の爲にこれらの地に出張し、何處に於ても歡迎された。

茲に私は彼の私生涯について少し語らう。彼が三十歳の頃、熱情的な青年であつた時代、有名な歌手デゼリー・アルトイトと相思の仲となり、結婚の約束までしたが如何なる理由かこの約束は成就しなかつた。彼が或婦人と結婚して家庭を持つたのは、一八七七年、三十七歳の時であつた。この事件の經緯について彼はその日記に詳細に記して置いたのであるが、死ぬる數年前にどう思つたか全部燒き棄てゝしまつた。彼の友人カシキンの語る所に依ればチャイコフスキイは其年その婦人と婚約し、一ケ月ばかり後に結婚した。何の理由か彼は此結婚を非常に急いだのであつたが、間もなく名狀すべからざる苦痛を經驗した。其年の秋、音樂學校が新しき學期を開始した時、彼は顏色蒼白、悄然として何事か胸中に苦悶を包んでゐる面持で出席した。數週後、彼はモスコウを逃亡し暫くしてから露都の一病院に在ることを發見された。

彼のこの失望と病氣は不幸な結婚に起因したものと云はれてゐる。醫師は轉地靜養を勸めた。彼の弟は彼の身上に同情し彼を瑞西に伴ひ、後に伊太利に轉地保養さした。この靜養によつてその神經的疾患も殆ど恢復した。恰度その頃、チャイコフスキイの音樂に心醉せるメツクといふ富める寡婦がこれを聞き、自分が彼の生活費を提供するから充分作曲に勵んで呉れと申し出た。この好意により彼は再びその好む事業に身を委ねることが出來るやうになつた。

その翌年、モスコウに歸つたが非常な熱心を以てその精力を作曲に注ぎ込んだ。歌劇 Eugen Onegin やヘ短調の第四交響樂などは其頃出來たものだ。この歌劇は一八七九年三月、モスコウで上演されたが回を重ぬる毎に聽衆をか動した。五年後、セント　ペテロスブルグで上演した時なども非常な喝采を博した。これはチャイコフスキイの歌劇の中でも最も優れたもので、グリンカの『皇帝の生涯』と並び稱せらるゝ露西亞に於ける名作である。一八八一年モスコウの基督寺院の聖別式の爲に管絃樂の作曲を依頼され、それに應じて出來たものが『嚴肅序曲一八一二』作品第四十九である。その年の末頃、第二のピアノ司伴曲が現はれた。イ短調のピアノ三部曲『大藝術家を記念して』作品第五十は一八八一年に死んだ彼の友人にして師なるニコラス・ルビンシタインを記念せん爲に作つたものである。

次に彼は Mazeppa と題する歌劇を出した。續いて第二連續管絃樂作品第五十三及び第三作品第五十五を出した。又 Manfrd, Hamlet の二交響詩を出した。

四十五歳の折、彼はモスコウに近い田舍に隱退し、美しい舞曲や第五、第六交響樂を作曲した。この第五交響樂が一八八九年初めて演奏された時は左程感心されなかつたので暫く顧られなかつたが、後に彼の作品中の最も優れたものゝ一つであることを認められた。

彼の最後の二つの歌劇は Pique Dame（スペーデスの皇后）作品第六十九及び『レネ王の娘』等である。二つともそれ程の逸品ではない。第三ピアノ司伴曲作品第七十五は彼の最後の作であつて、未完のまゝ遺され、タニーエフによつて完成されたものである。この露國の優れた作曲家の天分を最もよく發揮したものは第六交響曲作品第七十四であつて、一八九三年の作で、彼が歿する一寸前にセント　ペトロスブルグで演奏された。彼はこれを『哀感』と名づけた。この作の中に彼の作曲上の特色とも云はるべき感激や悲哀の感が最高潮に達してゐる。死に直面してゐる深刻な感激がよく聽く人の耳に響き、誰一人之を聽いて深い感激に打たれないものはない。これはその年の八月三十一日に出來たものだが、十月十二日彼はコレラ病に罹つて露都で長逝した。

この露國作曲家の音樂は近年世界各國に於て急に歡迎され、喝采を博するやうになつた。チャイコフスキイの音樂は一度聽けば忘れ得ない深い印象を人の心に遺す或る力を有つてゐる。

（終）

恐ろしい「腸炎」とは
―どんな病氣でせう？

梅雨時期からいよいよ恐ろしい「腸炎」と言ふ命とりの病氣が今年も亦、純眞な幼い生命を奪つて行く事でせう。誠にこの「腸炎」と言ふ名前程私達醫師にとつても、子を持つ世の親達にとつても戰慄的な響きを以て感じられるものはないでせう。疫痢はなる程恐ろしい病氣ですがその半分以上は早期の適當な治療法により生命を救ふ事が出來ます。然しこの「腸炎」は殆どすべてと言はれる程に私達の力の無力さを嘲り笑ふが如くに振舞ひます。ではこの恐ろしい「腸炎」とは一體どんな病氣なのでせうか。「腸炎」は誕生前後の健康な乳兒に突然起る事もありますが、多くは榮養障碍とか體質異常がある誕生前後の乳兒に多く、其の原因は今尚はつきりしませんが、とも角非衞生的な狀態に生活する乳兒に多い事は事實で長く續く暑さ、腸の內外の細菌の傳染、腐敗した人工榮養品、糖分や脂肪分が乳兒の耐容力を超過した時などは「腸炎」を起し易いものです。

症狀は發熱、下痢、嘔吐が主で、熱は色々で數日間續く事もあり、一日で下る事もあります。下痢は一日數回から十數回で水樣、黃色又は綠黃色で、粘液を混じ甚だしい時は大便の成分は著しく減少して無色に近くなる事があります、特有なのは惡臭が甚しい事で鼻を刺す樣な臭氣がします、嘔吐は非常に回數が多く最初はとり入れた食餌のみですが次第に粘液、膽汁を加へつひには珈琲殘渣樣の物を吐く事があります。意識も混濁し、時々は患兒は不安となり苦しみ、啼泣し、時に痙攣を起します。身體內の水分は減少し、體重も著しく減り、四肢の先端は冷たくなり、脈は細く少さくなり、遂には不幸な轉歸に終るものです。全體の經過は疫痢の樣に急激ではないけれども、其の豫後は疫痢以上に惡いものです。治療法は醫師に一任するより外ありませんがとも角も最初は饑餓療法を行ひたゞ水分を充分に補ひ番茶麥茶、重曹水等を與へますが、同時に又「リンゲル」氏液、生理的食鹽水等を注射し、强心劑をも併用します。饑餓療法を行つた後では人乳をあたへるのが最もよいので出來れば貰ひ乳をしてもこれを行ふのがよいのです。これも出來ない時は專門醫師の指示に從ひ愼重に食餌療法を行ふ必要があります。

バナナで疫痢？

疫痢患者の大便にバナナの不消化なのが屢々見つけられたからと云ふので、バナナを食べると疫痢になると云つて、都會地の殊にインテリ階級の家庭では大いに恐れられて、小兒には絶對にバナナを食はせないといふ樣なことを聞きます。バナナを食べて疫痢になる譯は決してありません。疫痢を起す原因の細菌、體質、それに發病のチヤンス。この三つがあつて始めて疫痢患者が出來て來るのであります。その一つのチヤンスの中に西瓜もあり、氷水もあり、玉蜀黍もあり、ビワもあり、又バナナもあります。又勿論寢冷へもあり、又暑さ當りもあり、疲勞もあります。これ等が皆同じやうに一つの誘因となるものでありましてバナナが特に疫痢を起し易いと言ふことは決してありません。それ所か日本では餘り聞きませんが外國では下痢の林檎療法と並んでバナナ療法と言ふのがある位であります。バナナをつぶしてお粥にしたもので下痢を治療するのであります。このことはバナナを上手に使へば消化器の病氣でも治すことが出來ると云ふ意味であります。バナナは果物の中でも殊に美味しく、滋養に富んだもので子供たちの最も喜ぶ食物の一つであります。バナナを與へる年齢は生れて滿二年以上の子に用ひます。そして薄く小さく切つて、最初は一切か二切を用ひます。だん〳〵慣れて來れば分量を增やして行きます。暑い中は成るべく斯うして小さく切つて與へるのが安全であります。而も運動をしてお腹の空いた時午後のおやつとして與へるか又はお晝の食事の時には食後の果物として與へます。夜分遲く與べる事は他の間食と同じく避けねばなりません。勿論古いバナナ殊に實のいたんで軟かく少し色の變りかけたものは決して與へてはなりません。尚勿論食べ過ぎのよくない事は申す迄もない事で大きなのを丸口一本で足らず、二本も食べると云ふ樣な事は子供達には決してさせてはなりません。要するにバナナを恐れる必要はありません。ただ與へ方に注意をせねばならぬ事を繰返して申して置きます。（琉球地方には到る處にバナナがあつて、而も赤痢は殆どなく疫痢などは殆ど之を見ない相であります。何と皮肉ではありませんか）。

五月の日記（編輯後記）

◎薔薇、石竹、撫子等が綺麗に咲き亂れてゐる初夏の庭の片隅に飼はれてる兎は、いとも平安に成長を續けて一家を喜ばせて居る。仔猫も大きくなつた。

◎五月三日、大阪軍人會館に於けるライオン齒科衛生院主催の『新女性の集ひ』に出席した、コンクール文部大臣賞受賞者辻久子孃のヴァイオリン獨奏は實に感嘆の外はない、此の日始めて平林女專校長に御目にかゝつた　四日、天王寺公園に催された全國ムシ齒豫防デー『學童齒磨教練體育大會』に出席、參加小學校四十一校六三三五名の合同ラヂオ體操と合同齒磨教練は例年の事作ら誠に壯觀で、國旗掲揚式には愛國の熱涙を流す者多數見うけられた。

◎五日、第十一回全東京乳幼兒審査會の趣旨書の完成を見たので全國に發送す、尚第十六回全大阪乳幼兒審査會の母親の『メンタルテスト』の統計も我家の二兒により着々整理を急いで居る、六日、都島第一小學校母の會に於て『若き母性の眞心』と題して、三百名の銃後の母親達に對して約一時間半の講演を試みた、池田校長のお話しによれば教師方の應召者が多いとの事であつた、九日、二女奉世の精道小學校の兩親見學日に當るので妻は早朝から出かけた、午後、晋北自治政府の視察團を北市民館に迎へた、實に其の熱心に驚く。

◎十日、九時の夜行にて上京、十一日午前陸軍省醫務局長三木中將閣下に御目にかゝり、本聯盟の事業に關し種々御示教を仰ぎ、恰度同行した大川銀三郎氏御親子の發明にかゝる水筒の構成に就いて、閣下の御意見を窺ひ、稗益する處が多かつた、十二日、蒲田に竹馬の友大槻博士を訪ふ、十三日、永井柳太郎閣下御執筆にかゝる傑作『錢屋五兵衛』が、東京劇場にて左團次一座により上演されるので、閣下と共に觀劇の光榮を有した、閣下は謙遜して「役者がいゝからよい芝居になりました、批評はまち〳〵です」と云はれた、愚劇『沓掛時次郎』など時節柄どうかと思はれる。

◎十六日、『軍國母性の集ひ』が六月十日と決定したので再び三木中將閣下を御訪れして、御講演の御快諾を受けた、それより海軍省に高杉中將閣下を御訪れして同樣御講演の御願ひをなす、十七日、中央社會事業協會に原理事、中村主事を訪問、工業倶樂部にて永井閣下に御目にかゝり本聯盟の事務の御報告をなす、十八日、岸邊福雄先生を訪れ、愛育會に至り、加藤氏の御案內にて新裝の立派な建築を視察し、齋藤常務理事始め、齋藤文雄博士等に御目にかゝり、養正館を拜觀した、二十日、東京病院に戸川博士を、慶應病院に中鉢博士を訪問して種々御願ひをなし、續いて外苑の繪畫館を拜觀した。

◎二十二日、廣井會長と共に橫須賀鎭守府に司令長官長谷川海軍大將閣下を御訪れした、將軍の福井中學時代に會長は英語の先生であつたと云ふ深い緣故にて、懷舊談は盡きやうとはしない、將軍から自分の竹馬の友○○艦長、保科大佐の噂など承り、歸途親戚の加藤少佐を鎌倉に訪問し、二十四日、厚生省に佐々木體力局長を御訪れして十時の夜行で西下した。

本誌定價　一冊金參拾錢　郵稅壹錢五厘
半年分六册　金壹圓六拾錢　郵稅共
一年分十二册　金參圓　郵稅共
、誌代郵稅は一切前金の事
前金切の場合は發送中止
郵券代用は一割增のこと

昭和十四年五月廿八日印刷（毎月一回）
昭和十四年六月一日發行（一日發行）

兵庫縣武庫郡精道村芦屋
發行兼編輯人　伊藤悌二
印刷人　木下正人
大阪市西淀川區海老江上二丁目三七番地
印刷所　木下印刷所
電話福島㊺｛一五三四番／二四二六番｝

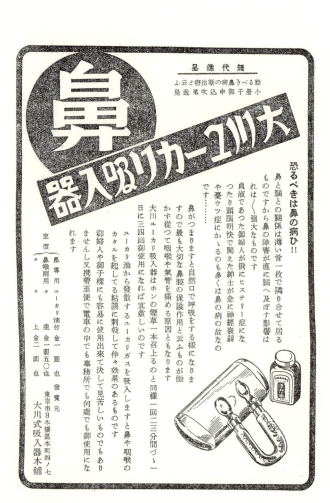

大阪市北區天神橋筋六丁目
大阪市立北市民館內
發行所　日本兒童愛護聯盟
電話堀川㉟｛〇〇〇一番／〇〇〇二番｝
振替大阪五六七六三番

子供の世紀 第十七卷第六號
大正十三年二月二十日第三種郵便物認可 昭和十四年五月二十八日印刷納本 昭和十四年六月一日發行（毎月一回一日發行）

【定價金參拾錢】

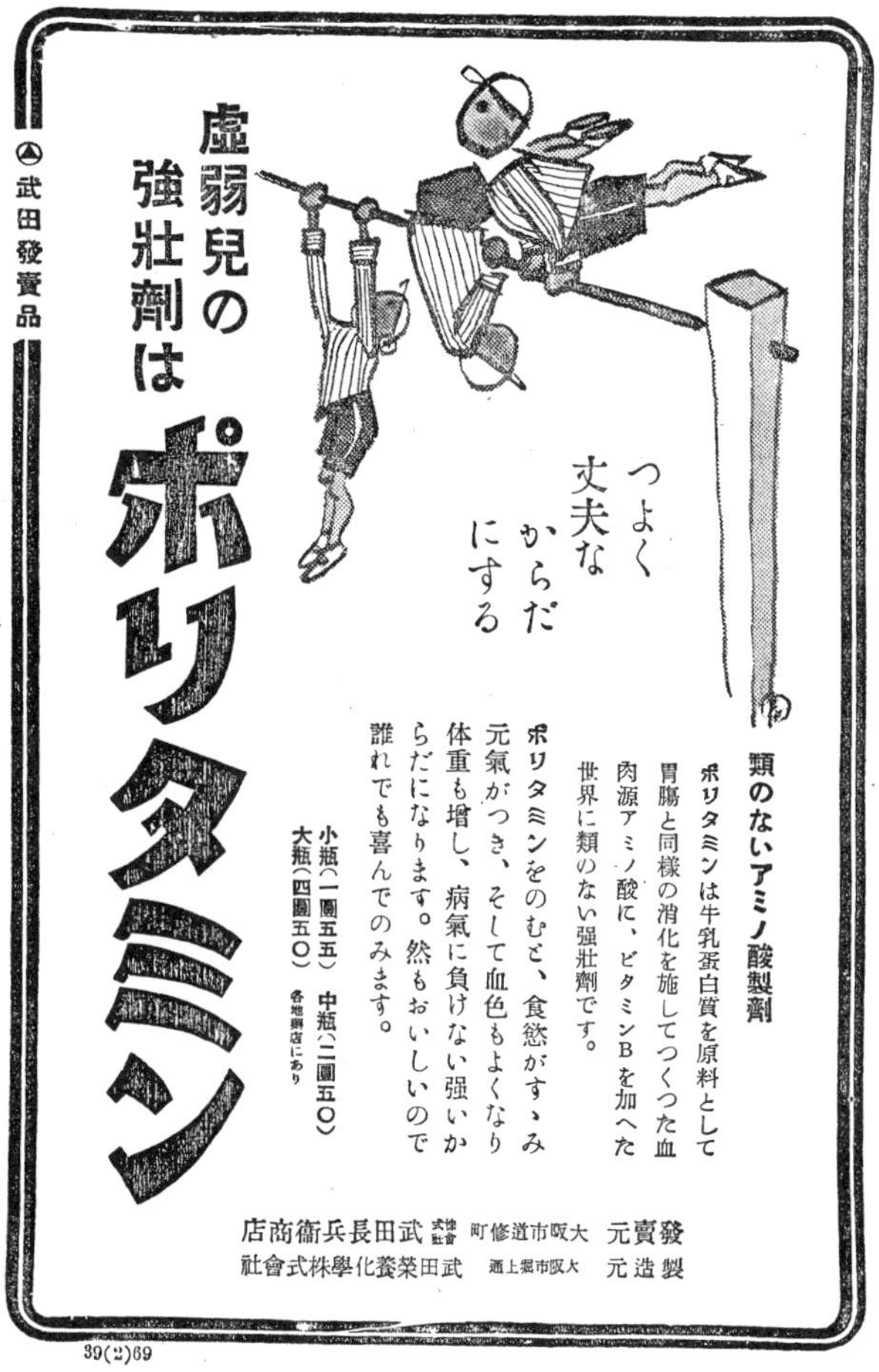

39(2)69

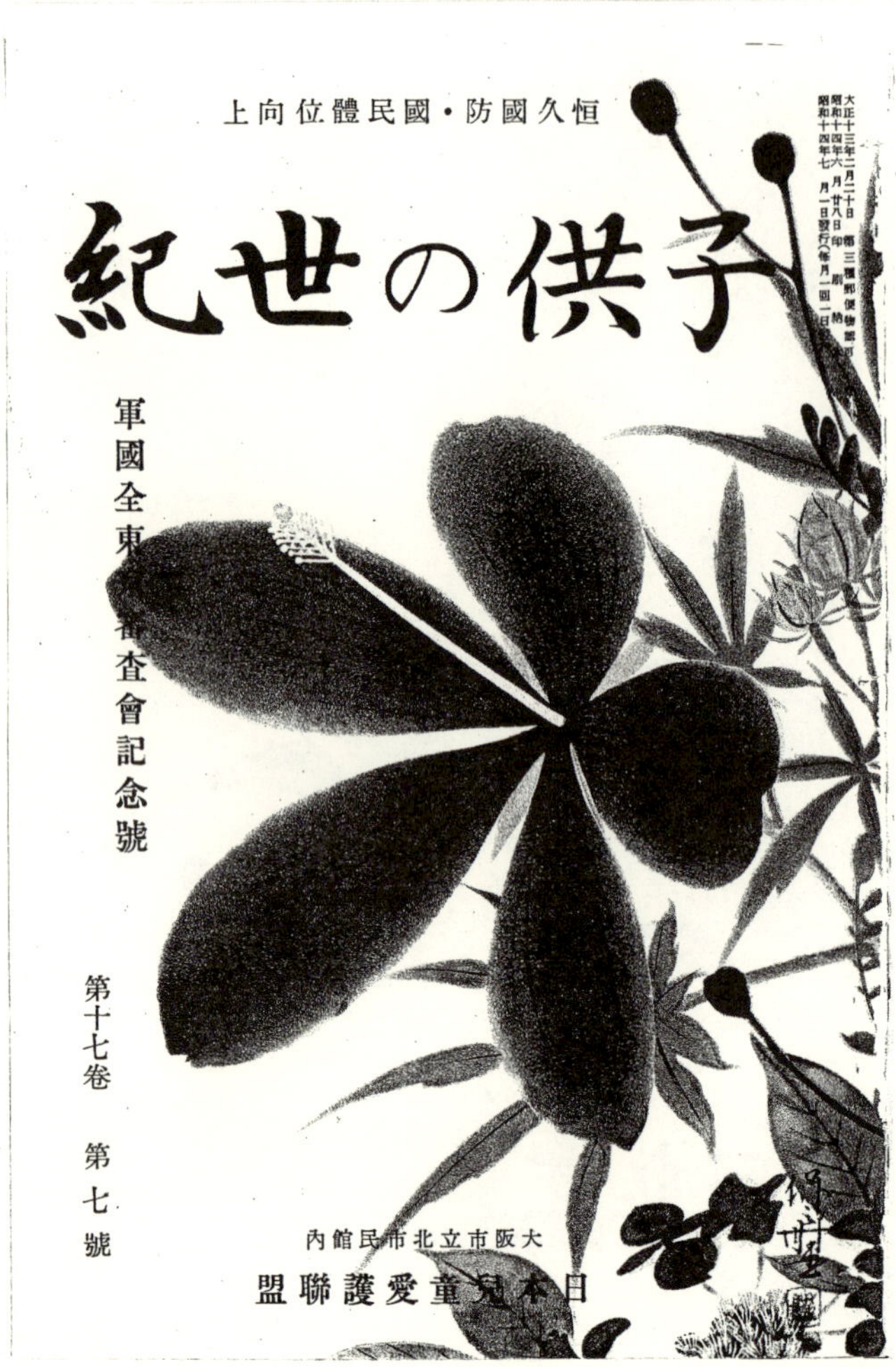
恒久國防・國民體位向上
子供の世紀
大正十三年二月二十日第三種郵便物認可
昭和十四年六月廿八日印刷納本
昭和十四年七月一日發行(毎月一回一日)
軍國全東
審査會記念號
第十七巻　第七號
大阪市北市民館内
日本兒童愛護聯盟

基礎鞏固　經營眞摯

創立　明治四拾四年

コドモの保險　日本徴兵

入營・嫁入　準備

出世・敎育　資金

子を持つ親心

可愛い子供の爲に何程かづゝの貯金をしてやらうと考へるのは、凡ての親としての至情で、男子ならば適齢迄、女子ならば嫁入迄と誰しも心掛ける所ですが、さて實行はなかなか困難です。

最良の實行方法

徴兵保險、生存保險のコドモ保險は此需用を充たす最良の施設で、一度御加入になれば知らず識らずの間に愛兒の爲に必要な資金が積立てらるゝことになります。

日本徴兵保險株式會社

本社　東京市麹町區内山下町一ノ一

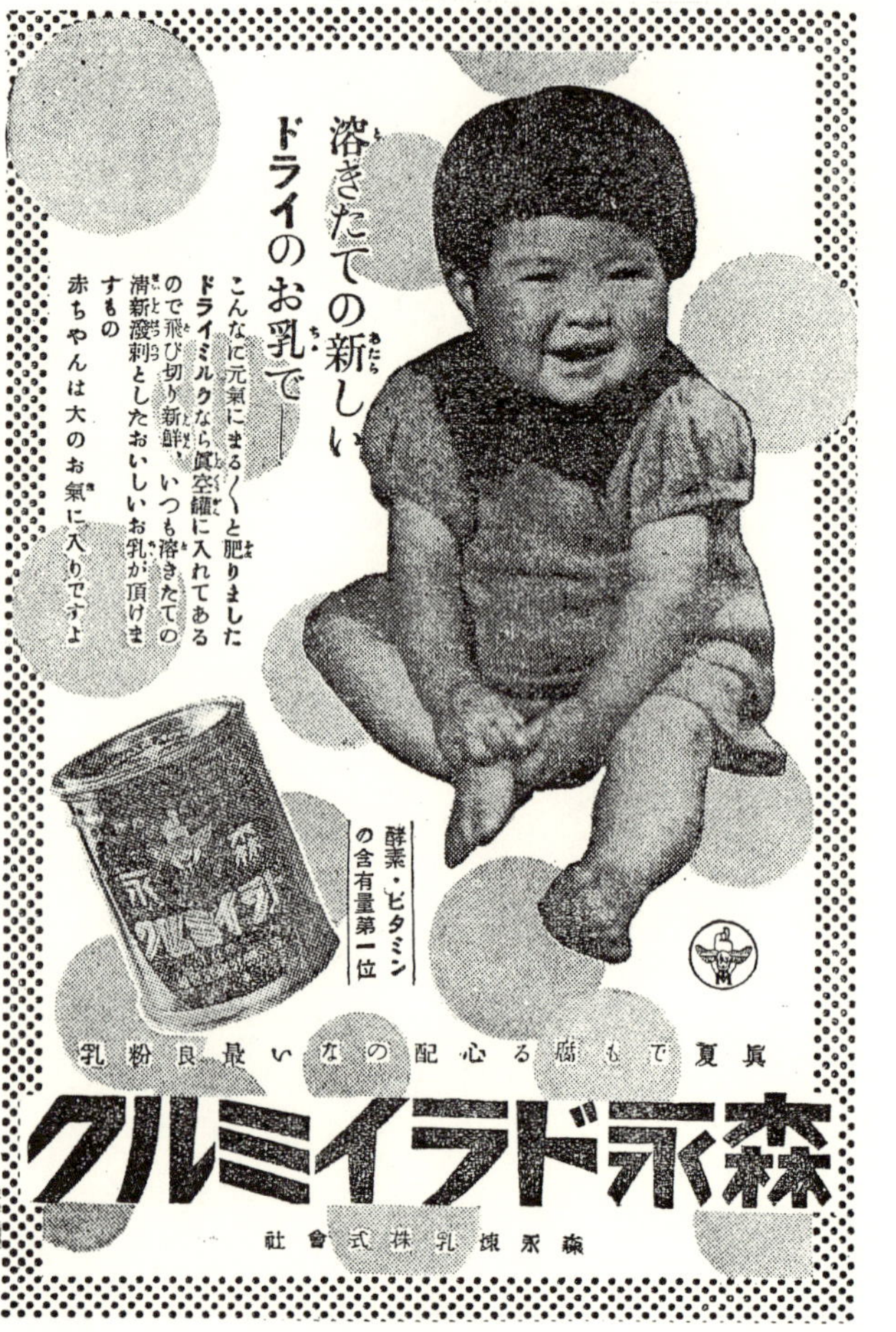
溶きたての新しいドライのお乳で――
こんなに元氣にまる〳〵と肥りました
ドライミルクなら眞空罐に入れてあるので飛び切り新鮮、いつも溶きたての清新潑剌としたおいしいお乳が頂けますもの
赤ちゃんは大のお氣に入りですよ
酵素・ビタミンの含有量第一位
眞夏でも惱る心配のない最良粉乳
森永ドライミルク
森永煉乳株式會社

「子供の世紀」(第十七巻第七號)全東京審査會記念號

目次

興亞審査會

家庭の警鐘

人的資源擴充

先人の足跡

新母性講座

39(2)71

大川吸入器

完全無缺 使用簡易

噴霧は體温以上に温く微細で病状に好影響をもたらします噴霧管は特許引拔パイプ製で絶對に故障の起らぬ逸品。器械は堅牢で大川吸入器が標準型です。
本器は一ヶ毎に檢査をして發賣致します故、何處でお求めになつても安心です。類似品あり、大川式と御指名を乞ふ。(固定式上下式の二種有)

戰時下の第二國民を祝福さるゝ廣瀬厚生大臣

寫眞特報・東京日日

産めよ殖せよ〃赤ちゃん部隊〃

廣瀬厚相は十二日、日本橋高島屋で開催中の第十一回、全東京乳幼兒審査會を訪れて、次代を背負ふ事變兒赤ちゃんの健康ぶりにすつかり上御機嫌、赤ちゃん達を代る〱抱つこして大満悦であつた。

(六月十四日發行第六百三十七號)

紫外線の藥劑

.60　2.00　5.50
(全國藥店・百貨店にあり)

太陽を與へよ 青白き都會の兒童に

あの偉大な發育力、生命力を植えつける原動である日光の中でも、最も人体に欠乏する紫外線を苦心して、藥劑化したのが 錠劑**オリーゼ**なのです うらなりの様な、都會の兒童に、なくてならぬ、珍しい强壯劑が出來たわけです 紫外線の欠乏より起る、小兒腺病、吹出物の出る体質、風邪、結核を豫防し、頑健な体質に築き上げます

勿論服み良いです

詳しい説明書お請求下さい
(大阪中央私書函二十五)

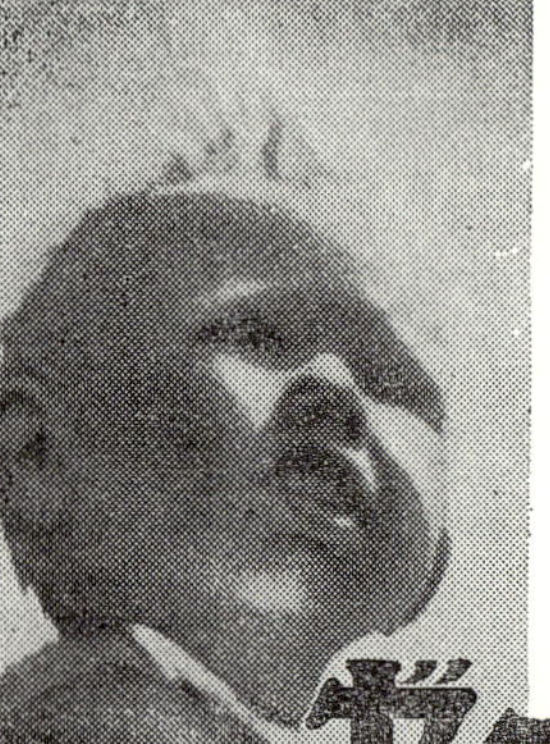

ー日光ビタミンー

錠劑 オリーゼ

世のお母さん方へ

優良第二國民の保育には理想的の

福寶育英 子守バンド を是非御使用下さい

A型→　C型↑

構造上に少しも無理がなく全く理想的に出來て居ります、從つて耐久力もあり實用的の品であります、赤ちやんより五六歳位の子供達迄負ふ事が出來ます、體裁もよく立働きが樂で容が小さいので携帶用として至便のものです、殊に子供達連れの遠足などには絶對に必要であります。

是れは優美な高級刺繍を施してありますので赤ちやん向きとして是れ又非常に御好評を賜つて居ります、丈夫さは幾分A型より劣りますが値段の格安さ、出産祝としての値頃品である爲め賣行益々良好であります。

A型　別珍製
仝　朱子製
B型　別珍製刺繍入
C型　別珍製仝(裏ナシ)

各地百貨店、吳服雜貨店ニアリ

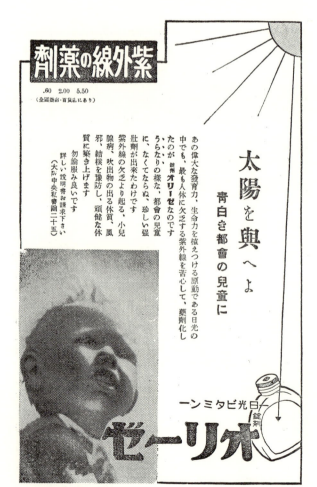

元賣發造製
菊池商店
大阪市北區東野田町三
振替大阪 14000番

上手な吸入のさせ方

吸入や含嗽は、あまり重い病人には著しい効果はありませんが、早くやると侮り難い効を奏するものです。外出後咽喉がちよつと變だと思ふときは、大人なら含嗽をすればよいのですが、小さいお子さんでは、それができませんから、吸入に替へます。吸入器にはいろ〳〵有りますが注意したいのは、薬液と一緒に冷い風が起り、却て吸入をしたために、よくない場合の起るやうなものを、避けるといふことです。使用上の注意といたしましては釜の湯は三分の一くらゐ注いで、なくなる前に注ぎ足します。湯のなくなつたのを知らずにゐると、破損することがあります。

アルコールを口元まで入れると、發火する虞れがあります。吸入をかけると、お寝衣やお蒲團が濕りますから、防水布やタオルをかけておき、寝たまゝの病人なら徐かにかけてあげて下さい。赤ちやんの吸入は無理にお口を開かせる必要はなく、玩具で機嫌よく遊んでゐるときでも、吸入器の方を近づけて、あたりの空氣を軟くしつとりさせて、少しづゝでも吸ひ込ませるやうにします。一回分をあまり長くかけると倦きますから、一日に三四回にしてコップに二杯ぐらゐで結構です。終りましたら蒸しタオルで拭いて、後にクリームなどをつけてあげると、お顔の荒れを防ぎます。

吸入液の作り方

薬液はいろ〳〵有りますが、お子さんには一%の重曹水で結構です。（約一合の水に茶匙一杯）又は重曹と食鹽を各々一%の割に溶かしたものを用ひてもよろしい。

うがひ薬の作り方

二%硼酸水　硼酸は冷い水に溶け難いが微溫湯を用ひますとすぐ溶けます。大人の水薬二日分入りの瓶は通常二百瓦入りですからこれに四瓦入ればよろしい。

二%鹽剝水　鹽素酸加里は常用としてうがひに用ひるのはよくありません殊に小兒には用ひぬのがよろしい。

三%過酸化水素水　過酸化水素又はオキシフルを水百に對して三の割合に二百瓦入りの水薬瓶なれば六瓦入れます。過酸化水素はごみ、又は日光熱等にあへば酸素を發生分解して無効となりますから瓶は清潔なものを用ひ、戸棚か押入等の暗所に置かねばなりません。

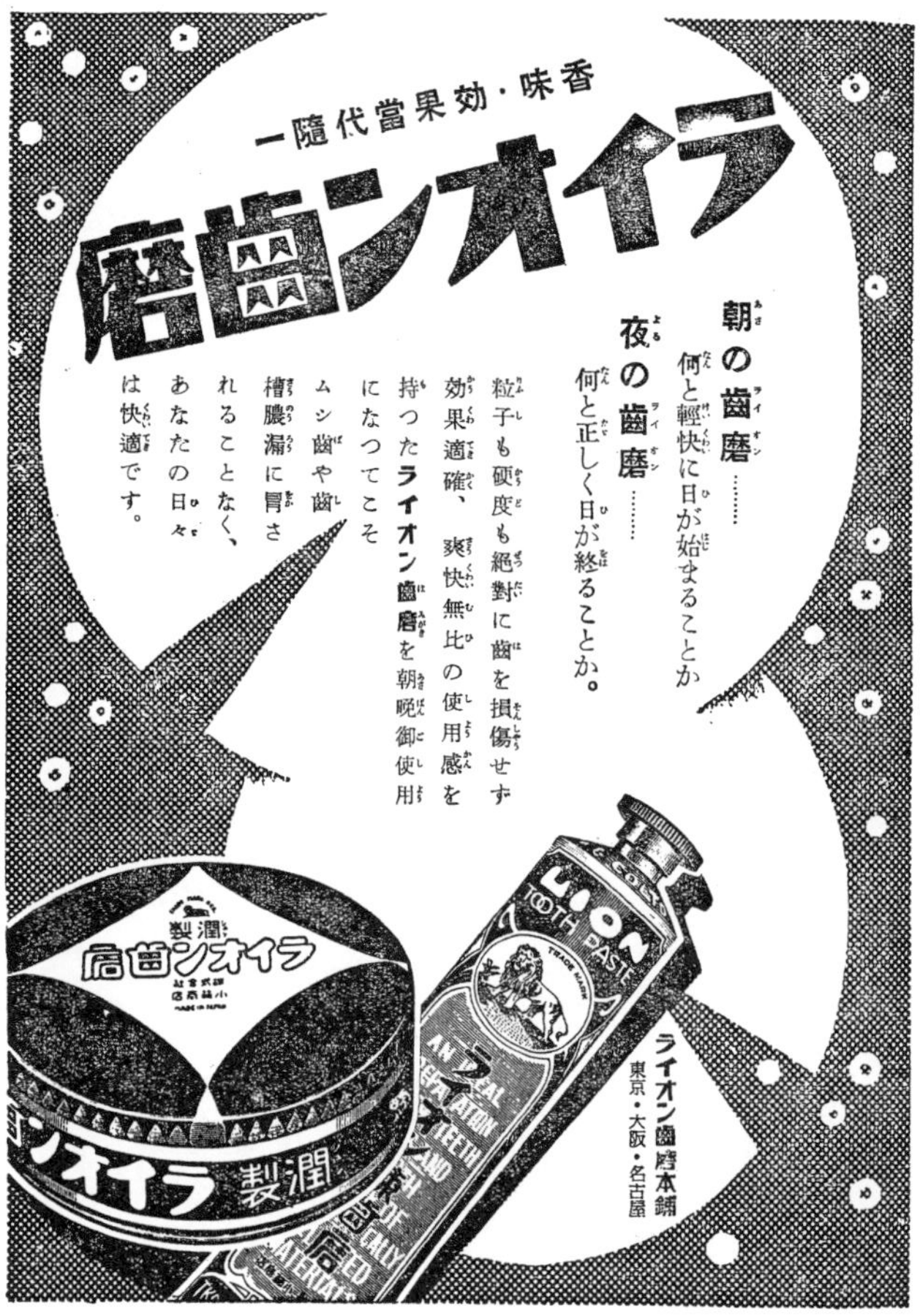
香味・効果當代隨一
ライオン歯磨
朝の歯磨……
何と輕快に日が始まることか
夜の歯磨……
何と正しく日が終ることか。
粒子も硬度も絶對に歯を損傷せず効果適確、爽快無比の使用感を持つたライオン歯磨を朝晩御使用になつてこそムシ歯や歯槽膿漏に冒されることなく、あなたの日々は快適です。
LION TOOTH PASTE
ライオン歯磨本舗
東京・大阪・名古屋

廣瀬總裁閣下人的資源强化事業を巡視さる

（上）廣瀬總裁閣下には會場内第二部門に於て・伊藤理事長より審査の方法順序等を聽取されるところ・第二列向つて左より二人目は佐々木體力局長・四人目は市來施設課長（下）續いて總裁は色調檢査の部門にて金子博士から説明を熱心に聽取された。

軍國母性大會に於ける永井名譽會長の獅子吼

第十一回全東京乳幼兒審査會に魁け、本聯盟主催のもと去る六月十日、高島屋大ホールに於て、軍國母性大會を開催したるに、時宜を得たるものとして、朝野の名士、官民、公私の各團體より激勵聲援助勢あり、午前午後の二回に亘りて盛況を極めた、尙年に數回は續いて施行の豫定である。

當日の講演者は永井前遞相を始めとして中鉢、富田二博士、岸邊顧問、天野、奈良島二氏等各方面の權威者のみで時局柄聽衆に多大の感銘を與へた。

波濤の如く押し寄せ來る興亞赤ちやん群像

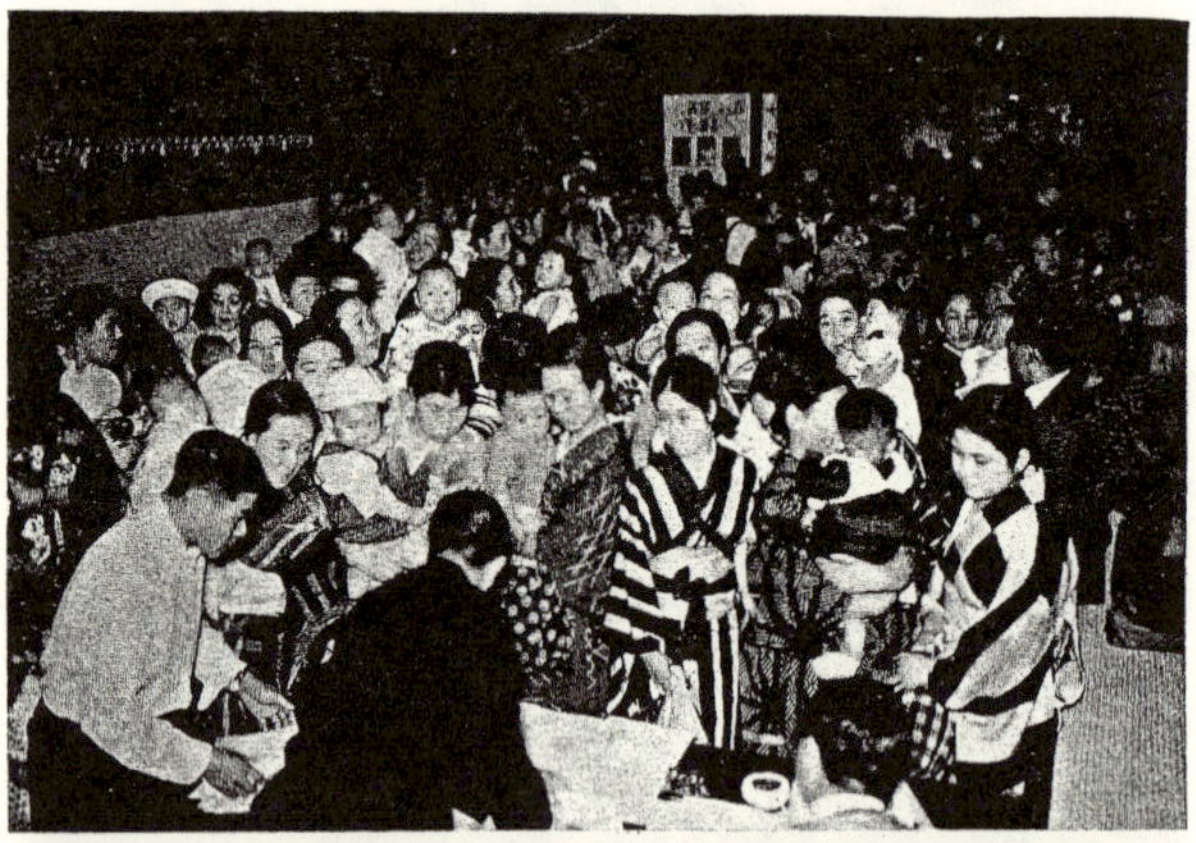

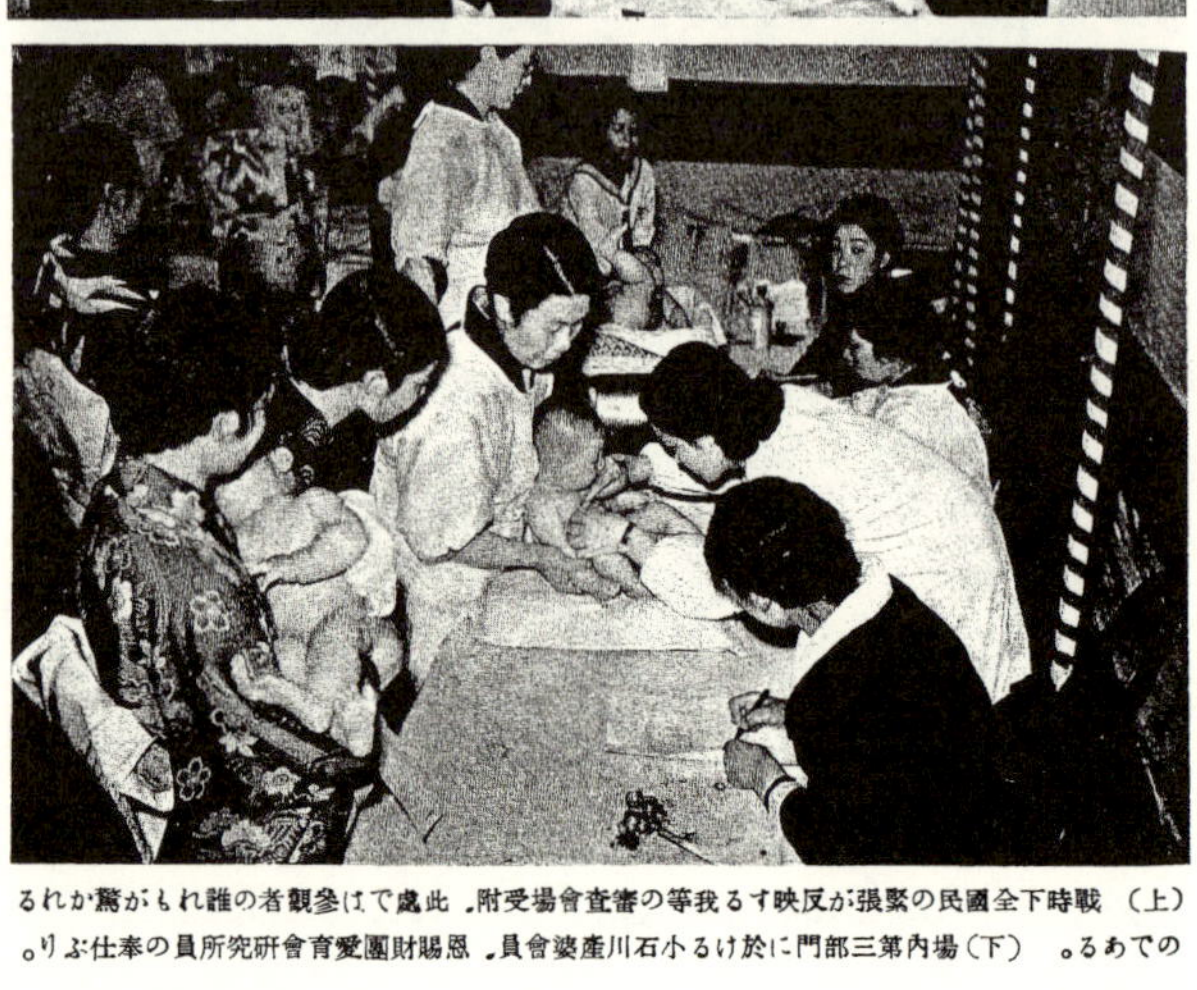

（上）戰時下全國民の緊張が反映する我等の審査會場受附。此處では參觀者の誰もが驚かされるのである。（下）場内第三部門に於ける小石川産婆會員。恩賜財團愛育會研究所員の奉仕ぶり。

廣瀨厚生大臣閣下を圍みて（卷頭言）

審査會御臨場の後高島屋貴賓室にて　伊藤悌二

伊藤「閣下には御多用中、態々本會に御臨場を忝うした事は、誠に本會の光榮とする處で心から御禮申上げます。」
廣瀨厚生大臣「永井さんからも御話しがありました、非常に澤山集つて居るのは愉快であり、且つ驚きました。」
廣井會長「只今拜見してゐますと、閣下は赤ちやんを抱かれるのは大層御上手のやうで御座いますな。——」
廣瀨厚生大臣「赤ん坊を風呂に入れる事は以前からとても好きで、上手でした、よく風呂に入れてやつたものです。」
伊藤「昨年、木戸侯爵御來場の時は、映畫班の人々に向つて、僕は俳優ではないと云つて、赤ちやんを抱かれませんでした、松田、平生兩文部大臣は抱かれましたが、時間をとるので新聞記者を一喝しました。」
廣瀨厚生大臣「それは面白い、本聯盟の事業も可なり古くから持續されてるさうで實に御苦勞な事です。」
市來厚生省施設課長「最初、東京で審査會を催したのは、湯澤さんが内務省保健課長時代（大正十四年）からだと申します。」
村松高島屋理事「本店で開催していたゞくやうになりましたのは、永井閣下が拓務大臣の時からですから昭和九年であつたと思ひます、兎に角主催者の御熱心と御役所の御後援は今日の盛大を見るに至つたものと存ぜられます。」
佐々木體力局長「厚生省の全國的に施行してる乳幼兒の指導檢診は、健康兒、不健康兒共に益々健康に導く事業であり、日本兒童愛護聯盟の審査會は、健康兒の中からより以上の健康兒を表彰して、眞の育兒思想の普及をはかる事業であるから、兩々相俟つて人的資源の擴充に貢献出來るのであります。」
廣瀨厚生大臣「最初に審査して表彰した子供は幾歳になりますか？」
伊藤「大阪に於ける第一回は大正十一年でありました、男兒は高等學校の二年になつて居り、女兒では結婚して赤ちやんを產んでる者があります、時たま電車やバスの中で見も知らぬ人々から御禮を云はれ、突如として粗餐を上げたいから、電車から降りて下さい、とせがまれるのには閉口いたします。」
廣瀨厚生大臣「それが斯うした事業をしてる人々の此の上もない樂しみであります、それから東京の審査會の最初の總裁はどなたでしたか？」
廣井會長「岡田良平閣下で、その時の會場は芝の協調會館で、秘書官は後の文部次官伊東延吉氏でした。」
伊藤「私は各醫科大學の小兒科長や開業の權威者を訪問しましたが、當時は四面楚歌と云つた調子で、現在各種の審査會に顏を出してる大家達もその頃は私に對つて大反對をされました、兎に角時代であると存じます。」
廣瀨厚生大臣「昨年度は二十五萬以上の出產率が低下してゐる有樣であるから、將來とも國家のために各位の御奮鬪を祈つて止みません、今日國家が乳幼兒の保健問題に重點をおくに至つたのは、斯くの如き團體の刺戟にもよる事であるのは勿論であつて、我々は本聯盟の永年の努力を感謝して居る次第であります。」
伊藤「本日は種々と誠に有難う御座いました。」

戰時に於ける出生率低下の影響

内閣統計局　浦上英男

戰爭が人口現象に及ぼす影響は多々ありますが、玆では主として出生率低下の問題を考へて見ませう。

◎昨年は出生が二十五萬減つた

今次事變が勃發したのは御存知のやうに一昨年七月です。從つて若し此の事變が我が內地の出生に影響するとせば、之が現れ出すのは早くとも昨年五、六月頃からの筈です。昨年の五六、月以前の出生率に假に何等か例年と違つた傾向が見えてゐるとすれば、それは事變の直接の結果ではなく別の原因が働いたと考へるべきです。

さてそれでは昨年の出生數は例年に較べてどんな變化を示してゐるかと申しますと、此の數字はつい最近發表されましたが一月から十二月迄に生れた赤ん坊の數は約百九十二萬九千で一昨年の二百十八萬一千に比較して二十五萬二千人（一割一分六厘）の減少となつております。

ところが此の中一月から六月迄の出生數に於て既に六萬六千の減少があつたのです。つまり昨年は事變の影響以外の理由で六月迄に之だけ出生が減つてゐたのです。そこへ持つて來て七月から十二月迄の出生數は事變の影響を恐らくは盛り込んで十八萬七千餘人（前年同期に比して一割八分四厘減）減じた爲、都合前記の二十五萬二千といふ數字が出て來た譯です。

◎人口の自然增加が激減

國の原動力である人口は生れた赤ん坊の數だけ殖えるのではなく、勿論出生から死亡を差引いた殘りだけが殖えるのです。之を人口の自然增加と謂ひます。

で此の自然增加ですが、昨年一年中でざつと六十七萬ありました。然るに前年は九十七萬三千でしたから差引三十萬三千の減少となつております。之を矢張り月別に觀ると一月から六月迄に十一萬六千減つており、七月乃至十二月では減少の速度が急激になつて十八萬五千（前年に較べ實に四割六分七厘）も減じたのです。

自然增加數の減少が出生數のそれよりも多い譯は言ふ迄もなく前年より死亡も殖えてゐるからです。が死亡の增加よりも出生の激減がその最大の原因であることは否定出來ません。

以上は昨年の統計ですからその後今年に入つてからの出生數にはもつと著しい減退が記錄されるのではないかと危惧されてゐます。長期建設、生產力擴充時代にとつて出生延いて人口の自然增加が之以上減退し續けて行つたらそれこそ由々しき一大事です。

◎歐洲大戰參加國に於ける出生の激減

歐洲大戰を例にとりますと多くの參戰國では一九一四年七月の大戰勃發に繼ぐ靑壯年男子の動員で翌一九一五年から俄かに出生が激減に轉じました。そしてその傾向は減次濃化し一九一六、一七、一八年にかけては戰前の殆んど半分位しか生れなくなりました。此の現象は平和克服の翌年卽ち一九一九年から稍々回復し始め、一九二〇、二一年頃は反動的に增加し殆んど舊に復する狀態を示しましたが、若し戰爭なかりせば當然生れてゐたであらう第二の國民の數は實に莫大なものだつたのでありませう。主要參戰國の當時の出生數を次に掲げてその影響をおし測つて見ませう。

歐洲大戰前後に於ける英、佛、獨、伊の出生

	年次	英吉利 出生數	英吉利 人口千に付	佛蘭西 出生數	佛蘭西 人口千に付	獨逸 出生數	獨逸 人口千に付	伊太利 出生數	伊太利 人口千に付
	一九一〇年	一、一二三、九八四	二五・〇	八二二、四五七	一九・九	一、九二四、七七八	二九・八	一、一一四、四一〇	三三・三
	一九一一年	一、一〇四、七四六	二四・四	七八八、一〇三	一九・〇	一、八七〇、七二九	二八・六	一、〇九三、五四五	三一・五
	一九一二年	一、〇九六、五六二	二四・一	七九六、一四一	一九・一	一、八六九、六三六	二八・三	一、一三三、九八五	三二・四
	一九一三年	一、一〇二、五〇〇	二四・二	七九〇、三五五	一九・〇	一、八三八、七五〇	二七・五	一、一二二、四八二	三一・七
歐洲大戰	一九一四年	一、一〇一、八三六	二三・九	七五三、〇〇〇	一八・一	一、八一八、五九六	二六・八	一、一一四、〇九一	三一・〇
歐洲大戰	一九一五年	一、〇二四、三七八	二二・一	四八〇、〇〇〇	一一・八	一、三八二、五四六	二〇・四	一、一〇九、一八三	三〇・五
歐洲大戰	一九一六年	九八六、八九九	二一・二	三八二、〇〇〇	九・五	一、〇二九、四八四	一五・二	八八一、六二六	二四・〇
歐洲大戰	一九一七年	八五二、一五七	一八・三	四一〇・〇〇〇	一〇・四	九一二、一〇九	一三・九	七一三、七三二	一九・五
歐洲大戰	一九一八年	八四八、五一九	一八・二	四七〇、〇〇〇	一二・一	九二六、八一三	一四・三	六五五、三五三	一八・一
	一九一九年	八八八、〇三一	一九・一	五〇三、六〇六	一三・〇	一、二六〇、五〇〇	二〇・〇	七七〇、六二〇	二一・四
	一九二〇年	一、一九三、八六四	二五・四	八三三、五一八	二一・四	一、五九九、二八七	二五・九	一、一五八、〇四一	三一・八
	一九二一年	一、〇六二、七三五	二二・六	八一一、七七六	二〇・七	一、五八一、一四五	二五・八	一、一六三、二一三	二九・二
	一九二二年	九二四、七四〇	二〇・九	七五九、七〇三	一九・三	一、四二四、七六三	二三・〇	一、一七五、八七二	三〇・八
	一九二三年	九〇〇、一二〇	二〇・二	七六一、二五八	一九・一	一、三一八、四八九	二一・二	一、一五五、一七七	三〇・〇
	一九二四年	八六五、三二九	一九・三	七五三、五一九	一八・七	一、二九〇、七六四	二〇・六	一、一二四、四七〇	二九・〇

先づ一九一四年は戰爭の影響がまだ出生に迄及んでゐないこと、及び之が現れたのは一九一五—一九年の五年間であることを念頭に置いて考へませう。

此の場合一九一〇—一四年の五年間に於ける出生數の合計から次の一九一五—一九年五年間の出生總數を差引いたものが大體生れるべくして生れなかつた子供の數と看做して大過ありません。斯うして計算すると英吉利は九十三萬、佛蘭西は百七十萬、伊太利は百四十五萬、白耳義は三十三萬、墺地利は三十一萬を夫々損し、獨逸に至つては驚く勿れ三百八十萬といふ大變な數の赤ん坊をみすみす戰爭の爲失つてゐることが判るのです。

◎戰死の數より出生の減少數の方が多い

歐洲大戰の結果獨逸の戰死者は無慮二百五十萬に達したと傳へられ、之に國內の食糧窮乏、饑饉による餓死が五十萬あつたとして約三百萬の人口を喪つたと稱せられてゐます。怖るべき慘禍といふに憚りませんけれども、それにもまして出生の減少の方が多かつたといふことは一層の重大事でなければなりません。何故かならば、戰死者は大部分が男子です、そして二十歲前後から五十歲位迄に比較的年齡が分散してゐます。然るに出生の減少は第一男女共に揃つて減る、第二に年齡は僅々五年の間に偏るからです。而して此の事を意味する重大さは現在

に在るのでなく寧ろ將來に在るのです。卽ち歐洲大戰當時生れた寡數の人口は二十年後に至つて生產年齡に達した時先づ生殖能率に於て著しく低く彼等から生れる子供は當然少い。此の影響は將來長く殘るものです。次に生產勞働に所て甚だしく手不足を生ずる。又例へば徵兵の場合に怖るべき間隙が出來る。之等はほんの二、三の例に過ぎません。

◎人口年齡構成が不具になる

右に擧げた例證は次に掲げた圖を御覽になると一目瞭然理解出來るでせう。

元來人口を年齡と性によつて區分し、圖にしますと幼年者に依つて占められる底邊が一番長く、年齡を長ずるに從つて縮まつて行くものです。つまり正確なピラミッド形（二等邊三角形）になるべき筈のものです。そして之が國力を最大限度能率的に發揮させ得る最善の形なのであります。ところが此の理想型を長い年月に亘つて一國が維持して行くことは中々難しい。例へば前述の樣に大戰爭が起きて戰死者の澤山出來ることもあらうし、饑饉による餓死とか疫病の大流行に因る死亡者が突然殖えるといふこともありませうし、そんな場合には必ず此の年齡構成形に變化が生じます。つまり窪みが何處かに出來る。しかもその窪みは出生の減退によつて生ずるものが一番大きいのを通例とするのです。

御覽なさい、獨逸人口の年齡構成圖を。男子の三十七八歲頃から六十二歲前後にかけての窪みは言はずと知れた歐洲大戰に依つて受けた戰死の痛手です。從つて銃を執らない女子には此の窪みが見られません。他方二十歲前後の男女共に出來てゐる極端な窪みはどうです。之は大戰當時に於ける出生減退を遺憾なく物語るものであつて、此の年齡構成に現れた空隙が如何に國力の機能を阻害してゐるかは蓋し思ひ半ばに過ぎるものがありませう。而もその後引續いての出生率低下は御覽の通りの不具な形となつて現れてゐるのです。

然るに我國の人口は多少の凸凹はあつても大體に於て先づ理想形に近いと見ていゝでせう。之でこそ我國は無敵皇軍の名を擅まゝにすることが出來るのであり、有らゆる生產活動に世界の先進國を瞠若たらしめ得るのであります。

む す び

戰爭が人口現象に及ぼす影響の中最も警戒せねばならぬものが出生の激減であることは如上述べた處に依つて明瞭でせう。

日獨兩國人口の年齡構成（總數一萬に付）

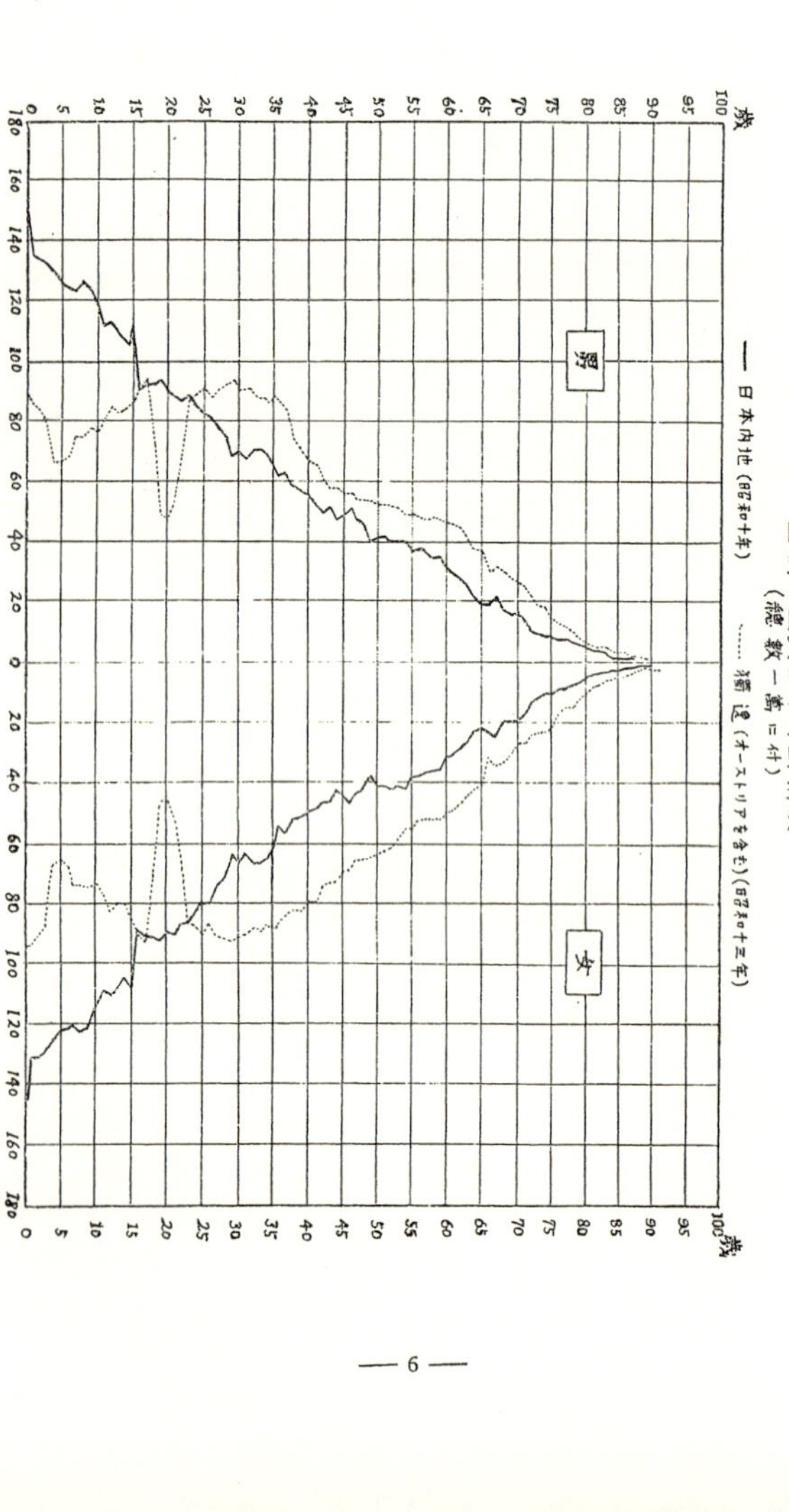

幸ひにして盟邦獨逸は此の不具な人的資源を擁し乍ら不屈不撓の精神に依つて能く之を補ひ國力の充實に邁進してゐますが、若し同國の人口に斯かる缺陷がなかつたらもつと〳〵目的の達成上榮な立場に在り得たらうと思はれます。

獨り獨逸のみならず歐洲大戰に參加した英、佛、伊の諸國も多かれ少かれ獨逸に酷似した年齢構成を示してをりますが、頭に於て男女共膨脹し、胴體に於て無暗に女子の割合が多い人口言ひ換へると扶養せらるべき者の割合が非常に多い人口であるといふことになります。ところが彼等を將來扶養すべき幼・青年者が至つて少いのですから其處に大きな悲劇が豫見されるのです。

そこへ行くと我々日本人は少く共今迄は極めて有利な條件の下に在つた譯ですが今や冒頭に述べた如く寒心すべき徴候が兆し始めてゐます。たゞさへ低下し勝ちであつた出生率が今次事變を機として急落せんか、その影響は將來測り知れざるものがありはしないかと憂へられます。

「生めよ殖やせよ」は決して無意味に叫ばれてゐるのではありません。結局は澤山生むことが軈て我が國勢推進の礎をなし又將來に於ける少壯國民相互の幸福を進めるといふことを自覺する必要があります。（完）

季節の病氣

死亡率の高い「乳兒腸炎」のお話

醫學博士　野　須　新　一

梅雨期に近づくにつれて恐ろしい「乳兒腸炎」と言ふ、赤ちやんや一、二、三歳の幼兒の生命を奪ふ消化器病が増加して參ります。一度此の病氣に罹ると中々容易な事では治りません。充分に間違ひなく手當をして居ても日一日と病狀が惡化して行く事が屢々ありまして、御兩親のお嘆きは勿論の事、我々小兒科專門醫としましても、ほとほと惱まされることの多い厄介な病氣です。死亡率は三〇—五〇％と言はれ、殊に恢復が遲く途中にて他の疾病を誘發して一層死亡率を高めるものであります。原因七八ケ月の乳兒から誕生後の所謂離乳期の赤ちやんに最も多く、蒸し暑さの續く梅雨期に、一寸した下痢の原因、例へば不規則な授乳、飲ませ過ぎ、不消化物（殊に平素から食し慣れぬもの）を與へる事により、又は腐敗した食物を與へた場合、或は感冒、寢冷え、暑氣當り等の原因によつて起つて參ります。殊に始めは單純な下痢と同じ容態を示すもので大した事はあるまいと思つて居る中に四、五日の中に容態が惡くなつて來るので油斷が出來ないのです。ですから離乳期に當つて居る赤ちやんで梅雨期に下痢を始めたならば決して油斷せぬ樣、嚴重に治療を要します。症狀、下痢、嘔吐、發熱を伴ひます。熱は一、二日の事もあり又五、六日續く事もあります。下痢は三、四回から十數回に及ぶことがあり、便は最初の中は不消化物や粘液を混じた黄色水樣便ですが、四、五日の中にお襁褓に浸み込んで了ふ樣な黄色の水樣便となり特徴は其の惡臭にあります。魚の腐敗した樣な何とも言へぬ臭ひを呈します。嘔吐は中々頑固で、何を與へても治まり難くいのであります。最初は食物を混じたものを吐きますが、だん〳〵胃液膽汁を含んだ黄色い粘いものを出し更に進むと珈琲殘渣の樣なものを吐いて來ます。この頃には顏貌も惡くなり、眼は落ち窪んでどんよりとし、顏色も惡く、苦悶狀を示し尚全身の水分缺乏の爲め、皮膚の緊張が失くなり、摑めば皮膚には容易に皺が出來て來ます。意識は混濁し、時に不安の狀態を來し或は泣き、或は首を左右に振り、兩手を擧げて暗中に物を探る樣な事をしたり、齒軋りしたり、又時々には痙攣を起します、手足が冷くなり、脈搏も弱くなつて、著るしい衰弱を來し、遂に不幸の轉歸を取るものです。手當法、先づなる可く涼しくしてやる。而して最初の一日は何も與へずたゞ水分（白湯、番茶或は重曹水）を與へる丈に留め、同時に「リンゲル」氏液の注射を行ひ、强心劑を併用します。其の後極徐かに愼重に治療食（殊に母乳が最も宜しい）を進めて行くのです。治療には相當の期間を要し、同時に醫師と家庭の人の眞劍な協力を以て油斷なく治療して行かねばなりません。

人的資源擴充强化運動

恒久國防と國民體力向上を目標とする赤ちやんの審査會

第十一回全東京乳幼兒審査會の記

——本聯盟審査會創始滿十八年記念——

六月十日（土）の記

趣旨　萬邦無比の光輝ある歴史を有する我が大日本帝國は曠古の大事業たる興亞新秩序建設目的貫徹の爲めに、總てを犧牲にし國を擧げて暴支及背後第三國膺懲の意義ある第三年を迎へたのであります。然もこの長期建設の意識と國家總動員の態勢は、眼前聖戰の終熄と共に歇む可きものでなく、我が國運の飛躍的伸張に伴つて國民は恒久的國防を覺悟し、優秀健全なる人的資源の擴充と第二國民體力の强化をはかるのは喫緊の要務となりました。

我等はこの未曾有なる國家總動員のバトンを、國家の基礎であり亦帝國繁榮の原動力であり、永遠の防人である子供に傳ふるの責任を痛感致します。最近朝野こぞりて國民體位向上の重點を次代の後繼者であり、盾である乳幼兒におかれるやうになつた事は恒久國防上誠に慶ぶ可き傾向であります。（中略）

本聯盟は今回東京に於て第十一回記念の全東京乳幼兒審査會（大阪は第十七回）を開催するにあたり、累年の成績に一歩を進め斯道專門の諸大家に依囑して、優良兒の選出に併せて健康の相談に應じ、慈愛と育兒科學との一大體系を樹立し、聊か此の方面に貢献いたしたいと思ひます。（下略）

軍國母性大會

永井名譽會長の名講演

本聯盟主催第十一回全東京乳幼兒審査會は、前掲の趣旨にもとづき、廣瀬厚生大臣閣下を總裁に、永井前遞信大臣閣下を名譽會長に推戴し、厚生、陸軍、海軍、内務、文部、拓務の六省協賛と恩賜財團愛育會、中央社會事業協會、東京優良兒母の會後援のもとに、皷旗堂々既報の如く六月十一日より日本橋高島屋に開催する事となつたが、超非常時の現下此の意義ある國家的年中行事に魁けて、軍國母性大會を施行する運びとなり、本年度の審査會に參加申込みをなせし七千名の母性達、それから前年度并前々年度に表彰された約二千名の母性達を招待し、文字通り最も軍國にふさはしい緊張した會を保持し、來會の幾多の兩親達を覺醒する事が出來た。

會場の高島屋八階ホールの壇上は、中央に嚴かにも輝かしい國旗を掲げ、左右に金屏風をめぐらし、正午前十時、伊藤理事長先導にて永井名譽會長と中鉢審査主任等を御案内し、君が代合唱の後、會衆一同起立して嚴粛なる宮城の遙拜をしたのであつた。

それから理事長の開會の挨拶の後、中鉢博士は「小兒疾病の豫防」に就いて、戰時下母性にとり適切なる御講演があり、永井閣下は「子を通して親を觀る」の題下に約一時間に渉る最も傾聽すべき有益なる御講演があつた。幾百の統計も豊富なる實例も一枚の原稿に依らるゝでもなく、該博なる智識を傾倒されて懇篤鄭重に訓されるさまは、誠に議政壇上にデモストネスの雄辯を振はれる大政治家とも思はれぬのであつた。(口繪參照)

「子に優る寳はない、時代が斯うなつては金錢も賴むに足らない、歐洲大戰の後、獨逸では主婦が市場に日用品を買ひに行く時は、籠で運ぶ二はい三ばいの紙幣の量は、野菜物の分量より多いと云ふ程だつた」と云ふやうに聽く者を納得せしむるのであつた。五百の聽衆に對されても、五千の聽衆を前にされても、その内容と御熱誠とに變りのないのは恐らく閣下を外にして現代の名士には數すくない事であらう、我等は常に閣下の人格の輝きに接して居るのであるが、大雄辯の背後には必ず輝く人格を必要とすると云ふ事を痛感する者である。

軍國母性大會の午後の部は奈良島知堂氏の「杉野兵曹長の妻」、富田博士の「軍國母性と育兒」、天野雄彦氏の「南支從軍縱横談」、岸邊福雄氏の「祖父と孫の軍馬物語」等で、いづれも當代一流のお顏揃ひであり、いづれも時局柄涙なくしては聞かれぬ講演ばかりであつた、奈良島氏の事實物語りは母性達のよき敎訓となり、天野氏の最も興味ある海軍從軍談は、隨所に聞く者の頤を解いて時々拍手を起さしめ、岸邊翁の愛馬物語りは眞に滿堂をして慟哭せしめた。

映畫は午前、午後の二回に渉りて、藝術映畫社製作の「赤ちゃん讀本」「育て草」及びニュース、齒磨敎練等で、閉會したのは午後四時であつた。

尙、當日は廣井會長、生江顧問、村松高島屋理事、出征中の本會審査主任岡田博士令夫人等も出席された。

六月十一日(日)の記

眞劍な準備に事業は輝く

第十一回全東京乳幼兒審査會第一日の華々しくも心の踊るやうな幕が切つて落された、主催者側は此の雄々しい初日の爲めに約一年間、一切の犧牲を物ともせず、幾多の苦闘を背め乍ら準備を急いだのであつたが、其の効果は實に覿面であつて如何に本會が年毎に内容が充實し、斯の種全國社會事業團體に範を垂るゝに至つて來たかゞうなづける事であらう。宜なり眞面目で良心的な準備なき事業には清麗な花は咲かないのである、深く〳〵掘り下げて行けば行く程清き泉の源に突き當るので、用意周到なる血のにじむ樣な苦心なくしては、斷じて社會國家の福祉增進に貢献する事は不可能なのである。

本聯盟が約二十年の經驗に訴へて、五日間に六七千人の乳幼兒を審査する事は洵に容易な事ではあるが、それでも第一日の會の成り行きを案じ高島屋の村松取締役、審査主任の中鉢(午前擔當)山田(午後擔當)廣瀬三博士、廣井會長等早朝から來場され、尙高島屋開店前の八時半から、小石川產婆會、ライオン齒磨口腔衛生部、東洋家政女學校、島根看護婦會、恩賜財團愛育會、高島屋等應援の關係諸團體が詰めかけて居るのは、いかにも戰場に於ける勇士達の待機の姿を見る如く誠に賴母しい限りである。

斯うした眞劍な諸團體の御蔭で、他會に見るやうな初日の混雜を防止して、秩序整然たる審査を敢行した事を感謝しなければならぬ。

名實共なる應援團體

例年の如く審査は、第一部戸籍調査、第二部母の姙娠時、子の榮養法、現在の食物の調査、第三部身長、坐高、體重、胸圍、頭圍の測定、第四部(内科)榮養狀態、そして最後に體格、榮養、體質の總評と云ふ順序であるが、以上の外本年も亦金子博士は色調檢査、桑野奈良女高師教授は能力檢査を擔當され、尙更に愛育會の研究所員によりて精神檢査の新部門が設けられた事は特筆すべき事であつて、第三部は從來、小石川產婆會員諸姉が受持たれて來たが、尙今年より身長、坐高の部は愛育會の諸姉が應援されるやうになり、一層の力强さを思はしめるのは何よりである。

如何なる社會事業に於ても後援なる文字は名實之れにともなはないのを常とするが、本會に於ては愛育會は云ふも更なり、東洋家政女學校の生徒諸姉が連日十五名以上づゝ、第二部、第三部、それから脫衣所、着衣所、總評部門等場内の整理に當つて應援されたのは、校長岸邊福雄先生の御好意による處とは申せ、實に有難い事であつた。

今日は初日の事とて「東京朝日」の齋藤氏、「國民」の西田氏、「都」の石井氏の外「東京日日」、「報知」、「讀賣」、「中外商業」、「同盟通信」等各社の記者團の諸氏來場され、寫眞班のフラッシュが隨所に何回も何回もたかれた事とて、眞に明朗な興亞審査會氣分が横溢するのであつた、それに驚いたのか、一人の幼兒が素裸になり下駄をはいて會場をどこ迄も〳〵躍び廻るので、多數の參觀者を喜ばせた。今日の審査人員は午前五百人(女兒のみ)午後七百人(男兒のみ)であつたが、案外黃昏時早目に圓滑に會を閉づる事が出來たので主催者を安堵せしめた。

六月十二日(月)の記

廣瀬厚生大臣閣下の御臨場

前夜の「報知」、「國民」の夕刊紙上に、亦今朝の「東京朝日」、「讀賣」の朝刊紙上に本審査會記事が、きらびやかにも大きな寫眞版と共に掲載されてゐたから、定めし今日あたりから全市參觀の諸團體が押し寄せる事であらう。

今日は我等の總裁廣瀨厚生大臣閣下御臨場になるゝ佳き日であつて、佐々木厚生省體力局長、市來施設課長、椎名屬官は早目に會場に着かれて、中鉢博士より審査各部門に關する說明をきかれた。

記者は本會を代表して總裁閣下を高島屋の正門迄午前十一時半に御迎えしたのであるが、閣下は潮見秘書官を從へられ、御休憩の暇もなくエレベーターにて直接八階ホールの會場に臨まれた。午前の部の五百名の審査は未だ終つて居らず、入口の待合所に花の如く綺麗に居ならぶ大勢の母子達の垣の爲め身動きもならぬ程で、其處にて大臣閣下は衆多の幼なき人的資源の諸君に圍まれ、尙、高所に待ちかまへてゐた「同盟通信」の映畫班の外、十六社の新聞社寫眞班のカメラにさへぎられて了つた。

戰時の若き母性達の心臟の强さは係員を驚かしたのであるが、大臣の前に代る〲我が子を出して「抱つこして頂きたいものです」、と御願ひするのであるから、實にハラ〲させられる。

それでも大臣は厭やなお顏もなされずに、終始、ニコ〲にて「よし〲これはすこし重い」、「これは女の子だな」等と云はれ乍ら母性達に滿足を與へられるので實に恐縮した。それから各社の寫眞班から「大臣、モット前に出て下さい」、「別の子を抱いて下さい」等色々の勝手な注文が出るが、一々要求を容れられる御態度は一般來會者に「我等民衆の大臣」てふ好印象を與へられたのであつた。(口繪參照)

場內に入られた大臣は、第一部の戶籍調査の部門に於て一枚の審査表を手にされ、「申込む時はどうするのですか、往復はがきで?」と問はれ、第二部に於て「母の姙娠時の質問をする部門です」、と御說明申上ぐれば「それから榮養法と現在の食物も此處で尋ねるのですか?」、と問はれ、要點要點を注意されて、其處に些少の隙間を與へないキビ〲しさは御案內してゐて實に氣持よく、其の一言一言に頭の下るを覺ゆるのである。(口繪參照)

會場中央の坪數に餘裕のある身長、坐高、體重の測定の部門には事の外興味を持たれてゐたが、此處にも寫眞班に追ひかけられ、續いて齒科部門を參觀され、金子博士より色調檢査、桑野教授より能力檢査、廣瀨興博士から總評(午後の總評は富田博士)の說明を一々明細に聽取され、「實にくはしく審査をするのですな」、と稱讚の言葉を殘され、二十年後を護る幾百の母子達に見送られ乍ら會場を去られ、場外の子供優良必需品展覽會場の前を通過されて、五階の貴賓室に入られたのであるが、後よりついて來た新聞記者の質問に「厚生省は斯うした團體の事業や運動に刺戟されて出來たやうなもので、此の聯盟の長い努力と苦心には我々感謝を惜まない」、と明瞭な言葉で答へられた。

興亞ッ子の力强い泣き聲

市來厚生省施設課長は早朝、會の成り行きを心配されて御見えになり、岸邊福雄先生は「明日から旅行しますので今日參りました」、と會場を一巡し、一々可愛い幼兒たちをあやし乍ら「丈夫な子は泣き聲まで力强い」、と絕讚され、亦佐々木體力局長は「朝日新聞には事變ッ子とあつたが、實に興亞ッ子の集りだ」、と力づけて下したが、本會は斯くの如く各方面の重要なる地位にある方々の、助勢庇護による事は感謝しても餘りある事である。

今日は半島人の愛兒數名と、亦双生兒の赤ちやんを二組程見うけた、神の攝理によつて、戰時には男子の出生率が多いと一人の宗教家が云つたが、双生兒の男兒の多いのは慶賀に堪へぬ事である。

今日は審査人員一千三百名で審査醫員諸氏も閉口し、愛育會の人々もへと〲になつたと云つて居られた、それにしても受付に於ては高島屋宣傳部の柳生、竹原二氏大に頑張つて奮鬪をされ、最後の「母親のメンタルテスト」の宿題の所では大川式吸入器本舖員の手傳が限立つた。

參觀人の中には主婦之友社の佐々木女史、中央社會事業協會の五味女史等があり、高島屋の村松重役、木村支配人、廣井會長、中鉢博士は代る〲今日の盛會を喜んで下した。

時局柄落し物をする人が非常にすくなくなり、亦日本髮の母親達の姿も影を沒したやうだ、社會が緊張して居るや否やは必ず審査會に反映するもので、いつになつても主人だけでは滿足せず、老父母や姉妹迄同行しなければ、滿足しない若き母性のあるのは聊か賴りない。然し一家總勢が團體をなして、會場狹しと押しかける樣は、愉快極まる情景ではある。中には洋裝で男まさりの長尺の母性などは、堂々と一人の供もなく愛兒を抱いて來場する、これなどは戰時下母性の好モデルで、斯くありたいものと望むや切である。

閉會してから東洋家政女學校の生徒諸姉は東京全市の夕刊を澤山買ひ込んで來たが、東京全市の新聞紙上には今日の廣瀨厚生大臣閣下の御來場された寫眞版が記事諸共大々的に掲載されてゐた。

六月十三日(火)の記

戰時下全國民の緊張が反映する

前夜の「東京朝日」、「東京日日」、「都」、「中外商業」、「國民」等の夕刊を未明に起き出でゝ整理し、尙審査會の第一日に態々祝電を送られた大阪市社會部の增田氏、大阪市立北市民館の齋藤館長、伊藤英夫氏、鵜飼貫三郎氏等に感謝狀を認め、八時宿所を出て、「報知」、「東日」、「國民」各社に挨拶に廻る、そして銀座からバスに乘つたところ、偶然村松重役と同車した、「毎年の事乍ら、今年は時局柄、素破らしい人氣です、それに大阪朝日新聞には電送寫眞が掲載されると云ふのですから、大變なものです」、と勵まされるのであつた、昭和九年以來、村松重役は本會を熱心に支持されて今日に至つて居るが、日本の百貨店當事者に眞に同重役のやうに、社會事業に理解ある人の多く起るやう祈つて止まない次第である。

高島屋は開扉には未だ二三十分の時間があるのであるが、審査會に來場の母子達は長蛇の列をつくつて居る有樣である。

連日開會は午前は正九時、午後は正一時であつて、常に正確を期して居るが、最も殺到するのは午前十一時頃と午後三時頃である、此の頃は大方の母性もへと〲になるが、戰場にある勇士の苦しみを思ひ、我が子の將來の爲めには不平を云ふ者一人もない、汗だくで十分や二十分立ち乍ら審査を待たれぬやうな母性は、亡國の母性と云つてよからう、幸にしてそんな我儘な母親がないので主催者も救はれるのである。

戶籍係の高島屋女店員の報告によれば「十五人に一人の割合で出征軍人があるのには心から泣かされます、」との事であつた、「然も父親なる人が出征された後に出生したのを、指折り數へて月數を計算する時は、若いお母さんの顏がいぢらしくて、まともに見られません」と。

恩賜財團愛育會の街頭進出

希望者に限られてる「精神檢査」の部門は特に靜かなる一室を設け、前記の如く恩賜財團愛育會の山下俊郎、牛島義友、森脇要の三氏が專ら擔當されたのであるが、今日まで二百、三百と多數一時に檢査されし事が無いので、黃昏時には疲勞困憊すると云はれるのであつた。然し乍ら主催者としては本年度に於ける愛育會研究所員の人達によつて、此の檢査の外に、身長、坐高の測定に心血を注がれた事を感謝しなければならぬ、そして此の測定に當られた專門の三人の若き女性の人達も所謂社會事業の街頭進出を喜んで居られたやうであつた。幸、今日は本會の常務理事齋藤守圀氏が參觀され、來會者の多過ぎるのに驚かれた御樣子で、金子博士の色調檢査、桑野教授の能力檢査等をつぶさに視察され、「實に御盛況で何よりです、」と云はれた。

今日は午前中厚生省の宇田川博士が數十分間非常に綿密に視察され、全市の新聞紙等に於ける社會的反響を稱讚されて辭去され、午後三時頃の最も混雜最中にライオン齒磨本舖の山崎重役、吉田大阪支店長、粟原大阪支店次長、小山名古屋支店長、日本徵兵保險の山口丈雄氏の參觀されし外、近く審査會を開催の必要上、小石川區役所の淸水、小山二氏の見學があつた。

山崎重役は「此の大勢の人々を整理する事が出來るのでせうか、」と數百人の赤ちやんの泣き聲に驚かれたやうだつたが、記者は「御心配なく、必ず整理致します、」と答へると破顏大笑されるのみであつた。

小岩のつぼみ幼稚園長荒木氏は令妹のお子さんを連れて審査に參加され、大汗を流し乍ら「此の事業は實に立派なよい事業に相違ありません、」と繰返し讃嘆された、同氏は十數年前から我等の運動のファンなのである。今日は審査會の最頂てんに達した觀があり、係員も汗だくの大緊張振りを發揮し、風見產婆會長は第三部の部門で大奮鬪をされた、總評は午前は柿本博士、午後は山田博士、審査人員一千三百名であつた。

黃昏頃路上に、廣瀨厚生大臣御來場のニュースの寫眞版を隨所に見受けられた、尙佐々木體力局長に電話にて謝意を表した。

六月十四日(水)の記

日獨防共協定は赤ちやんから

前日同様、東洋家政女學校より十七名、小石川産婆會より十二名、高島屋より女店員十五名の應援あり、受付の關門に於てはやはり高島屋宣傳部の方々が大奮鬪を持續されたので力強く感ぜられた。

今日の總評は午前は中鉢博士、午後は富田博士、審査人員はほとんど前日同數なれど頗る圓滑に進行したのは、連日の事乍ら内科擔當の慶應病院、東京病院の兩小兒科醫局醫員諸氏の御盡力による所と感謝しなければならぬ。

珍らしい事には獨逸人の赤ちゃんがお母さんと二人の乳母に附添はれて來場した事である、素裸にされて泣いてる我が子を見、又他の大勢の赤ちゃんを可哀想と思つたのか、此の若いお母さんは茶色の眼から大粒の涙を流してゐた、兎に角斯んな光景は始めてなんであらう、主催者は「日獨防共協定は赤ちゃんより、」との言葉を案出したのであつた。

新聞紙の報道によるためか、神奈川、靜岡、千葉、水戸、群馬等よりの來審者が可なり多く增加した。

厚生省の重田技師の御紹介で、施設課の森氏の可愛らしい坊つちゃんも來られた。

多年本會を後援支持されて來た大阪の眼鏡肝油本舖伊藤千太郎氏は「今朝着京した處です」、と、臼井編輯長同道にて參觀され、盛況振りを心から祝福されるのであつた。それから帝國兒童敎育會の長崎氏、明治製菓の加賀氏、大川清太郎氏、日本徵兵の野中氏、乾卯の細川氏、實製薬の栗原氏、愛育會の加藤氏、大木合名の伊藤氏、ライオン齒磨本舖の梅田氏等參觀者は殺到し、應接に暇がない程であつた。

六月十五日（木）の記

愛兒を抱く出征前の勇士

例年調査の事だが本會に參加の人々の職業は各階級を網羅して居る、本年の如きは〇〇景氣で得意然とした主婦もあつたやうであるが、職業はと問はれて、失業の泣き言をくど〳〵と、係員にならべ立てる父親もあつたとの事である、前頭鯱の里關の赤ちゃんも見えたが體重等特筆すべき程の事はなかつたやうだ。

昨年あたりより鮮人の參加者が多くなつた、育兒智識の思想が鮮人達に普及して行く事は、我が國の將來にとり賀すべき事である。支那事變勃發の年、記者は偶然鮮人の運轉するタクシーに乘つて、「我々も日本國民である以上、同等

に召集令を發して貰ひたい、」と訴へられて閉口した事があつた事などを追想して、彼等の愛國心や進歩的な事に驚かされるのであつた。

軍服いかめしい軍人が愛兒を抱かれて來場されたが、いかにも軍國氣分が横溢してゐて嬉しかつた、審査の順序など叮嚀に敎へて上げると、鄭重に謝意を表し、國家の將來の爲めに結構な事業ですと繰返され、「僕はこれから出征するのです」、と嚴然と言ひ放つて會場を去つた、そして其の後ろからとぼ〳〵とついて行く夫人の姿は餘りにもいぢらしかつた。

今日は最終日の爲め參觀者多數あつたが、本會の後援團體である愛育會の安原、高橋兩幹事、それから報知新聞の湯川氏、三共の長野氏、和光堂の丸山氏、森永製菓の杉原氏、鳥居商店の椎橋氏等態々御挨拶に來られたのは恐縮の外はなかつた。

總評は午前は鈴木、佐藤二學士、午後は柿本博士であつて、一時は總評の部門のあたり、波濤の如く押し寄せるのは物凄い程だつたが、俵女史を始め東洋家政女學校生徒諸姉が上手によくこれを整理された、斯くして本年度の東京に於ける審査會も無事盛況に終了した、茲に關係の應援團體に心からなる感謝を披瀝する次第である。

閉會してから後、産婆會員慰勞會の席上、今日、日比谷公會堂に開催された厚生省主催にかゝる乳幼兒愛育講演會に於ける、廣瀬厚生大臣と下村宏博士の御講演の概要を風見會長から拜聽し一同益する處が多かつた、我々は本會結了の日に當り事務繁多のために出席出來なかつた事は申譯なき事であり、實に殘念な事であつた。今や我が國は如何なる問題よりも人的資源擴充强化のために官民上下一致奮進するの急務に迫られて居るのであるから、今日の公會堂の催しなど最も國民を覺醒するにふさはしい運動であると云はなければならぬ。

昭和十四年六月二十六日記

日本兒童愛護聯盟　伊藤悌二

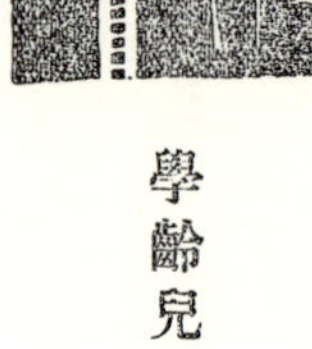

學齡兒童の運動衞生に就て

醫學博士　岡田道一

一　身體敎育の必要

小學校令第一條を見ますと、『小學校は兒童の發達に留意し、道德敎育、及び國民敎育の基礎並びに其生活に必須なる普通智識、技能を授くるを以て本旨とす』と規定してあります通り、小學校敎育の本旨は、單に敎育にのみ偏すべきものでなく、之と相並んで道德心を涵養し身體を完全且つ圓滿に發達せしめる事を目的として居るものでありますから、現在ではいづれの小學校に於ても體育と云ふことが非常に重要視されて居ります。茲に一言して置きたい事は、此の體育と云ふことが可成り誤解されて居るやうで、體育とは運動のこと、運動とは競技のことと考へてゐる人が澤山あるやうですけれど、體育と云ふことは決して運動のみでなく、まして競技が體育であると云ふ事は出來ません。體育と云ふのは、日常一般の衞生敎育のやうな消極的方面から、積極的に子供の身體を發達せしめ、健康を增進せしめる爲の一切の事柄を包含して居るのであります。

現在に於ては、學校で身體的運動を行ふことは當然であると考へられて居りますが、之れとてもその起源は決してそんなに舊い事ではないのであります。一番最初に學校に於ては智能を啓發する智育を行ふと同時に、身體的運動をも併せて生徒に課すべきであると唱へ、今日の學校に於ける體操授業の濫觴をなしたのは獨逸でありす。そしてその體操は瑞典に入つて瑞典式體操となりましたが、やがて又元に戻つて現在のやうな形式のものとなり、瑞典に入つたものは、團體的訓練と云ふよりは寧ろ醫學上の影響を重視した結果、治療的、整形的の傾向を帶びるに到つたのであります。

學校に於て行ふ遊戲及び體操の目的は、卽ち身體の發

育を計るのでありまして、かねて身體の健康及び抵抗力を增加し、學校生活から生じた不良な影響を除き、練習により身體の運動に關する各部分の機能を敏活にその調節を完全にすることにありますから衞生的には次の樣な事柄を主として注意すべきものであります。

二　運動に必要な條件

總ての身體運動が何時でも又如何なる人々にとつてもその健康の增進に對して効果があるとは決して限りません。運動は身體發達の程度に伴つてその種類を選ぶこと、四圍の狀況によりその程度を斟酌すること、身體の狀態によりその量を考慮することが必要であります。

先づ根本の條件として、運動は決して過度に渉つてはいけません。殊にまだ十分に成熟し發達して居ない筋肉骨格、器管を過度に使用すると、それを發育せしめるどころではなく、却つてその反對に發育を障害するものでありますから、その量に對する注意は極めて必要なのでありますが、子供はその運動が自分に對して過度だと感じても、これを發表しない場合が多いので、此の點に對しては教師や兩親は特に、充分に氣をつけなければならないのであります。

次に身體運動をなすに當つては外界の情況に充分な注意を拂ふことが必要です。運動は空氣の淸淨なそして日光の豐富な戶外に於て行はれる場合には非常な利益を齎すものであるに反して、閉鎖された室內に於ける運動と云ふものは、効果よりも却つて害の多い場合があります。尙運動を行ふ場合にはその服裝にも注意しなければなりません。身體運動は血行を盛んにし、從つて必ず發汗を伴ふものでありますから、發汗による弊害を防ぐに適した衣服を用ひることが必要でありますし、又身體の或る部分を緊縛して居ないことが大切であります。

次に身體の運動はその種類により、衞生上から見て同一の効果を有するものでなく、又同一の運動でも年齡によつて効果が異ります。從來身體訓練の目的は主として筋肉の力を養成するやうに考へられて居ました。之は筋肉の力は健康と同一で、筋肉を强くすれば健康が增進されるやうに誤解されてゐた爲であります。然し身體運動の衞生上の目的は單に筋肉の力を養成する爲でなく、身體各部の圓滿完全なる發達を促進するもので、かくしてこそ始めて健康は增進されるのであります。

三　子供に適した運動

小學校に通學してゐる七歲乃至十四歲の子供に對し、身體運動を行はしめる場合には、その時代は丁度身體各部の器官組織の發育上最も重要な時期でありますから、唯漫然と各種の運動を課すると云ふことは極めて危險で

あります。先づその間を大體三期に分けて申しますと、第一の、

イ、七歲から九歲迄

に對してはどんな運動が適當かと申しますと、幼兒時代から著るしい速度で發育して來た身長は一時稍その增加が衰へますが、而も體重胸圍の增加は著しいものがあります。そして此の時期にはまだ學校生活に充分慣れて居ない場合もあり、從つて精神は緊張狀況の繼續が强ひられ、運動不足や姿勢の不足を來たし易いものです。

此の時代には筋肉や骨格の發育は尙不充分ですが、然し腦の發育は殆んど完成されて來ますから、全身の筋肉を輕く使用して、之に多少腦の働きを加へた各種の遊戲律動的運動、表情遊戲、並に呼吸血行を促す運動、卽ち小跳躍等の運動が適してゐます。尙此の時期には正しい姿勢を造り上げる爲の平均運動、步行運動、簡單な軀幹運動を行はせることが必要です。然し筋肉及び骨格の發育が不充分ですから疲勞し易いことを十分に考へて、決して過度に渉らぬやうに注意しなければなりません。

ロ、十歲から十二歲迄

此の期に於ける發育上の特徵は、男子に於ては身長の增加率は前期と餘り違はないが、女子では著るしく增加して男子よりも身長の高いことで、其他體重胸圍の增加も著るしく、筋肉骨格の充實が始まり、胸部各器官の機能が急に發達し、神經の調節力が發達して筋肉の運動が敏活になりますが、又此の時期は最も習慣を構成し易い時期ですから、その方向に對する考慮も必要であります。

以上の樣な事情から推して、此の時代の子供に適した運動としては、輕い筋肉の訓練（反轉、懸垂等の基本動作）巧緻練習の初步、游泳、各種球戲、永續行進、混合運動、正しい姿勢を養成する爲の速步軀幹運動等を擧げるべきであります。

ハ、十三、四歲の頃

此の時代の身體發育上の主なる點は、男子は身長の增加が著るしいが、女子では增加が低下すること男子と女子とも胸圍の增加が著るしいが、殊に女子に於ては最大であること、及び、心臟、肺臟の發育が目覺しく、筋肉の發育旺盛を極め、神經の聯合作用に於ける發育が著明であること等であります。

從つて之等の事柄から推して、此の時代の子供には程度の進んだ巧緻練習、自由懸垂、混合跳躍、スキー、スケート、器械を使用する各種の運動及び球戲、心臟の發育を促進する樣な運動、例へば疾走、跳躍、長距離疾走永續運動が最も適當してゐるのであります。

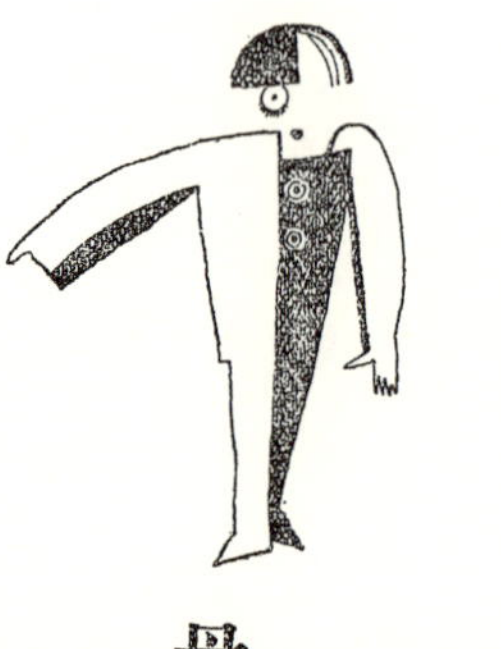

母と結核

醫學博士　村尾圭介

私は年から年中結核の病人に接し、結核問題の事を考へて居るものですから、自然母と結核、取り分けて母の肺結核が結核問題に大きな役割を演じてゐることを感じますから、之等の點に就て皆さんの御注意を喚び起したいと不斷願つて居りました。

結核の豫防は『子供の時から』と宣傳されて居ります。もつと遡れば結核の豫防は母の健康を守ること迄ゆかねばならぬ譯であります。然し母となつて急に健康を増す譯ではないから、結核の豫防は女子の一生を通じてその健康を保つことに重大な意議があるといふことにもなりませう。

かういふ風に議論を進めて來ると、卵が鳥の元か鳥が卵の元かといふやうな禪問答のやうになりさうです。兎も角も、婦人は人類保存の責任者として、男子よりも遙かに遺傳に重い任務を擔つて居るわけでもありますから、結核の豫防に就ての女子の位置が重要であることは申す迄もありませんのに對して、女子に結核豫防の知識が少く、女子が結核豫防運動に奔走する程の積極的な態度は更に一層稀であります。

母と結核との關係は色々の方面から見て行くことが出來ます。

先づ第一に母として子供の結核を看護する場合、妻として病夫を看護しながら子供を育てねばならぬ場合と、自ら結核に罹つて療養せねばならぬ場合とであります。

私が最も重きを置いてお話したいのは第三の場合卽ち母自らが病人である時の事であります。

第一の場合は、先づ子供の幼年時代に於ける急性結核殊に粟粒結核とか結核性腦膜炎のやうなものに對する場合がその一つの事件であり、虚弱兒童の養育などがその次の問題であり、これらは皆若き母として相當狼狽したり、指導を誤つたりし易い事柄であります。次には年配の母として子供の靑年期に於ける療養の看護及び指導であります。

右の中で結核性腦膜炎の樣な急性な、必死なものでは只重症患者の看護以上手の盡しやうもなく、醫師の命令通りにやり、心殘りのないやうにみとりをしてやるより外に途はなく、その努力はむだになることを覺悟せねばなりません。

次の若き母としての虚弱兒童の養育は中々の難事であります。かやうなお子さんは林間學校（例へば白十字會の辻堂に於ける常設林間學校の如き）へやつて專門的に養護を依賴するのが最良の方法には相違ありません。

然し色々な事件で夫が叶はぬ場合は、先づ小供を外氣に遊ばせ、土に親しませ薄着の習慣に依つて皮膚を强め、偏食の習慣を矯め、性避の改善に心を盡し、母自らも一緒に外に遊ぶ樣にして指導する事です。

多くの母の缺點は此の根氣がなく、この努力が足りません。又理解を以て子供と一緒に遊ぶことが如何に大切であるかを忘れて居ります。

次には靑年期の療養の看護指導であります。最も重大なのは靑年の發病初期時代を適切に認識し、發病の豫防をする事であります。

靑年は自分の肉體が衰へ抵抗力が弱つたのに對して、その若い肉體の持つ彈力にまかせて無理押をしたがります。或は學業の爲に、或は運動等の爲に。

そうした時、母なる者の注意が行き屆かなければ病氣を遂に重大な程度までに育て上げてしまひます。

只氣が付くばかりでなく、適當な指導を怠つてはなりません。病氣の初徵として咳が出たり、痰が出たりする以前に於て、微熱や食慾の不振や、神經質になる傾向や根氣の減退や、疲勞の樣子などに着目して事前に休養させるだけの理解力を持つべきであります。

一旦病氣になつた靑年の指導は一層困難な事で、その一擧一動まで愛と、道理と、深い理解と、寛容と、決斷とを以て臨まなければ、大事な靑年を失はねばならぬ不幸を見るやうになります。

多くの場合、父はこんな問題に對して理解が少い傾向があり、さうした場合には母は醫師と協力して家庭內の議論を統一して充分靜養の出來るやうにしてやらねばなりません。

第二の夫の病氣の看病は、第一に周圍に對して感染の機會を與へぬ樣に喀痰の消毒、自身の淸潔法等に遺憾なきやうに注意すべきでせう。適當な預け場所があれば、子供を他人へ預ける位の勇氣と決斷とは持つべきものであらうと思ひます。又病人の入院轉地等にもよく理解を持ち、後顧の憂のない樣に內助をせねばなりません。病夫に對しては特に經濟的の內助に最善を盡し、料理に心を用ひ、自ら攝生を守り、德操を堅固にして甲斐々々しく働かねばなりません。亦性方面の事に關しては自ら深く愼むことに依つて病夫の自制を助けその間快活な愉快な空氣を作り上げて、抑制によつて起る嶮惡な氣流を和げねばなりません。

若し母として自ら病氣に罹つた時は、それは一番難澁な事であります。

子供から娘時代を經て虚弱のために母となつてから一層弱く、遂に病氣となることがあります。然し最も多い發病の誘因は過勞とお產とであります。

お產は姙娠中の衰弱や胎兒に榮養を取られる事やお產及び其後の育兒哺乳など、打續く勞苦に加へて休養も不充分な中から働くなど色々の原因が加はつて遂に發病の機を與ふるに到るものであります。

之に對して母なる者は、强き意志と勇氣とを以て此間に善處せねばなりません。

いよ〳〵發病した場合には女子の位置が療養上甚だ不利であります。それは日本に於て收容中の男女數の比率を見ても解ります。何れの療養所でも女子は男子に比して僅に三分の一以內と思ひます。かやうな譯で女子は自宅に於て遠慮しながら療養する事が多いだけ、それだけ家庭內傳染に對する責任が大きい譯であります。

人手の足らぬ所では痰の處置が主人の役目となつたり或は年寄や女中の役目となる爲、兎角不徹底を免れません。

次には子供に對する傳染豫防の困難であります。一番困るのは、結核の感染が小兒に對して最も危險であるのに、小兒を離すことの困難があるからであります。

此際病人なる母を外へ出すか、小兒を外へ出すかの二つが考へられます。勿論一つの家でも幸ひ廣くて隔離がよく行屆けばよい譯ですが、多くは不完全になり易いものです。

前にも申したやうに、母の方が外へ出るのは容易に實行出來惡いもので、どうしても子供を隔離することを先づ考へねばなりません。

母の愛が子供の將來に就て考へてやる爲に大英斷をするよりも、目先の事にのみ拘はつて小兒を手許に置きたがる、これが多くの間違の元になります。

殊に二三歲から五六歲まで、言つて聞かせても解らず母にまつはりつくものが居つてはどうしても危いといふ譯です。そのまつはりつく位の子供を離すのが母に取て最も不憫でならず、たとひ良い預り手が出ても手離すことを嫌ひます。

咳を出しながら添寢などしてゐる母を見ると、その一家が暗黑に包まれてゐる樣な氣が致します。

傳染したからとて直に發病する病氣でないだけに、遂かうした間違を割合に平氣でやります。これがチブスとか赤痢とか云へは必ず子供を近寄せる氣遣ひはありません。自らが結核であつて育兒も充分に出來ず、手許に置くのは危險と信じながら、適當な方法を講じないのは理解と勇氣が不足だからです。

斯樣な譯で母が病氣の場合は誠に悲慘であるので避姙法や流產などが許されるのです。

或は夫に對する信賴が薄らぐ樣な事が出來たり、家庭經濟が甘く行かなかつたり、嫌はれたり、色々な社會苦などが重なる時、母の苦惱は誠に氣の毒です。極力發病の豫防をも講じなければなりません。

斯樣な重大な位置にある婦人が、結核問題に冷淡なのは困つたものです。結核の豫防は結核の理解から始まらねばなりません。どうか機會ある每に、結核に關する智識を廣めて頂き度いと切にお願ひ致します。

序に結核豫防デーを御記憶になり、蔭になり陽になつて此の運動を助けて頂きたいものです。

梅雨期前後の子供の衛生

醫學博士　一色　征

一、食物

授乳は梅雨期初夏には特に規則正しく行はねばなりません。人工榮養兒では、殊にお乳の與へ方を上手に行はぬと失敗し易く、胃腸を壞し易いのです。牛乳の消毒は勿論の事貯藏法にも殊更注意せねばなりませぬ。最もよいのは冷藏庫に貯へ、授乳時毎に一度短時間煮立てるのが安全です。

冷藏庫がなければ、冷水中に牛乳瓶を浸し、布片を被せその一端を水中に浸し、布片にも冷水をかけて置き風通しのよい冷所に貯へるのがよろしい。哺乳瓶や乳首も叮嚀に乳かすの殘らぬやうに洗ひ、熱湯を通してよく乾燥させたものを使用するがよろしい。梅雨季にはとかく黴が生え易いから、乳かすが殘つてゐると腐敗菌がつき易く、從つて乳兒に思はぬ病氣を起す事があります。

離乳期に當つてゐる乳兒は秋まで離乳を延ばす方が安全です。梅雨期は蒸し暑く、胃腸の働きも衰へますからどうしても離乳はうまく出來難いからです。

離乳を濟ました幼兒でも成る可く新鮮な消化のよいものを、喰べ過ぎぬやう、適度に喰べるやう、仕向けて下さい。

間食は殊に注意して適度に與へ、買喰ひの癖を絶對つけてはなりません。腐敗しかゝつた食物やお菓子或は不良な飲料水を知らずにたべて、胃腸を壞し易いからです

此れからは赤痢、疫痢或は腸チブス等の傳染病が毎年流行し始めます。本年は是非皆様方が全部周到な注意を拂つて頂き此等の傳染病が流行しないやう豫防いたしませう。

離乳期を越へた一才前後の幼兒は殊に食事に注意して恐しい腸炎などにかゝらぬやうせなければなりません。腸炎は梅雨期に殊に多く、且つ、離乳期を越へた誕生前後の赤ちやんに起り易いのです。その死亡率も高いのでありますから、食事だけでなく、衣服などにも注意して頂き度い。

一般に梅雨期にはすべての食物は腐敗し易いのですから、子供に與へる食物は、すべて出來るだけ、新鮮な清潔なものがよろしい。從つて成る可くお母さんの手で作つた新しいものを與へて下さい。殊に未熟な果實や、腐敗しかゝつた果實類には特に注意して頂き度い。

二、衣服

梅雨期は蒸し暑いために汗をかき易く從つて衣服も汚れ易いから常に清潔な、よく乾いた衣服を着せ過ぎぬやうに着せて下さい。肌着はガーゼか晒木綿にして一日中に時々取換てやらねばなりません。じんめりした肌着をいつまでも着せておくと感冒を引き易い。おしめは梅雨時には、乾き難いから、幾組も澤山作つて置き、常によく乾いたものを用ひて下さい。

一日中でも朝夕は殊によく注意して氣溫の變化に相應して衣物を加減して下さい。とかく初夏の氣候の變り目には感冒を引いたり、寢冷えしたりし易いからです。夜間は宵に蒸し暑く夜の明け方に冷えますから、子供が寢床から轉げ出さぬやうに、注意して下さい。寢着を着せ過ぎると却て夜具を蹴つてとび出し易いものです。

一般に乳兒には冬は大人より少し暖か目に夏は少し涼しめにしておき、大きな子供、幼兒では寢冷えをしないやうに、お腹を冷やさせぬやうに注意し適當な腹卷を用ふるのもよろしい。

三、運動

梅雨期にはとかく外に出る事が少く室内で遊ぶやうになり運動不足に陷り易いから晴天の日には務めて戸外に子供を連れ出し、新鮮な空氣と日光に充分接し、適度の運動をさせるやうする事が必要であります。

大きい子供では、夜更かしさせぬやうにし、早寝早起のよい習慣を養つて頂きたい。

附、藥の貯へ方と飲ませ方

水藥は夏は腐敗し易く、殊に水藥を瓶の口から直接にラッパ呑みすると、早く腐敗し易い。それ故に、水藥は與へる時に必ず他の盃か小コップに定まつた分量だけ移し、匙で與へて下さい。匙でのます時には、赤ん坊のお口の眞正面から流し込むと、むせび易いから、お口の兩端の隅から少し宛流し込むと、樂に飲みます。匙を使はぬ時は硝子の吸口で飲ませます。

散藥は中には濕り易いものもありますから、梅雨時には特にブリキ鑵に入れて貯へるのがよろしい。

散藥は少量の湯さましで粘るか、又は清潔な指先につけて、子供の口中に入れ、兩頬の裏側にぬりつけて、直にお白湯を飲ませると、割合に樂に飲み、吹き出したりしませぬ。

黴毒と育兒（其二）

山形市立病院濟生館小兒科
醫學博士　宇留野勝彌

◇胎兒梅毒とはどんなものか

胎兒にとつて何の時期が一番梅毒に感染し易いかといへば、姙娠の初期であればそれだけ胎兒自身が未成品で纖維である譯ですから感染もし易いのです。而して一旦うつつてしまへばたちまち胎兒は死ぬもので、死んだ胎兒は浸軟兒と呼んで肉眼でも、顯微鏡でも梅毒固有の變化はあまり呈して居ません。然るに姙娠後半期になつてから死産した胎兒を見ればほゞ梅毒と診斷つくやうな症狀を呈して來ます。卽ち肝臟と脾臟がはれて居り、肺や腎臟などにも梅毒性の變化が現はれて居ります。殊に醫者の方で調べる上に大切な證據は胎盤の重さが大であることとそれが特有の變化を示して居ること、骨端の骨軟骨炎の變化あるふとです。この胎兒梅毒でも極く稀には生きて生れることがありますが身體の變化がひどいために生後間もなく死んでしまひます。

◇乳兒梅毒の症狀

次に赤ん坊の梅毒卽ち乳兒梅毒、これは普通呼ぶ先天梅毒のことですがこの症狀を少し拾つて見ませう。先天梅毒は早産が多く、早産すれば梅毒なんかない時ですら生育しにくいのですから梅毒の早産兒は到底生存は六ヶ敷いわけで生後大抵長生出來ません。

乳兒梅毒の症狀は、一、皮膚の變化、二、骨の變化、三、內臟の變化、四、五官器と腦の變化、五、身體の一般狀態の變化と分類することが出來ます。

（一）皮膚は血色わるく、顏や手足の皮が硬くなり、ヒビが入つたり、皮が剝げたり、又水疱や、斑紋狀の吹

出ものが出來たり、頭髪が抜けて禿になつたりします。枕に髪毛がたくさんぬけて付いて居るとか、一寸毛を引張つただけでゾツクリ抜毛するやうであれば梅毒の疑ひが生じます。

よく鼻がつまつて赤ん坊が母乳をのむのに苦しみます。飴色又は血のまじつた鼻汁を出すやうなら先天梅毒と思つても間違ひありません。スチル氏は先天梅毒の百人中七十人までがこの鼻カタル症狀を呈するものだと云つて居ります。それで生後二、三ケ月位の赤ん坊が二、三週間以上にも亘つて頑固な鼻閉を呈して苦しむやうであれば油斷せず、必らず醫者に診察して貰はなければなりません。

なほ俗にいふクサといふ頭部の引出物は素人はタイドクが頭に現はれたなどと稱しますが同じタイドクでも梅毒ではなくて單純な小兒の濕疹であつたり、滲出性體質で皮膚が弱いためさうなつて居るのが大部分であります。

（二） 骨の變化は前述の骨軟骨炎がおこるので關節がはれて手足を動かせば痛むものですから麻痺をしたやうに手足が利かなくなり、强ひて觸れたり、動かしてやつたりすると火のつくやうに赤ん坊は泣き出します。頭の骨がはれるためおでこになつたり、四角形の格好のわるい頭になつたりします。前述の鼻カタルが進むと鼻の障子がつぶれて大變おかしなみにくい鼻形を呈するに至ります。

五官器では耳がわるくなることは先づありませんが眼の方はよくおかされて虹彩炎、網膜炎などをおこします が家人の氣がつくことは稀です。

この外肝臓、脾臓が腫れたり、腎臓炎をおこしたりしますが母親は一般に知らずに過して居ります。時には福助のやうに頭の鉢が大きくなつて醫者に相談に來て梅毒が發見されたり、痙攣を頻發したり、白痴だつたり、腦膜炎だつたりして梅毒のためだといふことが後に發見されることがあります。

（三） 身體の一般狀態を云へば貧血をおこして居ること、年齢のわりに目方が輕いこと、始終機嫌がすぐれぬことや乳を吐いたり、下痢をしたりしがちであり、なほ不定の發熱を見るものです。

以上述べて來たやうな色々の變化はそろつて一時に現はれる譯ではなく、單に鼻がつまるだけが唯一の症狀だつたり、腕の關節がはれて自由に利かぬのが唯一の症狀だつたり、又時には家人は健康兒であると思つて居たのが健康審査會などで醫者から初めて梅毒と烙印をおされビツクリするやうな場合すらあり、時には又醫者が診ても判然せず、前述の血液檢査をして初めて梅毒のあることを知ることも稀ではありません。

◇先天梅毒は再發することもある

先天梅毒は治療すればなほる病氣ですが、再發することも屢々あります。それで一度なほつても數年間は注意を拂つて時々は醫者の診察をうけ、若し疑はしい時は再度徹底的の療治をうけねば悔をのこすことがあります。

先天梅毒は以上の如く乳兒を犯し、殊に生後二ケ月以内に症狀が出てしまふものですが、遲發梅毒と稱して幼稚園時代になつて初めて現はれて來ることもあります。

◇先天梅毒の治療法

この治療は素人療治は禁物であり、決して癒るものではありません。この梅毒性の關節炎をほねつぎになほして貰はうと思つて揉んでなど貰つたらそれこそ大變であります。

御承知のとほり梅毒の特効藥は水銀劑と六〇六號で、特に後者は注射の外に大變きゝめのある内服藥に出來て居るのもあります。小さな赤ん坊に注射したら却つて弱るだらうなどと取越苦勞をしたり、可愛想だなどと考へ遠ひして適當の治療をやらねば治癒の時機を失してしまひ、愛兒をみす〳〵不具者にしてしまふやうなことになります。私共の經驗でも、誕生すぎてから發見した梅毒は仲々なほりにくいものです。全くこの治癒の好時機を逃さぬやう心掛けねばなりません。

◇先天梅毒兒の運命

先天梅毒の子供の死亡率は高いにきまつて居ります。パウンドレル氏は梅毒母の子供は百人中六十人は生後一ケ年以内に死滅するといつて居ります。しかし死亡の直接原因は先天梅毒症であることは却つて少なくて多くは肺炎とか消化不良などにかゝつて死ぬのです。つまり榮養も發育も頗る惡いために色々の病氣にかゝり易いのが道理であり、一旦外の病氣にかゝればすぐ惡化するのが常であります。

◇先天梅毒が他人に傳染するか

これはうつりにくい方です。稀には先天梅毒兒から乳母や看護婦に傳染することがあります。さうした時には子供の口邊にヒビがあつたり、强い鼻カタルを呈して居るとか、浸潤性丘疹が出來て居たりしてそこに黴首がついて居る譯で、乳母の方では乳房の周圍の傷や手の傷などから病毒が侵入するものです。先天梅毒兒を生んだ以上は一見健康さうに見える母親にしても必らず梅毒があるに相違ありません。それで梅毒兒を母親自身が育てることは何等危險がない譯です。むしろ梅毒兒を生んだ母親は他人の赤ん坊に乳を分けてやることは絶對に禁止し度いと存じます。勿論御承知のとほり乳母を雇ふ時には一應乳母の身體檢査をやり且つ血液檢査をやることになつて居ります。

◇先天梅毒の豫防法

最後の先天梅毒の豫防法は第一は結婚時の心得です。若し配偶者たらんとするものに梅毒があれば治療をして充分になほつてから結婚することです。西洋の學者は梅毒のなほるのに平均二年かゝるからその上尚二ケ年は再發の有無を見るだけの猶豫をおいて然る後に結婚すべしと云つて居ります。若し又結婚してから梅毒にかゝつたら極力治療することですが、出來れば全治するまで妊娠を避けたいものです、一般に妊娠前に母が自分の治療をやるよりも妊娠中に治療した方が胎兒は健康で生れやすいのですから妊娠中注射したら身體にさはるではないか等との餘計の心配はせずにドシ〳〵驅梅療法をやるべきです。たゞ妊娠の末期の九ケ月時分からは治療は餘程愼重にしないと却つて母體に障ることがあります。

以上長々と先天梅毒について詳述しましたが、要するにこの病氣は大多數は父親の罪であり、豫防しやうと思へば豫防も出來るし、治療しやうと思へば全治させる事も可能ですからこれを豫防し且つ又治療するのは兩親の當然の義務と云はねばなりません。

（終）

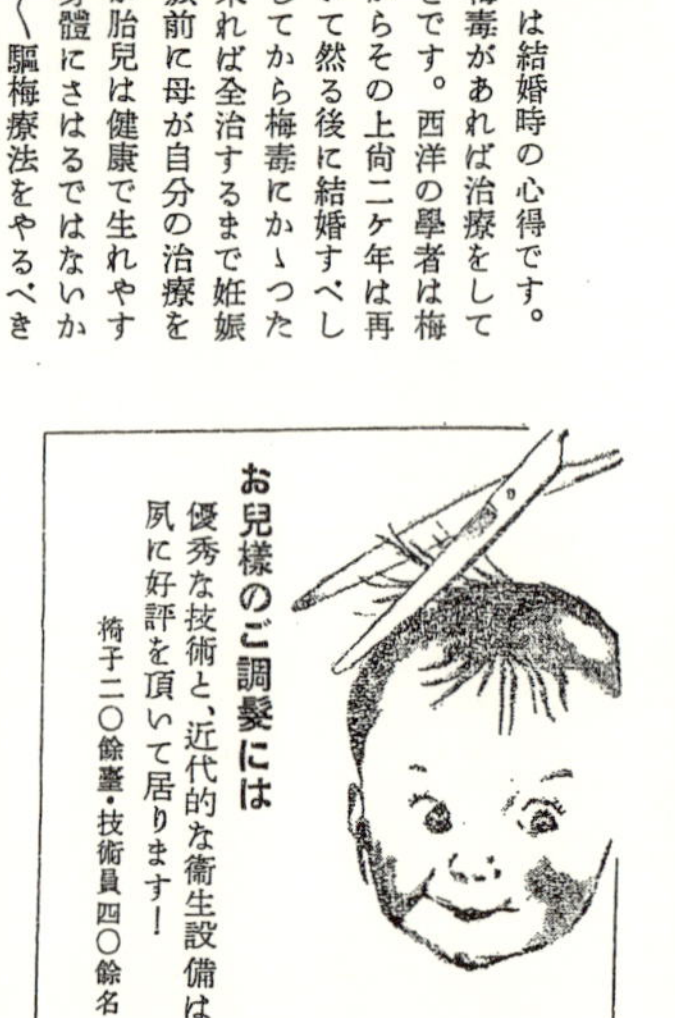

お兒様のご調髪には
優秀な技術と、近代的な衛生設備は
夙に好評を頂いて居ります！
椅子二〇餘臺・技術員四〇餘名
理髪 ヤング軒
東京銀座スキヤ橋際タイカクビル1階
TEL.㊄1391

帝都下 全新聞の本聯盟審査會觀
—全紙上寫眞入り—

報知新聞（六月十一日、夕刊）

五千人の赤ちゃん審査會 桃太郎も顔負け
强い筈……勇士の子供

〃生めよ殖やせよ死なすな〃日本兒童愛護聯盟主催恒例の赤ちゃん審査會は十一日午前九時から五日間日本橋高島屋で開催、一日千二百人宛、五日間で六千人の審査が行はれるが、その第一日のけふ勢揃ひした赤ちゃん部隊は何と見るからに健康さうに肥えてゐる、さうであらう、日本の子、アジアの子だもの！

中には武勳輝く大陸に散華した英靈の忘れ形見、征野千里を馳驅してゐる勇士の子等も交つてゐる〃まだ父を見ぬ〃とも子等はこんなに元氣に育まれて行くのだ、尊い母の愛撫!『マア、坊ちゃんのお立派ですこと』『イヽエお宅のお孃さんこそお丈夫さうですワ』と互に語り合ふ謙遜にも自信がこもつて……この結果、最優秀の健康兒には厚生大臣賞が贈られる。**寫眞（縱二寸五分、横三寸）は審査を待つ赤ちゃん—**

國民新聞（六月十一日、夕刊）

戰線へ贈る報告書
お父さんご覽下さいこの通り
坊も立派に殊勳甲

恒久國防と國民體力向上を目標とする日本兒童愛護聯盟主催第十一回全東京乳幼兒審査會が十一日午前九時か

ら五日間日本橋高島屋ホールで開かれ、我こそ興亞のマスコットと丸々肥つた滿二歳以下オール東京の乳幼兒六千名が審査を受け、今秋ナンバーワンを決定して長期戰下人的資源擴充强化運動に一役買ふことゝなつた。

審査第一日目の十一日午前九時から午後四時すぎ迄に集つた赤ん坊は約千五百名、戰線へお父ちゃんを送つた銃後家庭の赤ちゃんが斷然多く力强い軍國調を反映し、體重、身長、胸圍、頭圍等の測定や榮養、體質の鑑定等を行つたが、赤ん坊自慢の母親が集つたコンクールだけに秤りに上せた赤ちゃんは何れも丸々と肥り、泣聲一つたてず審査の女醫さんを見上げてニツコリ笑ふあどけなさどれもこれも日本一の自信つきらしい。

わけて銃後家庭の赤ちゃんは「父は戰線で殊勳甲、坊やも銃後で殊勳甲」と健康日本の第一線に興亞一を目指して素晴らしい健康色を發揮してゐるのも、戰線のお父さんに是非とも見せたいとは軍國母性の念願らしい。

なほ十二日は廣瀨厚相も審査會の模樣を視察して今秋晴れの表彰式を行ふ筈である。**寫眞（縱三寸五分、横四寸三分）興亞のマスコット　大賑ひの赤ちゃんコンクール——**

東京朝日新聞（六月十二日、朝刊）

ドッと事變兒

きのふ赤ちゃん審査會

〃人的資源擴充强化運動〃といふ嚴めしい看板のもとに恒例の赤チャン審査會——日本兒童愛護聯盟主催、恩賜財團愛育會、中央社會事業協會、東京優良兒母の會後援の第十一回全東京乳幼兒審査會は厚、陸、海、内、文、拓六省の協贊で十一日から五日間日本橋の高島屋ホールで開かれた。

若い日本の體位向上を目指す國策お母さん達の熱意に定員六千名に對し申込八千といふ盛況、審査第一日の十一日にはお母さんお自慢の赤ちゃん千二百名がまづ審査を受けたが、體重、身長、胸圍、頭圍、榮養、體質の檢査臺へ續く赤ちゃん行進の中には名譽の戰死者の遺兒や出征勇士の第二世など『雄々しい軍國赤ちゃんの群れがめつきり増しました』と審査係員の話、十二日には同審査會總裁の廣瀨厚相が賴もしいこの銃後の赤ちゃん部隊を〃檢閲〃する。**寫眞（縱二寸五分、横三寸五分）は赤ちゃん審査會——**

中外商業新報（六月十二日、夕刊）

廣瀨厚相も上機嫌で

赤ちゃん部隊を査閲

抱つこも上手に熱心な質問

廣瀨厚相、赤ちゃん審査會の赤ちゃん部隊を査閲——日本兒童愛護聯盟では十一日から日本橋高島屋八階ホールで第十一回全東京乳幼兒審査會を開催中だが、その二日目十二日午前十一時半ごろ同聯盟總裁の廣瀨厚相が會場へ姿を現した。

まる〱とふとつた赤ちゃん大勢に圍まれた廣瀨さんは、傍の赤ちゃんをお母さんの手から抱き上げ、顏をくしや〱にして「おゝよし〱」とあやす樣子もなか〱お上手、赤ちゃんも厚相に抱かれてにこ〱笑ふ。

同聯盟理事長伊藤悌二氏の案内で會場を一巡、色調檢査の金子博士、能力檢査の桑野奈良女高教授の所では一々質問をする熱心さ

「どれもこれも丈夫さうな赤ちゃんばかりで賴母しい、この赤ちゃん審査會の仕事が一般の育兒知識を啓發して今後どし〱立派な赤ちゃんが生れるやうになる必要がある」

と正午上機嫌で引上げた。**寫眞（縱二寸五分、横二寸）は赤ちゃんを抱く廣瀨厚相——**

都新聞（六月十二日、夕刊）

ホウよく肥こる

厚相赤ん坊審査會へ

日本橋高島屋で開かれてゐる日本兒童愛護聯盟主催の第十一回全東京乳幼兒審査會に十二日午前十一時半廣瀨厚相が訪れた。

赤ちゃん部隊に十重二十重に取卷かれた廣瀨さん、まるでお父さんのやうに相好をくづして「ほゝう、よく肥えとるどれ〱」と傍らの赤ちゃんを抱き上げる。

途端に寫眞班のフラッシュ、びつくりした赤ちゃん大聲をあげて泣き出す始末にさすがのお父ちゃん大臣も慌てゝお母さんに返上、係員の說明に熱心に耳を傾けながら會場を一巡し終つた厚相は

先づ赤ちゃんをどし〱產んで貰ひたい、この樣な社會事業には大いに敬意を表すると同時に役所としても

出來るだけ後援するつもりだ、人的資源の知識を啓發することは目下の急務であり、その意味でも私達はこの種の會を持つことは贊成だ。

寫眞（縱三寸五分、横三寸）は赤ん坊に相好崩す廣瀨さん——

東京日日新聞（六月十二日、夕刊）

〃興亞の赤ちゃん〃に

厚相も大ニコ〱

日本橋高島屋で開催中の日本兒童愛護聯盟主催の第十一回全東京乳幼兒審査會場へ、十二日午前十一時同會總裁の廣瀨厚相が訪れ、親しく興亞の赤ちゃん達の健康ぶりを視察した。

會場を埋めるお母さんに連れられた五百名餘りの滿二歳までのほんとの事變兒ばかりが元氣に泣いたり笑つたりするのにとり圍まれて大ニコ〱、案內の伊藤兒童愛護聯盟理事長から「各國の戰爭時乳幼兒の體位低下といふ例を破つて今年の赤ちゃん達はみんな御覧の通りの元氣さです」との說明にます〱上機嫌で熱心に視察、同正午引きあげた。**寫眞（縱三寸五分、横三寸）は赤ちゃんに圍まれて大ニコ〱の廣瀨厚相——**

讀賣新聞（六月十二日、朝刊）

興亞の赤ちゃん競べ

日本兒童愛護聯盟主催の赤ちゃん審査會が十一日から日本橋高島屋で開かれた、まづ初日千二百名の赤ちゃんが丸々と肥つた手をあげ足をふつて集まつてきたが審査員のおぢさん達でさへ〃見事々々〃と羨むやうな立派な赤ちゃんばかりなので付添ふお母さん達の鼻も高い、なかには出征勇士の赤ちゃんや戰歿勇士の忘れ形見らも交つて〃バンザイ〃をやつてゐる、審査の結果優良兒には厚生大臣賞が贈られる。**寫眞（縱一寸五分、横二寸）は赤ちゃん部隊——**

東京朝日新聞（六月十二日、夕刊）

大臣さんイヤ〱

十一日から五日間日本橋高島屋で開催中の日本兒童愛

護聯盟主催第十一回全東京乳幼兒審査會々場へ十二日午前十一時半、同審査會總裁の廣瀨厚相がヒョツコリと姿を現して、赤ちゃん自慢のお母さん達を喜ばせた。

第二日目のこの日は前日に續いて一千二百名の赤ちゃんが審査を受けたが、名譽の戰死者の遺兒や出征勇士の第二世もまじつて、廣いホール一杯に埋まつた滿二歳までの小さい人的資源の群、やかましくも力强い泣聲を浴びながら、會場を一巡する體位向上の總元締廣瀨さんは赤ちゃんにもまして大ニコ〱。

ところで大臣にひよいと抱かれた赤ちゃんはイヤ〱と泣きだしさうで傍にお母さんがはらはら……男四千五百名、女三千五百名の審査を受けた赤ちゃんの成績が解るのは十月末頃である。**寫眞（縱三寸七分、横四寸二分）は廣瀨厚相と赤ちゃん——**

國民新聞（六月十二日、夕刊）

おゝいゝ兒〱

今度もどん〱生んで下さい

審査會で厚相滿悅

「人的資源擴充强化運動」くだけて言へば「赤ちゃんを殖やせ」のモットーで、日本兒童愛護聯盟では十一日から五日間日本橋高島屋ホールで赤ちゃんの審査會を開いてゐるが、二日目の十二日十一時半協贊の一役を買つてゐる廣瀨厚相がひよつこり顏を見せ、「おゝ澤山ゐるね」と廣瀨さん大滿悅「おゝ好い兒好い兒」、と愛嬌をふりまいて審査主任の富田幸藏博士から軍國の赤ちゃんの審査結果を傾聽「この赤ちゃん達をしつかり育てると同時に今後もどんどん生んで下さい」、とお母さん方にも拔目なく挨拶して十二時過ぎ歸つて行つた。**寫眞（縱二寸五分横三寸五分）はニコ〱の廣瀨厚相——**

大阪朝日新聞（六月十二日、夕刊）

赤ちゃんを抱く

廣瀨厚生大臣

十一日から五日間日本橋高島屋で開催中の日本兒童愛護聯盟主催の第十一回全東京乳幼兒審査會會場へ、十二日午前十一時半同審査會總裁の廣瀨厚相がひよつこり姿を現はし、まる〱と太つた赤ちゃんを抱いてお母さん達を喜ばせ、厚相も大にこ〱で會場を一巡した。**電送寫眞（縱二寸五分、横二寸）は赤ちゃんを抱く廣瀨厚相——**

診療餘暇

岡田道一

診療の生活卽歌になるこのごろの日を樂しめりけり

つぎつぎに來て腰をかけ脚を出すかつけ專門院の外來（午前中日本橋遠城兵造氏經營東京かつけ專門院に診療）

洲崎なる花岡樓の娼妓來てしびれ脚氣を訴ふるなり（同）

群馬、千葉、埼玉の人さては又大島より來ぬかつけの女（同）

大森の藝妓わが知る住奴の妹も來たり不思議の顏す（同）

その昔學校醫として診たる子の母となりつゝ乳兒連れ來る（同）

わが友の大橋の亡き病院のつなぎに日ごと往診すわれ（午後淺草大橋病院診療）

仲見世を看護婦つれて往診す小間物店の明るき反射（同）

茶屋町の町會の注射女給、女中むらがる息にむせかへり居り（同）

わが爲めに書記を手傳ふ若き保護者女學校出の母の八つ口（下落合平和幼稚園幼兒定期身體檢査）

八百の處女の胸見ぬふくよかの肌を計るに汗のうつり香（麴町家政學院身體檢査）

皆友の乳房を見じと壁の方向きて順まつ女學生なる（同）

檢査あきて窓に指さすあの家が前田友助九段の鳥居（同）

麥畑の中を自轉車にて往診す練馬に近く富士見ゆる丘（午後四時より自宅長崎町診療）

興津庵の普茶料理に初に見し碓居博士の光れる頭（大橋矢君四十九日法事）

學生の禁煙決議われ持ちて訪へる學長聲の細かり（立教大學長室に遠山郁三博士を訪ふ）

つゝじ咲くよしの庭のよしえあしわが辨慶の聲におどるも（故神尾一郎名手向草として御所櫻三段目の義太夫を語る）

ある時は我記者となり女醫となり淨瑠璃箱屋となれるよし子は（同）

診療も義太夫も出來ぬ帝都空襲防空の任に我も服する（目白醫防團救護部長拜命）

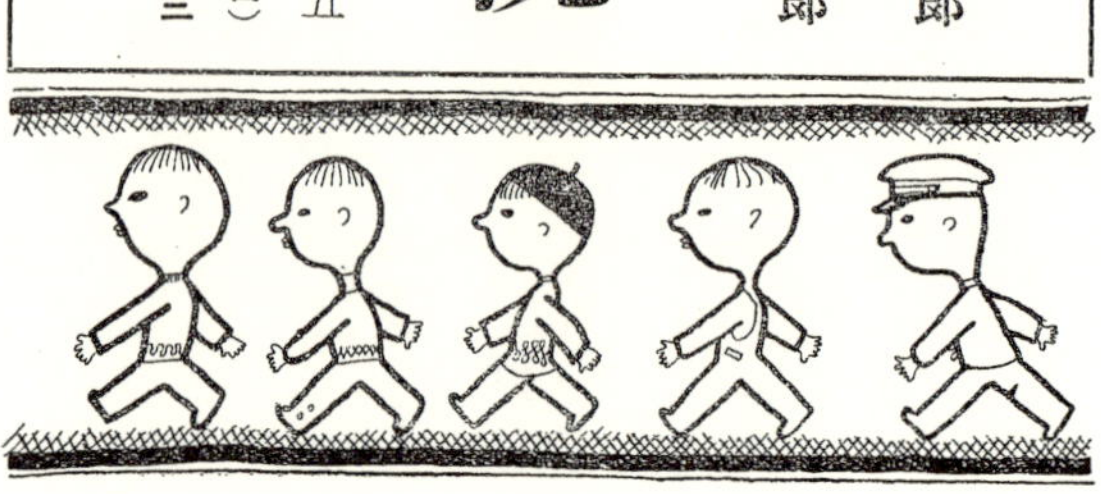

賀川豊彦氏『死線を越へるまで』（十一）

村島歸之

三五、貧客萬來

明治四十三年の正月も瞬く間に過ぎた。暮も月正もない陰慘なスラムの生活にも漸くなれ、賀川氏は愈よ腰を入れて貧しき人々に力を貸すことになつた。

一月七日、マヤス先生から申出られた月二十圓の補助を目當てに、松の內が過ぎると間もなく、同じ棟割の二軒西の六疊を新たに借入れた。日曜學校のためである。

しかし、家が廣くなると日曜學校の申込よりも、まづ寄食の申込があつた。四人目の居候として豆腐屋の三公が來たのである。

居候が殖えると共に、家計はます〳〵苦しくなる計りで、氏は自分の衣類を賣拂つて七圓二十六錢を得、これを當分の入用に當てた。しかし、八圓たらずの金は直ぐ消えて了つた。一日に居候一人が喰ふ米代だけでも十四錢は要つたからだ。そこで已むなく晝食拔きを申渡し、あとの二食も粥と梅干といふことにした。

二月に這入つて、榮養の不足と折柄の寒冷に、氏はまたしても路傍說敎中、血啖を出した。が、氏はすこしもへこたれはしなかつた。そして却つて、家を借り足して三軒ぶち拔きの十七疊とし、多くの貧客を迎へ傳道にも行けば、こどもたちの遊び相手ともなりさらに幾つかの葬式の世話までした。

二月——日　路傍說敎で咽喉をからす。屢々血啖出つ。

——日　不良少年岩沼松藏を引取る。（五人目の寄食者）

——日　米國ピアソン牧師夫人視察。五百五十圓を贈らる。

——日　今までの粥と梅干を普通食に復治し、古蒲團十枚を買ふ。

——日　隣りの淫賣屋「大阪に引越す。「大阪の娘お清ちやん、先生とエス樣は忘れないと、戶口で半日泣く。

——日　柴田重態となる。

三月十一日　柴田、內山の祈りの中に昇天。最初の葬式出づ。

——日　喧嘩安が禮拜に來るやうになつた。

四月——日　隣りの吉田、向側へ移り、その跡を借る。二軒の壁を打拔き十七疊の廣間となる。

——日　繼母病氣のため歸鄕留守中、富田とその情婦（熊の妻）及びおしづが來り泊つて居る。

——日　古着を載せた荷車をひいて歸る。
——日　沖仲仕の傳道に行く。
——日　おしづ全快し、三十も年上の仲仕と一緒になり木賃宿へ替る。
八月十六日　八十人の子供を連れて明石へ行く。
コレラ、チブス新川を襲ふ。
——日　乞丐のおつたの亭主の葬式を出す。おつたの貰兒の葬式を出す。
——日　おつたと内山と一緒になり共に寄寓する事となる。同居者七人となる。
——日　水田親分賭博であげられ、その乾分と和歌山との間に喧嘩出入。
——日　内山が米屋からコンミッションをとつてゐることがバレる。
——日　内山に十圓を與へ別居さす。

三六、葬式業の繁昌

かうした七面倒な貧しき人々の世話の中でも、葬式は最も氏の心を寂しくした。

スラムでは人間の生命が、モルモット一匹と大差なく評價された。例へばわづか二十錢の上棟式のチップの事で殺したり殺されたりするスラムである。それほどだから、葬儀の如き、全く人間に對する營みとは思へないほど簡單なものであつた。

死人があると、氏の家の向隣に住む通名「たべらう」と呼ばれる一人の男が大きな茶箱を持つて來て、その中へ屍體を入れ、一人で背負つたり、若くは荷車に積んだりして火葬場へ送るのであつた。貰ひ子殺しの小さな軀もこのたべらうの手にかゝつて火葬場へ送られた。

たべらうの仕事は單に火葬場へ送る丈けの事で、屍體を洗つたり、其他萬端の世話は賀川氏の仕事で、その費用は氏の負擔であつた。氏は貧民窟へ這入つた最初の年に十四その翌年には十九の葬式を出した。氏はいふ。

「私は四十三年以後、多くの屍體を葬り、その屍體の幾つかを自ら洗つて得た感想は死に對する感覺の磨滅と、死の恐怖を知らざる實に殺伐な慘酷な思想でした。貧民が道德的感覺の磨滅するのも或は此邊に原因するのかも知れません。」

又氏の出してやつた葬式の中にはこんなのもある。

或る仲仕は二箇月の中に妻を四度も變へた。しかしそれは離縁したのではなく實に死に瀕した病女を「世話してやるから」といつて連れて戻つて獸慾の犧牲にし、結局死に至らしめたのである。氏はその度に可愛想な女の葬式をさせられるのであつた。

此の男は細民によくある色情苦腦症の患者であつた。

しかし、喧嘩して殺さずとも、獸慾の犧牲にして殺さずとも、貧民窟における死亡率は頗る高く殊に乳兒において甚しかつた。氏の調べに依ると、同氏の住んでゐた北本町では出產兒千人中三十人乃至四十人にその年に死んで了ふといふ事であつた。これを中山手邊の富裕區の千人中十人に比べると約四倍からの高率である。「葬式屋」としての賀川氏の仕事が年を逐うて愈々繁昌を來たしたのは當然である。

氏はかうした仕事をいやな顔一つせずに一々手傳つて行くうちスラムの人々も漸く氏を理解し、親和し、尊敬するやうになつて來た。

三七、附きまとふゴロツキたち

賀山氏の新川における存在が全スラムの人々に知れわたると共に、善くない手合がわれ勝ちに、氏にあやからうとして集つて來た。しかし、氏が無條件に金品を與へないことを知ると、これ等の連中は忽ちその本領を發揮して、氏に暴行を加へた。

明治四十三年一月中旬以降、氏の上に加へられたゴロツキの暴行のかず〳〵を、『死線を越えて』の中から拾つて見よう。

明治四十三年
一月——日　祈禱會を開催、その祈りの最中、「敵を愛する心を救へ給へ」と祈つたのに因縁をつけ、七輪をまく。
——日　安さんの家庭に五圓を惠む。安酒を呑んで禮に來るおはつ（兩性具備の淫賣婦）を養老院に入れた事でおしかの亭主刀をぬいて暴れ込む。
——日　隣家の吉田、床板を焚き家主の配下の壯漢に半殺しになる。富田に仲裁させる。
——日　吉田裸で禮拜に來たり次で席を着て皆を笑はす。
——日　濱井、新見の着てゐるシャツをゆする。
濱井五十錢をゆするが與へず。仍つて蹴る、毛を掴む。安さんがドスを持つて來ると姿を消す。
——日　路傍説教中、濱井は八つの提灯を破棄してなぐる林怒つて濱井と組打つ。濱井拘留さる。
——日　留守中泊り込んだ熊の女房を奪還に熊ドスを持つて暴れ込む。
——日　富田を追出したのでピストルを以つて壁に孔をあける。

これ等のゴロツキは、殆んど全部が博徒である。いや、スラムに定住する大部分の人々が大小の差こそあれ、博徒だといつてよいかも知れない。ゴルフも、競馬も、玉突もする餘裕を持たないスラムの人々にとつては、賭博が唯一の娛樂であり、スポーツなのである。

互に輸贏を爭ふといふことは、むしろ、人間の本能である。ただ、スラムの人々には賭博以外に、合法的に輸贏を爭ふ方法を知らず、また假令知つてゐても、これを享樂する力がないのだ。

三八、敗けた賭博の尻拭ひ

大正八年頃賀川氏を助けて新川で救療事業に當つてゐた馬島僴氏は嘗ては或る集會の席上で「細民に取つて賭博は三度の食事に次いで必然的なものである。世間が害惡なるを知り乍ら己むを得ずとして公娼制度を認めるなら、それと同じ理由で公設賭博場を認めよ」と極言した事がある。

實際その通りだ。

賀川氏も最初は努めて彼等の手からカブの札を奪取り、サイコロを取り上げたが遂にこれを絶滅させる事の不可能なことを知つて、餘り喧ましく云はなくなつた。

彼等が四方に看視を配置しながら賭博を開帳してゐるのを見て氏が「ヤメナサイ〳〵」といふと、彼等は「ハイハイ」と大人しくその場は札を納めるが、氏の姿が消えると直ぐに又繰返した。氏も「仕方がないれ」といふより外はない實情なのである。

中には女ばかしで賭博をやつてゐるのもあつて、氏が咎めると「島渡無盡をして貰うてまんれがな」と洒々然たるものだ。

博徒は概れ氣前が善く、儲けた時は札ビラを切る。そのためにスラムの無智な娘たちは、博徒の妻となることを寧ろ出世のやうにさへ考へてゐる。

附近の飮食店などは、博徒樣樣である。彼等は勝てば勝つたといつて盃を擧げ、敗ければヤケクソだと稱して盃を干すからである。

賀川氏がスラムに這入つた年の四十三年に、新刑法の實施を見た。その當時までは、街上に賭博をやるものは餘り見なかつたが、氏がスラム入りをした頃は、公然と白晝も之をやつてゐる。殊に正月など幾十人となく通行の邪魔になるほど街上でやつてゐた。平常でも、あの廣からぬ新川だけで、六七十人を打つてゐるのを見ない日とてはない有樣だつた。警察でも知らぬ譯ではないが假令取締を勵行しても、畢竟俎上の蠅を追ふに均しいので殆んで手を入れない。博徒はこれを勿化の幸として、公々然と賭博を開帳するのである。

賭博にはいろ〳〵種類がある、カブが最も一般に行はれてヒヨコ、ガメ、丁半、ムシ、ニギリ、八々、花合せ、ハツタリ、メクリ、モチヤン、キンゴ、九十六、霧島、藤島、アオタン、アカタン、大鹿兒島、月見花見、四百斤、らしやめん、三個等がある。又中には單に次にそこへ來る電車の番號の奇數偶數を賭けたり、蜜柑の實の奇偶をかけるものさへある。

少しでも餘裕があつたら、彼等は丁半を爭ふのだ。そしてその間、腹の蟲の納まらぬ日などは、敗戰が忽ちにして噸嘩となり、殺傷ともなるのである。又さうでなくても、敗けた手合は、ありもしない妻子の衣類までも質屋に曲げて飾くまで張らうとする。

氏の詩集の中には、着物を質屋に入れられた小女の泣いてゐるのを唄つてゐるところがある。

一月十七日の雪の朝六時、酒屋の横の荷車のそばでよし子は泣いてゐた。

よし子は、今年あけて十四、マッチ工場に、出てゐる、お母は、昨夜、よし子の仕事衣を持ち出して何處かへかくした。

よし子は、今日ぼろのまゝ工場へ、出ようと、辨當も持たず出かけたが、此處まできて、急に工場へ行くのが、恥かしくなつて立止つた。立ち止ると自然涙が出る、雪がふるので尙泣ける、

恐らく、此のよし子の父か母が賭博に敗けて、よし子の衣類を質屋へ入れたのであらう。

氏はかうして博徒の一家のために、屢々敗けたバクチの尻拭ひを持ち込まれた。でも氏は、バクチの資金を提供することだけは絶對に拒んだ。彼等は善い加減の口實を設けて五十錢一圓の合力を申込んで來るが、氏は大抵の場合、事實を觀破して、これを斷つた。すると彼等は、さなきだに、むしやくしくしてゐるところとて、忽ち氏に喰つてかゝつて暴行を演ずるのである。

酒亂の癖があつて、醉ふと直ぐピストルをぶつ放す或るゴロツキは、氏に賭博をやめる約束をしてカルタを骰子を氏に提供し、又或る賭厚の上手なゴロツキは、指一本を切り取つて、借錢のかたに提供すると申出でたことがあつた。でも、彼等はたとへ指一本ぐらゐ無くても、サイコロをふり、花札をめくる快を清算しようとはしないのである。

賭博はスラムの密集生活の續く限り、つひに絶える事のなこ惡習なのであらう。

三九、喧嘩の仲裁役

旣に貧民窟にゴロツキが居り、賭厚が行はれてゐるとすれば、其處には自ら噸嘩口論の絶間のない事も直ぐに想像される。氏は喧嘩に就て左の如く語つてゐる。

「人間には人間のことが最も面白く、人間の面白い事の中でも肉體と魂が摺れ合つて、線となり音響となる所は又格別面白い。ホイツトマンは人間の喧嘩が好きであつた、私も貧民へ這入つたのは喧嘩が好きであつたからである。併し私が喧嘩が好きなのは人間が殺されるからではない。本氣でやつてゐるからであしてゐるからである。口穢なく云ひ罵り合ふからではない。正義が勝たんと努力してゐるからである。刄がひらめくからではない。血が迸るからである。血が出たら人間はアダムの初めの心を取返す。私はその心が見たい許りに貧民窟へ來た。そして刄の空を斬る時、火鉢が飛ぶ時、赤い血が流れて屍が路次に橫はる時、靜かに祈つて考へて見た。矢張り人間は血を見る時に最も眞面目である。」

「私の喧嘩の好きなのは血が迸るからである」と言ひ又「私は貧民窟へ這入つたのは喧嘩が好きだつたからである」の一節に氏の面目の躍如たるものがある。

葺合新川は喧嘩の名所である。氏が此處に住まつて以來殆んで毎日喧嘩を見ない日とてはなかつた。

氏は嘗て約一ヶ月間に亘つて近所百軒許りの家の喧嘩を日記に附けたがその合計三十三、恰度一日に一ッ宛の平均であつた。その原因は、三割が家庭不和のため、二割が痴情の爲であつた。喧嘩の最も多いのは矢張り朔日、十五日、日曜日、正月である。言ふまでもなく斯うした休日や祭日には彼等が酒盃を手にし花札を弄ぶためである。

氏が貧民窟へ這入つた最初の年の正月——四十三年一月には元旦の午前五時から九時までの四時間に一ヶ町に十九位の喧嘩を見たといつて氏の『貧民心理の研究』に左の如く記載してゐる。

「未だ夜の明けぬ五時頃には早や餅賣が路傍の佝僂の女を拔刀で脅してゐる。六時頃には紙屑買の仲間で擲り合ひそれに仲裁に仲裁が這入つて喧嘩が三つに割れ彼處にも茶碗を投付ける音、こつちにも火鉢を投げる音、一人の者は醉拂ひ乍ら火箸を燒いて復讐に出かける。咲いた喧嘩に尙花が咲く。裏では又「喧嘩安」が暴れ出す。表には親子喧嘩、それに氣を奪はれてゐると又裏の筋では夫婦喧嘩、その隣には親子喧嘩が起る。此の割合で行けば元旦だけでも貧民窟全體に百や百五十の喧嘩があつた

（第五十六頁につゞく）

赤穗義士快擧の人柱

——萱野三平略傳——

陸軍少將　戶　波　辨　次

はしがき

赤穗の義士萱野三平の自刄は、同志中の意志薄弱なる人々の覺醒を促がして、義士團の壞裂を未然に防いだ重大なる意義を有すると共に、苦境に處する。武夫の道を教ゆる貴重なる一教訓である。然るに其の死が義士の快擧に影響せんことを恐れ、密かに葬られたのと、元祿氣分濃厚なる戲作者の心無き筆に誤られたとの理由から、世にその眞相を誤る者尠くない。因て拙筆を顧みず一文を草する。

その昔、幾多の物語を殘しけん、京を下りし西國街道が、今し、伊丹の平地を望まんとする處に、音に名高き箕面の谿谷がある。春は萠え出づる新綠の香を慕うて、夏は青葉に散る飛瀑の重吹、さては谿流のせゝらぎを訪ねて、秋は滿谷を染むる紅葉に憧れて、打ち寄する都人の波、引く時も無き賑ひである。

此觀樂の巷をよそに、隣村萱野村の西國街道に沿うて、淋しくも昔ながらの姿を見する芝の部落こそ、實に赤穗義士快擧の人柱にして又忠孝兩全の義士萱野三平出生の地であり、又終焉の遺蹟である。

今、思を遠く元祿の昔に馳せつゝ、暫し歩みを古色蒼然たる萱野古邸の前に止むれば、脫げ毀れつゝも僅に名殘を見する白壁の、さては、長き風雨に色古りたる武者窓、腰板などの、一つとして在りし昔を物語らざるは無く、感慨實に無量である。

萱野家の遠祖は淸和源氏の出であつて、鎌倉時代より戰國時代の末期まで萱野村附近一帶の領主であつた。然

るに、三平の父重利の高祖父恒時の代に、攝津伊丹の城主荒木村重に屬し、天正中荒木氏亡ぶると共に、其の食邑を失ふに至つたので、恒時の孫恒產、其子恒重、共に德川の旗本大島家に客分となり、重利に至つて始めて大島家の家臣となつた。

大島家は家康以來德川將軍近侍の臣で、當主たる大島出羽守義也は、南攝庄本村附近一圓を領して將軍綱吉の側近に侍し厚き信任を得て居つた。而して將軍綱吉の息女は紀州家の奧方であり、紀州大納言光貞の息女は、吉良義央の長子であつて、米澤家の當主たる上杉綱憲の室である。又三平の父重利の長兄三郎右衞門は、大島家の養子となつたが、後實子出生により分家して大島家を別に創立し、本家大島家の家老として俸祿三百五十石であつた。重利の長男たる三郎右衞門は伯父卽ち重利長兄三郎右衞門の養子となり、分家大島家を嗣いだ。是等の關係は自刄當時に於ける三平、竝に之を繞る人々の苦衷を洞察するに見遁してならぬ情實である。

萱野重利には四男五女があつて、三平はその四男である。長男の三郎右衞門は、重利の次兄重次の子を養子としたのであつたが、再び出でゝ主家大島家の分家々老となつたことは前述べた通りである。次男重通は父の後を嗣いで大島家に仕へ、三男七之助は早く世を去つた。長女は兄重次の女を養女としたのであつて、庄本村妙國寺（現光國寺）に嫁し、次女は隣村新稻鄕の吉田氏に、三女は伊丹の北河原氏に、四女は山田村の吉田氏に、五女は萱野村藤井氏に嫁したが、三女と五女は早世した是等家庭の狀況から見て、當時七十四歲の高齡にあつた父重利にとつては重通、三平の兩人こそは、實に老を賴みの綱であつたであらう。殊に人格者であつた三平に對する老父の慈愛の深きものあつたことは察するに難くない。

貞享四年、三平年甫めて十三、大島出羽守の推擧を以て淺野內匠頭に仕ふることゝなつた。大島出羽守と、淺野內匠頭とは山鹿素行を中心として昵懇頗る深かつた。此推擧に見て吾人は三平の資性特に優れたるものありしを疑はない。

長矩深く三平を愛し出入必ず近侍せしめ、元祿十四年三月十四日の變、三平亦長矩に隨ひ城中に在つたと云ふ。抑々長矩の祖父長直は稀に見る名君であつた上、一世の英傑山鹿素行を聘して士風の高揚に努めた。其後素行が幕府の咎を受けた時も赤穗に謫せられて、前後十九年、赤穗の士人を薰陶した。天資優れたる三平が、此武士道精神の雰圍氣濃厚なる赤穗の城中に、人生陶冶の切要期たる靑少年期十五ヶ年を、孜々として忠勤に勵み、修養に努めたのである。後年彼が武士道の花と散つた。

又故ありと云ふべきである。實に心すべきは靑少年期に於ける雰圍氣と修養ではある。

元祿十四年三月十四日、三平は主君の變を赤穗に急報せんが爲、早水滿堯と共に江戶を出で、晝夜の別ちなく駕を飛ばし、十八日萱野村に入り、今し、駕は慕はしの父母います故鄕の門にさしかゝる。時しも村人三平の家門に集まり、將に柩を舁ぎ出でんとする。怪んで問へば母の柩と云ふ。流石に義烈の士三平も、撫然たること瞬時、然も須臾にして意を決し淚の裡に靈柩を伏し拜みつゝ、駕は靜に、飛ぶが如く過ぎて行くのであつた。嗚呼人優れて孝心深き三平、如何に眠れる母の溫顏に一瞥の別れを欲したことであらう。如何に老いて妻に先立たれたる力無き父に、一言の慰めを云ひたかつたことであらう。然も斷乎、大義親を滅して、傷然として去る三平の心事を思うては、同じく弓矢取る身の、思はずも一掬の淚なきを得ない。

主君の凶變赤穗に傳はるの時、城中人心和せず、或は暴虎の勇に走り、或は逡巡遲疑の徒があり、甚だしきに至つては利に走る卑怯の者さへあつた。然し忠烈眞勇の士は皆城を枕に主君に殉ぜんとするの意見であつて、三平も無論此一人であつた。三平此決意を故鄕の近親に報じた。近親何れも三平に送るに「主の爲に死するは臣道の常也、其事人に後るべからず」の語を以てした。父重利は是等の書面を一僕に托して三平に屆けしめ、且命ずるに三平の遺骸を赤穗に葬むるべきを以てした。此近親ありてこそ三平ありと云ふべきである。後日大石良雄是等の書を見て落淚に及んだと云ふ。然もありぬべきである。

此の如き城中の有樣も、國老大石良雄の深謀遠慮に因り、或は賺し、或は叱り、或は宥めて遂に潔く城を幕吏に附し、舊臣遺士皆悉く城を去るの解決に到達した。此間誠忠義烈の士大石良雄以下六十名は、密に亡君の恨を晴さんことを堅く誓つて四散した。三平も同士と別れて鄕に歸り父の家に入つた。三平竝に之を繞る人々の苦衷は此處に始まるのである。

三平赤穗より歸りて以來或は父の家に、或は大島三郎右衞門の許に、又は庄本村姉の家に在りて母の喪に服した。敬虔謹愼家を出づる稀であつたが、夜潛に山科に良雄の隱栖を訪うて謀議に參劃することを怠らない。此の如くにして月日は次第に進み、謀計は熟し、三平の活躍を要する時機は切迫しつゝある。三平の殉死を激勵せる近親が此間の消息を觀破せざる筈がない。必ずや心密かに三平の素志貫徹に力強き後援を熱願したに違ひない。

然も大島家に對する情義は之を如何ともし難い。三平亦之を知るが故に云ひ能はぬ。默せる父云ひ得ぬ三平、三平竝に之を繞る人々の苦衷は日一日と深まつて行く。

苦しき年は明けて元祿十五年正月、浮世は春に騷げど此處のみは、訪るものは春ならで、忠孝情義必至の試練、一日遂に三平は意を決して父の前に出た。思はずも見合はす顏と顏、思へば苦しき父子ではある。父は焦燥に窶れたる子を見た。子は忍苦に衰へたる父を見た。沈默暫し、互に熱鐵を吞むの思である。あゝ聞くべき時は遂に來たのである。云ふべき時は遂に迫つたのである。三平漸くにして口を開き父に請ふに、江戶に出で新に仕を求めんことを以てした。父は三平の義擧累を大島家に及ぼさんことを恐れて之を許さない。依て三平は更に家門より籍を除かんことを乞ふた。父曰く『汝の士道遂行を知りつゝ已が身に累を及ぼさんことを恐れて、父子の緣を斷つ父の士道を如何せん』と。後沈默稍々久しうして父は斷乎たる聲を絞つた。『予は父としての道を行かん、汝は子としての道を行け』云ひ終つて思はずも顏を背けた。……嗚呼何たる悲壯の言葉であらう。實に血に泣く杜鵑の聲である。纒綿たる情義の枷に締め責まれつゝも猶ほ士道に生きんとする雄々しき父に依てのみ、初めて上げ得るべき力強き叫であらう。三平は默して父を拜して去つた。忠ならんと欲すれば孝ならず、孝ならんと欲すれば忠ならず、三平の心は既に決した。

何時かは忠孝の鬼とならねばならぬ此身である。然し同じくば一日も長く同志快擧の準備に協力し、其成算確たるを見て心を安んじて死するこそ三平の願であつたであらう。然も三平をして死を急がしむ止むなき事情があつた。

當時義士の意見は二樣に分れた。卽ち江戶に在る急擧派と關西に殘る時機尙早論者である。關西に在る義士の中にも又緩急の二派を生じた。之に加へて義士相互間に於ける私的の反目もあつて、之等は義士の協力一致準備業務遂行に少なからざる障碍を與へつゝあつた。然し之等に增して憂ふべき傾向が顯はれた。それは長矩の弟大學の淺野家再興の許可を主目的とし、本來の復讐を第二義的に見る軟派の擡頭であつて、此事は義士一般の士氣を尠なからず弛緩せしめ、甚だしきは義士にして情死者を生ずるの醜態をさへ見るに至つた。至誠熱烈の士三平が是等の實情に慊らざるは勿論で、同じくば苦境に果てん此身を此際義士快擧の人柱となり、義士連結再建の礎石と捨つるの悲壯なる決意を定めたことは察するに難くない。果せる哉、彼の死傳はつて以後義士の士氣頓に緊張し、其團結を强固ならしめた幾多の實證がある。良雄が

特に彼の名を打入の一人に加へたのは誠に故ある事で、春秋の筆法を以てすれば、義士の快擧を全たからしめたものは三平の忠烈なる自刄であると云ふべきである。あはれ三平は肉體に滅んで精神に生きた。

一月十三日、三平は姉なる新稻鄕の吉田夫人を訪づれた。吉田夫人名は小きん、日本婦人の美德豊なる人、先に書を送つて三平の殉死を激勵したる賢婦人である。況して萱野村とは近き新稻に住んで、三平とは信賴互に深き姉であつた。早くもその來訪に永別の意あるを感じた。然し何氣無き三平の約一時に亙る世間話に稍ゝ氣を輕めつゝもあつた。軈て三平は別れを告げて立つ、夫人は之を玄關に見送る。一禮して去る三平が、突如踵を返して、姉の眼に見入りつゝ、口調も重く、訣別の意を繰り返した。悟る姉、淚を呑む弟、兩者は思はずも顏を背けた。あゝ、兼てより期せざるにあらねども武夫の妻として心弱きはあらねども、突き上ぐる悲、迸らんとする淚、辛くも耐へて立てる姉、胸に千萬無量の思を秘めて別れ兼ねたる弟、風も無さに枯葉がほろ〳〵と散る……

今吾々日本國民が、先天的に享有する報國盡忠の鐵石心は、祖先が數多き此の如き悲劇の間に、試練し殘した賜であらう。

此夕三平は一書を認め、僕を呼んで山科に齎さんことを命じ、身は沐浴の後父と嫂と共に夜更くる迄談笑した。此時兄重通は主君に隨つて肥前長崎に在つた。三平の輕き談笑は、思に疲れたる老いたる父の心を思はずも輕くせしむるのであつた。哀れこれが此世に於ける三平最後の孝であつたか……。北攝萱野村に咲出でたる忠孝の名花一輪、惜しや二十八の春を名殘として、此夜半の嵐と共に音も無く散つた。唯同志の快擧遂行を念じつゝ。

父重利三平の死を知つて、此事廣く世間に傳つて義士の快擧に妨なさんことを恐れ、近隣には病氣急死と詐り倉惶後庭の小丘に葬つた。重利最愛の兒の窮境を知て默視する半年、今、更に子の死しては之を葬る厚きを得ない。義烈の士、重利、思へば氣の毒な父であつた。

前夕三平遺はす所の僕、黎明山科に達し書を良雄に呈した。良雄披き見て大に驚き、同志を招いて之を示した。讀む者三平の心事を憐み、感奮せざるはなかつたと云ふ。

忠と孝とは我民族の三千年來涵養し來つた特質である。又我國體の美を濟す根源である。我國民として忠と孝とを兩全して身を處し得る現代の吾人は幸福である。然しながら武家政治の變態は人をして忠孝兩全に處するの道に苦しましめた事甚だ多い。今我國民の脈管に波打つ忠孝の熱血は、我祖先が之等苦境に處して練磨し傳へた至寶と云ふべきであらう。生きて皇道の補翼に終始し、遂に屍を馬革に裹むを得るは、素より武士の本懷である。然し時に死を以て、多數の皇道補翼を催進し得る場合少なからざるは、茲に喋々を要せざる所である。

日支事變突發以來滿洲建國の人柱となつた多數我同胞の精神が、生きて我國民を勵まし、東洋平和の確立、八紘一宇の理想の達成に、力強き活躍をなしつゝあることに感激しつゝ擱き筆を擱くであらう。

餘談

一、三平の墓は、萱野邸の裏山、庄本村光國寺、同新福寺、東京泉岳寺の四個所に在る。泉岳寺に在るものは、墓面に「刄道喜劔」とあるので、大石に對する密偵喜劔の墓とする誤れる俗說がある。

二、三平の後裔は現に神戸川崎造船所に勤務する萱野重道氏である。萱野邸には重道氏の義兄が遺跡遺物の保存に任じて居らるる。

三、新稻吉田氏邸は現存する。吉田家の後裔たる吉田音次郎氏は退役陸軍獸醫で、氏の令兄が軍人として日露戰役に美事の戰死を遂げられたのも、傳家の遺訓に因る處多いと云ふ。

四、本稿は有名なる義士研究の大家、現尼崎圖書館長多田莎平氏に負ふ所甚だ多い。特に三平の死が義士團の團結に與へた效果の如きは、氏の卓見であり、又深刻なる研究の賜である。

五、本稿を草するの動機は、豫備砲兵中佐服部舜平氏の主催する攝津鄕土研究會の實地研究に端を發する。

（第五十頁よりつゞく）

らうと私は思つた。」

斯うして喧嘩の渦中へ氏は屢々止め役として引出された。だがこれが決して安全なものとは限つてゐない。土方の喧嘩の仲裁には小指を切つて渡すといふ方式があるのださうで迂濶には仲裁も出來ないが、氏は手の及び限りの仲裁の勞を取つた。金錢上の問題からの喧嘩などは大概氏が綺麗に解決した。中には母親に亭主を取られるといづて嫉妬から始めた親子喧嘩などがあつて遁がの氏も仲裁のしやうがなくて、人間の墮落にたゞ暗然となつた事もあつた。

齒槽膿漏と粧齒法

ライオン齒科衞生院
院長 醫學博士 岡本清纓

はしがき

齒槽膿漏は大人の齒に現はれる病氣です。けれども子供の時に齒齦に對する手當を誤まりますと、大人になつてから此病氣になりますから、これを豫防するには子供の時から齒と齒齦を淸潔に保持することが大切です。お母樣方が此病氣に就て正しい知識を持たれることは、お母樣御自身の爲にもお子樣の爲にも必要です。

1　こんな人は齒槽膿漏

齒と齒齦の境目近くに、汚ならしく黃褐色か又は稍黑味を帶びた齒石（俗に齒鹽）が固くついてゐたら、齒槽膿漏にかゝるものとお考へ下さい。

齒齦から血が出たら　齒齦の緣が、赤味を帶びたり、又は暗紫色になつて腫れ上つたり、齒を磨く時に血が出たり、林檎に血がついたり、一寸指で押した位でも血が出て困る方は、齒槽膿漏の初まりと考へてもよろしいのです。

齒ぐきから膿が出たら　齒が少し動いて、齒齦を指先で押すと、血膿や膿が一二滴漏れて出たならばもう立派な齒槽膿漏です。

ぶら〳〵齒が動く方は　齒齦がへつて、齒の根が長く延びた樣に見え、ぶら〳〵動いて、自然に脫け落ちてしまひさうな人は、餘程齒槽膿漏の進んだものです。

2　齒槽膿漏とは——ぬけ齒——はくさ

齒のぬける病氣　所謂齒槽膿漏といふのは、齒を支へてゐる組織、卽ち齒根をとりまいてゐる齒根膜や、齒根を顎骨の中へしつかりと植ゑつけておく齒槽骨や、齒の周りの齒齦などが侵されて、血が出たり、膿が出て、終ひにはぶら〳〵動いて、脫けてしまふ病氣であります。

齒の丈夫な人が罹る　一般に齒の質の丈夫な、齲齒などに罹らない樣な人が、此の病氣に罹り易いのも一つの特徵で、子供には少く中年から老年にかけて多いのであります。十六七歲位でも本病に罹つてゐる者も少くはありません。

齒槽膿漏の前徵　尋常五六年の子供で、齒と齒齦の境に近く、齒齦が赤く隈どつたやうにみえるのは齒齦緣炎といふて、齒槽膿漏に罹る前徵であります。

痛まないから氣がつかない　此の病氣は慢性で、餘り痛みませんから、つひ知らずに過して居る人が多いのです。時には急性に變つて、激しい痛みを起す事もありますが、大抵は痛くありません。只食物を咀嚼する時に、動いて嚙めなかつたり、痛かつたりする樣になつてから初めて氣がつくのです。ですから、この齒槽膿漏に罹つてゐる人は、隨分多い割に、此れに氣がついて治療する人は少いのです。

3　恐ろしい慢性病

うみを呑み込む　人體を解剖してみて、膿のたまつてゐる場所をしらべてみたら、多分顎の骨の中が一番多いだらうと思ひます。齒槽膿漏は齒齦と齒の間にふくろを作つて、其の中に膿をためておくのですから、其の膿が絕えず、じゆく〳〵出て、知らず識らずの內に其れを呑み込んでしまふ事になります。其の結果消化器を害し、慢性の胃腸病を起します。

口が臭くなる　口が非常に臭い人は、此病氣に罹つてゐる事が多いのです。膿が絕えず製造されてゐるし、腐敗產物が出來て、異樣な惡臭を放つからです。口が臭くなるのは胃腸や肺等が惡いためにも起りますが、多くはこの齒槽膿漏と齒髓の死んで腐つたムシ齒が、その原因です。口の掃除の行屆かない場合にも、食物のカスが齒の間で腐りますから、やはり口が臭くなります。口氣惡臭の原因となる黴菌は、有名な故野口英世博士の發見された『トレポネーマムコーズム』であると言はれてゐます。

全身諸病の原因となる　又、齒槽膿漏は、いつも膿が出ますし、細菌や細胞の破壞されたものや、毒素などが絕えず血液によつて、身體の他の部分に運ばれ、そこに停滯し蓄積して其部の抵抗が弱くなり、遂に病氣の巢を作つてしまふのであります。關節リョウマチスや心臟病なども、歯槽膿漏のために起るのは、かういふ理由からであります。

ですから、歯槽膿漏は、單に歯の周圍にのみ限局してゐる病氣と考へるのは、非常な誤りであります。

4 急性の場合には敗血症

骨膜炎や骨髓炎を 膿漏は主に慢性的に身體を害するものでありますが、時には顎骨の骨膜炎や骨髓炎を起しますから、ムシ歯と同じく、或はそれ以上に恐ろしい病氣であります。
そして歯齦の間に出來た化膿菌は、全身的に抵抗が弱つてゐる機に乘じて、血液中に侵入し、つひに恐るべき敗血症を起すことがあります。
敗血症とは 敗血症といふのは、黴菌が血液中に入つて、それを腐らせ全身をめぐるため、遂に死を來すもので、この病氣になると、殆んど助からないといふてよろしいのであります。一世の麗人九條武子夫人もこの敗血症の爲に逝かれました。しかも臼歯が歯槽膿漏に罹つて居られたのが間接に禍ひをなしたと言はれて居ります。

5 歯槽膿漏はどうして起るか

歯石の害毒 歯槽膿漏の直接の原因は、歯の不潔即ち歯の表面にたまる歯垢や歯石です、歯垢の成分は食物の殘滓と唾液素と細菌とで、それに唾液中に含まれてゐる石灰分が、沈澱すると、歯石と言つて、石の様に硬くなります。この歯石がたまると、持續的に歯齦緣を刺戟して、慢性の炎症が起ります。そして食物などもそこへ溜つて腐敗しますから、益々黴菌が盛んに繁殖して、つひに膿が出るやうになります。
適はない金冠其他 前歯に金冠を入れてゐる方などで歯齦の色が惡い方は、その金冠がうまく適はなくなつた爲めに歯槽膿漏を起したものです。又義歯などでも適はなくなつたものを入れてゐると、歯に異常な壓力を加へる事になつて、本病を起す場合もあります。
咬み合せの惡い場合 上下の歯の咬み合せの狀態がちやんと生理的でない場合も、同じく異常な咬合壓が、特に一本だけに加はることがあれば、その歯は歯槽膿漏を起しやすいのであります。歯列の狀態も關係がありますから御注意下さい。
小楊枝を使ふ注意 小楊枝などを常に亂暴に使ふ方も歯頸部を刺戟して炎症を起し、その部から黴菌が侵入することになります。惡い習慣ですから、なるべくやめる方がよろしい。もし使はねば氣のすまぬ方は極く靜かにお使ひ下さい。

6 糖尿病や腎臟病と歯槽膿漏

歯の周圍の歯根膜や歯槽骨や歯齦の生活力を衰弱させるやうな全身のいろ／＼な病氣は本病と密接な關係があると言はれてゐます。糖尿病や腎臟病や脊髓癆などがそれであります。その中でも糖尿病とは深い關係があります。一體糖尿病はいつ起つたか不明の事が多いのですがもし急に多數の歯が歯槽膿漏に罹つた場合には、糖尿病を疑つてもよいのであります。

リョウマチスや痛風などは血液の變調を起し易く、歯石の中でも血液變調の結果として歯根面に附着する血石の形成と關係がありますから、矢張り歯槽膿漏とは因果關係があります。其他黴毒、ビタミン缺乏症、內分泌機能異常なども關係があると言はれて居りますから、膿漏に侵されて、容易に根治しない人は、一應血液や尿の檢査をしてみる必要があります。それから、內科的の診斷も時に心要なことがあります。

7 歯槽膿漏を豫防するには

歯が丈夫だと自慢する人はムシ歯にならなくとも、膿漏にかゝり易いから、小さい時から氣をつけるのは勿論次の事柄を守つていたゞきたう存じます。
一、定期的歯石除去（一年に一回乃至二回位）
二、歯齦の抵抗力强化としてのマッサージ
三、正しい歯磨法
四、新鮮な野菜果物等を食べること
五、全身病に注意すること
この中一、二、三は次篇で述べますから、四、五について申上げます。

新鮮な野菜果物等を充分攝ることはヴイタミン缺乏症を豫防する上に大切です。餘り肉食ばかりを偏して食べますと、身體全般にもよくありません。殊に卅五歲位からは便通が規則正しくあるやうに注意し、全身の健康狀態を良くして戴きたいものです。

糖尿病や腎臟病の人は、特に口腔の清潔に注意し、每日數回歯磨を使用して、黴菌の繁殖を妨げるように努力せねばなりません。

要するに、歯槽膿漏は、局所の刺戟を避ける事が第一で、全身の健康を圖つて、歯を支へてゐる組織の抵抗力を增すやうにすることを心掛けねばなりません。

新しい粧歯法の話

1 黄色い歯汚れた黒い歯

文化人の心得 歯の美しさは、美人の要素で、明眸皓歯と昔から唱へられて居ります。顏立ちのどんなによろしい方でも、歯がむしくひ、うす汚なく歯垢がたまり、黄色味を帶び、黑い脂などがついて居りましたなら、もはや美人の資格はありません。

歯を不潔にしておくために、口が臭くなり、談話の際にも鼻を衝くやうでは、人格的にも、尊敬の念が薄らぐことゝ存じます。

歯と歯齦の美を增し、健全に保存する事は、文化人としての身嗜みであり、大切な作法として必要であります。

歯の自然美 歯の美しさは、ガラスのやうに透明でもなく、金剛石の如くキラ／＼せず、眞珠の様に落ちついた色澤です。この色澤は、歯の表面の珐瑯質を磨き上げた時に、はじめて發揮されるのであります。

歯の天然の美を發揮するためには、御自身で出來る法と御自分の手では出來ないで、歯科專門醫にかゝらねばならぬ場合とございます。

2 一年一回は歯石をとる習慣

歯齦は淡紅色の生々した色澤でなければなりません。歯齦の色の薄汚い紫黑色をした方は何となく生氣のない醜い感じが致します。

年中行事として これは歯石がたまるからです。歯石は硬く歯にこびりついてゐて、ちようど岩についてる蠣のやうに密着してゐますから、歯科醫が、スケーラーといふ器械で丁寧に除去しなければなりません。これは一年一回は必ずやらねばならぬ年中行事と心得ていたゞき度うございます。

歯石をそのまゝにしておきますと、バイ菌の巢をつくり易く、又その刺戟のために歯槽膿漏にかゝりますから歯が動いたり、歯齦が變色したり、膿が出たりいたします。口が臭くなるのも歯石がたまつてゐるからですから是非とも時々除去して貰ふ必要があります。

3 黑い煙草の脂や綠色沈澱物

素人の間違ひやすい事 煙草の脂がつくと黑くなります。歯の皺の間に汲み込んでなか／＼除れません。歯が白くなると思つて、さういふ粉末の粗惡な歯磨を使つて却つて歯質を磨滅し湯や水が泌みてくることがよくあります。

歯を白くする方法は、歯科醫の手によつてのみ正しく行はれますので、御自分で稀鹽酸を使つたり、そのやうな粗惡な歯磨を使つても、却つて珐瑯質を害して、あとが惡い結果になります。

十二三歲の女子の前歯が黑ずんだ綠色に見えるのがあります。綠色沈着物と言つて居ります。これも歯質を害さぬ樣に除去せねばなりません。

白粉の鉛毒のために歯が黑くなることがあります。これも歯を磨いただけではいけません。

黄色く汚れたのは 歯の表面に食片がたまり、それがいつまでもついてゐると、歯垢となり、細菌の繁殖に適して、ムシ歯の原因となります。これは歯磨や歯刷子を使ふだけで立派に除去することが出來ます。時には御自分では出來ない位多く固くついてゐることもありますが多くは軟いものですから、歯刷子を使つてとり除くことが出來ます。

4 歯磨良否の見わけ方

歯磨の選び方は、口腔衛生上大切な事でございまして、先づ歯磨として良い品はどういふものかを申上げますと、
一、清掃力の偉大なる事　が絕對に必要な條件で、これには適當の微細なる分子の粉粒でなければなりません。そして歯に密着してゐる食片を除き去るだけの藥を完全に配合してなければなりません。吸着除去作用はライオン歯磨の最も特長とする所であります。試驗管の中へインキをうすめたのを入れて、其中へ歯磨を入れますと、吸着力の强いもの程インキの色素を吸着しますからインキの色は薄くなります。
一、粉粒の微細なもの　粉製にしても煉歯磨にしても、分子の微細なものがよろしうございます。急劇に歯を白くするとか、煙草の脂を落すとかいふ種類の歯磨は粒のあらい結晶を含むもので、歯を磨りへらし、歯のためによくありません。
金冠がくもるやうな歯磨は粗惡なものであります。
一、殺菌力の大なるもの　ムシ歯や歯槽膿漏の原因となる黴菌の發育を妨げ、これを無力にするやうなものがよろしうございます。
一、口中酸を中和するもの　歯の珐瑯質を溶かす酸を中和するアルカリ性のものが必要です。
一、歯齦をひきしめる作用　適度の收斂劑を以て、歯齦をひきしめ、常に歯齦を美しい淡紅色に保つべきものでなければなりません。

一、齒石齒垢の沈着を妨げるもの齒齦の病氣の原因となりますから、これがたまらぬやうに藥物を適當に配劑してあるものがよいので、齒石を豫防すると標榜して却て齒石の沈着を促すやうな齒磨はよくありません。
一、使つて爽快な氣分を感ずるもの　毎日使用するものですから、口中へ入れて氣持のよいもの。

四十年の歴史を有するライオン齒磨　以上の如き條件を備へた齒磨を製造するには、基礎劑として最優秀な炭酸カルシウム、其他藥品にしても香料にしても、原料を充分に精選せねばなりません。そして完備した工場と優秀な技術者が製造して、はじめて良い齒磨が生れます。世界的齒磨として既に四十年の歴史を有し、終始一貫ライオンの名が光り輝いてゐるのは、全く以上の條件を完備してゐる上に、常にたゆまざる研究を續けてゐるからであります。

5　齒刷子の知識

合理的の新型　齒刷子は、近代的の新型として所謂ライオン型が合理的でございます。その特長は次の通りであります。
一、柄は骨製で彈力性のないものがよろしい。少し力を入れると撓ふやうなものはいけません。
一、毛は少し硬いものがよろしい。軟いと充分磨けません。
一、毛の並べ方は齒列に一致するものがよろしい。
一、毛束の先は尖つてゐるものがよく、平坦なものは奥齒の凹んだ部分や齒の間がよく磨けません。
一、よく消毒のしてあるものがよろしい。

大きさは各人の口腔齒牙によつて一號より六號まで各齒列穹の平均値によつてきめてあります。

舌かきは有害　「舌こき」のないのは、舌をかくことが危險を伴ふからでございます。舌の表面には舌乳頭といふものがございまして、味蕾といふ味神經の末端の裝置がございますから、それを傷けることは味覺を害するばかりでなく、さういふ刺戟が繰り返へされると、よく舌癌を起すことがありますから、ごし〳〵こする事は決してよい習慣ではございません。

6　齒刷子の消毒

家庭で出來る法　最初、完全に消毒した齒刷子でも、一旦使ひましたなら、清潔に保存していただき度う存じます。御家庭で一番安全で簡單に出來る消毒法は、次の通りであります。
一、使ふ時、煮立つた湯をかける

二、使つたあと、よく水で洗ふこと
三、日光のよくあたる所にかけておいて、日光消毒をする事
四、時々煮沸消毒をする事　これは面倒のやうですが、お鍋でも何でもよろしうございますから、煮立てた中へ齒刷子を十分間位入れておけば、どんな黴菌でも死んでしまひますから、極く簡單に出來る方法でございます。

7　齒の正しい磨き方と齒齦のマツサージ

齒磨と齒刷子とがよくて、其上磨き方が正しければ、齒は美しくなります。

前齒でも奥齒でも、表だけ磨いてよいものではありません。口中に露出してゐる部分を全部磨くのですが、しかしその中でも一番齲齒になりやすい所や、齒石のたまりやすい場所を特に注意して磨かねばなりません。

大切な場所　ムシ齒に罹り易い場所は、齒と齒の間、奥齒の咀嚼面でございます。齒石のたまり易い所は、前齒の裏とおもて、奥齒のおもて側などであります。

齒刷子の持ち方は、各自習慣によつて違ひますが、大體、上下前齒の外側と、左の奥齒の內外側を磨くには、拇指を齒刷子の柄の內側（毛の植ゑてある側）にあてゝ握ると都合よく磨けます。右側の場合には拇指を柄の外側にあてます。他の部分は夫々適當にお持ち下さい。

上下の運動　齒刷子の運動は、上下式がよろしいので横磨法は非常に惡い方法でございます。大概の方は横にゴシ〳〵磨きますので、私共は、この間違ひを矯正してあげたいと存じて居ります。

上の齒は上から下へ、下の齒は下から上へ磨く方法、つまり齒の長軸に沿ふて、上下に磨くのが正しい齒の磨き方であります。

横磨法は危險　横にこすりますと、齒の間が奇麗に磨けないばかりでなく、齒の琺瑯質が磨りへつて水や湯に沁みてくるやうなことがあります。殊に近頃できた粗惡な齒磨を使用いたしますと、忽ち琺瑯質から象牙質まで磨りへつてしまふことがございます。

齒刷子は、お使ひになつたあとは、必ずよく水で洗つて、よく水をきつて乾かし日光のあたる場所へかけておいて日光消毒をなすつて下さい。さうして十分間煮沸消毒をすれば合理的でございます。柄がグニヤ〳〵になつて毛の脫けるものなどは役に立ちません。

齒齦のマツサージとパラデントの効果　齒を磨くには單に齒ばかりでなく齒齦の方にも刺戟を與へるやうにせ

なければなりません。そして齒齦マツサージ用クリームでマツサージすることは、血液の循環をよくし抵抗力を養成する一つの良い方法です。パラデントはライオン齒磨本舗で此目的に作つたもので、齒齦を强化し、齒槽膿漏の豫防や治療にも絶大な效果があります。よく指を消毒してパラデントを指につけてマツサージして下さい。

8　夜寢る前の三分間

只この習慣の一途　朝齒を磨く習慣は、永い間養成されてゐますから、どなたもやらずには居られませんが、夜寢る前にはとかく怠りがちの方が多いやうです。ところが、實際は夜寢る前に磨くのが何より大切で、夜さへ磨けば決してムシ齒になる事はありません。口中の黴菌は夜の睡眠中に活躍するものですから、お寢みになる時には、必ず黴菌を驅逐し食物の殘片を除去することが口腔病を豫防する上に何よりも大切であります。

夜寢る前の三分間は、この意味に於て尊い時間です。この尊い時間をお忘れなく御利用下さい。ムシ齒や齒槽膿漏の豫防には此良習慣をつける一途あるのみでありま す。その上、齒齦用のパラデントでマツサージすれば、齒と齒齦の健康が保持され、常に美しく、淸らかな生活を樂しむことが出來るのであります。

胎教に就て（十一）

文學博士　故　下田次郎

產婦の看護

一、出產の事　「慈母子を胎めば、十月の間に血を分け、肉を頒ち、身體髮膚之に由りて成就す。」而してその間能く胎敎を守り、身體の養生を怠らねば、月滿ち時到りて、安々と丈夫な良い子を產むことができるのであります。兒島額齋の保產道志遊といふ本には、この事につき次の如く述べてあります。

「それ生產の一事は、造化自然の理にして、天地開けてより、定りたる事なり。然るに今の世の人、難き事に思ひ、平生より憂ひ懼るゝは、定りたる理なる事を、明めざればなり。思ふに造化のなす所は、皆生々不息の德なれば、何ぞ人をして產れがたからしめんや。月いたり時いたれば、他の助を待たずして自ら產まるゝものなり。願はくば自然の道に戻らずして、其生を遂ることこそ專要なるべけれ。

姙娠の第一心得べきは出產は是病にあらず、定りたる自然の理なれば、心に憂ひ懼れずして產るゝ月の來らば產るべしと思ひ、唯心を安靜にしてその日を待つべし。

おのづからその時ある事は、瓜の熟して蔕の落ちるが如しといへり。」

姙娠は元是天理の妙であります。從つて其結果たる出產も亦自然に行はれるものであります。それで通例は何事もなく產み終りて、所謂「案じるよりは產むが易い」の諺を事實に證明することゝなるのであります。

それで姙婦はよく胎敎を守り、身體の養生をして居れ

ば、あとは自然に任せておき、産の心配をせぬがよいのであります。周圍の人々も産の心配らしいことを言つたり、その振りを見せたりせぬやうに、注意せねばなりません。同じ本に、

「世に富る家は、懐姙の内、召使ふ侍婢はいふに及ばず、穏婆その外かしこぶれたる人々、多く扶持するものなれば、皆姙婦の心に入んと、媚び諂らふ故、かしこの醫師の藥用ひ給へ、こゝの護符こそ奇妙なれと、病なき姙婦にも、此の如く言ひ罵る故、姙婦の心いよ〳〵安からず、出産の頃は尙更無益の人多く寄集まりて、産屋の內にて、つぶやき合ひ、姙婦もいよ〳〵心ぼそくして憂ひ恐るゝもの也。出産の催しありて、腹の痛を覺ゆると、かの聚り居る婦女の輩、互に相告報する故に、傍特に騷がしくして、産婦を驚き恐れしむ。その驚き恐るゝ氣、內に結ぼる故に、生理自ら和せず、痛みいよいよ强きを見ては、早時のいたるかと、或は髮を括るものあり、或は腹を押すものあり、或は冷水を面に注ぐものありて、此方より强て努力せしめ、兒産れ出れば、內に結ぼれ聚る氣一時に奔り下て、忽ち悶絕をいたす。更に他によるにあらずといへり。」

と言つてあるのは、姙婦の周圍の人々の心すべきことでありませう。

又「出産の時使ふべき人、並に用ゆべき物兼て用意すべし」とて、次の如くいつてあります。

「出産の時用ゆべきもの、其場に臨みて、かの物はなきか、この人は居ずやと、足本へ火のつきし如くにして産屋の內騷動すれば、正産すべきものも心安からざる故、終には難産するにいたる。先第一心得べきは、産婆なり。」

産婆は、今日の進歩したるその道の學術を心得、且助産の經驗に富みたる者を賴むことが肝要であります。さうして臨産といふ時には、すぐ來て貰ふやうに手筈をきめておかねばなりません。産に使ふ物品は、今日はチャンと出來て居りますから、産婆に言へば、皆揃へて送つておいてくれます。元は、襤褸切れなどを使つたといひますが、如何なる病毒黴菌が附いて居るかも分らず、この位危險なことはありません。そんなものは決して使はず、消毒した脫脂綿、ガーゼ等を使はねばなりません。今はそれら入用品を揃へたものが出來て居ります。こんなものに費用を吝むのは、所謂「一文儲の百失ひ」といふものであります。これらの用意は新しい修業をした産婆は皆心得て居て、賴めば萬事よくしてくれるものであります。産の時に使ふ人については、

「たとへ高貴富豪の身なりといふも、産屋にて召つかう

人は二三人にてすむべし。あまり助くるもの多ければ互に告報して、産屋の內自ら噪し。その主たる人、能心得べし」

とある如く、産婆と、その助手と、姑か母親の如き産の經驗があつて、産婦の力と賴む者と、この二人位で十分でありませう。

産をする室は、採光通風共に良くて、且靜かな所が好いのであります。內の人々も、關係のない者まで右往左往して、騷動してはいけません。

「第一無益の人往來して、産婦を見うかがう事堅く戒むべし。とかく産屋の內は、靜かなるやうにすべき事專要也。まして初産の女は物事心細くして、早産るゝかいまだ隙いるかと、怖れ憂るものなれば、もとより扶持せる人よく〳〵心得べし。

出産は婦人の常なれば、極めて易き理にして、按ずるより生むがやすきといふ諺を思ひ、心おそれ憂る事なかれ。」

初産の時などには、往々里に往つて産をする婦人もあります。これは第一産婦が心強く思つて、産ができるからでありませう。これは里でしても、夫の家でしても、都合によつて、どちらでもよいと思ひます。いづれにしても、姑なり母親なりが、何度も産をした經驗があるならば、それだけ産婦は心强いし、又實際爲になることもあります。なほ産の時は、なるべく夫は家に居るやうにしたいものであります。一番賴りにするのは、どうしても夫であるから、直接産に關係しないでも、唯內に居るだけで、どれだけ産婦の力になるか分らない。昔は産が始ると、內に居た夫でも飛び出すものがあつたといひますが、それは間違ひでよくない、どうしても內に居るに限ります。また豫め産科の病院に打ち合せておいて、産氣付いたならば、病院に入つて産むのも手が行屆いて、後の爲にもよいものです。

かくて産婦は、順風に帆を孕ませ、老巧な舟人が繰つて居る親舟に乘つた氣で居れば、自然に安産することができます。而して、この際安心と信賴との外に、産婦に必要なるものは勇氣であります。産をするには多少の苦痛は免れません。然るに、その痛みを忍ぶこと能はず、轉々煩悶、泣き叫べば、氣分の方から弱つて仕舞ひます。産婦にして勇氣盛んなれば、産婆も又醫者も大に處置を爲し易く、從つて良好なる出産を見ることができるといひます。

かくて諸般の準備悉く整ひ、産婦及び他の人々の用意も十分に出來て居れば、産は恐るゝに足らず、安々と産むことが出來るのであります。經に「若し夫れ平安なれ

ば、猶蘇生來るが如く、子の聲を發ぐるを聞けば、已も生れ出でたるが如し」といひ、「貧の寶を得て、喜ぶこと量り難きが如し」といへるは、その時の母の心を寫したものでありませう。まして夫に來て見て貰つて「マアよかつたね」と、唯一言いつて貰つた時の産婦の滿足は、いかばかりでありませう。若き母のハートの、最初の且最も好む望みの一つは、夫の腕に抱かれた嬰兒を見ることである。以前はこれが、夫が我が子と認めることを意味したこともある。大概の母には、これが、二人は今は唯夫と妻だけでなく、この子の聯帶の兩親であるといふ、新しく一層高い結合の絆を意味するのである。それに胎敎と身體の養生に注意した結果、立派な子であつたならば、滿足とともに勝利の誇りと喜びとを感ぜずには居られますまい。「萬の物は皆買はるゝなり」と、或賢人が言つたやうに、二百八十日の姙娠の負擔と、出産の骨折とによつて、一人の人の子と、この喜びとを得るのであります。それを考へれば、姙娠と出産の勞苦は、寧ろ安價なものといはねばなりません。

なほ男が欲しいとか、女がほしいとか思つて居たとき丁度その通りの子が生れゝば、これほど喜ばしいことはありませんが、註文通りに行かないでも、夫たる者は不機嫌な樣子をしてはいけません。

「生兒の目出度を悅ぶさへ、不思議なる事の出事たるやうに、あまりに多言妄動すれば、産婦の心安からざるものなり。」

まして平生から、男子を望んで居たとしても、生れたのが、「たとへ女子なる事を悟るとも、その夫たる人、女子を悅ぶまねして、産婦の心を安んずべし。」「まねして」は可笑いが、兎に角夫は滿足を表して、産婦に氣の毒がうさぬやうにせねばなりません。中には註文が外れたといつて、産婦が知つたかのやうに、憤る夫もあるといひますが實に無理な、そして同情のない仕打といはねばなりません。その爲めに産婦の肥立ちがよくないやうなこともあります。舅姑もこの事はよく心得ておくを要します。

二、産褥の養生　産がめでたくすめば、産婦を始め、一家安堵の思をします。しかし外にこそ見えね、腹內は、産のために大變化を來したのであるから、産んだ後の養生が大切であります。それには身體と精神との養生があります。

産がすめば、産婦は成るべく軟かい臥床に仰臥し、冷えないやうにして、安らかに眠るがよいのであります。産の疲勞と心配と、産んだ安心とのために、自然睡眠を催しますから、十分眠らせます。これは身體の恢復に大

に役立つから、家人は成るべくその周圍を靜かにして、安眠できるやうにせねばなりません。眠の覺めて居る時でも、心を安靜ならしめるため、噪しくないやうにし、又産婦と餘り話などして、面倒がらさぬやうにせねばなりません。家事に就ても問はないでも濟むことは成るべく問はず、聞かさない方がよい事は、當分耳に入れぬのがよいのであります。

「産後には家內いかにもうちしづまりて、高聲に物をもいふべからず。大抵産前は賑はしかるべきを少し滯れば、氣づかひして、色を失ひ、しづまりかへる故に、産婦もさては大事に及ぶかと、力をおとす。産後に隨分しづまるべきを平産と聞きては、人々嬉しさの餘り、上下高聲になりて、家內しづかならず。産婦も喜ばしきまゝに心浮き立ちて、血あがる事ある物なり。よく鎭めてよし。」(畲斯艸)

喜びの客なども産婦の所に來て、長く居り、餘り喋舌るのはよくないので、祝ひの挨拶が濟んだらば、よい加減に産室を去るがよい。さうでないと、應答の爲めに後で疲れて、體溫や脈に變化を生ずる事があります。尤も姑とか、母親とか、姉とか、力になる人は、時々傍に居た方がよからうが、それでも餘り話をするのは、よくありません。默つて居ても、唯居て貰ふのが、力になり慰めになるのであります。夫も時々は尋ね、夜なども、餘り遲く歸らぬやうにするがよい。

要するに、よく肥立つて、なみの身體になるまでは、産婦はすべて胎敎に準ずる精神を以て、生活するがよいのであります。

精神の安靜と共に、身體の安靜が必要であります。それで産後七日乃至十日頃までは臥たまゝで居り、それが過ぎれば食事の時だけ起き、それより漸次起床の場合を增し、三週間位で全く床を離れるのが通例であります。産褥にある間は成るべく經驗のある看護婦に居て貰ひ、それに萬事世話して貰ふがよく、必ずしも三週間居ないでも、よいでありませう。尙身體の處置淸潔法は、産婆や看護婦に任せることにします。産褥中は暖かにするは勿論、床を離れてからも常に暖かにし、特に腰、腹、胸を冷やさぬやうにし、始めての外出は、天氣のよい暖い日に、すればするがよいのであります。

産婦の食物は、産後二三日は牛乳、鷄卵又は薄い粥を取り、それから並の粥や輕い魚類を許し、一週日位から軟い米飯に移り、漸次普通の食物になるのであります。

生兒の養育

一、生れた時　胎兒は出産に由つて、母體から出でて

この世の人になります。生れるまでは、母の胎内で生活して居たのでありますが、生れると共に、母との有機的連絡は切れ、獨立した一個の身體となり、自己の肺臟で呼吸し、自己の口から食物を取つて生活せねばならぬことになります。一生涯の中で、如何なる變化も、生れると突然起るこの生活法の變化ほど、急劇なものはありますまい。ローマの或詩人は、生れたての兒は、怒濤のために海岸に打上げられた船人のやうに裸で、無言で、生活のあらゆる助けを缺いで、地上に横はつて居るといひました。

出産といふ事は、母にもなか〳〵骨の折れることでありますが、兒にも容易なものではありません。今まで母の暖い胎内に樂々と居たものが、俄に窮屈な目に遇つて壓迫の數時間の後に、外界に押し出されるので、出ると兒も非常に疲れます。さうして頭が外に覗くと、待つて居たといふやうに空氣が口から入つて來て、肺臟に入り込み、こゝに呼吸が始まり自分で生きねばなりません。當分はまだ呼吸も不慣れで、むせるやうな泣聲をしますが、數日の後にはやうやく空氣に慣れて來ます。

身體も是迄は柔い胎壁に圍まれ、溫い液體の中に浸つて居たのが、生れると乾いた空氣の中に曝されねばなりません。そして湯に入れられて、身體を餅が上つたやうに取扱はれ、おまけにタオルで拭かれそして着物を着せられて、布蒲の中に臥かされます。産婆がどんなに丁寧に取扱つても、拭いても、着物や布團がどんなに柔かでも、胎内に居るに比べれば、荒々しく、がさ〳〵して居るに違ひありません。これらは皆生兒の生活の樣子を變へ大に疲勞さすものであります。それで、産婦が子を産むと、疲勞して眠るやうに、赤ん坊も疲れて、唯眠るばかりであります。

二、生兒の育て方

生兒はまだ體力も神經も弱く抵抗力も弱いのでありますから、餘程注意しないと育ちません、育つても弱いものになります初めの注意如何が、後には大層な違ひを生じますから、生兒の育て方は實に大切なものであります。生兒を育てるには先づ

保溫　といふ事が必要であります。生れた當分は、乳を呑まないでも生きて居るが冷えると死にます。獸類でも皆生れると暖めて居るのは、その必要があるからであります。それで着物を十分に着せ、布團をかけ、寒い時ならば、湯タンポを入れて暖め、室も暖めます。一年未滿の兒は、熱が出た時でも、滅多に冷やすと、それつきり冷えて仕舞ふことがあります。卽ち生兒には、冷えは大禁物であります。又生兒は皮膚の抵抗力が弱いから、風邪をひかぬやうに注意せねばなりません。

呼吸　室内は、空氣の流通に注意し、成るべく新鮮な空氣を十分に呼吸せしめねばなりません。これは後にいふ良い乳を呑ます事と共に、生育上大切な事であります。乳には一日七八回吞むのでありますが、呼吸は絶えずして居るので、空氣の良否は、大に身體の發育と關係があるのであります。

衣服　は木綿やフランネルなどで作り、紐などで强く締めないで窮屈でないやうにし、布團も輕くて壓迫を感ぜしめず、樂に自然的に仰臥せしめるを要します。臥せる姿勢が無理であると、體格が惡くなることがあります。兒が泣くのは腹が減つた時ばかりではありません。着物の工合や臥方が惡かつたり、寒かつたり、濕つて居たりして、心地の惡い時にも、泣くものであります。

淸潔　生れて數日間は、日々湯に入れて身體を淸潔にし、眼や口も淸潔にせねばなりません。これは初めは、産婆や看護婦がしてくれますから見て居れば、後には母親で出來るやうになります。湯に入れると血のめぐりがよくなるから、生活作用が盛になり、湯肥りがするなどといつて居る位であります。又臀部は、尿便のために不潔になり、濕り勝ちでありますから、時々襁褓を取り替へ、糜爛ないやうにするを要します。

哺乳　「生身には餌食あり、乳房といふ天道の御扶持方」とあるやうに、胎兒は乳を吞んで生活し、又生育します。それで生れると、誰が敎へるのでもなく、自ら乳房を吸ひます。初めは下手でありますが、追々慣れると上手になります。乳は母のを吞ますのが、通例最も良いのであります。母であれば、胎兒を養ふのと、乳吞兒を養ふのとは、唯内外の相違で同じ母體の材料で養ふのでありますから、最も自然で、その移り代りに無理がありません。又乳の成分や濃さも、兒の生長につれて、都合よく變化して行きます。それで母の乳が出ぬ場合、出ても良くない場合、母が弱かつたり、性質の良くない病氣をもつて居る場合、脚氣等の外は、母が哺乳するに限ります。乳の良否は、醫者に檢査して貰へば分ります。獸類でも、母が子に乳を與へなかつたならば死んで仕舞つて、種族は絶える外はありますまい。母が子に乳を與へるのは自然の約束であります。

然るに、もし自己の愉快を求めるために、出る乳をもやらずに、子を人手に任せて、交際とか見物とかいつて外で遊び暮すやうな母があつたならば、實に不都合な事で、決して母の天職を盡したものとは云へません。如何に立派な家に住み、美しい着物を着て居ても、襤褸を着て、胸に子を抱いて居る婦人よりも、遙に劣つた婦人といはねばなりません。母が子を抱いて居るより高尙な畫題はないと、獨逸の或る詩人は申しました。西洋でも、畫聖ラファエルの最大の傑作は、マリアが生兒キリスト

を抱いて居るところの畫であります。胸に漲る生命の泉に溫き唇をつけ、桑き舌にてこそぐられながら、吸はれるとき、母は子に對する天職を果すを感ずると共に、歡喜に恍惚たるの境涯に逍ふことができるのであります。「婦人の一生中、最も幸福なる時は、初めて母となつた時である」と、或人の言つたのも、實にもと頷れるのであります。

乳の出方は、母の體質にも由りますが、またその生活の仕方が大に關係します。卽ち、身體と精神の衞生に注意しなければなりません。

乳の出る法　先づ身體の方から云へば、産褥にある時は、前に述べたやうな生活をなし、床を離れて普通の身體となつたならば、餘り劇しい勞働でない限り、從來の通りに働くがよいのであります。卽ち、子の世話は勿論家事もするし、家業も營むべきで怠惰に暮らしては却つていけません。

よく働けば、從つて食物もおいしくて、澤山食べられ又よく消化します。「乳の出る藥」などを吞むよりも、自然的に簡易生活をなし、御飯を澤山食べてよく運動すれば自ら乳になります。しかし胡椒、芥子、唐辛の如き、强い刺戟物は避けねばなりません。飮料も淸水、湯、薄い茶、牛乳などがよいので、酒類は禁物であります。内服藥は乳の成分を變へて、母よりも子に强く利くことがありますから醫師に相談せずに、猥りに飮んではいけません。

精神の方は胎敎の場合と同じく、氣分を快活にもち、心を平和安靜にして、心配、驚き、怒り、悲しみ等、激情を起さぬやうにする事が必要であります。喜びでも急激なのはいけません。感情の激動は、全く乳を出なくしたり、乳汁の成分を變へて、それを飮んだ爲めに、子が腹を損ねたり、熱を出したり、痙攣を起したり、甚だしきは死なすことがあります。それで母親自らも、成るべく心をなだらかに持つやうにし、周圍の人々も、母の平和を亂さぬやうに努めねばなりません。傍でやかましくがみ〳〵言つたりすると、出る乳も出なくなります。實に精神狀態は、乳に覿面に影響するものであります。それで溫和、寬大であつて、神經質でない母親は、通例乳も良いといひます。また乳を吞ますといふ事が、愉快な事であるから、哺乳期には母親が他の時よりも、一般に嬉しい氣分をもつて居ることが、乳にも良い影響を與へるのは、自然も良くしたものであります。

氣分の快活なると否とは、餘程消化と關係のあるものでありますから、快活に暮らすには消化を良くする必要があります。これには簡易な生活をして、能く働くに限ります。「仕事は天然の醫者なり」とは、味ふべき言葉ではありませんか。（未完）

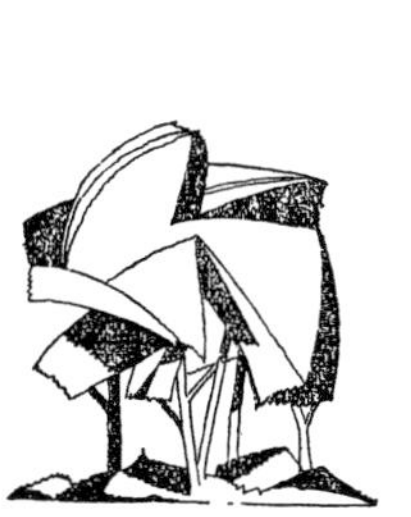

俳句に於ける子供の世界（一）

——新年の部——

佐藤亞我

芭蕉は「童のする事に注意を拂へよ」と常に申してゐます。童は彼等の眼に映じ、耳に聞えた處のものを素直に言語行動に表現するからであります。卽ち無邪氣であるからでありますが、この無邪氣こそ藝術の構成の重大なる一要素であると思ふのであります。童心に歸れ、素直なる表現をの要望は總てこの邪氣、卽ち不純なる感覺生活より來る處の偏見をより少くし、己が主視を如何に普遍的に客視化しおうせ樣かとしてゐるものなのであります。定義を拔きにして藝術なるものは自然の偉大さに對して餘りにも人生が弱少である事から起る驚歎の聲に外ならないのであります。國亡びて山河ありの悠久さ、春來りて萠え出づる草木、秋に到りて稔るべきこの不可思議、これ等が詩人には、畫家には、それ〴〵の心絃にピンと響くのであります。でありますから自然をそのまゝ表現する純眞なる童、これは取りも不直自然の一現象と見てさへ差支ないのでありますが、彼等の行動を注意する事は藝術家として當然なのであります。吾々が苦心慘澹してゐる事を彼等は何んの苦もなく觀察し表現してゐることがあります。

俳句には季語と云ふものがあります。別に數が極つてゐるわけでもありませんし、それ等のもつ意味はこの通りなりと規定してあるのでもありませんが、芭蕉以後統計的に割合に屢々それ等の季語を中心に詠ぜられてゐる俳句が多いので便宜上列擧されてゐるのであります。それ等の季語の中に相當に子供に關するものがありますので、それ等を中心に少しく例を擧げ、如何に俳句藝術が子供にも緣が深く且つ注意してゐるかを考へて見たいと思ふのであります。平常子供に泣かされ、笑はされ、敎へ

られてゐる大人の内に俳人は尚ほその外にも自然への連繫を感じてゐるのであります。

明けそむる臥所の子等や初笑ひ　榮次郎

泣きぞめの玩具喧嘩をさばきけり　いく女

東の空が白んで來て、待ちに待つた正月が來る。子供等はヂツトしてゐない。最早床の中で眼を覺してゐて、凧の話、追羽子の話、お雜煮の話をして笑ひさゞめいてゐる。父は神棚に母は雜煮をつくりながらこの笑を聞いてどんなにか樂しいことであらう。又玩具が多分父母の心からなるお年玉の玩具が他愛ない兄弟喧嘩をやめさした事など數百言の文章が表現し得ない境地をも、眼前に如實に表はしてゐる。

彈初や姉と揃ひの爪袋　千芳女

琴の彈初めには六段か千鳥を選ぶさうでありますが、姉妹揃つて彈いてゐる姿は可愛い。

步きそめし兒が覗き來し初鏡　桂子

ヨチ〳〵と步く赤ちやんも綺麗な着物を着せて貰つてゐるのでせう。正月の顏をこしらへてゐる姉さんの鏡臺に自分も一人前に顏を出した處など微笑まずには居られない。

硯をどる學校始めの鞄かな　俊晃

正月八日より學校が始ります。新學期の心意氣よろしく子供は家を飛び出します。鞄の中にコトン〳〵と硯が音を立てゝゐたのが門まで送りに出た母親の耳にまだ殘つてゐる。

なにしおふ毛の空風やいかのぼり　南崖

双凧柱につるす小店かな　桃孤

凧揚げや子等がよび出す神の風　葵郷

凧のことはいかのぼりとも云ひます。毛の空風は赤城颪を云ふのですが昔群馬縣地方を毛の國と云つてゐましたから。そして冬期カラツ風が强いさうです。名にそむかぬ赤城颪の烈風の中に上州男子が眞赤な頬をして凧の糸をシツカリ握つてゐる姿が見えます。

手毬つく日南さがしてゐる子かな　菊太

船の子のひとりあそべる手毬かな　柳賀

手毬と云ふのは綿を丸めて心とし、その上を毛糸でかゞつたもので正月女兒の遊ぶものと昔からされてゐます。今のゴム毬とは趣のズート違つたものです。その綺麗な手毬を持つた着飾つた女の兒がどこか暖い遊び場はないかと探してゐる。若し知つてゐたら、あそこにあるよと敎へてやり度い。水上生活者の子は假令舟が岸に着いても陸には遊ぶに知つた子とてなく淋しい存在である。でも正月が來れば同じ樣に手毬を持つて遊ぶのであるが、それこそ手毬と二人きり、船土間で歌を唄つてゐるのである。業とは云ひ乍らこの作者は水上生活者の上に大きな同情を寄せてゐる。

ぽつぺんや割れてはかなき雪の上　龍喜知

ぽつぺんと云ふのは薄い玻璃にて丸い壜の樣なものに細い口がついてゐるもので、その口から息を入れて呼吸するとその底部が動いてペツコン〳〵と鳴る仕掛になつてゐます。正月子供が吹く玩具です。そんな薄い硝子の玩具ですから非常に壞れ易い、ハツと思ふ間に遊んでゐた手から落ちてパチンと破れてしまつた。茫然としてゐる子供の顏、泣き出しさうな眼。子供が好きでなくてはこんな句は出來ません。

以上は新年に屬する季語の中から子供本位のものを一寸引用してみたに過ぎません。季語は大體新年春夏秋冬に分類されてゐまして、而も新年の分は一番少ないのであります。何れ又の機會に春夏秋冬の分を御紹介申上げます。

季節の注意

夏の傳染病、赤痢や疫痢を豫防しませう

皆さん大變暑くなつて參りました。坊ちやん、孃ちやん方は御元氣ですか、これからは赤痢や疫痢或は性質の惡い下痢が流行する時節です。可愛い坊ちやん、孃ちやん方の生命を奪つて行く恐ろしい疫痢も急に增加して參りました。

夏は殊に子供では胃腸の消化作用が弱つて居りますから一寸した過食や、不良消化のために直ぐにお腹を壞し易いのです。後の後悔先に立たずと云ひます。病氣になつてからの手當よりは、先づ病氣にならぬ豫防が大切です。平素から次の樣な色々な點に氣を付けて胃腸を丈夫にして置くことが大切です。

一、食べ　に注意しませう。

イ、消化の惡いもの、平素食べ慣れぬものはやらぬやう

たこ、いか、するめ、漬物、こんにやく、昆布、筍、牛蒡、燒き肉(獸)、落花生等。

ロ、食物は腐らせぬやう、腐敗しかけたものは決して與へてはなりません。

ハ、屢々恐ろしい病原菌の媒介となる不良な淸涼飮料水(不良なラムネ、サイダー)氷、氷菓子、ところてん、ひややつこ、みつ豆、ゆであづき、桃、柿、苺、葡萄、西瓜、梨等は與へてはなりません。

ニ、生の物は與へぬ樣、一度煮たてたものをなるべく早く與へませう。

ホ、過食にならぬ樣、間食はなるべく控へませう。

ヘ、冷いものを澤山に食べぬやう、寢冷をせぬ樣腹卷掛蒲團を忘れぬやう。

二、炎天に子供を連れ出すな、子を連れての遠出はなるべくせぬ樣。

三、幼子(一―四、五歲)の海水浴はお止め中さい。

四、患者が發生した場合にはすぐに病院に隔離すること而して患者の使用したのは勿論、病院及び便器、便所を嚴重に消毒さねばなりません。

審査會前記(編輯後記)

◉第十一回全東京乳幼兒審査會の準備の爲め、五月二十四日迄約二週間不眠不休の活動を續けたのであるが、本誌編輯の所用にて二十五日半朝歸阪した、偶然矢澤弦月氏と同車であつた、在阪四日間にして二十八日の夜行にて亦々東上したのであるが、此の日蒼空高く五臺の飛行機が爆音も勇ましく飛びかへつてゐたが、それがいかにも我等の運動を祝福してゐるやうに思はれた、深夜に係らず驛迄北市民館診療室の伊藤、渡邊諸氏の御歡送は恐縮の外はなかつた。

◉二十九日、着京、直ちに高島屋の木村、波多野二氏と協議をなし、午後愛育會に齋藤博士と牛島、加藤二氏に面會して審査會に於ける精神檢査の打合せをなす、三十日、高島屋に於けるラクーザお玉夫人遺作展覽會にて偶然永井柳太郎閣下に御目にかゝり、貴賓室にて夫人の遺族や木村毅氏等と共に、閣下から美術に關する物語りを拜聽する事が出來た、三十一日、審査會と同時に別室にて開催さるゝ子供優良必需品展覽會に出品の諸會社と吉村、保尊兩畫伯を訪問した。

◉六月二日、廣井會長と共に陸軍省情報部に部長清水大佐、鈴木少佐、勝屋少佐を訪ふて本聯盟の事業の援助方を御願ひし、更に醫務局に局長三木中將閣下、梶浦少佐に御挨拶をした、偶然にも内閣情報局の森崎善一氏と丸尾長顯氏に面會した、三日、未明に起床して本會顧問、役員の名簿を整理し、午後永井閣下邸に至り『軍國母性大會』の御講演を御願ひした「十日に講演を終つて、其の晩北陸に旅行します」、など云はれ、靜かにお庭の新綠など見やり乍ら事業の經過を御報告申上げた、遠く外苑には早慶戰應援のどよめきが聞ゆる、其の夜大森の義弟平田氏宅に一泊、去る三月甥英一君の進級祝に贈つてあつた軸物の箱書きをした、四日は西牧畫伯を訪ねた。

◉五日、展覽會關係各位の協議會を開き、夜は駿河臺の宿所にて本誌の編輯を完成した、六日、厚生省の宇田川博士よりの電話ありて同省に至り、長崎に親戚星健三氏、狩野、保尊兩畫伯を訪れた、七日、岸邊福雄先生を御訪れしたるに「審査會には連日十五人づゝの上級生徒を應援致させます」、と約束して下した、曾つての文展に出品の山本鼎畫伯の御肖像畫を再び拜した、それから徒歩にて厚生省に赴き秘書官に御目にかゝり、大臣の審査會御臨場を來る十二日午前十一時と決定して頂き、午後は報知、東日、讀賣、東朝、國民の五社を歷訪した、若き社會部の記者諸君は、本聯盟が大正十年に全國に魁けて發祥した當時の事を質問されるのであつた、其の夜は日本橋末廣に於て審査會の打合せ會を開き、厚生省の市來課長、宇田川博士、審査主任の中鉢、富田、山田、柿本、廣瀨五博士、統計局の浦上氏等より種々御高見を拜聽して益する處多大であつた、例年犧牲的な奉仕をさるゝ高島屋宣傳部、小石川產婆會各位も當夜出席された。

◉八日、早朝、中外商業、都の二社を訪問して、東京病院に至り、夜は久ケ原の永松海軍大佐宅に義母の病氣を見舞つた、在京中睡眠時間は四時間程度である。

本誌定價　一冊金參拾錢　郵稅壹錢五厘
半年分六冊　金壹圓六拾錢　郵稅共
一年分十二冊　金參圓　郵稅共
誌代郵稅は一切前金の事
前金切の場合は發送中止
郵券代用は一割增のこと
昭和十四年六月廿八日印刷
昭和十四年七月一日發行(每月一回一日發行)
兵庫縣武庫郡精道村芦屋
發行兼編輯人　伊藤悌二
印刷人　木下正人
大阪市西淀川區海老江上二丁目三七番地
印刷所　木下印刷所
電話福島⑮{一五三四番 二四二六番}
大阪市北區天神橋筋六丁目
大阪市立北市民館内
發行所　日本兒童愛護聯盟
電話堀川㉟{〇〇〇一番 〇〇〇二番}
振替大阪五六七六三番

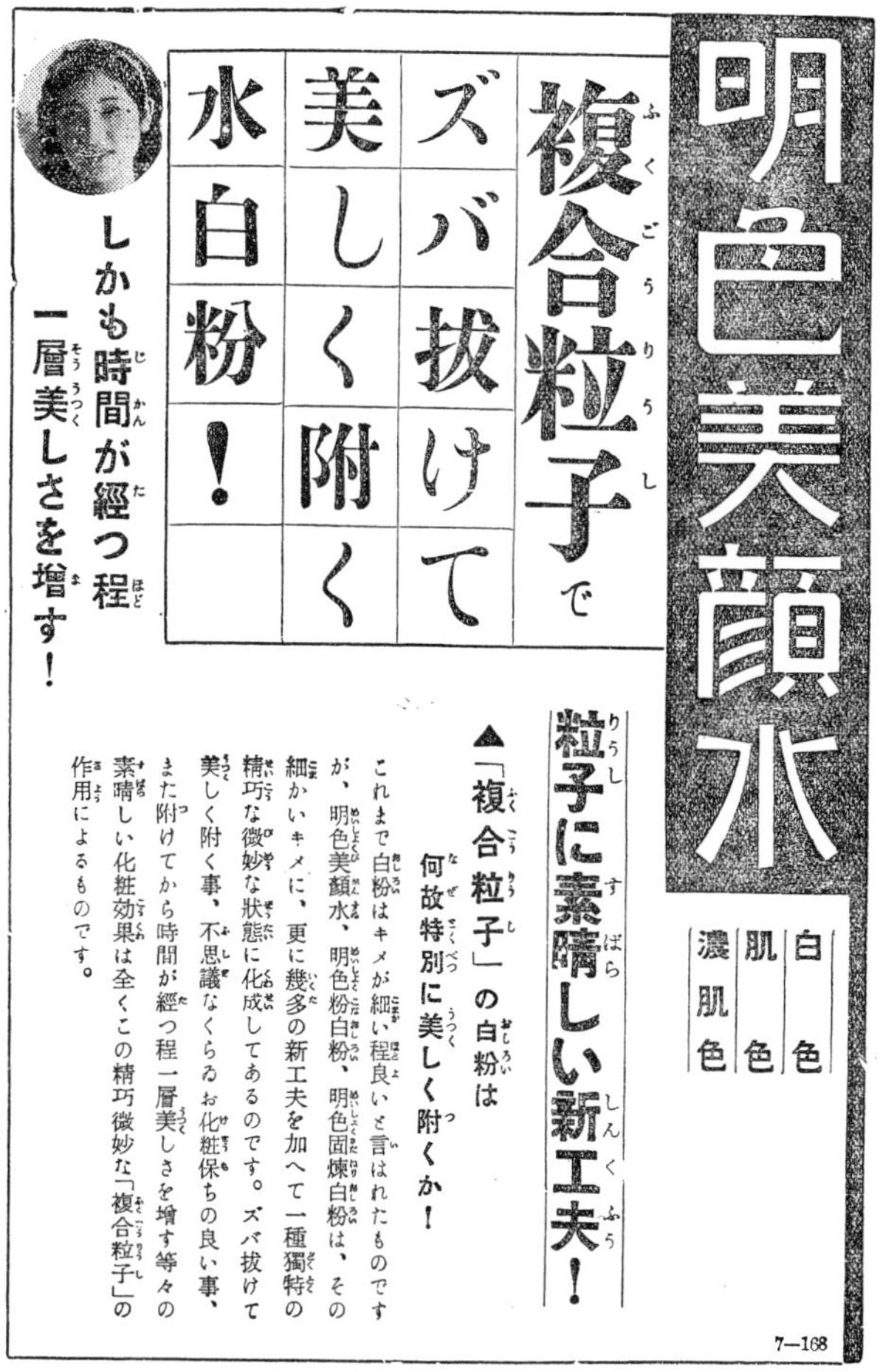

子供の世紀 第十七卷第七號
大正十三年二月二十日第三種郵便物認可
昭和十四年六月二十八日印刷納本
昭和十四年七月一日發行（毎月一回一日發行）

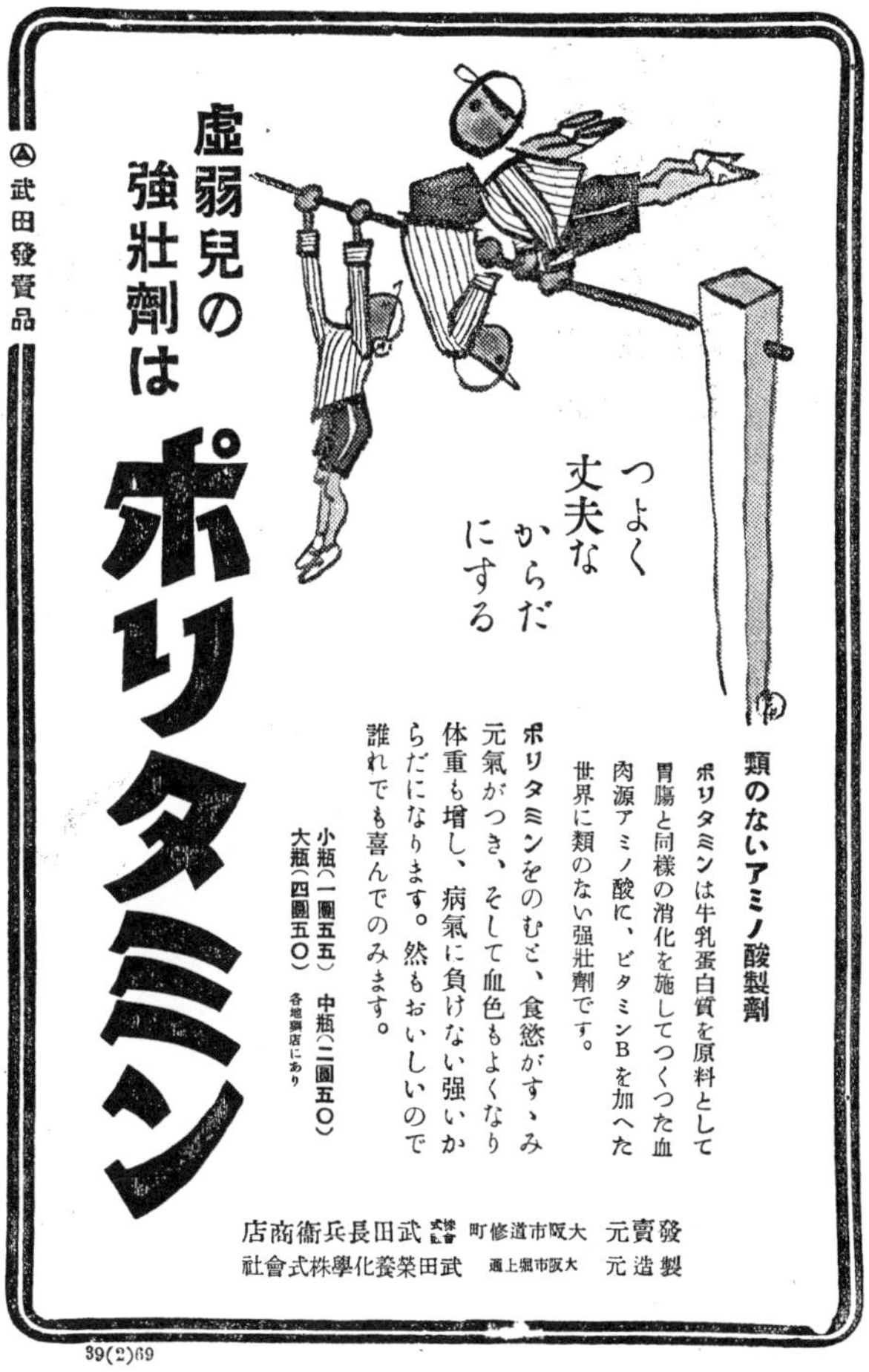

【定價金參拾錢】

基礎鞏固　經營眞摯

創立　明治四拾四年

日本徴兵保險

コドモの保險

入營・嫁入　出世・教育

準備　資金

子を持つ親心

可愛い子供の爲に何程かづゝの貯金をしてやらうと考へるのは、凡ての親としての至情で、男子ならば適齢迄、女子ならば嫁入迄と誰しも心掛ける所ですが、さて實行はなかなか困難です。

最良の實行方法

徴兵保險、生存保險のコドモ保險は此需用を充たす最良の施設で、一度御加入になれば知らず識らずの間に愛兒の爲に必要な資金が積立てらるゝことになります。

日本徴兵保險株式會社

本社　東京市麹町區内山下町一ノ一

恒久國防・國民體位向上
子供の世紀
動物愛護の問題號
第十七卷　第八號
大阪市立北市民館内
日本兒童愛護聯盟

「子供の世紀」（第十七卷第八號）動物愛護の問題號

目次

溶きたての新しいドライのお乳で―
こんなに元氣にまるまると肥りましたドライミルクなら眞空罐に入れてあるので飛び切り新鮮いつも溶きたての清新潑剌としたおいしいお乳が頂けますもの
赤ちゃんは大のお氣に入りですよ
酵素・ビタミンの含有量第一位
眞夏でも腐る心配のない最良粉乳
森永ドライミルク
森永煉乳株式會社

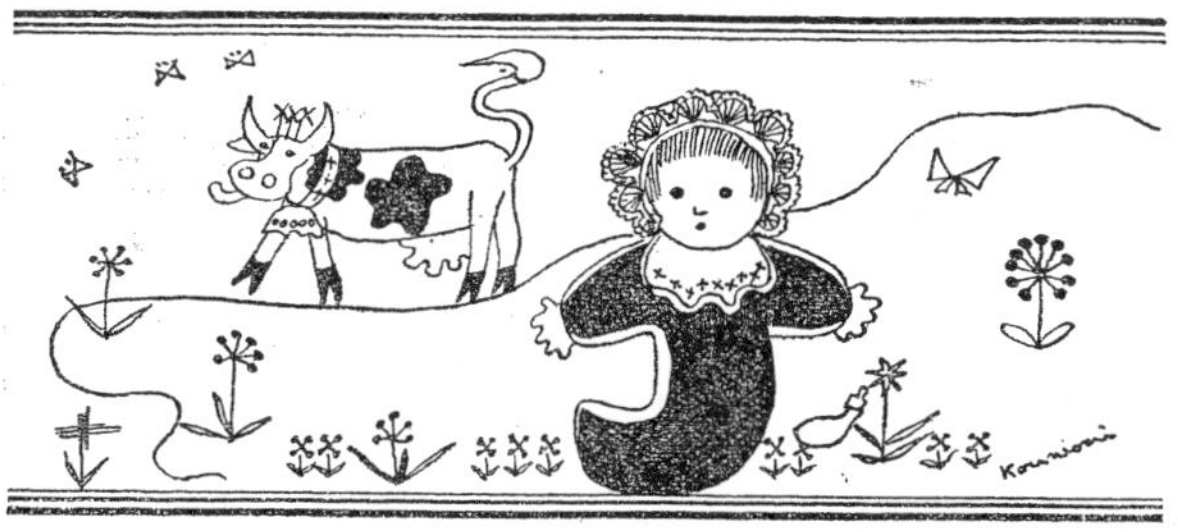

動物の愛護

盛夏の衛生

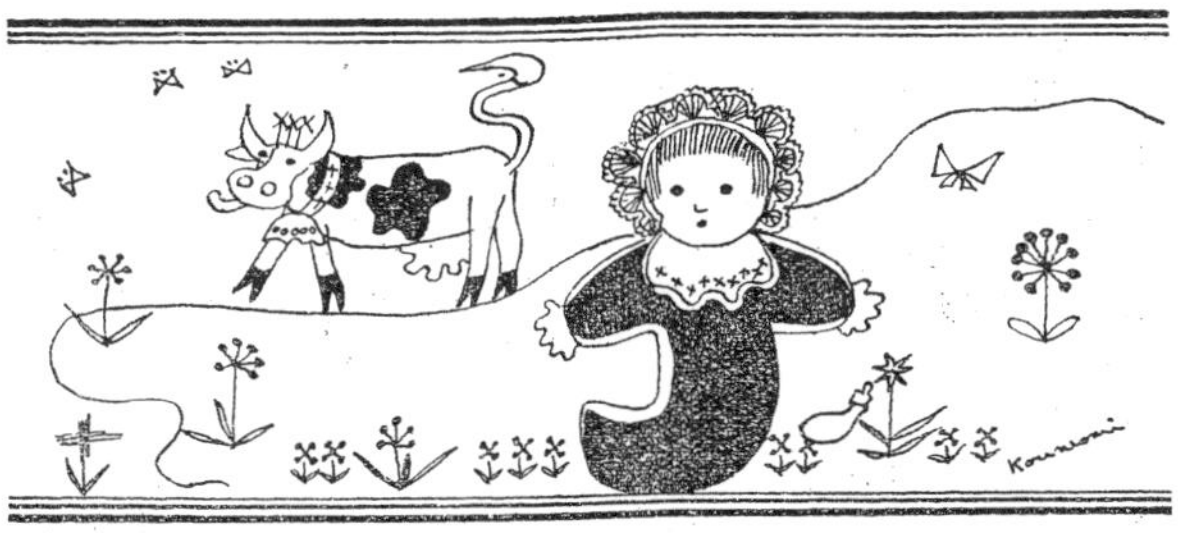

新母性讀本

先人の足跡

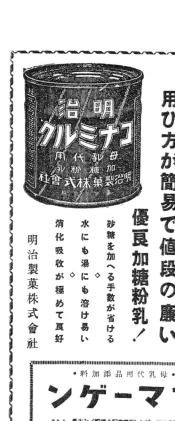

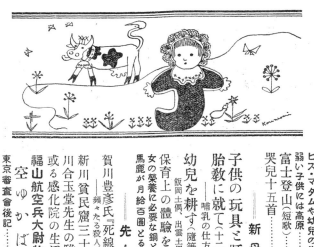

長期建設下の國民保健運動に光榮あれ!!

──廣瀬厚生大臣閣下の御臨場──

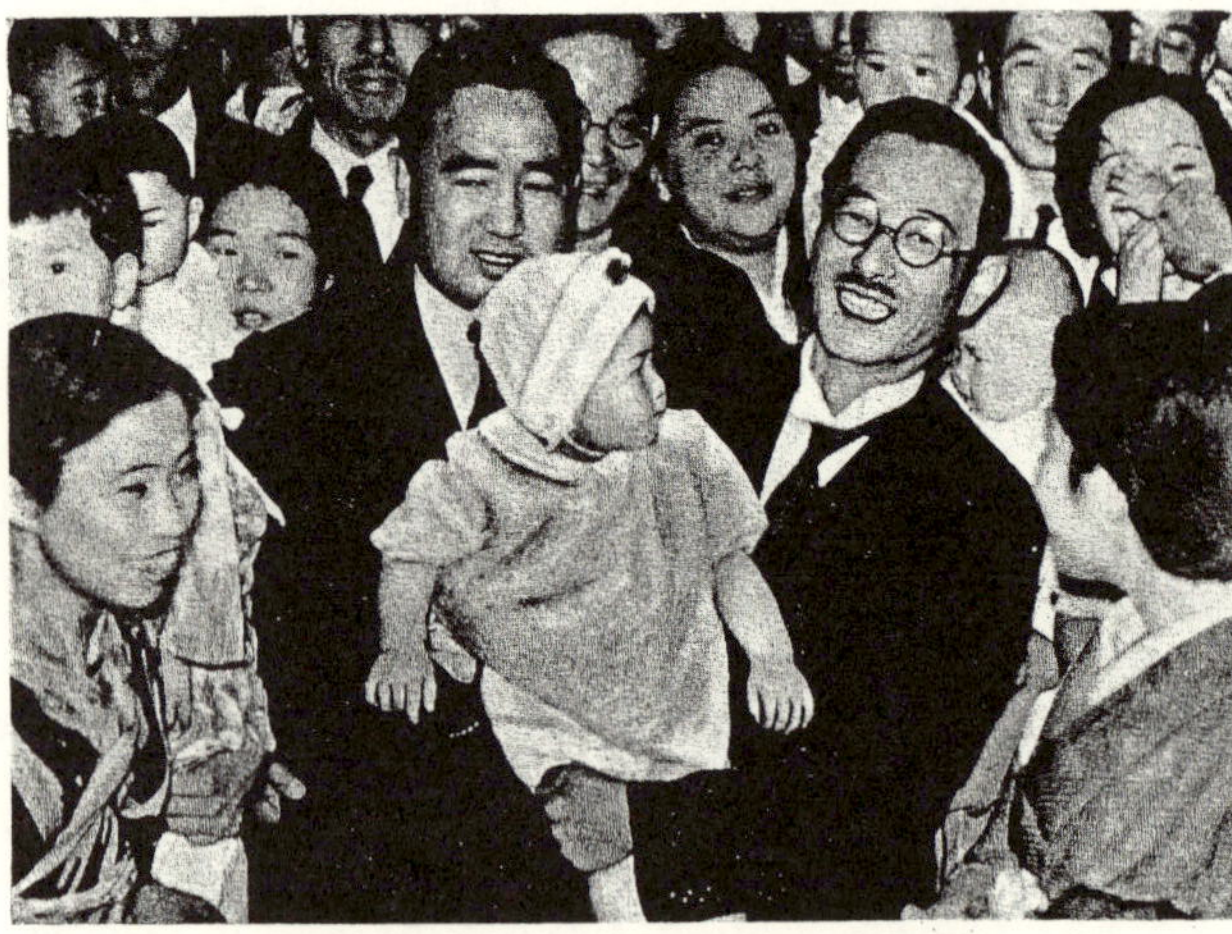

興亞の赤ちやん厚相も大ニコニコ

○十一日から五日間日本橋高島屋で開催中の日本兒童愛護聯盟主催第十一回全東京乳幼兒審査會々場へ十二日午前十一時半同審査會總裁の廣瀬厚相がヒョッコリと姿を現して赤ちやん自慢のお母さん達を喜ばせた。

○第二日目のこの日は前日に續いて一千二百名の赤ちやんが審査を受けたが名譽の戰死者の遺兒や出征勇士の第二世もまじつて廣いホール一杯に埋まつた滿二歳までの小さい人的資源の群やかましくも力強い泣聲を浴びながら會場を一巡する體位向上の總元締廣瀬さんは赤ちやんにもまして大ニコ〳〵。

○ところで大臣にひよいと抱かれた赤ちやんはイヤ〳〵と泣きだしさうで傍にお母さんがはらはら……男四千五百名、女三千五百名の審査を受けた赤ちやんの成績が解るのは十月末頃である**【寫眞は廣瀬厚相と赤ちやん】**

──東京朝日新聞掲載──

(六月十二日)

大川吸入器
完全無缺
使用簡易
噴霧は體温以上に温く微細で病状に好影響をもたらします噴霧管は特許引拔パイプ製で絕對に故障の起らぬ逸品。器械は堅牢で大川吸入器が標準型です。
本器は一ヶ毎に檢査をして發賣致しますす故、何處でお求めになつても安心です。
類似品あり、大川式と御指名を乞ふ。(固定式上下式の二種有)

お醫者がス、メル滋養のお菓子

大人…元氣增進　産婦…榮養補充

上手な吸入のさせ方

吸入や含嗽は、あまり重い病人には著しい効果はありませんが、早くやると侮り難い効を奏するものです。

外出後咽喉がちよつと變だと思ふときは、大人なら含嗽をすればよいのですが、小さいお子さんでは、それができませんから、吸入に替へます。吸入器にはいろ〳〵有りますが注意したいのは、藥液と一緒に冷い風が起り、却て吸入をしたために、よくない場合の起るやうなものを、避けるといふことです。使用上の注意といたしましては釜の湯は三分の一くらゐ注いで、なくなる前に注ぎ足します。湯のなくなつたのを知らずにゐると、破損することがあります。

アルコールを口元まで入れると、發火する虞れがあります。吸入をかけると、お寢衣やお蒲團が濕りますから、防水布やタオルをかけておき、寢たまゝの病人なら徐かにかけてあげて下さい。赤ちやんの吸入は無理にお口を開かせる必要はなく、玩具で機嫌よく遊んでゐるときでも、吸入器の方を近づけて、あたりの空氣を軟くしつとりさせて、少しづゝでも吸ひ込ませるやうにします。一回分をあまり長くかけると倦きますから、一日に三四回にしてコップに二杯ぐらゐで結構です。終りましたら蒸しタオルで拭いて、後にクリームなどをつけてあげると、お顔の荒れを防ぎます。

吸入液の作り方

藥液はいろ〳〵有りますが、お子さんには一%の重曹水で結構です。（約一合の水に茶匙一杯）又は重曹と食鹽を各々一%の割に溶かしたものを用ひてもよろしい。

うがひ藥の作り方

二%硼酸水　硼酸は冷い水に溶け難いが微溫湯を用ひますとすぐ溶けます。大人の水藥二日分入りの瓶は通常二百瓦入りですからこれに四瓦入ればよろしい。

二%鹽剝水　鹽素酸加里は常用としてうがひに用ひるのはよくありません殊に小兒には用ひぬのがよろしい。

三%過酸化水素水　過酸化水素又はオキシフルを水百に對して三の割合に二百瓦入りの水藥瓶なれば六瓦入れます。過酸化水素はごみ、又は日光熱等にあへば酸素を發生分解して無效となりますから瓶は清潔なものを用ひ、戸棚か押入等の暗所に置かねばなりません。

戰線への報告書・坊も立派に殊勲甲

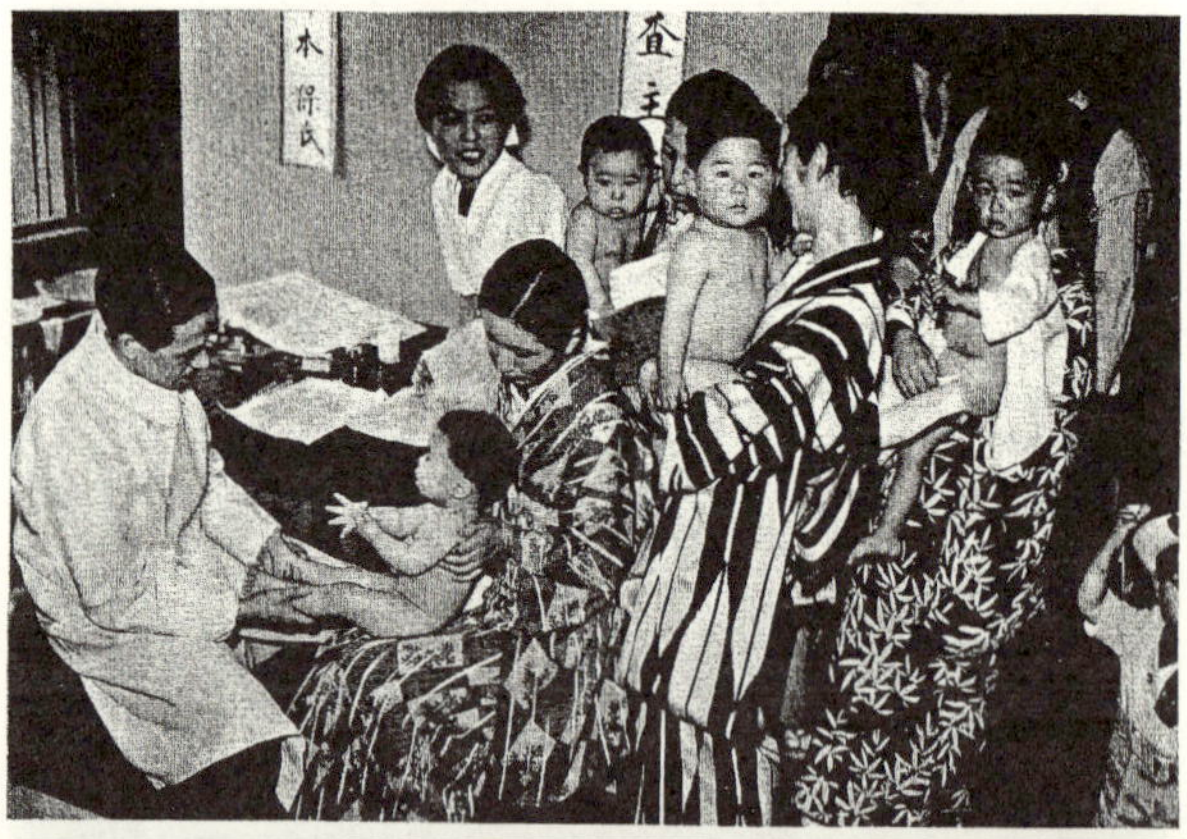

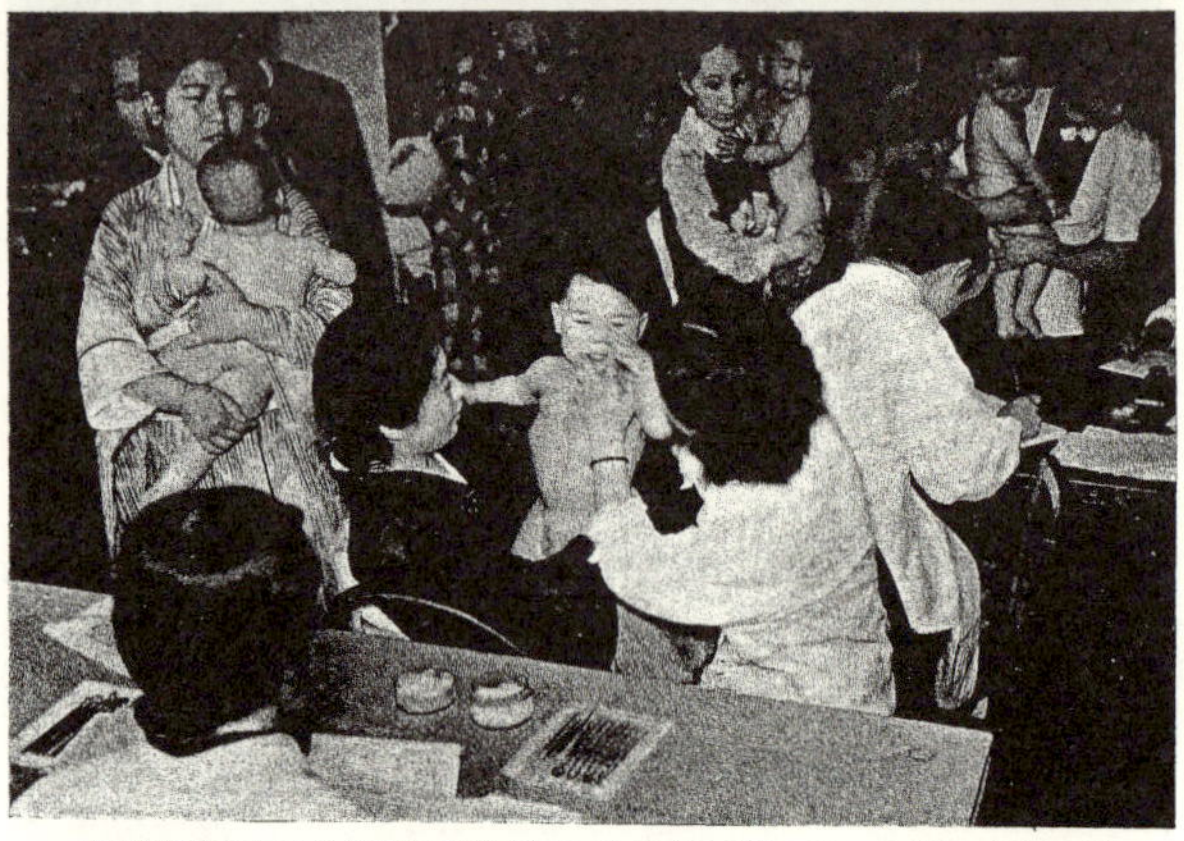

乳幼兒審査の創始者として權威を獲得して來た本聯盟の審査會は・其の內容は充實し・方法も亦秩序整然として居る・(上)審査主任柿本博士の總評ぶり・(下)ライオン齒磨口腔衛生部の齒科審査部門の現狀。

鵜飼ノ圖

川合玉堂先生繪

紐育萬國博覽會出品畫

廣瀨總裁と永井名譽會長審査會場を查閱さる

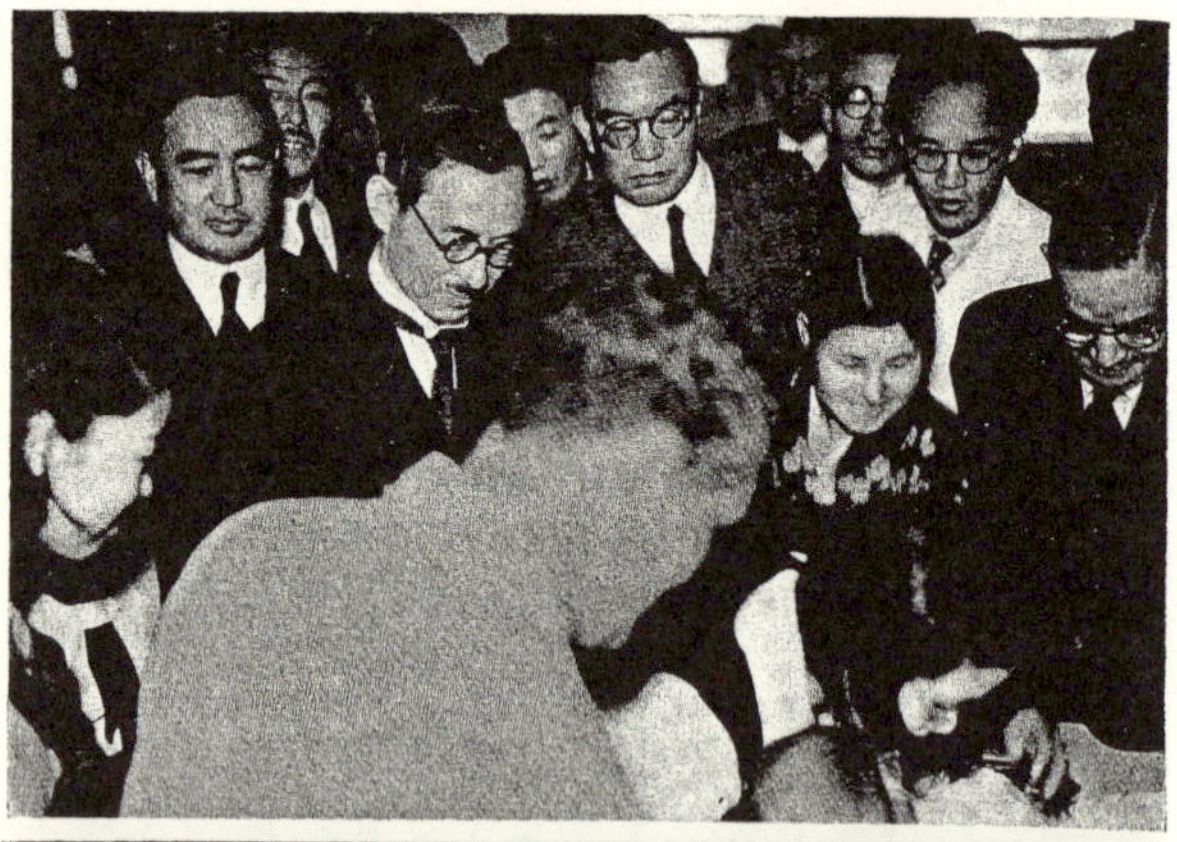

(上)審査會場を隅なく巡視された總裁は・桑野教授の擔當さるゝ能力檢査部門にて・興味ありげに理事長の說明を聽取された・(下)審査會にさきがけて催された軍國母性大會に於て・理事長の開會の挨拶に次いで・今しも壇上に立たれんとする永井閣下。

香味・効果當代随一
ライオン歯磨
朝の歯磨……何と輕快に日が始まることか
夜の歯磨……何と正しく日が終ることか。
粒子も硬度も絶對に齒を損傷せず効果適確、爽快無比の使用感を持つたライオン歯磨を朝晩御使用になつてこそムシ齒や齒槽膿漏に冒されることなく、あなたの日々は快適です。
潤製 ライオン歯磨
LION TOOTH PASTE
ライオン歯磨本舗
東京・大阪・名古屋

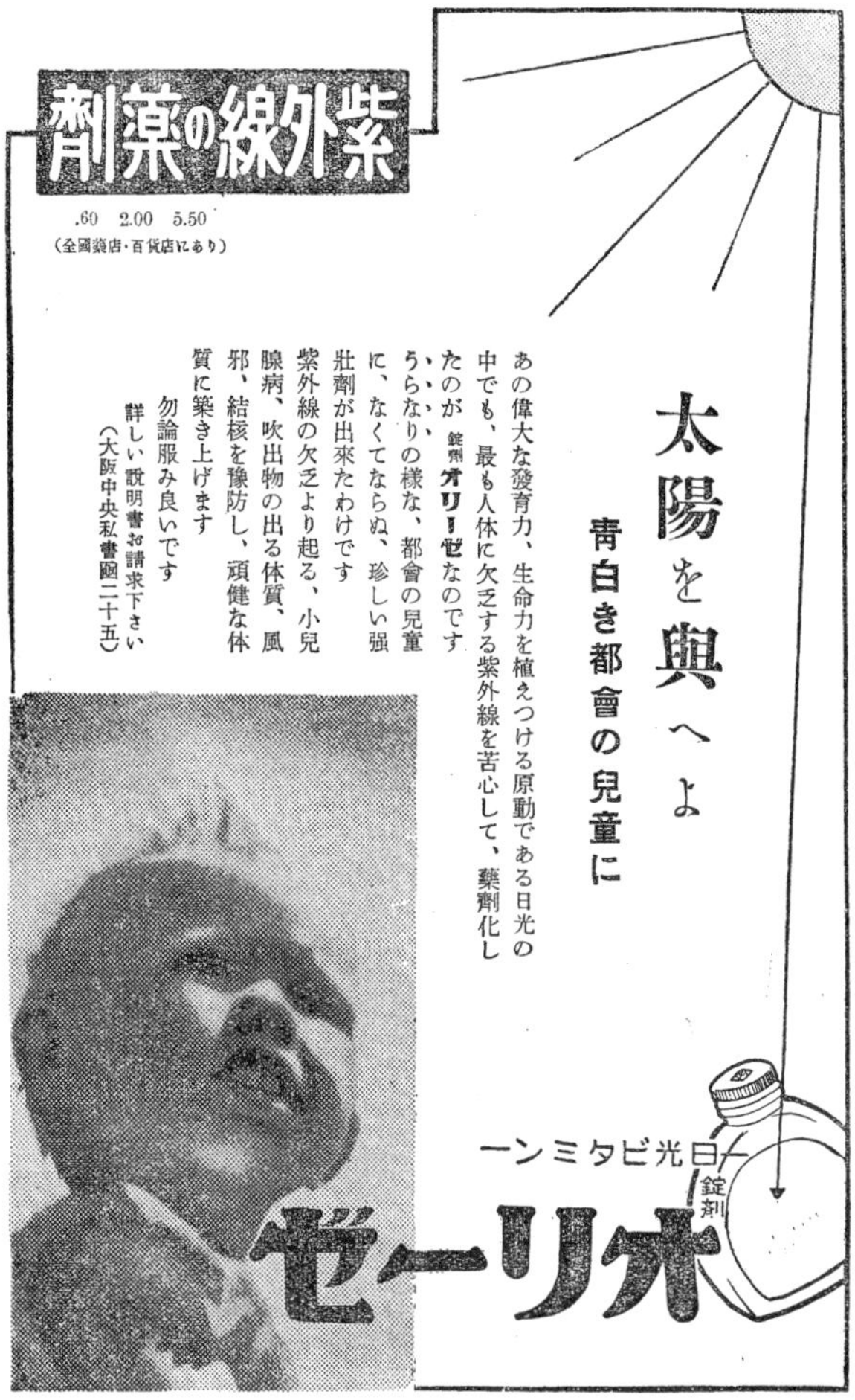
紫外線の薬剤
.60 2.00 5.50
(全國藥店・百貨店にあり)
太陽を與へよ
青白き都會の兒童に
あの偉大な發育力、生命力を植えつける原動である日光の中でも、最も人体に欠乏する紫外線を苦心して、薬劑化したのが錠剤オリーゼなのです
い、い、うらなりの様な、都會の兒童に、なくてならぬ、珍しい强壯剤が出來たわけです
紫外線の欠乏より起る、小兒腺病、吹出物の出る体質、風邪、結核を豫防し、頑健な体質に築き上げます
勿論服み良いです
詳しい說明書お請求下さい
(大阪中央私書函二十五)
日光ビタミン―
錠剤
オリーゼ

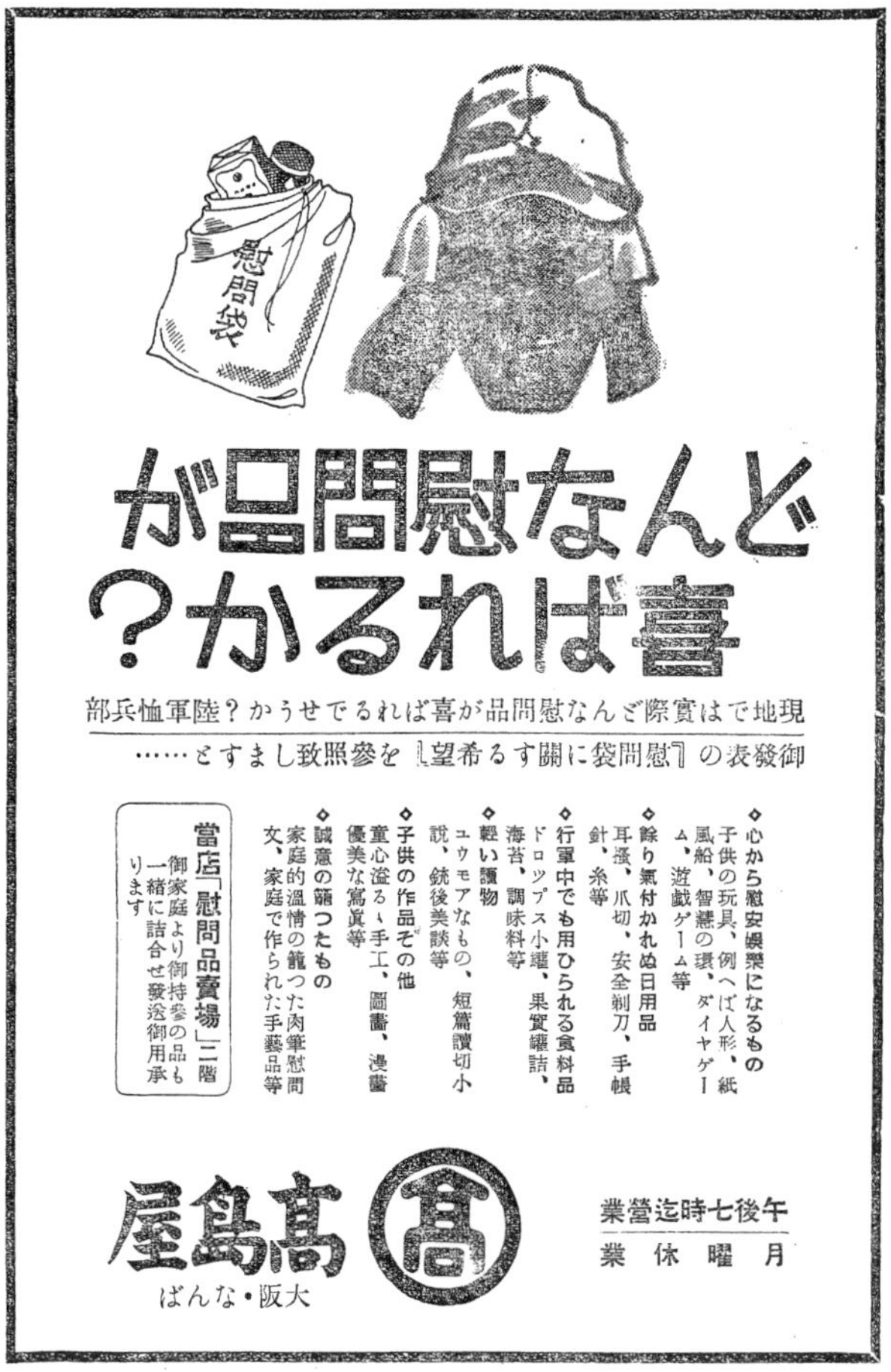
慰問袋
どんな慰問品が喜ばれるか？
現地では實際どんな慰問品が喜ばれるでせうか？陸軍恤兵部
御發表の「慰問袋に關する希望」を參照致しますと……
◇心から慰安娯樂になるもの 子供の玩具、例へば人形、紙風船、智慧の環、ダイヤゲーム、遊戯ゲーム等
◇餘り氣付かれぬ日用品 耳掻、爪切、安全剃刀、手帳針、糸等
◇行軍中でも用ひられる食料品 ドロップス小罐、果實罐詰、海苔、調味料等
◇輕い讀物 ユウモアなもの、短篇讀切小說、銃後美談等
◇子供の作品その他 童心溢るゝ手工、圖畫、漫畫優美な寫眞等
◇誠意の籠つたもの 家庭的溫情の籠つた肉筆慰問文、家庭で作られた手藝品等
當店「慰問品賣場」二階
御家庭より御持參の品も一緒に詰合せ發送御用承ります
午後七時迄營業
月曜休業
高島屋
大阪・なんば

「國民心身鍛錬運動」一日より廿日まで
心身鍛錬 興亞の礎
あゝ綠濃き橿原に
太しくたてる宮柱
遠き民が畏みし
今その上を仰ぎつゝ
久遠の榮え讃へなん
われら建國奉仕隊
(大阪朝日・當選歌)
勤勞用品は松坂屋へ
松坂屋
大阪 日本橋

八月の言葉（巻頭言）

攝津太郎

◎子供の將來の問題に就いては、すくなくとも今日迄は、自家繁榮と云ふ小乘的な、極めて利己主義的な處に重點をおいて方針を樹てゝ來た、換言すれば自分のみの榮譽利達が第一の目標だつた、健康の事、入學試驗の事、總てがさうだつた、然し乍ら今日の如く國家重大時局に直面した時、光榮ある日本國民としてはそれ等は最も恥ず可き砂上の樓閣に等しきものとなつて了つた、卽ち子供の將來の問題は國家の爲め、新東亞建設の爲めと云ふ處に基準をおき、一切を國家民族に献納しなければならぬ時代となつたのは、寧ろ有難い事であり、感謝すべき事でなければならぬ。

◎銃後の覺悟を說く人は堂々たる志士義人のみでなく、此の頃は若き女性が街頭に立ち、紙芝居によりて貯蓄報國を叫ぶのを聽くに至つた、然し乍ら戰時下の靑年男女の節操とか、國民道徳の淨化に就いて命賭けで働いてる人を聽かない、輿論のみに仰合する幇間的教育家、自家の安定のみに頭を惱ます宗教家は我等の信賴する木鐸ではない、眞に野に叫ぶ人の聲を全國民は待望して居るではないか。

◎理が非でも押し通さうとする人がある、然し無理は總ての場合好き効果をもたらさない、橫車を押すとか、橫紙破りと云ふ言葉が昔からあるが、處世上から見ても餘り感心したものではない、唯、理が非でも斷乎として主張すべき場合がある、それは民族のため人道のために正義の戰を戰ふ時のみに限られて居る。

◎人に云ふ事だけ云はしておいて、所謂虫も殺さぬ紳士然たる顏をして、人の言質を捕へんとする曲者は個人にも國家にもある、川から流れて來る鮭を待つ熊の如き態度だ、惡質外交を繰返して來た大英帝國が實にそれなのであるから要心ものではなからうか。

◎自分の產みの子を繼母子か貰ひ子のやうに、間隔の甚しい身裝をさせて外出する母があるかと思ふと、自分が乳母か女中のやうな賤しい姿をして子供のお供をしてあるく母がある、いづれも愛兒の將來のためによい事ではない。

◎此の俺れが出なければ總ての問題が解決しない、と自惚れてる人はどんな社會にもあるから面白い、然し斯うした人々は老人輩のみに限られてるかと思ふと決してさうではなく、此の頃は若き人達、殊に婦人達に多く見受けられるやうである、此の誤れる自重心は銃後國民の反省すべき事柄である。

◎濃き空色の着物が流行する、それはどんなに見憎い顏の婦人にも似合ふと云ふのが原因の一つらしい、流行の本家では新橋御納戸とか新調御納戸とか命名しやうとしてるらしい、孰れにしても蜥蜴色は所謂世紀末的婦人には似合ふであらうが、自覺した良家の子女、興亞の聖業に參與する婦人の愛好する色彩ではないやうである。

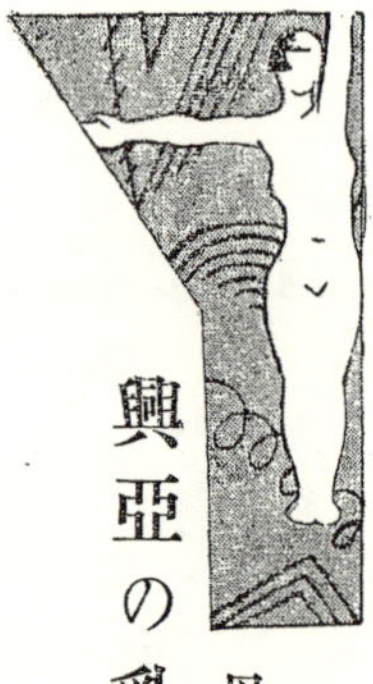

母よ自覺して 興亞の乳幼兒を護れ！

—何を語るかこの統計—

大阪市體力課長 醫學博士 深山杲

◎出生率の激減

古來我國は多產國を以て自他共に任じてゐたのである。然るに近年、追々と出生率が減少し、此の傾向は特に都市に著しく、大阪市は六大都市中、最低位の出生率を示す事になつた。更に事變勃發後、出生率の減少は急激に拍車づけられて大阪市の例に徵しても左表（第一表）のやうに激減してゐるのである。

第一表　大阪市に於ける出生率（人口千對）

昭和	七年	八年	九年	十年	十一年	十二年	十三年
大阪（率）	三二・〇	二九・二	二八・六	二九・二	二七・五	二七・一	二三・二
全國（率）	三二・九	三一・五	三〇・〇	三一・六	二九・九	—	—

第一表に明かな通り、昨年の出生率は一昨年より三・九も激減して、實人員、約一萬人强の出生減となつてゐる。更に昨年の出生率を昭和七年の夫れと比較すれば實に八・八の減少で、假に大阪市の人口を三百三十萬とすれば一年間に約二萬九千人强の出生減と云ふ憂ふべき數字を示す事になるのである。

斯樣に出生率が激減した最大の原因は事變の爲に父たるべき多數の男子が出征した爲であるが、夫れだけ母たるものは「今後暫らくは得難いであらう子寶」を一家の爲にも國の爲にも、從來に數倍して注意深く育兒しなければならない。

尙所謂智識階級の出生率が勞働者階級の夫よりも急速に減少しつゝある傾向は注目すべき事實であつて、之は智識階級の夫妻には稍々もすれば弱體質が多く、且精神疲勞の爲に夫婦の交りを疎んじ易い結果の現はれではあらうが、更に彼等の多くが人爲的に故意に出生率を低下させつゝある疑の存する事も又否めない事實である。之に反し勞働者階級の夫妻は一般に自然淘汰の結果とでも云はうか概して强健なものが多く、且精神疲勞も少く、更に人爲工作も少い故に出生率が多いと考へられるのであつて、智識階級の夫妻は玆に大いに再考を要する次第と云はねばならない。

◎死産率の增加

次に折角、國の寶を懷妊し乍ら敢へなく之を死産して闇に葬らねばならない悲劇が、我國には意外に多く、年々減少の傾向にあるとは云ふものゝ、尙且、人口千に付死産率一・六(昭和十一年)に達する程で獨逸、英國の〇・五(昭和十一年)に較べて三倍以上の高率である。然かも死産は概して都市に多く殊に大阪市の死産率は六大都市中、第二位を占め次のやうな數字を示してゐる。

第二表　大阪市に於ける死産率(人口千對)

昭和	七年	九年	十一年
大阪(率)	二・一	二・〇	一・八
全國(率)	一・八	一・七	一・六

玆に注意すべきは右の數字に依つて一見大阪市の死産率は改善されつゝあるやうであるが、事實は正反對であつて實に寒心に堪えない傾向にある。卽ち大阪市の死産率を總出産千に對して年別に觀察すると第三表の如く現はれるのである。

第三表　大阪市に於ける死産率(總出産千對)

昭和	七年	八年	九年	十年	十一年	十二年	十三年
率	五・九	六・二	六・四	六・二	六・一	六・二	六・四

表に示す如く年來增加の傾向があつた死産率は昭和九年以後改善の緖に就いたが昭和十一年を最低位として事變勃發と共に再び增加の態勢を採り昨年は旣に昭和九年當時にまで戾つて仕舞つたのである。加ふるに早流産の率を眺めても市內の一病院(北野病院)を訪れた外來産科患者に於ける早流産率の傾向は

第四表　大阪市內一病院に於ける早流産率(産科患者百對)

昭和	十一年	十二年	十三年
率	一・九	一・五	二・四

であつて、昨年はその前年よりも一躍、〇五%を增加してゐるのである。

由來、死産の主なる原因としては母體の黴毒感染が擧げられ、現に本市産院でも姙婦の黴毒感染は一〇、三%に之を認め、且、早、流、産婦の六三・三%に黴毒感染の徵候を認めてゐるのである。然し乍ら事變勃發以來、早、流、死産が斯くも急激に增加して來た原因は、必ずしも、事變後性病が增加した爲のみと解すべきでなく、更に事變と關聯して何等か他の有力な原因が介在し始めた故である事を疑はねばならないのである。卽ち事變後銃後に於ける勞力不足の爲に婦人の勞働量が相當に增大した事、更に各種婦人團體が活潑に運動を初め從つて團體員の外出が繁くなつた事共に從來の婦人生活樣式に大轉換を與へるものとして刮目して考慮しなければならない新事實である。然して斯樣に婦人連が從來の「靜」生活より「動」生活へ轉向しつゝある事は弘く一般婦人の體位向上の觀點よりは眞に喜ばしき傾向には違ひないのであるが、若し、此の傾向が姙婦に迄も及ぶとすれば必ずやその「動」生活は姙婦繼續に重大な障害を與へるであらう事は當然である。

今、本市に於ける死産を懷孕月數別に觀察すれば第五表に示す通り、實に全死産の九割五分は姙娠五ヶ月後に起り、更に三割は姙娠末期月に起つてゐるのである。殊に注意すべきは男兒死産が女兒死産より遙かに多數に上つてゐる事實である。

第五表　大阪市に於ける死産と懷孕月數比較(昭和十一年)

懷姙月數		四ヶ月未滿	四ヶ月	五ヶ月	六ヶ月	七ヶ月	八ヶ月	九ヶ月	十ヶ月	十一ヶ月以上
死産數(五五〇一)	男(三〇一八)	三	一七三	三五一	三一五	四〇八	四七九	四〇三	八六八	九
	女(二四八三)		八二	二一二	二九八	四〇三	四三〇	三二九	七一四	六

斯樣に死産が姙娠後期に及ぶ程多い事實から推して單に母體の性病ばかりが死産の主原因ではなく、姙娠後期に於ける姙婦の攝制特に休養と榮養の如何も亦死産を始め早流産を來す重大な原因の一つである事が說へるのである。

從つて姙婦は常に姙娠中に於ける胎敎を充分會得すべきは勿論、出來る限り姙娠後半期に於ける激動生活を愼んで只管子寶の完全なる出産を待つやうに、時局下、特に心得ねばならない。

姙婦に特別の榮養が必要である事は、今更喋々を要しない嚴然たる眞理であるが、一般には未だ此の認識が缺けてゐる憾みはなからうか、然かも姙婦の榮養は單に出生兒の生死に影響がある許りでなく、産婦の生命にも重大な關係を持つものであつて、英國で貧困姙婦約一萬三千五百名に就て行つた榮養食品配給の有無が分娩時母子の生命に及ぼした影響を調査した成績に依れば左のやうな事實が認められるのである。

第六表　出産時の母子死亡率と榮養の關係(對千)

	産婦分娩時死亡	産婦分娩後死亡	死産及初生兒死亡
榮養食攝取(四四六人)	〇・四五	〇・六七	二四
普通食攝取(二〇四〇人)	三・四四	一・五五	八三

斯樣に普通食を攝つておれば、榮養食攝取の場合より産婦分娩時の死亡率は約九倍も多く、且、分娩後の死亡率や或は出産兒の死亡率も何れも著しく高率となつてゐるのである。夫故に乳、幼兒の爲にも自らを護る爲にも姙娠後半期に於ける姙婦は特に榮養に考慮を拂ひつゝ食事を攝らねばならない。其の爲には蛋白、(動物性食品)塩類(カルシウム)並に各種ビタミン類を豐富に缺かさず攝るべきであつて、魚類、牛乳、胚芽米、脂類、柑橘類等の攝取が最も望ましい事になる。因みに大阪市現住姙婦の分娩に依る死亡率は三・六(對千)であつて英國の貧困姙婦よりも不幸な運命に曝されてゐるのである。大いに自覺しなければならない。

◎乳兒死亡率の增加

世界文明國中、第一位の汚名を冠せられてゐる我國の乳兒死亡率は近年やゝ改善の跡を認めつゝあるけれども尙、英獨兩國に較べて約二倍和蘭と較ぶれば約四倍の高率を示してゐる。而して我國都市に於ける乳兒死亡率は一段に高率であつて、特に我が大阪市は數年前までは六大都市、第一位の乳兒死亡率を示してゐた。夫れは兎も角、玆にも憂慮すべき事變の影響が擡頭して來たのである。左に大阪市の實例を擧げて說明しやう。

第七表　大阪市に於ける乳兒死亡率(出生千對一歲未滿)

昭和	七年	八年	九年	十年	十一年	十二年	十三年
大阪(率)	一二九	一三四	一三一	一一八	一一三	一一七	一二八
全國(率)	一一八	一三一	一二五	一〇七	一一七		

右表の通り年々減少しつゝあつた本市の乳兒死亡率は昭和十一年を最低位として事變勃發と共に再び增加の能勢を採り死産率の增加と全く同じ傾向を示すやうになつたのである。而して昨年は旣述の通り著しい出生減にも拘らず、尙且約九千名の乳兒が死亡し、若し此の儘に推移すれば、將來の出生低下と死産並に乳兒死亡の增加と相俟つて遂に人口の自然增加は望めなくなり、將來國力の發展に大蹉跌を來す虞が多分に存するのである。

偖て大阪市に於ける一才未滿の乳兒死亡の原因を病名別に分類すれば左の通りである。

第八表　大阪市に於ける乳兒死亡の原因(別昭和十一年)

原因	死亡數	原因	死亡數	原因	死亡數
先天性弱質	三二七	乳兒脚氣	四一三	百日咳	二二三
肺炎	二〇四一	早産	三六七	氣管枝炎	二二一
下痢腸炎	一三六八	乾兒固有疾患	二七七	其他	三四九

右表に明らかな通り、乳兒死亡の原因としては先天性弱質が斷然多く全死亡の三割三分を占め、肺炎、氣管枝炎、百日咳等の呼吸器疾患が次位を占めて全死亡の二割六分に當り、下痢腸炎が第三位で一割三分となつてゐる要するに乳兒死亡の七割二分は以上の三大疾患が原因を爲してゐる事は今後の育兒に重大な示唆を與へるものである。

偖て先天性弱質は歸する處母體の不健全に依るものであるから之を防止する爲には何と云つても姙婦の保健が喫緊の急務で、從つて「乳兒を護る爲には先づ姙婦自らを護る」事に依つて忽ち乳兒死亡率を三分の一減少させる事が出來、大阪市の乳兒死亡率は歐米各國に決して遜色を見ない程度に到達し得る譯である。

呼吸器疾患、下痢腸炎の防止に就ては旣に屢々斯界の權威者より充分說かれてゐる事許りで玆に詳述を略すが今後特に被服と榮養に注意して正しい育兒を國の爲めに遵守して貰ひたい。

◎兵隊と乳幼兒

目下、我國は百萬の皇軍を支那、滿洲の大陸に送り、銳意東亞新秩序の建設に邁進しつゝあるのであるが、時局の進展と共に更に多數の國民が今後第一戰に參加しなければならぬかも知れない。然るに今日の狀態に於て旣に銃後勞働力の不足を告げ或は出生の低下を憂ひつゝある所以は果して那邊に存するか。日、獨、米國に於ける男子國民〇才のものが二十才に達する生存率は實に驚く可きものがある。

之を要するを見るに日本男子の生存率は遺憾乍ら過去三十年間に殆ど改善の跡を見ないのであるが、之に反し獨逸は曾ては本邦男子より生存率が少なかつたにも拘らず今日では斷然の率を高め、亞米利加黑人ですら旣に日本の率を遙かに凌駕しており、亞米利加白人に於てはその向上は最も著しいと云はねばならない。從つて以上の各國には大體年々百萬人の男兒が出生してゐるから二十年後の壯丁數は日本は同數の出生を見ながら獨逸より約十四萬五千人、亞米利加白人より約十六萬一千人少くなつて仕舞ふ譯で、假に戰鬪兵力を二十才乃至三十才の男子とすれば、其間約百五、六十萬人の兵力を日本は無爲に失つてゐる事になる。眞に國家の一大痛恨事と云ふべきで、若し我國のその生存率が獨逸亞米利加と同樣であれば、今事變に譬へ二百萬人の動員を行つても、國內は尙充分の偉力を易々として發揮出來るであらう。

偖て夫れでは、彼等の多くは果して如何なる年齡期に斃れるかと云ふに、第九表に示す通り、勿驚、その八十%前後は何れも五才未滿で旣に死亡してゐるのである。

第九表　二十才までの男子死亡數中五才までの死亡數(%)

	一九〇〇年頃	一九三〇年頃
日本人	八六・七	八一・二
亞米利加白人	八三・一	四六・八

茲に注意すべきは、日本では過去三十年間に於て五才まで死亡率が殆ど見るべき改善を示してゐないのに反し亞米利加白人では曾ては我國よりもその死亡率が多かつたにも拘らず、三十年間の努力は遂に六・三％もその率を減少させてゐるのである。之に依つて見るに一人でも多くの壯丁を得る爲には、五才までの幼兒を充分に護れば好い譯で、特に其の間最も死亡數の多い一才未滿の乳兒死亡を極力減少させる事が、最善の得策となるのである。從つて乳幼兒は兵隊の力如何と直接な關係がある事になるのである。

③ 結　語

興亞百年の大計を樹てるには物的資源の確保、元より必要であるが、夫れよりも、之を扱ひその實現を容易ならしめる處の人的資源を質的にも量的にも培養張化する事が何よりも先づ急務と云はねばならない。若しこの大眞理を沒卻して徒らに「物」の動員に姑息な努力を集中するのみであつたならば、軈ては「人」の破滅、「物」の破綻が到來する事は疑ふ餘地のない處であらう。ヒットラーが「國家興隆の基礎は國民の體力に在り」と喝破したのは眞に至言である。

然るに我國の現狀は、人的資源獲得の出發點たる乳幼兒の生命が旣述の通り實に憂ふべき一途を辿りつゝあるのであつて、興亞の偉業を達成するには、何としても之等乳幼兒を先づ護らなければ到底大理想の實現は望み得ないのである。

夫故に、我等の小さき愛兒を持つ國の母達は御國の爲に自らの責任を自覺して興亞の乳幼兒を一人も失ふ事なく强く丈夫に育てる覺悟を堅持して貰ひたい。

其の爲には統計の教ふる處を充分に重視して先づ自らの健康を把握し、育兒に際しては特に榮養、被服を始め適度の日光浴、外氣生活に留意して、無智、無制、盲發を戒めて、常に專問家の指示を仰ぐやう習慣づける必要がある。幸ひ大阪市に於ては、此の目的達成の爲、莫大なる豫算を計上して本年市三十ヶ所に育兒相談所を設置する事になつたから大阪市の如く、都市環境の不衛生に依り育兒に少からぬ損失を蒙りつゝある處では、特に此の種專門機關を有效に利用して傳染病豫防は元より、萬般の正しき育兒に資せられんことを衷心より希望して讀者各位の共鳴を乞ふ次第である。

出生廿三萬減少
十三年の人口動態發表

昭和十三年中の內地人口の移動增減二が十日內閣統計局より發表された、右によると十三年中の實績は例年よりも可なり惡化し出生は減少、死亡率は事變による戰病死者を計算に入れずして例年より增加、從つて人口の自然增加率も昭和年代に入つて以來の減少を示してゐる。

出生　昭和十三年の出生總數は百九十二萬八千三百廿一人で內男女九十九萬八百八十八人、女九十三萬七千四百卅三人、男女出生の割合は女兒百人に對し男兒一〇五・七人の比である、我が國內地の一年間の出生數は茲十年以上二百萬を下る事がなかつた、大體二百十萬から二百廿萬の間であつたから昭和十三年は例年より廿三萬減じ昭和十二年よりは廿五萬餘減じて居る譯である、男女兒の割合は例年と大差がないが、多少男兒が多い傾向である出生率は昭和十三年人口千人に付二六・七人であつて近年三〇人前後を上下して居つたのに比べると四人弱少くなつてゐる。

死亡　昭和十三年中の死亡總數は百廿五萬九千八百五人で內男六十五萬二千九百卅六人、女六十萬六千八百六十九人、男女死亡の割合は女百人に對し男一〇七・六人の比である、近年我國の一年間の死亡數は大體百廿萬前後であるから昭和十三年は例年に比し五、六萬死亡が增加した譯である、尤も之は出征兵士の戰死戰傷死を含まない、男女死亡の割合は女百人に對し男一〇七・六人で、例年と大差がない、多少男の方が減少した氣味はある、昭和十三年死亡率は人口千人に付一七・四四人で大體例年通りである。

人口自然增加　昭和十三年の人口自然增加は六十六萬八千五百十六人である、一年間の人口の增加は年によつて相當開きがあつて茲十年位の間は多い時は百三萬、少い時は八十萬程度であるが、七十萬程度になつたのは注意すべき現象である。一年間の人口增加が七十萬程度といふのは我が國では大體大正年代の有樣である、我國昭和十三年の人口自然增加率は人口千人に付九・二六人で從來十三人前後であつたのに比べて大分落ちる

婚姻　昭和十三年中の婚姻總組數は五十三萬八千八百卅一組であつて、大體例年通りの數である、前年の昭和十二年は六十七萬餘組あつて特に多かつたのであるが之は支那事變と關聯して從來內緣關係であつたものを正式の婚姻に引き直した爲でそれが昭和十三年に元通りに下つたのは此の原因が殆ど消滅した事を示すものである。

離婚　離婚總組數は四萬四千六百五十六組で多少減少の氣味合であるが例年と大差はない。

死產　死產總數は九萬九千五百廿八胎である、茲十年位の間は十二萬位から年々減少して行く傾向であるが昭和十三年は前年の昭和十二年より亦一萬餘減少してゐる。

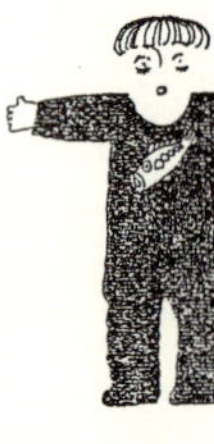

徒步運動に就て

大阪市保健部體力課體力係長　高木力松

複雜微妙なる國際情勢を背景として着々進行しつゝある日本の東亞新秩序の建設が無限の人的資源を要求しつゝある時我が國人口の重要部分を占める都市生活者の體位劣弱の傾向は看過し難い國家的な問題である。

而して之が原因は複雜多岐であつて一概に論じることは出來ないが、今日の都市殊に我が大阪市の如き生產都市に於ては人間生活が餘りにも自然から離れ過ぎてゐると云ふことが其の一でなければならぬ。

早い話が大阪の如き煙の都市では市民の多くは人間の健康に重大な影響のある紫外線に惠まれることが最も少く林立するビルディングと煙突の下に煤塵と燥音に滿された空氣の中に生きてゐる樣な狀態である。

第二は日常の都市生活が今日餘りにも便宜に滿たされ過ぎてゐる結果市民が身體を動かす機會卽ち積極的に心身を鍛鍊する機會に惠まれてゐないことである。

旣に御承知の通り體位向上を目的とする體育運動としては體操や各種のスポーツが擧げられるが體操の眞價は統制ある集團を必要とするし、各種のスポーツは相當の技術の鍊磨を必要とするが故に誰れでもが容易に氣安く實施するには多少の難點があると思はれるが此の點から見れば徒步運動は極く手輕に老若男女誰れでもが容易に實施し得る立派な體育運動である。

步くと云ふことは自然が人間に與へてくれた最上の健康法であつて凡ゆる人が凡ゆる機會を利用して步くことそれ自體が立派な體育運動である。

「道は近きにあり」徒步こそ最も簡易に且何時でもやれる立派な體育運動である。吾人は都市生活者に對する最も良い運動として、徒步の實行を極力薦めたいのである。

實に步行の身體に及ぼす保健上の効果は大なるものが

ある、歩行は元來主として脚筋で行はれる運動ではあるが、脚筋は全身の筋肉系統中の大部分を占めてゐてその運動時には上體の腹部背部胸部等の諸筋肉も之れに參加するから殆ど全身運動となる譯である。而も心臓から遠い脚の群筋を働かせるため全體の血行を中程度に保ち新陳代謝を盛にして呼吸を促進し、呼吸器循環器に甚だ良好な影響を與へることになるのである。特に歩行の精神上の効果も見逃すことは出來ない、人間全身の血行が適度に促進され呼吸が整ひ心身共に爽快になつてゐる時に精神活動の量が最も大であると云はれるので輕い運動の後とか數分間散歩して多少身體の溫まつた時が精神作用が一番旺盛で仕事の能率が上ることが實驗心理學者の立證する處である。此の意味から都市勤勞者の徒歩運動並に學生生徒の徒歩通學が望ましいのである。今日會社銀行工場、商店等への通勤に一定區間を徒歩することが一種の風潮をなして來てゐるが之は運動の機會に乏しい都市生活者にとつては保健上非常に良いことである。茲に一つ是非注意を喚起したいのは都會の婦人殊に家庭婦人も努めて歩行運動を實施して戴きたいことである。都會の婦人は田舍の婦人に較べて肉體を動かすことが男子の場合に比して更に少なく都市の非衛生的な環境と相俟つて體力低下の一途を辿つてゐるが、之は次代の國民の健康の上から云つて洵に寒心に堪へない處である。都會の婦人が實行容易な歩行運動を日常生活の中に取込んで買物にお使に成るべく交通機關の便益を排して行くならば自己一身の健康を増進するのみならず明日の國家の構成分子なる子孫の上にも好影響をもたらすことは必定である。況んや歩行は精神を爽快にし潑剌なる元氣と若々しさを保ち姿勢を端正ならしめる作用を有するから婦人の生命たる美といふものを維持すると云ふ意味から見ても有益なものである。

斯の如く都市生活者の凡てが交通機關の整備から兎角その機會を奪はれ勝ちな徒歩運動を實施勵行するならば自己の保健上の利益は固よりのこと、非常時局下物資節約の見地よりする燃料動力の節約と云ふ國策にも副ふ所以である。

以上は日常生活に於ける徒歩の効果を述べた譯であるが次はもつと積極的に都市生活者の心身鍛錬と云ふ立場より徒歩運動を檢討したい。

東亞の聖戰始つて以來茲に三年忠勇なる我が皇軍將士は酷暑を冒して支那大陸に新アジア建設のための努力を續けて居る次第であるが皇軍は常に我に數十倍する敵兵を破る連勝の譽を擅まゝにしてゐることは實に皇軍將士の脚力、卽ち行軍力の强さに依ると云つても必ずしも過

ちではないと考へるのである。古くナポレオンがアルプスの嶮を越へて伊太利半島に墺太利の大軍を破つた時にも彼は大砲や銃劍でよりも脚で勝利を得たと云ふ批評を受けたが何時の世になつても行軍力の戰鬪に及ぼす影響を無視することは出來ない都市出身の兵士の弱點は一に行軍力にあるとの批評をも聞く此の際吾人は我が大阪の青少年の脚力涵養、それも相當猛烈な强行軍の實施を切に望みたいのである。青少年諸君が偶の休日に算盤やペンをすてゝ郊外に出て清澄な空氣を吸つて綠の山野を脚に委せて踏破することは精神上から云へば浩然の英氣を養ふに在り、保健上は云はずもかな、國防上の意義も實に大なるものがある。

最近市民が休日を利用して喧燥と煤塵の市内を離れて綠の山野に憧れ出ることは可成り普及して來てゐるのは誠に結構な現象であるが未だ多くの人々には休暇、公休日等を不健康な慰安娛樂を求めんとする傾向があるのは健康增進體力向上の見地よりすれば是非改善を要すべき點である。

都市生活者がたとへ一週の中一日でも半日でもよいから郊外に出て紫外線の多い日光に晒され清澄なる空氣を胸一杯呼吸し、潑剌たる元氣と浩然の氣を養ふことは全く生命の洗濯と云ふものである。

更に之に興味と鍛錬を目的として行ふ山野跋涉、登山天幕旅行、舟遊、釣等を行ふことは最適の體力向上の方法である。

要するに徒歩運動は老若男女誰にでも適合せる理想的な體育運動であつて此の種體育運動が層一層一般市民の間に普及する樣希つて已まない次第である。

第十一回全東京乳幼兒審査會への奉仕感想

東洋家政女學校研究科有志

茶菓料を傷兵保護院へ

研究科　瀧田婦美子

約二年支那事變はます／＼複雜となつて參りました。そして非常時、非常時と叫ばれて來た今日、元氣な赤ちやんの姿を大勢見て、愈々これからの日本が力强く思はれました。歐洲大戰の時、ヨーロッパでは赤ちやんの生れる人數が、大變少くなつたといふお話を伺つた事がありました。これは婦人が多く勞働をした上に、榮養が行きとゞかなかつた爲だと思ひます。でも日本の赤ちやんは、この先十年二十年戰が續いても、優しい母の愛で、屹度强く延びる事でせう。私達も主婦となつたならば、校生先生のお敎を守つて、屹度立派な赤ちやんを育てる事が出來ると思ひます。今日、日本橋高島屋に於て銃後の勤勞奉仕もかね、又私達にも參考となつた、この會に惠まれた事をとても嬉しく思ひました。

尙その上理事の伊藤悌二先生からは、懇篤なお禮のお言葉に御茶菓料まで添へて頂き、一同すつかり感激し、此の淨財を時節柄よりよき事に利用致し度いと級の皆さんと相談して、誠の籠つた此のお金を、お國の爲に傷ついた人々の爲に利用して頂き度いと、五人の代表者は胸をどらせて、傷兵保護院へ足も輕ろやかに寄附に參りました。常に何か御國の爲につくしたいと思つて居た事が、一度に二つも出來た事にすつかりうれしくなり、銃後の女學生となりきつた感激

は一生思出となりませう。

日本を益々立派な國にする赤ちやん達

研究科　佐伯榮子

私は丸々と太つた可愛いゝ赤ちやんの頭圍胸圍を計る所に居りました。私の第一に驚いたのは體格の立派な赤ちやんが實に大勢次から次にと見える事でした。頭も大きい胸圍りも大きく丸々太つて何とも言へない可愛らしさ。此の赤ちやんは審査の結果必ず一番かと思つて居りますと又々立派な赤ちやんが見える事でした。第二には泣き聲の大きい／＼實にすばらしい、あつちの隅でオギヤーこつちでオギヤー／＼本當に元氣一ぱいの泣方、又丸々と太つてゐられる赤ちやんが笑つてゐる、私は思はずバアなどとあやした。又お母さんは汗だく／＼で抱いてゐらつしやる。赤ちやんは此の優しいお母さんの胸にいだかれ可愛がられて日一日と元氣に育つて行く、そして僕は大きくなつたら必ず立派な軍人さんになつて見せるよ、私は立派な人になつて質素儉約をする賢い人になるのよ、僕は立派な政治家になつて見せるよ、僕もあたしもと、皆口々に叫びそうやがては將來の日本を愈々立派な國にして下さる此の赤ちやん方も私は本當に日本はたのもしい國嬉しい國だと思ひました。そして此の赤ちやん方をもつと／＼强く丈夫に育てゝ行かれる尊いお母樣方にも感謝致したい氣持で胸が一杯でした。

一人殘らず表彰してやりたい

研究科　近藤正子

私は乳兒審査會に御手傳に參りまして、一番驚きびつくり致しましたのは、皆赤ちやんの元氣のよい事で御座いました。生れたばつかりで一貫何百目とか言ふ大きな赤ちやんもおりました、私は間違ひではないかと思つて、もう一度聞きに行つた位でした。歩き出す子や、はかりにかけさせない元氣な赤ちやんも居りました。日本の國は是れから先如何

に立派な國になるかと言ふ事が想像されます。十月に、きめられるお話で御座いましたけれど、私はあの元氣な赤ちゃんを一人殘らず皆一等賞にして上げたいやうな氣が致しました。

頼もしい銃後の赤ちゃん部隊

研究科 吉野節子

御自慢の赤ちゃんを連れたお母樣方が、我れ先にとつめかけて、忽ちの中にホールも一杯に埋め盡された。早速審査が始められる。〇〇さん〳〵と呼ぶ聲も、赤ちゃんの泣聲に消されてしまひさうに聞える。でも何處か嚴かな氣が漂つてゐる。いろ〳〵とお母樣にお聞きして筆記してゐると、傍から赤ちゃんがニコ〳〵笑つて私の顏をのぞき込むやうにしてゐる。とても可愛らしい。事變下に生れた赤ちゃんであるからか、體重や身長を計られて泣き叫ぶ聲もなんとなく勇ましいやうな氣がした。次から次へと續く赤ちゃんの群れの中には、名譽の戰死者の遺兒や、出征勇士の第二世も居られるのだ。この子こそはとお連れになつた赤ちゃんだけに、とても太つた可愛らしい赤ちゃんばかりだ。銃後の赤ちゃん部隊はこのやうによく太つて、健康な赤ちゃんばかりであれば、これからの日本は益々盛になるのだと頼もしく思つた。この二日間に少しでも審査會の係員の方々の、お手ひが出來ましたのは本當に嬉しい事でした。

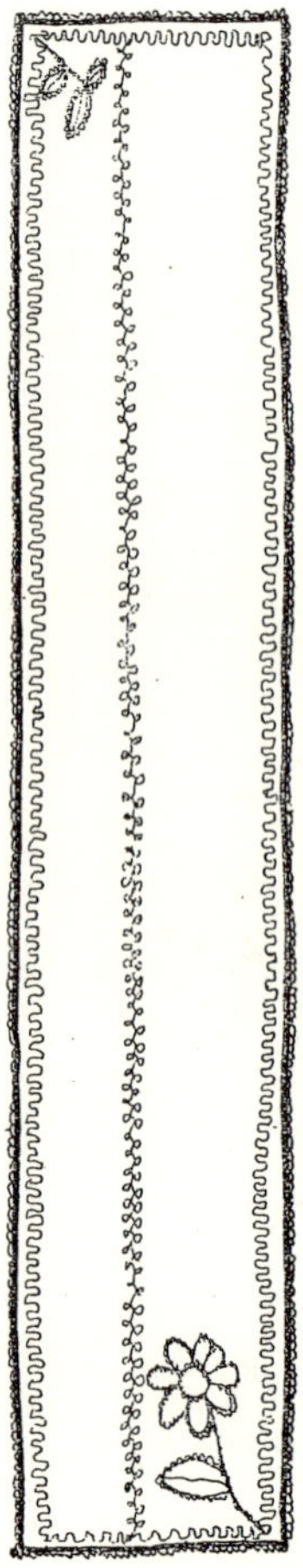

英雄は憐む

——軍神乃木の印象——

廣井辰太郎

軍神乃木の印象を語る。それは將軍が目白の學習院長時代のことだ。三浦觀樹將軍か澤柳政太郎博士かの紹介に依る。どつちであつたかはハッキリ記憶しないが、そのいづれかで有つた事丈はハッキリ覺えてゐる。

明治四十四年の秋の一日目白の學習院に乃木院長を訪れた。動物愛護會の月次例會に招請する爲であつた。私は學生時代約四年間四谷見附の舊寺内元帥邸の近所に住んでゐて、見附附近でよく馬上の將軍を見たことがあつた。その時分には無論まだ將軍ではなかつたらう。因に言ふ、夫は日清戰爭の前後のことである。

院長乃木の寫眞技術的の說明は試みぬ。餘り必要な事ではないからだ。但し將軍は泣く兒も泣き止むと云つたやうな豪魁な風貌の人でなく、一見素朴な村夫子然たる人であつて、私見たやうな人間に對してでも、恐縮する程慇懃否謙讓な人であつた。將軍はコヽ當分は多忙で行かれぬが、ソンナ立派な會ならその中必ず出席すると言はれたので、他日を約して辭去しやうとした。「一寸お待ち下さい、コウお出になつた方がお近う御座ります」といふ將軍院長の聲は今尙耳底に響くの感がある。將軍はかく言つて樹間を縫ふて私を正門の近くまで送つて來られた。これには全く恐れ入つた。加之、私は何とも言ひやうのない一つの偉大なる力に擊たれたやうに恍惚とした。

眞に人を動かし、支配する力は權柄ではない。況んや傲慢をや。所謂人の手足を否全身を縛する底の威壓の力は謙虛無我、慈愛の力である。大隈侯が大隈伯であつた時代に、私は一時よく早稻田の大隈邸に出入したことがあつた。私が二度目に伯に會つた時、伯に「おう廣井君」と呼ばれて私はスッカリ參つて仕舞つた。ジウリアスシノザは麾下の兵卒の前名を悉く暗記して居つたと傳へられる。伯大隈の偉大なる魅力はコヽにあつた。私は痛く大隈に傾倒した。しかし私は伯の頭に敬服したのであつて、その人格に推服したのではなかつた。乃木將軍の場合は異ふ。人の力、德力、慈愛

が人を征服するのである。折角再訪を約したけれども翌年にはアノ悲壯なる事件が起つた。故に私が親しく軍神乃木を觀たのは夫が始めであり終りであつたのである。

乃木將軍の厩は有名な話である。それは無論誇張であるが、將軍の厩は將軍の居住よりも立派であつたとまで言はれた。乃木家の門の右側に赤い煉瓦の長い平家があつた。夫が藝術化された將軍の厩である。今は取り拂はれて無くなつた。尤も、何も煉瓦造りの厩がドウと云ふ譯では無い。馬を愛するの心の象徵として始めて厩が藝術と成るのだ。愛馬は軍人の嗜みである。されば動物愛護の主張は軍人にはスグ判る。然るに世の所謂インテリ中には之を說いても卽座に共鳴しない程無識なる者が往々にして有之るのである。是れ知性の歪曲、心情石化に原由する爲でないと言へやうか。

グラント將軍は宏量大度の巨器で、曾て怒つたことがないと言はれる。そのグラント將軍が一生涯タッタ一度怒つた。夫は馬丁が不必要に將軍の愛馬を鞭打つた時であつた。米國の名將、第十八代大統領ゼネラルグラントはこの點に於いて我乃木將軍と甚だ相似たるものがある。愛馬の、動物愛の愛と、友愛、孝心、愛國の愛は別物ではなくて、全く同根同質のものである。故に『動物を虐待する者は善人たる能はず』といふ哲人の言葉はその儘眞理であると云ふことになる古來偉人は悉く慈人である。今爰にお釋迦樣以來の大慈大悲の系圖を表示するにも及ぶまい。私は只現代に於ける興味の中心である盟邦の元主ヒットラーに就いて一言する。彼は敬す可く豪邁にして不退轉の鞏毅性を持つてゐる。併し其鞏毅性と豪邁は彼の愛に外ならぬ。烈々たる、火山の如き祖國愛に他ならぬ。私は不圖現代の英雄ヒットラーの「余は斷乎動物虐待を排擊す」と云ふ言葉を發見して愉快に堪へなかつた。そして軍神乃木の厩は人道的絕叫の行化された尊きモニュメントであつた。

動物を愛する心

高島米峰

孟子曰く、『天時不レ如二地利一、地利不レ如二人和一。』(孟子公孫丑下)と。これは、時日や干支の廻はり合せや、その他、天候が宜しきを得ても、地池の要害のよいのには及ばない。又、金城湯池の堅固も民心の一致和合せるには及ばないといふ意であつて、畢竟、國を護るといふ場合、國と國との戰爭の場合に、何が一番大切であるかと言へば、國民全體が謂ゆる擧國一致の體制一糸亂れず、互に相倚り相扶け、相和し相合することが最も大切であるといふのである。

今次の支那事變勃發以來今日に至るまで、皇軍の向ふところ全く敵なく、破竹の勢をもつて連戰連勝して居るのであるが、これは一體どういふ譯であるか、天の時が良いためか、そうでもない。それは全く將兵心を一つにして、君國に報ずるといふ人の和の賜である。

惟ふに日本は、一君萬民の國柄である。一君を上に頂いて、萬民これを翼贊し奉るのであつて、苟くも、天皇の勅命とあれば、身命を捧げて火の中水の中でも、喜んで飛び込んでゆくといふ、忠誠を根柢として、築き上けられた國である。「海ゆかば水く屍、山ゆかば草むす屍、大君のへにこそ死なめ」といふ氣持は、建國の古から未來永遠に亘つて、變ることのない日本精神である。それ故に一旦緩急あれば、國民全體一丸となつて、義勇奉公の部署につくのである。この國民全體一丸となるといふのが、卽ち擧國一致の體制であつて、これが軍隊に於ては、將兵一丸となり、將と將と相和し、兵と兵と相和し、將と兵と相和し、お互に親子兄弟の如き親しさを以て助けつ助けられつ、持ちつ持たれつしてたゞ君國のためにといふ、背私向公の外に餘念がないといふ、その力が、天の時の惡いのも地の利の惠まれないのも突破して、連戰連勝して居るのである。

この人の和といふことが、如何に人生に重要な役割を持つかといふことについて、日本に於ては、推古天皇の皇太子攝政として、萬機を總攬せせられた聖德太子が、親しく肇作し給ひて『十七條憲法』の第一條に於て、旣に明にお示し下されてあるのである。それは、

和を以て貴しと爲、忤ふこと無きを宗と爲よ。人皆黨あり、亦達者少し。是を以て、或は君父に順はず、乍隣里に違ふ。然るに、上和ぎ下睦びて、事を論ずるに諧へば、則ち事理自ら通ず、何事か成らざらん。(原漢文)

といふのである。人生に於て、何が一番貴いかと言つて、人々互に相和するといふこと位尊いことはない。だからお互に、忤ひ爭ひ喧嘩することのないやうにと、心懸けなければならない。ところが人間には、黨派心、依怙贔負、我儘、自分勝手、個人主義、利己主義といふやうなものがあつて、そのために、君に仕へて忠ならず、親に事へて孝ならざる

ものも出來るし、近所隣りと仲違ひするものも出來る。然るに、上和ぎ下睦び、上下心を一つにして、親しく話へば、どんな事でも出來ないことは無いといふのである。

世界の理想も恒久の平和であり國家の理想も永遠の平和であり、家庭も個人も、窮極するところ、平和が目標でないところはない。

今次事變の目的も、東洋永遠の平和の確保に在るのである。これを小にしては、自分の心が、いつも平穩滿足でありたいと、念願しないものも無ければ、自分の家庭がいつも春風駘蕩であることを希望しないものもあるまい。これを大にしては、國家社會の平和を、念願しないものもなかるべく世界恒久の平和を希望しないものもあるまい。その世界の平和は各國の平和に依つて基礎づけられ國家の平和は、家庭の平和に依つて基礎づけられ、家庭の平和は心の平和に依つて基礎づけられるのであるが、その心の平和は、愛を中核として成り立つのである。

すべてのものも愛し得る心、それこそ、東洋永遠の平和、世界恒久の平和の源泉である。果して然らば、動物を愛する心だけが、その源泉から除外される筈はあるまい。

（昭和十四、四、一七）

一等兵と愛馬

大内俊

◇〇〇騎兵部隊が、漆水の南方揚威に入つた時の事である。織田といふ一等兵の愛馬機古號も、一週間ぶりにヤツと馬裝を解かれて、ホツとした形であつた。物こそ云はぬ、打ちつゞく疲勞から解放された悅びの表情は歷々と窺はれた。內地を出發した頃は、村の競馬で一等をとつた「靑」だけあつて、張りきれるほど肥滿つてゐたのに、徵發馬の未訓練と、食ふに糧なく飮むに水のない數日の苦鬪を戰ひぬいて、疲勞と瘦削とは當時の面影を失ひ、而も鞍のために幾つかの小傷さへ負つてゐた。

◇その擦り剝けた赤肌に、支那特有の蠅が猛集してくるので、號令は聞きわけても、物を云ふことの出來ない悲しさには、動作によつて僅かに訴へるよりほかに手段がない。もとより我子のやうにしてゐる兵は、愛馬の樣子で早くも其の苦痛を知り、鼻づらを撫でてやりながら、蠅を追つたり傷口の手當をしてやるのであつた「お前も、よく頑張つてくれたな」さう云つては愛馬を勞はる一等兵の姿は、まことにいぢらしいものであつた。然し、人馬ともに殆んど休養する間もなく、部隊に向つて進軍しなければならなかつた。

◇機古號は今日も三十餘貫の重荷を背負ひ、高梁畠の中をぬけ、泥濘を踏み越へ、濁流を渡つて敵を追擊してゆくのであつた。首を重く垂れて行く馬上に、悲痛な軍馬の運命を思ひながら、心の中では「我慢してくれよ、辛抱してくれよ」と、或は感謝し或は激勵しつゝ進んでゐた一等兵は、もう乘りつゞけるに忍びなくなつて馬から降り、轡を執つて部隊の後を追つて行つた。そして途中、僅かな休憩にも、身の疲勞を忘れて愛馬に十分の水を與へ、渴を醫し、馬裝をゆるめては、出來る限りの愛情と慰撫を繰り返してゐた。しまひには、水筒に入れて來たトツトキの支那酒で、疲れた愛馬の脚を冷してまでやつた。

◇が、彼の努力と愛撫も、日夜につゞく過勞と馬糧不

足には勝てなかつた。機古號は、麥代用の甘諸のために風氣疝を患ふやうになつた。「明日は入城だ、賴むから頑張つてくれ」と、一等兵は泣きながら愛馬の手綱を曳いて、而も部隊の後を追ひ、順德に道を急いだ。

◇その途すがら、部隊が畢支江の山腹に休んでゐると突然、機古號は何物かに驚いて、一聲すさまじく嘶いたかと思ふと、疲れてウト〳〵してゐる一等兵の肩先を强く突いた。愕然として目をさました一等兵が、四邊に氣を配れば何と直ぐ前方の高梁畠には數百の敵の影が動いてゐるのであつた。一等兵の報告により、部隊は忽ち之を急襲し危機を轉じて大勝を得たのは、一に織田一等兵の愛馬機古號の功績と云つても云ひので、それといふのも一等兵の愛馬心が、物言はぬ戰士の魂にまで通じてゐたからであつた。

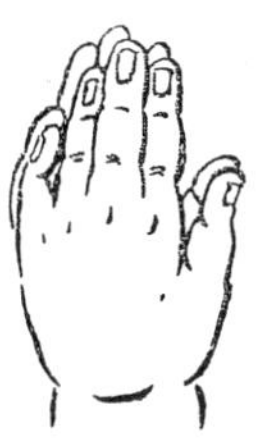

『鯨の墓』

菅原洞禪

先年三重縣に講演の途次、鳥羽に一泊して宿屋の女中さんから眞珠貝供養の話を聞いたことがあつた。それは曹洞宗の日置默仙禪師に歸依して居られた御木本翁が幾多の眞珠貝の生靈に對し、報土莊嚴の眞心から行はれた法供養であつて、觀音樣を建立し、業者は一日休養し、禮裝を整へて法會に參加し、いろ〳〵の餘興などもあつて……と聞いて、翌朝海岸を散步しながら、心靜かに般若心經を讀誦し、海の郡靈に私も合掌したことであつた。

☆

本年三月、湘南金澤に大橋新太郞翁の篤志建立にかゝる百番觀音を巡拜すべく、私の主宰しつゝある弘誓寫經會の會員十數名と共に稱名寺の境內に到り、金澤文庫の創立者北條實時公が、支那から多くの經卷や經書を取寄せるに際し船舶中の鼠の害を防ぐために、支那猫を數匹一しよに連れて來た、それを可愛がつて育てゝ居たが軈て壽命が盡きた時、いづれも鄭重に葬り、塚を建てゝ供養を行つたといふ、その塚や塔が稱名寺の裏山にある、

星霜實に七百年の歷史を物語つてゐる。

☆

詳しく調べて「動物愛護」に書いてもよいナと思つて居た矢先、廣井主幹から「鯨の墓」の材料があるから是非これを書けといふ命令、一見するに如何にも珍らしく且つ又有難い話だ。だがこれは理論で布演すべき筋合のものでもなし、面白く書くべき種類のものでもない。たゞ與へられた材料を並べるだけであるが、物を物と見、魚族禽獸の生類に至るまで數字や金錢で計算することのみを知つて居る近代人のためには、吾等の祖先の中には斯うした無限の慈愛と深い思量とがあつたことを知つて置く必要があらうと思ふ。

☆

山口縣大津郡通村字觀音驛——

日本海々岸の狄と下關との中間、景色のよい所、この村では明治の末期まで捕鯨を業としてゐた。隨つて古來多くの鯨は村人の手によつて生命を斷たれことは謂ふまでもない。然るに寫眞に見るが如く實に堂々たる墓が、同村淨土宗向岸寺境內に建立されて居る。二重の臺石が二尺三寸もあり、其上の墓石の丈が五尺五寸といふのであるから、高野山に於ける諸國大名の墓石にも匹敵するもので、其の表面には

南無阿彌陀佛 業盡有情雖不放生 故宿人天同證佛果

（業盡の有情放生せずと雖も故人天に宿して同じく佛果を證せよ）側面には元祿五年壬申五月と刻まれ、願主の連名がある。

更に延寶七年（元祿五年より十三年前）向岸寺住持證譽の發願によつて祀られた立派な觀音樣があつて、その厨子には「當浦中爲二世安樂並鯨菩提」と記入されてある。無論觀音弘誓の願力に攝取せられて、村人も鯨も共に成佛することを祈念したものである。而して其の墓所には約八十の鯨の胎兒が鄭重に葬られてあるといふ。

☆

こゝに最も心を惹かれるのは「鯨の過去帳」である。單に鯨の墓のみであれば他にもある。過去精靈簿を造るに至つて、初めて祀つた人々の魂が打ちこまれてゐる。而もその序文は總本山智恩院藏山上人の撰とあるからには、後世佛教化史の一頁を飾るに足るものと思はれる。

今試みに二日の所を見ると等記されてあるが、法名は無論捕獲した鯨につけたものであつて「勇譽了徹」は雄鯨であり、他は雌鯨であらう。五ヒロはその身長をいひザトウ又は靑さぎ等は鯨の種類か早川氏は鯨の網元なる由。

尙、向岸寺には高さ二尺有餘の立派な鯨の位牌がある

といふに至つては、徹底せる供養振りに全く驚歎せざるを得ない。

☆

加之、春秋の二季、三月と九月とには向岸寺に於て鯨の大供養會が行はれ、村民一同一週間、業を休みて法會に參じ、等しく鯨の菩提を弔ひ、回向に專心するを例と爲すといふ。

以上に廣井氏の教へ子である山田富子女史（實踐女子專門學校及び東洋大學々部卒業）の提供された材料に依るものであるが、全く以て大乘佛教の本旨に適した好箇の美風と謂ふべきである。先年黑板博士が特に此の地に行つて調査されたさうであるが、これは佛教家の手によつて更に深く探究すべきであらうと思ふ。

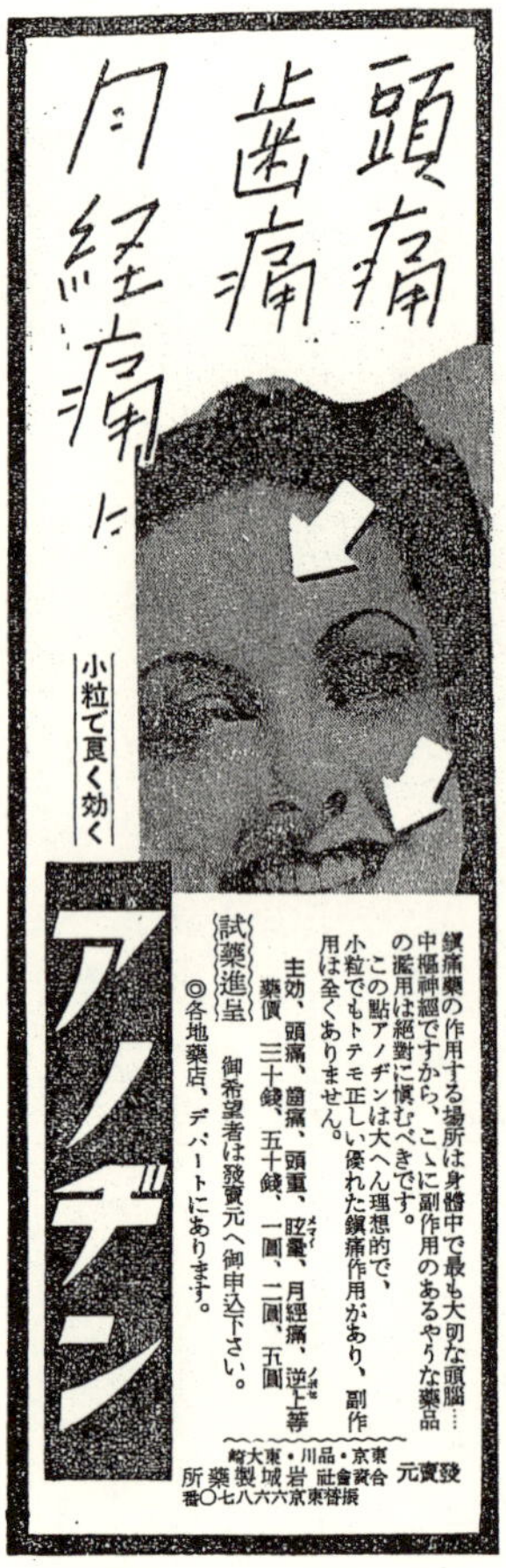
頭痛
歯痛
月経痛に
小粒で良く効く
アノヂン
鎭痛藥の作用する場所は身體中で最も大切な頭腦…中樞神經ですから、こゝに副作用のあるやうな藥品の濫用は絕對に愼むべきです。
この點アノヂンは大へん理想的で、小粒でもトテモ正しい優れた鎭痛作用があり、副作用は全くありません。
主効、頭痛、齒痛、頭重、眩暈、月經痛、逆上等
藥價 三十錢、五十錢、一圓、二圓、五圓
試藥進呈 御希望者は發賣元へ御申込下さい。
◎各地藥店、デパートにあります。
發賣元 合資會社 岩城製藥所 東京・品川・東大崎
振替東京六六八七〇番

動物の本能にも我師あり

—蛇の如く智く鳩の如く馴良く 蟻の如く働き蜜蜂の如く斂む—

伊藤悌二

孔子の言に「三人行へば必ず我師あり、其善き者を擇んで之に從ひ、其善からざる者にして之を改む」、といふことがある。卽ち他人の善行を見て己れも之に齊しからんとして、自ら勵み他人の不善を見るや自ら相警誡して其の轍を履まざらんとするのである。卽ち他人の善と惡とを見て悉く採つて以て自己修養の資となすので、斯の如くして日に月に德に進むのである、而して吾々は又動物の本能的活動を見て以て我師とするに足るものがある卽ち蛇、鳩、蟻蜜蜂、の如きは其類である。

第一、蛇は災を避くるに最も慧き者である、動物中最も怜悧なりとする犬の如き屢々盲人に尾を履まるゝことがある、然るに蛇に於ては決して人に履まるゝことはない。卽ち吾々が田畑野路を步むとき彼は其足音を聞くや其避くること甚だ速かにして、吾々の目に觸るゝときは僅かに其の尾の端を見るに過ぎぬのである。卽ち吾々も出來得るだけ災を避くるの途を修養することは大切である、然るに吾々は屢々無益のことによりて災を招く樣な愚なることをするものである。

卽ち、吾々は出來得る限り他人より非難攻擊せらるゝ如き言行や、徒らに他人の厭ひ嫌ふことをせぬ樣にせねばならぬ。然らば吾々は妄りに他人の短所缺點を擧げたり、他人の秘密を言ひ觸らすことや、口を開けば自己の

百日咳・麻疹・肺炎等・特効
吸入藥 カンピロン
せきどめ
合理的吸入療法と其效果ある理由
本品は上圖の如く普通の吸入器で之を吸入して呼吸器直接に作用す、芳香爽快にして、毫も副作用なし
一、せきの出る神經に作用して咳を止め、又痰を溶解して容易く祛痰の効を奏す。
一、心臟を強め抗病力を增進し且つ肺炎、氣管支炎等の炎症を治する効ありて全快を早む。
一、解熱作用あり、卽ち體熱中樞を刺戟して發熱を抑制し又殺菌力あり。
適應症 感冒、肺炎、氣管支炎等の急性病は勿論麻疹、百日咳等の小兒獨特の病に特効あり又肺結核、喘息等の鎭咳、祛痰に適應す
大阪市民病院小兒科長
大阪府立保嬰館前館長
實驗 推奬
全國藥店にあり
定價 六十錢・一圓・二圓等
大阪市東區平野町
道修藥學研究所

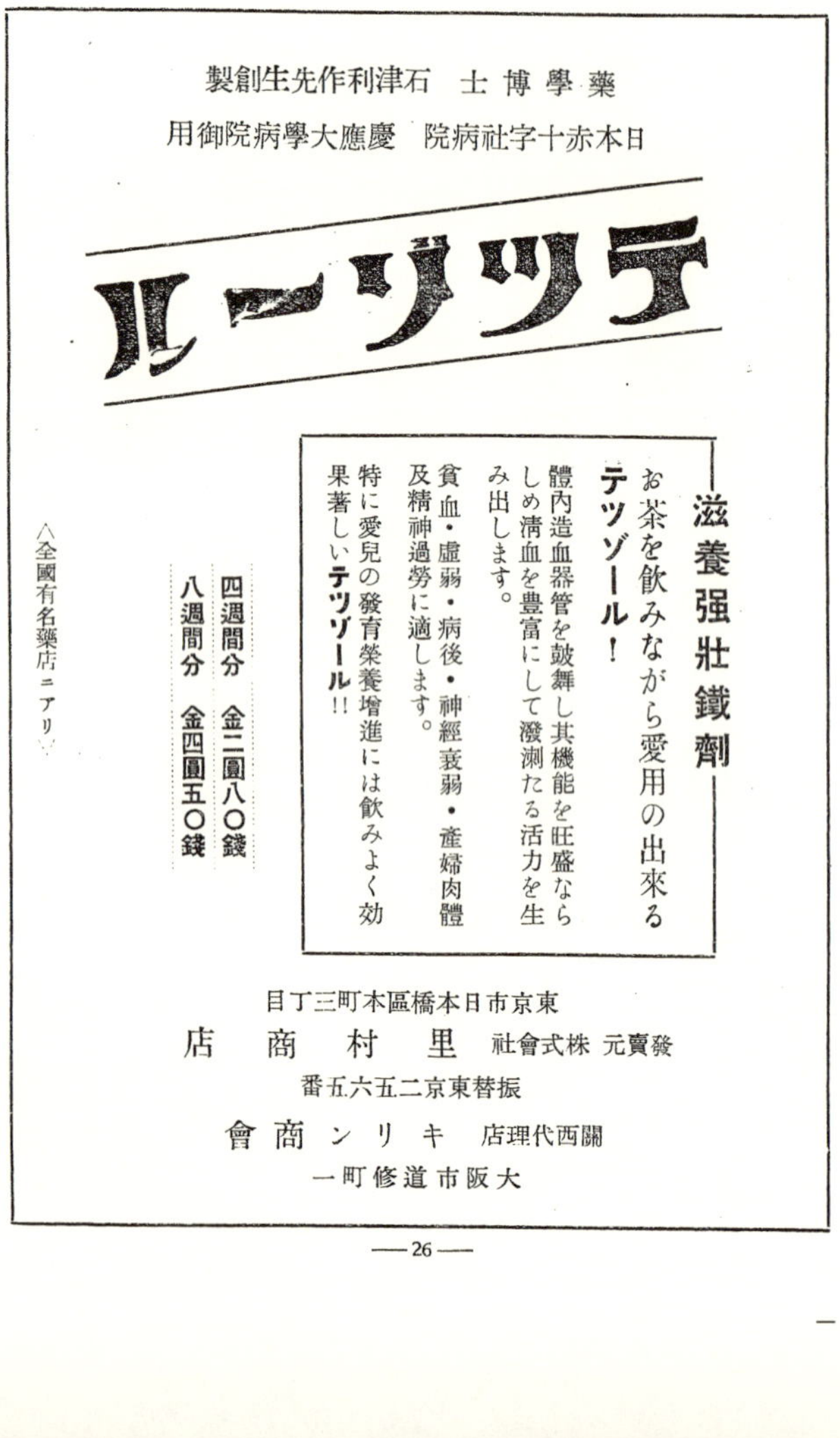
藥學博士 石津利作先生創製
日本赤十字社病院 慶應大學病院御用
テツゾール
滋養强壯鐵劑
お茶を飲みながら愛用の出來るテツゾール！
體內造血器管を鼓舞し其機能を旺盛ならしめ淸血を豊富にして潑溂たる活力を生み出します。
貧血・虛弱・病後・神經衰弱・產婦肉體及精神過勞に適します。
特に愛兒の發育榮養增進には飲みよく効果著しいテツゾール!!
四週間分 金二圓八〇錢
八週間分 金四圓五〇錢
〈全國有名藥店ニアリ〉
東京市日本橋區本町三丁目
發賣元 株式會社 里村商店
振替東京二五六五番
關西代理店 キリン商會
大阪市道修町一

長所を矜る如きは皆人の嫌ふ所である。反つて吾々は常に他人の長所美點を賞揚することに心を用ふるに於ては自己の人格を高くし、他人の信用を厚くして徒らに怨を招くことはないのである、且つ凡て不確實なることは一切せぬといふ覺悟を確くせねばならぬ、即ち借金することと、相場的のことに指を染むることゝ、出來得る限り、悪しき風俗に交らぬこと、猥褻らしき書を讀み、猥褻らしき言語を放つが如きは悉く愼み、又縱令國家社會の悪風汚俗を憤りて之が矯正を爲さんとするにも、徒らに激語を放ち罵詈するが如きは往々にして災を招くのである、即ち吾々は災を避くること蛇の如く慧くあらねばならぬ。

第二、鳩の如く馴良しかれといふことである、即ち蛇は災を避くること機敏で有るが、若し其災が避け能はぬ時には、必らず之に逆ひ咬みつきて甚しき時は人をして死に至らしむることもある。故に鳩の如く柔和の德を修養せねばならぬ、即ち凡ての鳥類中鳩は最も柔和の者である、縱令畑へ播きたる豆を啄むこともあるも、農夫は激語を發して之を追ひ拂ふことをせず靜かに之を追ふのである。而し鳩の追はれて飛去るや怒らず、怨まず、其風采の優雅にして悠々逼らざる如きは、追ふ者すら之を嘆稱して播き殘りの豆を桝より握みて路傍へ播き與へざるを得ぬのである。

即ち鳩によりて激怒又は復讐的感情の防止を修養することを諷したのである、凡そ人生の不幸は妄りに激怒を發し徒らに復讐的感情を起すより甚しきものはない。若し僅かなる毀譽成敗に激して殘念なり忌々しきなりとの情に驅らるゝ時は、遂に不合理なる行爲を以て其鬱憤を霽らさんとするに至ることがある。墮落學生が學校を怨み甚しきは校舍をも焚かんとするに至るものすらある、愚かなる者の愚をなすは子を取られたる牝熊より甚しいといふことがある。即ち無益のことは復讐心を起すものは、徒らに精神と時間を消磨するのみにして眞に不幸の極といふべきである。

十八世紀のころ神學者として有名なるヂョナサン、エドワードといふ人があつた、此人修養の法則として復讐的感情は一切起さぬといふことを常に堅く守つたと申ます。乃ち人は往々にして些々たることに殘念なり忌しきなり如何にして此不滿を償はんかと煩悶して無益の時間を費消することが有る、こゝに於て鳩の如く柔和にして一點復讐的感情を起すことなきに於ては、貴重なる時間を徒費せざることに於て最も有効なるものである。

第三、『地に四つの物あり、微小と雖最も智し、蟻は力なき者なれ共、その糧を夏の中に備ふ、山鼠は强からざ

れ共、其の室を磐につくる、蝗は王なけれ共、みな隊を立てて出づ、守宮は手をもてつかまり王の室にをる』（箴言三〇の二四―二八）とある如く、蟻のやうに働くといふことは日本の社會に於ては特に味ふべき格言である、即ちソロモンの箴言に惰る者よ蟻にゆき其爲す所を見て智慧を得よ、蟻は首領なく有司なく君主なけれども夏のうちに食をそなへ收穫のとき糓を斂む、といふことがある。即ち蟻なる者は蜜蜂の如く王蜂あり將蜂ありて其勤惰を監督する者があるのではない、鼠の如く首鼠ありて衆鼠を導く者があるのではない、即ち蟻には指揮する者監督する者賞罰する者なく、即ち首領なく有司なく君王なけれども、各自に其責任を守りて夏のうちに食をそなへ、收穫の時に穀を聚るのである。

乃ち我帝國の如く面積狹くして人口多き國に於ては、製造物工藝物を盛んにして海外貿易の利を得ることは經濟政策の一つである、而して其目的を完うせんとするには官吏公吏會社員をはじめ商たり農たり工たるとを問はず、其精神の自主的たると奴隷的たるとによりて其結果に雲泥の差を生ずるのである故に、奴隷を使用するは經濟上得策ならぬといふことがある。何となれば奴隷を使用するには監督者の費用を要す、而も監督が一寸怠れば職工は一尋惰けるといふ、即ち千人の職工が十分づゝ惰ければ六百六十六時の惰となる、又諺に「奴隷は休んでは働くが自主の人は働いては休む」といふことがある、然らば蟻の如く首領なく司宰なく君主なけれども、各自其責任を重んじて側目もせずに働くことは大に模範とすべきである。

第四、蜜蜂の社會組織は頗る興味ある問題である、君臣の關係千古變ることなく、一の女王に對し千萬の雄蜂は能く忠を勵むのみにして未だ曾て王位を覬覦したものはない。又新たに王たるべき蜂が生ずる時は舊王直ちに其位を新王に讓りて、自分の臣下を引連れて其居城を去りて、決して再び其舊城に戻ることはせぬ、隱居して息子の身上に干渉せぬのである。而して其王が死したる時は其臣下たる蜂は一疋も殘らず殉死して仕舞ふのである、又其臣下たる蜂は立憲國の巡査の如く拔劍して人を斬ると罰せらるゝ如く、怒つて人を刺すと劍が拔けて死んで仕舞ふのである。且其蜂の中に將蜂とて衆蜂を監督する將校がある、若し蜜を携へずして來る者あらば決して巣の中に入ることを許さぬ、而して冬籠りとなり其勞働を監督する任務相果てたる時は永遠に辭職するのである。即ち悉く自殺して一疋も殘らぬのである、即ち蜂の社會には多分の恩給を貰うて政事に干渉する元老はないのである。即ち遊んで居て他人の膏血否他の蜂の貯へた

蜜を甞めることは不義なりとの德義心かも知れぬ、固より多數の豫備士官に蜜を甞められては兵卒の生活に影響すると見えて、「將蜂活きて冬を過ぐれば峰族皆空し」といふ諺がある、即ち一將功なりて萬骨枯るゝといふことに能く似て居る。

而してこの蜜蜂社界の經濟狀態は大に參考とすべきである、即ち殆んど肉眼を以て視るべからざる花心の蜜を針より細き指先きにて集め王を養ひ自らを養ひて、尚且つ瓶へ容れ箱へ詰め車で運ぶといふ蜜を貯ふるのである。即ち我國の如き土地狹く衣服食料すら外國の輸入を仰がねばならぬ國勢に於て、一億同胞が災を避くること蛇の如く柔和なる鳩の如く働くことは蟻の如くにして、更らに蜜蜂の如く微物といへども苟も之を空しくすることなく、之れを利用し之れを活用するに於ては國家を富ますこと掌を反すより容易なることは信じて疑はぬのである。現に歐羅巴の中部に位する丁抹國の如きは地味最も悪しく其面積は一萬五千方哩にして日本の九州より小さく人口も亦同樣にして、日本の中以上の縣を二つ併せた位の者である、而して歐洲諸國へ輸出する農產物の價のみでも、年々四億圓餘だと申します、然らば日本の前途を雙肩に荷ふ所の青年男女たるものは、苟も之を利用し得べき物は微物と雖も之を塵塚へ棄て紙屑籠に投ずることをせぬ樣な情操を修養することは家庭訓育の義務として意を注がれんことを希望するのである。

兎唇、多指症の遺傳

厚生省優生課では近く專門家を動員してわが國最初の綜合的な部落調査を開始することゝなり、わが大和民族强化のための諸問題を解決するうへに有力な資料を與へることになりましたが、やかましい斷種法制定の對象は、主として一部惡質の遺傳をする精神病に限られてをり遺傳の知識に乏しい一般はすべての遺傳病にも及ぶやうに誤解されてゐるやうですが、この際誤られやすい遺傳の知識を是正する意味で、左の橋本博士の實例についてのお話を伺つてみませう。

產院のやうにたくさんの赤ちゃんが生れるところでは、すべての赤ちやんが兩親の期待どほり目鼻かたちが麗はしく生れるものと限らぬことが知られます。稀には兎唇や多指症のやうに肉體的の畸形をもつて生れ、兩親を深い悲しみにさそふ場合さへあります。廣い世間ではなほさらです。萬一にも肉體的な畸形が生れたとき、何より大切なのはその畸形の遺傳關係にたいする正しい知識をもつことだと信じます。この頃「斷種法」が唱導されるやうになつて、精神病やその他、遺傳についての一般の知識が高められてきたのは喜ばしいことですか、同時に不徹底な知識が、必要の限度をはるかに越えた恐怖心をそゝつたり、無用な悲劇を生んだりする場合が少しとしません。最近、私は次のやうな例を身近に經驗しました。

或る大學生が或る娘さんと眞面目な戀愛から結婚にまで進まうとした。ところがたま／＼娘さんの姉の子供に兎唇がゐるのを知つた。この大學生は兎唇が遺傳すると聞かされてゐたので、愛情と冷酷な遺傳法則との間に身を悶えた。その結果、つひに娘さんとの結婚を斷念するに至りました。こゝで道德的な批判は別問題として、この大學生の遺傳の知識は正確だつたといへるでせうか。

兎唇は遺傳する畸形であることは確かですが（一部は遺傳とは無關係だともいはれてゐる）兄妹の子にこの畸形があつたからといつて結婚を避けねばならぬやうな遺傳の仕方はしないのです。すべて遺傳には二つの場合があり、一つは劣性遺傳といつて兩親のいづれかの特質や病氣や畸形が、必ずしもすぐその子に現れる事がない代りに、その素質は子々孫々に隱されて傳へられ、いつかひよつこり現れてくるものです。いつ表に現れるか判らぬだけに、この劣性遺傳をする遺傳病は、結婚を避けねばならぬ理由となります。殊に互に素質を濃くしあふ血族結婚の場合に然りです。之に反して、も一つの優性遺傳をするものでは、現在表面に現れてゐるものとの結婚さへ避ければ、絕對に子孫に遺傳することはありません。

兎唇 や多指症などの肉體的の畸形の多くは、この優性遺傳をするものですから、結婚の相手さへ兎唇でなければ、親兄妹に兎唇があつても別に遺傳學上からは結婚を中止する必要は絕對にないといはねばなりません。（聖路加病院產婦人科　橋本矢一博士）

季節の病氣

盛夏の小兒疾病に就て

醫學博士 一色 征

蒸し暑い梅雨期の後を受けて大人も倦だる土用がやつて來ます。暑さの爲めに胃腸の働きも弱り勝で食欲不振を起し易く、從つて身體の抵抗力も減弱して參ります。殊に乳幼兒に於てはお母さん達が一寸油斷をなさると直ぐ寢冷えをしたり胃腸を壞し易いものです、夏は殊に消化器の傳染病にかゝり易く、食物の不攝生のために、口から色々の傳染病に感染し易く、又流行し易い時季です。

乳兒に於ては

お母さん達は、赤ちゃんが一寸下痢をしても寢冷えだ、飲みすぎだ位に思つて、打捨てゝ置くと、遂には重症となり、中毒症狀を起して來ます。乳兒に於ては一般に母乳榮養兒の方が人工榮養兒よりも消化器病にかゝる事が少いものですが、然し母乳榮養兒でも決して油斷はなりません。下痢の初めは熱もなく、便通も一日五―六回で、綠色便又は顆粒便で、惡臭もなく、吐乳は時々しかせない、聲も嗄れてゐない、呻吟もしない、之は消化不良だらう、大した手當もせないでお乳を控へておればよからうと思つてゐると、急に高熱が出だして、下痢、嘔吐が頻數となり、急速に體重減少を來し、便は魚の腐つたやうな惡臭を放ち、痙攣を起し、遂には意識障碍を伴ひ、明かな中毒性狀を呈するやうになります。かやうになつてから、あわてゝ狼狽しても、追付きません。醫師も仲々骨の折れる厄介な狀態に陷ります。從つて、夏季に於ける乳兒の下痢は決して油斷も隙もなりません。人工榮養兒では殊にかやうな乳兒腸炎或は食餌性中毒症にかゝり易いものですから、牛乳や重湯の腐敗に注意し、授乳は出來るだけ規則正しくすべきです。又腸炎は離乳期からお誕生頃の赤ちゃんに最も多いものですから、夏季に於ては、此の病氣の誘因たる過飲や寢冷え、暑さ當りにならぬやう又不潔な腐敗しかゝつた食物不消化物を

與へぬやう注意して下さい。

若しかゝる中毒症を起した場合は、すべてを醫師に委せ、その指導に依つて、治療を進める事が何より大切です。初め一―二日間はお乳を與へず、番茶か白湯を少量宛度々與へ、中毒症狀の輕減をまつて、極めて細心の注意を拂ひ、食餌をすゝめて行くのです。一方リンゲル氏液其他強心劑の注射を行ひます。

幼兒に於ては

一、疫痢

離乳期を終つた頃から、二―三歲或は五―六歲の幼兒を襲ふ急性傳染病の一つで、六月の梅雨期から七月の初夏にかけて仲々多く、死亡率も他の傳染病に比べて高く經過が實に急激で、激烈な中毒症狀を呈しますから、ある地方では「はやて」颶風病と云ひます。

症狀は今まで元氣で遊んでゐた子供が急に「グンニヤリ」となり、疊上にゴロ〳〵寢轉ぶやうになり、次で突然三十九―四〇度の高熱を發し、下痢、嘔吐、痙攣を起し、意識がなくなり、手足が冷くなつて、脣、爪が紫色となり、脈は細く早くなり「コーヒ」殘渣樣の血液を吐き、心臟衰弱に陷り、早くて半日又は一―二日で死亡します。大便は赤痢と異なり、回數も左程多くなく、初めは不消化便が綠色粘液便で、膿や血液を混ずる事は割合に少いものですから、油斷し易いのです。

手當は出來るだけ早く、醫師を招き、一方早期にヒマシ油を一〇―二〇瓦をサイダーにでも浮して飲ませ、腸内容物を出來るだけ早く排除せなければなりません。醫師の來るまでは、安靜にして、頭部を冷やし、手足を湯たんぽにて溫め、腹部には溫濕布をします。醫師の許しあるまでは、食物は絕對與へないやうにし、番茶か白湯を、少量宛、何回も與へるだけに止めます。

二、赤痢

之は大人も子供も冒され易い病氣ですから、充分注意して下さい。年齡の少い幼兒程或は老人程危險です。

症狀　突然發熱と共に、腹痛下痢を起し、時に嘔吐、痙攣を伴ひます。大便は頻回に出で一日二、三十回或は四、五十位にも達する事があり、初めは黃色粘液便ですが、間もなく膿や血液を混じ、排便時には腹痛を起し、排便後でもすぐまた澤山便の出る氣配がして、便所に行つても、大便があまり出ない。即ち裏急後重、俗にしぼり腹を作ひます。經過は特に激烈なものもありますが、

疫痢程急激ではなく、二―三週間で治る事が多いのです。

手當は疫痢と同樣です。

三、腸チブス

之は乳幼兒に少く六歲頃から少年時代に次第に多くなる。大人殊に老人、酒客、姙婦は特に危險で、死亡率が高いが、小兒、幼兒では死亡率が少い。

症狀は初め全身倦怠、食慾不振を訴へ、發熱し、寒氣を伴ふ、又頭痛を訴へ、身體諸所の痛みがある。次で熱は次第に每日階段狀に上昇し、熱病後一週目頃に胸部、背部、腹部等に小さい、痰紅色の薔薇疹といふ斑點が出ます。發病後二週目位が熱撥も高く、仲々下りにくいが三週目頃から熱が上つたり下つたりし、四週目頃に解熱します。便は下痢或は便祕し、時に意識障碍を伴ひます。

小兒のチブスは大人のやうに一定の熱型を取らず症狀は種々で一定せず。經過も一般に輕いものです。然し乳兒のチブスは豫後不良の事が多い。

小兒で原因不明の熱がつゞく時は、尿や血液の檢査を受ける事が必要です。下熱期には大人、年長兒では、腸出血、腸穿孔を起す事があるから、仲々危險です。又經過中に脚氣や肺炎を起すと病氣は一層危險性を加へます。

手當　絕對安靜を命じ、食物は流動食とし、主として牛乳を與へます。下熱後、數日經つてから、次第に半流動食から普通食に移ります。恢復期には特に食事に注意しないと腸出血をおこす心配が、年長兒に於て、多分にありますから、充分注意し口渴時には番茶、白湯、又は果汁を與へます　褥瘡の起らぬやう。臀部背部を常に清潔にして下さい。

季節の注意

八月に於ける赤ちゃんへの注意

一年中で最も鬱陶しい梅雨期も無事に經過すれば次には又蒸し暑い寢苦しい炎暑が訪れて來ます。赤ちゃんをお持ちの御家庭殊にお母樣方は次から〳〵とこの季候の變り目にさぞかし御心配の事とお察し致します。そこで私は七月に於ける赤ちゃんへの注意事項を二、三記載してお母樣方の御參考に供したいと存じます。

一、白湯、番茶、玄米茶等を時々與へて赤ちゃんの口渴を止めておあげなさい。

大阪では七八、月が一年中で最も蒸暑い季節でありますから赤ちゃんも大人と同樣に口渴を感じ、其爲に赤ちゃんは晝夜の別なく屢々啼泣するのであります。赤ちゃんは只母乳が欲くて泣いて居るのではなく夏季は口渴を泣いて訴へて居る場合が多いから、その際に白湯、番茶、玄米茶等の少量を與へて口渴を滿足させておあげになれば直に泣き止むのであります。この際にお母樣方が欲乳と誤解して無闇矢鱈に授乳せられるのを屢々見受ますが此の樣なことを行つて居るとそれが飲ませ過ぎとなつて赤ちゃんは消化不良症を起し、綠便や顆粒粘液便を下痢し、吐乳までが加はつて來て、段々衰弱して來ます。赤ちゃんが一旦消化不良症に罹れば容易に治癒するものではありませんから、お母樣方は赤ちゃんの啼泣に釣込まれて不規則に授乳してはなりません。即ち一日五―六回の授乳として三時間半―四時間の間隔を置いて授乳し一回の授乳時間は約十五分間とし每回片乳宛左右交互に與へることが肝要であります。

二、牛乳はなるべく配達直後に與へるか、さもなくばこれを冷所に置くのがよろしい。新鮮な牛乳が得られない場合には却つて純良な粉乳を用ひた方がよろしい。

重湯は使用每に新しくこしらへるがよろしい。

赤ちゃんには母乳は天惠の榮養物でこれに勝る榮養物は他にないのであります。然しこの最良の母乳を何等の理由もなく殊に夏季に危險極まる人工榮養に換るお母様方を見受けますがこれは甚だ遺憾であります。産後乳汁分泌が少量であつても授乳を規則正しく行つて居れば多くの場合は自然に乳汁の分泌が旺盛になつて來るものであります。勿論これにはお母様方の飲食物が大いに關係することで、特に新鮮な野菜類や果物や味噌汁や牛乳等を努めて攝取するやうにしなければなりません。又精神的慰安も必要で、心配することは禁物です。お母様方が食物に注意し、精神的慰安を計り、忍耐して規則正しき授乳法を嚴守すれば乳汁分泌の旺盛は必然のことであります。けれども不幸分娩直後母親が死亡したり又は急性傳染病に罹患した場合には永久的或は一時的にせよ人工榮養にしなければなりません。その際には牛乳が一番よろしい。然しこの牛乳も夏季には割合に早く腐敗するので赤ちゃんの胃腸を害し易いから、なるべく牛乳は配達直後授乳さすか、さもなくば必ず冷所即ち冷藏庫に入れて置くとか井戸に吊すとか氷の中で冷やして置かねばなりません。又新鮮な牛乳が得られない所では純良な粉乳或は煉乳を用ひた方がよろしい。又牛乳の添加物として屢々用ひられる重湯も面倒ではありますが夏季には授乳毎に新らしく調製する方がよろしい。前回の分をそのまゝ使用することは甚だ危險であります。

三、汗疹の豫防には先づ行水が必要

夏季には赤ちゃんも大人と同様によく發汗します。そして其の汗の刺戟で汗疹が出來易いのであります。この汗疹豫防には先づ行水が必要であります。又汗ばんだ肌着は度々取換へてやらねばなりません。そしてこの肌着は刺戟の少い「ガーゼ」か、薄い柔かな晒木綿が最も宜しい。毛布類は赤ちゃんの柔軟な皮膚を刺戟するので夏季では一層不機嫌で疳高になつたり、睡眠が妨げられるから、お母様方は赤ちゃんの肌着にも注意せねばなりません。赤ちゃんに既に汗疹が澤山出來て居る場合には蒸し暑い日は一日二、三回も行水させて刺戟性の汗を洗ひ流し乾燥した柔かい「タオル」で充分に水分を拭き取り天瓜粉例へばシツカロール等を撒布するがよろしい。汗疹が澤山に出來ると瘙痒の爲めに不機嫌で睡眠が妨げられたり、その爲に母乳の飲ませ過ぎとなつて消化不良にかゝりますから、早く手當をして、治しておあげなさい。以前は赤ちゃんの汗疹に屢々含鉛白粉が使用されましだがその爲に鉛中毒性腦膜炎が起るといふことが證明されましたから含鉛白粉や含鉛天爪粉は絶對に使用してはなりません。（長濱博士記）

育兒欄

生後十二箇月の赤ちゃんの育て方

醫學博士　野須新一

一、身體の發育　十二ヶ月の赤ちゃんの體重、身長、頭圍、胸圍の標準

月齢		身長（糎）	體重（瓩）	頭圍（糎）	胸圍（糎）
十二ヶ月	男	七三・三	九・一七（二・四四五）	四五・六	四五・六
	女	七二・〇	八・六九（二・三一六）	四四・六	四四・六

（註）括弧内は貫。

二、精神の發育と運動の發育

一、支へなくとも二分乃至三分間は坐る。又、五分間位は支へなくとも立つことが出來る。尚そろ〳〵歩行（あんよ）を初める。二、親又は他人の言ふ言語の意味が理解できる。「バア」「ダアダア」「ママ」「パパ」「ウマウマ」等の言葉を自分で言ふ。又他人が言へばすぐに眞似が出來る。三、運動や言葉をよく眞似る。四、物覺えもよくなる。五、意識ある感情が起り自分の好むものには喜びの色を現し、嫌ひなものに、恐ろしいものには之を意識して嫌惡、恐怖の感情を現す。

三、十二箇月の榮養の仕方

硬粥を小茶碗に二杯宛一日三回、他に一回母乳或は牛乳一合パン、マッチ箱大二個を添へて與へ、一日四回食とす。副食物には、よく潰して充分に煮いた野菜類、漉目の野菜入味噌汁、玉子入野菜スープ、茶碗蒸し、又はあんかけうどん、白味の魚肉、豆腐等を夫々適當量に與へる。でんぶ、鯛味噌の類も與へてよい、果物は下ろして一日食後又は食間に與へる。玉子類も半熟丈でなく、菜種にして與へる。不消化な筍類は與へてはならぬ。よく煮いた南瓜（皮の部分をとつて）も與へてよい。間食としては飴氣のもの、餘り砂糖分の多いもの、堅くて不消

（第三十八頁へつゞく）

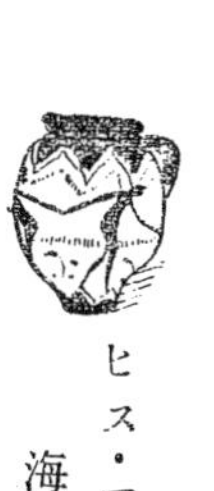

ヒス・マダムや幼兒の海水浴は禁物です

海水浴をする人は多いがその療養的價値と方法を心得てゐる人は殆どないやうです。そこで弱い人や病人の海水浴についてお話しませう。先づその生理的効果ですが、海水につかると皮膚血管が急激に收縮し、内臓血管の擴張を來し、その反應として呼吸と心臓の不整、戰慄、惡感がおこるものです。しかしこれは海水につかることが急激なほど一時的なもので、間もなくそれと反對の血管現象がおこり表面血管がだん〳〵擴張して來ます。すなはち初めは惡感がして次に

快い溫感がおこるもので、これによつて人體が鍛錬されるのです。この血管現象から呼吸、血行、血液酸化、一般的榮養促進、神經系の興奮等を來し、全身の生活力消化機能、同化機能の増進、筋力の増加、健康感、肉體と精神の平衡感などをもたらすのです。なぜ海水浴にかういふ効果があるかといふと、第一は海水が鹽分を含んでゐるため、水中にある間、體溫の消失を制限し、水から出た後にも蒸發を輕減して體溫の消失をおくらすことによります。第二は波の作用です。即ち海水の波動は膚に對してマッサーヂの作用をし、また體にあたる水層は絶えず變化してゐますから、溫熱的な刺戟を高め、有効な血管反應を强めるのです。海水浴はどんな病氣に對して特に効果があるか、またどんな病氣に對して避けねばならぬかといふのに、海水浴の適應症としては、先づ第一に腺結核（ルイレキ肺門淋巴腺結核等）と閉塞性骨關節結核です。

之等に對しては急性の發作がある時以外、海水浴をさせる方がよいのです。子供のポット氏病（一種のせむし）と股關節痛なども海水浴によつて好結果を見ることがよくあります。その他腺病質、淋巴質、結核質、佝僂病、貧血症、アデノイド、偶發性の病氣の恢復期、或は生れつきの體のひ弱な人などに海水浴は効果があります。禁忌症としては肺結核です。學者によつてはその初期ならば、卅八度位の熱のある者でも差しつかへないといつてゐますが一般に結核の病竈が急性に發展しつゝあると見た場合には、絶對に海水に浴すべきではありません。また、呼吸器、心臓血行器病、腎臓病、神經病（ヒステリー、ヒヨレア等）急性皮膚病等も海水浴は禁物です。海水へ入つても惡感、溫感の血管反應がにぶいものや、三歳以下の幼兒にはよくありません。海水浴をする時期として、最もよいのは食後三時間目位で、しかも滿潮時が

よい。滿潮時は海水が砂濱との接觸で溫められてゐるし、波も多いからです。入浴前に身體を動かさないでゐたり、木蔭などにゐて體を冷やしてはなりません。反對に大いに運動するとか日向に出るとかして體を溫める必要があります。また入る時には迅速に規則正しくすべきで、さうすると最初の寒氣の感じが非常少くなります。水中では身體を絶えず動かしてゐるのがよいのです。游泳すれば効果がありますが、必ずしも泳ぐ必要はありません。水中に入つてゐる時間は一概にいへませんが、せい〳〵三分から五分くらゐまでです。海水に入つてその反應でおこるこゝろよい溫感が續いてゐるうちに、水から飛び出すべきで、あまり長く入つてゐて寒氣を感ずるやうではいけません。また海水へ入る回數もその人の身體の狀態や、海水の狀態によつて一概にいはれませんが食慾不振者、睡眠不良者、興奮或は頭痛を伴ふ憂鬱者などは、初めから一日に一回とすべきで、場合によつては隔日或はそれ以上の休息日をおく必要があります。以上は身體の弱い人や病人の海水浴療法の注意で壯健な人が游泳する場合とは別な問題です（溫泉協會理事酒井谷平氏）

（第三十六頁よりつゞく）

化なものは與へてはならぬ。又餘り冷い飲みもの、氷水アイスクリームの類も決して與へてはならぬ。パン、ビスケット、輕燒、せん餅（豆の入らぬ）ふわ〳〵、良質の極輕いおかき少量等、間食にて餘りお腹にもたれぬものを撰ぶべきである。果物は林檎類の外は果汁の形で與へて置く。

保育上の注意　記憶力が出來、模倣性が旺んとなるので萬事子供の躾に注意をして惡い習慣（偏食、甘へ癖、神經質、氣短等）を敎へ込まぬ様、保育者たる母自身は勿論、家族のものも自ら行ひに氣をつけて、日々油斷なく子供に接近して行かねばならぬ。食前には必ず手指を清く拭ひ、食事はゆつくりと愉快に之を取らしめ、絶へず身體を清潔に保ち、毎日入浴をさせ、新しい清潔な衣服、殊に肌着お襁褓の取り換へを怠つてはならぬ。衣服も出來る丈ゆつくりとし、手や足の運動を妨げぬやう注意せねばならぬ。

弱い子供には高原
無理な勉强や運動は禁物

子供さん達には嬉しい夏休みが近づきました。東京府では夏季聚落への希望兒童約千六百名をこの程診察しましたが、レントゲン透視の結果は

兩親も　當人も氣づかぬのに肺門淋巴腺腫脹に罹つてゐる者が可成ありましたし、輕度の小兒結核と認められるものも相當ありました。小學校などで集團的に海濱などへ出掛ける場合、中耳炎蓄膿症、肺門淋巴腺などのやうに體のどこかに炎症を起して發熱する者は、刺戟が强く氣溫の高い海濱で集團生活することは、却つて體を害ふことになります、それに反して高原は弱い子供にはぜひお奬めしたいと思ひますが、それも風の强くない氣溫の變動の少ない地を選ぶ必要があります、集團生活は一つの規則の中で生活するのですから、體の弱い子供は無理な行動をすることゝなり、この點醫師の立場からいふなら夏の休暇は勉强よりも體の鍛錬を第一とし、それも自由運動を多くすることが望ましいと思ひます。都會の子供は田舍へ行くことだけでも

効果　があるのですから小學校などの夏季聚落は努めて利用して欲しいと思ひますが、子供さんの體質に應じて海か山かを決め、この期間は規則正しい生活をさせることだけを目的とし、無理な勉强や運動をさせぬやうな注意が必要です。（東京府衛生技師　増田郁郎氏）

夏の歌

納　秀子

うす靑きカットグラスに花うかせ都の夏をしのぐ我なり
溪合をあわやと舟のすべりゆく眼にしみのこる紅岩つつじ
煙たつ名しらぬ山ははるはるし大野を貫きて鳥たちにけり
川供養舟より流す阿彌陀佛の紙水脈にのりてさびしくもゆく
曳かれゆく舟のいくつかわかれゆきまた遇ふべくもあらぬものかな
山に寢て何をおもふぞ眼にしるきつつじの朱に今日もくれけり
山峽のしんとしづもる怖ろしさ霧の味喰むキャンプの一夜
大海の味を喰むてふ戲言に笑みて吾も喰すこの生づくり
七夕の笹につるせし小團扇に星二つ光り凉風もがな
一汁一菜など書きつらね笹の葉の五色の紙も非常時日本
何よりも團扇の風をくりやる七月の夜の母なりわれは

紫陽花の毎日毎夕ながめつゝも花さき散らし八月となる
棕梠の葉の影涛々し七月の朝陽ながらに暑さ泌みけり
ある時は風にゆられて瞬きす岐阜提灯のうすさむきかな
蠟燭にほのあかりして盆まつる岐阜提灯のわびしき夜かな

富士登山

せきたてゝふと富士山を登りけり江戸ッ子らしき我のをかしさ
フランスの繪にある如し小富士より遙かに見下す山中の湖
强力はあとより來るか八月の富士は晴れたりこの身の輕さ
石楠花の群葉重なる山道を聲高にゆく僞山女
馬の背にわれあり下に咲く花の淡すくれなゐに山の雨あり
此處ははや七合すぎぬ道の邊に蓬來苺の色づくを喰む
月と我と同じ高さにあるもよし遙かの雲に稻妻もよし
夜更けぬれたゞガラス戸をさす月の雫わけつゝゆくよ登山者
曉の此の喜びを何比せむ山山谷谷たゞに旭日

哭兒十五首

小杉放庵

病院に行く道々の小供たちの羨ましくも丈夫げに見ゆ
賴むべき神も佛もわきまへず憤ろしく子の病見る
とりしばる双手の中に冷えて行くかなし我が子の手は冷えて行く
病院の門の霜かも亡骸となりし我が子を搔き抱き出づ
かき抱く子の亡きがらにまだ殘るぬくみを如何に物狂はしき
あの朝や西なる空に眞圓に据りて居たる月を忘れず
三寸の位牌となれば今年の十二年こそうつつなりけれ
學校の遊び友達連れ立ちて線香あげに來るぞわりなき
紙芝居に集り居る子の中に我が子も居るや居る筈の無き
其日より母はかへらぬ煩惱の泣かぬ日もなき日にち毎にち
あぢきなし菜種油の燈明は四十九日の夜を照すなり
子を連れて登りたりけむあの山は雪ふりて居り其子あらなく
雲の中に亡き子が居ると愚にも思ひはせねど空の見らるゝ
おほけなく此世の中に我れのみが子を亡くしたる親と思はねど
三郎が月の六日の命日は四たびめぐりて春となりにけり

日本兒童愛護聯盟評議員
院長　醫學博士　肥爪貫三郎
日本兒童愛護聯盟顧問
顧問　醫學博士　高洲謙一郎

小兒科
高洲病院

大阪市南區北桃谷町三五
（市電上本町二丁目交叉點西）
電話（東一一三一・五八五三）（東五九一三）

子供の玩具と睡眠

東京市保険局

玩具

子供の遊びを誘ひ出し、そして、それで遊びにふけることの出來るものが玩具です。新聞紙をやぶつて面白さうに遊んでゐれば、新聞紙が玩具です。土で團子を作つたり、穴を掘つたりして遊んでゐれば土が玩具です。玩具として實に澤山のいろ〳〵な賣品がありますがそればかりが玩具ではありません。木の葉でも、石片でも、空箱でも、板切でも、物さしでも、そろばんでも子供にとつては中々興味ある玩具となります。よい玩具といふのは値段の高いものや、出來が精巧なものといふ譯ではありません。子供が喜んで遊ぶことの出來るもの、そしてよい心の働きと、身體の發育を助け伸ばすことに役たつもの、つまり教育的で衛生的であるといふことが主眼になるのです。

こゝではたち歩く頃から五六歳位までの玩具について申しませう。

立ち歩く頃の玩具　よちよち歩く頃は歩くことを助け進めて行くやうな玩具がよいのです。また其の頃になると自分でいろ〳〵やつて見て出來ることを喜ぶやうになりますからやり樣で音が出たり動いたりするのがよいでせう。

一　口でならしたり、たゝいて音のする玩具。、笛、ラツパ、太鼓、木琴など。

二　握つて音を出す玩具。ゴム製の人形や動物等。

三　組たてる玩具。極めて簡單な積木など。

四　全身の運動を助けるもの。曳いたり押したり出來る玩具、ゴムマリ等。

二歳から四歳位迄の玩具　此の頃になると歩く事もしつかりして來、手のさばきも相當出來て來ます。

一　動く玩具。自動車、汽車、動く動物など。

二　全身の運動を誘ふもの。おすべり、ブランコ、木馬など。

三　組たてる玩具、積木、組たて繪など、

五六歳頃の玩具。五、六歳になると子供の遊びはます〳〵活潑になつて來て、遊びの種類も多くなり、玩具もなくてはならないものになつて來ます。

一　全身の構へや手足を上手につかふ練習をするもの。輪投げ、お手玉、まりつきの類。

二　工夫を誘ふもの。切り紙、折り紙、積木、砂遊び、水遊び等。

三　全身の運動を進めるもの、簡單な運動具。

四　物まねして遊ぶ。想像の活動を促すもの。お人形まゝごと道具、兵隊ごつこの道具等。

右に示したのは極めて大體のことですが、年齢の進むにつれて玩具も自然變化して行きます。前にも申した通り賣品になつてゐるもの丈が玩具ではありません。子供の遊びを見て工夫して與へれば、棒切れでも石ころでも皆よい玩具になります。親は子供の遊びを見て何が遊びに必要であるかを考へて、適當な玩具を與へてやることです。

尚玩具を與へる際は、あれもこれもと一度に澤山新しいものを買ひ與へぬよう、子供に倦き易く、物を粗末にする習慣をつくることになるからです。また遊んだ後ではちやんと後始末をさせるやう、箱なり行李なり與へて自分できちんと片付ける習慣をつけることも大切です。

子供の情操を養ふもの　子供の感情を豊かにし、情操を高めて行く上に繪本や、童謠や、また童話などが選まれなければなりません。

繪本　は二、三歳から喜ばれます。幼兒向きとしてはあまり複雜なもの、色彩や内容の卑俗なものは與へないことです。また、惡戯や茶目を教へるもの、不自然なもの、怪奇なものも避けることです。乘り物や動物の繪などは子供に喜ばれるものであります。

童謠　三、四歳になると子供は別に教へないでも、何やら譯のわからぬことを節をつけて歌ひます。この頃になると蓄音機をきかせたり、母が童謠をうたつたりすると廻らぬ舌で自分も熱心に歌ひます。よい音樂、靜かな曲は子供の心を和らげ、落付かせるものですが、卑俗な流行歌や大人の歌などは教へてはいけません。

童話　三、四歳から六、七歳位まで童話をきくことを好みます。此頃は想像力が盛んで而も事實によらない空

想が多いのですから、童話の中に含まれるそら事や、不自然な事を、幼兒には不思議とも思はず面白く聞くことが出來るのです。童話は幼兒の教育上極めて大切なものであります。それによつて言葉を理解し、物事がわかり、感情を豊かにし種々の心の働きを增して行くことが出來ます。

昔からある、桃太郎、浦島太郎、舌切り雀やカチ〳〵山などの童話は誰でも知つてゐますが、此の頃では西洋の童話や新しく作られた澤山の童話が取入れられてゐます。已に童話として出來てゐるものを話すのもよいが、卽興的に其時の言葉に從つて作りながら話すのもよいのです。只あまり悲しい話、慘酷な話、恐ろしい話、下品で不道德な話などは避けなければなりません。

幼兒は何をしてもあき易いのですが、面白い話をきくときは、可なり長い時間じつとしてゐます。そして其の間の子供の精神活動は非常なもので、一語一語に從つて想像の翼は擴げられ、それに相應するいろ〳〵な心の働きが伸ばされて行きます。我が子の爲めに熱心な話手となつて、よい面白いお話を度々繰り返して聞かせて上げて下さい。

以上子供の遊ばせ方について大體を述べました。危險のない戸外で、明るい部屋で、お友達や玩具で朗らかに快活に、充分よく遊ぶことが出來るやう心を配つて戴き度いのです。

睡眠

ねつきが惡いとか、眠つても少しの物音で目をさますといふやうや訴へをよくきゝます。子供が充分によく眠らないと、俗に癇が起きたと申しますが、とにかく神經がつかれて、常にいら〳〵してゐるやうになり、泣き虫になり勝です。

よく眠る子程健康な發育が出來るのでありますから、これ迄も度々申上げて來たことですが、子供の睡眠については充分御氣をつけて戴き度いのであります。

子供は大きくなるにつれて睡眠時間も少くなります。お誕生前後の頃は夜晝で十七八時間位眠るのが普通ですが二、三歳になると夜十一十二時間、晝間は二、三時間に減つて來ます。

五、六歳になりますとあまり晝寢もしないやうになりますが、夜はなるべく早く床につかせ、少くとも十二時間以上眠らせないといけません。病氣の時は別ですが、榮養や便通の具合の惡い時、寢る前にあまり興奮したときなどはよく眠らないものです。殊に夏の蒸し暑い夜などは、暑さの爲めに苦るしみ、ごろ〳〵ころがつて安眠

（第五十頁よりつゞく）

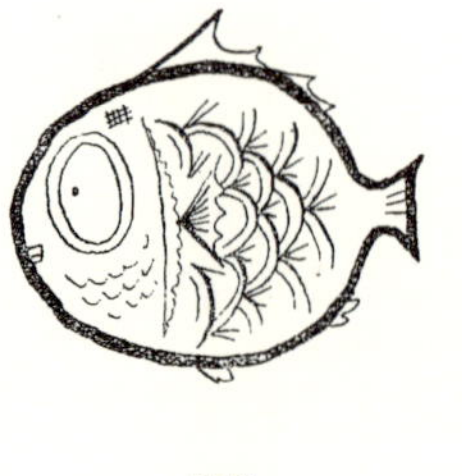

胎教に就て（十二）

文學博士　故　下田次郎

哺乳の仕方　哺乳は精神の安靜な時にするを要します。運動した後、考へ事をした後、感情の激動した後、又は食事の後、直ちに哺乳さしてはいけません。又何か悲しい事か何ぞで、精神の激動の續く時も、哺乳を見合せる方がよいのであります。

又哺乳の前には、乳房を清水か硼酸水かでよく拭き、呑んだ後も拭いてよく乾かし、乳兒の口中も拭いておくがよい。清潔にしておけば病毒の害を防ぎ乳房や口中を損ひません。

哺乳は夜分は子を臥かし、母も臥てするがよい。起きて抱いて呑ますと、氣持がよいから癖になつて、下に居らぬようになります。母が上體を斜にして、半起半臥の姿勢で呑ますと休息を妨げ、母の體格を損ずることがあります。乳を呑ましたまゝ抱いて寢ると、乳房で窒息さしたりする恐れもあり、又一人で臥なくなりますから、成るべく始めから一人で臥かすやうにするがよい。さうすると、習慣になつて大きくなつても、一人で臥て、母は大層樂になり、又十分眠ることが出來ます。

哺乳の時間　哺乳は始めは、多くも三時間置き位にしそれより追々時間を延ばすのであります。あまり屢々やると、まだ乳が十分熟せず濃くならぬ中にやるやうになつて、兒は下痢や腹痛を起し、乳房も休める間が短いから、痛め勝ちであります。そして左右の乳房で、交互に呑ませれば、一層乳房は休まり、乳のためにもよい。しかし乳が足らねば、兩方でやるより外仕方がありません。兒が泣くと、腹が減つたのであらうと、すぐ乳房を

啣ますのは、甚だ間違つたことで、母子雙方のためによくありません。兒の泣くのは、腹の減つたばかりでなく尿便、腹痛、着物や臥床の工合の惡いことなどでも、泣きますから、よくその原因を尋ねて、泣いたとて猥りに乳をやつてはいけません。普通に泣くのは肺に十分空氣が入り、また全身の運動にもなつて、健康上良い位であります。大きな聲を立てゝ泣くことの出來ぬやうな兒は弱い兒であります。又泣くとすぐ抱いてあやすと、癖になつて抱かぬと默らぬやうになりますから、成るべく臥かしておくがよい。すべて習慣は、始めが大切でありますから、規律といふ一生非常に有益な習慣も、既に哺乳の時からつけ始めるを要します。泣くとかわゆさうでありますが、それを忍んで、乳を與へぬのもまた慈愛であります。夜分は十時か十一時に哺乳しておけば、朝の五時か六時までは乳をやらないでもよいから、その間母もグッスリと眠るがよいのであります。十分なる睡眠は、心身を新鮮ならしめ、よく乳を出すに必要であります。それで兒が夜中に泣いても乳をやらないで、おしめを替へるとか、臥工合をよくするとかして、休ますやうにするがよい。もし熱があつたり、變な咳でもすれば、またその方の處置を取ります。兎に角一體に母は度々乳をやり過ぎてはいけないのであります。

哺乳の分量　よく出る乳ならば、五六分間たつぷり呑ませばよいのであります。しかし始めは、左程出ませんから時間の加減をします。その内に出るなら出るやうになります。乳房を離さぬからといつて、いつまでも呑ますのはよくありません。尤も乳がよく出ぬと足らぬから二十分も三十分も呑んで居ります。出ねば出ぬほど、兒はあせつてひどく吸ひ、機嫌が惡くなり、乳房も痛んで來て傷など出來、呑まされぬやうになります。それで乳房は大事にして痛めぬやうにせねばなりません。痛むと出る乳でも呑ませなくなります。兒に乳の足るほど兒の滿足、母の喜びはありませんから、前から述べて來た注意を守つて、乳の出るやうに努めるが肝要であります。乳が足るか足らぬかは、乳房や乳の出方でも分りますが襁褓の濡れ方でも分ります。餘り濡れねば足らぬのであります。又足つた時には、二三時間靜かにして居り、泣きながら舌を動かすこともなく、乳房を探すこともなく口中に指を入れても、欲しさうに吸ふやうなこともありません。

便通　哺乳と共に養育上大切な事は便通であります。いかに澤山乳を呑んでも、よく消化せねば役に立ちません。それで哺乳と共に常に便通に注意するを要します。黄色でよく消化れ、粘つた便ならば良いのでありますが

青色の便、水の様に薄い便、粒々のある不消化の便、下痢便などは、胃腸に故障があるのでありますから、早速手當をせねばなりません。小兒は病氣の經過が速くて、朝と晝過ぎで容體が變つて、大事になることもありますから、早く醫者に見て貰ふに限ります。乳兒の胃は、まだ管のやうで十分擴がつて居りませんから、急いで乳を呑んだり、澤山呑むと吐くことがあります。しかし並みに呑んで、數ケ月續けて吐くときには、胃や、時には腦に故障があるかも知れませんから、やはり醫者に見て貰ふがよいのであります。又便秘することもよくありますから、灌腸等、適當の處置を施して便通のあるやうにせねばなりません。

哺乳の期間　西洋では「兒は九ケ月胎内に居たやうに九ケ月哺乳すればよい」といふ語がありますが、通例九ケ月か十ケ月乳を呑ませばよいので、一年以上も呑ますのは、母子のために共によくないのであります。

丈夫な兒と弱い兒　丈夫な兒は、血色よく、頬豐かに膨れ、頤は二重に張りて、始終喜ばし相であり、手足の肉は固肥りに膨れ、所々糸で括つたやうになり、腹部は中位に張つて軟かく、運動活潑にして盛んに手足を動かし、能く食し、能く睡り、便通も良いのが極つてあり、且物に驚き、感ずることが少く、いつも機嫌がよいものであります。それで丈夫な赤ん坊が朝起きた時を見る位氣もちのよいものはありません。新鮮なる生命の化身ともいふべく、ピチピチ跳ねさうであります。

これに反して弱い兒は、顏色蒼白く、頬も豐でなく、肉付きが惡くて光澤なく、手足も細くてしなび、運動も不活潑であります。腹部は凹み又は膨れすぎて居り、食も少くて消化あしく、始終不機嫌で、面白さうでありません。一體に神經質で、驚きをおぼえ易く、又何となく弱々しさうであります。こんな兒は腺病質で、病氣に罹り易く、絶えず醫者を迎へて親に心配させます。それで本人のためは勿論、親からいつても丈夫なるに限るのであります。しかし生れが弱くても、育てやうによつては隨分強くなりますから、親は弱いとて落膽せず、一層養育に力を盡さねばなりません。

乳母の事

母の乳が出ないか、惡いか、母の健康の爲めに呑まさぬが好いか、その他種々の事情で、母親が哺乳せしめることの出來ない場合に於て、次に取るべき手段は、事情の許す限り、乳母を置くことであります。しかしその乳母がさう澤山にはなし、あつても良い者はまづ少いからこれを選ぶには十分注意せねばなりません。

乳母の選び方　一家睦じく、生活にも困らぬ者が、自分の子を置いて乳母に出る譯はないから、乳母に出るには、何かの事情がなくてはなりません。子が死んで乳が出て困るとか、私生兒を生んで、子を人に渡したとか、流產したとか、内が不和で子を置いて離緣したとか、生活上、貞操上又は家庭等に何か普通でないことのあつた者がまづ乳母になるのであります。それで若い母親が姑に褒められ、夫に喜ばれ、羞しく、嬉しく、心に何等の心配もなく、樂園の中に子を哺乳するやうには、どうしても乳母では行きません。それゆゑ、母に限ると、どこまでもいひたいが、事情已むを得ない場合には、乳母をおくのであります。それから考へても、自分が樂をし、見えをし、遊びたいばかりに、出る乳を抑へつけて、乳母に我が子を渡す母親の料簡が知れません。

乳母を選ぶには、まづ身體の方からいへば、餘り瘠せたのや、肥りすぎたのよりは、中肉である方がよく、そして乳房はよく膨らんで、靜脈が青く走り、瘢痕などがなく、よく乳の出るのがよいのであります。又榮養の良ささうな健康らしい外見を有し、顏色も生々とし、眼もすが〳〵しく、齒並もよくて白いのが望ましいのであります。一體に町娘よりは、田舍の女、特に農婦などの方が註文に叶つた者が多い。年齢は二十から三十歳の間がよく、母の年と餘り違はぬのが、尙ほよいのであります。且生んでからの月數が、どちらも同じ位なのがよいので四五月前に生んだ乳母が、生れたばかりの子に哺乳さすと、乳が合はぬから、胃腸を害して、育たぬこともあります。又生み月を聞いても、良い加減の事を言はぬとも限りませんから、成るべく、乳母の子を見るがよい。子が同じ頃に生れたのであつて、そして丈夫で、よく肥つて居れば乳も良いのであります。その初產か數度目の產かは、左程重要な事ではありません。乳さへよければ前に子を育てた經驗があれば、よい位であります。子が死んだのなら、その原因を檢べる必要があります。

（第四十六頁よりつゞく）

出來ず、そのうへ、蚤や蚊に攻められることもあり勝でとかく睡眠不足になります。

若し子供がねつき方が惡く、眠つても安眠出來ないやうな場合は、よくその原因を尋ねて除いてやるといふやうに心掛けて下さい。夏などは氷枕をしてやるか、ぬれ手拭で頭部を冷してやるとよく眠るものです。身動きもせずぐつすりと深く眠り、安らかな寢息をつゞけるのが健康な子供の寢姿です。前にも申した通り、よく食べよく遊び、よく眠る、これが子供の健康の徵ですから、我が子の眠りについても常に注意してゐなければなりません。

幼児を耕す

塚田喜太郎

八二、飯岡土偶

千葉市在住の郷土玩具研究家鈴木常雄氏から「綱提灯」と題した、日本紙約二十枚綴りの小册子を頂いて開いて見ると「飯岡土偶集」の版畫とその説明が滿載されてゐたのは近頃嬉しい限りでありました。

同氏の説明によると、越中の人武多和平兵衞なる人が、明治の初年に千葉縣海上郡飯岡町に移住し、材木商に失敗して後甘酒商に成功し、その子利助の代に伏見土偶、今戸土偶などに模して作り出したのが此の飯岡土偶だ。と傳へられて居る由。圖で見る形や色彩は實物の如くならずとも、眞に好もしいものが多い様ですが、鈴木氏は跋に記して曰く

飯岡土偶は現在でも型だけは數千種殘つてゐる。然し今後の復活は困難であらう。技術も粗漏になつたし、時代も需要者も無頓着になつたから、從つて「生きて行く製作者」は結局その日に追はれて技術を練磨する機會もないし糧にならないものに執着は持ち續けられない。

各郷土にのこる數々の土偶も齊しくこの途を辿るといふことに思ひ至る時、今更悄然たるものを感ずるのは獨り私のみに止まらないであらう。

眞にその通りでありまして、年々歳々土偶の數が減少して行つて、現在では殆ど全滅の有樣に立ち至つて居りますのは何とも遺憾千萬の事であります。

八三、出雲土偶

それにつけても思ひ出すのは「出雲土偶」の事でありますが、これは御存じの通り奇良縣宇陀郡出雲村の產で、現在では本邦に於ける土偶の逸品と稱されてゐるものであります。

鈴木氏の飯岡土偶の説明中にも記されてある通り製品中には伏見型や今戸型の稍々寸のつまつたものが多いこと、それらの土偶の輪廓が、何れも鈍い線で形成されてゐることによつて云々。

すべて伏見型に似たもので、型が稍々小なること、線のにぶい點が一致してゐる樣であります。

これは前記の飯岡土偶が、先代利助が京阪に遊びし際、伏見土偶の魅力に惹かれ買求めて持ち歸つたのが、その濫觴だと記されてある如く、當時の皇城の地京都に旅せし商人達の土產物として携へ歸りし伏見土偶を模して、たまたま粘土を產する地方の農民達がその副業として作製せしものと察せられるのであります。

從つてその技術の未熟よりして、輪廓が不鮮明になる事は當然にして、これが却つて雅味を有するに至つたのは甚だ面白いことでありますが、飯岡土偶にしても、出雲土偶にしても「型の小なる」事に一致してゐるのは眞に興味の多いことであります。

即ち、土產物に貰つた伏見土偶によつて型を取り、これで作つて乾燥すると、然かも燒きあげると、幾分現品よりは小さくなることは是れ亦當然のことで、少しでも土をいぢつたことのある御仁なら誰でも御存じの通りであります。

茲に、出雲土偶の兄弟分である飯岡土偶の發表を承り、いよいよ興味を惑ずる次第であります。

八四、土偶の末路

とりわけても惑ずることは、鈴木氏の跋記の如く「土偶の末路」に就て、出雲土偶に於ても飯岡土偶と惑じを同じくするもの、あることです。例により、一席辯ぜんと思ふ次第は斯くの如くであります。

もともと出雲土偶は、農家の副業とは申せ、眞に好もしい型であつたばかりでなく、金箔などを散りばめて、純朴なものであつたのですが、郷土玩具熱の勃興により、その販路の擴張されると共に、粗製濫造の風生じ、最初見本として提供されし土偶とは、似ても似つかぬものを多量製作するに至つたと傳へられて居ります。

勿論、賣れぬものを作る事は出來ざるも、斯くの如くにして、世に迎合する粗惡品の產出は遂に出雲土偶より好事家をして離れしむるに至つた次第でありまして、今や郷土玩具研究家間には一顧も與へられぬに至つたのは惜しみても餘りあるものと稱すべきでせう。

たまたま郷土玩具熱に浮されし素人の現存せる出雲土偶を賞讃する者あるに過ぎざるに立ち至つた事は、殘念至極の事とも稱すべく、斯くして我が國の最も誇りとする處の「郷土玩具」は、我々の眼前より次から次へと消え去つて行くのであります。

八五、楠公藁人形

郷土の誇りとして最も尊重さるべき筈の郷土玩具が、前記の土偶に限らず、次から次へと消滅して行くのは、一般世人の嗜好が輕薄になり、外國カブレして來た事にも原因を有しては居る事と思ひますが、茲に最もお互の殘念に思ふ事は、「郷土玩具取次者」なる者の無理解により郷土玩具の害はるゝ事多大である事です。

然もそれと共に、最も郷土玩具の有するその特有の「郷土色」「郷土臭」即ち「雅味」を驅逐せしものには、實にその郷土の人々である事に多大の注意を喚起せねばならぬと思ひます。

「郷土玩具商」なる者は、郷土玩具の賣買により生活をなす者でありますから、小數の眞の郷土玩具を取次ぐのみにては到底營業となりかねるのであります。從つて、多數量の產出を必要とする爲め、自然營利に適する商品として製作をさせますので、その郷土玩具の有する郷土色よりは、安價にして早く多量に作る事を要求し、遂に形も彩色も其の他似ても似つかぬ粗雜品を產出せしむるに至つたものであります。出雲土偶の今日の如き粗惡品を有するのは、實に大阪の某郷土玩具商の影響である事は、餘りにも有名な話であります。

それと共に、郷土玩具復興の聲に刺戟されて、郷土の副業的に即ち農家の内職として、青年團あたりの夜業の作品として製作されるに至つたものが、是れ亦、その郷土玩具の特質を甚しく劣惡にした事は否むことが出來ぬ事實であります。

その最もよき例は「楠公藁人形」であります。即ち、楠公精神の復興と共に楠公遺跡の參詣者踵を接するに至り、一老翁の自ら作つてひさぐ「楠公藁人形」に對する人氣は絕大なるものとなり到底その需要を滿すことを得ぬに至つたので、同地の青年團が早速とこの藁人形の多量作製にのり出したのであります。

偏屈で通つてゐる六十幾歲かの老人が昔より練れし腕に眞心こめて作る「楠公藁人形」は、如何にして青年の腕で作り得ませう。

然し、分業的に多量製產の青年團藁人形は、安價にして、然も多くの產出高を有する爲め、遂にこの老人の人形の賣行を阻止するにまで發展し、藁人形と共に此の老人は職を失ふに至つたのであります。

斯くの如くして、滿天下の「楠公藁」をして似もつかぬ粗惡なる郷土玩具により、あざむくに至つた次第でありまして、再び老人の眞の郷土玩具に接する事を得ぬ事となつたのであります。

八六、郷土玩具とは

今更、郷土玩具そのものを知らぬ現在の人々に、郷土玩具のお說敎をした處で何の役にも立つまいとは思ひますが、郷土玩具とは(一言にして言へば)

郷土の材料をもつて作られたもので
郷土の色彩を有するもので
郷土の最も好む形狀を有するもので
郷土の祖先より代々傳はつてゐるもので
郷土の香りの最も高いものであります即ち、郷土の色彩と香氣とに滿ち充ちてゐるのが「郷土玩具」でありまして、郷土玩具を有せぬ土地は、眞に殺風景そのものであるのです。

「郷土愛」などと申す言葉は、決して理窟や敎育や訓令やお義理や命令などでこれを實現化する事の出來るものではないのでありまして、各その郷土の持つ誇り、他の土地にはない郷土の風習山水、產物、氣候、人情等々により養生されるものなのであります。

(第五十七頁へつゞく)

保育上の體驗を語る

大阪市立天王寺市民館長

司會　前田貞次
主催　大阪保育研究會
會場　大阪每日新聞社

出席者

西村眞琴博士　小出智貞　永井愛子
間淑子　物部操　菊川悅子
瀧本幸子　前田榮　服部まつよ
小西義子　梶岡邦榮　青木良子
茨木てい　松山きよ子　淺井正子
南榮子　宮木淳子　尾崎傳
秋元登志子　金田小好　藤本政義
谷政佐枝　黑田正美　前田貞次

研究問題

1、保育上の失敗について
2、事變下に於ける保育に就いて特に考ふべき點
3、何故保姆は社會から重要視されないか
4、家庭に歸ると破壞され易い躾を保たせる良法如何

前田　今席は多數の御出席を得まして嬉しく存じます、この度御承知の全日本保育聯盟理事長西村眞琴先生が本會に力を添へて下さると共に過日一寸洩らして置きました私の理想として居ります保育會館建設に努力する旨のよろこばしい御贊同を得ましたから皆樣も一層熱意を有つて保育に精進せられんことを切望いたします。研究に移ります前に西村先生を紹介いたします。

西村　人生は織物のやうなもので保育所は實に敎育の織出である、この織出こそ最も大切である、然るに文部省は小學校から力を致して、幼稚園とか託兒所の保育に對して、失念してゐることは、この大切なる織出の時期を考へない結果であると思ふ。

こんど出來た厚生省では、保育を重要視して、保育事業に特に關心を拂ふやうになつたことは愉快である。

尙前田氏から保育會館建設の意のあることを話されたが、是れ又實に時代に適した思ひつきであつて自分は大いに贊意を表したこの會館の建設は、冷へたる魂を溫め、又熱したる魂を冷やす所である、或は更に今日五人の保姆さんが居るとすれば、必らずその裡の三人は惱みを有つてゐる、その惱みを解決する所が慾しい、この會館の設立は是等の惱みを解決するところともなり洵に意義深いものと思はれる、幸にして會館が建設さるれば、本會の誇りとなるばかりでなく、是れを全日本に刺戟することゝなるから意義がある、自分は喜んで此の會館建設の爲め財的方面の奔走を引受けることを茲に固く約束申し、將來一回より二回二回より三回と報告の度に良い報告を致し度い、志を立てるとコンクリートにでも芽が出るといふことであるから、此熱で大に力を盡し度い。

さて本日の研究問題である保育上の失敗に付てでありますが、私は失敗と云ふことは大變愉快なことであると思ふ、失敗の多い程達人である、失敗といふことに氣が付く、又失敗であつたといふことを他人に語り得る丈の判斷がつくやうになつたことはそれが既に成功なのである。

黒田　今日保育の實際に方つて何が失敗かと云へば、種々あるが、言葉が足りない爲に失敗してゐることが澤山あることを發見した。多くの場合、保姆は幼兒に對して、禁止と命令で終始してゐるやうであるが、それでも幼兒はその禁止に對して服從しやうとしないで繼續するのが普通である、故に幼兒に對して、「だからいけませぬ」と云つて、そのしてゐる行爲の良くないことを說いて聞かす、言ひ換へると言葉を充分に用ひて納得させることが必要であると思ふ。又、幼兒の名譽心を傷つけることも一番保育上の失敗だと思ふ。

前田　言葉を充分用ひて幼兒を納得させることは良いが、只口先だけで保育することは失敗である、保育は口先でなく身を以て當るべきである。

西村　子供が喧嘩してゐる時保姆さんはどうして仲裁するか、

黒田　もつと喧嘩をしなさいと云ふ、すると子供は直ぐ止める、その時にどうしたのかと喧嘩の起つた原因を聽いて處置することにしてゐる。

西村　一體喧嘩の種はどんなことから起るか。

茨木　一つの物を二人以上が奪ひ合ふやうな場合で、そして相手が一人で、その一人に五六人が掛かつて行くことが多い。

西村　そんな時どう處置してゐるか。

黒田　一人の子供に保姆が味方をしてやる、一人を抱き占めて他の五六人を近づけないやうにする。

西村　理窟はどちらが惡いか。

茨木　種々の事情やその時に依つて違ふが平素いぢめられた、その仕返しをするやうである。

菊川　二人が喧嘩をしてゐるので一方を叱ると、叱られた子とその仲の良い子どもとが私に仕掛けて來たことがある。

西村　その子供の鼻の邊がどうかなつてゐないか、鼻筋に青い筋があるか無いか、肝臟の惡い子は今の例のやうなことをよくするものである。性格の缺陷もあるにはあるが、その子に對し何か兩親から相談はなかつたか。

菊川　この子は近所の評判が良くない。

永井　最近保育上の失敗として擧げたいことは、保護者と、保姆達とが幼兒に對し餘り親切過ぎる嫌があるやうに思はれるといふことである、このことは軈て子供に獨立心を無くさせる原因となると思ふ、保姆とか親とかに對する依賴心が强くなる、故に私の方では、例へば折紙を敎へる時にでも、その折方などに就いて一度しか云ひませんよ、と云つて二度も三度も繰返し繰返し言はないことにしてゐる、このことは獨立心を强くさせ成績も良い。

茨木　私達の言ふことをどうしても肯かない子があるので懲らす爲に、その子を誰も居らない隣の部屋へ入れたことがある、處がその子が小學校へ通ふやうになつて、先生から叱られるとすぐ隣りの部屋へ這入つて行くといふことを聞いたが、之は僅の一例に過ぎないが、保姆として充分留意すべきことであると思ふ。

小西　先程黒田先生は言葉が足りないからいけないと云はれましたが、道理のことゝ思ひます。處が言葉が多過ぎて失敗したこともある。新入の園兒に對して、その入園の日に、今日は誰も泣く子はありませんね、と云つたその爲に泣き出したといふ例もある。

前田　童話をする時、その話の前に、お手々を膝に、口を閉ぢて、お行儀よくしてなどと、先に幼兒を牽制しておいて話しかけるといふことは童話の上からは感心出來ないことである、然し、人から話を聞く時はいつでも口を閉ぢて、手を膝の上に行儀良くするといふ習慣をつけるといふ躾の點からは又必要なことである。

西村　躾にも時期がある、幼兒の時は躾をするに一番良い時期である、故に或程度迄は强制的に躾をする必要があると思ふ、形の上に重きを置くことが肝要と思ふ。

黒田　どうすれば結局保育が理想的であるか、それを伺ひ度い。

西村　子供一人々々の個性を見拔くことが一番大切であると思ふ、その子供の個性に從つて保育して行くことが理想である。

永井　子供が園から歸ると、その日に有つた事を、即ち感激したことを母に早く告げたいものである、然るに「唯今」といふことを先に云はねばならぬといふことは形式で本心ではない。

西村　形式は尊ぶべきで、鸞を山から取り立ての時は、鳴きが惡いが師匠の鸞をつけると段々上手になる。

前田　「保育ノ目的ハ遊戯唱歌、手技談話等チ以テ目的トス」と規定して現に之を實施してゐる所がある、之ば保育の失敗である、保育の生命は、敎養に在るのである、又體位の向上にもあると思ふ、故に是等を忘れた、單に保育の一手段とも云ふべき唱歌や手技等に依つて保育の目的とするなどは誤りと云はればならない。

西村　躾は幸福の爲であるから强調したい、裸の方が良いのであるが、風俗問題の爲め着物を着てゐるのと同一筆法である。

前田　食事の時に於て失敗は無いか、例へば自分は貧困の家に育てられたので、學校での晝食の辨當によく「味噌」を持つて行つた、隣の子は金持の子で、いつでも玉子の厚燒や鯛の鹽燒のやうな御馳走を持つて來るので、自然と心がひがんで、辨當函の蓋をしたまゝ、窃み窃み喰べてゐたことを憶へてゐる、是等のことは食事の時に限らず總てに當てはめることが出來ると思ふ、このことは保育の上にも留意すべきことで、保姆は細心の注意を怠つてはいけないことである。

黒田　かくしながら喰べる子供に對して「おいしいでせう」と云つてやる、又他の子供にも云ふ、するとよしそれがまづくとも淚を呑んで喰べる。

西村　子供の嫌なものは如何なるものかを常に調べて置いて、先生が皆の前で喰べて見せるだけの勇氣と熱心が無くてはならない。

永井　空豆、豌豆豆の嫌な子がある、その子の母はそれに玉子をまぶして他の物を混ぜたり色々苦心して作つて來るがいつでも中から豆だけ投り出して了つてゐる、又うほれん草のやうな菜類の嫌ひな子が多い。斯んな場合、お豆を喰べると身體が丈夫になるとか、ほうれん草を喰べるとお顔が奇麗になるとか云つてやることにしてゐる。

これから段々暑くなつて辨當が變な臭のする時はどうするか。

西村　後で藥一服呑まして置けばよい（笑聲）

隅川　それは喰べさせないで、私の方ではうどんを喰べさせてゐる。

前田　時間がまゐりましたので今日はこの程度で會を閉ぢたいと思ひます。（拍手）

（以下次號）

（第五十三頁よりつゞく）

然も、先祖代々、育兒祈願の捧物として、或は又親が自ら我が兒の爲に作り用ひしものが、即ち、鄕土玩具そのものであるのでありますから、如何に「鄕土玩具」なるものが、鄕土愛と密接な關係にあるかゞ明白であります。「鄕土玩具の滅亡は鄕土愛の消滅」となると申しても決して過言でないと私は信じてゐるのでありますが、斯くの如き意味に於て、飯岡土偶なり、出雲土偶なり楠公薰人形なりの現狀を見る時に、心の暗くなる者豈小生一人のみならんやであります。

「鯛提灯」を讀みて一文を草するの所以、實に玆に存するのであります。

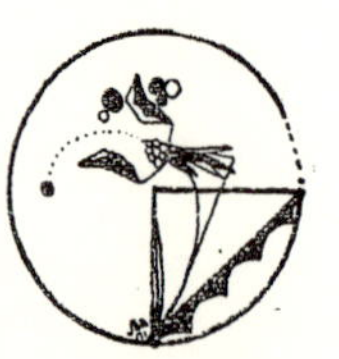

女の榮養に必要な銅と"愛情の素(マンガン)"

姙娠時には大豆や海苔

食品中に微量ながら含まれてゐる鐵、銅、マンガンその他の金屬が、ビタミンなどと同じやうに動物の榮養上必要なことが最近學者達によつて唱へられてをります。慶大醫學部の石澤豊松博士らは、食品中のマンガンや銅の含量を測定する特殊の方法を發明し、この方法によつて日本人の食品を分析して銅やマンガンの量を測つたり、動物試驗で學術的な研究をしてをりますが、銅やマンガンは特に婦人の榮養にとつては必要なものだといつてをります。以下石澤博士のお話――

マンガンは動物の成長を促進する上に必要な成分で、また、婦人の姙娠時や授乳期間には特に必要なものと考へられてゐます。アメリカの有名な榮養學者マッカラムはマンガンのことを「愛情の素」と呼びました。それは動物實驗で、雌のネズミに、マンガンを澤山含んでゐる食物を與へると、生れたネズミの赤ちゃんは、お母さんを慕つていつも母ネズミの側に寄り集り、如何にも愛情こまやかに見えるのにひきかへ、マンガンを少ししか與へなかつた雌ネズミから生れた赤ちやんは、母ネズミの所へあまり寄りつかず如何にもよそ〳〵しいのです。そこでマッカラムはマンガンを食べると食べないのでは親子の愛情に影響が現はれるのだと考へ、マンガンに『愛情の素』といふ名前をつけたのですが、その後マッカラムがよく調べてみますと、マンガンを食べるとお乳の出る量が多くなり、食べないと殆どお乳が出ないといふことを發見し、母ネズミの側に赤ちやんのネズミが慕ひよるのもよらぬのもそのせゐだとわかつたのです。私共が最近日本の食品について、マンガンの量を分析した結果から、マンガンを澤山含んでゐる食品を擧げてみますと、お米の胚芽、きくらげ、海草類、大豆もち米、糠オートミール、カレー粉、胡椒粉、黑ゴマ、ココア、蓮の實などです。昔からお餠を食べるとお乳の出がよくなるといふ俗說がありますが、もち米を分析してみますと他の食品に比較し相當多量のマンガンを含んでをりますから。まんざらいはれのないことでもないわけです。のみならず、もち米には婦人の姙娠時に特に必要な銅も相當多く含まれてをりますから、婦人が一般にお餠を好む傾向は、榮養上結構なことゝ考へられます。昔は銅を食べると毒だと考へられてゐましたが、最近では銅は血色

（第七十七頁につゞく）

立派に役立つ勞力

馬鹿が月給百圓とる

俗に馬鹿につける藥はないなどゝいはれますが、親も匙をなげ、學校の先生も腕をこまねいて眺めてゐるよりほかない低腦兒といふものは、恐らく小學校のどの學級にも六、七人はゐるでせう。白痴ほどではないが、これについで智能がひくゝ、智愚、魯鈍をもつてよばれるこれらの兒童は、どうにもしやうことなく義務教育だけは終へますが、學窓を出てから待つ彼らの運命は？今日までの例からいふと、浮浪、窃盜、醜業、放火、殺人などの犯罪や不良行爲をなすものが多く人生の敗殘者としてをはつてゐるものが少くありません。先頃、日本心理學會の人々が、哀れな精神薄弱者の保護と、更にこれが積極的な利用厚生につき、政府に建議するところがあつたのは時節柄大いに注目されます。その建議の內容は、治療教育院、療護院、兒童精神病院、精神薄弱鑑別所などの精神薄弱者保護のために必須の施設をまうけ、これによつて作業教育を主とした職業教育をさづけるとともに、精神病學的の治療を行ふ。その結果は馬鹿で使ひ道がないと思はれる彼らが、工場作業のうち簡單なものなら、普通の職工に負けぬぐらゐ立派にやつてのけるやうになる。そこで時局下、勞働力の不足が傳へられてゐる際精神薄弱者を積極的に利用すべしといふのであります。

實際に精神薄弱者が時局の人として活躍しつゝある例も少くありません。最近、勞働科學研究所の桐原博士は、次のやうにその實例を報告されてゐます。勞働能力が普通の職業とちつとも變らず仕上げ工として（もつとも磨くだけのもの）月給百圓を貰つてゐる精神薄弱者がある。月に五十圓程度をとつてゐるものなら多い。彼らは尋常科卒業者だが、やつと尋常二三年生の智能しかない。これは工場の指導者が實にうまく彼らの適性を見出したための成功で、すばしつた人間なら馬鹿しくてやれぬやうな、單調なしかし重要さにおいて變りない仕事につけてやつたからです。學校の成績（智能）こそ劣りはするが、職業や生活上の能力では、精神薄弱者どころか、いはゆる馬鹿が月給百圓をとるなどは、聞かされるわれ〳〵が恥しいぐらゐのものです。十四歳以下で七十五萬人、大人もいれると九十萬人もわが國にゐるといはれる多數の精神薄弱者が、この時局に一と役果すことができるといふのは、非常に喜ばしいことではありませんか。（厚生省兒童課森健藏氏）

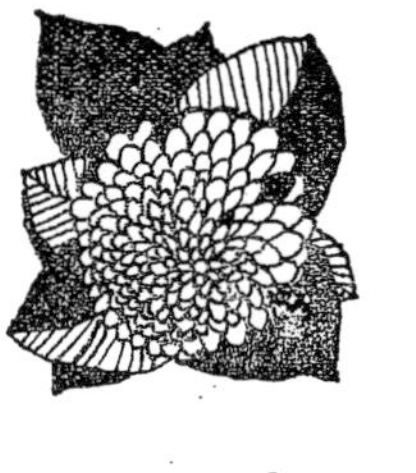

賀川豊彦氏『死線を越へるまで』（十二）

村島歸之

四〇、頻々たる殺人

喧嘩を嵩じて、殺傷沙汰を惹き起す。怪我人を出すくらゐならまだ無事の方で、屢々殺人事件をさへ惹起した。

氏が貧民窟に這入る前の年には、新川に十人の他殺者が出た、現に氏が借りて這入つた家も僅か二十錢のポチの事から喧嘩して斬られた男が歸つて來て死んだ家である。氏が貧民窟に這入つた年にも六、七人の者が殺された。それから四年間に他殺は漸次減退して五年目には一人もなくなつたが、氏が米國へ去つた第六年目には戰爭の爲めに不景氣が來て、人間の氣も荒くなり、殺人が又復殖えて氏が歸朝して再び貧民窟に這入つた年の大正六年には五人の殺人があつた。

殺人といつても貧民窟では虱を潰すほどにしか心得ては居ない。氏の見た殺人の中には鷄の頭一つで隣の男を殺したり、女房と臭いといつて男を殺すといふのさへあつた。又十四になる子供が同じ年頃の子供を殺したのもあつた。

大正八年の元旦には喧嘩の仲裁をして却つて殺されたのもあつた。妻の喧嘩を買つて人を殺したのもあつた。賭博してゐて勝つたから歸るといふのが卑怯だといつて殺したのもあつた。寺の住職が賭博場へ案內をしなかつたからといつて、僧侶を殺したのもあつた。

彼等は全く生命知らずである。

かうした手合と同じところに住み、たえず彼等と交渉を持たねばならない氏は、いはゞ猛獸の檻の中に小兎が一緒に住まつてゐるに異らない。

氏は、貧民窟の人殺しについて次の如く人間惡を慨嘆してゐる。

「私は彼等の日常の行爲を見て、人を殺す樣な者は日常は惡人ではなくして、全く性格が連續しないものであると云ふことを知り得た。目玉の文と云ふものを殺したSと云ふ男の如きは、俠

氣一片の男であつたが、激昂する癖があつたので、遂に失敗してしまつた。

貧民の犯罪は、どんな場合にどうなるかと云ふことが殆どわからぬが、殊に人殺しするものは、どんな時にどんな風に殺すかと云ふことがわからないのである。激昂すると全く性格が分裂してしまつて、何が何やらわからないのである。貧民窟の子供の激越性は小さい時から拘束することゝ無しに捨てゝあるのでそれこそ手のつけ樣のないほど放縱ものなのである。」

極めて單純な彼等はわづかの事で激昂して前後の見境なく人命をあやめて了ふのだ。氏はさらにその見聞を次の如く語つてゐる。

「十年間貧民窟に住んで、十歳の子供が二十歳になり、五つの子供が十五になり、彼等の多くが相當に犯罪を犯すまで大きくなつて見ると、小さい時からの放縱な子供には、矢張り誘惑が多い樣である。それで貧民窟そのものが、殺人養成所の樣な氣がしてならない。大正八年一月一日の朝であつた、近所のものが「人殺し、人殺し」と騷いだのは。そして私は半町ばかり西の小野柄橋の傍に行くと、若い青年が一人殺されて居た。これは兄弟（土方）の喧嘩を仲裁して反つて殺されたのであつた。

そんな時に思ふことは、人間と云ふものはつまらぬものであると云ふことである。」

「人間のつまらなさ」を痛惑したその時の氏の心持が判る氣がする。

四一、酒

喧嘩や殺傷事件を起す原因は多々あるにしても彼等を煽り立てるアルコールがなかつたなら、喧嘩や、殺傷事件の數は著しく減少するに違ひない。

貧民窟の爭ひは酒から起つてゐるといつて過言ではない。賀川氏はいつてゐる。

「私は貧民窟に住んで、日本の貧民窟が年と共に酒癖の惡くなつて行くことを嘆くものである。四五年前までは「バー」式の呑屋が無かつたものであるが、ビールを西洋から學び、ウヰスキーを飲むことを覺えた下層の國民は、今日では全く西洋式サルーンの樣に形造りした貧民窟の角々の呑屋に立つて酒を呑む樣になつた。これでどうして貧民窟改良を表面的に叫んでも成功し得ようぞ、彼等の內面生活を根本的に改造するか、然らずんば國家的に釀造を禁止して彼等を救はればならぬのである。」

氏の住む新川部落は殊に酒呑が多く、氏はいつも醉漢に坐り込まれ熟柿臭い呼吸を吹掛けられて弱らせられた。

酒さへ飲めば議論がしたくなつて「アダム」と「エバの墮落」を論じに來る理窟上戸、酒德利を手にして氏の說教所に來て說教を始める喋舌り上戸、突然訪れて來て三時間も沈默を守つてその儘歸る默り上戸、わけてもメソ〳〵泣き出して氏を弱らせる泣上戸などもあつた。無論、暴れ上戸もゐた。彼等によつてオルガンを破壞され、硝子障子や、食膳を壞された事は幾度あつたか知れない。

氏は路傍說教でも、この酒の害について述べた。或夜氏は東部神戸方

面で、神學校の級友伊藤悌二氏と共に路傍說教を試みたが、虎穴に入らずんば虎子を得ずといふ譯で、年少氣銳の二人は、とある酒屋の前に立つて、勇敢にも禁酒演說を始めた。通りすがりの警官も、ほゝゑみ乍ら行つて了つた。二人は大に元氣づいて、酒屋の中に今しも酒を呑んでゐるらしい男に、聞えよがしに大聲を張上げた。

すると、果然、酒屋の中から一人の男が現れた。見れば人品卑しからざる紳士である。彼は二人の前に步み寄つたと思ふと、矢庭に兩手で二人の胸倉をとつた。

「人が善い氣持で呑んでゐるのに邪魔立をしなくつたつていゝぢやないか。失敬な」

此の場合、かういふのは不思議ではない。ところが不思議なのである。といふのはこの抗議の言葉がすべて日本語ではなく、流暢な英語なのだ。

英語の會話では敢て人後に落ちない氏である。それだけに、醉漢の痴言とは思へない堂々たる英語には一驚を喫した。氏も負けてはゐないで、この時と許り、正面から禁酒を力說した。そして「兎に角、こゝでは話が出來ない。僕の家に行かう」といつて、無理に二人でその醉漢をスラムの中へ引張つて行つた。

何といつても醉つぱらひである。遲くまで議論を戰はしてゐたが、いつの間にかその儘寢入つて了つた。氏はやさしく彼に蒲團をかけてやつた。

彼は當時、その名の聞えた某高級官吏の子息で、洋行戾りの青年紳士であつた。

翌朝、賀川氏が眼をさまして見ると、前夜、確かにそこで寢た筈の彼の姿が見えない。はてなと思つて蒲團をめくつて見ると、笑止や、そこには寢小便のあとが歷然と殘つてゐるではないか。察するに、彼は眼を覺まして、自分の重ね〳〵の失敗に恥入り氏の眼覺める前に、こそ〳〵に逃げ歸つたのであらう。

この事があつて後二三日たつてから、立派な奥樣が新調の夜具を携へて、氏を訪れて來た。

どこの誰だらうと思つて會つて見ると、その人はさきの夜の醉漢の夫人であつた。

主人から一伍一什を聞きました。まことにお恥しい次第でございます。主人の申し付けで夜具、一流を持つて參りました。どうかお使ひ下さいませ――

といふのである。

その蒲團がその晩、居候たちを驚喜させた事はいふまでもないが、蒲團の送り主がその後はどうなつたかは、杳として消息がない。

この插話は「死線を越えて」の中にも出てゐないが、筆者は過日伊藤悌二氏からこれを聞いたのである。

スラムに這入つた頃の氏の橫顏を髣髴するに足る一插話である

四二、淫賣婦に思はる

今はそれほどでもないが、氏がスラムに住んでゐた頃の神戸葺合新川は神戸においても最も低級な淫賣婦の巢窟として知られてゐた、そして氏の說教所は恰度淫賣婦の市場の中心點をなしてゐ

た。夏の夜など、氏をその説教所に訪れようとすれば、途中において少くも二三人の淫賣婦に袂を引かるゝことを覺悟しなければならなかつた。筆者なども常に呼び止められたものだ。彼女等は氏の説教所の前の通路東西約三四町の間に殆んど十間置き位にイ立して、行人の袂を引き「遊んで行きなはれ」と誘惑した。甚だしいのになると、説教所を覗き込んで見知らぬ顔を物色し歸途の邀惑を試みようとするのさへあつた。

しかし彼等は氏の德に服し、又常に氏の庇護を受けてゐるので氏の一家及び氏の宅の訪問客に對しては誘惑の手を避けた。筆者は屢々賀川氏を訪はうとして彼等の手に捕へられる事があつた。が、賀川氏方を訪問するのだと判ると「センセイとこのお客さんや」といつて解放してくれるのが常であつた。

彼等は夜の帳の下りると同時に街路に立つて行人の袂を引くが彼の高等内侍の如く待合へ連込むのでも料理店へ拉し去るのでもなく、客がつくと、すぐ路地深く連れ込んで、埃にくすぼつた五燭の電燈の下に淺猿しき夢を見るのである、客一人に對し貸すに五分以上の時間を以つてする事は稀れだ。(それ以上を經過した場合は、その女の亭主がやかましい)それもその筈、彼等の徵收する賣春料は三十錢乃至五十錢で簡單明瞭に一夜に多數の客を取らねば口を糊するに足らぬのである。

筆者は一夜、説教所の二階の戸の際から二三時間の長きに亘つて詳細に觀察した事があつたが、彼等の青白い纖手に捕へられて路地の奥深く拉し去られる者は大部分厚司半纏の勞働者で情約締結に當つて女が五十錢といふのを「三十錢にしとき」などゝ値切つてゐるのを見た。

外國の水夫などの來る事もあつたが執拗いといふので歡迎しないらしかつた。

冬になると、彼等は大膽にも街路に焚火をして暖を取りながら客を待つた。警察はあつても此處許りは全く治外法權であつた。尤もこれには理由がある。それは賣春婦には必ず監視者は凡てゴロツキで、女から監視料として毎夜一人前十錢二十錢なりの金を徵收し他の組の淫賣婦と客の奪ひ合ひをするとか、客が亂暴を働くとかの場合に出て女の庇護の任に當るのだ。

中には兇暴な輩があつて、氣の弱い客と見れば美人局の啖呵を切つて所持金全部を捲上げた。

或る時、説教所の裏手にある淫賣横町で一人の青年が此の手にかゝり逃走したのをゴロツキ達が追跡し、青年は逃場を失つて電車の信號手のボックスに隱れた、それを不良少年達が取巻いて呀や暴行に及ばんとしたのを、警官が驅付けて漸く助かつた事もあつた。

賀川氏は毎日これ等の淫賣婦と顔を突合して生活しなければならなかつた。氏は機會ある毎に彼等を改心せしめようと努め、彼等が病氣になつて苦しんでゐるのを見ては、直ぐ行つて藥餌の世話をしてやつた。適當な扶養のない場合などは氏の家へ引取つて世話をしてやつた事もあつた。

K(三九)といふ淫賣婦は姙娠八ケ月の身で淫賣に出てゐたが、氏は可愛想に思つてその女の家を訪れて行つて見ると、その女の夫が怪我と脚氣で苦しんでゐた。それで氏は米と金とを與へ、尙改

心するならば、出產の時まで補助料をすると云つたが、彼女は既にすつかり淫賣婦型の女になりきつてゐた爲め改心の意志もなく引續き淫賣に出て遂に腹の子を流產した事もあつた。賀川氏は此事について云つてゐる。

「人類も此處まで墮落する筈のものではなかつたらうものを、若しこんなになることであるなら、南洋の鬱林中でキイ〳〵泣き乍ら、木の上で飛び廻つてゐる猿で居た方が餘つ程よかつたのだ。」

全くその通りである。しかし誤解してはならないのは、彼女たちは初めから決して好き好んで辻君を働らくものではないといふ事だ。彼等は何にもせずにゐれば三度の御飯が喰べられず、又他にこれに代る飯を喰ふ方法を知らぬために淫賣をかせぐのである。

賣淫は他の婦人の職業と異り、何等技術修得の要もなければ、經驗を積む要もない。むしろ何等修得經驗のない者の方が歡迎される。そして得るところのものは、他の職業婦人が額に汗して長時間にわたつて働いて得る賃銀よりも遙かに多いし、月末を待たず、即刻手にする事が出來るのである。

たとへ彼女たちが、これに就くのを望まなくても、彼女たちの周圍の者が、折角金になる彼女の貞操をその儘にして置かせはしないのである。貨幣價値のあるものは凡べて金に換へられるのが資本主義社會の組織である。不幸にして賣れるものを持つてゐるために、彼女たちはその意志に反してゞも賣らしめられるのである。

この事實は、彼女たちの醜業中、見張りの役を勤めるピンプが大部分彼女の夫であるのを見ても判らう。あゝカインの末裔なるかなの嘆なきを得ないではないか。

それはさておき、賀川氏は屢々これ等の憐れむべき淫賣婦のために力を貸してやつた。

今日まで淫賣婦が見た男のすべては、彼女を弄び、彼女を搾取し、彼女を鞭つたのに、氏だけは彼女の人格を認めてくれるのみか、心からいたはつてくれるのである。單純な彼女たちは忽ち氏に傾倒し、或女の如きは氏にあらはなる申出をして氏を驚かせ、又或女は思慕の情を片假名に綴つてそつと氏の袂に投げ入れた。

無理からぬ話だと思ふ。

「死線を越えて」を見ると、氏がスラムに這入つた初めの頃に次のやうな事がある。

――日　淫賣おちかを(兩性具備者)を神戶養老院に收容して貰ふ。

――日　おちかの亭主、怒つて刀をぬいて暴れ込む。

――日　元淫賣婦のおふぢのため滯納家賃を支拂ひ、米一升を與ふ。

――日　淫賣婦おひでに思はる。

――日　低能の淫賣婦お春戀文を寄越す。

その頃、まだ年若く、美しく、殊にまだ春子夫人を迎へないで獨りスラムに住つてゐた氏に對し、憐れなる女たちは、マグダラのマリアが、イエスの足を價高き油で拭うたやうな心持で氏を敬ひ慕ふたのであらう。

あゝ、誰か彼女たちに石を投げ得る者があらうか。

新川貧民窟三十年の思ひ出

豐彦氏夫人　賀川春子

私は長い間神戶の貧民窟に住んで居りまして、今も尙この仕事を續けて居りますが今年は丁度滿卅年になります。神戶の貧民窟は場所も廣くそこには大勢の人が雜居してゐます。神戶市は斜面になつて居て山の手には上級の人が生活し、下の方は新川と云ふ下層階級の人々の地區になつてゐます。そこに居る或者は前科者で普通の交際も出來ず、仕事も與へられないために流れ込み、或ひは病氣でおちぶれ、或ひは不具で生存競爭に耐へられずそこに掃き溜められてくる人々の生活層が見られるのでした。仕事と云へば或人は葬式の人夫をし、棺を擔いで火葬場に行く、或人は大道で藝をする、又は乞食をする私共の住んだ向ふ三軒兩隣は皆かうした人達の一群で、家は大きなものでも、五疊か六疊敷、最も狹いのは二疊敷でこれに三尺の土間がついて一軒となり、それが二十軒位つゞいて一棟となつたものが三尺位の路次をへだてゝ幾棟もつゞいてゐるのです。二疊の家には想像もつかないことでせうが九人も住んでゐます。ですから喧嘩、不道德が盛に行はれます。家賃は一圓位のでも、毎日三錢五錢ととりたてなければとれませんので家主は毎夜貸家帳と提灯を下げて集金に來ます。また、この貧民窟を相手に金融するものもあつて、零細な金を高い利子で貸してゐます。大抵は日雇人夫のために晩になれば主人は幾らかの賃金を持つて歸つて來るのですが、それが待ち切れず長屋の內儀さん達は一日に一圓借りて廿錢引かれ八十錢しか手に入らぬやうな高利な金を借りては、お米を買ひ、野菜を買つて夕飯の支度を致します。仰げば廣壯な邸宅がそびえてゐますのに、下の方では犬にも劣る生活が毎日行はれてゐるのを見ますと眞に苦しい社會であると思はざるを得ませんが、そんな所にも私達は神の喜び給ふ人を見ることが出來ました。

新川に三十年前傳道所が開かれましたが、此處の人達は、キリスト教の何であるかを知らずたゞ怖れてゐまし

た。或る中年の婦人はクリスト教を嫌つてお稻荷さんを信じ、他人の體の惡い所をなほしたりしてゐました。その婦人は喧嘩が強く喧嘩のお梅さんと云つて知られてゐましたが、其の子供が段々成長するに從つて學校へも行かず、大人を眞似て朝も晝も夜も博打をするやうになりましたので、お梅さんは心配してやめさせようとしたがやめません。その中其の子は傳道所のお話會でイエスの話をきいて心を引かれ、つゞいて日曜學校に來るやうになつて生れ更つたやうに惡いことは一切やめ素直な子供になつたので、さすがの母親のお梅さんもヤソにえらい力を持つてゐる事がわかり、悔改めて喧嘩も止めて親切な婦人になりました。そして遂には「今まではお稻荷さんの力で他人の體をなほしたが、自分の心の邪惡を悟ることはできなかつた。これは十字架のみぐみです」と證して神の愛を語り傳道をするやうになりました。或る酒呑の家で冬の最中に赤ちやんが生れた事がありました。私はいつものとほり、お手傳ひに參りますと、赤ちやんは着る物もなく、放出してあります。着物は?とききますと、お恥づかしいことに主人が赤兒の着物を質に入れて六錢借りて酒を呑んでしまつたと產婦は涙ながらに申しました。これには私も吃驚させられましたが、このやうに酒の爲にすべてを忘れてしまつたやうなその主人も後にはすつかり悔改めました。

私の貧民窟に入つた當時の恐ろしかつた思出としては酒亂の人に金を貸せと短刀を突き付けられて何遍も强迫された事ですが、しかし私は貧しい氣の毒な人々のために此の仕事を續けさせて頂くからには、命は投げ出してゐますと、云ふと度胸が坐つて短刀など一寸も怖しくなくなりました。

今、斯うして私共の三十年の生活を振り返つて見ますと、いろ〳〵困難なことがございました。多くの人をかゝへて、あるときは財布に二錢しか殘つてゐなかつた。今夜はどうして皆にたべさせたらよいかと考へて祈ると、その都度與へて下さる方がありました。このやうに祈りの直ぐきかれるのを見て、私は神は生きたまひて、傍に居たまふのを知りました。經濟上のみならず肉體上に於ても同じです。信をもつて目をあけて見るとき神の救ひがあります、神は愛ゆえに神に從ふ時は棄て給ひません。私は貧民窟を通してこれらの事を沁々と身に感じたのでした。

川合玉堂先生の雅號の由來

― 記者

「玉堂」の由來ですか？これは至つて簡單なものでして私が十五歳の時、傳手があつて、京都の望月玉泉先生の塾に入門し、十五、六、七、八まで滿三年間師事したのでしたが、左樣、當時先生は既に六十歳前後でしたらうか、望月先生は弟子の雅號にはきまつてその玉といふ一字を冠せられることになつてゐたものですから、私には「玉舟」と名づけて頂いたものでした。

そこで、最初はこの「玉舟」を名乘つてゐたものですが、どうも、舟といふ字が私には書き辛くて困るものですから、何とか改號したいものと先生に申し上げて、さて、いろいろ考へた揚句私の父は俳諧をやつてゐて、「九十九」と號してゐましたが、これでは何とも仕樣がない、一方、母方の父、佐枝一郎右衞門が尾張藩の藩校、明倫堂の監學をした人で「竹堂」と號した、その祖父の「堂」を貰つて「舟」と代へ、こゝに「玉堂」の名が改めて出來上つたのです。

以來、五十年、「玉堂」を稱してきたのですが、改號當時、望月先生からは御注意とてもありませず、何分自分も餘りに子供であつて、而し「竹田」とか「山陽」の名前は知り過ぎて居り、案外、「春琴」とか「竹洞」などの名は知つて居り乍ら嚮きに「浦上玉堂」の在つたことを全然知らなかつたのです。

文人畫家、「浦上玉堂」が世間で騷がれ出し、その名を聞いたのは餘程後の事で、多分私の中年頃からと記憶してゐますので、今更どうにもならなかつた譯です。

明治二十三年の秋、幸野楳嶺先生の門に轉じ、二十八年でしたか、橋本雅邦先生が、京都の第三回內國勸業博覽會に出された彼の「龍虎圖」と「十六羅漢圖」の兩名作に接して驚嘆の眼を以てこれを迎へるに至つてこんな巨匠が今の世に至つて、出現した以上はとばかりに、その傘下に馳せ參じて、雅邦翁の門下にして頂いたのは私の二十四歳の時でした。

その頃京都畫壇では、竹內栖鳳君と故菊池芳文に肉迫するような作品を山元春擧君が示してゐた時代であり、都路華香君なども、これらの人達に次ぐ力量を見せて居り、斯くいふ私なども展覽會に出品をしては「三等賞銅牌」を貰ふ位のところには進んでゐたもので、毎年御苑內の博覽協會陳列館に催される「京都市美術及美術工藝品展覽會」が青年作家の發表壇場であり登龍門だつたのです。

その頃、私としては畫道に於て迷ひ拔いて居つた時代ではあり、何とか自分を練り直さうとする意氣に燃えてゐる頃だつたゞけに、前申す雅邦先生の二大名作、一つは豪放、一つは緊密の不朽の名畫を眼のあたり見ては、ぢつとして居られよう譯はなく、翁を三度目の師と仰いで更新の道を辿りはじめた次第です。

都合三度師匠に就いたのですが、雅號の「玉堂」は、つまり右のやうな發祥に過ぎません。

或る感化院の生活

川口信教

先日某縣の感化院の先生が視察に來られ、私宅で一泊せられた。かつて私もその感化院を見學したこともあるし、お互に多年同一事業に從事してゐると、姓名位は自然に判るし、十餘年前東京に於ける講習會にも一緒だつた關係上、親しい間柄ではないが、でも一見十年の知已に會つた感じで一夕大いに談笑した。その人の話は子供の世界に關心を有する者の參考になることが多い。

★

その人は年五十餘歳であつた。感化事業に對して極めて熱心であつて、學院の隅から隅まで見て、必要なことは一々ノートされた。師範學校出身で小學訓導校長等二十餘年の教育經驗者である。感化事業に轉ぜられても、十餘年の經驗ある方である。元來その感化院は恩給の持つてゐる方でないと採用せない內規のある所で全國でも有名である、その理由は俸給の平均が六十圓であるから止むを得ない現象で卽ち所謂二毛作と稱する恩給と俸給の兩方を受けて生活する關係上五十歳位の人達ばかりで組織してゐる感化院だ。これだから一見隱居仕事の樣で、一寸落付いた感じのする感化院である、職員が立身出世の野心もなく、眞に不良兒童の爲めに餘生を捧げてゐる感がする、隨つて職員も腰を据ゑて皆十餘年の勤續者である。

然し日々に進歩發展の途上にある我が國少年救護事業の上から考察するときは餘り感心した制度ではない。これでは寧ろ退歩することさへなきにしもあらずと思へる。勿論その奥さんも何れの感化院同樣保姆として働いてゐられるが、これも手當として月十圓位の給料ださうであるから。恩給でも持つてなくては飛込めない所である。

★

その感化院の食費は一日大人十六錢五厘であると聞いて、それでは米麥代だけではないか、どうして副食物を出されるのかと不思議に思つて尋ねると、四町歩の農園を利用して野菜を作り、調味料の外は副食物は殆んど自給自

足であるし、魚肉類は殆んど口にせず、たまに乾鰯、にしんを口にし、生魚牛肉は一年に二三回のみである、榮養としてだし雜魚の粉も每食野菜に混入することによつて得てゐると縣衞生課技師の說を採つて實行してゐられるさうである。

その縣は近年養蠶の不振で縣收入が不足し、一錢も豫算を增さずその感化院所屬の十餘町步の小作料さへまき上げてゐる由である。その感化院では現在四町步の農園の外に十餘町步の農園あつて一時は米國式のトラクターを用ひて經營してゐたが、少數の感化院生徒では耕作し切れず、人を雇ふにも肥料を買ふにも全然縣費がないので止むを得ず小作に出してあるのだ。

こんな狀態だから、一週二回の團子汁に使ふ麥粉を得る爲に麥を作つてゐるが肥料が不足で充分實らないとのことである。肥料を得る爲めに玄米を買つて之を搗いて糠を採るさうである。

こんな狀態だから午前は學校を教へ午後は先生も奥さんも、もんぺいをはいて農園に出動し、農繁期には全く晴耕雨讀の有樣であるとのことである。

私は教育では全國的に熱心で有名な縣にしてこんな感化院の有樣は誠にその相違の甚しいのに驚いた。

★

それではよく關西迄も視察旅行に出らる旅費があるねと尋ねると。これには職員が每月一圓宛旅行貯金をなし、それによつて一切の視察見學をなすので、感化院では地方別に講習會や研究會等あるが皆之の旅行貯金を使ふので誰かの樣に大名旅行するのではなく、夜汽車を利用し次から次へと各府縣に一ケ所宛ある感化院を宿として、見學旅行をするのださうである。

★

私事に涉るがお子達はと聞くと九人あつて、上が二十七歳男で東京で會社員でまだ獨身、次は嫁入して孫が一人次は女で小學教員、次は男で軍需會社へ、次に中等校に三名、小學校に二名通學してゐる子福者である。

實にそれだけ育て上げられた感心の至りで一人も死なして居られない。而もその中學校に通學の三名は、感化院の所在が山奥なので通學に不便であるから、長女の嫁入先の隣の家を一軒借りて、そこで姉の監督の元に兄弟仲よく自炊生活をさして居られるのださうである。窮すれば通ずるとはこの理である。

★

かく語つて殆んど夜を徹したが、翌日は橿原神社參拜を初めとして行程多忙であつたので早朝に起きて一番の電車で送つたが、私はその先生の菩薩行に深く化せられた。

せめてものもてなしにと、妻と二人で早朝から暖いお飯を用意して、その先生の前途を祝福した。

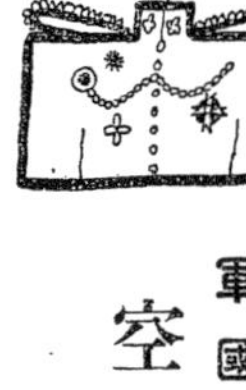

軍國少年物語

空ゆかば

ライオン歯磨童話講師 金津正格

徐州空中戰に敵數機を擊墜し、自らも敵彈の爲右膝、右腕を粉碎され、口で操縱を續けし、光榮に輝く故福山航空兵大尉の物語。

◎當時大尉は中尉なるも本篇中に於ては大尉として扱ふことを諒せられたい。

一

或る朝のことです。

大帝國の　大空に
見よ　翻る日章旗
高く揚げて　明日の日へ
正しく強く進みゆく
我等ぞ　日本少年團……

富士夫君達は、けさも、元氣に歌を唄ひ乍ら、足並揃へて、夜明の街を行進してゐます。やがて近くの公園につきました。

公園の國旗揭揚塔の前に整列すると、部隊長格の富士夫君が大きな聲で、

「けさは誰が國旗を揚げるの」

「僕！」

「僕！」

「春雄君に、一郞君か、それでは……氣を付け！　用意、揚げ！　續いて兵隊さん有難うの感謝默禱！　直れ、さあ今度はお掃除をしよう」

「隨分けさは紙屑が散らばつてゐるなア」

「早く綺麗にしてしまほう、あさで掃除のおぢさんがきつと吃驚するよ」

みんなのものはこんな事を云ひ合つてゐましたが總掛りで、塵芥や紙屑を始末して公園の中をすつかり綺麗にしてしまひました。

けさも國旗の揭揚が終つたところへ、立派な小父さんがニコ〳〵しながら、みんなの前に近づいて參りました。

「お早やう、みんなは早起きだれ、よく毎朝つゞくれ」

「小父さん、夜ふかしをせずに早く寢て朝は早く起きることが大切なのでせう」

「勿論だ、小父さんも早起が大好きでいつもかうして散歩にくるが、君達の樣子を見て、いつも感心してゐたのだよ、君達の早起き聯盟に小父さんも加入させて貰はうかな」

「小父さん、僕達のは仲よし部隊と云ふのです」

「そうか、仲よし部隊か、そりやいゝ名前だ、君達が公園の中をいつも綺麗にしてゐるので、これにも感心してゐるのだが、實はこんな話があるのだ……

小父さんがアメリカに御用事があつて、向ふにゐた時のことだある日公園を散歩してゐると、八つ位の男の子が泣いてゐたのだ、〃どうかしたの〃と、きいてみると、〃ボールが柵の中に轉がつてしまつたの〃と云ふのだ、〃自分でとつたらいゝぢやないか〃と云ふと、そばの立札を指さすので、見ると……この中へ立ち入るべからず……と書いてあつたのだよ、小父さんは感心したネ、立札があつても芝生の中に入り込んだりお花を摘みとつたりする惡戯な子もあるが、公園の規則を守つて公園の中をいつも綺麗にしてゐる君達は、アメリカの子供以上に豪いと思つたネ」

「小父さん、どうも有難う」

「これから毎朝、何か珍らしいお話をきかせて下さい」

「小父さん、さようなら」

二

その翌朝、仲よし部隊が公園に到着すると、昨日の小父さんがニコ〳〵ながら待つてゐてくれました。

「小父さん、お早よう！」

「小父さん、お早う！」

「小父さん、隨分早いなあ……」

やがて國旗揭揚が濟むと、みんなは待つてゐましたとばかり小父さんにせがみました。

「小父さん！何かお話きかせて下さい」

「小父さん！早く……」

「待つた、待つた、これは仲よし部隊に包圍攻擊を受けた形だなでは何かお話をしよう、みんなは、今度の非常時に就ては充分考へてゐるだらうが、今度の事變は、世界の歷史が始まつて以來、こんな大きな戰爭はなかつたのだよ、戰線の長さはと云ふと、日露戰爭の實に十三倍と云ふから驚くぢやないか、一體どれ位の長さかと云ふと、ざつと三千粁だ、三千粁と云ふと、君達に一番早く分るのは、あの青森から下關まで、行つて下關から再び青森まで戻つた長さが、ざつと三千粁だよ、而も戰線は日毎に擴大してゆく一方だから、もう三千粁は突破して既に三千六百粁に達したさうだ。この長い〳〵戰線の上に立つて、兵隊さんは銃後の激勵を身内に感じ乍ら、新しい東洋を作る爲に世界平和の爲に戰つてゐるのだよ、君達もこれからのお國を背負つて立つ大切な身體だ、しつかり勉強して身體を強く鍛えて

くれ給へ」

この言葉に、みんなのものは一層緊張せずには居られませんでした。

三

學校のお晝休みの時間に、運動場の片隅に集つた仲よし部隊の者は、こんな話を交して居りました。

「ネエ、あの小父さんは何をしてゐる人だと思ふ」

「とても物識りだネ、何でもよく知つてゐるもの」

「きつと豪い人だれ」

「大學の先生かなあ」

「分らないなあ……」

こんなお話をしてゐるところへ、富士夫君が飛び込んで參りました。

「みんなに、とても素敵なニュースを發表するよ」

「なあーに?」

「あのれ……あの小父さん、何をしてゐる人だと思ふ」

「今も、その話をしてゐたんだよ」

「ぢや、敎へてやらう、あの小父さんは飛行機の會社の技師長さんだよ」

「何だつて、技師長さんだつて、ぢや……あの人飛行機を作る人、凄いなあ、ウワーッ　萬歲だ！　仲よし部隊には豪い人がついてゐるぞ……萬歲！」

「富士夫君は、何うしてそれが分つたの」

「僕れ、あの小父さんの家を見つけたんだよ、そして近所の人に敎へて貰つたのさ」

「富士夫君は仲よし部隊の部隊長だけあつて矢つ張りすばしつこいなあ」

四

その翌朝、仲よし部隊のものは小父さんの姿を見つけると、鬨の聲を擧げました。

「ウワーッ、小父さん、小父さんは凄いんですネ」

「飛行機を作る人ですつてネ」

「技師長さんですつてネ」

「……これは驚いた、とう〳〵發見されたかナ」

「僕達は、小父さんが何をしてゐる人か、早く知りたかつたのです」

「さうかい……それは油斷が出來ないナ」

「僕達も早く飛行家になりたいなア」

「少年航空兵には、どうしたらなれるのですか」

「豪い意氣込みだれ、少年航空兵の試驗を受けるには、學歷は小學校卒業程度でいゝのだが、滿十六歲にならんことには駄目だ。然し體格檢査は嚴重だよ、體格は甲でも近視眼や亂視眼のものは勿論はれられてしまふが、ムシ齒があつても駄目なのだ。

「ムシ齒のあるものは身體が弱いと云ふ證據になるからなア」

「小父さん！　では丈夫な身體を作るにはどんなことに氣をつけたらいいのですか」

「さうだな、先づ淸い空氣を吸つて、太陽の光を浴びることだ。

それから好き嫌ひをせずになんでも食べること、不規則な間食や買喰ひを止めることだネ、それから勉強と運動は適度に行つて決して無理をしてはいかんよ、まだあるよ、朝晩齒を磨いてムシ齒を防いで身體を鍛へることだネ、この點、君達自信があるかネ、とにかくこれから銃後に伸びる少國民はどんなことにあつても堪えられるだけの健康を作つておくことが大切だよ……ところで仲よし部隊の諸君に賴みたいことがあるのだ。それはあの陸の荒鷲福山大尉を知つてゐるかね」

「知つてゐます。」

「知つてゐます。新聞によく名前が出てゐます」

「さうだ、あの福山大尉は、實は小父さんのそれこそ大の仲よしの友達なのだ」

「凄いなあ」

「それで、小父さんの作つた飛行機で、この頃は盛んにあばれてゐるのだが、どうだらうか、福山大尉にあてゝみんな手紙を書いてくれまいか」

「嬉しいあア、書きますよ、書きますとも……慰問袋に入れて送りませう、それから日の丸に、僕達……仲よし部隊の名前も書いて送りませう。」

五

大陸で勇ましく働いてゐる福山大尉のところへ、仲よし部隊の子供達のまごころこめた贈物が届いたのはそれからまるなくのことでした。

「大尉殿！　小包が着きました」

「御苦勞！　何處からかな、仲よし部隊、ハテナ?仲よし部隊……分らんなア……ホウ、これは面白いぞ……フム、フム、これは愉快だ、ハッハ……大分いろ〳〵な御馳走が入つてゐるな。みんなにもあとで振舞つてやるぞ、オヤ、日章旗だ、仲よし部隊の子供達の署名がしてあるな。ヨシー　今度出動の時、敵機を叩き落した時は、この旗を揭げてくれ、子供達のまごころのこもつてゐる旗だ、忘れんでくれ給へ」

六

昭和十三年四月十日正午、福山大尉の屬する寺西部隊は、命令一下！　十五機の編隊群も堂々と、隴海線「歸德」攻擊に向ひました。

空ゆかば　雲染む屍　大君の爲に

敵の空を睨みつゝ、爆音を轟かせつゝ前進、乗組員は敵機にめぐり逢ふことを祈りつゝ翼を進ませて居ります。

見れば向ふに敵機は實に三十機……而も三梯團となつて群つて居ります。

「よき獲物、御參なれ」と我が陸の荒鷲は間髮を入れずに襲ひかゝり、こゝに壯烈なる大空中戰が展開されました。

見る……見る……敵機は、一機、二機、三機……五機、黑煙を吐きつゝ擊墜されてゆきます。

この時、福山米助大尉は、早くも敵機を三機擊墜してしまひました。

「ヨシ！　片つ端から殘らず叩き落してやるぞ」

大尉は愛機が敵彈を浴びるのを物ともせず、物凄い勢ひで阿修羅の如くに奮鬪を續けて居りましたが、惜しや敵の機關銃彈は大尉の右足に命中

「何！これしきのこと、兩手さへしつかりしてゐれば……」

と頑張つてゐるうちに、出血が激しくて段々氣が遠くなりさうになつてきました。

七

そこで兩手で、すばやくハンマーの扁紐で腿をしばりつけましたが、しかし踏棒が踏めないばかりか、足の感覺がなくなつてきました。

それを左足で蹴飛ばしてゐるうちに、續いて右腕にまたもや一發。

「いよ〳〵右手も、右足も駄目か、このまゝ敵機とぶつかつて戰死と覺悟するか、まて〳〵、僕の死んだ姿を、支那兵どもには見せたくない、何でも構はん、この飛行機と共にもう一度戰友の待つてゐる基地に引返さう」

普通の人ならば、これ以上操縱も出來ないのに、豪膽な大尉は、この重傷に屈せず

「何くそ……」

と、ハンケチを引つ張り出して、左手と口で操縦桿にハンケチをしばりつけ、その端をグッと口に啣へて、左手で操縱し乍ら歸還することゝなりましたが、途中まで來た頃は、餘り澤山血が出てしまつたので頭はぼうーつとしてくる、段々と眠くなつてくる……その苦しさは云ひやうがありません。

「眠つたらそれでおしまひだぞ、もう一息だ」

大尉はマナジリを吊り上げ、齒を喰ひしばつて飛び續けましたが、漸く飛行場の中央に着陸しやうとしましたが、もう昏睡狀態になつてゐたので、力つきて……そのまゝ飛行機は無殘にも顚覆してしまつたのです。

でもこゝまで飛んで來たのが奇蹟で、實に大尉の負けじ魂が、こゝまで大尉を運んできたのでせう。

八

全身アケに染つた福山大尉は、着陸顚覆と同時にそのまゝ人事不省に陷つてしまひましたが、ハンケチは啣へたまゝ放さうとはしませんでした。寺西部隊長は驅け寄るなり、大尉を抱き起しました。

「福山、よく戻つてくれた、分るか、己だぞ、寺西だぞ……」

二度、三度……繰返したとき、意識を取り戻したとみへて、うつすらと眼を見開いて福山大尉は、部隊長と知つた時に如何にも嬉しさうに、敬禮しやうと努めましたが、旣に身體は利きません。

「報告………」

重傷にも屈せず、部隊長に對して敢然と報告を濟ませるなりガックリと再び眼を閉ぢてしまひました。立派に空軍魂を發揮したその雄々しい姿に部隊長を始め戰友は一人殘らず感極まつて泣いてしまひました。

「福山、しつかりせい、今、病院へ運ぶぞ」

男泣きに泣いてゐる部隊長は、すぐと部下に命令を下しました。

九

福山大尉が病院に運ばれたときは、もう眞夜中を過ぎてゐた頃です。

「何とかして助かる工夫はないだらうか」

と、森本大尉(隊長)は軍醫の顏を見つめました。

「この場合、手術は不可能です、かう弱つてゐては手の施す術もありませんが、兎に角輸血を急ぎませう」

と云ひ終ると、戰友は吾も、吾もと輸血を志願致しました。

「軍醫殿、お願ひ致します」

「軍醫殿、大尉殿を助けて下さい」

いつも大尉に可愛がつて貰つてゐた少年航空兵達も、夢中になつて輸血を申出でたほどでした。

早速調べてみると、大尉の血液はO型で、之に合ふものは、森本大尉(隊長)と部下のもの二人だけです。

時計は夜中の三時半を指してゐました。輸血を行はうとするとこの時、突然大尉は、眼をパッチリと瞠きながら

「天皇陛下　萬歳!」

と、元氣な聲で叫びました。やがて、森本大尉(隊長)の血液が一滴々々と福山大尉の靜脈に注がれてゆくとき、誰も彼も只涙でヂーッと見守つてゐるばかりでした。

この時、大尉の眞蒼な顏は、段々と紅味を帶びて來たのです、隊長の輸血が終ると、續いて後の二人の血が注がれましたが、かうして一時でも、陸空軍の寶……福山大尉は不思議にも蘇へるときが來たのです。

「オイ福山、分るか……」

「オ、……みんなそばにゐてくれたのか、濟まんなあ、戰況はどうだつたのだ」

「福山、喜んでくれ、敵機は三十機のうち二十四機は擊墜されたぞ、素晴らしい戰況だつた」

「さうか、よかつたなあ、こつちには異状は無かつたのか、かくさず話してくれ」

「ウム……殘念なことに齋藤曹長がやられた發、動機に敵彈を受けたので敵の……而も隊長機に猛然體當りをやつて立派な最期を遂げたぞ」

「……さうか、齋藤……よくやつてくれた、僕も……右手、右足も駄目になつたときは、突込む覺悟をしたが、支那兵どもに自分の醜い死状を見せたくないからなあ、何でもかんでも飛行機と一緒に還らうと思つた、やつとハンケチを引つぱり出してハンドルに左手と口で縛りつけたんだ、そいつを口に啣へてね、僕は子供の時から齒が強かつたからなあ、……僕はかういふ顏つきをしながら飛んで來たんだ」

といつて、豪膽な大尉は眦を吊り上げて見せたり、齒を喰ひしばつて見せたり、色々な顏つきをして、みんなを笑はせやうとする位元氣になつて來たので、みんなのものは吃驚してしまひました

「オイ、みんな支那兵でも嘗めちやいかんぞ、僕は、いつまた飛べるやうな身體になれるかなあ」

やがて……大尉は、愛國行進曲を靜かに歌ひ始めました、その元氣な樣子は、最期が近づいてゐる人とは考へられない程でした。

十

不安なうちに夜が明けました。

飛行場では、その日〳〵の戰鬪で敵機を擊墜したその數だけ、日章旗が揭揚されることになつてゐたのです、無論數が多ければ多いほど荒鷲の奮鬪を物語ることになる譯です。

昨日は福山大尉の遭難の爲に、けさ改めてお祝の日章旗が揭揚されることゝなりました。

和田航空兵軍曹は思ひ出したやうに、

「さうだ、忘れてゐた、大尉殿が今度敵機を叩き落した時は、子供達から贈られたまごころのこもつてゐる旗を揭げろと云つて居られた、さうだあの旗を揭げやう」

やがて……一旒、二旒、三旒……と二十四旒の日章旗が曉の飛行場の空高くに揭揚されました。仲よし部隊の子供達の署名してあるあの旗も昨日の殊勳を讃へるやうに朝日に飜つて居ります。

やがて、部隊全員が集合致しました。

「天皇陛下　萬歲!」

と叫んだ部隊長の力強い發聲に、一同は心の底から萬歲を三唱致しました。

十一

「福山大尉は助かるだらうか」

と、誰一人心配しないものは居りませんでしたが、その翌日、柘榴のやうに擊ち碎かれた右手と右膝は貫通銃創といふ重傷で、どうしても切斷しなければなりません。

「どうしても駄目か、二度と操縦桿は取れなくなるのか、殘念だなア」

と、大尉は病床で齒を喰ひしばつて口惜しがるのでした。

かうして手術をしましたが、四日目の午前二時二十分、大尉はいよ〳〵最期の迫つたのを知つたのでせうか、君が代を立派に歌ひ、

天皇陛下　萬歲を唱へ　大好きだつたあの愛國行進曲を半分まで歌つて、そのまゝ陸鷲の花として立派な最期を遂げられました

畏くも、大尉は個人感狀を賜り殊勳甲の榮譽を擔ひましたが、其の上譽れの福山機が、親しく天覽の榮を賜つた日は、實に昭和十三年初冬の陽麗かな十二月八日、この日　天皇陛下には、三宅坂大本營陸軍部に行幸遊ばされた所、御懸ひとしほ御ふかげに、福山機を御覽遊ばされました。

陛下には、故大尉の勇戰の狀を、偲ばせ給うて、種々ありがたき御下問がありました。この時安田少將は感涙に咽びつゝ、御說明申上げましたが、扈從の將星はいづれも大御心の忝なさに感泣したと云ふことでありますが、この日の光榮は、故福山米助大尉の最高の名譽として、いつまでも語り傳へられることでありませう。

十二

福山大尉戰死のしらせが內地に傳つてからまもなくのこと、或る朝のことです。いつものやうに、仲よし部隊の子供達は、公園に集合致しました。技師長の小父さんは悲痛な顏で子供達を見つめて居りましたが、

「諸君も新聞やラヂオを通じて知つてゐるだらう。福山大尉は實に壮烈な最期をお遂げになつたのだ、而も愛國行進曲を歌ひ乍らなくなられたのだ、君達はこれからあの歌を歌ふとき、いつも大尉のことを思ひ出してくれ給へ、今……大尉は、靖國神社に永遠に翼を納めて、護國の神としてお眠りになつてしまはれたのだ。

それから諸君が贈つた日章旗のことだ、あの旗は、あの日の激戰を記念して飛行場の空高くに揭げられたと云ふことだよ、みんなも、丈夫な齒を持ち、丈夫な身體を持つて、ほんとうに強い日本國民となつてお國の爲に働いてくれ給へ、さあ大尉の爲に半旗を揭げて默禱を獻げやう」

やがて……半旗は、大尉の英魂を慰めるやうにスル〳〵と揭げられました。半旗を仰ぐ少年達の眼には感激の涙が光つてゐるのでした。

(終)

(第五十八頁よりつゞく)

素(ヘモグロビン)をつくる上に、鐵が必要であると同じやうに、缺くべからざるものといはれてゐます。銅の攝取量が不足すると貧血になりますから、貧血時には鐵分と共に銅分を攝らなければなりません。特に銅の攝取を必要とするのは

姙娠の初期で、姙娠初期には胎兒が多量の銅分を要求しますから、銅分を多く含んだ食物を攝ることが肝要です。また乳兒時代殊に離乳期には、鐵分を非常に要求するものですが、その際にやはり銅分も必要とするわけですから、鐵分や銅分を多く含んだ食品を與へることは育兒上大切な注意と思ひます。銅を比較的に澤山含んでゐる食品は牛殊に犢の肝臟、胚芽、もち米、大豆、はまぐり、海苔、玄米、卵黃、あさり、牛肉、ひらめなどです。

東京審査會後記(編輯後記)

⊡我等銃後の國民は造次にも顚沛にも、戰場にあつて炎暑、苦熱、泥濘と鬪つて居られる皇軍將士たちの爲めに祈る事を忘れてはならぬ、本年度の第十一回全東京乳幼兒審査會は前年度より二週間程早く、無事盛況裡に結了を見たので、いくらか暑熱を避け得られたが、戰地のつはものたちに濟まないやうな感がした。

⊡例年審査會の爲めに會場を提供さるゝ高島屋の木村支配人、波多野宣傳部次長、柳生備物係主任等に一方ならぬ御厄介を懸けて居るのであるが、今年も柳生氏同道で關係各位各方面に御禮廻りをした、同氏は京大出身の俊才で西川博士と中學時代の同窓であり、又記者の恩師和田先生御令息とは京大の同窓であつたと云ふのも不思議な因緣だと思はれる。

⊡六月十六日、審査會を終つた次の日の午後一時から夕暮頃迄、自動車で四十キロ(約十八里)の行程を乘り通したつたので、大兵の柳生氏も記者も聊か參らざるを得ない、先づ厚生省、陸軍省、海軍省、文部省等を歷訪した、距離から云へば左程ではないが、廊下の長いのにはいつも乍ら閉口する、厚生省では市來施設課長、宇田川、重田、椎名三氏に御挨拶して潮見秘書官に御目にかゝつた、すると「都下の各新聞が筆を揃へて大々的に審査會の事を連載するのはどう云ふ原因によるのですか、伊藤さんの御仁德の然らしむる爲めでせうか」、と云はれたので記者もその返答に困つた、文部省の岩原體育課長は、時局下に於ける人的資源擴充強化の運動のための我等の奮鬪を稱讚され、「驚く可き大勢の審査申込者のあるのは、會場が地の利を得てゐる事と歷史的に古い事業である、と云ふに起因して居る爲めではないでせうか」、と云はれた。

⊡それから東京病院の戸川博士、麻布白金の廣井會長等に御禮を申のべ、有栖川公園の內閣統計局の浦上氏、恩賜財團愛育會の保原幹事、山下俊郎氏等に御挨拶をし、青山北町に山田博士を御訪ねして、神宮外苑を橫ぎり、且つ慶應病院にて唐澤博士に御目にかゝり、醫局の醫員諸氏に挨拶した、博士はいつも變らざる溫顏に笑みを湛えられ「永年の間變らざる不眠不休のお働きされ持續さるゝ御熱誠には敬服の外はありません、どうか自重自愛益々邦家のために盡されるやうに」、と激勵されるのであつた。

⊡永井閣下、風見產婆會長、岩田正巳畫伯根岸の柿本博士、神田の岸邊先生、京橋の富田博士等の御宅を次から次へと歷訪して休息する暇も無く、途に四十キロの行程をはしり盡したのである、街頭所々にて同盟通信、東京日日等のニュース寫眞のはり出されるのを車上からみた、同十九日午後、再び厚生省に至り廣瀨厚生大臣に御禮を申上げた處「卒業式でない表彰式迄にはまだ〳〵お骨折りですね、兎に角盛大で何よりでした」、と喜んで下した、二十日、陸軍省に三木中將閣下、梶浦少佐、大內氏等に御挨拶をなし其の夜九時半の夜行にて西下した、二十二日、神戶出帆の龍田丸にて上海に赴かるゝライオン齒磨本舖の小林社長、同副社長、山崎重役を、亦二十三日朝、大阪驛を御通過になり渡支の途につかれる三木中將閣下を御見送りした。

本誌定價　一册金參拾錢　郵稅壹錢五厘
半年分六册　金壹圓六拾錢　郵稅共
一年分十二册　金參圓　郵稅共
誌代郵稅は一切前金の事
前金切の場合は發送中止
郵券代用は一割增のこと

昭和十四年七月廿八日印刷(每月一回
昭和十四年八月一日發行(一日發行)

兵庫縣武庫郡精道村芦屋
發行兼編輯人　伊藤悌二
大阪市西淀川區海老江上二丁目三七番地
印刷人　木下正人
印刷所　木下印刷所
電話福島㊺{一五三四番 二四二六番}

大阪市北區天神橋筋六丁目
大阪市立北市民館內
發行所　日本兒童愛護聯盟
電話堀川㉟{一〇〇〇一番 一〇〇〇二番}
振替大阪五六七六三番

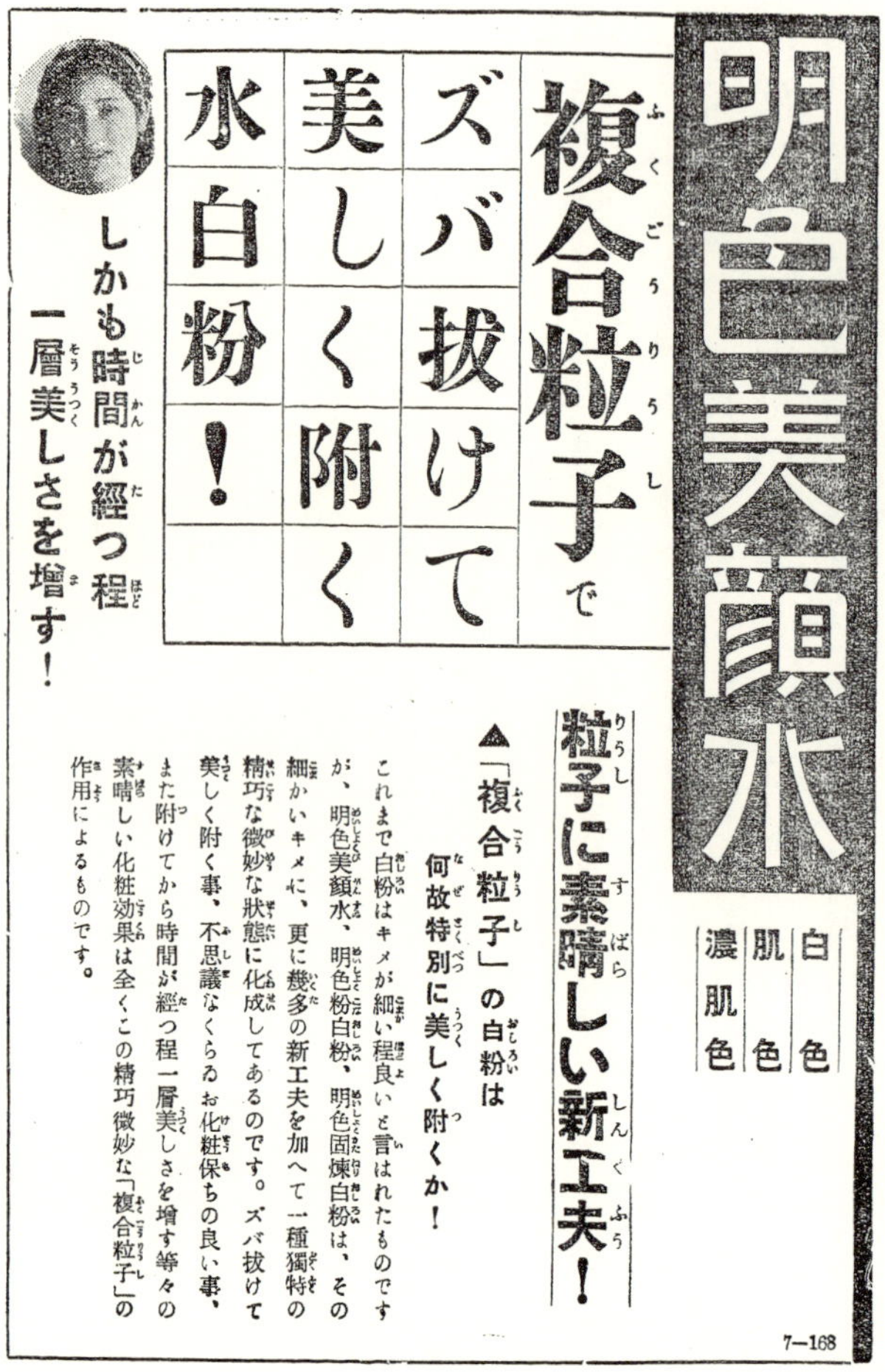

子供の世紀 第十七卷第八號
大正十三年二月二十日第三種郵便物認可 昭和十四年七月二十八日印刷納本 昭和十四年八月一日發行（毎月一回一日發行）

【定價金參拾錢】

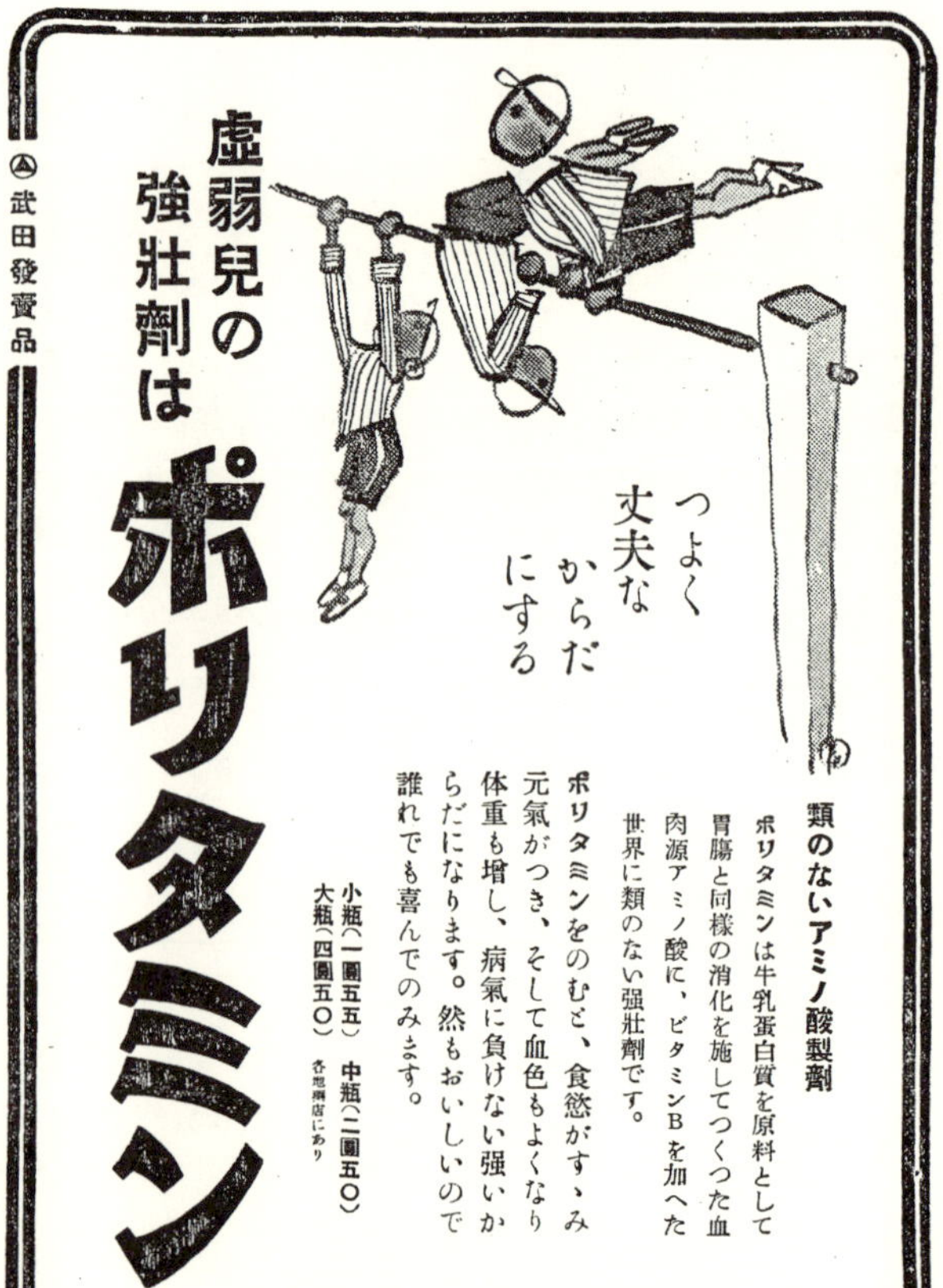

39(2)69

基礎鞏固　經營眞摯

創立　明治四拾四年

コドモの保険

日本徴兵

入營・嫁入準備

出世・教育資金

子を持つ親心

可愛い子供の爲に何程かづゝの貯金をしてやらうと考へるのは、凡ての親としての至情で、男子ならば適齢迄、女子ならば嫁入迄と誰しも心掛ける所ですが、さて實行はなかなか困難です。

最良の實行方法

徴兵保険、生存保険のコドモ保険は此需用を充たす最良の施設で、一度御加入になれば知らず識らずの間に愛兒の爲に必要な資金が積立てらるゝことになります。

日本徴兵保険株式會社

本社　東京市麹町區内山下町一ノ一

恒久國防・國民體位向上

子供の世紀

戰時下母親の心構へ號

第十七卷第九號

大正十三年二月二十日第三種郵便物認可
昭和十四年八月廿八日印刷納本
昭和十四年九月一日發行(毎月一回一日發行)

大阪市北市民館内
日本兒童愛護聯盟

「子供の世紀」(第十七卷第九號)戰時母親の心構へ號

目次

溶きたての新しいドライのお乳で
こんなに元氣にまる〳〵と肥りました
ドライミルクなら眞空罐に入れてあるので飛び切り新鮮　いつも溶きたての清新潑剌としたおいしいお乳が頂けますもの
赤ちゃんは大のお氣に入りですよ
酵素・ビタミンの含有量第一位

眞夏でも腐る心配のない最良粉乳

森永ドライミルク

森永煉乳株式會社

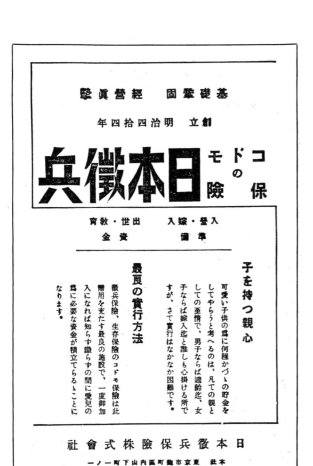

意義ある人的資源擴充强化運動

廣瀬厚相も上機嫌で赤ちゃん部隊を査閲

——抱つこも上手に熱心な質問——

廣瀬厚相、赤ちゃん部隊を査閲——日本兒童愛護聯盟では十一日から日本橋高島屋八階ホールで第十一回全東京乳幼兒審査會を開催中だが、その二日目十二日午前十一時半ごろ同聯盟總裁の廣瀬厚相が會場へ姿を現した

まる〳〵とふとつた赤ちゃん大勢に圍まれた廣瀬さんは傍らの赤ちゃんをお母さんの手から抱き上げ顔をくしや〳〵にして「おおよし〳〵」とあやす様子もなかなかお上手、赤ちゃんも厚相に抱かれてにこ〳〵笑ふ

同聯盟理事長伊藤悌二氏の案内で會場を一巡、色調檢査の金子博士、能力檢査の桑野奈良女高師教授の所では一々質問をする熱心さ

「どれもこれも丈夫さうな赤ちゃんばかりで頼母しい、この赤ちゃん審査會の仕事が一般の育兒知識を啓發して、今後どし〳〵立派な赤ちゃんが生れるやうになる必要がある」

——中外商業新報掲載——

（六月十三日）

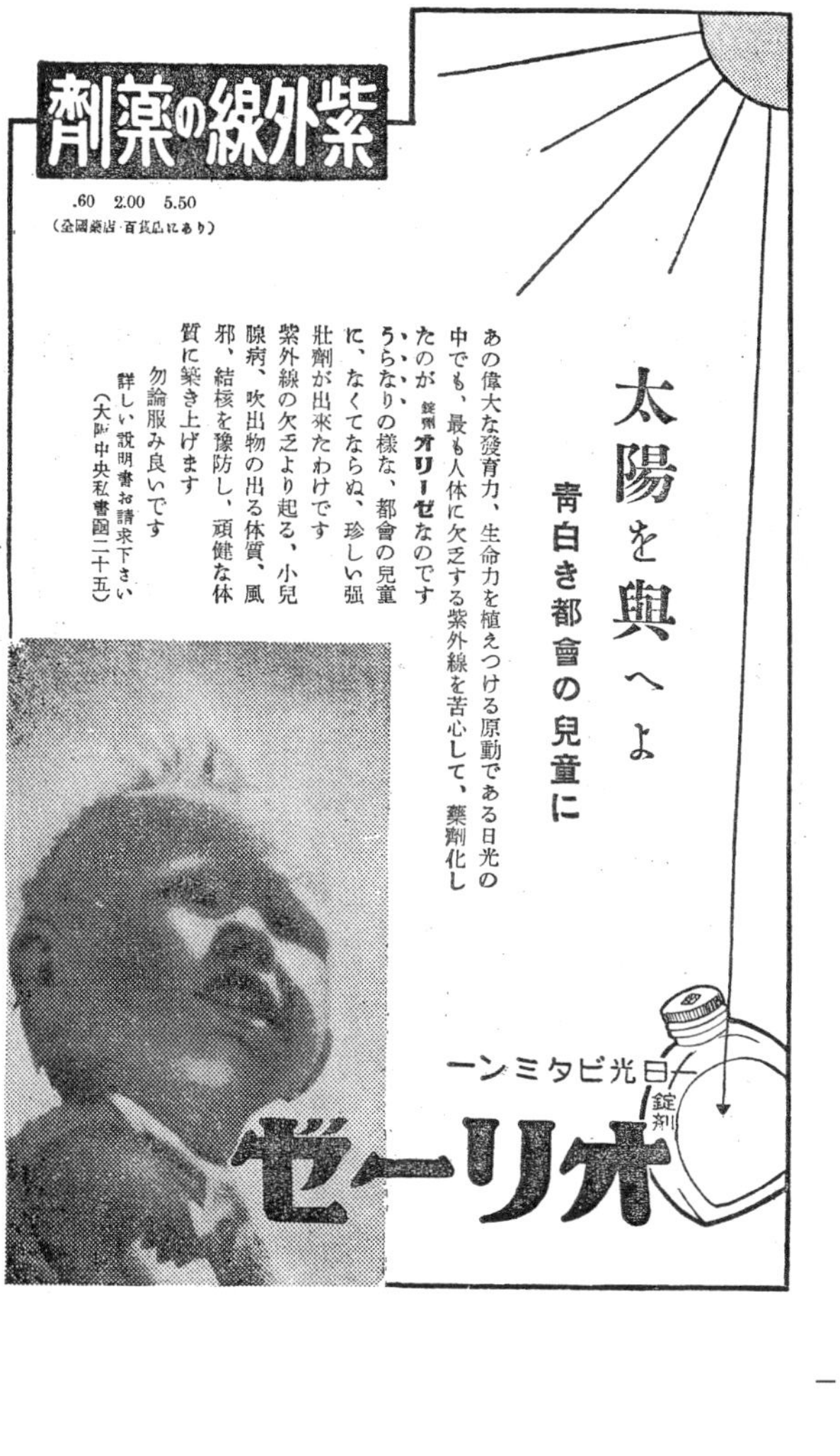

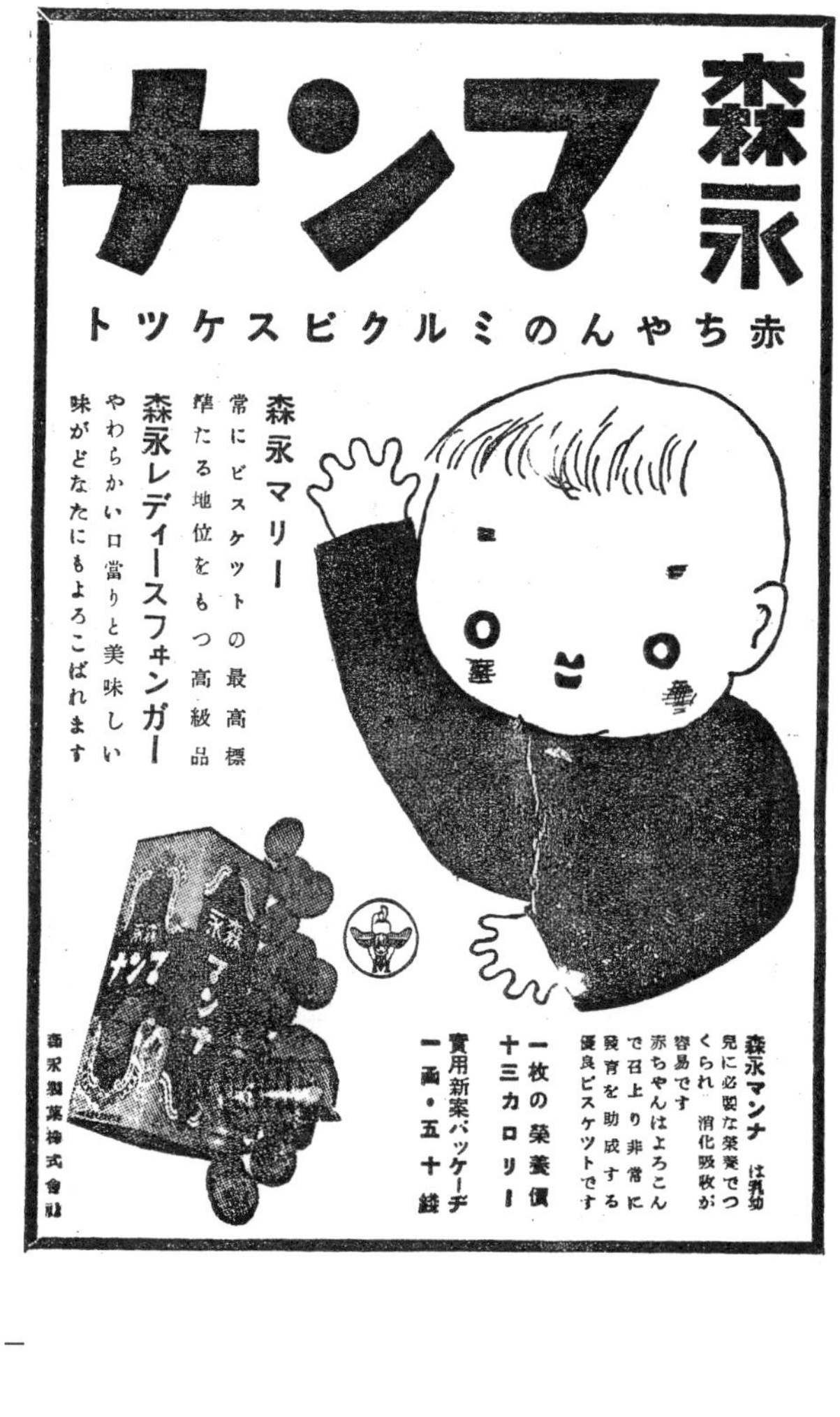

上手な吸入のさせ方

吸入や含嗽は、あまり重い病人には著しい効果はありませんが、早くやると侮り難い効を奏するものです。外出後咽喉がちよつと變だと思ふときは、大人なら含嗽をすればよいのですが、小さいお子さんでは、それができませんから、吸入に替へます。吸入器にはいろ〳〵有りますが注意したいのは、薬液と一緒に冷い風が起り、却て吸入をしたために、よくない場合の起るやうなものを、避けるといふことです。使用上の注意といたしましては釜の湯は三分の一くらゐ注いで、なくなる前に注ぎ足します。湯のなくなつたのを知らずにゐると、破損することがあります。

アルコールを口元まで入れると、發火する虞れがあります。吸入をかけると、お寢衣やお蒲團が濕りますから、防水布やタオルをかけておき、寢たまゝの病人なら徐かにかけてあげて下さい。赤ちやんの吸入は無理にお口を開かせる必要はなく、玩具で機嫌よく遊んでゐるときでも、吸入器の方を近づけて、あたりの空氣を軟くしつとりさせて、少しづゝでも吸ひ込ませるやうにします。一回分をあまり長くかけると倦きますから、一日に三四回にしてコップに二杯ぐらゐで結構です。終りましたら蒸しタオルで拭いて、後にクリームなどをつけてあげると、お顔の荒れを防ぎます。

吸入液の作り方

薬液はいろ〳〵有りますが、お子さんには一%の重曹水で結構です。（約一合の水に茶匙一杯）又は重曹と食鹽を各々一%の割に溶かしたものを用ひてもよろしい。

うがひ薬の作り方

二%硼酸水　硼酸は冷い水に溶け難いが微温湯を用ひますとすぐ溶ます。大人の水薬二日分入りの瓶は通常二百瓦入りですからこれに四瓦入ればよろしい。

二%鹽剝水　鹽素酸加里は常用としてうがひに用ひるのはよくありません殊に小兒には用ひぬのがよろしい。

三%過酸化水素水　過酸化水素又はオキシフルを水百に對して三の割合に二百瓦入りの水薬瓶なれば六瓦入れます。過酸化水素はごみ、又は日光熱等にあへば酸素を發生分解して無效となりますから瓶は清潔なものを用ひ、戸棚か押入等の暗所に置かねばなりません。

日本で一番歴史の古い
權威があつて信用のおける　**大川吸入器**

世のお母さん方へ

優良第二國民の保育には理想的の

福寶育英　子守バンド　を是非御使用下さい

A型→

C型↑

構造上に少しも無理がなく全く理想的に出來て居ります、從つて耐久力もあり實用的の品であります、赤ちやんより五六歳位の子供達迄負ふ事が出來ます、體裁もよく立働きが樂で容が小さいので携帶用として至便のものです、殊に子供達連れの遠足などには絶對に必要であります。

是れは優美な高級刺繍を施してありますので赤ちやん向として是れ又非常に御好評を賜つて居ります、丈夫さは幾分A型より劣りますが値段の格安さ、出産祝としての値頃品である爲め賣行益々頁好であります。

A型　別　珍　製
仝　　朱　子　製
B型　別珍製刺繍入
C型　別珍製仝（裏ナシ）

各地百貨店、呉服雜貨店ニアリ

元賣發造製
菊池商店
大阪市北區東野田町三
振替大阪 14000番

乾燥粉末重湯

ベツソー氏重湯療法に基準せる學術的創製品

ビオスメール

BIOCEMAEL

胚芽ヴキタミンを加へ低温無菌的に操作乾燥せるものにして、穀粉の如く粗纖維を含まず溶解佳良・使用法簡易・五六分にして正確に所要濃度のおもゆを調製し得らる。

應用　特に乳幼児の榮養と疾病……………………に

榮養

牛乳粉乳煉乳に添加して與へ、醱酵下痢を豫防するのみならず體重を增加し、發育を優良ならしめ、且つ赤血球の增加を助長す。

疾病

乳幼児下痢・消化不良・腸炎・消耗症・傳染病腸疾患其他の榮養障碍の食餌として用ひ消化機能並に榮養を調整す。

包裝　大 1/3 瓩　圓 一・二〇
　　　小一〇〇瓦　・五〇

文献贈呈

株式會社　**和光堂**　東京市神田區鍛冶町
　　　　　　　　　　大阪東區南久太町

イ.BM.1

醫學博士 有馬賴吉氏　醫學博士 青山敬二氏　醫學博士 太繩壽郎氏　發見創製

アーオー

結核免疫元

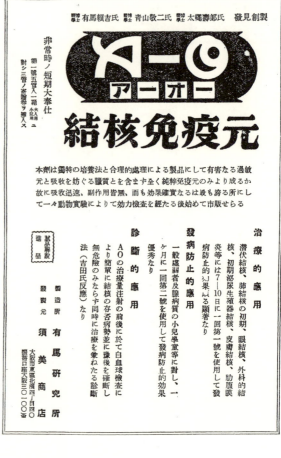

非常時ノ短期大奉仕
第一號五管入一箱（大人用 小兒用）ニ對シ三管ノ寄贈券ヲ挿入ス

本劑は獨特の培養法と合理的處理による製品にして有害なる過敏元と吸收を妨ぐる臘質とを含まず全く純粹免疫元のみより成るか故に吸收迅速、副作用皆無、而も効果確實なるは最も誇る所にして一々動物實驗によりて効力檢査を經たる後始めて市販せらる

治療的應用
潜伏結核、肺結核の初期、眼結核、外科的結核、初期泌尿生殖器結核、皮膚結核、肋腹膜炎等には7―10日に一回第一號を使用して發病防止的效果顯著なり

發病防止的應用
一般虚弱者及腺病質の小兒學童等に對し、一ケ月に一回第二號を使用して發病防止的効果優秀なり

診斷的應用
AOの治療量注射の前後に於て白血球檢査により簡單に結核の存否病勢並に豫後を確斷し無危險のみならず同時に治療を兼ねたる診斷法（吉田氏反應）なり

試品解説進呈

製造所　**有馬研究所**
發賣元　**須美商店**
大阪市東區北濱四丁目四〇
振替口座大阪三〇一〇〇番

戰時の三奉仕團體本聯盟を應援さる

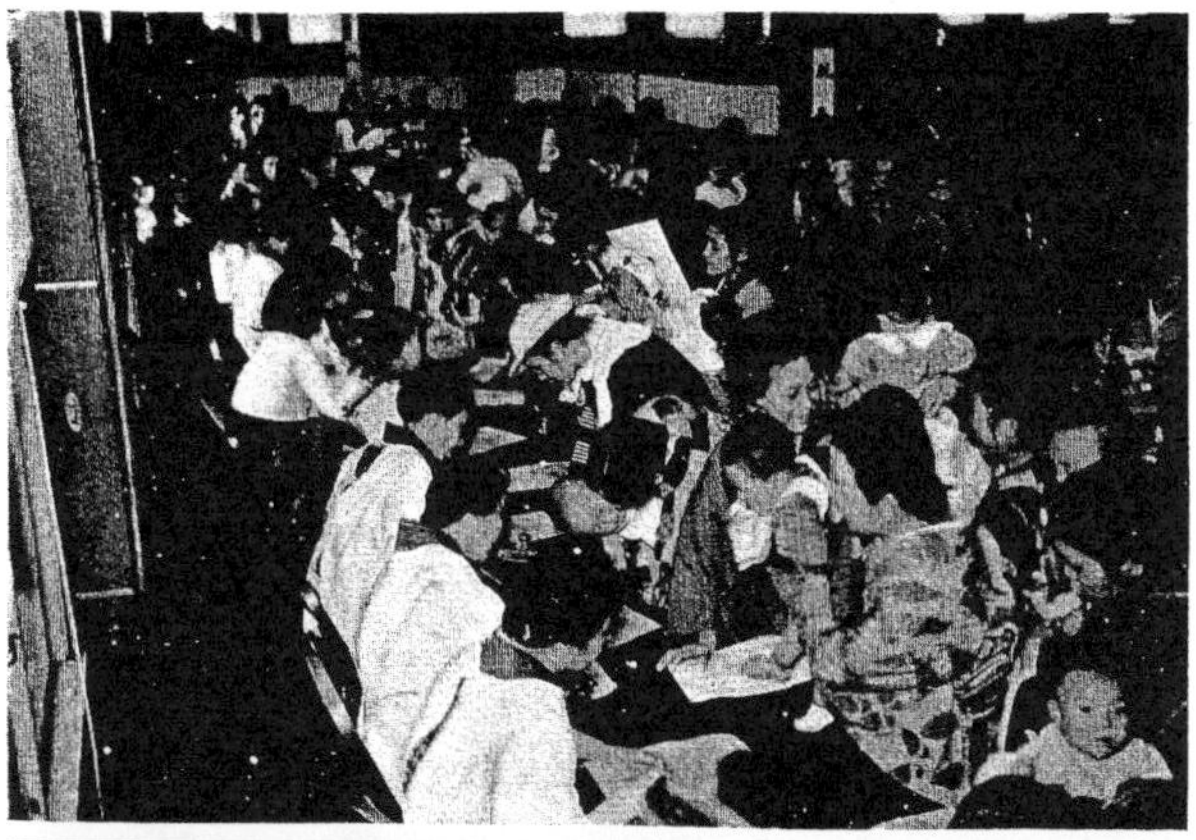

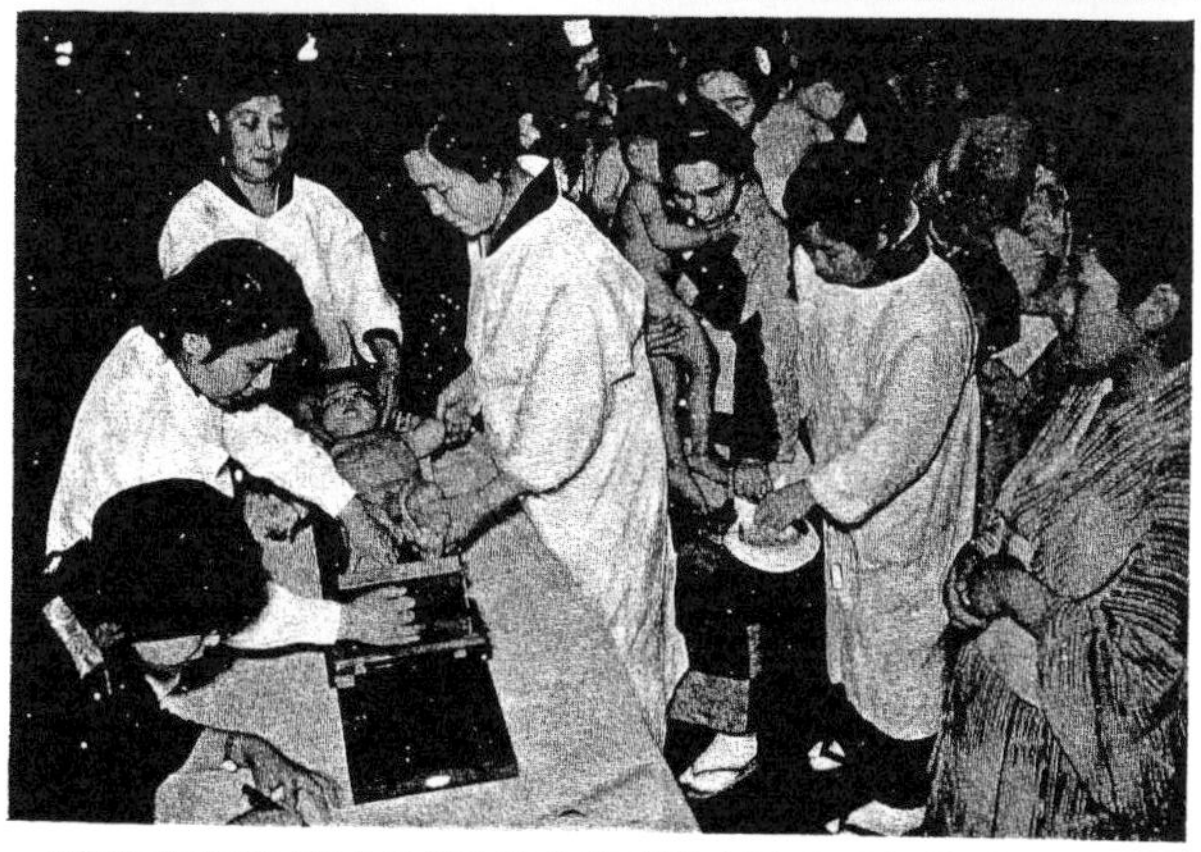

（上）過般東京に於て本聯盟が審査會を開催の砌・受附に隣接して大混雜を極むる第二部門に於て・出産前後の模樣を尋ぬる東洋家政女學校の生徒諸姉と小石川區産婆會員諸姉。
（下）第三部の身長座高測定に奉仕される・恩賜財團愛育會の諸姉と小石川區産婆會員諸姉。

慶長の頃の童女

——山川秀峰先生筆——

炎暑きびしい八月二日の朝、雉子宮神社にほど近い下大崎の高臺に建てられた先生の畫室（常に山の家と云はれてゐる）で、はるかに品川沖から吹いて來る涼風に浴び、老樹の枝になく蟬の歌をきゝ乍ら、しみ／＼と先生は語られた、

「慶長元和の頃は唯戰國時代と云ふ點からばかりでなく、現代と世相がよく似てゐます、童女の服裝にしても實に濶達なもので、いざと云ふ時手足まといにならぬのみか、模樣などもなごやかに自然界の花鳥をとり入れたりする事は、日本國民性の奥ゆかしい美點だと思ひます」と。

興亞の聖業に參與する審査會と母性大會

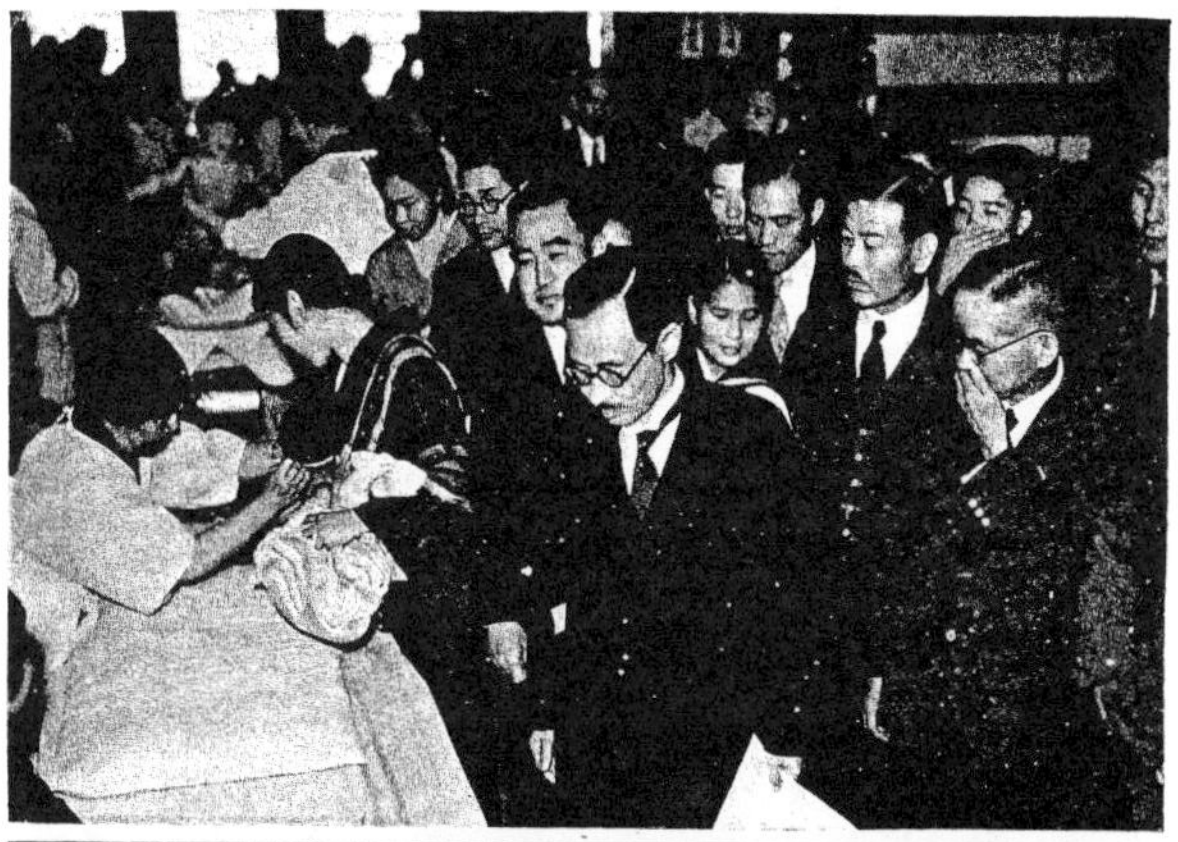

（上）本聯盟の事業を極力支持熱援さるゝ本會總裁廣瀨厚生大臣は・既報の如く會場各部門にて種々質問を試みられつゝ參觀されたる。（下）我等の軍國母性大會に於ける中鉢博士の御講演ぶり・本會は時局柄若き母性に覺醒を促し各方面から多大の感謝を送られた。

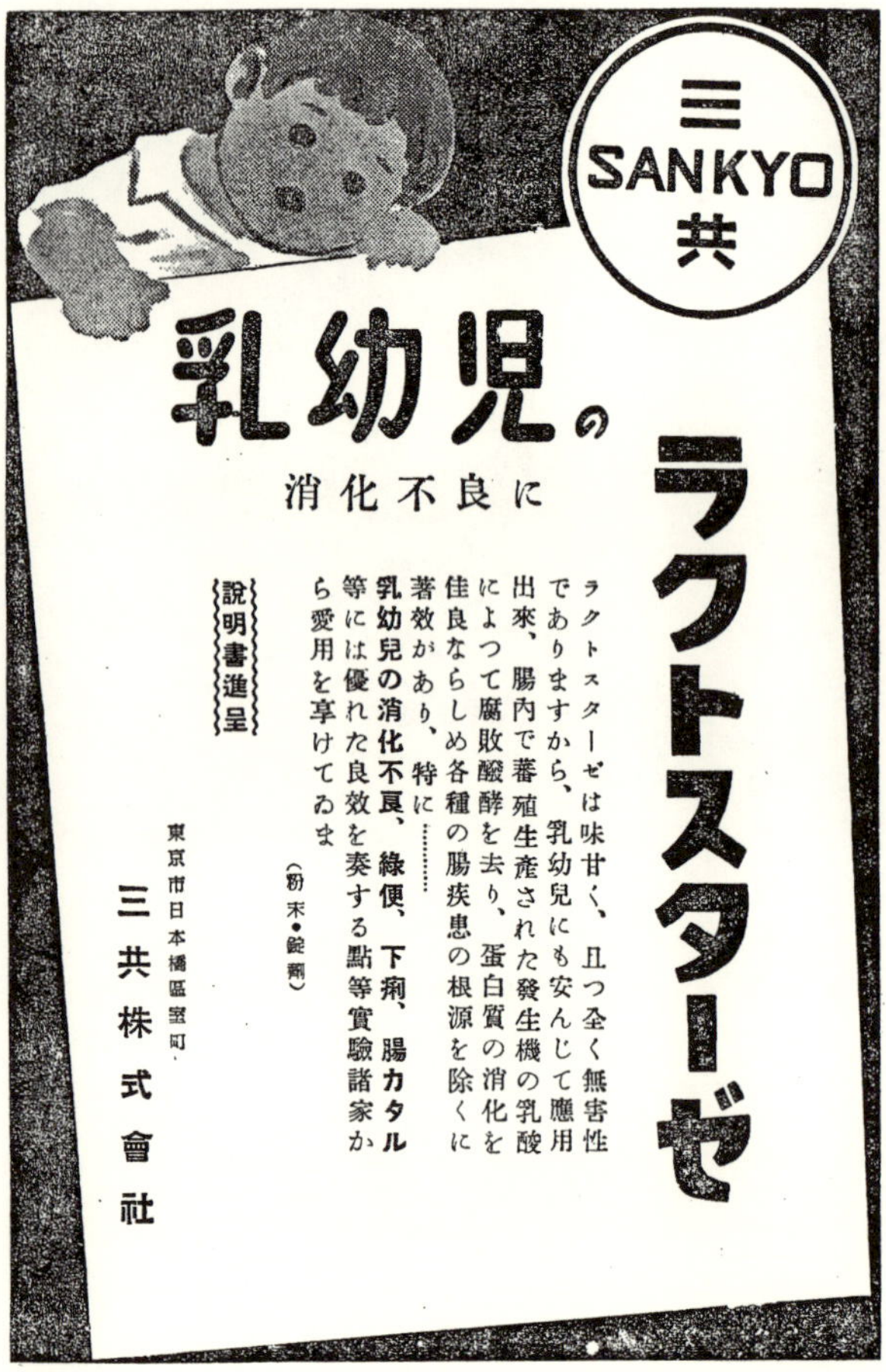

三 SANKYO 共
乳幼兒の
消化不良に
ラクトスターゼ
ラクトスターゼは味甘く、且つ全く無害性でありますから、乳幼兒にも安んじて應用出來、腸内で蕃殖生産された發生機の乳酸によつて腐敗醱酵を去り、蛋白質の消化を佳良ならしめ各種の腸疾患の根源を除くに著效があり、特に……乳幼兒の消化不良、綠便、下痢、腸カタル等には優れた良效を奏する點等實驗諸家から愛用を享けてゐま
(粉末・錠劑)
說明書進呈
東京市日本橋區室町
三共株式會社

觀察繪本
保育に役立つ月刊繪本
キンダーブック
▲幼稚園の「敎科書」といはれる本誌は、幼兒敎育界の權威者の責任編輯になるもの。
▲帝展その他の畫壇に於ける一流の童畫家の作品を内容とし、科學的にも藝術的にも正しく而も明朗。
▲子供繪本として世界の最高レベルに立つキンダーブック。
定價
キンダーブック 一冊・金三十五錢
幼稚園・託兒所用各種保育用品も悉皆取揃へて御座います。(カタログ送呈)
株式会社フレーベル館
本社 東京・神田・神保町二・電話(33)三六六二番 三八二七番
出張所 大阪・東區・備後町五・電話(24)一九三八番

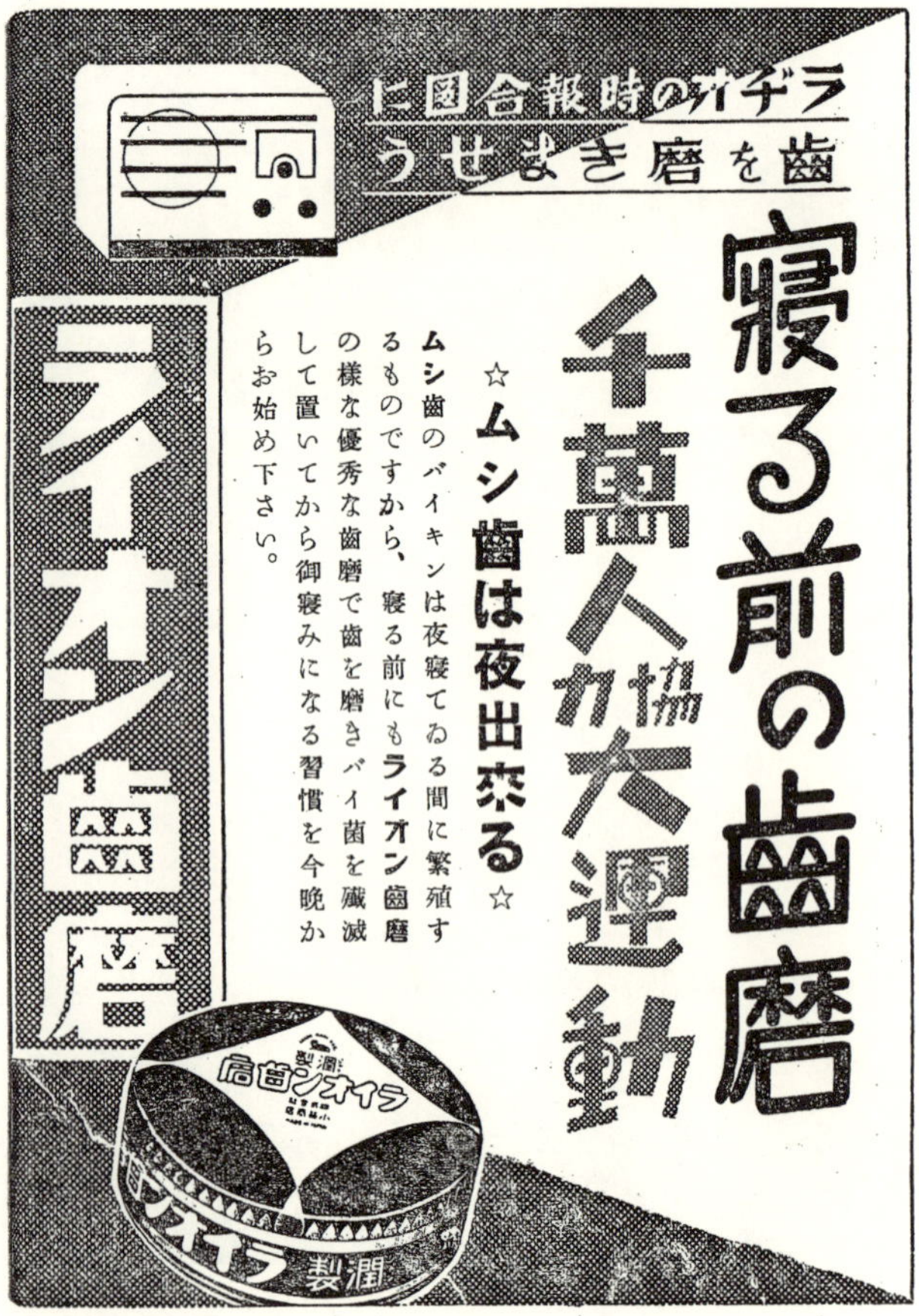

ラヂオの時報合圖に
齒を磨きませう
寢る前の齒磨
千萬人協力大運動
☆ムシ齒は夜出來る☆
ムシ齒のバイキンは夜寢てゐる間に繁殖するものですから、寢る前にもライオン齒磨の樣な優秀な齒磨で齒を磨きバイ菌を藏滅して置いてから御寢みになる習慣を今晩からお始め下さい。
ライオン齒磨
潤製 ライオン齒磨

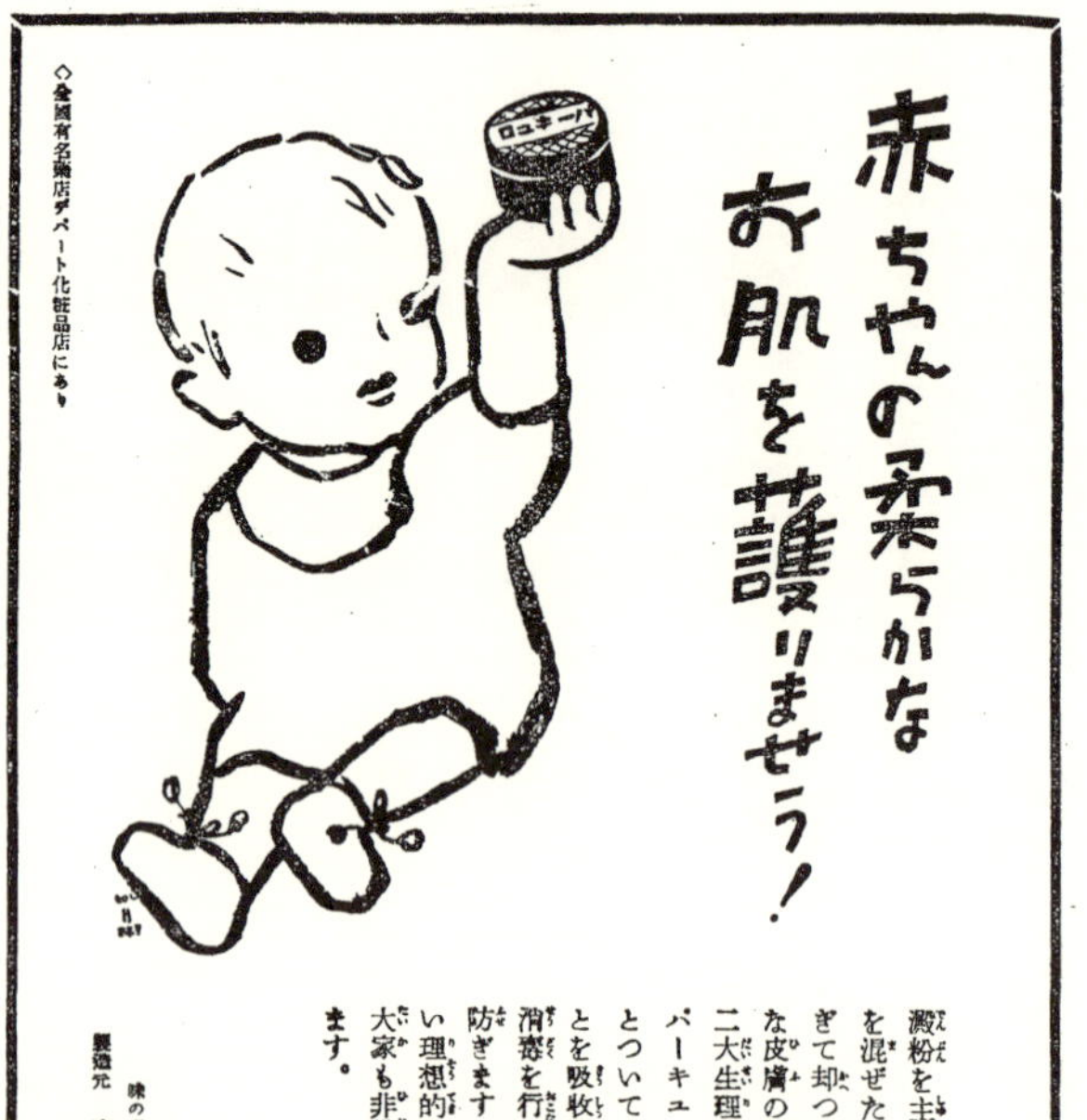

赤ちやんの柔らかなお肌を護りませう!
◇全國有名藥店デパート化粧品店にあり
澱粉を主としたものや鉛類を混ぜた粗惡品は、つき過ぎて却つて赤ちやんの大切な皮膚の呼吸、體溫調節の二大生理作用を妨げます。パーキユロはお肌にさらりとついて皮膚の汗と濕り氣とを吸收し、同時に殺菌と消毒を行つて黴菌の侵入を防ぎますから、副作用のない理想的な打粉だと、專門大家も非常に御推奬下さいます。
定價 二〇セン 五〇セン
製造元 寶製藥株式會社
東京・京橋
パーキユロ
肌色・芳香
新樣式打粉

九月の言葉（卷頭言）

攝津太郎

◎何れの國が何れの國と條約の締結をしやうが、防共の協定をしやうが、さして周章狼狽する必要は無からう、要するに強くなりさへすればいゝんだ、強ければ向ふからついて來るし、弱ければ捨てられる迄の事だ、これは國家の場合も個人の場合も同じ事である、自力本位で邁進す可き事の如何に尊いかゞ今更肯かれるではないか。

◎一中學生が校長の修身の時間に、「先生はどんなに立派な講義をされても、此の私を心から笑はせる事は出來ますまい」と云つた、間も無く其の生徒は「家名を穢すやうな事は斷じて爲ないからさがして呉れるな」と書置きをして家出して了つた、其の原因とされて居るのは幼少の時より里子に出され、就學間際に自宅に連れ歸られたのであるが、里親の愛が實の親の愛と比較して、天地雲泥の差ある事に煩悶し始め、遂にそれが校長への質問となり、家出となつたのである。

◎或る感化院の院長が毎月機關雜誌を部下に發送させる時に「どんな偉い人にでも金にならぬ處へは發送してはならぬ」と警告を發するさうである、斯うなると堂々たる社會事業を標榜する感化事業も俗の俗なる營利事業と何等異なるところが無くなる、吾々は十年も二十年も數知れぬ世の所謂名望家に、沈默して然も代價を一度も請求した事もなく本誌を發送してゐる、どんな事業でも人に代價を要求する時は墮落滅亡の時である事を忘れてはならぬ。

◎何事業によらず獨立獨歩、些少乍ら邦家社會に貢献出來るやうになつて來ると、世の閑人、下馬評達は一言のもとに「要領がよいから」「時勢がよかつたから」と評價し去るのである、然し其の當事者自身の苦戰奮闘、血の汗を流して築きあげた背後の努力を誰れも認めては呉れないのである。

◎ルンペンの世話をしてゐる高德な一知人の話しによれば、ルンペン迄墮して了ふ人の最大の原因は無論、飲酒、懶惰性等は主なるものであるが、然し不人情、無禮儀、不義理等を敢てした性格の持主も可なり多勢に上るとの事である、例へば恩人が訪ねて行つた時、生憎大雨であつたが、その恩人に雨具も貸さずに態と後方でゲラ〳〵笑つてゐたとか、上司の人と旅した時、態と上席の上等の蒲團に寢たとか、人から借りた大金を平氣で返却しないとか、常識で判斷の出來ぬ事を告白するさうである、性格破産者の群れも亦憐れなる哉である。

◎時局柄最も不可思議に感ぜられる事は、毎月東京に旅して、ダンスホールの隆盛を目撃する事である、ホテルから一丁も離れぬ中天にそゝり立つ高層建物の階上のホールから、深夜まで流れて來る世紀末的なヂヤズの響きをきく度に現下青年男女の良心が疑はしくなる、そしてこれを警告する國士の居らないのも不思議千萬な事である。

◎甲が雜誌に成功したと云ふので、その猿眞似をして見たとて乙も丙も丁も成功するとは定まつては居らぬ、總ての事業に對し世の問屋はさうたやすくおろさぬさうであるから用心肝要であらう。（八月廿四日）

秋風やむしり殘りの赤い花

永井柳太郎

俳人其角は幾多の名句を殘してゐる。いづれが優り、いづれが劣つてゐるとはいへないが、特に私の心をとらへたのは、其角がその娘を葬つた夜作つた

　夜の鶴土に布團も着せられず

といふ一句である。

一茶は俳人であると同時にまた哲人で、その一句々々にかれ獨特の人生觀を見る心地がするが、かれがその娘のさと女が死んで三十五日に作つた俳句がある。

　秋風やむしり殘りの赤い花

がそれである。さと女が生前愛してむしつた花がまだ生き殘つてゐるのに、そのむしつたさと女はすでにゐないといふ心がよく現はれて人の心をとらへずにはおかない。

加賀の千代が、その子を失つたとき詠んだ

　蜻蛉つり今日はどこまで行つたやら

の一句もまた子を失つた母の切々の情が讀む人の胸に迫るやうに思ふ。

これらの俳句がいづれも讀む人の胸に迫るのは、それが一代の詩聖によつて作られたものだといふだけではない。それが子を失つた刹那における親の眞實なる悲しみをそのまゝいひ現はしてゐるところに、無限の魅力があるのだと思ふ。何人でも心から溢れ出た眞實な叫びほど人に迫る力のあるものはない。

現下の事變においても、戰場における實感を詠つた歌で有名な歌人のそれを凌ぐものが尠くないのは、その歌のなかにその人の眞實性が溢れてゐるからだ。陸軍大佐で最近戰場から歸還して大日本青年黨の統領になられた橋本欣五郎君の戰場における實感を詠んだ歌に

　敵彈の落ち來るごとに眼をつぶり兵安かれと祈り續けぬ

といふ一首がある。兵士の一人々々をわが子のごとく思ふ部隊長の眞劍な心持が、何よりも人を動かすのである。

南京一番乘りをもつて聞えた名譽の脇坂部隊長は、南京城頭高く飜る日章旗のもとに、勝利の犧牲となつて殪れた多數の屍を見て涙止め難く

　亡くなりしつはもの達に榮えあれと勝利のかげに祈る悲しみ

と詠じたさうであるが、一讀、人をして感謝の合掌を禁ずる能はざらしむるのである。無名の一兵卒でも眞劍なる叫びは強い。現に東京陸軍病院に入院してゐる一軍人が、そのはやる心をありのまゝに詠つた歌に

　傷癒えて戰に立つと見し夢にがばと起きたり宵まだ明けず

といふ一首があるが、いかにも勇み立つ心の駒を引止めつゝ、佗しく病床に煩悶しつゞける心がそのまゝに現はれてゐて、痛々しい心地を禁じ得ない。

人間は眞實なる時に最も強く、また最も美しい女でもいかにけば〳〵しい化粧をしてゐても、その心に眞實性の缺けてゐる時には、見てゐるのも不愉快になるほど醜惡である。これに反して、化粧もせず、その體に襤褸を纏うてゐても、その眞實な心に滿ちてゐる女に接する時には押へ難き魅力を感ずるのである。

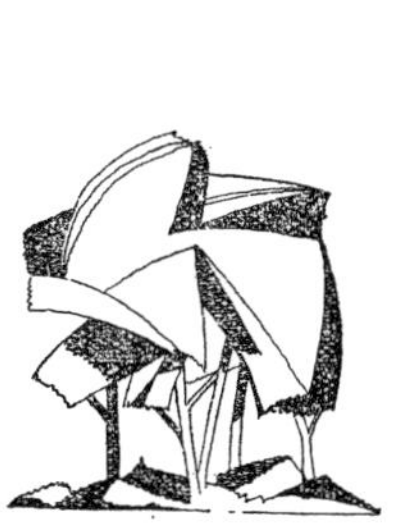

人的資源强化に對する一提案

—大阪市の出生乳兒と母性の問題に立論して—

醫學博士　余田忠吾

興亞の聖戰は第三年目に入り、愈々國際關係の複雜化しつゝあるの秋、國家百年の大計は先づ第二國民問題に在るを想ふこと切なるものあり。

況んや我國の出生率及人口の自然增加の趨勢も、最近に到り低減の徵を示しつゝありて、猶ほ乳兒の死亡は歐米の大都市を凌ぐ高位に在るに於てをや。

斯かる狀勢は國家の將來、或は十年二十年の後、惹いては百年後の運命にも關與することあらんを想ふとき、尙是れに對する豫防策の必要實に急なるものあるを思はざる可らず。

茲に於て政府は最近國立人口問題研究所の設立を決し八月十八日其官制を閣議に上程するの氣運となれり。

既に斯の目的に向つては猶ほ來年度より人口對策審議會を設置し、人口に關する一般的重要問題の諸問機關とする計畫を進められつゝありと云ふ。此の外に財團法人人口問題研究會は現存して、斯目的に添ひつゝあるを以て、此等機關の完成後は人口問題に就ては其發展向上を期待し得るに到るべく、是れ亦八月十八日新聞紙の報ずる處によれば、厚生省は五百萬圓を以て乳幼兒の生命保護機關を計畫し、人的資源の確保の見地より、死亡率の高き乳幼兒の生命を保護する國民運動を起すことゝなれり。是れは全國主要都市に於ける乳幼兒檢診の結果當局の豫想以上に乳幼兒の健康狀態惡しく、赤ん坊の現狀維持すら困難なる狀態に在るを認めたる結果によるものと云ふ。明年度は六大都市を始め全國市町村を單位とする乳幼兒保健所の創設、檢診醫及保健婦の配置、乳幼兒榮養食配給機關の新設、罹病乳幼兒院の開設など劃期的な施設を行ふと共に、特に乳幼兒の體力管理とも云ふべき市町村一齊の檢診には乳幼兒登錄を行ひ、第一回檢診後毎月一回乃至二回の定期檢診を無料にて斷行し、病氣に罹れる乳幼兒に對して其治療の國庫補助をも行ひ、豫防治療制度に萬全を盡し乳幼兒の生命保護を行ふに決せりと云ふ。

斯の如きは我國家の爲めに慶賀すべきことなるが寧ろ其計畫の十年遲きの感なくんばあらず。

斯くの如く人的資源の窮乏は二十年後の國家を禍するの機ともなるべく、洵に寒心に堪えざるものあり。

（一）我等が擔當する母性保護の方面及乳幼兒保護の方面に必要なる數項を、大阪市の統計的調査より指摘して聊か觀察せんと欲す。

母性保護上に是を求むれば、先づ人口自然增加の激減は、吾人をして寒心せしむるものあり。昭和十二年度に於ける大阪市の出生數は合計八萬七千四十四なりしに、翌年十三年度は合計七萬六千九百十九となり、一年間に一萬二百二十五件の出生減を示せり、之を更に產婦の年齡別に就て擧ぐれば

	一九才迄	二〇—二四	二五—二九	三〇—三四	三五—三九	四〇—四四
昭和十二年度	三、一八七	二四、七一五	二九、六九九	一六、九一五	九、五一二	二、六三一
十三年度	二、九四三	二一、〇九五	二六、一四九	一五、三二八	八、四四一	二、三八〇

斯の如く產婦の年齡二十歲より三十四歲迄の間に於て出生數は最も多く、就中二十五歲より二十九歲迄に出生するもの最多數にして、殊に二十五歲より二十九歲間の婦人の姙娠能力の旺盛なる期間中は二十歲より三十歲に至る婦人の年齡中此十年間、母性保護上特に保護の必要あることを示すものと謂ふべく、吾人母性保護に當るもの丶注意すべき期間なるを思ふ。

昭和十三年度に於ける大阪市出生數の低減は十九歲より四十九歲迄各年期に於て減少せるを觀る、是れ聖戰の影響多樣多種にして、確かに之を追究し能はざるものありと云へども、略其原因を想察し得るものなきに非ず。然し各年齡に於ける出生數低減の關係は、亦た顧慮に値するものあり。特に聖戰將士の他鄕に在るの結果出生の低減せるは事實と云ふべく、帝國十三年度出生數の激減は實に其の原因を想像し得るものあり。

歐洲大戰に當り獨逸國政府は、戰死者の莫大なる數に達するより、大戰第二年目に伯林周圍の地に一大產院を建設し、戰爭終了後此を更に倍に增築し以て母性保護の實を擧げしが如き、又ライプチイツヒ市外に一大婦人科產科病院を建設せしが如き、何れも二十年前の計畫と最近に於ける獨逸の發展とを對照して注目すべきものあり。

我大阪市に於ける出生低減狀態より察すれば、我國に於ける大都市並に各都市及郡部に於ける出生低減狀態は略々察し得べく此事たるや政府の注目を惹く處となり、國立人口問題研究所の設立を見るに到れるを察し得るものあり。

（二） 更に二十年後の國家の干城たるべき、一年未滿の乳兒の死亡狀態を檢討するの必要あり。

我大阪市に於ける十二年度と十三年度の乳兒死亡を比較すれば（一月より四月迄）

	男	女	計
昭和十四年	二、五二三	一、九九五	四、五一八
同 十三年	二、三二七	一、八二二	四、一四九
同 十二年	二、三三一	一、九四七	四、二七八

此表より觀れば一年未滿の乳兒の死亡數は、昭和十三年度は十二年度より稍々減少せしも、十四年度は勿論短期四ケ月間の比較なりといへども、尙著しく增加せるの徵あるにより、此狀態にて一年間を經過せば頗る增加するものと思はるゝものあり。

出生數に於て斯く減少を見亦乳兒死亡に於て更に人的資源を失ふこと愈々甚大となるものとせば、洵に寒心すべきものなり。是れ亦吾人が本年度の總計に注目を怠る可らざるものあるを敎ゆるものなり。

（三） 乳兒死亡の原因として大阪市に於けるものを列擧すれば、

死亡原因	死亡數	乳兒死亡總數に對する割合、
先天性弱質	三、四一四	三三・四九％
肺炎	二、四九六	二四・四九％
下痢及腸炎	一、〇一五	九・九六％
痲疹	五七〇	五・五九％
ビタミン缺乏症	三七八	三・七一％

此中三割三分を占むる先天性弱質による乳兒死亡は、母性保護及乳幼兒保護者特に注意研究すべき問題なり。

思ふに先天性弱質兒の出生原因とも見るべきものは、過去の經驗に照らし種々の方面に關係あることを想像し得るものあり。

先天性弱質兒の出生に當り目擊する諸點は

（A） 母體體質の薄弱並に結核性素質、脚氣並に腎臟性疾患に由るもの多く、母體の體質の纖弱は遺傳性を認むる場合と、後天的環境榮養に由るものと二方面ありと解し得るが如し。

母體健康は胎兒の健康を招來し得る一大原因なるは言を待たず、然れども母體の纖弱必ずしも胎兒の先天性弱質を招來するものとも思はれざる場合あり。姙娠中の合理的治療手當保健法により一定程過の胎兒の發育を佳良ならしめ得るを經驗す、但し姙娠中最も好條件を要する場合、例へば適當なる醫療の効績が必要にし

て積極的醫療を必要とするにより、治療費の豐富なる場合に於てのみ奏功するを信ずるものなり。

（B） 姙娠中も初期より末期に到る間の榮養の適否は胎兒の健否を左右する一大因となるものなり、斯の理により姙娠中の食物の合理化の實現と、優秀なる醫療の効績は母體の纖弱者の胎兒保護上肝要なることにして斯點に就て姙產婦保護法の向上を切望するものなり。

（C） 花柳病特に黴毒に因する先天性弱質兒出生の豫防方策及醫治を徹底せしむること。

是れには姙娠三ケ月以內の血液檢査の施行、施療的驅黴療法の徹底、特に前回流早產者の調査並に此等姙婦の施療的醫治の徹底を計ること。

（D） 姙娠中母體榮養不良並に胎兒に對する母體の偏食的影響の豫防に力むること。

胎兒の死亡分解吸收は姙娠四ケ月以前に見ること多く原因不明（黴毒反應陰性卽ち黴毒反應なき場合に往々適遇する）なる場合には、ヴィタミンの缺乏特にヴィタミンEの缺乏及其他鹽類中カルシユーム分の缺乏等更に各臟器ホルモン及性ホルモンの不調和及缺乏等は胎兒死亡の因と想像し得る場合多し、斯る場合醫治に當るものも自ら其眞因を探るに困ること多く、遂に姙娠中適當なる醫治方針を得るを得ず、度々流早產すること吾人の日常目擊する處なり。

斯かる場合の胎兒保護法並醫治方法は特別なる考慮と經驗を要するものなるにより、斯かる方面に着目して努力するの必要あり。予の經驗によれば斯かる場合一定程過療法の成功を擧げ得るものと信ずるものなり。

（E） 血族結婚による惡質兒出生の豫防も、母子保護上忘る可らざるものあり、血族結婚による出生兒の體質には、時々異常を來たし易く、特に注意すべきは畸型及體質薄弱にて藥に對する特異質を認め亦特別眼の抵抗力薄弱なるを見ることあり、近親血族結婚者の體質異常は特に注意すべきものなり。

亦遺傳的體質薄弱者の結婚前に於ける體質向上に就て特に注意すべきものあり。

（F） 猶ほ特に吾人が注意すべきは母體の結核及結核性體質なり。

今死亡原因に就て一覽するに。

結核死亡者數より觀察すれば呼吸器結核にて斃れたるもの（氣管及氣管技ノ淋巴線ヲ含ム）昭和十二年度の大阪市に於けるもの

男	三、三六九人
女	二、九二九人
合計	六、二九八人

其他ノ結核

男	一、〇五四人
女	一、一八八人
合計	二、二四二人
總合計	八、五四〇人

此結核及結核性疾病による一年間の大阪市に於ける死亡數は約八千五百に達するより觀れば、死亡に到らず治療繼續中のものは頗る多數なるを想像し得るものあり。

猶ほ結核に犯され居らずとも姙娠及分娩を遂げ得ざるもの、卽ち中絕されつゝあるもの ゝ數を想像せば頗る多數に上るべく、結核及結核性素質による第二國民補充難の相當大なるものあるを忘る可らず。

（G） 猶ほ吾人が將來注意すべきは不姙による第二國民補充難是れなり。

不姙の原因は淋疾によるもの多く、其他子宮發育不全卵巢機能不全等其主因とも謂ふべく、此等の中淋疾も早期に醫療の徹底を行はゞ姙娠可能となり、又子宮發育不全、卵巢機能不全も適當なる治療により或る程度迄姙娠遂娩可能となることあるにより、此等の婦人の檢討及結婚後の一定期まで姙娠し得ざる婦人に對する姙娠奬勵法並に適當なる治療法の徹底も場合によつては必要なりと考へらる。

又一子或は二子後淋疾により不姙となるもの可なり相當の數に上るを經驗するものは、是れ等の原因となる藝娼妓仲居等の檢診の實行及診療の徹底を法令化することにより或る程度迄是を豫防し得べし。婦人の淋疾例へば尿道淋疾及子宮の淋疾の如き自覺疾狀の輕微なる場合、其治療の徹底は患者側の經濟的原因により、中絕せられて其根治に至らず、慢性淋に移行して淋菌の排出中に男子感染の機會を得ること多し。是等の狀態は公娼に於ても認められ、私娼藝者に於て特に危險を感ずるものあり。此等の方面の調査は官權によつて始めて行はるべく、亦た男子の最も旺盛期に於て起り易き出來事なれば、淋疾は姙娠の率を減少せしむる一大因とも謂ふべく、軍隊に於ける淋疾問題を想像しても決して輕忽にすべからざるものあるべし。

（H） 大阪市に於ける死產數を檢討すれば十三年度の死產數は五〇七五件にして、人口千に對し一・五三％に相當す、全國の十二年度の死產率は一・五六％にして大阪市の出生數の約十五分の一に相當す、此十五分娩に對して一死產の割合となり百八十萬の出生に對しては十二萬の死產の割合となる。若し死產皆無の方策又は療法ありと假定せば健全なる十二萬人の第二國民を得ることゝなる、死產の原因の檢討は我國產婆制度の

改良と、國民一般の產科的知識の向上に國家的分娩奬勵資金の實行、並に設備ある病院又は產院に於ける分娩取扱を受くべきものとの法令的分娩取扱方針に迄立ち入るべき時代の到達するに非ずやと想像し得るものあり。次に米國の如きは產婆の新開業を禁止せるやに聞く。米國に於ける分娩取扱は主として大中小の八十二都市に於ける產院又は病院によりて取扱はれつゝある狀態にて、民間開業の產婆による分娩取扱の危險性を顧慮せるの結果ならんと想はるゝものあり、我國に於て產院の發達せざる現今に於ては、一般國民の姙娠時並に分娩時の危險性は頗る大なるものあつて、是れによる第二國民補充難の實現しつゝあるものあるを想ふとき、產婆界の覺醒並に監督官廳當局の此方面に關する研究も必要には非ずやと思はる。

巴里市に於ける產婆開業狀態は、予の視察當時に於ては四百五十萬の人口に對し二百八十の開業產婆のあるのみなりしが、之れに反して巴里市立の產院及病院の產科を合せて十五ケ所の分娩取扱所ありて、其最も大なる產院は當時ボーデロック產院の一年間五千の分娩を始めとして三千前後のもの多く、巴里市民は無料又は實費的料金にて分娩を安全に取扱ひつゝありたり。歐米各國共斯くの如く分娩時の危險性を避くるの方針は同一狀態にあると謂ふべく、分娩取扱は斯くの如くして始めて死產率の低減と母子の安全を期待し得るとも謂ふべし。

又第一子の出生には必ず病院的取扱を命ずべきの時も到來すべく、又私生兒の出生保護機關の設立も必要なりと信ず。

更に大阪市に於ける乳兒に其死亡關係を吟味すれば昭和十三年の總死亡數男四八七三五人中一歲未滿乳兒の死亡數は一四・七％一日平均一三四人の死亡を示し男兒五〇六七女兒三九八〇を示せり而して乳兒死亡率は總死亡數の一九％（一割九分）を占む。卽ち百人の死亡者中一年未滿兒の死亡十九人を占むるの割合なり。

又大阪市に於ける出生千に對し乳兒死亡の割合は一一八兒なり、右の乳兒死亡數は逐年減少の傾向あれども歐米大都市のものに比較すれば、倫敦の六〇兒、伯林五九兒、巴里の五九兒、紐育の四四兒に比し猶ほ頗る高率を保ちつゝあり。

此等の主因は

（一）先天性弱質、（二）肺炎、（三）下痢及腸炎、（四）ビタミン缺乏症が主なるものなるを示せり。

此等の原因を除去するには一朝にして成し得ざれども輓近乳幼兒保護機關の增設と其適當なる運用により約

二十年間に出生千に對して乳兒死亡率一八〇前後に在りし其高率も逐次征服し得て現今約一一八の程度に達せしより考察すれば、乳幼兒保護機關と女性保護機關の有効性を確證するものにして、政府及公共團體の愈々斯方面の事業に盡瘁せられんことを切望するものなり。

大阪市及大阪府の實行しつゝある健康相談所及保健所は母性保護及乳幼兒保健上頗る著明にして、良好なる影響を及ぼしつゝあることは、第二國民の養成に特に注目すべきものあり。

現今乳幼兒及兒童の體位向上の目的上漸次行はれつゝある官公署の方針は、厚生省の設立と共に急速なる向上的趨勢を呈するに到れるは國家の爲め大慶の至りなり、更に新に設けられたる國立人口研究所の運用に至つては吾人は今より大に期待する處にして、聖戰第三年目に此事の企圖せられて國家百年の大計を樹立せらるゝに到れるは洵に慶ぶべきことなり。此好機會に際し、聊か所感を記して母性並に乳幼兒保護上注意を拂はんと欲するものなり。

乳幼兒死亡の原因

『表』と『裏』でちがふ
『表』の呼吸器病に『裏』の胃腸病

いはゆる人的資源を確保するうへから、どうしたら高いわが國の乳幼兒死亡率がひきさげられるか？は當面の大問題です。この問題について、その道の權威者である古屋芳雄博士（前金澤醫大教授、現厚生省技師）は、一と口に乳幼兒死亡といつても、地域的にみると大分その原因がちがふので、對策もまた自ら違はればならない——と、左のやうに語られました。

乳幼兒死亡の原因は表日本と裏日本とではちがつてゐます。例へば乳幼兒死亡の三大原因といはれてゐるものの一つ——下痢及び腸炎による死亡は北陸地方から奥羽地方や北海道にかけて、それも日本海沿岸において率が大へん高い（乳幼兒千人につき四十人死亡する）のに反し、太平洋沿岸ではいつたいに少い。この關係をよく考へてみると、下痢及び腸炎による死亡は、文化の普及が比較的おくれてゐる地方ほど多いといふ結論に達します。乳幼兒死亡のもう一つの原因である肺炎及び氣管支炎についてみると、これは常識的には寒い地方ほど多さうに考へられます。が、事實は北陸や奥羽地方や北海道にはむしろ少くて、却つて表日本の太平洋沿岸あたりにそれほど顯著ではないにせよ多くみられます。此原因として空氣の濕度が低いこと——つまり乾燥が影響してゐるのではないかとみられます。乳幼兒死亡の三大原因の殘る一つ——先天性弱質（生れつき弱い）については裏日本と表日本の區別がなく、一樣に各地に分布してゐます。しかし、大體において都會では下痢及び腸炎がまつさきに少くなり、先天性弱質が最後まで殘るやうです。そして文化の程度の低い地方での乳幼兒死亡の型は、都會で昔から起つたことを徐々に追つてゐるやうな傾向がみられます。ではなぜ先天性弱質といふ原因が除きにくいかといふに、これは體質に深い關係があるからで、從つていくら文化が進んでも先天性弱質をなくすることは困難です。結局、生れるまへからの體質の改良、優生學的の對策を施すよりほかありません。ここで對策として深く考へさせられるのは、農村の乳幼兒にたいする榮養補給の實情です。事變で男手が少く、母親は朝早くから野良にでかける、朝でかけに、そしてお晝にかへつてちよつと哺乳するだけ。人手が不足でとても乳幼兒などに構つてはをれぬといふのが實際です。それでどうして榮養が足りる筈もなく、標準體重に達せぬものが全體の五分の四にも達する地方さへあります。生きてゐるのが不思議なくらゐ、驚くべき危險狀態にあります。農村の人不足に手を貸すこと、乳兒の哺乳を十分に行ふことこれが一ばんの問題です。

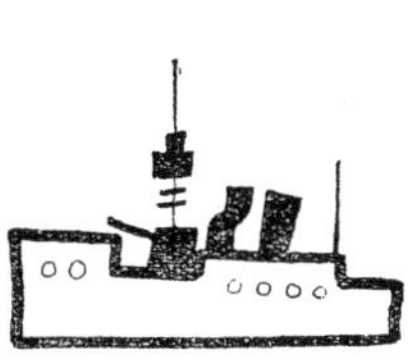

戰時下母親の心構へ

醫學博士 廣瀨興

去る六月、日本兒童愛護聯盟主催の全東京乳幼兒審査會の審査に立會つて感じたことは、御母樣達が如何に育兒に眞劍であるかと云ふことゝ、この日を期して優良兒に推撰されんと平素より努力して居らるゝと云ふことであつた。誠に敬服の至りである。併し、努力と云つても無我夢中の努力であつてはならない。殊に事變下、人的物的總ての方面に困難の多い時に世の母たるものは充分の時局認識の心構へを以て育兒に專心せねばならない。支那事變二ケ年を經過した今日國民の健康問題に關して種々の議論が提出されてゐる。

或は本年は約四十萬の人口減少を示すに至るであらうとか、或は婦人の姙孕率の減少、從つて出產率の低下、乳幼兒死亡率の增加、結核死亡の激增、靑少年の體位の低下等々各種各方面の問題が論議されつゝある。事實、吾々實際家が二三の赤坊審査會などの檢診に參加して見ても、新聞紙上には華々しく好調なるが如く宣傳されてゐるのにも拘らず、反對に昨年より一層體位の低下を直觀するほどである。未だ事變の甚大なる影響が現はれない筈であるべきに、かくの如くであるから、若し事變が長期となればなるほど、各方面に悲しむべき結果の生じて來ることが豫想されるのである。なほ現下のわが國は現狀維持のみにては許されず、每年數十萬の人的資源を要するのであるから、一層人口問題、保健問題が重要となつて來た。

筆者は兒童保護事業を中心として歐米の各種の保健施設を視察し、一昨年秋より昨年春にかけて、「ベルリン」の家庭生活を具さに視察したのであつたが、獨逸は今なほ世界大戰の影響、勃興途上の經濟現狀によつて、總ての家庭が極めて緊張したる生活を餘儀なくされてゐるのであつた。日常生活に最も關係ある食料など、その種類の少きこと、新鮮ならざること、高價なること、わが國の現狀などと比較にもならぬくらゐであつた。吾々の日常生活に無くてならぬ味噌醬油にも相當するバタすら、今なほ切符制度であり、また肉卵等が嚴重な統制を受け、極めて質素の生活を營んでゐるのが一般である。ベルリンでの視察は數ヶ月であつたが、家內同伴で自炊生活し、上、中、下各階級の家庭にも出入し、わが國のそれと比較する機會を得たのであるが、未だ未だわが國の餘裕綽々たるのに驚くくらゐである。今春來朝のヒットラーユーゲントの青年達は、選拔せられた優秀なる青年なること勿論ではあらうが、一般に獨逸の青少年達は世界大戰の前後に生れ、最も影響を受けたる年齡にも拘らず、その身體的に强健であり、精神的にも極めて旺盛であることは吾々視察者にも直ちに感じられ、またこの事實は最も興味ある問題であつた。その原因は勿論、母性並びに小兒保護、その他一般の社會福利施設に對し、その國家の努力にはあるが、見逃してならぬことは一般家庭の主婦が萬事に科學的知識に富んでゐると云ふ點であると思ふ。またその原因ともなる小學校や補習科或は花嫁學校とも稱すべき所でも、その教科の內容や教育方法が極めて科學的で且つ實際的である。しかし精神的にも各種の組織と連絡をとり、ナチスの指導方針の下に「血と土」卽ちゲルマンの大ドイツ國建設の目的に沿ふべく教育指導されてゐる。筆者がベルリン市立の家事補習學校の一つを參觀した時のこと、オーブン（蒸燒器）の使用法を教授してゐたが、そのオーブンも電氣・瓦期・木炭・薪使用といふ風に各種のものを設備して如何なる都會田舍でも、また上流下層の生活に入つて困らぬやう實習せしめてゐた。

　また實習室には小さな修繕道具が用意され、破損の場合は直ちに各自に修理せしめ、その事が取りもなほさず一つの立派な實習となつてゐるのである。丁度その時實習生の一人が氣分惡くて例れたところ、同僚が直ちに救護室に運び、教師の指導によつて醫師の來るまでの手當を實行してゐた。筆者は專門家として極めて好い機會に遭遇したのであるが、彼女達の醫學的知識のみならず、すべての科學的知識が日常生活によく實踐融合されてゐるのがわかる。また家庭の下女の日常を觀ても、電氣アイロンの修理、壁のペンキ塗り、その他すべて理論的で、實際的である。家庭の献立にしても、食品材料の貧弱高價なるにも拘らず、よく小兒の必要榮養上の知識によつて合理的に献立されてゐるのは敬服の至りである。

　斯くしてこそ、あの歐洲大戰下の慘澹たる生活を切り拔け、なほ且つ彼女達の小兒をあのやうに身心共に立派に育て上げたのであらう。またヒットラー總統は常に、「食事は家庭の主婦の手で」のモットーから現在、ベルリン市には公營の公衆食堂を殆んど閉塞してしまつたこと（殘つてゐるは、オプタハ（無料宿泊所）の如き所のみ）下層階級の給食も調理せざる材料を與へ、なるべく主婦の手で家庭で調理せしめて一家團欒の中に食せしめる方針を採つてゐる。この事は現今わが國に於いても、漸次共同給食の盛んとなりつゝあるとき、その指導方法に何ん等かの暗示を與へらるゝものである。以上は大戰後の獨逸に於ける日常生活の一端であるが、わが國も現下未曾有の難局に際し、國民體位の向上、健康增進が要求されてゐる時、主婦の責任の一層重大なることを感ぜしめるのである。

　一體、健康增進と云ふことは、單に一つの健康法や特種の滋養劑等によつて、その目的を達せんとするのは誤りであつて、日常生活全般が健康的でなければならない。衣食住すべてにわたつて合理的に、健康に適するやう實踐されて初めてその成果が期待されるのである。

　殊に戰時下に於いては、一層日常生活が各方面より合理化せられ、家庭全員が健康生活を持續するやう努力せねばならない。

　それには特に主婦の努力に待たねばならない。榮養問題にしても、その献立は常に合理的であるべく、時流に阿諛り、節約過ぎて家族を榮養不足に陷らしめるが如き愚を侵してはならない。殊に小兒は發育途上にあるのであるから、すべての榮養素卽ち蛋白質、鑛物質（以上體組織構成の主成分）含水炭素、脂肪（以上は勢力源の主成分）各種のヴィタミン（各種生理作用調和、疾病抵抗力增進の要素）の補給を完全ならしめる如き注意が必要である。

　また一方環境の衞生殊に溫度濕度氣動の關係、日光空氣等の日常生活に影響する點をよく理解し、科學的に衣服や住居の合理化を計らねばならない。例へば、梅雨期には如何にして高溫高濕を防ぐか、冬期の最も衞生的煖房の工夫の如きである。なほ一層大切なることは、家族各員に健康上の良習慣を保たしめ、殊に幼兒期より健康上の基本的躾けをつけることである。例へば早起早寢、完全咀嚼食事の作法、偏食防止入浴、規則的便通、薄着、戶外の運動、適當の間食、齒ミガキの習慣等、年齡に應じた健康教育が必要である。榮養問題にしろ、環境衞生にしろ小兒中心主義とすれば、先づ過誤が少いのであるが、餘りに盲目的に小兒を愛する餘り却つてその健康を阻は

しめることがあり、殊にわが國家庭の陷り易い弊害である。着過ぎ、飲ませ過ぎ、間食、偏食等を常に經驗するところである。

　ベルリンの電車內で六七歲の小兒が却つて大人に席をゆづり、同伴の母親はにこ／＼小兒の成すがまゝに任せてゐるのを實見したことが一切ではなかつた。

　この場合、母親と小兒の考へは如何であるかよく判明しなかつたが、考へやうによつては六七歲になれば電車內の左右上下の變化ある動搖は願つても得難い一つの運動法である。

　わが國の如く電車內に入るや、我れ勝ちに席に付かしめんとしたり、席の無い時誰れか席を空けてくれぬかとキョロ／＼とねめ廻す我が東京の母親と比較して面白い對象である。

　併し科學的合理的と云ふことは決して精神的慰安、娯樂、美的要素を除外せよと云ふことではない。食事にしろ目に奇麗で、舌に美味でなければ眞の榮養食ではない。戰時下の健康生活は一層、一方に愉快に樂しい慰安や娯樂を必要とするであらう。

　要之、戰時下の健康生活は榮養に、環境の衞生に、保健上の良習慣養生に各方面にわたつて合理化を計り、一方各種の社會福利施設を利用し、疾病豫防に協同すること、殊に主婦は健康生活の鍵を握る重要なる責任者であることを忘れてはならない。

賀川豊彦氏『死線を越へるまで』（十三）

村島歸之

四三、賣られ行く娘、スリになる男の子

細民窟の娘達が一定の年齡に達すれば、彼女は娼妓に賣られるか、酌婦に賣られるか、その何れかであつた。氏が可愛がつてゐた少女の多くもこの選に漏れなかつた。

　十二の時から氏に特別に可愛がられてゐた村井さめ（假名）といふ娘は、色の眞黑な兒だつたので、何ぼ何でも賣るまいと思つてゐると、父が賭博に負けた結果、新川遊廓へ三年年期三百圓で賣られて了つた。彼女は賀川氏から洗禮まで受けてゐたのだが、親に子を賣る實權の委ねられてゐる今日の制度では何ともならなかつた。その他多くの娘達が最低三十圓から最高五十圓までの相場で富山方面へ賣られて行つた。賀川氏はそれを聞き知ると、直ぐ警察へ馳込み交渉を試みるのであつたが、氏にこれを請出す金のない限り致し方はなかつた。中には氏の力で前借金を辨濟し取戻したものもあつたけれど、貧しい親達は惡周旋屋に欺されて賀川氏の世話で取戻した娘を再び他へ賣拂ふものさへあつて、いたく氏を失望させたことも幾度かあつた。

　男の子は他へ賣られぬ代り、自ら惡の淵へ飛込んで行つた。大概十二、三にもなると、盜んだ品物を古金屋へ賣つて金に替へることを覺えた。親が屑買ひに子をつれて行つて惡いことを教へるのだから、これは當然の成りゆきでしかたがなかつた。

　屑買の子供は殆んど例外なしに鐵屑や針金は愚か、立派な金屬製品を盜んでは、これを壞して古金屋に賣つた。

　氏が自宅に引取つて世話をした一少年は、眞鍮が欲し許りに三十八圓の幼燈機械を盜み出し、これを壞して古金屋に八錢で賣つた。

　スリの手先に使はれるのもこれ等の子供だつた。彼等は、かうして得た金で、買喰をし、酒を飲み、安芝居を見、時には年長兒にそゝのかされて遊廓へ押し出した。

賀川氏はこれ等の不良少年を救はうとして凡ゆる努力をした。併し全然失敗といふ譯ではないが多くは成功しなかつた。それは彼等が教育も職業もない家庭に育てられ、又適當な娯樂も與へられず、その上全く遺棄状態に置かれてゐる爲めに、水の低きに就く不良の方へなびいて行くのだつた。

四四、子供達の遊び相手

氏はこれ等の子供を惡に陷らしめないためには、まづ彼等の友達にならればならぬと考へた。彼等を惡化し易い場所から遠ざからしめるためには、これに代るべき適當の運動の對手がゐなければならない。自分はその對手になつてやらう。――さう考へつくと、氏は暇のある度に、空地へ小供を伴うて行つては自身が運動教師のやうなつもりになつて遊ばせてやるのであつた。

筆者は嘗てシカゴの貧民地區でシカゴ・コンモンス（隣保事業團體）が市當局と交渉し、午後の一定時間、スラムを貫く大通を閉鎖して、コンモンスのセツラーの保護の下に、スラムの子供等をして、安んじて遊ばせてゐるのを見たことがあるが、これなどは、賀川氏が新川で行つたのとその主旨を同じうするものといふことが出來よう。

今は小學校が建つて了つたが、十數年前までは廣い空地であつた吾妻通の角地で、氏が多くの子供たちを集めて遊び廻つてゐるのを見た人は屹度暢氣な書生さんと思つた事だらう。

一度貧民窟に陷ちた成人は十人が十人、何時まで經つても浮び上る事を知らないのが通例だ。氏の先輩八濱德三郎氏の如き、氏のスラム入りをする時「賀川君、貧民の大人は皆殺して了はない限り、貧民窟は善くならないよ。」といつて、スラムの大人の救の至難なことを教へたといふが、氏もそれを悟つて、せめて天使の如く未だ穢れない子供だけでも、一人前に仕上げなければならぬと思つて一生懸命になつた。

氏は閑暇が出來ると表へ出て子供たちと遊んだ。

「もう〳〵私は哲學者は止めぢや……これから窓の向ふの『實在』と踊るのぢや、鼻先の黑い動物よ來い、カイゼル髭の娘よ、來い、犬も來い、黑奴も來い、鷄の糞も來い、踊らう！踊らう！」

と詩にもうたつてゐるほどだ。

だから新川の子供はまだチャンと舌の廻らぬ幼兒でさへ『センセイ』と呼ぶ事を知つてゐた。氏の行く處、到る所『センセイ』と云つて尾いてくる多數の子供があつた。『センセイ、コンニチハ』と子供が云へば『ハイ、今日は』と賀川氏が答へる。兩者の親密の度は迚も貧民窟に於ける實の親子の比ではない。

『私のお弟子は三人四人、鼻垂れ小僧の蛸坊に、疳高聲の甚公は、私の一と二の弟子で、便所の口までついて來て、私の出るのを待つて居る。』

『乞食の「長」は三の弟子、クリスマスの前の晩、出口さんの御馳走にお辭儀は知らぬが、「テンテイ」(先生)といへる、親は呼べぬが、私は呼べる鍋島のお凸は、四のお弟子』『賣られて行くのが、悲しさに、うちの戶口で半日泣いた、今年十二の淸ちやんは、私の可愛い女弟子！』

斯うして我が子のやうに愛撫してゐても、男の子は何時しか四

圍の者に惡化され、女の子は無頼漢のため淫賣に賣られるか、さもなくば親兄弟に女郎に賣られて終ふ。氏の愛の力を以てしても生活の壓力と、大人族の無智のため、どうする事も出來なかつた。

右の詩の一番あとに出て來るお淸ちやんの如きもその一人であつた。彼女は賀川氏がお淸ちやんとこの淫賣婦の一人でおはつと呼ぶ兩性具備者を、神戶養老院の寺島ノブヱ氏に依頼して引取つて貰つたのを、その私娼宿の親方である大阪といふ博徒――つまりお淸ちやんの父――が知り、拔刀して氏に脅迫に來たりしたが間もなく新川を引拂つて大阪へ移つて行つたのだ。そして、やがてお淸ちやんは無頼の父のために賣られて行く運命にあつたのである。賀川氏はこの可憐な女弟子の宿命を、どんなにか不憫があつた事であらう。

「賣られて行くのが悲しさに、うちの戶口で半日泣いた」のは當のお淸ちやんだけではなかつたに違ひない。

お淸ちやんの友だちの雪枝ちやんも――彼女は葬儀人夫の妹であつたが、――朝鮮へ賣られて行つた。

かうして、氏が日曜學校で折角可愛がつた娘の子も、次から次へと賣られて行くのだつた。

四五、怖しき人間の墮落

酒、賭博、淫賣、喧嘩、傷害、貰子殺し、不良少年、身賣り、それに、梅毒、結核、トラホーム、そしてペスト……賀川氏の周圍に、日々展開され、若くは惹起される事象は、すべて、世人の全く想像もつかぬものばかりであつた。否、當の賀川氏にとつても、またそれは餘りにも驚異に値する人間苦、乃至は社會の連續であつた。

氏がスラムへ這入つて一月ほどたつて作つた詩にこんなのがある。

思うて狂ひ、祈つて狂ひ、たゞ邪魔にさゝれたやうです。思つたやうな、勉强もできず、思つたやうな、傳道もできず、奇蹟も起らず、半鐘も鳴らず、平凡で平凡で、それに、不潔な、貧民窟の――、

壁の色、鯨の肉の色、

年中乾いた事のない道――いやな臭い便所――室と云へば、破れ障子――庭――裏口の戶は開きませぬよ！奥の土間に床几をするとあかなくなるのです。でも仕方がないのです、奥が狹いものですから。

天井の埃、雨戶の埃、思つてもいやですよ。生活に慣れないとつらい。それでも、一月は、早や貧民窟の生活をしたのですよ。

あゝ恐ろしいペスト！

おさめが死んだ、淫賣のおさめが、

二十二の馬鹿……おしろいを壁のやうに、ぬつた、背中に女性の生殖器を刺靑にしたおさめがペストで死んだ！

死んだ！死んだのですよ！

そのお父さんも、發病してゐるのですつて。怖ろしいですね、わかりましたか、おさめが、ペストで死んだのです。

あゝ怖ろしい、あなたにもうつりますよ。

さあお逃げなさい。

貧民窟はうるさいでせう。

泥溝、鯨の腐敗、便所――、

おゝ私の心は全く狂つちやつた。この恐ろしい、人間の墮落を、どうなさいます？、

此處へ來て、氏が見、そして知つた人生は餘りにも暗いものだつた。氏の見た人々は、人間も此處まで墮落出來るものかと呆れるほどの悲慘な境涯に、しかも、平然として居るのであつた。さらに、その環境の不潔、非衛生なることに至つては、殆んど言語に絕するものがあつた。

氏はペストや腸結核や梅毒や疥癬の病菌の中に起き臥した。「どうせ三十歲までも生きられる自分ぢやない。病氣が何で怖い」として、これ等の怖るべき不潔の中にも平然として居ることが出來た。

寄食者には出入りがあつたが、手のかゝる病人の仆れ込みが次第に殖えて來た。

四六、十六人を越えた寄食者

貧民の中でも、最も憐れなのは病人であつた。彼等には肉體が資本だのにその肉體を患うて臥つたとなれば糧道の斷絕である。彼等は只死を待つより外はないのである。

氏は貧民窟に入ると共に、其處には餓死を待つてゐる多くの病貧民のあるのを見て默視するに忍びず、自ら病人を引取つて世話することゝしたが、いざ世話を始めるとなると、誰も彼も引取らねばならなくなつた。

氏の考へでは、或紐育の牧師夫人から贈られた五百五十圓の金の中、自分の食費は月五圓と算用し、殘餘の金で十人を世話するつもりであつたが、愈々始めて見ると、十六人といふ多數を世話しなければならなくなつて、家も狹し金も足りないといふ譯で大弱りに弱つた。

氏は太息をついて、一時は逃亡を思つた事さへあつた。

「棒の木の國」といふ詩にその心持が出てゐる。

「與へる、金も力も、無くなつた。今はもう、田舍が戀しい、北の國、棒の木の國、病氣の無い、蚊の居らぬ木の國、そこへ、行きたい。」

「他人を助けて、自らを救はないと、昔の人は罵られた。」

「あゝ都の、貧民窟にも飽いた。都に生息し、生存を保續するのが第一に間違つてゐる。都の生活を與へて彼等を救はうと思ふのは大なる誤りではないか？」

然し失望したのもホンの一瞬で、氏は又猛然として更に勇氣を振び起した。

「神は愛だ、深い愛だ、乞食の子をだきしめて、私は云ふ、神は愛だ！」

氏の愛は新川の總ての細民を抱擁した。氏は病み、飢ゑ、泣く多くの細民を、その翼の下に抱擁した。氏の家に收容されたものは凡ゆる種類の細民を網羅してゐた。

おみつといふ乞食婆さんの如きは病氣で足腰も立たぬ爲めに兩便の世話すらしてやらればならなかつた。

何とかいふ病める淫賣婦を保護して、却つてその情夫から怒鳴り込まれた。

盜癖のある少年を收容したところ、彼には鹽鮭の生肉を床下に敷いて夜中にムシャ〳〵と嚙じるといふ奇拔な癖があつて手こずらされた。前科十數犯の怖ろしい男も收容した。不遇の精神病者をも養つた。

斯くして氏の家は常に木賃宿のやうな賑ひを呈した。勿論木賃は一文だつて支拂はれはしない。

「錢のない時淋しいれ、喰へないからぢやないけれど與へる事が出來ぬから」

「錢がない時苦しいれ、裸體で居たつてかまはぬが、うちの子供がなくからね」

「かまやしないよ、かまはない、神さまどうにかしなさるよ、雨は屋根まで降つてるよ」

再び『死線を越えて』に就てこの間の消息を辿つて見よう。

――日　岸[redacted]の爺さんと婆さん寄食

――日　隣家の娘の葬式を出す

――日　豆腐屋の與[redacted]五[redacted]來る

十月日――日

――日　米國煉瓦會社重役より向ふ二年間月五十圓の寄附申込

――日　松藏貸蒲團を盜み抑留、貰ひに行く

十一月十七日　會社（學校）を退く。

――日　脊べうたんの女の收容を賴まれしも男關係がうるさくて斷る。米一斗宛給與

――日　向側の西端の家を借り病人二人を收容（男乞食おいべらうの元の妻とその子）

――日　植木や戶田逃亡。一家四人を引受ける

病める寄食者の世話だけではなしに、居候の不良少年松藏が電信の針金を盜んで引つぱられたといへば、直ぐ警察署へ出頭して貰ひ下げても來なければならなかつた。それも一度ではすまず、釋放されたと思ふと直ぐその足で松藏は此度は河岸を變へて貸蒲團を盜んで又も警察へ拘留される。此度は警察でもおいそれと渡さないのを、氏は平身低頭して貰つて歸るといふ有樣であつた。

四七、うるさき人々

一體、小人は狃れ易いといふのか、貧しいために己むを得ないといふのか、氏が親切に病人をいたはり、すゝりなく者を慰めると、それにつけ上つて、勝手放題な事をしたり、無理難題を持込む者が多かつた。

少し親切にしてやると無斷で賀川氏の家の障子を外して持つて歸つたり、火鉢を持つて歸つたり、或は氏の名で晴着を註文したりしたものもあつた。罪の無いのは前夜は確かに臺所に置いてあつた金盥やバケツが紛失する、さういふ時、隣近所を見て歩くと屹度どこかの臺所に隱しもせずに置かれてある。

たゞに臺所道具だけではなく、病める寄食者の着物を洗つて干して置くと何時の間にか紛失した。それから二三日たつて近所の子が雨が降つて收入がないからといづて米を貰ひに來たのを見ると、その子供がその着物を着てゐたといふやうな事もあつた。

又放火犯で九年も監獄に這入つてゐた男は氏の宅に厄介になつてゐるうち、洋服と時計が身につけたい許りに氏の留守中、そつと氏の洋服を着、時計もないのに鎖丈け胸に下げ威張つて歩いてゐた。そしてそれ以後といふもの洋服を氏に返さず我物顔に着歩いて、仕舞には質屋へまげて了つたこともあつた。氏はそれ以來洋行するまで六年間洋服を着なかつた。

また面白いのは、細民には屡々自貧狂患者がゐて、他人をダシに使つて、自分が善い顔をしようとする者があつてこれがいつも氏を煩はすのであつた。

賀川氏が助けてゐた前科十數犯の某といふ男は下水掃除に行つてゐたが金が無くて困つてゐる者を見ると、豪さうに「俺の處へ來い、そしたら何時でも金を貸してやる」と言つて義侠振を見せ若しその男が「そいでは兄貴濟まないが」と頼み込んで來ると、彼は早速、氏の處へ來て融通を頼むのであつた、何の事はない、賀川氏は貧民仲間の日本銀行であつたのだ。

奇抜な一例としては、或る男が鷄を飼つてゐたが、或日死んで了つたので彼は氏の處へ來て鷄の葬式をするんだからといつて金十錢をせびり、夫れで菓子と線香とを買ひ、剰へ附近に住む乞食坊主を呼んで經を上げ、共同便所の傍に鷄の靈を祀つたといふ話もある。

尤も氏は濫救を忌む。濫りに救ふ事は却つてその者を遊惰にし依頼心を起させ、乞食根性を増長せしめるからである。氏は救を求めて來た者があつたとて、その救を求めるに至つた事情と、その本心とを見極めれば、容易には恩愛の手を與へなかつた。

氏は何よりも、魂の救を第一義とした。從つて逢ふ人毎に「悔い改め」を勸めた。勿論、理窟で説服して悔い改めさすのではない。愛によつて悔い改めさせるのであつた。氏は悔い改めの證憑として眞の涙を要求した。『虎』と呼ぶ一放火犯を救うた時の詩の一節にこんなのがある。

「彼は泣いた、彼は泣き出した、私はそれを待つてゐた。監獄で教育された彼は、他人を愛し、敬することを知らない。キリストに來る道は、只だ涙である、待つてゐた！」

「聞け、衣を裂く音『虎』は悔の表示に、衣を裂いてゐるではないか！」

「私は、祈つた。『虎』は悔い改めて、今夜はあなたと寢るといひだした。」

「私は外へ出た、月は貧民窟の、一軒一軒を照してゐる『虎』は裸體になつて泣き乍ら、酒をさますために水道端へ走つて行つた。」

賀川氏は涙の人であつた。で、人間が涙を濘す時、最も純眞であることを知つてゐたのである。

感激の涙、悔悟の涙、氏はこの涙の悔い改めをさせるために、スラムの生活を敢て續けるのであつた。

哈爾濱と伊藤公

西村誠三郎

哈爾濱と云ふと、何故か、直に自分は伊藤公の事を想ひ出す。

伊藤公が、哈爾濱の驛頭で、不逞鮮人安重根のために短銃で狙撃されたのは、明治四十二年十月二十六日の出來事だ。月日の經過するのは早いもので、もうそれから丁度三十年目になる。自分は其時まだ東京に居て、近々に滿洲行が決定してゐたので、牛込の神樂坂で、旅行用の鞄を買つてゐた。其處へ時ならぬ新聞の號外なので、買つて見ると、それは伊藤公の暗殺記事だつた。日露戰後間も無い事であり、國民の誰れもが、異常な驚きを感じたと同様に、自分も尠からず愕いた。而かも自分はこれから、その滿洲に行かうとしてゐるのである。單なる旅行では無く、滿洲に永住しやうとしてゐるのだ。どんな運命が、自分を滿洲で待つてるか知れない。自分の職業は新聞記者だつた。

哈爾濱に行つて、伊藤公の事蹟を見る。それは此號外を既に手にした秋に定まつた事だ。自分は間も無く、他の同僚の一人と共に、東京を出發した。そうして神戸から大阪商船の大連航路船に乗り込んだ。所がそれが不思議にも亦伊藤公が滿洲に赴かれる秋に乗られた鐵嶺丸だつた。

鐵嶺丸と云ふのは、二千噸級だつたかの、小さな船だ。今のやうに七八千噸もあるやうな船が通つてゐたのでは無い。少し海が荒れると直にかぶる。自分の乗つた秋も冬の黄海は、相當波が高いので、可成りに動揺した。船室も手狭で、窮屈千萬だつた。然し、それでも當時は優秀な方だ。船長が横山と云ふ人で、荒木流の尺八の名人で、伊藤公の乗船された秋は、千鳥の曲を奏して褒められたとの話も聞いた。伊藤公の食事をされたサロンも、卓子が二行に、僅か十人足らずの乗客が並べる位

だ。

大連上陸早々、新聞の小説を書かなければならなくなつたので、何にやかやと取紛れてゐたが、間も無く始まつた旅順の安重根の公判には、此度は自分が號外を出すために連絡電話筆記で、相當眼のまわる想いをした。

自分が哈爾濱に出掛けたのは、それから確か二月程したまだ冬の寒い日だつた。その頃の哈爾濱と云へば、外國も同様だ、露西亞はまだ帝制時代で、哈爾濱にはホルワット将軍が、東支鐵道の長官として、北滿一帶に羽振りを利かせてゐる。支那人なぞは眼中に無い。寛城子までは、露西亞の軍隊も居て、長春を一歩出れば、それは全然露西亞だ。通貨も、露西亞貨幣なら、言葉も、露西亞語、一切外切が露西亞風だ。長春の驛長から交換パスを貰つて、東支線の一等車に收まるには收まつたが、不自由千萬である。日本人の旅客など各列車をのぞいて見たが、他に一人も居なかつた。寒くはあり、退屈ではあり、それでも緊張はしてゐた。

哈爾濱の驛に下りたのは、午後九時頃だつたが、丁度其處に來てゐた東洋館の宿引に、伊藤公の射撃された現狀の位置を、直に聞いた。其頃驛のプラットホームに、瓦斯燈が立つてゐた。驛の中央の入口から、向つて稍々右寄りの瓦斯燈の近くだつた。現在はその地點に、眞鍮製の記念板が置かれて、それを踏まない爲めに、金網が被せてあるが、當時は何んの目印も無かつた。

哈爾濱到着後三日目だつたかに、日本總領事館を訪問して、古澤氏(當時書記生)から、種々伊藤公の事蹟を聞いた。古澤氏は開廳以來奉職されてゐるので、所謂哈爾濱通の通なるものである。當時の總領事川上俊彦氏も、足部に一彈を受けて負傷してゐるのだが、伊藤公の哈爾濱に來られた用向に就ては、單なる觀光旅行に過ぎないとも云はれるが、決してそうでは無い。伊藤公は親露主義者で、日英同盟は寧ろ喜ばなかつたのだ。それは當時滿洲の形勢として、四國借欵團なぞの錦璦鐵道敷設問題なぞが起つてゐて、日露は提携して、これを排撃しなければならない、國際情勢にもあつたからだ。

それで丁度露國の藏相のコ、ツオフが、哈爾濱に來るので、それと會見する爲めの、目立たぬ觀光旅行でもあつたのだ。現に狙撃された當時は、コ、ツオフと並んで、露西亞の警備兵の閲兵をされてゐたのだ。其瞬間に起つた出來事なのである。自分は其後偶々此閲兵の現狀を撮影した露西亞技師の映畫を見たが、それに依ると偶然ではあるが負傷された當時の模様が、明かに映つてゐる。此の映畫は今でも大連の滿鐵本社に保存されてる筈だが自分はこれを取扱つた經驗を持つてゐる。

此時古澤氏から聞いた事だが、伊藤公の暗殺を、露國側は非常に恐縮して、露國側が一切の警備の任に當つてゐたのだから、在留日本の居留民中に交つてゐたにしても、警備の手落は免がれない。それで謝罪の意味もあつたのだらうが、伊藤公の事蹟を、長く哈爾濱の土地に留めるべく、哈爾濱驛前の廣場に、露國側の手で、伊藤公銅像建設の計畫が立てられてゐた。而かもそれは直に實行に移されて、既に伊太利に原型が注文され、我が外務省にも、其手續が採られてるとの事だつた。然し、其申告は拒絶されて、遂に沙汰やみになつて仕舞つたと、その理由も聞いたが、それは別問題として、現在でも伊藤公の銅像は、哈爾濱に立つて居ない。哈爾濱在住の日本居留民が擧國して、商工會議所内に胸像が安置される丈だ。哈爾濱の同胞は伊藤公を忘れてはゐない。

これは今でも自分の遺憾に思つてる事だ。伊藤公銅像建設の豫定地には、最近滿洲國建國記念碑が立てられてるがせめてもの慰めである。當時の關係者は、多く故人となつて、こうした事實も、段々忘れられて行くだらうが、古澤氏は、まだ哈爾濱に居られるから、三十年を經過した今日更に感慨無量なものがあらう。小村侯の銅像が新たに大連に建設され、兒玉大將の銅像も、建設されんとしてゐるの秋、自分としても、古い記憶を呼び起して感慨の深いものがある。

伊藤公が、收容した列車内で絶命される前、狙撃者は何奴だと聞かれたが、鮮人だと答へると、莫迦めと云はれたさうだが、朝鮮統監として盡された事蹟を思ふと、更に一そうの感慨深いものがあり、伊藤公の最後の御奉公として哈爾濱が、其波亂多き生涯の、最後の幕を閉ぢる所となつたのも、それが滿洲の一都市丈に、不思議な氣もされる。

哈爾濱と伊藤公、それは決して忘れ得べからざる事であり、自分が何度哈爾濱を尋ねても、伊藤公の事蹟を思ふ秋に、哈爾濱名物のウオツカの杯を手にして、あの透明な水の如き色と、強い刺激性の匂いに、思はず眼の熱くなるのを覺えるのである。

國際情勢は、恒に動きつゝある。伊藤公の哈爾濱に於ける事蹟も、永遠に亡ぶまい。皇國のために犠牲となつた赤き血は、尊い輝きを放つてゐるからである。

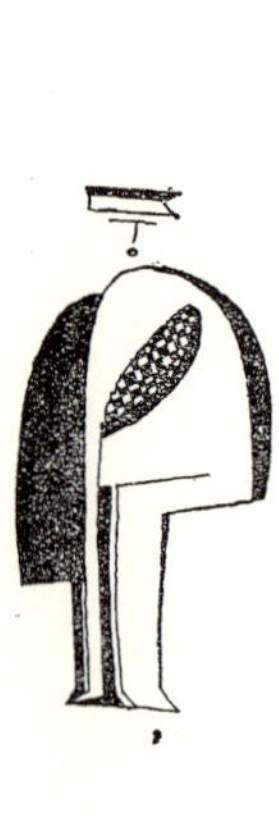

萱野三平重實

文學博士 渡邊世祐

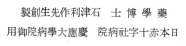

萱野三平重實といへば、世間では忠臣藏で有名な山崎街道の色男である早野勘平を聯想して非常に有名になつてをつて、これに關する文献、著述も相當に多い。早くは伊藤東涯の『萱野三平傳』といふものがあつて、これには林信篤の子、大學頭信充（榴岡）が序文を書いてをります。近くは大阪では三平會といふものが設けられ、三平の舊蹟、墓碑の保存等に盡してゐる。その墓は、大阪府豊能郡萱野村にあつて、三平自双の後三十九年にして廣島の學者堀正修（南湖）が墓誌銘を記したものである。

中央義士會としては、昭和四年八月三日發行の會報（第二十三號）に、「萱野三平重實に就て」と題して本會の評議員である宇都宮七五氏の詳細なる説明を掲載してをります。また新福寺の古記錄に基き多田莎平氏が「新福寺と大島家竝萱野三平」と題して執筆された中にもよく三平のことを描き出されて、それが『義士精神』第三十四號に掲載されてをります。

斯やうに三平といふものが、四十七義士以外に常に世の中に有名になつてゐるのは、一體どういふ譯であるかといふに、第一は早野勘平として、民衆的、社會的によく知れてゐること、第二は忠孝二つながら全うした人であつて、武士としての性格をよく表はしてゐるといふことの二點にあるのであらうと思ふのであります。

私のお話することは、東涯の『萱野三平傳』と宇都宮七五氏の『萱野三平重實に就て』に大體は盡きてゐるのであるが、聊かその筋を變へて申上げる程度のものであります。これより話を、

（一） 三平重實の出身
（二） 事變後の行動

（三） 三平の文學的素養と遺蹟
（四） 結論

の順序に從つて申上げて見ようと思ひます。

第一章 その出身

その祖先を古く遡れば、源氏の嫡流である源賴光から出てゐるといはれてゐる。鎌倉時代に左京大夫賴益が源賴朝に仕へて攝津萱野村を領して土着し、今日もその關係者の後裔が同村に住してゐるといふのである。元來攝津・丹波・山城の奥と、伊賀・伊勢の山奥、大和あたりには、鎌倉時代頃からの續いた相當に古い家が多いのである。殊に攝津は、土地柄がよい關係であるか、古い家が非常に多い。大概の家がさう長く續くものではなく、流轉極まりないのが人生であるが、併し、妙に攝津には古い家が多いのである。萱野の家もその例に洩れぬ家であらうと思ふのであります。

三平の父は七郎左衞門重利といひ、攝津萱野芝村の鄕士をしてをつたのである。萱野村は、當時幕府の旗本として、美濃に於ては加茂・武儀二郡の一部、攝津に於ては豊島郡（今の豊能郡の一部）を領して、五千石ばかりを頂戴してをつた大島出羽守義近（通稱雲八）の領地内であつたから、重利は、鄕士として大島家に仕へ、後には、その家老格となつたものである。それが萱野家であつて、主筋は大島家といふことになります。

大島出羽守義近は、元祿三年に六十七歳で逝去したことになつてをりますから、事件のあつた時には、その子の伊勢守の時代となつてをります。重利の子孫が續いて、昭和十年の當時には、大島雲八氏といはれて、陸軍少佐として、大阪第八聯隊の大隊長であつたといふことであります。

重利には男女四人あつて、長男を七之助といつた。これは三平の長兄であつて、三平が十一歳の時早く亡くなつてゐるやうであります。次男を利右衞門重通といひ、その子長好（後に重好）が萱野家を相續するのでありま す。三男が三平重實であつて、姉が一人あつたが、これが伊丹の一文字屋助三郎に嫁いでゐる。一文字屋といふのは、「一文字」といふ銘酒を造つてをつた家であつて、その酒は江戸にも廻漕し、相當に裕福な有名な家であつたのであります。

三平は、實際には三男であつたが、一番上が早世したので次男といはれ、昔の言葉でいへば冷飯の境涯であつたから、出羽守の推擧で、元祿元年、十三歳の時に淺野家へ仕へることになり、内匠頭の家來となつたものである。當時出羽守は、伊勢神宮の内宮の御普請を承はつて

上方に來てをつたものであるから、その手筋であらうと思ふが、三平を內匠頭に賴み、その中小姓として十二兩二分と三人扶持の手當を頂戴して勤めることになり、身分としては餘り重いものではなかつたのであります。

事件の起つた元祿十四年には、三平は丁度二十七歲であつた。從つて內匠頭とは十四年間の主從關係であつて祖先以來淺野家に仕へてゐるといふ身分の人々とは趣を異にしてゐるのであります。

第二章　事變後の行動

元祿十四年三月十四日、江戶殿中の刄傷事件の起つた當時、三平は鐵砲洲の淺野家の上屋敷にをつたのであります。然るに殿中に刄傷があつたので、その模樣を報告するため、江戶を今日の時間でいへば十四日の午後二時に發つて、第一の早使として早水藤左衞門と二人で、早駕籠で赤穗に駈けつけることになつたのである。さうして十九日の朝赤穗に到着して、家老の大石內藏助良雄に事件の模樣を報告したのである。その途中、伏見を通る時に、早駕籠を用意して置くやうにと賴んだ手紙が今日遺つてゐる。それによると、

淺野內匠頭急用ニ付、兩人在所へ早打ニ罷越候、追付其元へ著可ㇾ申候間、籠貳丁早々御申付置可ㇾ被ㇾ下候、賴存候、仕切之義ハ、成タケ急度候間、早御用迄願入候、以上、

（元祿十四年）三月十七日夜　　早水藤左衞門
　　萱野三平

大塚や小右衞門様

とあります。この手紙を受取つた大塚屋小右衞門といふのは、伏見にをつて淺野家の御用を常に勤めてゐる中繼の飛脚問屋である。江戶から赤穗までは、丁度百五十五里といはれてをります。道中を五日間で走つてゐるのであるから、一日三十里餘走ることになる。當時としてはこれは非常に早いのであつて、どうしてそんなに早く行けたのであらうかと、他の大名衆が疑つてをつた程であります。ところが、淺野家では、豫てより道中宿々の主なものには、十分の附届けがしてあつて、大塚屋小右衞門などもその一人であつて、相當によくしてあつたものでありますから、斯ういふ危急の際に、道中の世話を特によくして吳れて、五日間で赤穗に馳せつけることができたのであります。

伏見から山崎街道を通るのが恰度十八日になるのであるが、萱野の屋敷は山崎街道に添うてをりますから、その前を通ることになる。その時に三平は葬式の列の通る

のに出會し、その中には親戚の人々の顏も見えるので、一體誰の葬式であるのかと尋ねますと、三平の母卽ち七郎左衞門重利の妻の葬式であるといふことを聞いたのであります。そこで、一方は君家の大事を控えてをり、一方には母の喪といふことであるので、三平は一時は當惑したのである。併し私を捨てゝ公に遵ふといふことが武士の本分であるからこの際母の喪を顧みる時ではない。赤穗藩としては最も大切な使を承はつてゐるのであるから、母には誠に濟まぬが、その喪を顧みる時ではないといふことで、そのまゝ赤穗に馳せつけたのであります。これ等は最もよく當時の武士の氣象、單に武士といはず日本人の性質の一面を最もよく現はしてゐるものと思ふのである。

赤穗に到着してから、三平等は直に內藏助に會ひ、片岡源五右衞門の手紙を渡したのである。その手紙の原文があるだらうと思つて探してをりますが、まだ發見されませぬ。その趣意だけは淺野家の記錄に遺つてをります。それによると、

三月十四日殿中に於て刄傷があつた。併しその詳しいことは分らぬ。たゞ傳奏御役を同時に召上げられた。といふだけの手紙らしいのであります。內匠頭の切復とか赤穗城地召上げとか、築地鐵砲洲屋敷の召上げといふやうなことは、まだその時の手紙にはなかつたのであります。それが第一の使であつて、次に第二の使として原惣右衞門と、大石瀨左衞門とが江戶から參り、幕府の處分が傳へられるのであります。

それから三月二十七、八、九日の間に、內藏助は城中に藩士の總登城を命じて協議し、大體の事件の見當をつけて、江戶の狀態が一體どういふ風になり、對手方の吉良上野介がどうなつたかといふことを探索して、その間にこの事件の最後の見當を考へたものと見えます。二十七日から二十九日まで三日間に亘つて、城中に於て開かれた大評定では、第一には藩士一同籠城して、幕府に反省を促さうといふ議が決し、第二には、內匠頭は幕府に對しては忠誠を拔んでた人である。その家臣が籠城して、幕府に刄向ふのは相濟まぬといふことで、城の大手に於て切復をし、幕府の處分に反省を促さうといふことに變るのであります。ところが、さういふ荒立つたことをしては、淺野家一門の面目にかゝる。幕府から淺野家の親戚に向つて、事を荒立てぬやうにと沙汰があつて、諭されたものであるから、遂に城は無事に明渡して、淺野家の再興を願つて、それができなければ、自らその時はその時の處置もあらうといふことで、城明渡しの議が決定したのであります。

初め籠城といふ議が決した時に三平は、內藏助等と行動を共にして、城を枕に討死するのであるから、再び父に會ふこともできぬといふので、遺言狀を使の仲間に持たして萱野村に遣はしたのである。それに對して七郎左衞門が返事を書き、生きて耻を殘さんよりは、死んで志を全うすることが武士の本分である。決してこの際見苦しいことのないやうに、死骸の取片附のために、こちらから仲間を遣はすから、安心して籠城するやうにといふ意味の手紙を送つたのである。されど城中の意見が段々變つて、四月十九日の城明渡しとなつたものであるから三平は、赤穗離散の後、萱野村に歸つて、母の喪に服するのであります。

母の喪に服して、暫く萱野村にをりましたが、その際に、三平は自分の用事で美濃に赴き、そこに三、四十日をつて、その歸りに京都に寄つて、大高源五に會ひ、それから山科に行つて、內藏助に會ひ、これから先の身の振方、處置について相談をしてゐるのである。その時の模樣を三平が書いて、神崎與五郎に送つた手紙が今日遺つてゐるのであります。それを見ると、三平の平常の心掛がよく見えるのである。與五郎は、赤穗離散の後、赤穗の那波の港に浪居してをつたので、そこへ送つたものである。日附は九月朔日（十四年）となてゐる。非常に長い手紙でありますから、その大要を申上げますと

美濃の歸りに京都に寄つて大高源五に會つたが、これも差當る助成もなく、うか〳〵と暮してゐる模樣であるとであらう。尤も風雅の心の深い人であるから、屈託はないことであらう。大石氏は近いうちに江戶へ下向の由である。山科あたりにをられても、大學樣のため、淺野家再興のためには、暫くも懈怠なく、隨分いろ〳〵な手筋に心を配つてをられる樣子である。自分は萱野村にゐるが、この邊には風雅の友、相應の連中が多いからそれによつて患難を忘れることに努めてゐる。風雅の心があるために、苦しい日も慰められてゐるから、風雅の益の多いことを今更ながら感じてゐる。

といふ意味のことを申してゐるのであります。

斯うしてゐるうちに、十四年も段々と暮に迫つて、內藏助は、表面は淺野家の再興運動のためと稱し、內面は江戶に於ける急進派の人々が事を起してはいかぬから、それを諭すために江戶に下つて行つたのであります。その時、既に與五郎は江戶に下つてをつたものであるから三平もこれ等と行動を共にするために、山科に出かけて內藏助に從つて江戶に下らうと考へ、父に向つては、この度、自分は江戶に下つて主取をしようと考へるから、御許しを頂きたいといふことを申したのであります。

父は、それはさうではないだらう。どうも樣子を見ると復讐をしようとするのではないかと思はれるが、假に復讐ができたとしたなれば、關係者であるために、自分の主君にもその患ひが及ぶかも知れない。お前が主君內匠頭のために志を致すといふことゝ、自分が今の主君大島家を思ふといふことは同じではないか。關係者であるために、自分の主君に迷惑のかゝるといふことは誠に忍びぬといつて、しきりに止めるのであります。そこで三平は、それでは親子、兄弟の緣を切りませう。さうしたならば迷惑は及ばぬことであらうと申しますと、父は、親子、兄弟の緣を切れば、なる程連累者であるとか、關係者であるとかいふことは防げるかも知れない。併し、さういふことは、お互ひの間の情誼の上で忍びぬことである。それはでき難いことであるといつて止めるものでありますから、非常に進退に窮したのであります。

普通傳へてゐるところは、この時に、父が三平に新しく大島家に仕へることを奬めた。三平はそれを斷る事ができずに非常に苦しんだ。事情を打明ければ父も江戶へ下ることを承知したであらうが、同志のものに對する義理として、親にさへ打明けることができず、板挾みとなつて困つたと說明してゐるのである。また流布本の甚だしいものになると、親が三平に妻帶を奬め、既に對手方と約束ができてゐるため苦しんだと傳へてゐるのであるが、これ等は、本の話に段々と噂に噂を附加へられて、できたものであらうと思ふのであります。いづれにしても、父に迷惑をかけ、累を大島家に及ぼしては父に濟まぬといふことと、父に詳細の事情を打ち明けて諒諾を得ることは同志の申し合せと、誓書に背くといふことゝ、また自分が江戶に下らなければ、同志ばかりではなく、內匠頭に對して相濟まぬといふ、この三つの情に迫られたために、遂に志を決して翌十五年正月十四日、卽ち月は變りますが、內匠頭の命日に、自刄するに至つたのであります。その前日、卽ち十三日に、自分の僕に手紙を持たして、自分の志を山科にゐる內藏助に通じたのである。その遺言狀とも思はれるものが今日遺つてをつて、これは、三平にとつては大切な手紙であるから、申上げて見ますると、それは、

爲ニ年始之御祝意ニ先達て奉ニ愚札一候、然ば舊冬已來吉田忠左衞門、近松勘六申合、當春江戶ゑ可ニ罷下一奉ㇾ存候處、愚父七郎左衞門儀、承ニ知其主意一、强て制止之候、最本意を爲ニ申聞一候ば、却て喜悅可ㇾ仕とは存候へども、御手前樣ゑ差上置候神文の手前御座候得ば、假令父子の間にても此儀口外難ㇾ仕、忠孝の間におゐて聊當惑仕候、依ㇾ之自殺仕候、最吉田・近松江以ニ別紙一

不レ申候間、御手前樣可レ然樣奉レ賴候、　恐惶謹言

正月十三日　　　　　　　　萱　野　三　平

大石內藏助樣

といふのであります。これが山科の內藏助の許に屆く頃を見計つて自殺したものであらうと思ふのである。この時が三平二十八歲でありますが、全く忠孝兩全の犧牲となつたといふべきものであります。

後に、一同が復讐を遂げて、細川家へ御預け中に三平の噂をしてゐる。それが細川家に於ける接待係であつた堀內傳右衞門の覺書の中に記されてゐるのである。それには、

一、或時內藏助へ我等申候は、此頃町人共の咄を承り候へば、於二京都一萱野三平と申仁、書置など被レ仕自害被レ致候樣に承り申候と申候へば、內藏助被レ申候は夫は皆ども京都に居申時分之儀にて御座候、存生にて居候はゞ、成程一列に加り申候志の者にて候と被レ申候、其後何れもの咄に、三平父は浪人にて京都に居申候、三平を何方へぞ養子に遣はし候の、奉公を致させ候のと談合有レ之、三平志に叶ひ不レ申、右の通信置いたし、內匠頭一周忌に自殺し候と、若き衆咄し被レ申候事、

といふ風に書いてありますが、尤も父が浪人してをつたやうに書いてあるのは誤りで、別に浪人はしてゐなかつた譯である。併し三平を養子に遣はすとか、奉公させるとかいふことが志に反するので自殺したといはれてゐるが、その當時に於ても、傳がこれだけ相違してゐるのである。たゞ志に叶はぬから自殺したといふ點だけはいづれも同じでありますが、その經緯が一年も經たなかつたその當時に於てすら、これだけ相違してゐる次第であります。

第三章　三平の文學的素養と遺蹟

元來赤穗藩には俳諧の出來る人が多いのである。神崎與五郞にしても、大高源五にしても、その他斯ういふ道に深い人が多い。三平もそれと同じく、非常に俳諧が巧みであつたのである。三平のものとして『蟾蜍賦』といふものが今日萱野家に遺つてゐる。蟾蜍といへば『ひきがえる』(蝦蟇)のことであるが、それを詠じた文であります。その文の最後に、

ひきどのを踏みまどはすなとぶ螢

皐月望日　　　　　　　　涓　泉　稿

と書いてある。涓泉といふのが三平の俳號であります。これに對して與五郞が『後蟾蜍賦』といふものを、竹平といふ號で書いてゐるものが今日遺つてゐる。また『萱野艸』といふ、やはり三平の俳句集が一卷遺つてをります。その中に書いてある句で面白いと思ふものを引いて見ると、

萱の穗を氣の劍なり野路の露

何はさて褒からござれ杜若

といふやうなものがある。三平が死んだのを悼んで兄の利右衞門重通が、

是非もなや名はあげぬれど草の露

と詠じてをります。また當時萱野村に有名な蘭風と號する俳人がをつて、三平とは親しい友達であつたが、三平を悼んで、

靈棚や四十七人狹くとも

と詠じてをります。その他にも、當時攝津伊丹にかけては、非常に俳人が多かつたものであるから、三平を詠んだ句が多く遺つてをりますが、斯ういふやうに、三平は、極く風雅の志の篤かつた人のやうに思はれるのであります。

その遺蹟としては、墓が萱野村善福寺及び庄內村の新福寺等に存してをります。三平の姉が伊丹の一文字屋助三郞に嫁いでをりますが、その子の長好が三平の跡を繼いで、墓もつくり事件後四十年目の元文五月正月十四日に堀南湖(正修)に托して墓誌銘を作り刻しました。その子孫が續いて今日に至つてゐる譯であります。泉岳寺にも刄道喜劍信士なる墓がある。これが宇都宮七五氏の說によると三平の墓だといふことになつてゐるが、この墓が間違へられて、例の劍士村上喜劍などといふものゝ傳說を生んだりしたのであります。されば元祿の事件があつてから六十五年目に、三平も義士の仲間入をさせたいといふことで、この墓が泉岳寺に建てられたといふことであります。

結　論

義士四十七人、いづれも立派な行動の人々であるが、それを外れた三平も忠孝兩全の犧牲となつて自ら斃れ、能く日本武士としての性格を表現してゐるといふことになるのである。さうして、初めに話したやうに、これが世に廣く知られ、その忠孝兩全を描くために、竹田出雲によつて『假名手本忠臣藏』が書かれ、そのうちに早野勘平として山崎街道から、切腹の場面が作られてゐるのである。この脚本が三平傳に似通つてゐるのは、場所を山崎街道にとつてゐることゝ、切腹をしたといふ二點だけで、後は芝居として、大阪新地で女郞と情死した橋本左衞門の話を加味して色づけをしたに過ぎぬものであり

(第四十頁につゞく)

北海道講演旅行の歌

岡　田　道　一

道中及函館第一日

防空の東京をあとに行き行けばたちまち明るき茨城なるも
北海道と大きく掲げし青森の連絡船のホームにあへげる
函館のみどりの山を正面にいま船つきぬきたなきドッグ
われを迎へ北海タイムス旗ふれる社員にまじり阿部博士居る
直ちにもわが車ゆく五稜郭と女子トラピスト修道院なる
函館の七月あつしトラピストの門に咲きたる赤き花にも
歎齋の修女は黒き衣かつぎ永久の生命をたのしむといふ
湯の川の綠館の池にふつふつと湯をたゝへたり緋鯉棲むてふ
歌つくる阿部と義太夫うたふわれと二人たのしや旗亭若柳
おちこちの三味きく枕涼しけれ湯の川の夜は蚊帳をつらぬも

函館第二日

函館の今井百貨店の講堂にわが講話聽くと集る女
講堂の横にはられしヴィタミンを含む食品の我が歌なりし
聲をあげわが歌うたふたまゆらにほゝえましげの夫人もありし
百貨店の支配人が招く晝食の宴の話題も函館大火
旅館なる客引き男とは知らずモーターボートにまわる大沼
君よ見よ大沼小沼わがために二百の島々夕化粧せる
止むを得ず汚なき二階の旅館なる浴衣着て立つ記念撮影
北海の森といふなる漁村驛に急行待つ間を三味にうたへる

唄もあきて町をまわりて濱に出でつ途に停車場のベンチに寢たり
同行のクラブ美粧部マネキンの美代子がわれを迎へし寢臺

小　樽

汽車に寢て小樽へ急ぐ講演の旅明け易き馬鈴薯の花
小樽なる驛に迎へしわが義弟石井博士と豐澤竹廣
小樽なる北海タイムス支局三階聽衆少なく氣乘らぬ講話
日和山千里閣へと案內すと早くも來たる石井夫人は
これはこれ小樽灣をば一望に眺むるもうれしき千里閣なる
二時半に早くも山を下りけりわれ歡迎の義太夫會に
眞打は我が大功記聽衆は講演より多きに氣をよくしたり
汗にしみし借りし肩衣麻着付干すもかなしや旅はことさら
ほつと息し停車場に來て四時に汽車待つ美粧師の一行に入る
また更に汽車に乘り次ぎ旭川北海ホテルの客となりつも

旭　川

アイヌはも竹笹の家に籠り居て木彫細工に專念なるも
むし暑き旭川市の支那事變展覽會に汗拭きあへず
丸勝といふ百貨店の三階の座蒲團涼し衞生講座
少數の婦人を前の熱演や北海道も九十度の晝

四五人の店員服の女まじり聽く會場の姿見うれし
クリームを我れに饗して聽衆の少きをしきりあやまる店主
一汽車を先きにわが乘り奈井江驛に下りて見るなり森永工場
客のため自轉車二臺驛にありわれは得意に乘りてゆくなり
森永のドライミルクの工場の入口にある禁煙の札
岩見澤の驛の前なるカフェーにて永井がおごりし蕎麥の味はも

札　幌

流石にも大札幌や三越の講堂にあふるゝ聽衆三百
親類の山本女史とその友の夫人と連れ立ち行く植物園
札幌の植物園の楡の木の濃き蔭つくる下の休憩
札幌の放送局の家庭講座午後の三時は流石暑しも
ひろびろし酪聯本部整然と立つ建物と人の和見たり
わが禁酒講演きくと女工男工部長も技師も熱に充ちつゝ
バタを食へ牛乳を飲め而して酒と煙草をのむなと吾がいふ
(酪聯本部講演)
札幌の東京庵にタイムスの社長の前にうたふ義太夫
夜更けて電車にあひぬ藥劑師安藤文子の小さき洋裝
圓山の馬場牧場の小山よぢてゴザ敷きて飲みしクリームの味

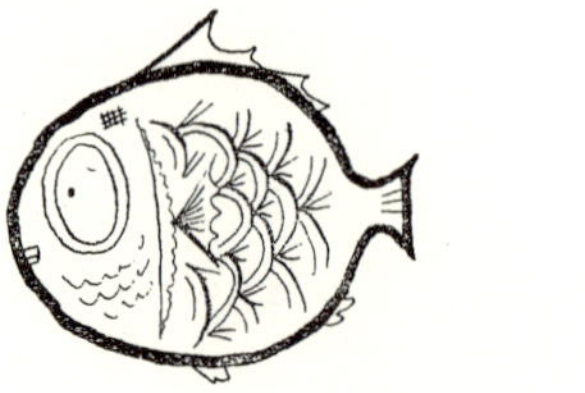

子供のある俳風景
——春の部——

佐藤亞我

春眠をさまたぐる兒を愛しけり　烏一

春眠曉を覺えずの春眠で何となく春の曉はウツラ〳〵と睡いものであります。ですが子供は朝はやくより目覺めて、覺めるが早いか唄を歌ひお喋をします。父親が前日の疲れに一分でも一秒でも眠を貪り度いのに自分の對手になつて呉れと、さては髮を引張り鼻を摘みます。うるさい事この上もないのは勿論ではありますが、今日も亦元氣に目覺めて一日を遊んで呉れると思ひ及んだ時、何かうれしさを感じ、兒がせがむのも無理もないのに思ひ當つて「オーよし〳〵」と起き上るのであります。目に入れても痛くない等と大袈裟の譬もありますが、この句の滑稽にも近い澁々と起き上る父の恰好、子の嬉しさうな顏、そんな春眠不覺曉の一場面を想像してみた時、より一層親子の情の濃かさを感じさせられます。俳句は物事の說明であつても、理窟であつてもいけない、自ら放たれた作者の心絃にふれた大なり小なりの感嘆であつて欲しい。そうした場合それが自然であればある程普遍的であつて、讀む人萬人をして感嘆の聲を發せしめるのだと思ひます。

客の子に假寢衾や春の宵　三豆

「まあ〳〵」と引き止められるまゝ長居をしてゐると、遲々たる春日も何時かトツプリ暮れて、淡い燈火のつく宵となつてしまひました。子供は常家に居るなれば最早夕食をすませて寢床に入つてゐる頃です。他の家ではありますが子供は無邪氣です、夕食を頂いて多少は頑張り「お母さん早くお家に歸りませうよ」と駄々をこねた事でありませうが、晝間の疲れで何時の間にかゴロリと轉寢をしてしまひました。「おや〳〵可哀想に」と主人の好意で假りの寢床が部屋の一隅に延べられました。だが然し饒舌女主客はこれをよい事にして何時果てるともない話に餘念がありません。風もない春宵一刻、軒端近く朧が迫つてゐます。假寢衾の假が如何にもよく効いてゐます。

汐干より今かへりたる隣かな　子規

汐干を知らぬ方はありますまいが、陰暦の三月三日前後の太平洋に面した沿岸は潮の滿干に著しい差を呈します。大汐と云ふのはその差の最も大きい日を云ひますがその汐干の時干潟に出て汐に引き殘された魚貝類を拾ふのを汐干狩といひます。

夕方、その汐干狩に一家總動員で出掛けた隣が、淺利ぢや、馬刀貝ぢや、小海老ぢやと大收穫の嬉びの中にドヤ〳〵と歸つて來たのです。今まで森閑と靜かであつた隣家が急に騷がしくなる、獲物の手柄話、面白かつた話一日の行樂の愉快さが壁一重隣から手に取る樣に傳つて來て、春の日永を一日閉ぢ籠つてゐたのでありませう作者の心に一つの生彩を加へて呉れたのであります。靜から動への飛躍の面白さがこんな所にもあつたのです。そしてこれが芝居や活動であつては何等心に訴る所がありません。「今かへりたる」と云ふのは汐干であつてこそです。バケツの音、砂かき、辨當の空箱等がガラ〳〵と投り出される、草疲れた〳〵と下駄もぬぎあえず座敷に寢ころがる騷ぎはどうしても「芝居より今かへりたる隣かな」なんかでは感得することが出來ません。この光景を自分及び自家のことにせず隣家に持つて行つて讀者により一層想像を逞しくさせてゐる點作者の非凡さをよく味つて見て下さい。そして又一字も子供とは書いてありませんが正しく子供の句であり、子供が全面的に活躍してゐることは面白いではありませんか。

入學兒師の名覺えて歸りけり　白翠

尋常一年生第一日です。親も待つた子も待ち焦れてゐた入學日。この日を第一步として世の子供は學問を授り心身を鍛錬して行くのでありますが第一日は校庭に集ひ校長先生より訓示があり、各自教室に入り、机を覺え禮の仕方を教へる丈けでイロハのイも學問はしなかつたのですが、變化のあつた一日を得て子供は意氣揚々と歸つて參ります、元氣よく歸つて來た子供を見ると母親は心配も吹き飛んで愛しさの餘り色々の事を尋ねます。

「どんな先生？なんと云ふお名前？」

「うん、伊藤先生と云ふんでとても偉いんだよ……」

こゝにも何んの企みもない純眞な母親の婚びがいとも明快に表現されてゐるではありませんか。

入學のおぼつかなくも我名かな　孤村

これは又可憐なる風景であります。若し附添ひの母親が教室の後に立つてゐるなれば我が事の樣に胸がドキ〳〵と動悸を打ち、ハラ〳〵とするに違ひありません。微笑ましい入學第一日の教室の有樣を御想像下さい。

ふらこゝにうつゝぬかして遲刻かな　孤城

ふらこゝは鞦韆・半仙戯・ぶらんことも云ひます。一句の意味は申すまでもなく明白でありますが、餘りの面白さに天までとゞけと始業のベルの鳴つたのも知らずに漕いでゐましたが何やら邊りが靜かになつたので、フト氣付いて見ると校庭には最早誰もゐない、驚きふためいてブランコを乘り捨てゝ走つて行く子の姿が目に見えます。作者孤城氏が先生であることは流石と思はれます。

乙訓に歸る十三詣りかな　青々

乙訓(オツクニ)は京都府乙訓郡の謂で京阪國道に沿ふた藪の多き所であります。十三詣(じうさんまゐり)と云ふのは四月十三日、京都の西嵯峨の法輪寺の虛空藏菩薩へ十三歲の童男童女が參詣して、福德智惠を授るのであります。ですから又の名を智惠貰とも申します。

さて祖父母か兩親に伴はれた子供が、男の子はサツパりと女の子は綺麗に着飾つて參詣して來ます。拜んで頂いてお札を頂戴して、折角來たのだからと茶店で澁茶でも一杯のむ、隣の床几にも智惠貰の子供が來てゐてお團子を食べてゐる、つい「どちらから……」と話が親同志で始まる。

「私は三條で、貴方は？」

「ヘエ、乙訓でして」

「あの、山崎の手前の神足の附近の？……」

これは又遠い田舍から智惠貰の爲めとは云ひ乍らわざ〳〵大變なことだ。子の親でこそ出來ることだと感心してゐる樣が「乙訓へ歸る」と表現してあることによつてよく感得出來ます。

十三詣の傘にも雨の落花かな　句佛

これは可憐な子供達のその日の狀況を示してゐるのです。四月十三日位ひだつたら嵯峨には櫻がまだありますす。生憎お詣の日に雨が降つて綺麗な着物を着た女の子など困つてゐます。水溜りをよけ〳〵、雨に裾を氣づかひながら行く子に櫻の花がヒラ〳〵と降りかゝります。京の春を寫して餘りありません。一幅の畵になります。

風車買うてやるより破りけり　肉齊子

「買うてやるより」の「より」は買つてやるが早いか、直ちにの意味です。これは又幼い二ツ三ツの子供で、ヨチ〳〵步きの時か、背に負はれてゐるかと思はれます。あれを買つてヨォー買つてよとせがまれて、直に破るに極つてゐるとは思ひながら督促(せがま)れるまゝ買つてやると、案の定ビリ〳〵と破つてしまつた。と云ふのでありますがこれがセルロイドの玩具であつたり鉽力製の汽車や自動車であつたら一向に面白くありません、風車と云ふ紙で出來た安いもの、それでこそ破るに極つてゐる無駄とは知りつゝ買つてやつた心も判るし、破りけりと子供の力でも壞され得る狀態、そして又いとも簡單にビリ〳〵と破つて笑つてゐる有樣がよく見えることであります。必ずや風車屋の屋臺に澤山挿された色々の風車は春風にカラ〳〵と廻つてゐませうし、風車屋のオヂサンは驚いて大きな眼を見張つてゐることでせう。

野遊の手はなせば子の天下かな　冬葉

野遊は今で云ふピクニツクです。都會の子供は綠に、山に野に、日光に餓えて居ります。天然自然に接して何やら心のときめくのも本能であります。たゞ何が嬉しいのだと云ふ樣ではありません、飽くまでも高い空、澄み切つた空氣、萬目綠に萠え樣としてゐる山野の中に置かれた時、自から湧き上る歡喜は自然に近い童心なればなる程大きなものがあることでありませう。

「さあ！ではこの邊で一つ……」

と親達は腰を下ろす。その邊で遊びなと云ふが早いか子供達はそれこそ放たれた小鳥の樣に大聲を上げて跳ね廻ります。そんな經驗も自分自身ありますし、又子供達がさうする事もしば〳〵見て居ります。私達俳句に携はるものは、この時の子供の氣持を今大人になつた今日持つて見たい。いやその氣持にならなければいけないと努力してゐるのであります。自然と一つの心、自然に一番近い心に……。

この句の「手はなせば子の」と云ふ句調は實に切迫した感じを與へます。如何にも手を離すが早いかと云ふ緊張した樣が表現され、而もその下に「天下かな」とトテツモナイ大きなものを据えて句調の變化と同時に野山の廣さを巧みに見せてゐる所を御注意下さい。

(第三十四頁よりつゞく)

ます。併しこれあるがために、三平といふものが世に廣く傳へられ、知られて來たのであらうと思ふのであります。

今日では三平會といふものが設けられて、その遺蹟の保存等が講ぜられてをりますが、三平の宅が今日そのまゝ遺つてをります。寫眞について見ると、丁度長屋門で昔の鄉士の家の型がよく見えるのであります。またその筆跡が殘つてありますが、今日三平だけに字の書けるといふことは、中々容易ならぬことでありまして、これだけ書ける人は少いだらうと思ふ。

第十六回全大阪乳幼兒審査會に於ける

母親のメンタルテスト

――産時のまじなひ――

伊藤悌二

◎お産の時どんなまじなひをしたか

――男子を産みし母の答――

中山、成田のお札をうく	一
中山寺のロウソクを立てゝまじなひ	四三
中山寺のお守を戴く	三一
中山寺に參る	二〇
中山觀音をお祈りする	二
中山の腹卷をした	一六
中山寺のお札を頂く	八
中山寺、野崎觀音、大原神社その他の御守りを頂く	一
中山寺の護符を飲む	一
中山の守りと鹽釜の守り	一
中山清荒神からいたゞいたお札を飲みローソクをつける	一
中山寺の御供米を產氣付いてよく戴く	一
中山と地藏の札	一
中山の矢を預き產出の屋根裏へ上げると同時ロウソク	一
壚釜神社の掛軸を飾り中山寺の蠟燭を點ず	二
壚釜樣お守神棚に祭る	一
鹽釜に願掛ける	三
壚釜神社にローソク立てる	一
鹽釜さんお祭す	三
鹽釜神社掛軸に御祈りす	四
壚釜神社にお詣りして中山樣のローソク	二
壚釜神社のお札をいたゞく	二
壚釜神社の御札をまつりローソクを立てる	一

壚釜神社のお札を腹帶に入る	一
天理敎の御洗來を戴く	二
天理敎のおれがひ	一
天理敎のおびやのゆるしを頂く	一
天理敎本部神樣の安產御供三包頂く	一
天理敎の茅屋許しの御供樣を戴く	五
天理敎の產所、おびや助けを頂く	一
天理敎、水天宮、鹽釜	一
子安觀音樣に御燈明をあげる	一
子安地藏樣の千枚ずりをいたゞく	四
子安地藏に參詣	五
子安地藏の腹帶をいたゞく	一
子安觀世音のかけものを致しローソク立てる	一
高野山御札	二
摩耶山	一
日限地藏堂の帶をする	一
個人修養、家庭改善、思想善化、倫理運動の御紙を頂く	一
大師樣のローソク立てる	一
色々	一
むれ上げの時の緒(麻糸)を床の下にしく	一
初湯の時お酒を入れる	一
水天宮の小さい紙のお守りを飲む	三
水天宮樣のお札を頂く	二
水天宮お守をのむ、中山寺のローソク立てる	一
安產の神樣のローソクの光を見てゐた	一
神樣の御札と船の進水式の時のサヽエ紐	一
胎敎三婦法を受けその時受けしお札をいだかしむ	一
堺方違神社岩田帶、金光敎にお願ひ	一
夜泣きしないようにとカニバヽを半紙につゝみ水引をかけて便所のすみに釣る	一
神樣にお祈り	一一
神佛に祈る	七
伏見稻荷のロウソクを立てる	三
大川神社の安產のお守を戴く	一
清荒神さんのおまじなひのお守を頂く	四
守護身に御願ひする	一
金光敎に御參り	四
日限地藏のロウソクを立てる	一
お產の時ロウソク立てる	二
伊賀の上野の久米の子安地藏さんの腹帶を受ける	一
故鄕のお產の神社の御供米を頂く	一
お產の神樣からお守りを頂いてお祭	三
お產の神樣と氏神樣にお祈り致す	一
氏神樣の神社の砂を床の下に敷く	一
中禪寺の安產守りを三回コップに水を入れた處へ移して其れを頂く	一
代々傳はる安產の守を頂く	一
氏神樣のお光を上げる	一
佛の札を飲む	一

神米を戴く	一
ほうづきと生の初卵を喰べる	一
氏神樣の札	二
神樣に御燈明を上ぐ	六
尺を床の下に入れる、頭髮の拔けぬように食鹽を少し頭髮に入れる	一
地藏に願をかく	一
神佛に御燈明を上げる	一
地藏樣をお祭りす	一
般若心經	一
九ケ月目の九日に甘酒を飮み便所に燈明を上ぐ	一
東向にお產	一
ホーキを祭る	三
安產のローソク立てる	一
淡島樣のお祭り致す	一
神樣の御札を戴く	三
住吉神社のお守をいたゞく	一
神社に腹帶うく	一
御守札を戴く	三
大師の千枚通し二枚飮む	三
床の下に物指入れる	二
氏神樣に御祈禱して貰ひました	一
產婆からトンプク戴く	一
稻荷のサン婆のローソク	三
產土神に御願をする	一
乳の出るやう、ごぼうの種とくちなしの種をのむ	一
生長の家の聖住をとなふ	一
熱田神宮の札を祭る	一
野崎觀音樣の御守を身につく	一
阿彌陀樣の腹帶を常に卷いてゐた	一
船おろしの餌を喰べる	一
京都松ケ崎にあるお明神樣のお砂を戴いて來て床の下に入れる	一
地藏尊の守り白アサ、赤木綿たすきをする	一
守りを受け洗米を戴く	二
寺院の御守を飮む	一
大師の安產御守を戴く	二
春日神社の御守を頂いてそれにてさく	一
石山寺の安產の御砂を受く	一
大師樣へ姙娠から出產まで一日チベンの眞言を唱ふ	一
枕の下に御守をしてれる	一
觀音樣の御守をはだにつける	一
安產の御守を持つてゐた	二
安產守りに献燈	一
安產する樣產土神へ參る	二
安產の札を飮む	一
安產御守を寢間に祭る	一
柚の種三粒黑燒にしてのむ	一
安產の御札をお守りに腹帶に封じておいた	一
高津境內安井稻荷へお參り	一

早馬樣を祈る	二
親戚から守りを戴く	一
七ケ月目のお朔日から一週間お精進す	一
佛の名唱ふ	一
大神に安產のお願ひしたのみ	一
大師の札戴く	一
大豆の半割に人の顏かく	一
皿御符	一
豆を割り伊勢とかき食べる	一
まじなひの實飮む	一
出產人三日、二日にブジをした	一
石山寺の札を頭にのす	一
相撲の時、土俵の上のつなをせかしく頂き力がつく樣おしへられ知人より頂く	一
金光敎さまのお副先さんを水で戴く	一
金光敎にお願をかける	一
あわしまさんの守り	一
成田、石切のお守り	一
御產の時五十鈴川の石を持つてゐた	一
安產祈禱のお札を天井裏へ貼つておく	一
神に信仰してゐる	一
選の方向むいて座せり初水をその方面に置く	一
安產祈願を御祖先へいたす	一
御祖師樣に每朝夕安產を御希ひ申して居る	一
菊の花瓣を二三枚のむ	一
腹帶のみ	一
ホーキでまじなひ	一
稻荷のローソクを上げ拜む	一
每夜地藏樣に參る	一
腹帶に四國產寺地藏尊守	一
加古川日岡神社に參り守り戴く	一
石切神社の御札を布團のえりに入れてまじなひ	一
住吉の子安地藏の腹帶を戴く	一
摩耶前夫人の御守りをいたゞく	一
安產神から載いたローソクをたく	一
白學神社御守り	一
所々の神に願をかける	一
觀音の札を戴く	一
何も致しません	九八一

合計千三百二十五人

――女子を產みし母の答――

中山、鹽釜等のお守を頂く	五八
中山寺のローソクをたてる	四五
中山寺の御腹帶をする	一九
中山、鹽釜等の神を祭る	八
中山、鹽釜の洗米を頂く	三
神に安產を祈る	三九

水天宮、中山寺一服拝用	六
阿彌陀、中山、金光、不動にマジナイ	四
卵を一個のむ	二
便所にローソクをたてる	二
鹽釜、天神の据石をつかむ	二
刀を下にしく	一
舟のナワを床下にしく	一
弘法大師の衣をいたゞく	一
初湯を早くからわかす	一
節分の豆に男とかきそれを呑む	一
地藏尊の釣鐘	一
豆を二つに割り(伊勢)とかき呑む	一
囚人のつくつた小さいワラジを床の下に敷く	一
熊の膽を母の臍にあてる	一
長男の時父が外出したので母も外出す	一
角力の土俵の土を床の下にしく	一
右足の親指の隣の指にヤイトを三つすゑる	一
蒲團の下に古いコウモリ傘の柄を入れる	一
家傳の藥湯を呑む	一
天理教オビヤユルシをして頂く	一
何も致しません	五四一
合計	七百四十四人
總計	二千〇六十九人

この母この子

川口信教

少年教護の方策は對機説法であり且つ應病與藥的である。あくまでその個性に適當したる教護の方法を採らなくてはならぬ。小學教育の如く一齊指導を以つて臨んでは教護院の教育や生活は出來ないのである、これは相異の著しい此種兒童に對して當然の處置である。故に私達はその個性のよつて來る所の原因を究明して之が對策を講ずるのである。

今箸にも棒にもかゝらぬH君に對して私の採つてゐる方法を左に述べる。

娠妊中冷酒

先づ順序としてH君の生立ちを申せばH君には適當な父がない。母がまだ十八歳の小娘の頃、女給として働く中或る男に欺かれて同棲した。その後で判つたことだが、この男は所謂やくざと稱せられる男で前科者であり、一定の職もなく唯ぶら〳〵ブローカーの樣なことをしてゐた、その時母の胎内に宿つたのがHである、母は苦悶の餘りその男と別れたくなり、腹の子の始末に困つて恐しい企てをした、その企てが成功してゐたらHはこの世の者ではないのだ。その企てとは冷酒を多く呑んでその目的を達するにあるが、これは醫學上失敗に終るのが當然である、こうした胎生中不良感動を受け乍ら生れたのがHである。その後母の元から父の元に行つて幼兒時代を過したが、繼母から虐待を受け體罰を受けたので、五歳のとき母方の祖母に育てられた、母は今に女給として生活してゐる。

五歳兒に相當

Hは現在十歳であるが、然し知能指數五十六であるから知能年齢五歳に相當する、一言に云へば五歳の幼兒と思へば差支はない。實際に泣く聲のみを壁越しに聞くと四五歳の幼兒としか思へぬ。

私はHに對する教育は五歳の幼兒と心得て取扱ひ、家庭の生徒にも、その旨申渡してゐるが、十數名の兒童の中には時に自分等と同一に見て色々とHをいぢめるので、その度にHは怒つて泣き駄々をこねる。

異常行爲

1　自分の氣に入らぬことがあると、物をなげすてる、なげるものがないと自分の着物をぬいでまでなげすてる。

2　風呂桶の中に入浴中立つて放尿する。
3　風呂の湯や便所の手洗水を呑む。
4　壁土をむしつて食ふ。
5　紙や石、鼻糞等を絶へず口に入れる。
6　時には蛙をとつてそのまゝ口に入れる。
7　大小便を廊下や座敷にたり放す。
8　發言不完全で總て片言交りである。
9　土の上に平氣で座つたりすべつたりするので、絶へず洋服特にズボンを汚し且破る。
10　講堂や教室で腰掛けるとすぐ居眠るが、そのくせ夜の寢付悪く午睡は少しもせず。
11　すなほに動かぬ、無理に引き立てるとしやがんでひきずられるを常とする。
12　掃除作業等勿論出來ない、する眞似をせず、せやうとも思はぬらしい。
13　かつて或る先生が彼を叱ると、家庭に歸つてうちの先生に云つてやると云つてをどかす。

取扱法

こんな子供を多くの子供との共同生活は考へもので、却つて悪化する嫌がないでもないが、又一面皆で注意して彼を少しでもそんな無軌道な生活から救ふことも出來る得もある、先づ第一他の子供に嚴重に申しつけてHに相手にならぬこと、そして無軌道な行動を監視すると共にそんな場合は直接職員に申して、お互に注意せない樣にすると隨つて物をなげ捨てたり風呂の中に放尿せなくなる。又汚水を呑むことについては他に清水を用意して之を呑ましめ汚水の穢いことを知らしむるに努める。又入浴前に充分放尿せしめるに努め、異物口にすることもその不衞生を訓し知らしむに努め、又大小便のことについては努めて腹をこはさぬ樣要心し腹を冷さぬ樣努む。土の上に座つて服を破るについては、教室家庭とも人をつけて之を導き、時に一定の位置に靜座せしめることもある、すなほに動かぬことについて教師自ら之を指導し反復練習し、掃除等の作業も他の生徒の眞似をなす樣訓し、且つ之れをする迄職員が付添ふ。居眠りについては起立せしめ、午睡は靜座によれば直ちに眠りに入るのである。

氣長く見守る

かくて入院以來八ケ月努力を重ねつゝあるが、木石にあらざるHも遲々ではあるが學院生活になれて來る樣に思はれる。殊にHは返事だけは一人前と云はれる通り、實に氣持のよい返事をする癖がある、これが彼の唯一の長所である。この長所を延ばして順次從順な心を育てゝ行けばよいと思つてゐる。

その中に年齢も長ずれば自然常識も出來人の眞似してると人並になることだらうが、先天的の大原因については一朝にて治癒出來ないが總て氣長くその成長を見守ることゝする。

お母さんが幹事で不良魔から救ふ

幼兒の家庭組合結成へ

戰時は少年の犯罪が增加するといひますが、物資節約が子供の生活にまで影響して來ると、おやつや遊び道具の不足となつてあらはれ、殊に模倣性の強い幼兒の世界には持てるものと持たざるものゝ對立が尖鋭化します。持たざる幼兒の不滿が反抗心から、亂暴な行爲となつて現はれるのが百人のうち十三人、學校の無斷缺席が二人、家の物品を無斷で持出すもの二人、怠惰浪費が三人、家出浮浪七人といふ割合です。その原因は單に持たざる不滿ばかりでなく、戰時で家庭が忙しく監督不行屆きや、警察も子供の不良行爲にまで手が廻りかねること、學校の先生も應召して手が廻りかねること、勞働力不足で過激な勞働につく少年が、生活に倦怠感を覺えること、などの社會的の種々な原因がありますが、これらの不良傾向を未然に防止するためにも幼兒の家庭組合は必要です。晝間お母さんが外に働きに出る家庭には託兒所がありますが、幼兒家庭組合は、常設的な集合所をもたぬところに、却つて面白い特徴を發揮することもできますし特別變つた玩具を一人、二人に特たせて他の持たざる子供を刺戟するやうなことは避けられると思ひます。そして組合の子供たちを五人組制度のやうに團結させ、幼兒を脅追する惡い不良兒を發見した場合は、すぐ幹事から警察へ手紙で報告するやうに努め、近所からはこれを機會に斷乎として不良兒を一掃しなければいけません。不良兒の發生を年齢的にみると、七歳くらゐからはじまつて十一歳が最高潮、東京府下でも毎年四百人ほどあり精神檢査の結果保護所へ收容するのはその一割ですが、不良行爲を我儘だと勘違ひして默認するため、一層不良性をおびる子供がありますから特に注意が必要です。かうした子供は智能の足りない精神薄弱兒とちがひ、學業成績も惡くはなく、たゞ感情と意志が不調和のため偏質になり、段々子供の社會生活に滿足できず不良化して行くのですが、一般にはまだ我儘な子供と考へられ、多少被害をうけても默認されてゐる形です。ドイツは歐洲大戰四年目に不良兒が倍加して、十萬にのぼりましたが、わが國としてはかうした不名譽をくり返さぬやう、まづ家庭のお母さんたちが戰時の子供生活を指導するためいま力強く立上る覺悟をもたねばならないでせう。(東京府社會課　朝原梅一氏)

保育上の體驗を語る（二）

司會　大阪市立天王寺市民館長　前田貞次
主催　大阪保育研究會
會場　大阪毎日新聞社

出席者

西村眞琴博士　永井愛子　間淑子
物部操　菊川悅子　服部まつ代
梶岡邦榮　茨木てい　松山きよ子
南榮子　宮木淳子　櫛田敏子
秋元登志子　金田小好　藤本政義
谷政佐枝　靑木良子　黑田正美
豐田次雄　前田貞次

研究問題

1、保育上の失敗に就いて
2、事變下に於ける保育に就いて特に考ふべき點
3、何故保姆は社會から重要視されないか
4、家庭に歸ると破壞され易い躾を保たせる良法如何

前田　今日は恰度支那事變が起りまして滿一年に當る日で、然も研究問題も、事變下に於ける保育上の事でありまして、意義深いことゝ思ひます、皆さんも時局を一層深く認識せられて、いよいよ保育報國に盡されんことを茲に更めてお願ひ申します。

黑田　偏食の子が多いやうであるが、この偏食から生じる弊害といふものは決して尠くない、で偏食をさせないやうすること、之は幼兒が嫌な食物でも辛棒して食べるといふ、忍耐力を養ふ上に於ても効果があると思ふ、小さい事のやうであるが、事變下に於ける保育に就いて考ふべき事だと思ふ、又もう一つはラヂオが小學生に對して、國民精神を養ふ上に必要な講話の時間が設けられてゐるが、小學生に限らず、幼兒に對しても、この種の時間が欲しい。

金田　今我國は、蔣介石と戰つてゐるので、支那の良民とは戰つてゐないから、支那を侮辱するやうな言語動作があれば之を革めさせ、寧ろ支那と仲良くしやうといふことを保育の領域にも取入れたいと思ふ。

前田　支那の幼兒と提手する方法を講じてはどうか。その方法として本會關係の幼兒より支那の幼兒に何か贈る、先方からも贈つて貰ふ、斯くして支那と日本とが幼兒の時代に握手するやうにしたらどうかと思ふ、若し之れがいけないとすれば、大阪在住の支那人の幼兒と提手しても良いと思ふ。

秋元　時局に鑑みて幼兒に貯蓄心を涵養させる爲に毎日いくらかづつ貯金させてゐる。

菊川　幼兒に金の有難味を自覺させる爲に無暗に使ふ小遣錢の如きを儉約させるやうに努めてゐる。

金田　運動靴、上衣等現に用ひて居る物を修繕させるやうに導き、新品の購入を差控へさせるやうにしてゐる、これは自分自身の利益の爲めばかりではなく、皆お國の爲めになるのであると言ふ事を幼兒の頭にも泌み込ませる樣にしてゐる。

秋元　廢物利用をさせては如何、例へばハトロン紙の如き紙を以て折紙をして使はせ一番最後の時に良い紙を一枚與へるといふ事にしては。

松山　勤勞奉仕の念を植付ける爲に掃除をさせてゐる。

間　どの程度の掃除であるか。

松山　こちらがする掃除を手傳はさせる程度である。

金田　私の方では人數も少い關係から何も彼も自分でさせる事にしてゐる。

谷　私の方では幼兒に時局を認識させる爲に保育の始まる前に默禱させてゐる、又家に歸つても寢る時に出征兵士の爲めに感謝の意を表させる爲めに祈る事を敎へてゐる。

前田　保育の家庭化が必要と思ふが如何、例へば如何に保姆が懸命の努力を拂つても家庭へ歸ると破壞され易い、故に家庭と協力してやられば効が少いと思ふ、然し家庭との聯絡と云ふても事實は仲々困難であるから保育の一部を家庭に於ても負擔して貰ふ、その一例として偏食矯正の方法として副食物を當方からお願ひして家庭に於ては保育所の要求通りのものを持たせて來さすやうなものである、折紙其の他萬事その式でやればよいと思ふ。

永井　裸にさせたいと思ふが如何、裸にすると健康上良いと思ふが親や世間が何か行儀の惡い樣に思つて仕方がないがどうであらうか。

西村　日光浴に中心を置く樣にしては如何、紫外線に當らせる樣にすればよい。

金田　裸は良いが秋口を注意しなくてはならない。

黑田　子供は保姆を信頼してゐるか、親を信頼してゐるか。

永井　地區に依つて違ふ、或所では「先生が無理を云つたら、お父さんに云つてやるから」等と云つて暗に保姆を輕視するの風がある、私がスキップを敎へてゐた時の事である、親が大變喜んでゐた、所が二三日して一人の母が來て保育所に預けて置けば安心だと思つてゐたのに、私の子供はスキップの時に倒れて右頰が膨れてゐる、大變困りますと云つて來た、こんなのは親の無理解な點で困る、この子の頰の膨れてゐるのは耳下腺炎だと思ふ。

前田　保育所を子守學校か何かのやうに思つてゐる爲め保姆の任務とか責任とか言ふ點に就いて、尠しの理解が無い、スキップして右頰が膨れるとか、膨れないとか言ふ問題はさて措いて、私の子どもが、こんなことになりましたが先生どうすれば良ろしいでせうか、と言つた風に、懇に相談をしかけて來るやうに、も少し保姆に對する理解が望ましい。

次は保育所を出ると、壞れ勝ちになる良習慣を、どうすれば壞れないやうにすることが出來るか。

永井　子供を送つて行く時に連絡するやうにしては如何であらうか。

菊川　それは家庭訪問の時に、家庭と連絡を取れば良いと言ふお說があつたやうでありますが、然もその連絡方法も子供を家庭

へ歸すときにしてはと云ふことでありましたが、洵に理想的でありますがそれは實行困難ではないかと思ふ、何故ならば、假に十人の幼兒を送つて行つて、その一人一人の家庭に這入つて訪問の仕事をするとすれば、初めのこどもは良いが九人目十人目の子供は、全く疲れ切つて終つて可愛さうでもあるし、永く續くものではない。ですから私の方では、通信連絡を行つてゐる。又母の會などをも利用してゐる。

前田　問題は少し違ふが、母の會の出席率の惡いのは何故であらうか、事業所のやり方が惡いのではないか。

（一同意見の發表を見ず）

菊川　通信訪問、賞讃の表などを作つて家庭に援助を願ふ。

黑田　結局、父兄側の容子をよく見て、通信なり訪問なり、賞讃の表等を作つて、手まめに、然も根よく盡すのが、良くはないだらうか、それが私達保姆の務めであると思ふ。

豐田　自分の方は二年保育のこども丈別にして、他は、保姆さんが園へ通つて來る道の幼兒をその保姆さんの組にして、そして絕へず家庭と連絡をしてゐる。又、母の會の話が出ましたが、この母の會とか父兄會を開いて、一番苦心するのは。どうして、多く出席して貰ふかといふことで、自分の方のお母さん達は皆、若夫婦なので留守居が無い爲め隨つて、母の會などに出席が出來難いそこで、自分の方では春の遠足會の時に父兄同伴を願つて、又夏には醫者を招いて健康診斷を行ふときにも來て貰ふ、又秋には一學年受持の小學校の先生に來て貰つて色々の注意を聞いたり質問したりして貰ふことになつてゐる爲め、此の場合にも父兄に來て貰ふことにしてゐます、又　皇太子殿下の御誕生日なんかでも父兄を呼んで共にお祝ひするといふ風にして、そこで、連絡の仕事を役立たせることにしてゐる、又時間のある限り、私が訪問して、子供さんの爲に、園の方に何か要求はありませんか、お叱りを受けるやうなことはありませんかと云つて廻つてゐる。

前田　御意見はまだ、澤山あることゝ思ひますが今日はこの程度で會を閉ぢることに致します。

賢いお母さんは子供たちにも仕事を

子供を良くしつけようとするならば家庭内の仕事を子供にも分け與へて下さい、二人以上の子供があるならばめい〳〵に適當に仕事を分配して下さい、具體的な仕事を少しも與へずにしつけようとしても恐らく無駄でせう、二人分の仕事を一人で切廻すお母さんは勿論働き者で、えらいお母さんには違ひありませんが、若しも心から子供のためを考へるならばその二人分の仕事の一半を三人なり、四人なりの家族に公平に分配するだけの賢さを持つたお母様であつて欲しいものです。

この家族といふ言葉のうちにはお父さんも一役買つてゐなければなりません、しかし家庭内の仕事を子供達に上手に分配するといふことは中々むづかしいものです、簡單な樂な仕事から始めて段々に複雜なもの、分量の多いものへと進めて行かねばなりません、そしてその仕事を通じて良いしつけをするのです、たとへば女の子にはお膳の後片づけ、お客樣の取次などといふ仕事を與へ、男の子には庭掃除、風呂の水汲みなどといふ仕事を與へるといふやうに年に應じ、體力に應じて公平に分けてやることが肝腎です。

一體に子供をしつける場合、何々をするなと消極的に出るよりも、何々をせよと積極的に出た方が遙かに効果があるものですが、假に子供の惡い習慣をなほす時でもたゞ口先ばかりで小言をいつても駄目です、仕事を與へ、その仕事によつて知らず〳〵のうちに矯正することが早道です、仕事の中に命令も規律も含まれてゐるやうに仕組まねば駄目です、この意味から朝寢坊で困る長男には毎朝小さい弟を起して着物を着せるといふ仕事を與へ、これに責任を持たせることは、たゞ叱つてばかりゐるよりもどれだけ朝寢坊矯正に効果があるか知れません。

又慌て者の長女や不作法な次女をしつけるためにお客樣の取次をさせたりお茶の接待に出したりすることは小言を十遍繰返すよりも利き目があるでせう、かうして家族めい〳〵が年齡や性別によつて公平に仕事を分擔し、延いてはこれまで女中を置いてゐた家庭で女中の必要がなくなつたとすればそれこそ一石二鳥ではありますまいか、子供達に何の仕事も與へずたゞ頭から兄弟喧嘩はよくないぞとか、いたづらをしたのは誰だとか怒鳴つてゐても平和は到來しますまい。

この點世のお母さん方によく考へて頂きたいと思ひます、それに仕事を家族全員で分擔することは子女敎育の立場からだけではないのです、家庭の幸福を打立てるためにも父母、兄弟全員が公平に仕事を分け持つべきだと考へます、朝植木に水をやることでもよい、夜雨戶を閉めることでもよい仕事がなければ工夫してでも子供に出來る仕事を作る位でなければいけないのです、子女のしつけは家庭生活の高尚な目的に訴へて行はねばならないものなのです。（東京精神衞生研究所長今村正一氏）

青年の時代的使命（講演）

元文部大臣　平生釟三郎

日本は今支那事變を通して新しき東亞の建設に邁進せんとして居ります。所謂東亞の新秩序建設と云ふことは、單に日本と支那との間の紛爭を解決して兩國の間に平和的提携を招來すると云ふだけではなく、それは東亞の現狀を打破して支那の自立と安定の上に東亞の新しき平和と繁榮の秩序を建設しようと云ふ洵に重大なる意義をもつて居るのであります。言葉を變へて申しますれば過去百餘年に亘つて西歐諸列强の勢力のもとに半ば植民地化され、その政治的壓力や經濟的搾取乃至は思想的攪亂によつて絕えず國內的動搖をつゞけ東亞民族としての自覺さへ失つて居る支那を、歐米の羈絆から解放して支那四億の民衆の更生と發展を贊さんとするものであります。斯くして更生したる支那と日本との新しき强固なる協力提携の下に、久しく埋れて居た東洋文化の復活を圖り、これまで歐米諸列强のために利用されて居た資源や勞力を東亞民族自らの福祉のために開發し運用して、日滿支互助連環の强固なる基礎の上に東亞永遠の平和と繁榮を招來せんとするものであります。

日本と支那とはもと〳〵歷史的にも地理的にも一つの共通な運命を有つて居るのであります。歐米諸國にとつては支那の政治がどうであらうが、民衆の生活がどんな狀態であらうが、要するに自分たちが利潤を搾取するに好都合でありさへすればそれでよいのでありますが、日本は支那と隣接し、支那に政治的、經濟的或は思想的動搖が起れば直にそれが日本へ波及すると云ふ樣な關係にあるのでありまして、歐米の諸國とは根本的に事情を異にして居るのであります。支那の民衆の生活が安定し、國內の秩序が維持されて居るのでなければ東亞は常に安定性を缺き、從つて日本は心配の種が絕えぬと云ふわけであります。か樣に日本と支那とは密接不離の關係にあるのでありまして、兩國民の親和協力と云ふことは東亞の大義であります。

然るに蔣介石はこの東亞の大義を理解せず、自己の野心のために抗日政策をとり、徒らに英佛ソ聯などの外來勢力を藉りて無謀なる戰を挑み今回の大事變を惹き起した次第でありまして、若し蔣介石がこの東亞の大義を踏み誤らず、この大事變に消耗されつゝある兩國の量り知るべからざる國家的精力——國家的エネルギーを東亞の興隆のために注ぎ得たならば、今日戰亂の危機に脅える歐洲に對して、東亞の牢固たる安定と勢力を誇ることが出來たでありませう。否寧ろ歐洲の危機は發生しなかつたかも知れません。

斯樣に考へますと吾々は亡國の梟雄蔣介石とその一黨を、日本のみならず東亞民族の敵として一日も早く潰滅せしめねばならないのであります。

素より御稜威のもと忠勇なる皇軍將兵の奮鬪により、蔣介石政權の崩壞は最早時日の問題であると確信いたして居るのであります。然しながら東亞の新秩序建設と云ふことは實に容易ならざる大事業でありまして、之を仕上げるには吾々は今後幾多の國家的艱難を克服してゆかねばなりません。世界戰史にも未だ曾てない程の廣大なる地域を征略して蔣介石軍閥の絕滅を期すると共に、一方では治安を回復し經濟的建設を行ひ國際關係を是正して行かうと云ふのでありますから、從來の戰爭と云ふ樣な概念では到底割出すことの出來ない大事業であります。外國では「日本はまるで算盤の取れぬ戰爭にどうしてあんな大犧牲を拂ふのだらうか」と云つて居る者があると云ふことを聞きますが、今回の事變は利害打算などを超越した日本並に東亞民族の運命に關する不可避的な戰爭でありまして、この事變の意義は日本人でなければ到底理解されるものではありません。

この極めて困難なる事變を解決し興亞の大業を完成するためには吾々國民は擧國一體の牢固たる決意を堅持すると共に日本民族が未だ曾て經驗したことのない偉大なる力を發揮しなければならないのであります。この爲には私は、國民が先づ以て今事變の眞の意義をはつきりと把み、國民の一人々々が日本の運命を背負つて立て居るのだと云ふ、しつかりした國民的自覺、國民的信念を有つことが最も大切であると信じます。

前線にある皇軍將兵は身を挺して國難に赴き、その勞苦辛酸は到底想像も及ばぬほどであります。その滅私殉國の奮鬪が偉大なる戰果となつて現れて居るのであります。翻つて銃後國民の生活を見ますのに、その生活態度は果して前線の將兵と步調がピッタリ合つて居るかどうか、と云ふことに私は多大の疑念を抱くものであります。都市に於てはデパートの賣上高は大增加をなし、芝居や映畫館や相撲場などが滿員の盛況をつづけ、殊に料理店などは非常な繁昌振りだと云ふことを聞きますが、之が果して、銃後國民の健全なる生活と云へるでありませうか。斷じて然らずであります。

日本は幸にも食物が豐富で自給自足が出來、また一つには空襲の脅威を受けたことがないため、國民は世界大戰當時の歐洲の諸國の樣に悲慘なる戰禍と云ふものを直接味つては居りません。然しながら我國は戰爭に直接必要ある物資は決して充分とは申せません。國家の財政も經濟の實體も決して國民の浪費や享樂が許される程餘裕ある狀態ではないのであります。如何なる精銳を前線に送つて居ても銃後の國民が精神に弛みを生じ、或は軍需インフレに醉つて享樂を追ふ樣になり精神と國力の消耗を來す樣なことが萬一あるとすれば偉大なる戰果も一朝にして崩壞するのみならず、邦家自らの衰退を招く樣な恐るべき事態を招來せずと保證出來ません。

でありますから、我々は事變を解決し興亞の大業を完成するまでは、充實せる緊張とどんなことがあつても之を持ちこたへると云ふ固き信念をもつてこの國難を克服して行かねばならないのであります。この確乎不拔の國民的信念こそ我國の運命を打開する唯一つの鍵であると私は信ずるのであります。

然らばこの國民的信念とは何か。國民的信念とは卽ち吾々日本民族の悠久なる生命を貫くところの日本精神を體得することであります。日本精神とは之を一口に云へば、吾々國民が一切を　天皇陛下に獻げ君國に殉ずるの精神であります。このことは三歲の兒童と雖も辨へて居ることでありますが、本能的な愛國心、衝動的な愛國心と云ふものは素朴であり强烈ではありますが、それは永續きするものではありません。

吾々が長期に亘る國難を克服して行く爲には世界に無比なる國體の尊嚴を充分理解し、建國の大精神と、そして吾々の民族的使命を充分自覺したところの眞の日本精神を體得し實踐して、偉大なる力を發揮しなければなりません。申すまでもなく我國は萬世一系の　天皇を中心と仰ぎ奉り　皇室を宗家と仰ぎ奉る君民一體の一大家族國家であります。つまり　皇室は我々の御本家であり、天皇は大御親であらせられるのであります。でありますから　陛下に忠と云ふことは卽ち國家に誠を盡し國運の隆昌を圖ることに外ならないのであります。從つて忠の道を行ふと云ふことが吾々臣民の生きる道であり、父母に孝養を盡すことも夫婦相和することも朋友相信ずることも、凡ゆる道德はすべて忠の道に歸一するのであります。之が西洋の諸國と國體を異にし國民精神を異にするところであります。

個人の集團を以て國家とする外國では、君主は德あるものが位につくか或は權力によつて支配者となるか、又國民の意志による選擧によつて主權者となるかでありまして、德を失ひ權力が衰へ或は衆望を失へばその位を逐はれるといふのが各國の歴史に繰返されるところであります。從つて君主と人民との關係は權力と服從の對立的關係にあるのであります。西洋に個人主義や權力思想が發達し、個人あつての國家と云ふ樣な思想が生れたのも其の國の成り立ちから蓋し當然のことであつて、絕えず革命や滅亡によつて國家の命脈は斷絕し、一つの土地に相次いで幾つかの國家の歴史が發生して居るのでありまして、我國の樣に建國の精神が無窮の歴史に一貫して永遠に存續すると云ふ樣な國は一つとして存在しないのであります。

最近獨逸や伊太利に於てしきりに民族主義や全體主義を高揚し、從來の個人主義を淸算して民族全體生命、國家全體生命と云ふことを指導原理として國運の興隆を圖つて居りますが、我國は神代の昔より渾然たる君民一體の炳乎たる國體を擁し、二千六百年の輝かしき歴史と傳統を誇り得ることは、吾々の最も光榮とし幸福とするところであります。日本が極東の一島國でありながら未だ嘗て外國の侮を受けたことなく毅然として神國の尊嚴を保ち、よく大陸の文化を攝取醇化して日本文化の創造發展を遂げ、明治維新の天業恢弘を契機として世界的發展への一大躍進をなしたことは、之れ全く萬邦無比の國體と光輝ある歴史によつて培はれて來た日本精神の發露であると信ずるのであります。

今や我國は未曾有の大事變に際會して居りますが、之は日本民族の大陸發展のために避ける事の出來ない一つの段階でありまして之は偶然の出來事ではなく、神武天皇が御詔勅に「八紘を掩ひて宇と爲むこと亦可からずや」と仰せられた、八紘一宇の、肇國の大理想を顯現すべき歴史的必然であると考へられるのであります。

斯の如く我國の歴史を通じて今事變の本質を眺め、又世界現狀から今事變の實體を觀まする時、今事變のもつ意義は頗る重大でありまして、吾々の歴史的使命も亦誠に遠大であります。吾々は今事變の意義をハッキリと摑み、日本精神に徹した確乎不拔の信念をもつて事變を克服し、興亞の大業を成就しなければなりません。しかもこの大業たるや今後幾年、幾十年或は幾百年を要する大事業でありまして、この民族的使命を達成するものは國家の若き生命力である青年諸君であります。

理想は天上にあり、實行は脚下にあり。私は青年諸君が以上述べました信念をもつて學を修め業を勵み、各々其の立場に於てその使命を實踐されることを切望する次第であります。

最後に私は東亞の諸民族を撫育、指導して皇德に浴せしむるものは日本民族の外なく、而して自らを賴む民族の力こそ絕對であると云ふことを附言して私の講演を終ります。

相摸野秋思

平澤壽子

溜息も少しまじるど思ひゐぬ煙草のけむりゆるく吐きつつ
おのづから心昂る日もありて置き捨てられしままの書かな
杯をさらばまぎるる夜もあらむうなじを垂れて秋風をきく
秋たけてなほ慕ひよる蟲のあり灯とはさばかり美しきものか
人の世を厭ひて家に籠れどもわれや蟲にもならぬものかな
里籠りわがつれづれの明暮れは日記書くことも嬉しきひとつ
里住みの侘びて籠れるこの一と日決闘狀さへ來よと願ひぬ
思ふこと月に訴へばいつしかに心やすまる足柄の里
子をひとり欲しと思へり一人して生くる女の道歩みつつ
われも人も傷つけまじと思ひ居し理想主義者の敗北の秋

防波堤を歩めば秋の空澄みて房總半島きはやかに見ゆ
眞鶴の岬みさきの黑ずみて月のぼるべく沖晴れにけり
麥畑を聲高にゆく人の群れ月に送らる芝居のかへり
なにごともわが過ちとなしはててラヂオきき居り去年の此の夜を
いつまでかその面影のわが胸に生きむとすらむことを怖るる
おこなひも言葉も過ぎずいささかの胸のおもひは神も許させ
小夜更けてもの言ふ人もなきままに默してひとり帶解きにけり

小田原城趾にて

そのかみの二の丸ときへ小春日の圖書館の卓の淡き溫もり
關東と關西軍の戰蹟の圖面を見つむややおごそかに
天主閣趾に登れば風出でて秋の日速く傾かむとす

青年期の體力養成

職場と體力養成

大阪帝國大學教授
醫學博士 梶原三郎

誰でも知つてゐる所だが、醫學的に見ても亦青年期は體力養成の最も必要な人生の期である。この期の生活如何が將來の體力に大きい影響を及ぼすものである。しかし國民の大多數はこの期の大部分を職場で過さねばならない事情にある。從つて國民の大部分は自然最も適切であると認められるやうな體力の養成をこの期間に受けてはゐないことになる。それぱかりではない、吾々の云ひなれてゐる體力と云ふ言葉さへ、自然人が持つ體力と云ふやうなものではなく、むしろ社會生活が要求する無理な順應に耐え得るやうな肉體的力と云ふやうなものではなくて、むしろ社會生活が要求する無理な順應に耐え得るやうな肉體的力と云ふやうなものを意味せしめてゐると思はれる。

そこで私は常々から職業それ自體が要求する體力的訓練を體力養成乃至體育であると考へてゐる。これ位眞劍な體育は他にありはしない。農業勞働も工業鑛業に於ける勞働も、みな體育であると考へられる。

今世の中で云はれてゐる體力養成なり體育なりは、この眞劍な生活の爲めの體力訓練に比してはその意義は極めて輕いものだと考へずにはゐられない。肉體的勞働のない職業に携つてゐる人々には、所謂體力養成は勿論必要であり、生活上に餘裕があり能力があれば、その肉體的機能を能ふ限り訓練せしめることも又樂しい事であり人間として價値ある事であると考へられる。この樣な體力の養成の仕方がスポーツと云はれてゐるものであると云つていゝであらう。職業的肉體訓練さへもこれをスポーツと觀じて行へない事はないであらう。其運動にスポーツに見られる美しさまでが認められる場合さへある。

しかし近代職業は著しく分化して來た。そこで肉體的に見て著しくカタヨッタ訓練が要求され、精神的には仕事の單調さが苦痛になる場合が多くなつて來てゐる。

近來職業的訓練によつてカタヨッタ肉體が出來上る事を補正するのに、又カタヨッタ體位の採り方・カタヨッタ運動から來る疲勞の回復等のために工場體操と云ふやうなものが案出されてゐる。これなどは職場にある人々が適當と思ふものを選んで實行していゝものである。

職業的訓練は義務的に課せられてやゝ、長時間に及び過ぎる場合が多い。特に單調な運動を課する場合、此の點が著しい。そして時としては精神的にも全く疲勞させてしまふやうにさへなる。生産能率ばかり考へて合理化された仕事にはこの缺陷が著しい。

繰り返し言ふが職場に於て肉體訓練を受ける人達は、特に此點を自覺して、これを補正して行かねばならぬ。躍進日本を雙肩に負ふて立つ諸君が職業的訓練から受ける缺陷を補ひつゝ、その好果を保持して明日の活動に供すべき體力を養成する事は目下の急務である。

餘暇善用に就て

大阪市體力課長
醫學博士　深山　杲

青年諸君は或は國防の第一線に立ち或は銃後の産業陣に在つて、何れも國家の現在並に將來を背負つて立ち、眞に國家の中堅として最も重要な任務を果しつゝあるのである。從つて青年諸君の體力如何は直ちに一國の國力に重大な影響を及ぼすものであつて、それ故、歐洲の各國は競つて青年の體力向上を圖り、以て自國の國力發展を期しつゝある狀態である。

我國は曓支膺懲の聖戰、東亞新秩序の建設に邁進しつゝあるが、此の歴史的大事業達成の責任は一に懸つて青年諸君の双肩に在りと云ふべきである。然るに我が青年諸君の體力は全般的に見て近年著しく低下の一途を辿り徵兵檢査丙種合格者數の率は十數年前の二倍に增加し、特に筋骨薄弱、結核、近視眼、性病等が甚だ多く、殊に學生、商工業從事員にこの傾向が極めて顯著な事實は、國力の發展に憂ふべき暗影を投げつゝあると云はねばならない。

ヒツトラー總統が「國民興隆の基礎は國民の體力に在り」と喝破したのは眞に至言であつて、我が青年諸君は國家に對する自己の責任を痛感し、此の際大いに發奮して體力の養成に努め、强靱な體力を發揮して各自の職分を盡し、以て盡忠報國の誠を致さねばならない。

さて體力養成に專念する時間或は時期としては、日常生活に於ける凡ゆる時間が何れも有効に用ゐられ得るのであるが、最も効果的な方法は勤勞或は勉學の餘暇を之に充てる方法である。此の餘暇の消費方法如何は體力の消長に極めて密接な關係があつて、若し此の時間を誤つて徒らに不健全、不道德、不經濟に過せば、其の結果、體力は寧ろ低下するのであつて、近年に於ける青年諸君の體力低下は或は此の餘暇利用の方法を誤つた故ではないかとも考へられるふしもあるのである。

盟邦ドイツに於ては餘暇善用を期する爲めに次の諸團

體が存在し何れも立派な組織を持つて大いに活躍してゐる。

名稱	團員
K・D・F團(歡喜力行團)	勤勞者
ヒツトラー・ユーゲント	生徒
アルバイト・ディーンスト	專門學校入學前の子弟

K・D・F團の組織ならびに事業(數字は概略數)

地方團數	一萬五千
支部數	六萬
役員數	七萬五千名(内有給二千五百名)

K・D・F團各種事業の參加人員數(一ケ年)

スポーツ	千五百萬名
旅行・ハイキング	千四百萬名
劇・映畫其他の觀賞	三千五百萬名

特にスポーツに就ては勤勞階級並に學生は全部、何處かのスポーツ・クラブに入會して餘暇の一定時間を訓練に費さなければ、就職、昇給或は入學、卒業に差障りが出來るのである。各スポーツ・クラブでは每月一回以上試合を行ひ、その試合數やクラブ員數(縣又は國家代表選手があればその氏名)は、必ず郡或は縣のクラブ總裁に報告し、其の報告は更に體育長官(國家最高スポーツ引率者)に報告される事になつてゐる。

斯くて數百萬のドイツ青年は國家スポーツ賞を授與されて益々體力報國に邁進しつゝあるのである。

友邦イタリーにも、同樣の目的を以て

名稱	團員
ドポラボロ團(「勞働の後」團)	勤勞者
バリラ	學生々徒

があり、何れも餘暇を體力向上に有意義に使用してゐる。

ソビ・エトロシアに於ても壯丁の體力低下に鑑み、青年の體育運動を奬勵した結果、ゲーテーオー章(勞働と國防の準備成れりの略語)佩用者は千萬を超える盛況である。

其他英米各國に於ても各般の設備を充實して青年の體力養成に大童であつて、特に體育の好効果に鑑み大いにその奬勵を圖りつゝあるのである。

世界の狀勢が凡て斯くの如くであり、加ふるに我國の現狀が未曾有の非常時局下に在る今日、青年諸君はその餘暇を徒らに惡用して却て睡眠不足或は惡疾感染の因を作る事なく、或は安逸を貪つて筋骨薄弱に陷る事なく、今日以後更に一層餘暇善用に依つて體力振興を圖り、以て興亞の偉業を諸君の旺盛な體力でやり遂げる覺悟を堅持して貰ひたいものである。

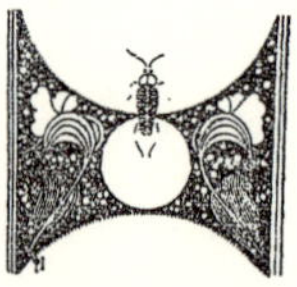

『怪談』は子供にどう影響する？
嘘と思はれる事も大人の話ゆゑ信ずる

夏の宵、緣臺での涼み話に聞いた子供の頃の怪談は、それが恐ろしいものであればあるほど、大人になつても忘れ難い記憶となりますが、一體かうした恐怖心といふものは、子供にどんな影響を與へるか、厚生省兒童課大羽昇一氏に伺つて見ませう。

……◈……

愛情と怒りと怖れは人間本性のもつ感情の代表的なものですが、その中でも怖れの感情は非常に早く現れ、一歳か二歳の子供の時からあります。恐怖の種類は複雜極まるものですが、誰にも共通するのは暗闇を恐れる氣持です。これは原始時代の夜に私達の祖先が猛獸に苦しめられ常に生命の危險を感じた事も、一つの原因をなしてゐると思はれますが、恐怖心の中で暗闇を恐れる氣持といふものは、主要な部分を占めてをります。夏の宵の怪談などといふのも、その怪談のもつ凄味を、夜になつて有効に表はすために好んで語られるものですが、所謂怪談なるものが子供にどんな影響を與へるかといふならば、この怪談を恐怖といふ方面から見て五六歳以下の子供には差して影響がありません。それはこの頃の子供は死んでゐるものが話をしても不思議とは思ひませんし、石や木も人間と同樣に話をすると思つてゐるからです。かうした考へ方に矛盾を感じて來るのは十歳以後です。死んだ人は話をしない、幽靈といふものはないといふやうに、成長するに從つて事實として教へこまれますが、子供にとつては自分よりも偉いと思はれる大人が、怪談を信じて話す時には、子供自身には嘘と思はれることも、大人の話といふ點で事實として受取られ、それによつてあるものに怖れを抱くといふ事は往々あります。この恐怖心は暗闇によつて增長されます。一人で暗い處へ行けない子供といふものは、暗い處には何があるか分らぬといふ怖れと、今迄自分が周圍から敎へこまれた漠然とした恐怖とが一緒になつてくるからです。從つて子供に聞かせる怪談めいたものは無用の恐怖心を抱かせぬやうに、怖いものと怖くないものとをはつきり區別して話さなければなりませんし、怖くないものを怖がる子供、例へば便所へ一人で行けぬ子供などには、實地の經驗によつて怖くないといふことを覺らせ、狐や狸が化けるといふやうな考へをもつ子供には、物の眞相を知らしめるといふ事が一番大事です。それと並行して恐怖を勇氣によつて克服させる訓練を積まなければなりません。

胎教に就て（十三）

文學博士　故　下田次郎

乳母は、すべて病氣のない者に限ります。發疹や眼病なども、傳染する恐れがあるからいけません。脚氣の乳を吞ますと、子が死ぬことがあります。又時として、結核や黴毒をもつた者もあります。黴毒は流產を起し易いもので、その結果乳母に出るものもあります。乳母が黴毒に罹つて居ると、その病毒を愛兒に傳へ、愛兒から母親に傳へることもあります。それで貰ひ乳なども、向ふの母にどんな病氣があるかも分りませんから、滅多にするものではありません。結核も恐るべきものであります。それで唯乳母の乳を檢べただけではいけないので、十分その身體を檢べる必要があります。病院の施療姙婦などに、乳母に出るものもありますが、身體檢査も出來て居り、生れた日も分りますから、そんな所から寄越して貰ふのが、一番安全と思ひます。さうでないと、暫く置いた後で病氣が分つて困るやうなことがあります。

もし不幸にして、母親が結核患者である場合には、斷然乳を吞ましてはいけません。ところが、世間には衞生思想のない母親があつて、やはり乳を吞まして居る者もあり、中には姑が結核であるのに少しもお構ひなく、孫を抱いて寢られるので、媳ははら〳〵して身を削られるやうな思ひをしながら、默つて居るといふ、つらい目に遇つて居る婦人もあります。實に氣の毒なことで、乳母ばかりではなく、家族同志でも注意すべきことでありますす。

乳母たるものゝ性質も等閑にはできません。嘘を言ふ者、よく出步きたがる者、怠惰な者、酒の好きな者などはいけないし、不品行者、墮落者、盜癖ある者は尙更いけません。これらは皆子の性質に惡い影響を與へます。なほ故郷や、夫や子の事ばかり思つて居て、上はの空なものも考へものであります。神經質の者、喜怒哀樂の情の激しい者はいけません。これらは皆乳にこたへて兒に害を及ぼすのみならず、乳が少くなり、又は全く出なくなることがあります。

それで乳母の性質としては、快活で、物を苦にせず、溫和正直で、淸潔好きで、几帳面で、仕事を好み、そして兒を可愛がり、兒のなつくやうなのが望ましく、又餘り喋らず、出さばらず、出歩きたがらず、芝居見物、飮食等に心を寄せず、おとなしく家に居るやうなのがよいのであります。

乳母の生活法　は從來やつて居た生活法と餘り變へない方がよいのであります。田舍から出た者なら、田舍の暮らし方に近いものにしておく方がよいので、急に御馳走を食べさせたりすると、却つて乳が出なくなることがあります。住み心地も餘り樣子が變つて、窮屈であると氣がおけて、乳が止まり勝ちであります。又これまでよく働いて居たものが、急に何もせずに居ると、病氣などになつていけないから、兒の世話は勿論、その着物やおしめの洗濯、室の拭き掃除や天氣の好い時は、兒をつれて適宜外出することなど、相當の仕事をさすがよいのであります。乳を呑ます者は、自分の身體を養ふと共に、乳を出さねばならぬから平常よりも多くの滋養を取るべきでありますが、肉などを多く與へて養ひ過ぎると、却つて胃腸を害し、乳の分泌を妨げ、或はその成分を變ずることがあります。

家庭の者は乳母を親切に取扱ひ、心おきなく、自分の家に居るやうに感ぜしめ、特に母親と乳母とは親しく暮らさねばなりません。中には、自分の子を乳母に取られたやうに思つて機嫌の惡い母もありますが、飛んで料簡違ひで、乳母のために、最愛の子が育てば、乳母は子の命の親といつてもよく、從つて親切に、やさしく仕向けねばならぬ筈であります。乳母は不平があると、子に當り散らすことがないとも限りません。しかし、兎角惡い癖はつき易いから、餘り締りがなくて仕たいまゝをさしておく事はないやうにせねばなりません。

乳母に附けてからも、子の目方が增さず便通も惡るければ乳が惡るいのかも知れないから、醫者に見て貰ひ、換へる必要があれば換へるのであります。乳が出ないときも同樣であります。しかし來た當分は、生活が變つて乳に變化が起るかも知れないから、數日は待つて見て、居り合つてもなほいけなければ、その時に相當の處置を

取ることにするのであります。

乳母が子どもを取扱ふには、すべて前に述べた母親の場合に準ずればよいのであります。

人工榮養　以上は母親なり、乳母なりが、哺乳せしめる場合に於ける大體の注意を述べたのであります。人乳は乳兒の生育に必要なるあらゆる滋養分を含んで居りますから、それに越した食物はありません。しかしもし母の乳も出ず、乳母も置けなければ、已むを得ず人工榮養を行はねばなりません。その場合には、牛乳、コンデンスミルク又は重湯などを用ひます。その薄め方、消毒、殺菌、呑む器のこと、呑まし方などは醫者や經驗ある人の指圖に從つて行ふがよい。人工榮養は、人乳よりも一般に子の育ちが惡く、死亡率も多いのでありますから、成るべく、人乳に由つて育てるやうにしたいものであります。母親の乳の少い時には、その補ひとして、牛乳などを間に呑ましても呑ませるだけの母乳を呑ませたがよいのであります。

一般の注意　以上は榮養の事を主に述べたのでありますが、その外、兒を安靜にして、睡眠を十分取らすこと、身體を暖かにすること、風邪をひかさぬこと、暖かい時には、追々外に連れていつて、新鮮な空氣を呼吸せしめ、外氣に慣れしめることも、乳兒養育上必要な事であります。乳兒は特に打擊を受け易いから、強い音や、光、又は荒々しい取扱ひ等強い刺戟に遇はさぬやうにせねばなりません。來客などがあると、お愛想に赤子を抱かして見たり、抱いて見たりすることもいけません。子どもはおもちやでも見せ物でもありません。又小さい時は身體の各機關の交感性が強く、一つの機關が惡くなると、それに連れて、他の機關も惡くなり易いから、どの機關も大切に養護するを要します。消化器の障害のために、痙攣を起すことなどは、よくあります。私の子ども數人の經驗に由りますと、子を育てるには胃腸を丈夫にし、風邪をひかさぬことが一番大切と思ひます。その他、熱が出たり、變な咳をしたり、發疹したりした時は、すぐに醫者、成るべく小兒科に見て貰ふに限ります。この點に於て私は大の臆病者であります。小兒は急變を來し易いから、一時を爭ふことがあります。それで、たとへば夜十一時頃に怪しいと思へば、明朝まで待たずに、氣の毒でも、叩き起して、すぐ醫者に見て貰ふが安全でもあり、安心でもあります。まだ〳〵と思ふ中に、手後れで取返しのつかぬことは小兒の病氣にはよくあることでありますから大いに注意を要します。

尙一言附け加へておきたい事は、兎も角も醫者といふ中にも、親の看護と注意とが、大切であるといふ事であ

ります。親は始終子の容體を見て居りますが醫者は十五分か二十分見るきりでありますから、醫者の言つた事や指圖でも、時々はどうもさうでない、それはいけないだらうと思ふことがあります。かゝる場合には、專門の分らぬ事に立ち入らぬ限りは、親の始終見て居た所と常識とに由つて判斷し、たとへ醫者が言つても言はないでも適當と思ふ處置を施すことが肝要と思ひます。これは醫者を信用せぬといふのではなく、醫者を補ふのであります。そこらの呼吸は、多くの子をもつて、度々看病した者でないと、一寸分らないかも知れませんが、自分は經驗上さう思ひます。しかし一般に醫者の指圖は嚴密に守らねばならぬことは、言ふまでもありません。

以上でまづ私の述べようと思つたことは述べました。本書は胎教に就いて說くことが主眼でありまして、姙婦の身體の衞生や、產褥の看護の事などは、胎教の補說として述べたのでありまた育兒に關することは、この十數年間殆んど乳呑兒を絕やしたことのない私の育兒の經驗上から、言つても差支あるまいと思ふ範圍に於て述べたのであります。

要するに姙娠、出產、育兒といふ事は、貴き人をこの世に贈る事でありますから、最大の價値がこれにおかれ最大の注意がこれに拂はれねばならぬのであります。

幼兒の榮養に就て

醫學博士　野須新一

乳兒時代には丸々と血色もよく肥て居たのがお誕生が過ぎて色々の食餌を攝るやうになると、發育が惡くなり、顏色も蒼白く、皮膚の光澤や彈力がなくなり、何時迄も目方も增えず、榮養不良になつたり、消化不良に罹つたりする事が多い。これは離乳後の榮養法が不適當であるがために所謂お乳といふ流動食から固形食に移る榮養上の過渡期に起り易い失敗であります。これは固形食の種類の撰び方、調理法、及び分量等に誤りがある爲であります。例へば分量は普通であつても各食品に含まれて居る榮養分が少い場合には食餌性の貧血を起し、身長や體重の增加が停止して發育不良となります。又幼兒に不適當な不消化な食物を與へて居ると下痢腸炎を起して來ます。內閣統計局で調査した所によりますと、下痢腸炎で死亡した幼兒の年齡別による百分比を見まするに、常に乳兒期に比べて滿一年以後、卽ちお誕生過ぎになると急に增加して居るのを見受けます。殊に一歲の所で斷然多いと言ふ事は離乳後に於て幼兒の食餌上の失敗、が如何に多いかと言ふ事を示して居るのであります。近來乳兒の榮養に就ては喧ましく研究問題にされお母樣方の注意も餘程出來て居りますが此の離乳後の幼兒のお食餌に就ては遺憾乍ら等閑視されて居る傾向があります。假令分量は加減してあつても大人の食べるものを二つや三つの子供に與へればお腹を壞す筈であります。消化力の弱い發育旺りの幼兒に適當した幼兒食は幼兒食以上に特別な注意が必要であるのです。

下痢腸炎死亡者百分比

	〇歲	一歲	二歲	三歲	四歲	五歲—九歲
昭和四年	一九・一	二九・四	二三・八	一九・七	一六・四	一〇・八
同　五年	三三・五	三九・〇	三〇・九	二四・八	二〇・五	一〇・七
同　六年	二〇・八	三三・五	二八・三	二四・六	二〇・一	一〇・三

幼兒の食物に就ての注意

（一）幼兒の食餌は各種の榮養素を完全に含んで居るもの卽ち偏食に陷らぬ献立でなければならぬ。それには食物に好き嫌ひを作らせぬよう。何でも喜んで食べる良い習慣を作つて置くことが大切です。偏食をする子は何時とはなしに榮養不良に陷入ります。そして肉類（牛乳、鷄肉、鷄卵、魚肉、豆類）胚芽米、七分搗米、野菜類、果物類等を毎日小兒に適當した食品の範圍内で種類を變へて、献立を作ることです。献立や調味を色々と變へて與へることは偏食の豫防ともなります。（續く）

人形と子供

氏家壽子

五つの子の胸の高さに來る樣な大きな、肥えた睡り人形を求めました。

之は長い間の要望で上の子と一緒に可愛がつて上げる約束でしたが、手頃のが見當らなかつたのと、母の胸算用にも關係があつて適當と行かなかつたのですが、やつと見つかり母子共々大滿足でした。

小さい方が抱いたり脊負ふたりするには少し身に餘る程大きく重く太く、それ丈に何でも一人前で椅子に掛けさせて部室に置くと、知らない人は這入つて來て輕く「アッ」と聲を出さうとする位、誰か座つて居る樣な恰好に見えるのでした。

純綿の縞の洋服を着て短かい靴下に黑い靴を履いて居ます。

處であんなにも樂しみにし、又あんなにも喜んだ子供達が椅子に据えたつ切り少しも親しまないのを見出したのはそれから凡そ三日目です。「どうしたんだらう」不思議に思つて

「ミコちやんが淋しいつて云つてますよ。抱こして遊んで上げたら」

二人は驚いた樣に走つて行つて暫く話して居ましたがその內又忘れてしまつた樣に疎遠になり、今迄のこわれ人形や汚い人形と遊んで居ます。「ハハア飾り物だと思つて居るのかも知れない」

「ミコちやんはね。大きくて丈夫だから、おべゞぬがしても、お庭につれて行つても、時にお顏拭いて上げても良いのよ」

子供達は瞬間一寸目を見はりました。

早速靴をぬがせ、自分達の赤ん坊の時に着たと聞かされて居るベビー服の古いのを出して來て着せかへました。嬉し相でした。

靴をぬいだ人形も、丸こと白い足を出して氣持良さ相になりました。

何となく皆で人形の事を言はなくなり私もすつかり忘れて居ましたが、或日氣がついて見ると目玉が無くなつて居ます。頰にも傷と惡戲書きがしてあります。

「お人形さんこわしてしまつたの」

惡い事と思ひ乍ら私は一寸問ひ正さうと云ふ態度に出てしまひました。

二人はびつくりして、如何にも氣の毒さうに

「こないだ抱こしたらお目々がストンとおつこちやつたのよ」

「もうせーんのことよ」

成程振つて見ると胴の中でコトコトと目玉の音がします。

「ぢやあ今度人形病院に伴れて行きませうね。可あい相だから」

その內人形は手を折り、指を缺き、頭髮はもぢやもぢやになり、何處を歩くか足も黑く染まり、洋服は古い腹がけに代り見るも慘めな姿になつて行きました。この頃では日增しに轉落して行く有樣です。恐らく三文の價値も無くなつた事でせう。

然し不思議な事には之と反動的に、人形への愛は加速度的に增して行くのでした。

手の折れた所へ繃帶し、お湯やお菓子を食べさせるし、布團を着せて貰ふし、乳母車に乘せられて諸所見物もさせて居るらしいのです。時々は手を取つてアンヨはお上手と教育されて居ます。

顏を拭き目玉のない目を拭ふので些か黑光りに近づきました。心私かに惜しい事と思つて見る母の嘆息等にはお構ひなしに、二人は生活の要素としてこの人形を活用して居るかに見えます。否そんな事ではない、共に凡てを分つ戰友の如くです。

何故この頃あんなに可愛がるのか？前には可愛くなかつたのか？尋ねて見ましたが要領を得ません。結局大人には分らない世界に住んで居る人達です。大人の行けない國に居る子供達です。

教へて頂いた兒童心理から推してみて考へられる點もあります。尤もだと思つて居ます。けれども私が一番知り度いのは動機です。何時からそんな氣になつたのかと云ふ事です。心の中が二人共然く推移して來たその機會が知り度くてならないのです。恐らく怪我をさせたから同情心が起りていたはる樣になつた以前のものでせう。

目玉が落ちて驚いてあゝよしよしと抱いて見た。ゆすつて見た。目玉は出て來ない。二人は泣いたかも知れません。さうして代る代る手にとつて可愛くもなつたでせう。

でももつと前に一寸持つて居た鉛筆で頰に字だか畫だか描いて見て、あはてゝ手でこすつて、除れないのでぬれ手拭で拭いて見て、ホッペタを汚した人形の顏を新ためて見た時に幼な心は充たされたのでは無かつたでせうか。何故なら彼等に近い存在、よく似た存在だと云ふ事を見出したのはこの時でしたでせうもの。

いたづらしたり、汚い着物着たり、繃帶卷いたり、ころんだりした人形、これこそ最も親しい自分達さながらの友達なのでせう。

呼びかけ話しかけて居る子供と人形を見て居ると私は何か大きな安心を得た樣な氣がします。多分何時迄もいつくしんで行くでせう。幼な兒を知ると云ふはむつかしくそして大切な事だと今更の如く思はされます。

何も構はず人形と友達になつた稚けなき日に歸れるものなら歸つて見たいと云ふ樣な感傷的な心にもなります。

人形の持つ魅力は子供の世界に在つて又特別なものであつた事にもかすかな驚きを持たされます。矢張り切つても切れぬものらしいと見えますが、子供達は何れの日にこの世界から脫けて行く事でせう。待たれもし惜しまれもします。

都會の野菜からは 心配がない蛔虫

十二指腸虫にヘノボジ油

夏は蛔蟲、十二指腸蟲其他の寄生蟲にとつて繁殖と發育に最もいゝ時季となつてをりますからこれらの寄生蟲を豫防する注意が肝要です。蛔蟲の卵は糞便と一緒に排出されて、いまごろだと約一ケ月位でその卵の中に感染仔蟲ができこれが人間の口から入つて感染するわけです。世間ではよく八百屋から買つて來た野菜に蛔蟲の卵がついてゐて、野菜から感染するやうにいつてゐますが、これはまちがひで、實際には都會地では野菜から蛔蟲が感染することはほとんどないといつてよい位です。成程よく調べると蛔蟲の卵のついてゐる野菜もありますが、しかし、その卵の中に

感染能力の ある仔蟲ができてゐたといふのは殆ど見當りません、たとひ極く稀にさういふ仔蟲の發生してゐる卵があつたとしてもその仔蟲は非常に弱つてゐて殆ど感染の力を持つてゐない樣なものです、しかも仔蟲には元來感染可能の時期といふものがあつて、いまごろだと仔蟲ができてから約二週間後にやうやく感染可能になるものです。從つて縦ひ野菜に仔蟲のできた卵がくつゝいてゐたとしてもこれが丁度感染可能の時期にゐなければ人間に感染しないのです。以上のやうに考へると都會地の八百屋から買つた野菜は一度洗へば蛔蟲感染の心配は決してないといつてよいのです。まして寄生蟲に關する限り野菜などは消毒する必要は全然ありません。直接畑からとつて來たばかりの野菜でも、四、五回洗へば卵は全部洗ひ落されて一つも見あたらなくなります。では蛔蟲の感染徑路は何かといふとこれは現在のところ專門家の間にもわかつてゐない問題です。蛔蟲の卵がよく爪の間や床のゴミの中などから發見されてゐますから、むしろさういふ所に蛔蟲の感染徑路があるのではないかとみられてゐます。蛔蟲の豫防には、一年に一回位信用ある病院で糞便檢査をしてもらふとよいでせう。治療には海人草製劑を思ひ切つて大量に服用することで、海人草はいくら澤山のんでも副作用がないから安心です。市販賣藥に示してある處方の量では少なすぎて効果がありません。これを一日三回位の割で三日位連用すると蛔蟲は確實に驅除できます。海人草以外ではサントニン、ヘノポジ油、四鹽化炭素などがよく効きますが、これらは副作用がありますから信用ある醫師の指導を受けるべきです。蛔蟲は小腸に發育して、他の臓器に迷ひ入る性質があるのでいろ〳〵な症状を呈し、厄介なものですから、成るべく早く驅除することが必要です。次に

十二指腸蟲 は卵から孵化して、感染可能になつた仔蟲が皮膚或は口から人體に侵入するものです。口から入つた仔蟲はそのまゝ小腸へ行つて親蟲になりますが、皮膚から入つた仔蟲は血管を通り心臓へ行き肺から氣管を通つて消化器へ出て成長するのです。十二指腸蟲にたかられると貧血になり、榮養障碍をおこし極端な場合には心身の發育を阻害されることもあります。これは農村には非常に多い病氣ですが、都會地では殆どみられません。

十二指腸蟲は野菜から來ることは絶對になく、皮膚から侵入するのが大部分です。農村では畑へ跣足で出て仕事をするので皮膚から侵入される機會が多いわけです。畑へ出る場合にはゴム底の地下足袋をはくことが十二指腸感染の豫防に重要なことです。治療法は四塩化炭素或はヘノポジ油の服用ですが、これは素人療法は危險ですから必ず醫者の指導によらなければなりません。

（慶大醫學部寄生蟲病學教室　松崎義周氏）

胃袋の小さい子供に おやつは食事の一種

「おやつ」は發育期の子供の榮養には非常に重要な役割を持つてゐるもので、母親が十分の注意を拂はなければならぬものです。「おやつ」の時間に子供に二錢、三錢のお金を與へて、これで何でも買つておいでなどといふのは最も惡い方法ですが、間食はお腹が張つてしかもすぐお腹がすくやうなものがよいといふ一般の考へもまちがつてをります。子供の間食は食事の延長であつて食事と同じやうに榮養的でなければならぬといふ考へで間食を與へるべきだと思ひます。さうでないと間食によつて子供は偏食となるおそれがあります。

元來子供は大人とちがつて發育盛りにあるものですから、大人よりも比較的に榮養を餘分に攝らなければならぬものです。一方子供は活動力が旺盛で、大人よりも體重の割合に餘計に運動エネルギーを費すわけですから、餘分に食物を攝らなければならないのです。ところが、子供の胃や腸はこれから完成しなければならないもので、大人のやうに發達してゐないから三度の食事で十分の榮養を攝る事が無理なのです。これが子供には間食の必要な理由です。もちろん體質によつては三度の食事で十分な子供もありますが、一般的にはそれは胃腸の負擔が大きすぎますから、間食を通じて一日の必要な榮養量を何回にも分けて攝ることが必要なのです。すなはち間食は食事の延長と考へるべきで、「おやつ」といつても三度の食事と同じやうに榮養を考慮しなければならないものです。もちろん子供の食物ですから「おやつ」も消化のいゝものとか、腹にもたれぬものを與へる考へは必要ですが、これまで一部にいはれてゐたやうに、「おやつ」は澱粉質に限り蛋白質、脂肪を與へるのはよくないといふやうに限定すべきものではありません。もし間食が多すぎて三度の食事にさしつかへるならば、間食を減らしてもよし、また三度の食事を減らしてもよいのです。一部にいはれてゐる四回食も大いに結構ですが、食事の習慣上さういふことのできない場合「おやつ」として補給するわけで、「おやつ」のために普通のご飯のやうに食べられないから、便宜上ビスケットとかお煎餅のやうに、形その他の制限を受けるわけです。從つて「おやつ」を與へる親も「おやつ」向きの食料を造る人も、子供の榮養を考へて、できるだけ成分に偏頗のないものを選ぶことが望ましいのです。この點からいへば牛乳などは最も適當した「おやつ」といふことができます。ビスケットなどにしても單なる小麥粉と砂糖を原料にしたものでなく、これに種々の榮養成分を入れたものが望ましいのです。從來「おやつ」の分量は一日の榮養量の約一割といつてゐますが、「おやつ」は食事の延長である以上一割と限定する必要はありません。子供の體質、體格、消化力に應じ、子供の慾求を考へ三度の食事で足りないだけを與へてよいものです。三度の食事だけで子供が満足してをれば「おやつ」を與へる必要はありません。與へる時間は十時、三時等の食間の空腹時を選ぶべきです。（醫學博士　有本邦太郎氏）

山中湖にて歌へる

伊藤悌二

雲外山莊にて

朝まだき折々强き山雨に窓より見たり姫百合の庭
曙の群青色の富士みんと笹叢のある道急ぎける
行く夏の山に徹れる時鳥啼きつゝ裾野わたりゆくらし
山莊に焚き殘したる薪みやりスキーの頃の物語りきく
ひよどりの啼く音こだまする曙を離屋に座して唯にきゝ入る
ふるさとの伊具の金山なつかしみ山中湖邊に桔梗つむなれ
山羊齒の庭一面に黄になれば桔梗姫百合あはれ眼にしむ
神さへやまどろむ如き山莊に疲れし魂を休めんとする
ひろがれる樹々の梢にひろがれる紺碧の湖に夕日さす見ゆ
郭公は近くうつろに聲落す釣鐘草咲く小暗き森に
眞夏空霽れ渡りたる裾野にて夢みる如く咲く女郎花

裾野風薫ゆるが中に藤袴撫子の花露にぬれ咲く
きんぽうげ輝く道の朝ぼらけ狐のすぎし足跡を指す
群青の陽をよどませしたまゆらに朱紫と容を變へゆく

花と兵隊

籠坂を登り來れる一隊の兵はおほむね花をかざせり
鬼百合を摘みて隊より遲れたる兵の瞳は忘れ得ぬかな
暮れ果てゝ百花の萎るゝ裾野にて兵の點呼をかそけくもきく
曉の山端にかゝる月をみつ露營の兵の合唱をきく

精進湖パノラマ臺

楓葉に狹霧流るゝ山坂をパノラマ臺に我がのぼりゆく
楓坂咽喉渇くとて我があとを登り來れる實枝子孃はも
この峯の麓邊遠く霧はれて本栖の湖は浮び出にけり
のぼり來て見おろす湖のあさみどり小波もなく富士を映せり
杵歌の日月潭を思ひ浮べ時雨にぬれて精進湖わたる
山莊の湯にひたりつゝ快く名曲集のレコードをきく

編輯後記（七、八月日記）

◉七月五日、保良御夫妻の經營にかゝる千里山の林間グレース幼稚園竣工落成式に列席、七日、聖戰二周年記念日にて一汁一菜の實行日である、我等銃後國民の緊張を要するの日、一日外出せず謹愼して戰場の花と散りし皇軍將士に敬弔の意を表した、十二日、伊勢皇大神宮參拜の爲め、早朝敏和、順子の二兒を同伴して出發した、これは正月以來の子供等への約束を果すといふよりも、過般全東京審査會が盛況裡に結了した御禮參りが主なる目的であつた。◉七月十八日より數日を費し、家族の手傳を受け五六年間掃除しなかつた離屋の大掃除を行ひ、貴重な文献を發見した、尚我等の結婚式に故木下尙江氏から贈られた福錄壽の像にめぐり遭つたのは嬉しい事であつた、二十二日、三宅のどか氏の三女百合子さんが疫痢にて永眠されし報に接し、他人事ならず斷腸の思ひをなす。◉七月二十八日午後九時一分發にて上京、車中八月號『キング』に揭載された陸軍省清水情報部長の論文を讀んでると、我等の審査會の寫眞が中央にのつてるのを發見した、三十日、内田靑薰畵伯を訪れ、午後は高島屋主催の優良兒寫眞審査に立ち合つて六百五十人の中より、優良賞を授與さるゝ三十名を選出するのに非常な苦心をする、三十一日、厚生省にて潮見秘書官、宇田川博士に面會した。◉八月一日、高島屋に於て開催の海洋少年團の集會に列席して、講演、唱歌練習、信號、紙芝居等の行事を見學し、同午後六時よりニューグランド樓上にて審査主任會議を開催し、厚生省の宇田川博士の御臨席を願ひ、中鉢、富田、柿本、廣瀨四博士、内閣統計局の浦上氏、高島屋の波多野、高橋二氏等御列席のもと、來る十月施行の表彰式を前にして種々協議した、時局柄話しは自然保健報國の問題に迄及ぶのであつた、二日、山川秀峰畵伯、内閣統計局に浦上氏、愛育會に齊藤博士を始め、山下、加藤、森脇三氏を御訪れして審査會の御禮を申のべ四日、終日宿所にて本誌の編輯をなす。◉六日、納家の御招待にて御殿場、籠坂峠を經、山中湖畔の雲外山莊に至る、時鳥、鶯、駒鳥、郭公等が啼いて居り、數多い草花が裾野、落葉林一帶に咲き亂れてゐた、七日、帝大の森田氏や實枝子孃と五湖廻りをし、精進湖畔のパノラマ臺（二十二丁）に登つた、そして每朝、演習に來てる將兵達と共に未明に起床し、共に群靑色の芙蓉峯の前に輝く旭日を拜した、秋十一月頃の時候で無論蒲團なくては眠られない。◉八月十一日、厚生省豫防課長南崎博士を御訪れし、大正の初頭、御茶ノ水で開催された兒童衞生展覽會の追憶談を承る、尚午後四時、民政黨本部に永井閣下を御訪れし皇紀二千六百年に相當する來年は、本聯盟創立二十周年なので、記念事業を爲すに就き種々御相談や御願ひをなし、内ケ崎先生にも御目にかゝるを得た、夜は浦上、平田二氏と會合し、九時半發にて下阪した。◉十八日、廣瀨興、川口信敎、佐藤一九八氏家壽子等の諸家より原稿が一勢に到着した、本誌の原稿に就いては一度も心配をした事がない、何となれば斯く每月天下各方面の後援贊助の方々の絕大なる御庇護があるためだからである、記者は讀者と共に茲に滿腹の感謝を披瀝する者である。（八月二十四日）

本誌定價　一冊金參拾錢　郵税壹錢五厘
半年分六册　金壹圓六拾錢　郵税共
一年分十二册　金參圓　郵税共
誌代郵税は一切前金の事
前金切の場合は發送中止
郵券代用は一割增のこと

昭和十四年八月廿八日印刷（每月一回）
昭和十四年九月一日發行（一日發行）

兵庫縣武庫郡精道村芦屋
發行兼編輯人　伊藤悌二
大阪市西淀川區海老江上二丁目三七番地
印刷人　木下正人
印刷所　木下印刷所
電話福島㊺｛一五三四番／二二四二六番

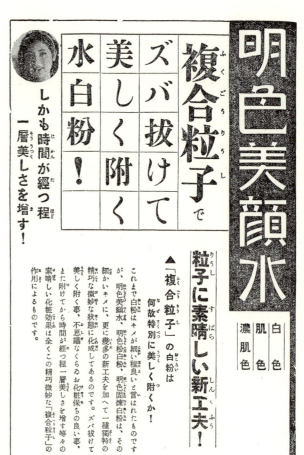

大阪市北區天神橋筋六丁目
大阪市立北市民館內
發行所　日本兒童愛護聯盟
電話堀川㉟｛〇〇〇一番／〇〇〇二番
振替大阪五六七六三番

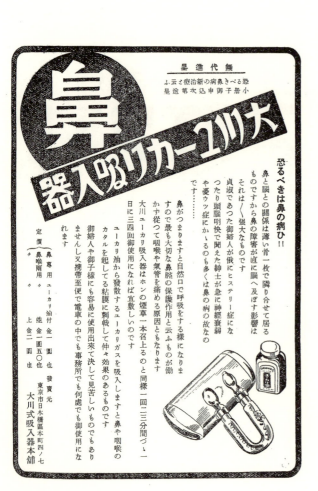

子供の世紀　第十七巻第九號　大正十三年二月二十日第三種郵便物認可　昭和十四年八月二十八日印刷納本　昭和十四年九月一日發行（毎月一回一日發行）
【定價金參拾錢】

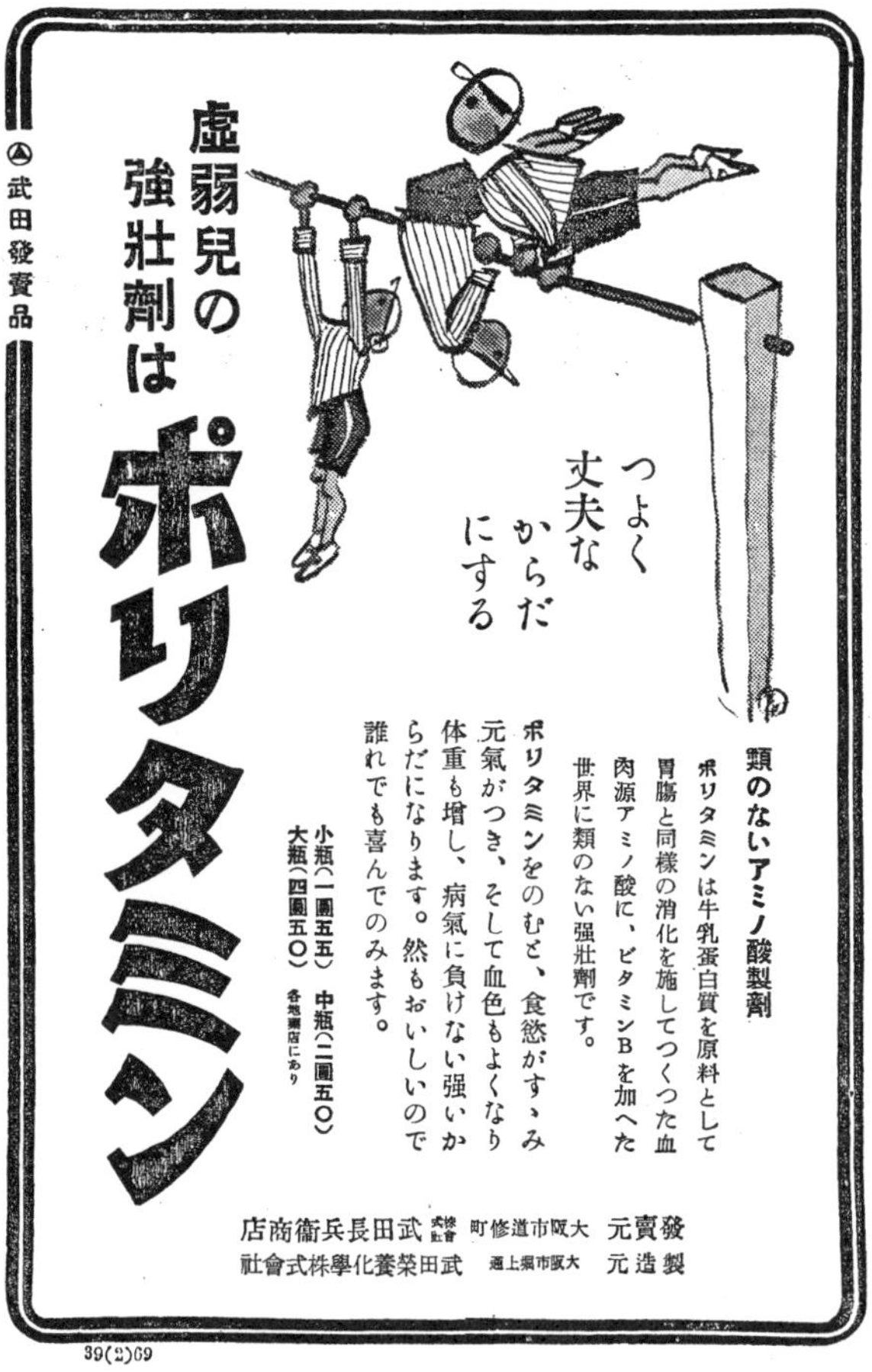

39(2)69

「子供の世紀」(第十七卷第十號)興亞母性の覺醒號

目次

39(2)71

大川吸入器
完全無缺
使用簡易
噴霧は體温以上に温く微細で病状に好影響をもたらします噴霧管は特許引拔パイプ製で絶對に故障の起らぬ逸品。器械は堅牢で大川吸入器が標準型です。
本器は一ヶ毎に檢査をして發賣致します故、何處でお求めになつても安心です。
類似品あり、大川式と御指名を乞ふ。（固定式上下式の二種有）

二十年後の日本に備ふる審査會

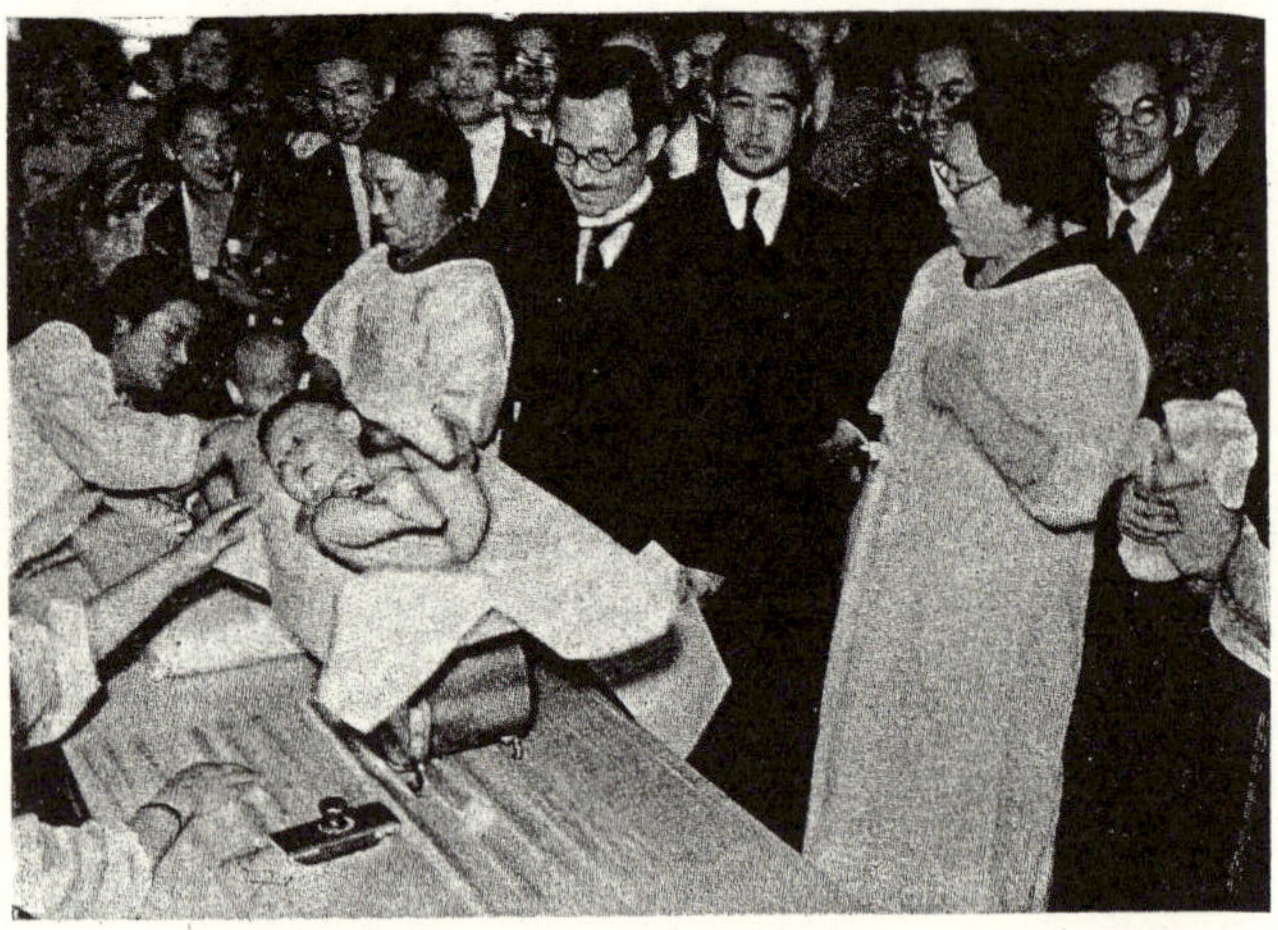

ホウよく肥えとる・厚相赤ん坊審査會へ

日本橋高島屋で開かれてゐる日本兒童愛護聯盟主催の第十一回全東京乳幼兒審査會に十二日午前十一時半廣瀨厚相が訪れた赤ちやん部隊に十重二十重に取卷かれた廣瀨さん、まるでお父さんのやうに相好をくづして「ほゝう、よく肥えとるどれ〳〵」と傍らの赤ちやんを抱き上げる。

途端に寫眞班のフラッシュ、びつくりした赤ちやん大聲をあげて泣き出す始末に、さすがのお父ちやん大臣も慌てゝお母さんに返上、係員の説明に熱心に耳を傾けながら會場を一巡し終つた厚相は

「先づ赤ちやんをどし〳〵産んで貰ひたい、この樣な社會事業には大いに敬意を表すると同時に、役所としても出來るだけ後援するつもりだ、人的資源の知識を啓發することは目下の急務であり、その意味でも私達はこの種の會を持つことは贊成だ」と云はれた。【寫眞は赤ん坊に相好崩す廣瀨さん】

——都　新　聞——

（六月十三日）

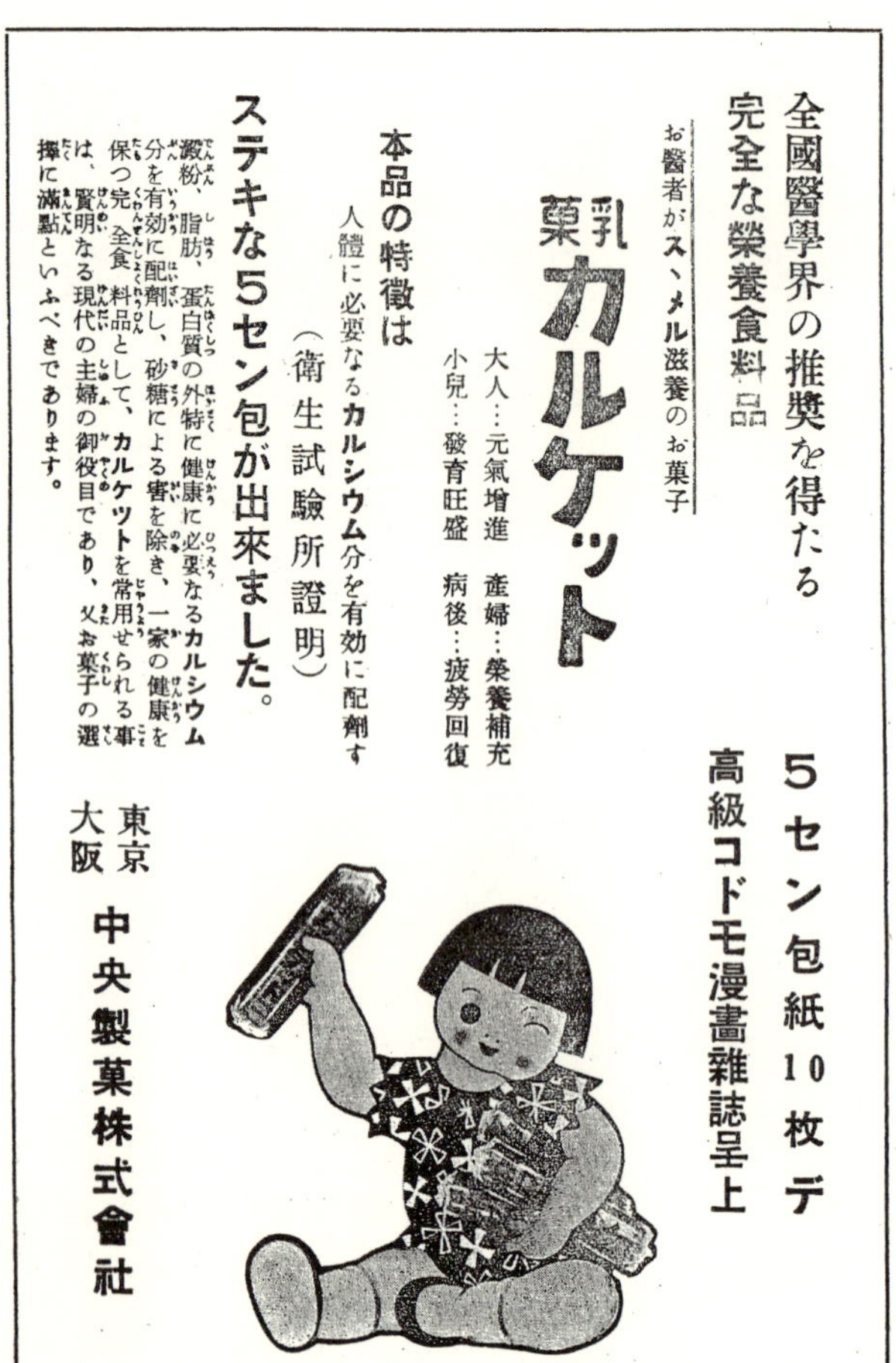

大人…元氣增進　産婦…榮養補充

前線の將士へ

松坂屋の品を！

一に感謝 二に慰問
冬早き北支へ　銃後の眞心を込めた
慰問袋を送りませう

來る十月廿七日は
武漢陷落の一周年

上手な吸入のさせ方

吸入や含嗽は、あまり重い病人には著しい効果はありませんが、早くやると侮り難い効を奏するものです。外出後咽喉がちよつと變だと思ふときは、大人なら含嗽をすればよいのですが、小さいお子さんでは、それができませんから、吸入に替へます。吸入器にはいろ〳〵有りますが注意したいのは、藥液と一緒に冷い風が起り、却て吸入をしたために、よくない場合の起るやうなものを、避けるといふことです。使用上の注意といたしましては釜の湯は三分の一くらゐ注いで、なくなる前に注ぎ足します。湯のなくなつたのを知らずにゐると、破損することがあります。

アルコールを口元まで入れると、發火する虞れがあります。吸入をかけると、お寢衣やお蒲團が濕りますから、防水布やタオルをかけておき、寢たまゝの病人なら徐かにかけてあげて下さい。赤ちやんの吸入は無理にお口を開かせる必要はなく、玩具で機嫌よく遊んでゐるときでも、吸入器の方を近づけて、あたりの空氣を軟くしつとりさせて、少しづゝでも吸ひ込ませるやうにします。一回分をあまり長くかけると倦きますから、一日に三四回にしてコップに二杯ぐらゐで結構です。終りましたら蒸しタオルで拭いて、後にクリームなどをつけてあげると、お顔の荒れを防ぎます。

吸入液の作り方

藥液はいろ〳〵有りますが、お子さんには一%の重曹水で結構です。（約一合の水に茶匙一杯）又は重曹と食鹽を各々一%の割に溶かしたものを用ひてもよろしい。

うがひ藥の作り方

二%硼酸水　硼酸は冷い水に溶け難いが微温湯を用ひますとすぐ溶けます。大人の水藥二日分入りの瓶は通常二百瓦入りですからこれに四瓦入れればよろしい。

二%鹽剥水　鹽素酸加里は常用としてうがひに用ひるのはよくありません殊に小兒には用ひぬのがよろしい。

三%過酸化水素水　過酸化水素又はオキシフルを水百に對して三の割合にます。二百瓦入りの水藥瓶なれば六瓦入れます。過酸化水素はごみ、又は日光熱等にあへば酸素を發生分解して無效となりますから瓶は清潔なものを用ひ、戸棚か押入等の暗所に置かねばなりません。

ミノマ(?)
メガネ肝油球
一番よい
經濟的國民榮養素
眼鏡肝油
銃後國民の務めは
體力の充實にあり
最も効果的にして然かも經濟的なる故　時局下に於ける國民榮養劑として最適のものなり
大阪
合資會社 伊藤千太郎商會

乳兒榮養不良・常習便秘
マルツエキス
乳兒便秘の根本療法
乳兒の便秘に下劑を與へたり浣腸を行つたりする事は一時的の手段であつて好い結果は齎しません。
乳兒便秘の原因は多くは與へる食餌の成分に關係するものでありますから食餌に依つて調製するのが根本の療法であります。
本劑は之の目的に創製した食餌療法劑で榮養をつけながら不適當な食餌の成分を調節し自然に排便せしめます
【見本説明書進呈】
包裝　大　五〇〇瓦　小　一二〇瓦
株式會社　和光堂
東京市神田區鍛冶町
大阪市東區南久太郎町
M 3-6

世のお母さん方へ
優良第二國民の保育には理想的の
福寶育英 子守バンド を是非御使用下さい
理想的子守バンド
福寶
A型 →
C型 ↑
構造上に少しも無理がなく全く理想的に出來て居ります、從つて耐久力もあり實用的の品であります、赤ちやんより五六歳位の子供達迄負ふ事が出來ます、體裁もよく立働きが樂で容が小さいので携帶用として至便のものです、殊に子供達連れの遠足などには絶對に必要であります。
是れは優美な高級刺繡を施してありますので赤ちやん向として是れ又非常に御好評を賜つて居ります、丈夫さは幾分A型より劣りますが値段の格安さ、出産祝としての値頃品である爲め賣行益々頁好であります。
A型　別珍製
全　朱子製
B型　別珍製刺繡入
C型　別珍製全(裏ナシ)
各地百貨店、呉服雜貨店ニアリ
製造發賣元
菊池商店
大阪市北區東野田町三
振替大阪 14000番

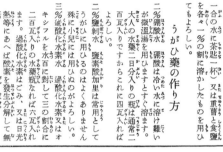

東京審査會に於ける優良兒（一）

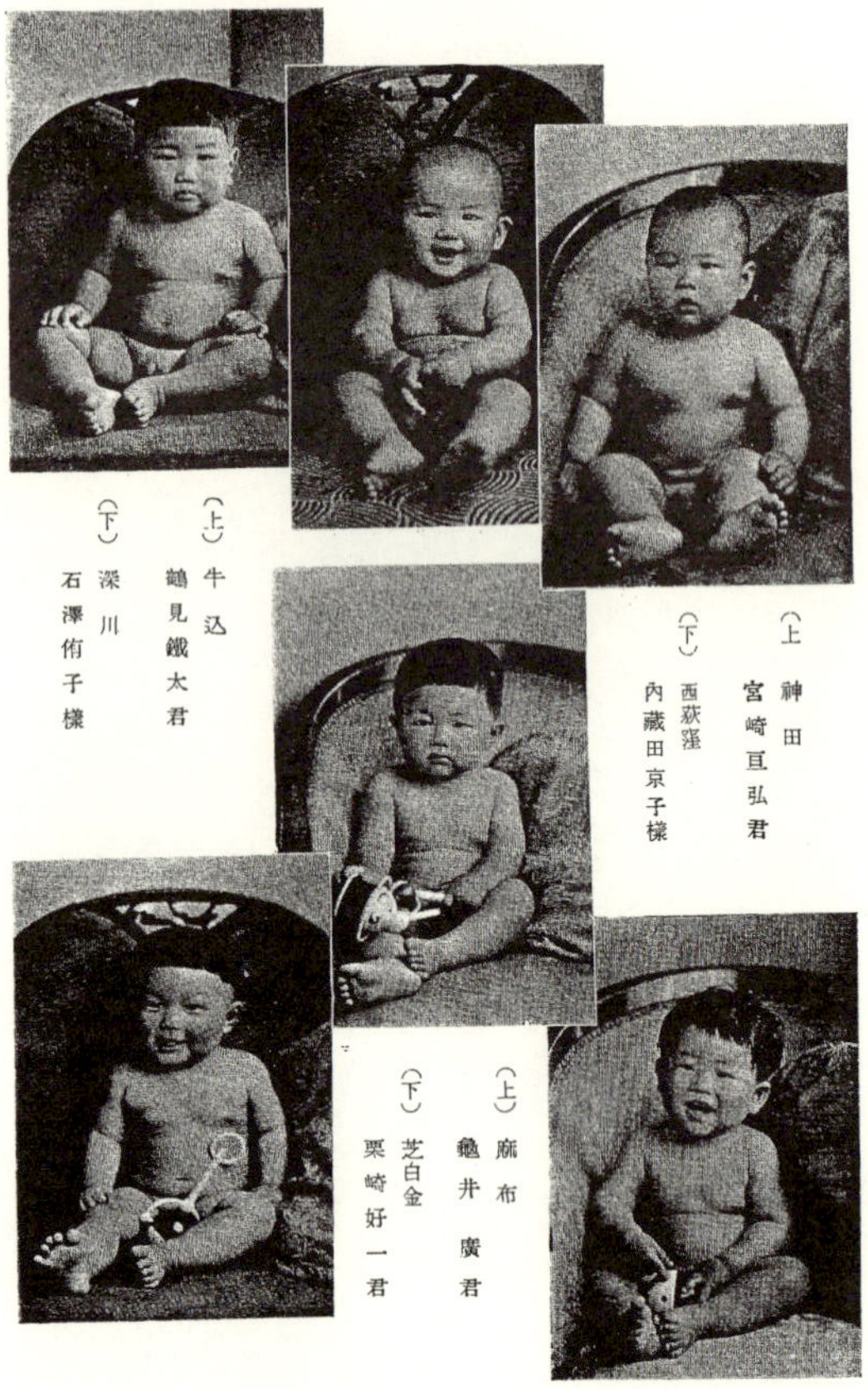

（上）牛込 鶴見鐵太君
（下）深川 石澤侑子様

（上）神田 宮崎亘弘君
（下）西荻窪 內藏田京子様

（上）麻布 龜井廣君
（下）芝白金 栗崎好一君

會場高島屋・裸身部隊

大牛と牧童

——川合玉堂先生筆——

皇紀二千六百年の昭和十五年は、本聯盟が全國に魁けて兒童愛護運動の首唱實施をなしてから第二十年に相當するので、川合先生は我等の事業を祝福して揮毫されたのは此の「大牛と牧童」である、圖は永井閣下が森春濤の詩の一句である、「可無牛背出英雄」と揮毫された書にヒントを得られたもので、共に本聯盟の寶である、秋霽れの一日、川合先生はあの古風で上品な應接間で、廣いお庭の青桐を見やり乍らしさやかに斯う物語られた………

「あなた方の優れた御事業は新聞で前からよく承知してゐます、私共は常に社會に貢献なさるあなた方には、及ばずながら御手傳しなければならぬと存じて居ります、永井閣下の御熱誠な事は誠に敬服の外はありません」と。

東京審査會に於ける優良兒（二）

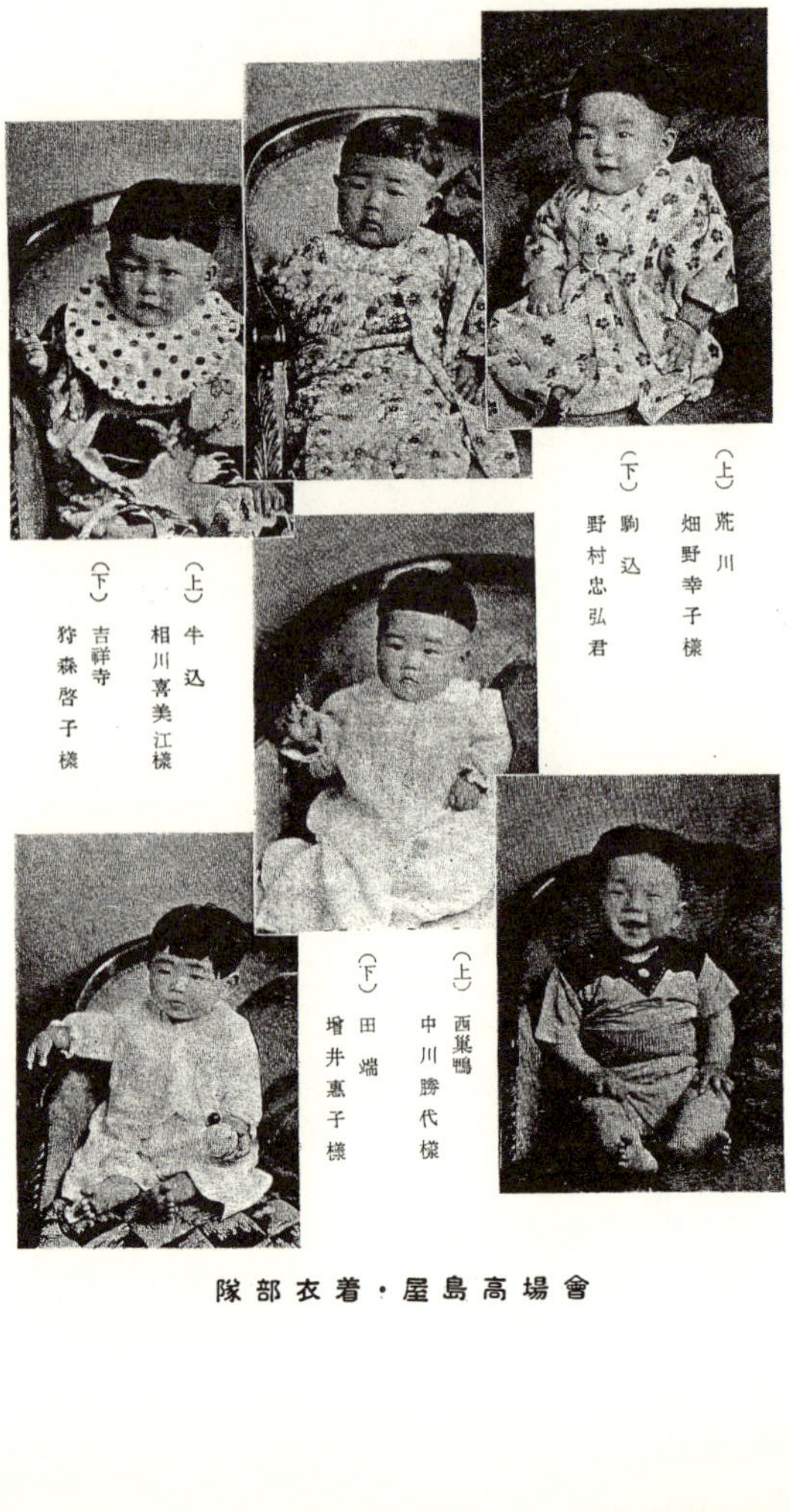

（上）荒川 畑野幸子様
（下）駒込 野村忠弘君

（上）牛込 相川喜美江様
（下）吉祥寺 狩森啓子様

（上）西巣鴨 中川勝代様
（下）田端 增井惠子様

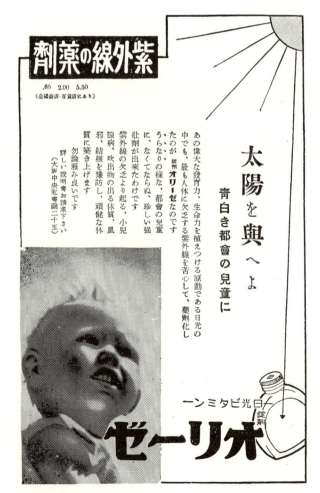

會場高島屋・着衣部隊

醫學博士 有馬頼吉氏 醫學博士 青山敬二氏 醫學博士 太繩壽郎氏 發見創製
アーオー
結核免疫元
非常時ノ短期大奉仕
第一號五管入一箱 大人用 小兒用 二
對シ三管ノ寄贈券ヲ挿入ス
本劑は獨特の培養法と合理的處理による製品にして有害なる過敏元と吸收を妨ぐる臘質とを含まず全く純粋免疫元のみより成るか故に吸收迅速、副作用皆無、而も効果確實なるは最も誇る所にして一々動物實驗によりて効力檢査を經たる後始めて市販せらる
治療的應用
潜伏結核、肺結核の初期、眼結核、外科的結核、初期泌尿生殖器結核、皮膚結核、肋腹膜炎等には7—10日に一回第一號を使用して發病防止的効果頗る顯著なり
發病防止的應用
一般虚弱者及腺病質の小兒學童等に對し、一ケ月に一回第二號を使用して發病防止的効果優秀なり
診斷的應用
AOの治療量注射の前後に於て白血球檢査により簡單に結核の存否病勢並に豫後を確斷し無危險のみならず同時に治療を兼ねたる診斷法（吉田氏反應）なり
試品解説 進呈
製造所 有馬研究所
發賣元 須美商店
大阪市東區北濱四丁目四〇
振替口座大阪三〇一〇〇番

根の弱い木は……そだちが悪い！
シンの弱い兒は病氣に負ける！
消化不良やかん・むしを根だやしして丸々に赤ちやんを育てる工夫
悪いところを癒すには、例へばむし歯の痛みには藥をつけるか服むかして齒の神經を麻痺させる樣な方法と、悪い部分を削り神經を拔去る樣な方法とあります。前の方は藥効が失せれば何かの刺戟で又痛みだすかも知れませんが、後の方は根本的に痛みの源を無くしてしまふのです。手當としてどちらが良いか、今更申し上げる迄もありません。
夏から秋へかけ、とかく乳幼兒は消化不良やかんむし、胎毒等の乘ずる處となりがちですが、これを放つて置いたり、手當を誤つたりすると、育ちが悪くいつ迄もひ弱く、段々と衰弱して了ふ許りです。是をありふれた家傳藥や丸藥類で癒せると思ふなら、むし藥につけ藥と同然で、必ず後悔しますから、こんな病が實は乳幼兒の虚弱體質とか神經體質、滲出性體質に由る事を理解し、體質そのものから改造しつゝ治療すべきことを一刻も早く悟つて下さい。
それには特殊な高貴藥七種を最も有効適切に配合し、服みよいシロップ劑とした最新發明小兒藥「慈童」ジドウをお與へになるに限ります。藥効は的確に全身へ行亘り、胃腸の働きを盛にし、榮養をつけ乍ら抵抗を蓄へ發育をグン〳〵促進すると同時に神經も強化されてかんむしなど自然と驅逐されるので、見違へる程丈夫な赤ちやんになると、とても好評です。
「慈童」の藥價は六五瓦入一圓、一四〇瓦入二圓、二二〇瓦入三圓、四〇〇瓦入五圓の各種で、三歳標準にて一日約三瓦の服用量故頗る低廉です。全國の有名藥店及び主婦之友社代理部（振替東京一八〇番）にありますが、品切の節又は直接御註文は東京市神田區鍛冶町大通、大木合名會社（振替東京五四〇番）へ爲替、振替、切手代用又は代金引替で御申込を。
赤ちやんの病氣一切にすばらしい効果を喜ばれてゐる慈童の試藥に説明書を添へて
無代進呈
中につき下記大木合名會社宛御遠慮なくハガキで御申込を

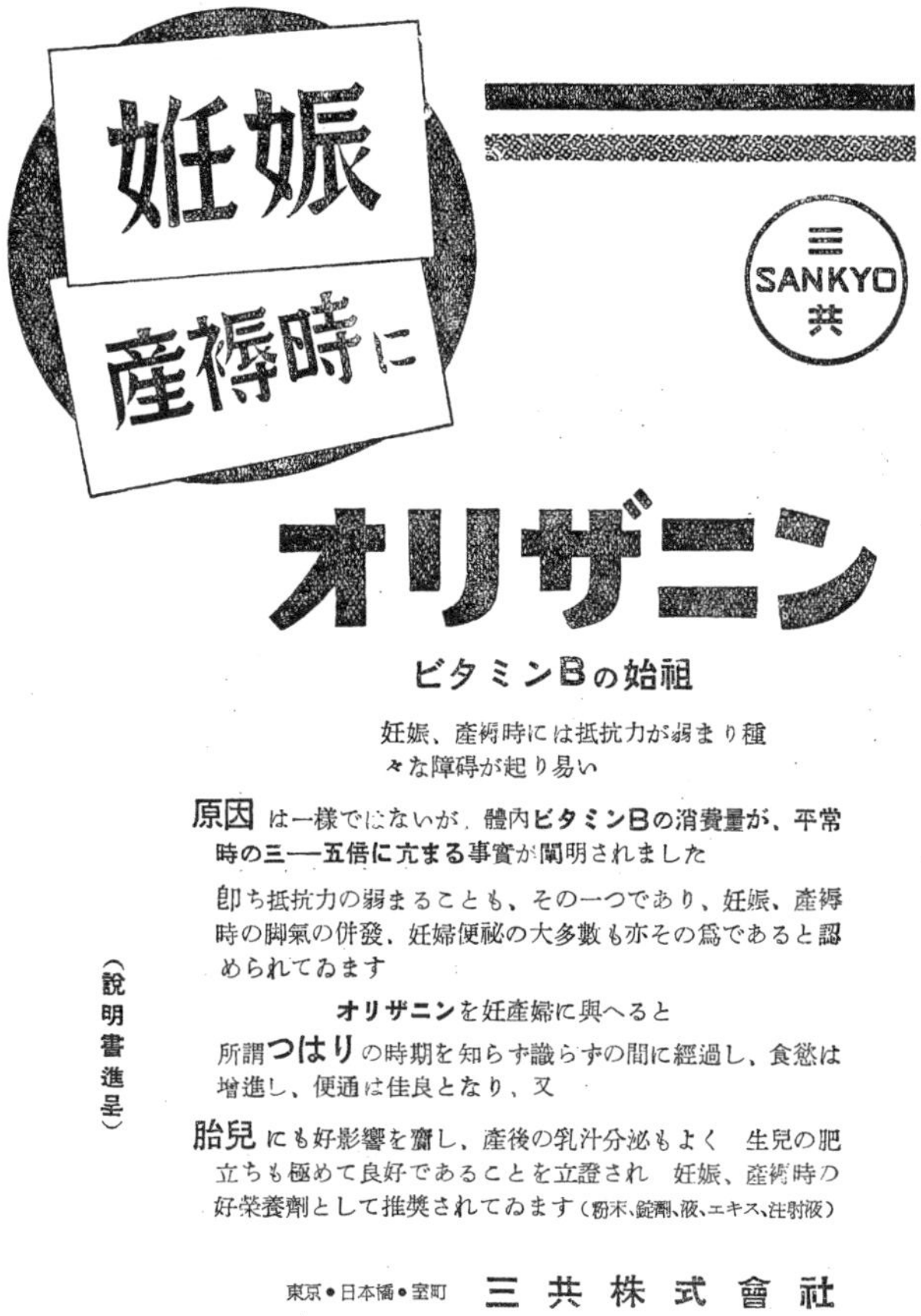

妊娠
産褥時に
三 SANKYO 共
オリザニン
ビタミンBの始祖
妊娠、産褥時には抵抗力が弱まり種々な障碍が起り易い
原因は一樣ではないが、體内ビタミンBの消費量が、平常時の三—五倍に亢まる事實が闡明されました
卽ち抵抗力の弱まることも、その一つであり、妊娠、産褥時の脚氣の併發、妊婦便祕の大多數も亦その爲であると認められてゐます
オリザニンを妊産婦に與へると
所謂つはりの時期を知らず識らずの間に經過し、食慾は增進し、便通は佳良となり、又
胎兒にも好影響を齎し、産後の乳汁分泌もよく 生兒の肥立ちも極めて良好であることを立證され 妊娠、産褥時の好榮養劑として推奬されてゐます（粉末、錠劑、液、エキス、注射液）
（說明書進呈）
東京・日本橋・室町 三共株式會社

赤ちやんの柔らかなお肌を護りませう！
◇全國有名藥店デパート化粧品店にあり
澱粉を主としたものや鉛類を混ぜた粗悪品は、つき過ぎて却つて赤ちやんの大切な皮膚の呼吸、體溫調節の二大生理作用を妨げます。
パーキユロはお肌にさらりとついて皮膚の汗と濕り氣とを吸收し、同時に殺菌と消毒を行つて黴菌の侵入を防ぎますから、副作用のない理想的な打粉だと、專門大家も非常に御推奬下さいます。
定價 二〇セン 五〇セン
味の素本舗直系
製造元 寶製藥株式會社
東京・京橋
パーキユロ
肌色・芳香
新樣式打粉

十月の言葉（卷頭言）

攝津太郎

◎十月一日の興亞奉公日は、偶然にも第一日曜日に相當したので、家族連れの郊外散策者やハイキングの人々が多く、我々は事務所へ往復の省線電車中にても、三人以上の愛兒同伴の若き夫婦十幾組かに出遭つた、昨年度は我が國の出生率が二十三萬人の減退を見たと報告されて居るが、此の賴母しい車內の光景を見て彼等を祝福し、且つ新東亞建設の爲めに力强さを感得して、思はず手にしてゐた本誌を光榮ある家族達に一々贈呈したのである。

◎勤勞奉仕をはきちがへて考へてはならぬ、大阪の或る女學校で一日土砂の運搬をさせたが、何と其の次の日に肩を傷めて十數名の缺席者を出したと云ふ實話がある、一日の奉仕で一週間の學業を犧牲にさせるやうな頭の惡い學校當局者がありとすれば、國家の將來と云ふ點から反省して貰ひたいものである。

◎月に一度だけの勤勞奉仕、月に一日だけの日の丸辨當、月に一度だけの一汁一菜だけで、後の二十九日間を贅澤三昧に怠慢遊惰に過したならば、月に一度の興亞奉公日は意義をなさなくなるではなからうか、我等銃後の國民はもつと眞劍でありたい、精神的でありたい、人に見せんが爲めの表面的な奉公は此の際止めなければならぬと思はれる。

◎社會的に相當な地位にある兄弟である二人の紳士が記者の隣家に住んで居る、そして上品な老母と同居して居るのだが、此の兄弟は實母なる人と、どうしても口をきかないし、孝行する氣にはなれぬと云つてる、其の理由はと尋ねて見たら、幼少の頃、母なる人は社交場裡にのみ出入して、二人の兄弟を顧みず、且つ一度だつて物見遊山などに連れて行かれた事がない爲めだと答へられた、答は簡單であるが世の若き母たちのよい敎訓ではなからうか。

◎これも或る夜省線車內で目擊した出來事であるが、泥醉したサラリーマンが隣席の西洋人夫婦に對つて「何人種ですか」「國籍はどこだ」ときいて居るのだ」、と聲高らかに尋問し初めた、幸にして同行の友人がそれを斷乎として止めさせてゐたが、此の頃斯うした非常識を演ずる者のあるのは誠に顰蹙すべき事で、戰勝國民として耻ぢねばならぬ事である。

◎何年か前に歐洲の旅から戾つて來た生田五郎氏が記者の顏を見るなり「まあだ、兒童愛護事業を持續してゐますか」、ときくから「どつちが早く死ぬか解らないが、私は死ぬまで自分の使命と定めた事業はかへぬ決心だ」、と答へた、斯くの如き愚問を發して、記者より一足先に此の地上を去つた知名の知人は十五人程ある、使命の豹變を朝飯前と考へて居る人々のいかにも他界へ旅たつ事の早いのには驚かされる。

◎保險の勸誘員に對して、何時でも「私は死なないから保險の必要はない、社會國家の爲めに有意義な仕事をしてる人間を神樣は決して殺しはせぬ」、と確信的な言葉ではねつける一老人がある、世の人總てが此の翁の如く、永遠不死の信念に活きる事が出來たならどんなに幸福であらうか、而して困るのは保險會社のみかも知れない。

◎養子制度を產み出したのは我が國の美風なる家族制度持續のためではあるまいか、然し乍ら其の養子として撰擇された人々は、或は其の境遇に慣れぬ爲めか、亦責任感や道義觀念不足の爲めか首尾を全うしない實例があるのはどうした事であらうか、記者は一々其の內容を物語るにしのびないのである。

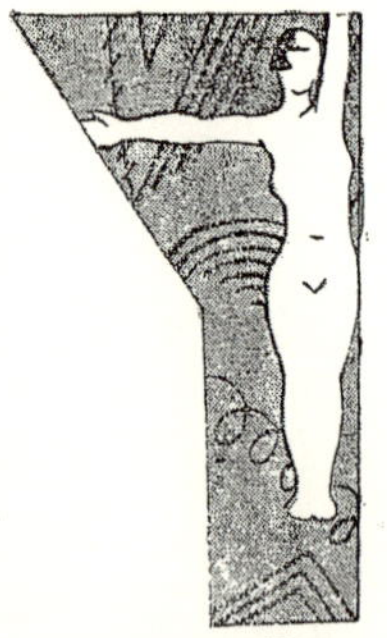

興亞母性の覺醒

乳兒は何で多く死ぬか？

內閣統計局　浦上英男

最近興亞國策の線に沿うて「乳幼兒を殺すな」の運動は漸く軌道に乘つたかの感があります。そこで先づ第一に乳兒保護の具體的對策の重點を何處へ置くかゞ問題となりますが、このことに付て多少の參考ともなるであらうと思はれる事實を次に紹介して見ませう。

一、我國乳兒の死亡原因

由來我國の赤ちやんには「先天性弱質」で死ぬものが多いのです。之は一般に餘り使はれない專門語ですが、一體どんなものを指すのかと言へば、「發育不全」「榮養不良」「體質薄弱」といつた樣な謂はゞ純然たる疾病とは多少趣を異にして生れつき體質が弱い爲に生き長らへる力に乏しいものを言ふのです。中でも「發育不全」が最も多く全體の約半數を占めてをります。

次に重要な死因は「肺炎」です。「肺炎」は「大葉性肺炎」と「氣管支肺炎」の二つに大別されますが、その兩者卽ち「肺炎」と名の附くもの全部を包括し、尙「毛細氣管支炎」が便宜上此の中に入つてをります。

第三番目に來る「下痢及腸炎」といふのは文字通りお腹を壞したものですが正確に言ふと「消化不良」がその殆んど大部分で殘りが「胃腸カタル」と見ていゝでせう。

こゝらで昭和十二年に於ける我國乳兒の死亡原因統計を掲げませう。

乳兒の主要なる死亡原因（一歲未滿）

一、日本內地（昭和十二年）

死因	死亡數	總數千中	出生千ニ付
總數	二三〇,七〇一	一,〇〇〇・〇	一〇五・七九
一、先天性弱質	六三,三八七	二七四・八	二九・〇七
二、肺炎	四一,七七〇	一八一・一	一九・一五
三、下痢及腸炎	三九,九〇八	一七三・〇	一八・三〇
四、其他の幼若乳兒固有の疾患（三箇月未滿）	九,六四五	四一・八	四・四二
五、腦膜炎（結核性を除く）	八,六二八	三七・四	三・九六
六、氣管支炎	七,八五三	三四・〇	三・六〇
七、早產	五,九二九	二五・七	二・七二
八、乳兒脚氣	五,七八九	二五・一	二・六五
九、百日咳	五,七七四	二五・〇	二・六五
一〇、麻疹	三,五八三	一五・五	一・六四
一一、先天性畸形	三,四八七	一五・一	一・六〇
一二、黴毒	二,七三三	一一・八	一・二五
一三、搐搦	二,六五三	一一・五	一・二一
一四、丹毒	二,二七二	九・八	一・〇四
一五、膿毒症及敗血症	二,〇一三	八・七	〇・九二
一六、不明の診斷及不詳の原因	八,五七六	三七・二	三・九三
一七、其の他の全死因	一六,七〇四	七二・四	七・六六

以上述べた三つの原因が本邦乳兒の代表的な死因でして之を寄せ集めると總體の六割三分になります。後はぐつと減りますから育兒には先づ右に擧げた三つの原因に警戒を拂ふことが肝要でせう。

四番目にある「其の他の幼若乳兒固有の疾患」といふのは特に乳兒ばかりを狙ふ死因の中「先天性弱質」「早產」「分娩による產兒の障碍」を除いた外の全部を指すもので、その代表的な病氣としては「肺膨脹不全」「初生兒黃疸」「初生兒メレナ」等が擧げられ、その他お臍の疾患なども含みます。病氣の性質上殆んど全部が出產後短時日の間に死亡するものばかりですから特に「三箇月未滿」としてあるのです。

右に續いては「氣管支炎」「早產」「乳兒脚氣」が有力な原因となつてをります。茲で一寸注意して置きますが「早產」とあるのは早產そのものが死の大きな原因となつたものゝ意で、例へば「消化不良」といふ直接の原因で死んでもその「消化不良」が早產兒たる爲に起つたものであれば此の中に含めるのです。

又世のお母さん方の注意を喚起したいのは「乳兒脚氣」が昔に較べると之で大分減つてはゐるものゝ未だ〳〵右に見られる通り相當澤山あることです。

「百日咳」「麻疹」等の怖い傳染病、生れ乍らの不具である「先天性畸形」に續いて「黴毒」があります。年々三千人近くの赤ちやんが此の怖るべき病氣の爲に生命を奪られてゐるのです。何分生れたばかりの赤ん坊のことですから後天的な傳染といふ樣なことは殆んど考へられません、九分九厘迄「先天的」つまり「遺傳黴毒」であることを知らねばなりません。

最後に「搐搦」といふ餘り見馴れない語に付て說明して置きませう。之は普通「急癇」とか「痙攣」とか俗に「ヒキツケ」と言はれる神經系の病氣です。之は統計に現れた所を見ますと北陸地方分けても富山縣に非常に多い樣です。

二、英吉利の乳兒の死亡原因

赤ん坊の死亡原因などは何處の國でも同じであり相に思へますが、所變れば品變るといふ言葉通りそれが中々さうではないのです。例へば次に載せた英吉利の數字を御覽下さい。

二、イングランド及ウエールス（昭和十二年）

死因	死亡數	總數千中	出生千ニ付
總數	三五,一七五	一,〇〇〇・〇	五七・六一
一、早產	一〇,三七五	二九五・〇	一六・九九
二、肺炎	五,五八二	一五八・七	九・一四
三、先天性畸形	三,六九九	一〇五・二	六・〇六
四、下痢及腸炎	三,〇八六	八七・七	五・〇五
五、其他の幼若乳兒固有の疾患（三ヶ月未滿）	二,〇六九	五八・八	三・三九
六、分娩による產兒の障碍（三ヶ月未滿）	一,五〇九	四二・九	二・四七
七、先天性弱質	一,三七四	三九・一	二・二五
八、氣管支炎	一,二四四	三五・四	二・〇四
九、百日咳	八六〇	二四・四	一・四一
一〇、搐搦	七九〇	二二・五	一・二九
一一、不慮の傷害	六一五	一七・五	一・〇一
一二、結核	三八九	一一・一	〇・六四
一三、流行性感冒	三七五	一〇・七	〇・六一
一四、麻疹	二三三	六・六	〇・三八
一五、腦膜炎（結核性を除く）	二〇九	五・九	〇・三四
一六、黴毒	一四〇	四・〇	〇・二三
一七、其の他の全死因	二,六二六	四七・七	四・三一

此の國では「早產」が最も多く總數の三割が之です。日本に比較すると六倍以上の高死亡率です。乳兒死亡率全體が我國の半分しかない英國に「早產」だけこんな高率を現すのは何故でせうか？それには相當の理由が考へられます。話は少し專門に涉りますが曩に申しました通り早產兒が生後一年未滿で死ぬとその直接の死因が何であらうと死亡診斷書には「早產」と書かねばならぬ筈（統計の方がそれを要求してゐるのです）なのですが、英國はそれを嚴格に實行してゐると解釋すべきでせう。然るに我國の醫師は別な見解から假令早產兒の場合でも生後二週間も過ぎると死の直接の原因を死因として申告しますから之が統計には非常に少く現れるのです。

第二位に「肺炎」が位することは日英兩國共軌を同じくしてゐますが、一度その死亡率を對照すると違ひが餘りに大きいので一驚を喫します。英國は日本の半分以下なのですから。

極めて興味深いのは「先天性畸形」に英國の赤ん坊が我

々日本人の赤ん坊より四倍の高死亡率を呈することです。しかもこの原因は外の呼吸器や消化器の病氣が年々減る一方なのに寧ろ增加の傾向を示して居ります。その理由は國民が文化生活を追ふに急であつて、これに應じ姙娠を忌避する方法が普及したからだと一般に言はれてゐます。民族的體質の優秀性を謳はれる英國人に斯くの如くであるとすれば早晩こんな傾向が日本にも生ずるのではないかと危惧されます。若しそんな傾向が現れ出したらそれこそ由々しき一大事でせう。

「分娩による産兒の障碍」といふのは所謂「難産」「異常分娩」「鉗子分娩」に基因するもので、赤ちやんは一應生きて生れることは生れても長生き出來なかつたものを指すのです。それから「不慮の傷害」といふのは、よく新聞紙上などで見受けることですが、お母さんが添乳してゐて識らずに乳房で窒息させるといつた樣なものです。此の外「火傷」「溺死」「中毒」なども之に入ります。此の原因も英國の方に多い模樣ですが、かうした親の不注意が基で無辜の乳兒を殺すなどはお互に早く無くしたいものです。

三、ニュージーランド及チリの乳兒の死亡原因

英吉利は乳兒死亡率の低いことに於て世界屈指の國ですが、その原因を分析すると大體以上の如くでした。そこで今度は世界で一番乳兒死亡率の低いニュージーランドの數字を眺めることにしませう。

三、ニュージーランド（昭和十一年）

死因	死亡數	總數千中	出生千ニ付
總數	七六九	一、〇〇〇・〇	三〇・九六
一、早産	二五四	三三〇・三	一〇・二三
二、先天性畸形	一二七	一六五・一	五・一一
三、其他の幼若乳兒固有の疾患(三箇月未滿)	九〇	一一七・〇	三・六二
四、分娩による産兒の障碍(三箇月未滿)	六八	八八・四	二・七四
五、肺炎	六〇	七八・〇	二・四二
六、百日咳	二五	三二・〇	一・〇一
七、先天性弱質	二一	二七・三	〇・八五
八、下痢及腸炎	一五	一九・五	〇・六〇
九、流行性感冒	一二	一五・六	〇・四八
一〇、氣管支炎	一〇	一三・〇	〇・四〇
一一、不慮の傷害	一〇	一三・〇	〇・四〇
一二、搐搦	七	九・一	〇・二八
一三、胸腺の疾患	五	六・五	〇・二〇
一四、脫腸及腸管閉塞	五	六・五	〇・二〇
一五、腎盂炎	四	五・二	〇・一六
一六、皮膚の疾患	四	五・二	〇・一六
一七、其の他の全死因	五二	六七・六	二・〇九

此の國へ來ると日英の相違以上の違ひが日本との間に認められます。卽ちニュージーランドでは第一位から第四位迄悉く乳兒特有の原因によつて占められてゐます。つまり先天的なものか分娩時の故障によるものか必ずその一方です。此の四つの原因を加へると丁度總體の七割に達します。その他日英兩國では共に第二位に在つた「肺炎」が漸く第五位を占めるに過ぎず、しかもその死亡率が極めて低く流石の英本國すら及ばぬ等大分樣子が異ります。

斯うした現象は乳兒死亡率の低い國に共通のことでして例へばニュージーランドに亞いで世界第二の低率國であるオランダの事實も略々之に似かよつてゐます。そして此の樣な「早產」とか「先天性畸形」とかの死亡原因は近年一向に捗々しく減らないばかりか場合によつては却つて增加しつゝあるものすら見受けます。

そこで結論は「乳兒の死亡原因に於て日本の如き內容を示すものは乳兒死亡率極めて高く、英本國の如き內容を示すものは可成り低い部類に屬し、之れから進んでニュージーランドの樣子に近づくに連れて一層低率となる」となり相です。もつと判り易く言ひませう。ニュージーランドに於て死亡率の高い原因はどれを見ても減らすに骨の折れるものばかりですが、日本では「肺炎」とか「下痢・腸炎」の如き注意次第で防ぎ得る原因が多い。つまり此の防ぎ得る原因を長年の國民的努力で最少限度に減らしたことが今日ニュージーランドの低い乳兒死亡率を說明してゐるのです。

例へば次に掲げる南米チリの統計を御覽下さい。此の國は乳兒死亡率の世界一高い所ですが、その內容を見ますと我國に酷似してゐるではありませんか。

四、チリ（昭和十一年）

死因	死亡數	總數千中	出生千ニ付
總數	三九、五六九	一、〇〇〇・〇	二五二・一七
一、肺炎	七、九五三	二〇一・〇	五〇・六八
二、先天性弱質	六、九四二	一七五・四	四四・二四
三、下痢及腸炎	六、三四〇	一六〇・二	四〇・四〇
四、腦膜炎(結核性を除く)	四、一二四	一〇四・二	二六・二八
五、流行性感冒	二、三九六	六〇・六	一五・二七
六、其他の幼若乳兒固有の疾患(三箇月未滿)	一、五五三	三九・二	九・九〇
七、早產	一、四六九	三七・一	九・三六
八、百日咳	一、一六九	二九・五	七・四五
九、分娩による產兒の障碍(三箇月未滿)	一、一〇八	二八・〇	七・〇六
一〇、黴毒	一、〇〇九	二五・五	六・四三
一一、氣管支炎	二一七	五・五	一・三八
一二、呼吸器の結核	一八九	四・八	一・二〇
一三、痲疹	一五三	三・九	〇・九八
一四、搐搦	一二三	三・一	〇・七八
一五、其の他の結核	一一六	二・九	〇・七四
一六、不明の診斷及不詳の原因	三、七〇八	九三・七	二三・六三
一七、其の他の全死因	一、〇〇〇	二五・三	六・三七

備考　大抵の國で最も重要な死因の一となつてゐる「先天性畸形」が此の國に限り極めて少く昭和十一年の死亡者は僅か九〇名（出生千に付〇・五七）に過ぎません。

四、結論

最初に斷つて置きますが、右に掲げた統計數字は各國共最近一年だけのものですが、然し此の傾向は決して每年々々激變するものでなく、大體同じですからその點大勢の判斷に間違ふ虞はありません。

さて乳兒死亡率の高い國は日本と同じ樣に必ず「先天性弱質」「下痢及腸炎」「肺炎」の特別多いことが判りました。「先天性弱質」といふのは曩にも申しました通り大半が「發育不全」で、胎內にゐた時から旣に弱く、生れてから後も發育する力が無いものですが、之は母親に大部分その責任があります。母體が「黴毒」とか「結核」とかの慢性疾患を持つてゐれば生れる赤ちやんの多くは皆かうした弱い子です。お母さんが健康體で且つ榮養に注意し、胎兒の保護に專念すれば救はれるものです。こんな原因による乳兒死亡が多い限りその國は非文明國と嗤はれても仕方ありません。

それ以上に恥しい事は「下痢及腸炎」の多い點です。之などはお父さんお母さん、或ひは其の他の保育者が眞に子供を愛してゐるならば、正しい育兒の知識を得ることに依つて根絕と迄行かずとも立派に防ぐことが出來るのですから。よく世のお母さん方が斯う話されてゐるのを聞きます「宅の子供はお腹を壞して仲々治らないのですよ」と。その癖其のお母さんはその事を餘り心痛してゐるらしくも見られないのです。

そしては一旦「百日咳」にでも罹るとそれは家中大騷ぎをするのが常です。成程傳染病の怖ろしいことも事實ですし、お腹を壞しても大抵は一週間もすれば治るのが普通です。けれどもさう言つて濟ましてゐるからこそ、一年に何萬人もの赤ちやんが「消化不良」で亡くなるといふことにどうして氣が附かないのでせうか。

御覽なさい、外國の此の病氣による死亡率を。我國に較べて高い所がありますか。南米のチリは別ですあんな國（失禮な言方ですが）と日の出の日本を比較しては堪りません。乳兒死亡率の世界中で一番低いニュージーランドに比較しますと、此の「下痢及腸炎」に於て我國は驚く勿れ三十倍以上に上る高率を示してゐるのです。

「肺炎」も同じです。感冒を引いた位では心配することはないと、高をくゝつてゐるからこそ「肺炎」になるので、なつてから周章狼狽、やれ醫者を呼べとかなんとか言つてゐたのではもう手遲れです。何故初めから萬全の注意を拂ふ樣にしないのでせう。

或ひは反問される方があるかも知れません「英國だつて米國だつて、肺炎は二番目に多い病氣ぢやないか」と。一應御尤ですが、それならばもつとよくその死亡率を見較べて下さい。チリは由來「肺炎」の多い國で通つてゐるから別として、外に日本より高い所がありませうか。英・米・獨は我國の二分の一、オランダは四分の一、ニュージーランドの如きは實に八分の一の低死亡率なのです。

まだ〳〵澤山我國の惡い點はありますが、一々說明するのを止めて、一寸南米のチリと對照して見ませう。我國は英國・ニュージーランド等とはちつとも似てゐませんが、此のチリとは酷似してゐますね。先に述べた三つの原因は勿論「腦膜炎」の多いことでは世界中東西の双壁と言つてい〻位です。そして乳兒特有の疾患が割合少いことも重要な相似點として見逃せません。

最後にニュージーランドに就て今一度繰返して述べませう。御覽の通り第一位から第四位迄乳兒ばかりを襲ふ特殊の、言ひ換へれば或る程度迄避けることの至難な原因のみずらりと列んでゐます。前に申した如く是等の四死因のみで丁度七割に該ります。そして其の反面「肺炎」とか「先天性弱質」とか「下痢及腸炎」とかいふ、大人の努力如何に依つて相當減らすことの可能な原因はずつと少くなつて居ります。而も「下痢及腸炎」などは五・六十年前迄今の二十倍以上多かつたのが、段々減少して今日の此の少數になつたのですから偉いものです。これでこそ同國が世界で最も乳兒死亡率が低いぞと威張れる譯です。

然るに我が日本はどうです？ニュージーランドと全く正反對ではありませんか。

減らし得るものが一向減らずに巾を利かし、比較的減らすことの難しいものよりも遙かに多いといふ現狀です。こゝに我國乳兒死亡率の低下を阻む癌があるのです。乳兒死亡を幾らかでも減らさうと思つたら、その對策には先づ此の點に着眼しなければなりません。

そしてお母さん方がお醫者さん方よりも一步先にかうした事實を母親の常識として頭の中に入れて置き、いざといふ場合に備へる正しい育兒知識の獲得を平素から心懸けてゐたならば貴重な赤ちやんの生命は立派に守られるでせう。

お母さん方よ愛兒の爲に何卒目覺めて下さい！（完）

この喜び
慰問品を戰線へ

なつかしい、故國の便りと慰問品ほど、兵隊さんに喜ばれるものはありません。何も彼も、不自由な戰地へ早く、暖かい慰問品を送りませう。

六階東館・慰問品賣場

大阪 三越

毎月曜日休業

秋は離乳に最もよい季節です

醫學博士　長濱宗彦

赤ちゃんを理想的に健康に育て上げるに最も大切なことは適當な時期に思ひきつて離乳を決行することであります。母乳や牛乳で育てられた赤ちゃん達は生後七、八ケ月になると歯が生え始め、唾液が増えて來て自然にお乳以外の食物を欲しがる様になつて參ります。家族揃つてお食事をなさる時にはお膳の上の色々な食べ物を欲しがるのを屢々御覽になるでせう。之は最早や離乳をせねばならないと云ふ事を意味して居るのでありますから、斯う云ふ時期に達した赤ちゃんはお乳の外にぼつ〳〵消化し易い色々な食物を與へ、お乳の量を減らして、段々他の食物に變へて行かねばならないのであります。即ち赤ちゃんの離乳時期は一般に生後八ケ月位が最も適當でありますが此の離乳時期が夏の七、八月に當る場合には之れを初秋まで延期することが肝要であります。何んとなれば酷暑の季節には一般に食慾が減じ赤ちゃんの胃腸の消化力も衰へ、その上身體の抵抗力も減ずるので此季節に强いて離乳を行ひ母乳以外の食物を與へると消化不良を起して下痢したり、嘔吐して、赤ちゃんは段々衰弱することが屢々あります。そして遂には腸炎等の爲めに鬼籍に上ることも少くありませんから盛夏の季節には離乳を延期せねばなりません。しかし暑くて不愉快であつた夏も過ぎ朝夕涼氣を覺える初秋の季節になつて參りましたら可愛いゝ赤ちゃん達の食慾が大に進み、胃腸の消化作用も旺盛になり丸々と肥てくるのでありますから秋は離乳に最もよい季節であります。

さてお母様方が實際に離乳される場合には斷乎たる決

心が必要です。赤ちゃんがどのやうに乳を欲がられても與へない様に努力しなければなりません。赤ちゃんが欲乳の爲執拗に涕泣してもお母様方はそれに吊り込まれてお乳を飲まさないやうに色々工夫しなければなりません。離乳をしやうと思つて居りますがお乳を飲まさなければ泣き續ける爲に家内一同が安眠も出來ません等と云ふことを屢々承はりますがこれはお母様方の意志が薄弱であるからであります。一旦離乳をしやうとお考へになれば斷乎たる決心が肝要です。少々の苦痛は耐えなければなりません。赤ちゃんに敗けて離乳期が遲れればそれだけ赤ちゃんの成長が遲れますから本當に赤ちゃんが可愛いのなら一時の苦痛を忍んで斷然離乳をしなければなりません。もしもお母様方の離乳に對する決心が鈍つたり或は最初から離乳と云ふことに對して無頓着なお母様方は知らず〳〵の内に赤ちゃんに害を與へると云ふことになります。即ち離乳期が遲延しますと、その赤ちゃんに貧血が起つて顔色が蒼白くなり、疳が高くなつて來て、屢々乳房に嚙み付いたり、お母様方やお守さん達に嚙みついたり、又或はたゝいたり又は玩具等を投げつけたりするやうになります。又「キーキー」と疳高い聲で終日不機嫌なことがあります。又安眠が出來ず僅の物音にでも驚いて眼をさますことが多くなつて參ります。又それのみでなく身體的發育遲延や精神的發育遲延が加はつて參ります。即ち骨や筋肉の發育が不充分のために身體がなんとなく軟かく又弱々しく見え體重も増えて來ないやうになります。又智慧付が遲れて參ります。斯の様な障碍の起つて來る理由と申しますとそれは離乳期に入つた赤ちゃん達にとつては母乳だけが充分な榮養物ではなくなるのです即ち母乳丈では赤ちゃんの發育に必要な蛋白質や「カルシューム」鐵分等が不足して來るのであります。夫故に離乳期が遲れると前記の様な色々な障碍が起つて來るのでありますからお母様方は離乳期の遲れぬやうに注意することが肝要です。

離乳の準備

次に離乳準備としては

離乳を始めるには先づ赤ちゃんの授乳時間を規則正しく守らねばなりません。即ち授乳は四時間毎にして一日五回とするのがよろしい。何んとなれば不規則な授乳では到底完全な離乳は出來ないのであります。離乳は急い

で行ふと必ず失敗しますから徐々に行ふのがよろしい。即ち五―六日の間隔を置いて濃い流動食からお粥又はすりつぶしたものに變へその上量も次第に增加して遲くとも誕生頃までには完全に離乳を終るやうにして戴き度いものです。赤ちゃんが欲しがるからと云つて一度に澤山與へたり又お母様方が口の中で嚙み碎いたものを赤ちゃんの口中に入れてやるやうなことや、又大人の食物を其儘與へることは禁物です。又神經質の子供でお乳の他にはどうしても食べないやうな場合には無理に食物を與へなくてもよろしい。充分お腹を空にした時に離乳期の食物を與へると案外樂にたべるものです。或は又こう云ふ場合には他人に食べさして貰ふことも一法でせう。兎に角お母様方は完全な離乳を行ふには先づ相當の忍耐と努力とが必要です。この外母乳榮養兒では生後五ケ月頃より果汁や野菜「スープ」等を一日一回一茶匙より始め後には一日一―二回五〇瓦位宛與へるやうにし、人工榮養兒では生後二―三ケ月頃よりこのやうなことを始めて置けばこれが離乳の準備にもなりますから毎日便の模様に注意しつゝ早くから此のやうな果汁や野菜「スープ」等を與へて置く方がよろしい。

さて次に離乳の注意を項目にして列記して見ませう。

一、離乳に取りかゝる準備として先づお乳を飲ます時間を正確に定めること。

一、離乳は決して急いではいけません。五、六日の間隔でゆつくり一歩々々新しい食物に慣らして行くこと。

一、從來とは異つた新しい食物を與へる場合には先づ少量から始めて段々とその分量や濃さを增していくこと。

一、毎日油斷なく赤ちゃんの氣嫌や食べ具合や、便の模様等に注意して變化の有無を觀察すること。

一、離乳の仕方がよければ體重は正しく增加して行きますから赤ちゃんの體重を時々計ることが必要です。

一、食物はゆつくりと食べさす習慣をつけなければなりませんそれには食物を充分に嚙ますことです。まだ充分に嚙みこなせず口中に殘つて居る上に更に次の食物を口中に入れるやうなことの無いやうに注意すること。

一、間食の時間は午前十時なり或は午後三時なりに定めて規定時間以外には決して與へぬやうにすること。

一、偏食に陷らぬやうに食物の調理法や献立に注意しま

せう。偏食の習慣はこの赤ちゃんの離乳期から充分に注意して出來るだけ避けるやうに努力しなければなりません。

一、母乳ばかり吸うてどうしても他の食物を攝らない赤ちゃんは斷然母乳を止める方がよろしい。神經質な母乳榮養兒ではよく母乳以外に何を與へても食べない場合があります。こんなときには思ひ切つて母乳を離してお乳を與へないのが一番よろしい。不機嫌で氣狂ひの様に泣くことがありましても決してそれに負けないやうに辛棒するうちに何時とはなしに他の食物を食べるやうになるものです。

一、食事の前には必ずお顔やお手を拭ふことを忘れぬ様によい習慣をつけること。

以上列記致しましたやうな注意をよく守つてお母様方は相當の忍耐と努力とを以て上手に離乳された場合には立派な優良兒童に育て上げることは必然です。唯今は國家非常時の折から優良兒をどし〳〵育て上げることが銃後にあるお母様方の御奉公の一つだと存じます。

お母さま…の心配

『宅の子はどこと云つて悪い所はないんですけど、どうも元氣がなくて、お食事どきなどいつも駄々をこねて困ります』

『まあ、さうでございますか、宅でも好き嫌ひがひどくて、お菓子ばかり食べるんですのよ……』

かういつた話は慈愛深いお母さん同士が會ふときよく聞かれることです。

こんなとき、たゞなだめたり叱つたりしてむりに食べさせようとしても無駄ですそれよりもお子さまにビタミンB複合體が不足してゐるかどうかを考へる必要があります。この成分が足りないと、胃腸の働きが弱つて自然と食慾が鈍り、食事にだゞをこねるばかりでなく、食べものがとれなくなりますから、だん〳〵痩せ元氣のない子になつてしまふのです。

お子さま方がいつも健康でどん〳〵食べすく〳〵肥れるやうエビオス錠の適用が必要です。B複合體の最も濃厚な天然給源——酵母劑で胃腸を强化しすき嫌ひを矯めお子さまの發育を增進するからです

離乳の方法

醫學博士　一色　征

離乳に當つて先づ初め重湯を與へますが之はカロリーに乏しいものですから長く重湯を飮まして母乳を飮む量が少くなるやうな失敗をせない様注意して下さい。

先づ最初は野菜スープで作るか又は野菜を入れて作つた重湯を五〇瓦位一日一回授乳前に與へて、其後へ母乳を與へます。二—三日續けて與へ便に異狀なければ重湯の量を增して一〇〇瓦位にし二—三日更に續けて異狀なければ最初の日には擂粥を或は米を細かく碎いてよく煮た（碾割米粥）を盃に一杯或は二〇瓦位與へ後母乳を與へます。かやうにして機嫌も良く便に變りなければ盃に二杯更に三杯と漸次分量を增しつゝ粥の濃さも濃くして一日一回宛母乳に添へて與へます。子供茶碗に二杯約百五十瓦位與へ得るやうになつた時は全く母乳を添へない様にして粥食を朝夕一日二回子供茶碗に二杯宛とし粥食を子供茶碗に一杯半乃至二杯與へ得る時期になると同時に色々の野菜（馬鈴薯、百合根、人參、ホーレン草、甘藷、トマト、キャベツ、青豌豆等）の裏漉を副食物として粥に添へます。初め茶匙に二杯位より始め次第に多くし便に變りなければ（但し人參、ホーレン草等を與へた時は便に色がつきますが、便の性質に變化なければ心配は要しませぬ）半熟にした卵黄を半個一日一回與へます。

次には粥を朝晝夕三回とし母乳は二回或は午前十時と午後三時頃に牛乳五勺にビスケット二、三枚又は少量の食パンを添へて與へます。

次には脂肪の少い白身の魚肉を少量或はよく煮たうどん、燒麩のすまし汁豆腐などを與へます。果汁は漸次止めて果物を卸したそのまゝ又は細かく切つて與へます。

かやうにして漸次粥食を增し誕生頃には全く母乳を廢止するやうにいたします。

人工榮養兒の場合も母乳榮養兒と同様に初めスリ粥を盃に一杯一日一回與へその後へ牛乳で作つたお乳を一五〇—一七〇瓦位添へます。二—三日様子を見て便の性質に變りなければ粥を二杯次で三杯と增してそれに添へて與へる牛乳は其に應じて一五〇瓦、次で一〇〇瓦—九〇瓦と減らしてゆき粥食を子供茶碗二杯位即ち一五〇瓦位與へるやうになると、牛乳を全く添へない様にし、粥食を一日二回に增し其の他に牛乳一八〇瓦宛一日三回與へ、又此の頃より前記同様の副食物を少量より粥に添へて與へ始めます。次で粥を一日三回牛乳は一日二回の割合で與へ離乳を終ります。

離乳中は時々體重を測定し發育狀態に注意して離乳が順調に行はれてゐるかどうかに氣をつけて一週一回位は專問醫、保健所、乳兒院、育兒相談所を利用するやう心掛けて下さい。

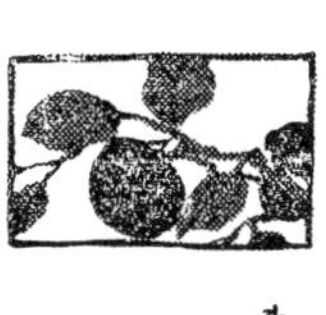

また増えた
乳幼兒の死亡
母體の健康が肝要

事變以來東京市の人口統計によれば乳幼兒の死亡率は增加の傾向にありましたが、昭和八年以來だん〳〵に減少し八年の百人生れて十一人の赤ちゃんがお誕生までに死亡した割合（十一パーセント）に對し、十二年には九パーセントに減少して來てをります。ところが十三年度には再び十パーセントに增加の傾向を示してをります。恐らく東京市以外でもこのやうな傾向にあるのではないでせうか、とすればこれは由々しい問題といはねばなりません。

乳幼兒の死亡　統計によれば生れて十日以内で死亡するもの最も多く二割五分を占め、次に多いのは六ケ月以上十二ケ月以内の離乳期の赤ちゃんで此は二割三分に達してゐます。で、此等の死亡原因を調べてみますと、一番多いのが先天的弱質といつて生れつき弱い體質の赤ちゃんで、乳兒で十日未滿で死亡したものゝ半數以上はこの先天的弱質の爲です。そして次に多いのは肺炎、次は下痢、腸炎の順序で生後六ケ月以上十二ケ月以内で死亡した赤ちゃんの三割七八分に達してゐます。先天的弱質—つまり生れつき弱いための死亡を豫防するには何といつても母體の健康が一ばん必要です。最近勞働科學研究所が農村で調査したところによりますと、お産前の二ケ月が農繁期に當つてゐたお母さんと、お産前の二ケ月が農閑期に當つてゐたお母さんと、農繁期、農閑期に關せず、適當の休養、榮養、運動をとつてゐた人との三者に區別して、一週間ごとに母體の目方のふえ方を調べた所最後の者が一番順調に行つてゐたといひます。そして一番悪かつたのは農繁期にあつたお母さんの體重の增え方で中にはお産まで、體重が順調でなかつたのもありました。これは農繁期には姙婦もお腹の赤ちゃんのことなど少しも省みずに勞働する傾向が、過勞、榮養不良等におちいることになるのです。その結果は胎兒が順調に育ちにくゝ生れつき弱い、いはゆる、

先天的弱質の　赤ちゃんができるものと考へられます。このやうな赤ちゃんが最も死亡率の高いことは當然のことです。母體の保健に注意して先天的弱質の赤ちゃんの生れて來ることを豫防すると共に、後天的な原因による乳幼兒の死亡中で最も多い肺炎は特に冬期の風邪に注意して豫防し、また夏は下痢、腸炎のやうな病氣にかゝらぬやう榮養に注意し、殊に離乳期に入らんとするときの保育に十分注意する事が必要です。

（東京府衛生課　桑原丙午生技師）

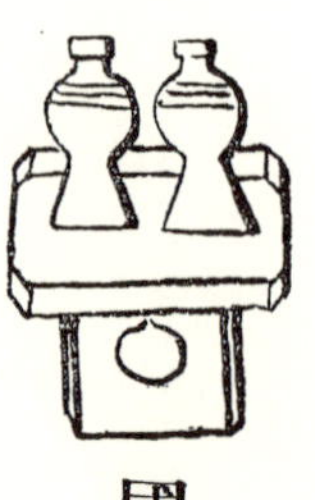

國史を貫く日本精神

大阪府女子専門學校教授
京都帝國大學文學部講師　魚澄惣五郎

　私共の特に專門的に研究致して居ります日本歴史を通じましての日本精神、卽ち日本人としての特殊の精神が何處にあるかを申述べたいと存じます。

　先づ第一に申上げたいのは、日本人の考へ方と西洋人の考へ方と違ふ事であります。こゝに三角形があると致します。これを見て如何に考へますかと申しますと、西洋人は三本の直線が集つて三角形を成して居ると考へます。然るに日本人は先づ三角形といふ形に着眼してそれから始めて三本の直線があると考へます。換言しますれば西洋人の見方は事物を個別的に分析して見るのでありますが之に反し日本人の見方は事物を全面的に綜合して見るのであります。これが兩者の根本的に相違して居る點でありまして、このことは色々な方面にも現はれて居ります。例へば庭園を見ましても日本人は庭の自然其の儘の姿を樂しみ、統一した全體的な綜合的な庭を愛好致しますが、西洋人は庭に菫があるとかダリヤがあるとか部分的に見、技巧裝飾した其の美しさを愛好致します。又私共が神社に參詣致しまして先づ第一に訊ねられますことは「一體この神社は何の神樣を祭つてあるのですか」と言ふ事であります。これは西洋式考へ方卽ち分析的な見方が這入つて來て居るのであります。神社には天神地祇の八百萬神が祭つてある卽ち私共の祖先が祭つてあるといふ全體的な見方をしますのが、日本古來の精神であります。

　「なにごとの　おはしますかは知らねども　かたじけなさに涙こぼるゝ」の歌はこの精神であります。日本人は物を大摑みに見てよいと考へて居るのであります。

　一體事物を全體的に見る精神と、個別的に見る精神とがあるのでありますが、前者が社會的であるに反し後者は非社會的であり、社會を危くする見方であります。卽

ちこれを會社にとりますれば社員があつて會社があるといふことゝ會社があつて社員があるといふ考へ方がありますし、國家と國民との關係におきましても同樣な事が言へるのでありますが、全體を先づ見ると云ふ考へ方が日本人古來の態度でありますことは言ふまでもありません。支那人は元來全體を重視すると云ふよりは之を理窟附ける爲めに色々の說明をして居ると見られる點が多分にあるのであります、例へば忠、義、仁、孝と云ふ言葉に就いて考へてみましても是等の言葉はすべて支那文字でありまして日本人は之を借りておるのであります。然し日本人は最初支那より忠、義、仁、孝の精神を敎へて貰つたかと言ひますにさうではありません。日本には本來自然に古くから存在して居たのでありまして自然に行つて來たのであります。日本人は其れを理論的に言はず自然の儘に現はして來て居るのでありまして强ひて日本式の言葉で表はしますと「まごころ」とでも申しませうか、兎に角支那人は個人主義であり、理論的であり、それが社會を危くしますから忠、義、仁、孝とは何ぞやと說く必要があつたのであります。かく說敎めいた立派な言葉を並べて敎へておりますけれど、なか〳〵實行致しません。之に反し日本人は實踐が先であります。

　一體日本人の結合は根本的に申しますと親子關係から出發してゐまして其の信愛は本能的であり、自然的でありまして我國民は我國古代の人々と共に伊弉諾尊伊弉冉尊より出たのであると云ふ信念を持つて居るのでありますから、高天原が何處であるかなどこれを具體的に地理的に詮議立することは一向必要ないことであります。唯私共の祖先の人々は其れを宗敎的信念として傳へ來つたと考へますことが、日本人の見方であります。又私共の家々には家の系圖と言ふものがありまして、私共の祖先は畏れ多いことでありますが御皇室より出て居ると云ふ一の信念であります。氏神や親子關係が根本的に考へられこの親子關係の愛がのびて國家關係に入り、國家愛が出來、家の爲祖先の爲國家の爲、となり、斯る精神が物を全體的に見るに至るのであります。

　今我日本歴史を見ますに、江戸幕末德川慶喜將軍の時幕府の恩顧を蒙つた者は江戸幕府を維持せんとし各處に於て官軍と戰ひました。其の時佛蘭西が幕府に援助を申出ましたが慶喜將軍は直に之を拒絕して朝廷に歸順し、遂に大政奉還となりました。この時佛蘭西の手をかりて居りましたならば幕府の戰は餘程有利であつたでせう。然し外國の壓力が加つた場合日本は全體としてこれに當ると云ふこと、これが國史を貫く日本精神であります。これは古く歴史を遡つても見ることが出來ます。例へば

聖德太子の御代は隋唐の旺盛な時で朝鮮半島から日本の方へも壓迫して來ましたが、此勢力に對抗せんが爲め國家統制に全力を注ぎ、所謂大化の改新を斷行せられました。其の中心となられましたのが聖德太子であります。當時の國家意識、日本精神の確立は强固なものでありました。其の例と致しまして大阪の天王寺があります。天王寺は四天王護國寺と稱しまして日本の國家を鎭護するといふ意味にて創建されたのであります。何故其當時の大阪港頭に祭られたかと申しますと、隋唐等の外國船の出入する港頭に祭り、對外勢力に對抗するといふ護國精神より出たものであります。當時寺を建立致しますのは皆この精神より出てゐるのであります。然らば何時の時代でもこの國民的精神が盛んでありましかと言ひますと必ずしもさうでないのであります。日本で個人主義的功利主義的精神が强く現はれましたのは足利時代でありま す。この時を暗黑時代と言ひますのも全くこの傾向を基本とする精神が流れてゐた爲めであります。この個人主義的な我儘に對抗し火花を散らしましたのは大楠公等の忠臣であります。足利尊氏の周圍にあつて常に之を指導してゐました者に夢窓國師といふ名僧がありましたが、彼は尊氏を評して「度量が大きく、物惜しみをしない」と言ひましたのを、後世の史家は尊氏は大人物だつたと云ふことにしてゐますが、この言葉は當を得て居ないやうに思はれます。「物惜しみをしない」と云ふことは人に物を遣り人心を收攬せんとしたのであります。卽ち利によつて人心を收攬せんとしたのでありますから、利によつて集る人は、利によつて離散するのが常でありますが故、自分の都合が惡ければ離れんとする傾向を生じまして亂世となり下剋上の思想が頻りに橫行致しました。尊氏は京都淸水觀音へ願をかけましたが其の願文とも申しますものゝ中に「どうぞ尊氏に道心（佛の心）を持たしていたゞきたい、今生の果報は弟直義に與へて欲しい、直義を安穩にさせ給へ、尊氏には唯後生をお賴みいたしたい」と言つたやうな意味の文句が見えて居ります。これを見ましてもどこまでも自己本位であり、一身一家のみを考へて居たことがわかります。また尊氏は丹波篠村の八幡で旗擧をしました時に「此の戰に勝ち足利の家が繁榮する樣になればこの社を立派にいたします」と言つて居ります。ところが之に反し大楠公はどうであつたかと申しますに、正成公が河内のあるお宮に奉られた願文の中に「自分は辱けなくも朝廷より御恩を受けてゐる、此の戰に若し勝ち天下が治つたならこの社に於て御禮詣りを必ずする」と言つたやうな意味の文句が見えて居ります。自分のことは何も云つて居ない、此點尊氏の行方と大變

違ふところであります。尙建武中興の成就すると共に論功行賞問題が紛亂したことを見ましても當時の人々が自己の利害關係から友軍となり、賊軍となつたものゝ多いことが想像されます。この時に於ける戰は自己の利より走つたのが多いのでありますから一家の中で敵味方と分れるといふ面白い現象を呈したのであります。北畠親房が著しました神皇正統記の中に「一體戰に功勞ある者が一郡宛欲しいと言ひ出せば其半分も分ち與へることが出來ない。尙一國宛を欲しいと言へば日本全國は六十六國しかないから六十六人しか與へることか出來ない。そうすれば國はなくなつてしまふ。一體君に忠を致すことは臣民として當然の道である。恩賞は要求すべきものでない」と說いてゐるのは其當時一般に如何に個人主義的であり、功利主義的であつたかを物語るものであります。

　然し、吉野朝廷と申しましても武力の點より見ますれば、足利氏に比較にならぬ位微弱であつたのでありますが、それなのに猶足利氏の武力を以てしても侵し得なかつたのは、何故でありますか、何かそこに理由が存在してゐるに違ひありません。

　其れは日本歴史に現はれてゐる連續性（歴史の連續性）といふものであります。一體物には今迄の仕來りを變へないで傳統を重んじてゆかうといふ性質と、絕えず變化を好む性質との二つがありますが日本歴史の全體より見ますと、前者の考へ方が强いやうに思はれます。例へば萬世一系とか皇統連綿とか言ふ言葉を見ましてもこの連續性を强く表はして居ります。唯物事を續けてゆかうといふ考へのみが强く働きますと保守頑固となる虞がありま す。此點大いに熟考を要すべきことゝ思ひます。要するに變化させていけないものと、變化させてもよいものとがあるのでありまして、根本的なものは變化させずに枝葉を適宜に變化させてゆくことが最も合理的だと思ひます。

　これを民族的に見ますと、一體日本民族は單一なる民族ではありません。研究されて居るところに依りますれば支那大陸人、南洋人、シベリヤ人、滿洲人、朝鮮人等の結合人であると言はれて居りますが、古代を見ますと大和、河內は先づ半分は歸化人と見てよいのであります。こんなに歸化人が多いのにも拘らず上皇室を中心と仰ぐ日本民族の根幹は少しも變つて居ない。中心は依然動かず、色々なものが注入され、それが千變萬化發展して來て居るのであります。

　更にこれを宗敎的方面より見ますと神社の信仰は古より動かず依然今日に至つて居るのでありますが、其間時代の進むに從つて佛敎、儒敎、キリスト敎等が這入つて

來て頻りに布教に努めたのでありますが、信仰の中心を依然神社に求めそれは布教もせず永久に動かざるものとなつて居るのであります。尙これを國家政體より見ますと、國體の本質は　天皇親政に存することといふまでもないことでありますが、歷史を見ますれば上皇政治をおとりになりました院政時代、藤原の勢力卽ち攝關政治時代武家政治卽ち武家時代等の變態政治がいろ〳〵と行はれたのであります。しかし天皇親政といふ根本は依然搖がず、色々な形態に於て　天皇が御一任されたのであります。足利氏の武力で吉野朝を犯し奉ることの出來なかつたのは　皇室の尊嚴は動かす可からず、犯す可からずといふ堅い信念があつたからであります。

日本の連續性の强いことは他の諸外國に其の類例を見ないのであります。これが私共の祖先の信念であり、國民性として傳へ來つたのであります。

尙終りに臨みまして一言申述べたいことは奉公觀念といふことであります。古くから女中丁稚番頭等を奉公人と言ふて居ります。此の奉公觀念は武士道の發達と共に著しく目立つて來たのでありますが、この思想が次第に町人社會に擴り、自分を犠牲にして主人に仕へることを奉公といひ、この精神で仕へる意味から奉公人と稱したのであります。江戸時代にこの武士道的な考へが町人社會まで入り今日に至つたのであります。一町人の使用人が奉公の觀念を以て其の主家に傭はれるといふ考へは、恐らく我國獨特のものと考へます。

賀川豊彦氏『死線を越へるまで』（十四）

村島歸之

四八、神學校を去る

賀川氏は明治四十三年十二月二十四日の夜、神戸神學校の寄宿舍から新川のスラムの眞ッ只中に移り住んで、學校に通ふ傍ら、路傍說數にも出かけゐたが、スラムの人々のために及ぶ限りの手を貸し、次第に彼等と馴染んで、持ち込まれる用事も漸く增加し、寄食者の數も殖えて來たため、スラムに這入つて約一年後の四十四年十一月十七日限り、氏は神學校を退學し、專らスラムの仕事に精進する事とした。

神學校を卒業したからといつて、しないからといつて、別に氏の價値に高下が出來る譯でもなく、又、少年の日から宿願であるイエスに倣つて、貧しき人々の友となるのにも、學校の科程を卒へる卒へぬといふことが別段に影響もないことだつた。スラムの仕事に專心することが、一日早やければ一日だけスラムの人々も助かることになる。氏は何の未練もなく神學校にサヨナラを告げた。

氏は神學校にある間から、スラムの子供たちのために日曜學校にある間から、スラムの子供たちのために日曜學校だけは開いてゐたが、成人のためには路傍說教以外に餘り力を注いではゐなかつた。從つて、スラムの氏の宅で日曜の禮拜を守つても、出席するのは、氏の家の寄食者の一部と、近所の老人ぐらゐであつた。

氏はスラムの傳道のためには、どうしても青年層を捕へなければならないと考へた。神學校を退いたのも、一つには青年層に呼びかげるために、片手間仕事ではどうしても駄目だと考へたからである。

その頃、新川附近には貝ボタン工場があつて、スラムの內外から其處へ通つて來る多くの青年があつた。氏はこれ等の青年たちに目をつけた。そのうち、その中の一人、二人が、氏の熱心な傳道振りに動かされて、ぼち〳〵、氏の周圍に集つて來た。氏は大に喜んで、これ等の青年を敎導すると共に、一緒に路傍說教にも出

かけて行つては、旺んに青年層に呼びかけた。若い女の人たちも漸次氏に近寄て來るやうになつた。

貝ボタン工場の青年の中には、後年、氏の片腕として三十年の久しきに亘つて氏の事業を助けつゝある武內藤氏がゐた。又、若い婦人の中には、氏の好伴侶、春子夫人がゐたのである。

まづ、その當時の消息を、『死線を越えて』に見よう。

四九、樋口さんのお手傳

——日　貝ボタン工場青年に傳道。

——日　青年が禮拜に來て活氣を呈す（從來は老人のみだつた）

十二月二十五日　廣場に天幕をはり乞食のクリスマス。青年たちも樋口さん姉妹も手傳ふ。日頃のゴロも手傳ふ（乞食百二十人來る）。

——日　天幕の中に女乞食の寢てゐるのを收容。

十二月廿四日　八百人の子供を招待する。

——日　樋口さん毎日晝飯時三十分手傳に來たる。

四十五年正月　朝五時から速朝禮拜。喧嘩隨所に起る。元旦に一つ、二日に二つ、五日に一つ葬式の世話。戸田、一家を引取りに來た。

一月六日　幸德事件十二人死刑。

（『死線を越えて』上卷はこれで終つてゐる）

といふまでもなく、樋口さんとあるのは、實は芝春子さんのことで今の春子夫人である。

此處で一應、春子さんその人について語られぱならないが、此處には便宜上、私が大正十一年五月『婦人俱樂部』誌上に書いた「賀川夫人春子」の一文を基礎とし、これに加筆することゝする。

五〇、賀川春子夫人

▽毆られに歸る

「どれ、又毆られに歸りませう。ゴロツヤ達が拳を堅めて私の歸りを待つて居るでせうから……」

夫人は寂しさうに笑ひ乍ら、私の家を辭して行つた。夫人は、何故に毆られればならぬのだらう。ゴロツキは、何の怨みがあつて纖弱き女性の上に鐵拳を下さうとするのだらう。それにしても夫人は何故その鐵拳を免れようとはせずに、見す〳〵拳の下へ歸つて行くのだらう。

讀者よ、これから話さうといふのは眞僞を搗き交ぜた物語ではなく、實在の女性賀川春子女史に關する、あるがままの事實譚である。

賀川豊彦氏の『死線を越えて』が二百版を重れたと聞いた葺合新川部落のゴロツキ達は、勿化の幸として賀川氏宅に押蒐けた。

「俺は讀んだ譯ではないけれど、噂に聞くと、先生は俺等の事を小說に書いて、たんとお金を儲けたちふやないか。すまんがその分け前を貰ひに來ましたんや。」

と啖呵を切つて、芝居もどきにユスリに來る者が、日に數人を數へるが、著述に、演說に、說敎に席溫る暇のない賀川豊彦氏は多く留守勝で、これ等ゴロツキの接待に當る者は、お留守居役の夫人春子女史であつた。

賀川氏は「惡に酬ゆるに愛を以てせよ」といふ無抵抗論者である。氏が愛用して居た洋服も、或日一勞働者に「先生、その洋服うちにくれんか」とねだられると、躊躇もせず大事の赤チョッキまで添へてやつて了つて、洋行する時まで洋服無しで、暮したこともあるほどである。和服も一枚ぎりしか持ち合せなかつた。餘分の衣類は、貧しき人の葬式費用のたしに質屋へ運ばれたのである。

斯うした賀川氏の無抵抗主義を知つたゴロツキ達は、敷居を跨いだが最後、必ず何物かを得ずには歸らなかつた。良人の主義を自己の主義とする春子さんにおいても變りはなかつたけれども、ゴロツキの要求は常に大に過ぎ、夫人の持合せは常に小に過ぎた。要求はその儘通らぬ場合が少くない。さうした時「さうですか」と素直に引取るゴロツキではない。要求額と與へられた額との差額は、急ち鐵拳となつて夫人の頭上を見舞ふのだつた。

「又、毆られました」と夫人は腫上つた瘤を押へ乍ら、夫に報告する事が屢々だつた。『死線を越えて』が版を重れる數が、つまり、夫人がゴロツキの拳を受ける數だつた。

▽春子さんの生ひ立ち

齒切れのよい夫人の言葉が物語つてゐるやうに、賀川春子さん——舊姓芝春子さんは生ッ粹の濱ッ子である。神戸に分工場を持ち、横濱に本工場を持つ福音社印刷工場主の義理の姪に當り、高等小學校を卒へた後、東京の或相場師の家へ女中奉公に行つたりしてゐたが、後、父が神戸の分工場を預つてゐたのを幸ひその工場で働くこととなつた。それは夫人の宅から工場へ通つて居た子があつた。年下のその子がローマ字を自由に讀むのが羨しく、自分もそれが覺えたさから、遂に工場へ通つた。日給として十六錢宛を貰つた。その後、春子さんは製本部の監となつて女工と一緒に働く事前後九年、具さに工場生活の苦辛を經驗した。

いつだつたか、賀川氏から筆者へ送られた小包が餘りにもキチンと出來てゐたので感心して話すと氏は「それはその筈ですよ。ハーさんは（氏は夫人を呼ぶに「春子」ともいふが、又「ハーサン」といふ愛稱を以てすることもあつた）製本工場にゐて紙を折るのは專門家だつたのですもの」と笑つたこともあつた。

▽賀川先生と相知る

春子さんが、賀川氏を知つた最初は路傍であつた。路傍といつても、行きずりに知つたといふのではない。

明治四十四年十月の或日、春子さんが葺合新川を歩いてゐた時、ふと四辻に立つて傳道をしてゐる路傍說敎の一團に邂逅した。路傍で神の福音を說く勇ましい聲は彼女の心を捕へた、そしてその說く所に彼女は動かされた。

青年の勸めで、春子さんが青年の敎會に行つて見ると、其處には敎會以上の敎會があつた。青年は、貧しい人々の中に住み、飢ゑたる者に食を與へ、病める者に醫藥を與ふる物質上の救と、恐怖と偏見とに心安からざる貧しい人々の心に、慰めと喜びとを與ふる精神上の救に一身を捧げてゐるのであつた。彼女はその日から此の敬虔なる青年の弟子となつた。青年は言ふまでもなく賀川氏であつた。

その頃の賀川氏の家は、さきに述べた如く幽靈屋敷の隣家二軒

を借り入れ、壁を打拔いて、一軒の家さした、總疊數十五疊のあばら家だつた。敎會に來てゐた人たちさいへば、屑物拾ひの猫のをばさん（彼女は屑物を拾ひに來て拾てられた猫が居るさ屹度拾つて來て養つて居る優しいお婆さんである）豆腐屋さん（嘗ては殺人を敢てしたが、後悔悟して、耶蘇の豆腐屋さして名の通つてゐる人）、植木屋さんの夫婦、散髮屋の夫婦、市役所の掃除人夫、稻荷下げであつた小母さん、不良少年團から出た青年、雪の降る夜野宿から救つて來た乞食のお光などであつたが、斯うした現代の落伍者の中に、林檎のやうな赤い頰をした春子さんが交つたことは、確かに一異彩だつたに違ひない。

春子さんは毎日曜日の朝の禮拜にも、脇の濱の家から殆んど缺かさず通つて來た。朔日さ十五日の工場の公休日にはお菓子やお壽司を持つて來たり、おはぎを拵へて持づて來た。これ等は勿論、氣の毒な人々にあげるためさいふのだつたが、春子さんにして見れば、賀川先生にも喰べて貰へるさいふことが、樂しみなのに違ひなかつた。

春子さんの父は現に基督敎に關係のある印刷工場に勤めてゐた上にその姉——つまり春子さんのをばさんがクリスチヤンだつたりして、基督敎には理解はあつたけれども賀川氏のやうな實踐的な基督敎を理解するまでには至つてゐないので、從つて、春子さんの敎會行にはむしろ反對の色があつた。母親ももちろん贊成ではなかつた。（今は立派な信者で、筆者なども最も此の母君に親しみと尊敬をもつてゐるが——。）

さうした兩親の理解を得るためにさいふ譯で、賀川氏は春子さんの依賴によつて、二、三ケ月繼續して毎土曜日の晚同家へ出かけて行つては、聖書研究會を開いたこともあつた。同家には、同じ印刷工場に通つてゐる數人の男工も寄宿してゐて、一緒に聖書研究會の歸りは、いつも九時を過ぎるので、春子さんは脇の濱から新川まで約小半里の道を、妹さ一緒に提灯をさもし乍ら送つて來た。

春子さんの胸に、ほのかなる或る感情の湧いて來てゐたことは、想像に難くないことだつた。

春子さんは二十三歲になつてゐた。夜道を先に立つて行く春子さんの福々しい白い顏、房々さした黑髮を下町風の蝶々に結びあげてゐる橫顏——提灯の灯によつて浮び出て見える春子さんの姿、形は、その心ばせさ共に、賀川氏にとつても愛せずにはゐられない存在であつた。

▽耶蘇の女先生

春子さんの熱心は一年たつても變らなかつた。工場の仕事は朝八時に始まつて、夕六時に終つたが、春子さんは晝の休みにも、又工場から退けてからも、夕飯もそこ〳〵にして、新川の敎會へ急いで來るやうになつた。休日には家から箒をもつて來て、スラムを廻り、女手もなく、病床に就いて居る家などを訪問して、甲斐〳〵しく掃除をしたり、着護婦代りに病人の世話をしたり、虱をわかしてゐる少女を抱き寄せて、その蟲や卵を悉くさり去つて不潔な髮を綺麗に梳いてやつた。困つてゐる家族を見ては、そつと、小さな財布から若干を割いて與へた。

冬になるさ、自分の行李の中から平常着を持ち出して、寒さに

ふるへてゐる病める女などに分ち與へた。

スラムでは、春子さんを呼ぶのに、「耶蘇の女先生を以てした。これは、やがて「先生の奥さん」に變るべき運命にあつたことをスラムの女たちは勿論、當の二人も知る筈はなかつた。

春子さんは、賀川氏の路傍傳道にもついて行つた。

▽車上の路傍說敎

春子さんは賢い婦人であるのみならず、凜さして侵すべからざる威嚴を持つた人である。彼女は神の啓示を受けて、彼女自身も亦路傍說敎に立つことが屢々であつた。その時の春子さんの姿は寧ろ神々しいものがあつた。

その時の夏の一夜の事であつた。春子さんは、その夜も賀川氏について、神戸一の盛り場である湊川新開地へ路傍說敎に出掛けて行つた。するさ、賀川氏等の陣取つた場所の恰度眞前に、日蓮宗の僧侶が陣取つて、競爭的に說敎を始めたのであつた。賀川氏は敗けてなるものかさ一生懸命に神の福音を說いた。けれども斯うした盛り場へ來る手合には、日蓮宗の說敎の方が遙かに分り易かつた。聽衆は基督敎よりも、日蓮衆の方が多かつた。斯くさ見た春子さんは「先生、私にやらして下さい」さ賀川氏に迫つた。そして賀川氏の許しを得た春子さんは、矢庭に傍らにあつた荷車の上に突立つて「兄弟達よ！」さ叫んだ。春子さんのその凜然たる姿は、馬を陣頭に進むるオルレアンの少女を髣髴せしむるものがあつた。

春子さんの叫び聲に思はず振向いてその姿を仰ぎ見た聽衆は、「女だ〳〵」さ囁き合ひつゝ、日蓮宗の方から歩みを移して基督敎の方へ改宗して了つた。そして日蓮宗の方には、一人の聽衆さへ見ないやうになつた。

こんな事があつたりして、春子さんは賀川氏を師さ仰ぎ影の形に添ふ如く賀川氏の背後から、傳道に、救貧事業に、力を添へてゐる裡、何時しか三年の歲月は過ぎた。

春子さんは快活な、そして身も心も美しい人であつたが、賀川氏さ春子さんの間は、師弟であるさ共に、兄妹のやうな信賴さ親愛さが保れてゐた。而し、賀川氏にさつては夫れ以上の神秘はまだなかつた。

春子さんは二十六の春を迎へた。彼女の優しい中に、凜さして侵し難い心さ形さをめでて、結婚を申込む向が少くないのであつた。しかし賀川氏から魂の開眼を受けた春子さんは、さうしたベンショナルな結婚に首を縦に振る筈はなかつた。春子さんは、たさへ賀川氏の妻たらずさも先生のお傍で、一生を神さ貧しい人々のために捧げようさ決心するやうになつた。これは素より自然であつた。

▽結ばれた魂と魂

一方、賀川氏は春子さんの信念さ熱誠さ善意さに感心してゐたことさて、春子さんの心底を知るさ共に大に動かされた。そして言つた。

「春子さん、貧民窟に這入るのなら、私さ結婚するつもりでいでなさい。

賀川氏も亦、春子さんの魂さ相結ぶべく決心したのであつた。

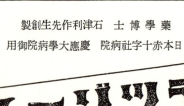

かくて師弟の關係は妹背の契りさ變つた。大正二年五月二十七

日の夕、禱と歌の中に、二人は神の前に誓約した。
その日、賀川氏は次のやうな詩をノートの端に書付けた。
「魂と魂と、春の朝に、結ばれぬ、荒板削の、小屋の蔭に。
魂と魂と、土より生へし、青芽のやうに、太陽に、背のびして
互によりぬ、いつまでも。
海邊に近く、青空仰ぎ、魂と魂と、相抱きつゝ、落ちゆきぬ、
貧しき友のその中に」
「魂と魂と、ほどへてなれらは世に撃たれ、肉落ち、骨折れ、
血もつきて、魂ばかりに跡とゞめ、天上さして、歸り行かん」
「鐵と血潮の變人よ、魂ばかりの戀人よ、天上までも、さちあれ
やー」
「み空は廣し、星多し、この世に飽かば、かの世に移れー」
「魂と魂が、相抱きつゝ、空飛べよ、春の朝日の昇るごと」

産後婦人の身代りに働く 打つて一丸の ナチ婦人團體

戰時日本の銃後を守る婦人團體は愛國婦人會、國防婦人會をはじめ大小いくつかの團體がありますがいづれも群雄割據の狀態で國策の同一方向を辿りながら別個の仕事をしてゐます。ところがドイツはユーゲント女子部は別として社會的に活動してゐる婦人團體はヒトラー・ナチスの政權下に統一された一つより認められずその活動は目覺ましいばかりです。ナチス婦人團體は全ドイツの女性教育を目標としたものでベルリンに本部を置き各地域に支部を設置してゐますが、ユーゲントの女子部と違ひ義務制ではなく、團員は未婚既婚を問はずまた年齡に制限なく自由に參加できます。

× ×

育児法、看護法、料理法、閑時の利用法、室內裝飾法などおよそ婦人に必要な生活上の知識は短期又は長期講習會を開いて授けるばかりでなく、育児や看護の指導にはモデル人形を使つて手をとるやうに團員が指導します。また市場に買物に來る婦人には商品の見分け方を教へたり、病人や病後の食物には何が榮養があるかなど、實際について面白くためになるやう指導してゐるのには感心しました。また女子勞働者は產前產後醫師の證明書があれば十二週間、證明なしでも四週間休養でき、子供は產後六ヶ月間乳兒院へ、產婦は三週間別に收容するところがありますが、雇主の方で手不足で困つてゐると婦人團體では勞働奉仕時間を使つて女學生を動員したり團員直接職場へ出向いて行つて產後のお母さんの身代りとなつて働きます。雇主はそれに對し女子勞働者並の報酬を拂ひますが、これは婦人團體の收入にならず、休養してゐるお母さんに送られます。

× ×

產めよ殖やせよはかうした婦人團體の積極的活動によつてお母さんたちの生活を少しの不安もなく社會的に守りながら、實行されて行くのだといふ感を深くします。日本の婦人團體もこゝまで徹底した仕事をやつてはじめて國民全般から、激しい戰時生活の共力者として認められるのではないかと思ひます。それにはまづ强力な組織の下に大同團結しなければいないのではないでせうか。（大日本少年團聯盟　宮本守雄氏）

子供のある俳風景
—夏の部—

佐藤亞我

顔につく飯粒蝿に與へけり　嵐雪

作爲、企み、見榮がない世界は何んと明るく朗かで住みよいことでせう。それ等が釀す複雜性を重大視する人もあるでありませうが、複雜化の興味と純なる尊さとは同日の論ではないでせう。人事は世の文化の進展と共に益々複雜、混沌の度を加へて行くことでせう。そしてその際限なき發展、その高度化は實に瞠目の驚異であるに違ひない。だが一ト度單なる自然のホンノ一少部分の現象に遭遇した時、それ等の最大の驚異は實に慘めな存在でしかないに違ひない。而もそれ等の事件に問題に餘りにも吾々は日常多く當面し過ぎて居ります。五千年の歷史を振返つて見て、自然と人事に關する限り吾々は賢明なる裁判官であることを斷言出來るものと信じます。哲學は宗教は何を求めてゐますか。好むと好まざるとを問はず、作爲、企み、見榮の絆にとらはれたる人生の解決、卽ちより自然に近く、造化の心に近くならんとしてゐるに他なりません。藝術は如何にして自然を把握しようかと腐心し、童心を求めてゐます。總て人事の複雜性の興味より自然の純の尊さを尊重するからであります。

顔についた飯の一粒、口に入れるか捨てるかすることの飯粒にフト手が觸れた時、蝿が食べるか食べないかは知らないが、何か欲しさに飛んで來た蝿に、何の作爲も企みも見榮もなく「ソレ、おあがりよ」とお膳の端につけてやつた子の純眞さ、蝿と人間との區別は更にない、自分が欲しいものは蝿も欲しいだらうと思ふ心、こゝには蝿の黴菌もなければ、蝿が人間のレベルまで上つて來たか、子供が蝿にまでなつたか、いや蝿も人間もなく、これ一如として天然自然の永遠の姿になつたのであります。尊い姿です。

一茶には子供に關する俳句が澤山あります。その中に蝿を詠つたのに「やれ打つな蝿が手をする足をする」と云ふのがあつて古來人口に膾炙されて居ります。蝿の習性を寫し得て實に妙でありますが、作爲が見えて面白くありません。

天瓜粉臍にもうちて放ちやる　磊石

夏の夕、炎熱の太陽が落ちて、我と我が身をとり戾した人達は、日中の汗をサラリと落して、そよつく夜風にやすらうのです。その時の一狀況です。

寢てゐてもヂットしてゐない子供です、お湯を使ふ時だつて、頭を洗はれたり、石鹼が眼に入らない以上、嬉々として活潑です。

「さあ、ヂットして〳〵。これをつけて置けば汗疹も出來ないし、涼しくて、可愛いゝし……。もう少し〳〵。お眼々をつぶつて……」

そんな事云つたつて子供は頭を押へられたり、顔の邊りをパタ〳〵やられるのが身を切るより切ない。第一身體を押へられて自由がきかないのは一ト時だつて我慢が出來ない。

「いやだよう。もういゝてば。放してよう」

お母さんは夕食の支度に忙がしい、お父さんは折角流した汗を又吹き出しながら

「まて〳〵、もうぢき。顎の下を、顎をアーンと上げて。よし〳〵」

大活動です。どうやら天瓜粉の袋を叩き終えて、さあこれでよし、おまけにお臍にもう一つ。ポンと叩いて手を放す。子供はまるで弦から放れた弓矢の樣に飛んで離れる。部屋の隅の蚊遣の煙がスル〳〵と昇つて、夜風になびく。水を打つた土の匂ひがプンと鼻に來る。お父さんは天瓜粉で白くなつた手をタオルで拭いてゐる。

湯から上つて天瓜粉をつけてやる情景は誰でも經驗があることです。その日常茶飯事を實に簡明に而も微笑まずには居られない樣な巧なる語調で表現してゐる事は短詩である俳句の特點でもありますが數萬言を費す文にも勝る處があると思ひます。「臍にも」と云ふ處父なる人の性格も現れてゐて、明るい家庭を思はせ、「放ちやる」で子供の元氣潑剌なる姿が目に見える樣であるし、自然のまゝの天眞爛漫なる童心が遺憾なく發揮されてゐます。

裸子に馬なれよるや草清水　聲風

菖蒲太刀小さき腰に反うつたり　望東

泳ぎ子のぬぎのこしたる衣かな　英峰

枕蚊帳たゝみへ泣く兒あやしけり　博堂
裸子の鯰をさげて戻りけり　普刀
腹掛や盥の水に遊びゐる　紅綠
幼兒の鼻ばかりなる玉の汗　靑陽

これ等は總て子に對する親の心情、熱情、小人に對する大人の憧憬(?)が發露したる所の作品であります。一々說明するまでもなく意味の解せらるゝ明白なるものでありますが、その簡單なるものゝ中に掬して尙ほつきぬ誠、純眞さがあると思ひます。

本誌前月號の卷頭に轉載されたる大阪朝日新聞八月二十日付夕刊興亞特急に執筆されたる永井柳太郎氏の「人は眞なる時美し」は實にこの處を看破されてゐるのであります。其角が娘を葬つた夜作つた

夜の鶴土に布團も着せられず

一茶が娘を亡くした時の

秋風やむしり殘りの赤い花

千代女が又

蜻蛉つり今日はどこまで行つたやら

とその子を失つた時詠つた事に對し、俳聖が作つたからではない、その子を失つた刹那に於ける親の眞實なる悲しみがかくも讀む人の心を感動させるものなのであると。これは勿論親の眞心を云ふてあるのでありますが、子は常に大人が望む處の眞の境地に居るのであります。子の死と云ふ樣な絕對的の場合のみならず吾々は常に子に關心を持つことによつて、より多くのものを敎へられ己が心の隅にひそんでゐる誠にフト觸れる幸運を持つものであります。

一年生になる兒童の統計（其一）

山形市立病院濟生館小兒科醫長
醫學博士　宇留野勝彌

大抵の都市小學校では四月に就學する兒童を豫めその年の二月頃參集せしめて身體檢査を行ひ、治療を要すべき疾病があるかどうかを調らべて居る。我が山形市の第三尋常高等小學校では他校に先んじて此種の行事を創始し、熱心にやつて居るが、幸ひ余が昭和七年以降身體檢査の擔任に當つて來たので今年までの七ケ年間の一千七百名の檢査の成績を省みて、少しく興味のある統計をとることが出來たので、母親達、學校關係者、兒童保護事業關係者の參考にもと次に少しく報告の筆をとつて見る。

尙余が身體檢査をやる外に、體重と身長を計り、メンタルテストを行ひ、且つ種々の事項について訊問してカードに記入するものである。年齡は凡そ滿五年十一ケ月から滿六年十ケ月の間の兒童に相當する譯である。

（一）發育狀態

體重と身長の平均を算出して見たら次のとほりである。

	體重	身長
男子	一七、八三（キログラム）	一〇七、六八（センチメートル）
女子	一七、二五	一〇六、八一

文部省の日本學童の滿六年半の標準は體重男子一七、八〇キロ、女子一七、二〇キロ、身長男子一〇八、〇センチ、女子一〇六、九センチであるのに比較して略々一致して居り、山形市兒童は決して發育が劣つては居らない。

同じ一年生になる兒童でも四月生れと、翌年の三月生れとでは一年の開きがある譯で、余の調査では

	體重	身長
四月生れ	一八、四九（キログラム）	一〇九、九六（センチメートル）
翌年三月生れ	一六、八六	一〇五、六三

即ち體重で約二キロ近く、身長で約四センチも相違して居ることを知らねばならない。而して全體の平均は丁度十月生れの兒童の體重、身長に最も近い數字を示して居る。

（二）メンタルテスト

百點を滿點として行つたものであるが、平均點數は男子七八、〇三點、女子七五、四七點で男子は矢張り知能が女子より優秀である。前述の如く四月生れと、翌年三月生れとでは知能も異ること勿論で、四月生れ八二、〇七點に對して、翌年三月生れ六七、八二點でその差一五點にも達して居る。尙全體平均では七六、七一點で、これは丁度十月生れの兒童の七七、四二點が最も近い。これを以て見ると身體の發育と、知能の發育は平行して居り、就學兒童に於ては四月生れ、翌年三月生れの間の身體、知能共に相當異るものを同樣に取扱ふことになるので、注意すべきことが種々出來てくる譯であつて、先づ平均からみて十月生れのものを標準にしてすべて鹽梅するのが合理的であることを知つた。

尙個人々々にみて體重は一七——一八キロのものが最多く、身長は一〇四——一〇六センチのものが最も多く、メンタルテスト成績は八〇——九〇點のものが最も多くを占めて居る。

（三）乳兒期の榮養方法

母乳で育つたものが八九・七%、混合榮養が六・六%、人工榮養が三・八%であつた。人工榮養兒實數は四四名であるが牛乳を飮んだものが丁度半數、殘り半數は乳製品、米粉などを使用して居る。

（四）父母年齡の差

父が母より三、四歲多いものが最も多く四八九名、總數の約二八%を占めて居る。尙父母同年か、或は母の方年長であるものが一四七名あつて、相當多數に上るのも珍らしい。

（五）睡眠時間

十一時間のもの四一・九%で最も多く、次いで十時間が三二・七%、十二時間が一八・七%、九時間が四・四%といふ順序である。男女別にみると女子の方が男子より睡眠時間が長いことが明らかになつた。

（六）同胞數

同胞のない獨り子は四九名、最も同胞の多いのが一九名でこれが一名ある。先づ四人同胞といふのが三四二名で、これが最多數を占める。生死を問はず一七六一名の兒童の有する同胞總數は九一八八名であるから一母性の

產んだ兒數は平均五・二二で餘り多いとも云ひがたい。

同胞二名以上の場合全部生存して居るのが果して何%あるかを算出してみると、二兒同胞八六・七%、三兒七八・八%、四兒六七・三%、五兒四六・一%、六兒三九・四%、七兒二七・三%、八兒二〇・六%、九兒一五・九%、十兒一七・三%等で「缺けなし」といふのは仲々六ケ敷いものであることが分る。

（七）家庭の職業

この學校は山形市の北部で生活程度も高いものが餘り入つて居らぬ。官公吏、會社、銀行員等は二〇〇名、商業と見做すべきものが四〇一名、農業一五六名、職工三九九名、其他勞働者、日雇者二二二名、小製造工業一六六名などがその主なるもので、尙特記すべきことは鑄物、鍛冶が非常に密集して居り、兩者に從事するものが三三五名に上つて居る。

（八）既往症

痲疹は一三五三名で先づ八割は痲疹經過者といへる。次は百日咳で五二一名、肺炎一〇一名、ヂフテリア五八名、胃腸病三九名、耳疾二五名、痙攣二四名、ヘルニア二二名、疫痢二一名等が主なるものである。

勿論これは訊いてみるだけのことで正確ではないが、既往症が全然ないといふたのが一二・二%に相當する。昭和一〇年以降を每年調査別にして比較したら昭和一三、一四年が甚だしく芳ばしくない成績で僅かに九・四%位しか「既往症なし」が存して居らぬ。

（九）身體情況

現在家庭にあつて兒童がどんな身體情況を呈して居るかを家人に訊ねてみたのであるが、咳嗽をして居るものが五・九%、風邪にかゝり易い七・三%、胃腸が弱い二・八%、食慾が振はぬ四・三%、いびきをかく一・九%等々である。

大便の一日の回數を訊ねてみると、一日一回が三八四名、一—二回が三四名、二回が八六名、二—三回が六名三—四回が一六名といふ割になつて居る。即ち一日一回が七三%を占めて居る。

特に身體の異常、心配がないといふのが七八・四%存し女子の方が男子より高率であつた。

（一〇）診察所見

これは予が一人で診察した結果であるが

（イ）運動器障害で骨、筋肉に關するもので二〇三名あつた。その內圓背六八名、凸胸五四名、凹胸二五名、扁平胸一七名は主なるものである。

（ロ）　一般狀態や體質の異常を示したもの二〇二名あつて、虛弱と呼ぶべきもの一一〇名、發育不良六五名、榮養不良二一名はその主なるものである。

（ハ）　消化器の障害は最も多く、四七三名に上るが、それも扁桃腺肥大症の三五二名をこれに加算したためである。尙ヘルニア六六名、腹部の特に膨隆異常を呈するもの二五名は次位にある。

（ニ）　呼吸器障害は七七名で氣管枝炎、咽頭炎等である。これには結核性と認むべきものを除外した。

（ホ）　皮膚の異常疾病は二二一名でその內禿毛は一三名で意外に少ない。大方はたむし等の皮膚病である。

（ヘ）　結核性疾患は二九名で、內譯腺病二一名、肺結核五名、腹膜炎二名、肋膜炎一名で、大都市の兒童に比して結核の少ないのには一驚を喫する次第である。

（ト）血行器障害は六二名、その內心悸亢進の四七名が大多數を占めて居る。

（チ）　傳染病は六名で甚だ少ない。

（リ）　眼疾患は一八八名でトラコーマは六五名である

（ヌ）　耳疾患は四〇名で、內耳漏一三名、難聽一五名その他である。

（ル）　以上の外のもの合せて一六六名、この內頭部淋巴腺の腫脹一〇一名で過半數を占めて居る。

尙診察して何等の病的所見のないものを拾つてみると三七・五％であり、興味のあることは既往症の場合と軌を一にして昭和一三、一四年の分の成績は不良であつた。若しこれが支那事變の惡影響の一つの表現であるとしたら憂ふべきことであつて、輕々しく看過することは出來ないと思ふ。

個々の調査、計量、診察等以上の通りであるが、次に相互の間の關係を辿つて見て、興味のありさうな點を拾つて見度いと思ふ。

（一一）　血族結婚と兒童

兒童の兩親が血族結婚（いとこ結婚）であるものは七・〇七％存する。或書に約五％と記載されて居るところから見て、これは高率と云はざるを得ない。然らばこのいとこ結婚の兒童の身體と精神はどうであるか。

（イ）　體重と身長

	全般の平均	血結兒童
體重	一七、五四キログラム	一七、二八キログラム
身長	一〇七、二五センチメートル	一〇七、〇六センチメートル

これでみると血族結婚者の兒童は發育思はしくない。

（ロ）　メンタルテスト

全般の平均點數七六、七點であるに反して、血族結婚者の兒童八九名の平均點數七六、三點で僅少ながら成績不良である。

（ハ）　既往症

既往症數を兒童數で除して、一名當り症數を算出すると、全般では一、二九六であり、血族結婚者兒童では一、三五一となり、僅かながら血結は多い。又既往症皆無者の％を出して比較すると全般は一二、二％、血結は一二、二％で全く一致して居た。

（ニ）　現在の身體情況

咳嗽、胃腸弱、食慾不振、風邪引易し、蟲等の異常は一七に上る。これを血結人數で除し、％を出せば一八、九％となる。全般の夫れは二三、五％であるので此の點血結の方は良好である。又現在家人として兒童身體に異常心配を認めぬものは血結八四、四％、全般は七八、四％であつて、矢張り血結兒童の方が却つて異常少なく、良好となつた。

（ホ）　診察所見

予が視診で榮養狀態を甲、乙、丙に三分類してみたが、血結兒童は甲一一、四％、丙二二、六％である。全般では甲一五、〇％、丙一二、八％であるのと比較すれば血族結婚者の兒童は榮養優秀のものが少なく、反對に又榮養不良のものが相當多いといふことが出來る。これは面白いと思ふ。

病的所見數を人數で除すると、血結は一、〇三四で、全般は〇、九四七で矢張り、血結は病的所見がやゝ多いことになる。個々の病的所見について云へば、血結は結核性疾患、傳染病、消化器障碍、眼疾、耳疾などは一般よりもやゝ少ない感があるが、反之體型、體質、呼吸器疾患、血行器疾患などは一般よりも相當に多くなつて居ることを窺ふことが出來た。

遺傳的關係も血族結婚者の兒童の場合は他人結婚の夫より濃厚に作用する譯であるからこの病的所見の事實は貴重なる資料を提供したと云へる。

尙病的所見のないものは三五、二％に存し、これを全般の三七、五％に比すれば低率で、この點からも血結は不良であることを云ひ得る。

（ヘ）　同胞の死亡率

血結の同胞總數は三五八兒、內死亡六一兒であるから死亡率は一七、〇％となるが、これを全般（千七百名）の同じ死亡率一五、九％に比較すると明かに高率である。換言すれば血族結婚者の子供は死亡率が高いと云ふことが出來る。

予は以前から血族結婚が兒童に及ぼす害について注意を拂つて來て居るが、こゝに於ても上述の正確なる統計的事實に基いて、敢然と血族結婚の弊害を高調するものである。

（一二）　人工混合榮養兒

乳兒時代の榮養方法如何が就學兒童にどんな影響を及ぼして居るかを調査する目的で、統計して見たのである。

（イ）　體重と身長

	全般の平均	人工、混合兒
體重	一七、五四キログラム	一七、六一キログラム
身長	一〇七、二五センチメートル	一〇七、二九センチメートル

人工、混合榮養兒一二一名の發育はむしろ良好で、全般の平均値を凌駕して居る。人工榮養兒四一名の體重、身長を比較すると、これは一七、二五キログラム、一〇六、九四センチメートルで全般の平均値からやゝ劣つて居る。

つまり人工榮養の場合は就學期でも發育は未だ平均に追付くことは出來ないが、人工、混合兩者の合計ではすでに平均を追越して居る域に達して居る。

（ロ）　メンタルテスト

平均八〇、九九點であるから全般（千七百名）の平均七六、七一點を四點も凌駕して居り、優秀である。

只人工榮養兒だけについてみると七〇、八九點で、これは又甚だ不良である。茲にも人工榮養兒の不幸をまざまざと見せつけられる感がある。

（ハ）　既往症

一人當り既往症數は一、三四七で、全般の夫れの一、二九六に比すれば既往症が多いことを知つた。又既往症の全くないものは一四、〇五％存在する。反之全般では一二、二三％であつて、一寸矛盾したやうな結果となり却つて既往症のないものが多い結果となつた。

（ニ）　現在の情況

家人の氣付いて居る身體の情況の異常を人員で除せば〇、四一三となり、全般の夫れは〇、二三五に比すれば甚だ多く、それだけ人工、混合榮養兒は弱いことを物語つて居る。又家人が何等心配のないと云ふもののゝ％は七一、〇八％であるに反し、全般のは七八、三七％で、矢張り人工、混合榮養兒は弱いことが分る。

（ホ）　診察所見

榮養狀態甲は一八、一八％、丙は一八、二二％で、これを全般の甲一五、二二％、丙一八、二二に比すれば丙は不思議にも一致して居るが、甲は豫期に反して人工、混合榮養兒の方が却つて多くなつて居る。

疾病異常數を人員で除すると、一、一二四となり、これは全般の〇、九四七に比すると多いことが分る。又全く病的所見のないものゝ％は人工、混合榮養では三三、〇六％、又全般のは三七、四七％であるから人工、混合榮養は相當わるいことが分る。

以上を以てすれば人工榮養兒は心身の發育劣等であるが、人工、混合榮養兒を合併した場合には、決して劣つては居らぬ。又既往症率では反對の成績となつたが、その他の身體的方面の調査診察では人工、混合榮養兒は矢張り不良であることが分つた。乳兒期の母乳のあるなしは就學期までも影響を及ぼして居る譯である。

（一三）　飮酒者を父に持つ兒童

調査時「酒を飮む、以前はよく飮んだ、多少は飮む」と回答を受けたもの一五二名に就いて統計をとつて見たのであるが、果して父の飮酒の害を兒童に認むべきや否やである。

（イ）　體重及身長

	全般の平均	飮酒者の子
體重	一七、七一キログラム	一七、五二キログラム
身長	一〇七、二五センチメートル	一〇七、三八センチメートル

これでみると全般の平均との差は僅少で、體重はやゝ劣るが、身長はやゝ優れて居ることになつた。

（ロ）　メンタルテスト

平均七六、七點を得て居り、全般の七六、七點と全く一致して居たのも面白い。

（ハ）　既往症

既往症數を人員で除すると一人當り一、四一五となり、全般の夫れの一、二九六に比すればやゝ多い。又既往症の全くない兒童の％は九、八七％、全般の夫れの一二、二三％に比して低率で矢張りよろしくない。

（ニ）　現在の身體情況

情況を家人に訊ね異常件數六一を得、それを人員で除し、一人當り〇、四〇一となつたが、全般の夫れは〇、二三五であるから相當に高率であることが分る。又現在異常、心配の全くなしといふものゝ％は七三、六八％で全般の夫れの七八、三七％に比して矢張り低率である。從つて飮酒者の兒童は現在不健康狀態にあるもの多いことが認められる。

（ホ）　診察所見

榮養甲一二、七四％、丙一七、四五％でこれを全般の甲一五、二二％、丙一八、二三％に比せば飮酒者の兒童は甲はやゝ少なく、丙は僅かに少ない。つまり榮養狀態から論ずれば何等得るところがない。

疾病、異常數を人員で除すれば〇、九〇六となり、全般の夫れの〇、九四七に比すればやゝ低率である。又病的所見の全くないものゝ％は三六、九一％で、全般のそれの三七、四七％に比すればこれも僅かながら低率であつた。つまり診察所見からみれば飮酒者の兒童はむしろ良好であると云へる。尙各疾病異常の內では飮酒者の兒童には體質や一般發育の不良、呼吸器の疾病と異常、皮膚や血色の疾病と異常が多いことが窺はれた。

（ヘ） 同胞數、同胞の死亡率

一母性の生んだ兒數を算出して見ると、五、六七兒となり、これを全般の平均の五、二二兒に比すればやゝ多い。飲酒者は多産であるといふ文獻を見事に裏書して愉快である。

次に飲酒者の兒童一五一名の同胞總數八五五兒の內死亡したもの一六六兒であるから死亡者の百分比は一九、四二％となり、これを全般の同じ百分比一五、八八％に比較すると相當に高率を示す。卽ち飲酒者の子女は死亡率が多い。

以上を以てするに飲酒者の兒童は必ずしもすべての點で劣るとは云ひ得ないが、種々考へさせらるゝ點がある。

（一四） 若年の母を有する兒童

母の年齡二十三歲以下で出生した兒童一四八名について統計をとつてみる。

（イ） 體重と身長

	全般の平均	若年母の子
體重	一七、五四キログラム	一七、三九キログラム
身長	一〇七、二五センチメートル	一〇六、八二センデメートル

若年母の子は體重、身長共にやゝ劣つて居る。

（ロ） メンタルテスト

平均點七六、三四でこれを全般の七六、七一點に比すれば頗る僅かであるが劣つて居る。

（ハ） 旣 往 症

旣往症數を人員で除すれば一、五二七となり、全般の夫れの一、二九六に比して可成りに多い。又旣往症の全くないものゝ％は一一、四九％で、これを全般の一二、二三％に比すれば低率である。何れにせよ若年母の兒童は過去弱かつたことになる。

（ニ） 現在の身體情況

家人に訊ねて心配の點、異常の點を拾ふと五二件あり、これを人員で除せば〇、三五八となり、一般の〇、二三五よりも多くなる。又異常や心配の全くないものゝ百分比は七二、二九％で、全般の七八、三七％に比して低率である。要するに若年母の兒童は現在身體が丈夫でないことを物語つて居る。

（ホ） 診察所見

榮養狀態甲は一三、五七％、丙は二〇、九五％であつて、全般の甲一五、二二％、丙一八、二三％に比すれば甲が少なく、丙が多い。卽ち榮養良しくない譯である。疾病數を人員で除すれば〇、九三三となり、全般の〇、九四七と殆んど同率である。又病的所見の全くないもの

ゝ百分比は三五、一四％で、これを全般の三七、四七％に比すれば相當に低率で、成績よろしくない。

（ヘ） 乳兒期の榮養方法

天然榮養兒は八七、八四％、全般の夫れは八九、六九％に比すれば低率で、この事は換言すれば若年の母は乳汁分泌が不良といふことが分明する。

要するに總括的に云へば若年母の兒童は肉體的の發育と榮養は劣つて居り、旣往症は多く、現在の身體情況も思はしくなく、診察の病的所見のないものが少なく、天然榮養兒が少なくて思はしくない不遇の立場にある。しかしメンタルテストはまづ普通の成績であつた。

（一五） 老年の母を有する兒童

母親四十歲以上に至り產んだ兒童一一六名について統計をとつて見る。

（イ） 體重及身長

	全般の平均	老年母の子
體重	一七、五四キログラム	一七、四六キログラム
身長	一〇七、二五センチメートル	一〇七、二三センチメートル

ごく僅かではあるが老年母の子女は體重、身長共に劣つて居る。

（ロ） メンタルテスト

この平均は七四、〇八點で、全般の平均七六、七一點に比すれば成績不良である。

（ハ） 旣 往 症

一人當り旣往症は一、一八九で、これを全般の夫れの一、二九六に比すればやゝ低率だが、旣往症の全くないものゝ百分比は一〇、三五％で、これは全般の一二、二三％に比すれば相當に低く不良である。

（ニ） 現在の身體情況

家人の言による身體情況の不良件數は一人當り〇、三三六で、これを全般の夫れの〇、二三五に比せば高率であり、又情況に異常、心配等の全くなきものゝ百分比は七三、二八％で、全般の夫れの七八、三七％に比すれば相當に低く、成績不良と斷じ得られる。

（ホ） 診察所見

榮養狀態甲は一七、二四％、丙は一八、九％でこれを全般の甲一五、二二％、丙一八、二三％に比すれば甲はむしろやゝ多く、丙は略々同率である。一人當り疾病異常數は〇、九七四、で全般の〇、九四七に比すれば高率で良しくない。又病的所見を認め得ないものゝ百分比は三二、七六％で、全般の夫れの三七、四七％に比すれば低率でこれもよろしくない。

（ヘ） 乳兒期の榮養法

天然榮養兒は八五、五％で、全般の八九、七％に比して低率で、換言すれば老年の母は乳汁分泌減退すると云ひ得る。尙混合榮養兒七名に對し、人工榮養兒一〇名で前者より後者の方が多いと云ふことは注目に値する。

以上で老年母親の生んだ兒童は身體の發育は良好でなく、メンタルテストの成績も不良、天然榮養兒少なく、旣往症、現在の情況、診察所見何れの點から觀察しても健康に惠まれて居ないことを明らかになし得た。

（一六） 發育と榮養狀態の兩極端の兒童

調査兒童一一六一名中發育と榮養狀態の優秀なるものを選拔して男子六三名、女子八五名合計一四八名を得たが、このものゝメンタルテストの成績は平均八〇、六〇點であつて、全般の七六、七一點に比して相當良好である。

又反對に身長一〇〇糎以下の發育不良兒童を選拔して男子五一名、女子七一名合計一二二名を得たがそのメンタルテストの成績は六六、四二點で頗る不良である。

この優良兒と劣等兒の家庭の職業を調査したるに、優良兒は農、官公吏、勤人、勞働者、工業者に多く、劣等者は職人商に多い。

（一七） テストの優劣極端の兒童

メンタルテストで百點を得たるもの男子四六名、女子二九名、合計七五名ある。出生の月別から見ると早く生れたものに滿點者が多いとは限つて居ない。又反對にテスト平均點數四〇點以下のものは男子二七名、女子三五名、合計六二名に達するが、これは九月、二月及三月生れのものが多い。男女を比較すれば滿點獲得は男子に多く、劣等の四〇點以下は女子に多い。この優劣極端の兒童の家庭の職業を調べると、優秀兒は官公吏、勤人、工業、商に多く、劣等兒は鑄物職、勞働者、職人に多い。つまり家庭の躾けによほど影響をうけるものと思ふ。

主催	日本兒童愛護聯盟
後援	大阪府・大阪市 厚生省・陸軍省・海軍省
協賛	內務省・文部省・拓務省

恒久國防と國民體位向上とを目標とする

第十七回全大阪乳幼兒審査會

趣 旨

こどもは民族の後繼者であり、國力發展の原動力であります。之を強く育てると否とは國家の盛衰を左右する重大問題であります。

今や時局は超非常時にあり、國民體位の向上を恒久國防の第一要程として、朝野之が達成への自覺と實行を促しております。玆に第十七回の乳幼兒審査會を迎へます事は意義一入深きを感ずる次第で御座います。

本會は日本に於ける乳幼兒審査の先達であり、傳統と權威を誇り、旣に七萬に近い乳幼兒の發育狀態を審査し年々優良兒の選出表彰を行ひ、育兒上多大の貢獻を認められてをります。殊に斯界專門諸大家が直接綿密なる審査に當られる事は本會の最も誇とするところで御座います。幸に優良健康兒の多數御參加あらんことを切望いたします。

規 定

日時	昭和十四年十月十五日より十月二十日まで （五日間）
會場	大阪高麗橋 三 越 三階西館
資格	滿二歲以下の健康乳幼兒（昭和十二年十月十五日以後出生の者）
方法	體重、身長、胸圍、頭圍、大顖門（おきりこ）等の測定及び榮養、體質の鑑定、並に母親に對し哺育事項の質問
表彰	審査の結果、優良兒には褒狀を贈呈いたします。右表彰式は十二月中に大阪三越に於て擧行致します。 （擧式一週間前に通知）

申込方法

往復はがきに左記の事項を明記し「大阪東區高麗橋　三越內乳幼兒審査會事務所」宛御申込下さい。
申込不備のものは受付ません。

1、乳幼兒の名前、男女別（姓名にふりかなをつけること）
2、乳幼兒の出產年月日
3、父又は母の住所、姓名

往復はがきの復の方には必ず住所、姓名を記入して下さい。

定　員　四千名限（先着順）但し定員に達したる場合はメ切前といへ共お斷り致します。

名譽總裁　前厚生大臣　廣瀬久忠閣下
總　裁　遞信大臣兼鐵道大臣　永井柳太郎閣下
名譽會長　大阪府知事　半井清閣下
會　長　大阪市長　坂間棟治氏

審査委員　大阪帝國大學醫學部小兒科長　醫學博士　笠原道夫氏
同　小兒科　醫學博士　前田伊三次郎氏
同　小兒科　醫學博士　巽　稔氏
同　眼科長　醫學博士　中村文平氏
同　眼科　醫學博士　宇山安夫氏（出征中）
同　齒科長　醫學博士　弓倉繁家氏
同　齒科　醫學士　石野惠庸氏
同　法醫學教室　醫學博士　中田篤郎氏
同　同　醫學博士　大村得三氏
同　大阪市立市民病院長　醫學博士　松倉豐治氏
同　同　小兒科長　醫學博士　谷口清一氏
大阪市技師　醫學博士　廣島英夫氏
大阪市立堀川乳兒院長　醫學博士　吉馴高明氏
大阪市立今宮乳兒院長　醫學博士　一色　征氏
大阪市立扇町產院長　醫學博士　余田忠吾氏
大阪市立今宮產院長　醫學博士　吉岡德平氏
大阪市立阿波堀產院長　醫學博士　山本久治氏

日本兒童愛護聯盟理事　醫學博士　大野內記氏
日本兒童愛護聯盟評議員　醫學博士　生地　憲氏
同　醫學博士　伊藤謙吉氏
同　醫學博士　肥爪貫三郎氏
同　醫學博士　原田龍夫氏
同　醫學博士　橫田群三氏
同　醫學博士　野須新一氏
同　醫學博士　奥野善一氏
同　醫學博士　西　輝房氏（出征中）
同　醫學博士　西川爲雄氏
同　醫學博士　落合　明氏
日本兒童愛護聯盟參與　醫學博士　金子丑之助氏
同　醫學博士　淺田徹雄氏
同　醫學博士　高階經世氏
同　醫學博士　林　隆昌氏
日本兒童愛護聯盟顧問　醫學博士　酒井幹夫氏
同　醫學博士　松尾　勇氏
同　醫學博士　原田達三氏
奈良女子高等師範學校教授　理學士　桑野久任氏
大阪市立北市民館兒童齒科部長　伊藤英夫氏
ライオン齒科衛生院長　醫學博士　岡本清纓氏

總務　日本兒童愛護聯盟理事長　伊藤悌二氏

應援　大阪帝國大學小兒科・眼科・齒科・法醫學職員
大阪市產婆會
大阪府立社會衛生院
大阪市保健部醫員
ライオン齒科衛生院醫員

全大阪乳幼兒審査會

事務所　大阪高麗橋　三越內

第十六回全大阪乳幼兒審査會に於ける

母親のメンタルテスト
＝出產の記念事業＝

伊藤悌二

◎初めてお子さんがお生れになつた時記念にどんな事をなさいましたか
—男子を產みし母の答—

徵兵保險	十五
徵兵保險と簡易保險	一
徵兵保險、父禁煙、母日參	一
生命保險	十四
保　險	四十二
保險と貯金	四十六
簡易保險	七
保險と愛國債券	一
保險の會	一
保險と獻金	一
生命保險、貯金、家の新築	一
保險、植木、寫眞	一
保險と愛兒日記	一
貯金、保險、早起	一
貯金と債券	二
貯金箱をつくり貯金	一
保險、貯金、祝用幕新調	一
貯金と愛國公債	一
貯金、保險、債券	一
貯金、日誌、寫眞	一
貯　金	三百八十八
貯金、保險、生立アルバム作成	一
貯金、保險、植木	一
貯金と守護物として三種をつくる	一
貯金と町內會一封寄附	一
育兒日誌、徵兵保險、債券購入、郵便貯金	一
我が子の歷史、貯金	一
育兒日誌と貯金	五
育兒日誌	四
子供の歷史、保險	一
我が子の歷史	二
育兒日誌と保險	一
日記帳、アルバム準備	一
宮參り、記念寫眞	四
宮　參　り	八

伊勢神宮參拜保險入	一
神社參拜寫眞とる	二
宮參り、記念撮影、記念貯金	一
生立アルバム作製	二
生立の帳面とアルバム	一
記念寫眞、赤飯祝	一
記念寫眞	三十九
寫眞と貯金	九
撮影、保險、貯金	一
寫眞をとり祝品として送る	一
寫眞と保險	一
記念寫眞と膳を買入	一
寫眞、貯金、保險	一
獨立事業、開始	一
愛國公債購入	七
債券購入	八
商賣初む	一
慰問袋送る	二
內　祝	十七
庭の池に鯉の子買ふ	一
使用人を集め祝儀	一
寫眞機購入	二
家　新　築	六
記念植樹	二十
時計購入	二
死者追悼	四
掛　軸	一
建物會社加入	一
知人を招いて謠曲仕舞を催す	一
借家を建てる	一
紋付服新調	一
眞珠の指輪	一
寄　附　金	一
獻　金	二
赤飯、親族集會	一
金庫購入	一
親戚へヒロウ	一
現在居住の家及土地買入	一
普通返禮	一
赤飯をたいて祝	一
雛　祭　り	一
出生當日父母感想記錄作成	一
親戚一同招待して祝し子供の爲に債券保險加入	一
祖父母旅行	一
守をうく	一
家內一同祝	二
旅　行	一
慰問袋と兄弟親戚に祝品くばる	一
植木、祝品買ふ	一
日の丸の額購入	一
年一度運動會を催す	一
六日祝	一
親戚へ記念品送る	一
床の置物買ふ	一
國防獻金、神社寄附、出產貯金	一
國防獻金と軍刀買ふ	一
感謝會を開く	一
產土神に參詣して未來の健康祝る	一
日本刀をこしらふ	二
父の禁酒	一
節句ノミ	一
鳩づかひ獻納	一
歸　國	二
着物買ふ	一
玉突止る	一
鄉里の菩提寺に釣鐘奉納	一
御祝及び記念寫眞	一
天神御禮參	一
親類の知人をよせ內祝	五
安產御祝	一
氏神樣へ健康記念祈願	一
植木日記、徵兵保險、貯金	一
內祝記念寫眞	一

青年團に金一封送る	一
記念物調整、貯金、食器、おぜん	一
お七夜祝、宮詣り、食初め、誕生祝	一
節酒	一
貯金と植木	一
鯉登り	一
ラヂオ購入	一
考慮中	一
無し	四百六十三
合計	千三百二十五

—女子を産みし母の答—

問5

貯金	二百五十四
保険	百
寫眞をうつす	四十
記念植樹	二十二
祝をする	二十一
育兒日記	六
獻金	四
宮參り	四
赤飯	四
家を建る	三
人形を買ふ	二
時計を買ふ	二
借家を買ふ	二
雛祭をする	二
赤ん坊審査會參席	一
機械を買ふ	一
寫眞機を買ふ	一
蓄音機を買ふ	一
乳母車を買ふ	一
小山を買ふ	一
帶止を買ふ	一
指輪を買ふ	一
電話をつける	一
繪をかいてもらふ	一
溫室をつくる	一
工場をつくる	一
墓まいりをする	一
東京見物	一
對立を買ふ	一
神様をおまいり	一
無し	二百六十二
合計	七百四十四

み國と愛兒へ一石二鳥 生れる〝學資年金〟

子供が生れると「何とかしてこの子の將來を輝かしいものにしてやりたい」と、心を砕かぬ親はありません。小學校はともかく中等學校から高等程度以上の學校にもいれてやりたいが、そのときに果して學資ができるだらうかと、思案にくれる向も少くはないでせう。かやうな親たちに希望を與へるものとして、九月一日から一般には學資年金とも呼ばれる定期年金がはじめて設けられます。これは、

愛兒の成長 を樂しみながら、一定の掛金を拂ひこんでゆき、子供が中學校、女學校、專門學校或は大學にすゝむ年になつたときから、或は成年に達し世にでるときから、必要な資金を年金として五年間または十年間、毎年ひきつゞいて受けとることのできる一種の保險制度です。そしてこの定期年金は他の貯蓄の方法とはちがひ、一定の目標とする年金を買ふために、多數の親たちが常日頃から丹精して拂込んだ掛金を積立てておき、將來支拂はれる年金の共同資金とするのですが、これらの資金は國債や地方債や社債への投資、或は教育施設、保健衛生施設その他の公共事業に投資され、事變下の國運進展のために威力を發揮します。つまり、定期年金は政府の經營する絶對に非營利的な子供のための郵便年金の一種です。そこで年金の金額は百圓以上二千四百圓まで。加入の年齡は滿一歲から滿十八歲まで。年金を受けとり始める年齡は十二歲、十五歲、十七歲、廿歲の四通りあり、年金をうけとる期間は五年間または十年間の二種、

掛金を拂ひ こむ期間は一時拂のほか五年または全期間それに年掛、半年掛、月掛などがあるので都合のよいのを選べばよい。また受取人となつた子供が年金をうけとるまへに契約を解消したり、死亡した場合は掛けただけの全額を、また年金を受取るやうになつてからでは殘りが支拂はれます。利廻りも民間の類似のものよりよく、預蓄としても有利で、またこの時局に十分意味をもつたものといへます。なほ詳しくは最寄の郵便局で說明してくれます。（簡易保險局分室　奥田年金係長）

小波先生のことども

ツカダ・キタロウ

末輩乍らも同じ道を進む者の一人として、常に小波先生の著書（もう古本屋の店頭でなければ求め得ぬもの等）を探し求めてゐる私には、小波先生に關する記事も亦同樣に懷かしいものであります。

如何なる小記事であつても、或は又お伽噺とは全然異つた事項に關する記事であつても、苟くも事小波先生に關する限り、細大もらさず記し殘して置きたいと願つて居ります。

先般故先生と最も親交の厚かつたと聞いてゐます江見水蔭氏著の「硯友社と紅葉」の書を讀むに、小波先生の姿が、アリ〳〵と浮び出てくる感じを持つ事が出來て、心から嬉しく思つた事でありました。

△硯友社と文士劇

「今の俳優には、役に就ての心理解剖が出來ない。我々は藝が下手でも、それが出來る。今に教育ある者が續々劇界に投じるだらう。我々は其の先驅者だ。」

との抱負の許に、硯友社の文士劇が實演されて、新作の脚本を上演する事になつた。時々、小波先生は名俳優の一人として出演して居られるのであります。

これは、其の後先生が「お伽芝居」に力をつくされて、その開拓に、その普及に功績をのこされたのと思ひ合はせて、眞は興深く感ずるものがあります。

最初は、紅葉氏提案の「八犬傳」が採用されて、小波先生は「伏姫」の役に納まられたのですが「八ッ房」になる思案氏が納まらないためにお藏となり、

一番目新作史劇「增補太平記」江見水蔭氏作、二番目廣津柳浪氏立案「積怨恨切子燈籠」大切「花競八才子」と言ふ趣向に變更され、

一番目では「玉置半九郎」

二番目では「完虎丸」

と言ふのが先生の役どころだつた樣です。

此の外、一番目では、十津川の關所の番兵や大切の踊り子などにも出演して居られます。殊に、二番目の「宗虎丸」は女裝する場面もあるので、その娘役は仲々美しかつたと記されてあります。

何と言つても素人劇に毛の生えた樣に思へる（文面より推察して）劇團のことゝて、鬘が不足したり、見物の惡落ちが來たりして、隨分喜劇めいた樣子ですがその中に堂々とその役どころを生かして行かれた先生の姿が、目に見える樣に思へます。

二番目狂言「積怨恨切子燈籠」では娘姿に扮した宗虎丸は大喝采を拍したと記されてあります。これは明治廿二年の暮です。實はほゝえましき限りであります。

△硯友社と片瀨

水蔭氏が、相州片瀨に浪居の時（明治二十九年）硯友社の人々が大擧して遊びに行つた時にも、小波先生は同人として參加して居られます。

後に、石橋思案氏が「沙地浪宅に遊ぶ記」と題して執筆して、文藝倶樂部へ掲載して、當時の評判となつた時、先生は「小痴居士」と變名して狂詩の贊を附けて居られるのです。

「品海の目に入る頃から、天は全く霽渡つて、乘客は混み合ふ。蒸し熱くはなる。有繋に修飾（たしなみ）の好い小波も爲に薄羽織を脫ぐ。」

「船の進むに連れて、紅葉徐に茶を煮れば、柳浪頻りに風景を稱へ、小波は狂詩でも案じてゐたらしい。」

「此の席上餘興とて、座中各隱藝ありき……。曰く小波が少年世界的滑稽の言動。曰く變幻不思議にして言語に名狀すべきにあらざるなり。」

など、原文のまゝの拔記にて、前後の關係がないので判じにくいかも知れませんが、先生の面目が躍如としてゐると思ひます。

席上の句としては、題「夏座敷」

結構な御風と譽めむ夏ざしき　小波

とあり。「浪宅の眺望」をとて、

大山よ富士よ間は雲の峰

人々「裸網」に興じるに、先生手桶を運ぶ持役となり「働き顏を見せたり」と稱されし時、

川狩やいつも桶持つ三太郎

いづれは、その道の方の書きものには記されてあることでせうが、門外漢の私には珍らしい記事と記しとめた次第です。

△金色夜叉のモデル

紅葉と金色夜叉とは切つても切れぬものでありまして、熱海には「金色夜叉記念碑」まで建つてゐる有樣で、隨分「モデル問題」で騷がれたものですが、著者水蔭氏の筆によると、世間の噂の如くでない樣です。

事、小波先生にも關係してゐる問題でありますだけ、原文のまゝ寫して讀者諸賢の御批判に待つことゝ致します。

「この片瀨の生活中に、如何にしても記入しなければならぬ事は、紅葉、思案、小波、柳浪の硯友社中が、紅葉門下の鏡花、風葉、春葉の三人を加へて、大擧して訪問し

た事で、其の時紅葉が僕の「太陽」に出した「蟹の小舟」を讀んで、その小說に、友達仲間が失戀の主人公を勵まして戀人を奪ひ出す處があるのを見出して、其の頃失戀で悄氣てゐた小波を顧みて、「巖谷はイカンよ。熱がないからイカンよ。當人が一生懸命になれア、友達は皆手を貸すんだ」と言つたのからして、一連り戀愛論が出た。ついでに、「實は今、米國女流作家のホワイト・リリーといふ小說を讀んでゐるが、女主人公が金持の方へ走つたので、若い主人公が失戀して、寺院での婚禮の鐘の鳴るのが聽えない處まで避けて行く筋なんだが、それにヒントを得て、近日「讀賣」に書かうかと思ふがね」これが正しく「金色夜叉」なのだ。世間では小波を貫一と言つてゐるが、全部さうではなく、紅葉自分も出てゐるし、又中村雪後なども取入れられてある。お宮でも一人をモデルにはしてなく集合モデルだ。複寫式モデルだ。此時代では一人物をモデルとして一事件を直寫する事を作家の恥辱のやうにもして「誰それは自分の事を其儘書いた」とか「友人の事をソックリ書いた」と言つて直寫するのを嘲笑したものだ。

私は嬉しく讀んだことを附記して置きます。

菓子の榮養と兒童の衛生

醫學博士　岡田道一

（一）兒童と菓子

衛生的な見地から菓子程問題の多い食品はない。菓子は申す迄もなく食餌以外の嗜好品であるが、中には榮養的の菓子も多く出來てゐるし主として含水炭素卽ち砂糖を多く含み、其他身體に必要な種々な他の成分も入つてゐるものもあるので、決して榮養上惡いものといふ事は出來ない。つまり酒、煙草のやうなそのもの自體が麻痺性のもので永久に人體を害するものとは譯が違ふが、しかし子供は甘いものを食べ過ぎるのでその結果血液が酸性となつて骨骼が細くなり、結核に罹り易い體格になる。それ故注意しなくてはならぬものである。その上色とか味とか包裝とかに體裁をつくる爲防腐劑とか脫色又は着色等色々の藥品が用ひられるから多々衛生上の問題がある。子を持つ親の注意すべきは菓子である。

（二）含水炭素卽ち糖分の榮養

牛乳を赤ん坊に飮ます時に、八ケ月以內の子供にはそれを薄めるが、その時に含水炭素の量が薄くなるので砂糖を入れるが、若しこれを入れるのを忘れると子どもは育たない。子供は段々瘦せて危險の狀態となる、そこへ砂糖を入れると治る、つまり砂糖を入れるのは榮養のためである。次に兒童の時代、筋肉の活動が旺盛なので多くのカロリーを必要とする、殊に含水炭素の需要は大きい、健康體に含水炭素を含まぬ榮養を與へると脂肪や蛋白質は完全に燃燒酸化しない、その爲にアセト醋酸やアセトンなどのケトン體が生じる、このためアチドーヂス（酸中毒症）を起す。卽ち充分に含水炭素を供給する事によつて蛋白質が節約される作用ある事は意義ある事である。節約される蛋白質の量は僅かでも、この作用は蛋白質の乏しい食物を與へる時には輕視する事の出來ないものである。從つて小兒の榮養に含水炭素が必要な事は注意すべき事である。卽ち糖分は第一にエネルギーを生ずる他に脂肪や蛋白質を完全に燃燒する、この糖分は肝臟に行つてグリコーゲンといふ安定なコロイド狀の形になる。これは肝細胞で作られ、これが筋肉に分布される。筋肉が運動されるとこのグリコーゲンが消費されるのである。

（三）砂糖の害及それを防ぐ方法

鼠の飼料に白砂糖を六五％入れると害が現はれるが、白砂糖六〇％に糖蜜を五〇％加へるともう砂糖の害はなくなる、白砂糖の代りに黑砂糖を與へても害はない。此黑砂糖の害を防ぐ成分はヴィタミンB_6であると分つた。砂糖の害は兎に就いての片瀨敎授の實驗の結果、體重一キログラムに就いて〇・五グラム以上の砂糖は害がある。（一例をいへば六歲位の兒童は凡そ體重が二〇キログラム位であるからそれには一日一〇グラム以上の砂糖は害がある）然しこの害を防ぐには體育運動を盛んにするか、ヴィタミンB_2を含む酵母の類を攝るか又昆布や小魚の骨に多いカルシウム分や野菜、果物に多いヴィタミンCを多く攝るとかすれば宜しい。又ヴィタミンB_2はリボフラビンと云つて牛乳の中にあり、その三倍は卵黃の中にあり、その四倍が麥胚芽の中にある。その十二倍が肝臟（モツ）の中にあり、その二十五倍が酵母の中にあると云ふ計算になる。又黑砂糖の中にも含まれてゐる、それ故牛乳で出來た菓子、酵母を入れた菓子又黑砂糖で出來た駄菓子の類は推奬すべきものである。

（四）不良の菓子に就いて

兒童にとつてお菓子程嬉ばしいものはない。兒童の榮養の補材として、生活から切り離し得ない、從つてお菓子の選擇は兒童の健康に至大な關係があり、その選擇の良否は健不健の分岐點である。先般摘發された石粉入り菓子卽ち「白土」とか「タルク」等所謂硅酸鹽類を入れた不良のパン類は勿論有害であるが、今迄其の價値を認められて來たカルシウム入りの菓子これも石粉菓子と報導され、世人を迷はせた事件もあるが、これはカルシウムにもその使用量の適不適あり、一般菓子業者にやたらに之を使用させない樣、當局に於て取締つた爲めに起つたものと思ふ、然し信用あるグリコ、明治、森永等の製品は不斷の研究を重ねて製造してゐるのであるから、安心して兒童に與へて差支へない。

これに比して惡い菓子の二三を擧げると

(1)　アイスキヤンデー　この中には往々大腸菌のあるものもあると先日警視廳から問題になつたのである。

(2)　變り玉　これは舐めてゐると色の變るものこれには炭酸石灰を多く混じる。

(3)　ボンボン　これには收斂性の硫化アルミニュームを含むことがある。

(4)　安ビスケット　表面に厚く砂糖を塗つたものには麥藁を燒いた灰が混入されてゐたことがある。灰の主成分は硅酸である。これは砂と同樣に胃腸內で溶解しないからよくない。

(5)　惡い水飴　これをよく見せかけやうとして亞硫酸製劑を用ひて脫色する、それが法定量以上のものは有害である。

(6)　惡い着色菓子　タール色素を以て着色されたものもある。ロダーミン・ゲンチアナ・ヴァイオレット等を入れて着色する、これは有害なものである。

(7)　安パン　等に炭酸石灰や粘土の入つたものがある。これも有害である。

(8)　不良飮料等には、サッカリンやヅルチンで甘味をつけたもの、砂糖が高いからこれを用ひるが、第一にサッカリン、ヅルチンの如き化學製品は含水炭素とは全然違つてゐるから何等の榮養とならぬ許りでなく、ヅルチンの如きは胃腸液の消化力を弱め、サッカリンに比して毒性の强いものである。

秋口に多い赤痢や
性の惡い〝眠り病〟

今年の夏休みは、家庭も兒童も緊張してゐたゝめに油斷から病氣になつたといふことはさう多くはなかつたやうですが、

赤痢だけは例年よりも多かつた模樣です。これから秋口にかけてなほ增加するのが普通ですから、まだ〳〵安心はできません。飮食物にたいする注意はむろん、蒲團をふみぬいでの寢冷えに警戒の眼が必要です。なほ赤痢のあとの手當の良いわるいは、發育期にある兒童にとつて影響するところが非常に大きくむやみに食べ物を恐れて制限するのは一ばんいけません。病氣で體が衰弱してゐるところへ、回復期に向つて喰べ物を制限すると、赤痢以上に榮養不足からくる障害の方がこはくなつて來ます。だいたい赤痢は腸のホンの一部—大腸より下部のお臀に近い部分の病氣ですから、

榮養を吸收するのには一向差支ないのです。だから恢復に向つてきたらどし〳〵榮養をとつても大丈夫です。この點考へ違ひをして大事をとりすぎると、赤痢になつたゝめに二ケ月も三ケ月も衰弱してゐることが往々ありまかす。さて夏休みが過ぎて登校しますともうすぐ秋の運動會の準備です。毎日々々烈しい運動をしだゝめに、夏の衰弱が拔けきらぬ子供はよく結核性の病氣になることがありますから、學校から歸宅しましたら、その行動に注意をし、いかにもだるさうにしたり食慾がなく、勉强しても仕事してもすぐ疲れ易くなつてゐるやうな時には、殊更用心しなければなりません。この頃比較的目立つて來たのは腦炎（いはゆる眠り病）です。これも秋口の殘暑のきびしい年に多いのですが今年のはとくに、

性質が惡いやうですから注意しませう。腦炎は抵抗力のよわい小兒や老人が罹りやすく、また赤ちやんでもかゝる病氣で、原因はまだはつきりしてをりません。しかし帽子もかぶらず日向に長くゐることや、疲れ過ぎ、睡眠不足などが主要な誘因をなしてをります。症狀は急激に四十度近い高熱が出て意識不明になつて眠りはじたり、全身を痙攣させたりしますから、その場合にはなるべく暗い部屋で靜かに寢かせ、頭を上下からどし〳〵冷し、早く醫師を呼ぶやうにします。

（愛育會保健部長醫博　齋藤文雄氏）

小兒の慢性傳染病（一）

大阪市立電氣局病院小兒科醫長醫學博士　原田龍夫

慢性に經過する小兒の傳染病には結核先天性黴毒があります、癩病の如きも慢性傳染病でありますが小兒科では日常之に遭過する事は殆んどありません。

結核と黴毒は世界到る處に多數存在し、一種の國民病又は文明病と唱へられる程相併立した慢性の傳染病で、共に人類の大敵であります、たゞに小兒保健の上からばかりでなく、國力を阻む傳染病として其の豫防については、現今世界の各國が非常な努力を拂ひつゝあります。

次に小兒の結核並に、先天性黴毒について述べる事に致します。

一、小兒の結核

結核は一種の慢性傳染病で世界到る處に存在し、人類の生活を脅かす最大の敵であると云はれてゐます、以前は結核は主として大人の病氣の樣に考へられた時代もありましたが、結核菌が發見されてから其研究が一段と進歩して結核の眞相が明かになり、今日では大人の結核症も小兒期に罹つた結核の末期のものに過ぎないと云はれる樣に、結核は小兒期に於て特に重大な意義がある事が明かになりました。

病原菌は一八八二年有名なロベルトコツホ氏の發見された結核菌であります。結核菌は人型菌と牛型菌に區別されますが、大多數は人型結核菌で起るものであります、牛型菌と云ふのは牛の結核の病原體であつて、主として牛乳或は牛乳製品を媒介として感染するもので、乳幼兒では腹部結核の場合に見られる事があります。

結核菌の抵抗力は比較的强いもので、殊に喀痰中に混在する菌は仲々に死滅せず水中或は土壤の中に放置して

も、年餘に亘つて生存する事が出來ると云はれてゐます、然し喀痰の層が薄い時は太陽の直對光線では數時間で死滅します。溫度に對する抵抗では寒冷に對して攝氏六—一〇度にても一週間以上も生存し、加熱に對しては攝氏七〇度では二〇分間、八〇度では五分間で死滅します、又消毒藥を以て喀痰を消毒する時は二十倍の石炭酸水を喀痰と等量に混和したものでは二十四時間、十倍リゾール液では十二時間を要し、昇汞では二十倍液等量を加へて六時間を要すると云はれて居ります。但し昇汞水は喀痰外層の蛋白質を凝固させる爲めに喀痰の內方に作用する力が多少弱められます。

以上は消毒液と喀痰と等量の場合ですから、消毒液が多い場合には多少速かに殺菌し得る譯であります。

結核は如何なる年齡にも感染し得るものでありますが、小兒は非常に感染し易く殊に幼少な者程其の危險が大であります。

小兒期の結核感染の狀態はツベルクリン反應と云ふ檢査によるとよく判ります。此の檢査を行へば結核菌が人體に侵入してゐるかどうかを鑑定する事が出來ます、ツベルクリンの檢査に使用する藥は舊ツベルクリンと稱し、結核菌を一定期間グリセリンブイヨンと云ふ培養基に培養して此を加熱殺菌した後、尙加熱蒸發して一定度に濃縮し此を濾過した濾液であります。一度結核に感染した人體は此舊ツベルクリン液に對して特殊の反應を表します、此反應を利用して結核に感染したかどうかを檢査するのであります、其方法や理論等は少し專門的になりますので此を略します。

ハンブルガー及モンチ氏が維納で臨床上結核の徵候のない五〇九人の小兒について檢査した成績を見ると、次の通りであります。

年齡	百人中
一—二年	九人
二—三〃	二〇人
三—四〃	三二人
四—五〃	五二人
五—六〃	五一人
六—七〃	六一人
七—八〃	七三人
八—九〃	七一人
九—一〇〃	八五人
一〇—一一〃	九三人
一一—一二〃	九五人
一二—一三〃	九四人
一三—一四〃	九四人

即ち此統計では四五歲の小兒でさへ既に其の半數、十歲以上では殆んど其の大多數が結核に感染した事がある

と云ふ事になり、結核と小兒とが如何に密接な關係にあるかに就ては驚くべき數字を示して居ります。

即ち東大小兒科の統計表によりますと、大都會と小都會乃至村落と比較すると大都會の方が非常に多い、大都會では小學校入學當時は三五%陽性で、小學校卒業頃は五五%陽性になり小都會乃至村落では小學校入學當時は二〇%陽性、小學校卒業頃は三〇%陽性となつて居ります。

年齡	人口十萬以下ノ都市及村落 陽性率	人口十萬以上ノ都市 陽性率
〇—一年		五・〇(%)
一—二年		一二・二
二—三年		一九・八
三—四年		二五・八
四—五年		三〇・二
五—六年		二九・三
六—七年	二〇・一(%)	三三・一
七—八年	二四・〇	三六・〇
八—九年	二一・五	四一・七
九—一〇年	二四・一	四三・四
一〇—一一年	二四・六	四八・三
一一—一二年	三〇・四	五六・九
一二—一三年	三〇・六	五三・六
一三—一四年	三〇・三	五七・三
一四—一五年	三六・九	四九・六

即ち小學校上級生では大都會では其の過半數、小都會乃至村落でも其三分ノ一が結核に感染してゐる事が判ります。

以上ツベルクリン檢査の統計成績を見ますと、小兒に如何に濃厚に結核菌が侵入してゐるかがよく判ります。

次にツベルクリン反應の意義について簡單に說明を加へます。ツベルクリン反應は一度結核に感染した事のある者には例へ現在は全く治癒して居り症狀のない者にも、陽性に反應しますから大人では此の反應が陽性に現はれても、其の意義が少いのであります、小兒では其の年齡が幼少である程結核に感染した者は其の感染してからの時期が未だ長くない事と、抵抗力が尙弱い爲めに感染した結核はまだ治癒し若くは停止する時期に至らぬ場合が多いので、ツベルクリン反應が陽性に現はれる場合は先づ結核性疾患が現存してゐるものと認めて大過がありません。若し乳兒で此の反應が陽性であれば、直ちに結核と斷定して差支がないのであります。

傳染經路 結核が小兒に感染する源泉は結核患者、殊に結核菌を外へ排出する開放結核の患者であります。結核菌が體內へ侵入する經路には種々ありますが、大體次の三つの場合であります。

第一は呼吸器より侵入する場合で此を氣管枝性又は吸入性傳染と云ひ此方法による傳染が一番多いのであります。即ち開放性結核の患者が高聲で談話したりセキ、クシヤミ、等の時に結核菌を含んだ痰や唾液の飛沫が飛散し、此の空氣を吸ひ込んだ時に傳染を起します、此を飛沫傳染と稱へます、又は結核菌を含んだ痰の塊が疊の上等に附着乾燥して後に此が塵埃となつて飛散する時此を吸入すると傳染が起ります。此を塵埃傳染と稱へます、道路や電車內などに蒔き散らされた痰が乾燥して塵埃となつた場合も同樣であります。

第二は消化器より侵入する場合で此を腸性傳染と唱へます、此は飲食物による傳染であります。然し人結核も又飲食物に含有されて居る場合は消化器から感染を起します、結核に罹つてゐる母親や乳母が食物を咀嚼して與へたり溫き飲食物を吹いて與へたり或は飲料を試驗して與ふる樣な場合にも感染します、歐米諸國では接吻によつても感染を起す事が考へられます。

其他乳幼兒は屢々床面を這ひ廻り種々の不潔物を自分の掌面に塗り、或は疊の表面を舐めたりしますので、時として結核菌が口腔內に侵入する事があります。

第三は皮膚から侵入する場合で皮膚性傳染と稱へます、此は皮膚の傷面又は濕疹の表等から結核菌の侵入する場合でありますが此は非常に少いものであります。

以上三種類の傳染經路の中塵埃又は飛沫傳染による第一の場合が最も多く、第二は少い第三の場合は稀に見る程度であります。

以上の樣な經路で結核菌が人體に侵入すると、結核の感染が起るのでありますが、之が直ちに結核症として現はれるものではありません、結核菌は侵入しても何等の症狀を呈せず健康な狀態を續ける場合が澤山あります、吾々大人では殆んど全部が結核菌の侵入を受けてゐると申してもよい位でありますが、結核病者は極一部分に認めるのみであります、即ち結核の發病は先づ結核菌の侵入が先驅となり、此に種々の條件が加はつて初めて病氣として現はれるのであります。此の條件を發病要約と稱へますが、その主なるものについて述べます。

第一は先天性の素質であります。結核の遺傳と云ふ事については昔から問題にされた處であります、母の胎內で感染して生れる時旣に立派な結核に罹つて生れるものもありますが、此樣な例は極めて稀で、又此樣な子供は生れて間もなく死亡するものでありますから、實際上は餘り問題とはなりません、實地上主要な問題は結核に罹り易い素質の遺傳であります、即ち兩親の何れかゞ結核患者である時は其子供は結核に對する抵抗が弱く、感染し易く又發病し易いと考へられる事であります。

第二は後天性に現はれる事であります。此は種々の傳染病殊に百日咳、麻疹、流行性感冒等を經過した後では結核に侵され易い素質を受ける事であります、即ち此等の病氣の後では結核が發生したり、又は旣に存在する結核が進行性になつたり致します、此等の病氣の爲めに身體の抵抗力が低下した結果と見做されてゐます。

第三は年齡の關係であります。一般に小兒が幼弱である程抵抗が弱くて病氣が重く年齡が增すに從つて段々抵抗が高まります、生後一ヶ年間の中に結核菌の侵入を受けたものはその大多數が間もなく結核症を表はしますが、年齡が進むに從ひ、感染者に對する發病の割合が減少致します。乳幼兒時代殊に四、五歲位迄が一番結核に對して抵抗力が弱い時代であります。

第四には食餌と住居の影響であります。絕えずうす暗い所に住んで太陽の光線に惠まれない場合、狹い不潔な住宅に住む樣な場合又は榮養の低い食餌を續けてゐる樣な場合は皆、結核に對する抵抗力を弱めるのであります。

おやつ

お子さまにお三時は必要です
★お子さま方がすく〳〵と伸びて行くためには、たくさんの榮養分を必要とします。この榮養分はもちろん三度々々のお食事によつて得られるのですが、お子さま方の小さい胃袋では一時に多量の食物を攝り入れることは困難です。ですから、お三時によつて不足榮養分を攝り入れることは、お子さま方の自然の要求なのです。
★しかしお母さま方、お子さま方が欲しがるからと言つてむやみにお菓子を與へることは危險です。もと〳〵糖分を完全に燃燒同化して血や肉とするためには、ビタミンB複合體と言ふ成分の助けが要るのです。ところが、糖分の中にはこの成分が殆んど含まれてゐないため、甘いものを多食するお子さま方は、ビタミンB缺乏症を惹起して胃腸の機能を弱めます。食べ物に好き嫌ひができ、食慾が衰へ、消化が鈍り次第に瘦せてひよろ長い元氣のない子になつてしまふのです。
★ですから、お菓子を與へると同時にこのビタミンB複合體をも豐富に與へることが必要で、それにはエビオス錠が一ばんです。自然物中でビタミンB複合體の最高給源と言はれる麥酒酵母の製劑であり、胃腸を丈夫にして糖分過剰から來るビタミン不足を防ぐには一ばん好適なのです。

間食に就て

醫學博士　吉馴高明

間食は子供の發育に必要なものですがその量や、與へる時間及び選び方に充分注意しなければなりません。これを誤ると色々の消化器疾患の原因となることが多いから特に注意して頂きたい。何故かと申しますと第一に間食物が病原菌によつて汚染され易いこと。第二に間食物が腐敗して（之は非病原菌の繁殖によるものですが）有害物質を形成することゝなる。第三に子供に自制心がないから量的にも時間的にも無制限に間食を喰べることであります。殊に秋は食慾の亢進する時ですから間食の量が過ぎ易く兩々相俟つて初秋には消化器疾患が多くお母さん達に特に注意して頂き度い時季であります。

以上の理窟を實際的に申しますと、

第一に病原菌に依つて汚染され易いものにはアイスキヤンデー、バナナ、枇杷、蜜豆の如く不潔な手で觸つたり、蠅がとまつたりしてゐるものを洗はないで食べる樣な時です。第二は間食物が非病原菌で腐敗し內に有害な分解物を生じたものを喰べる樣な時で例へば小豆アイス、蜜豆、薯羊羹等のあんけのものは腐敗し易いものです。第三に清潔なものを少量ならば害はないのですが子供には自制心がありませんから食慾にまかせて間食を何回もたべたり量を過したりし易い—例へばレモン水やミカン水、むぎ湯、生水などをガブ〳〵飲んだり夕食後夜おそく多量の間食をたべたりして胃腸を壞すやうなことをしてはなりませぬ。

以上は間食についての危險を述べましたが、然らば間食としてはどういふものがよいかと申しますと、病原菌に汚染されないといふ點から考へて路傍で賣つて居るお菓子とか、蠅のたかる様な店頭にならべてあるお菓子でなく、罐に入れるとか紙で包んであるとか瓶に入つてゐるもの〻方がよろしい。第二に腐敗しにくいお菓子と申しますと水氣の多い生菓子よりは乾燥したお菓子例へばビスケット、せんべいなどの方がよろしい。そして勿論食べる時には子供の手をきれいに洗つてから食べる様にさせる事が必要です。間食はぜひ親から適宜に與へていたゞいて子供にお金を持たせて求めさせる事は以上の點から衞生上望ましくないのみならず、惡い習慣をつける事になりますからぜひやめていたゞかねばなりません。

最後に私が提案したいことは間食をなるべく少くする爲に幼兒には食事を四回として朝晝夕食の外に午後三時頃に輕い食事を與へることがよからうと思ふのであります。尤もこの食事は料理の手數を省くために牛乳、パン、果物、サンドウイッチ、おにぎり等がよろしいでせう。

夕食以後の夜間には間食を與へてはいけません大體乳幼兒のおやつとしてどんなものがい〻かと申しますと

八箇月　衞生ボーロ

九箇月—十箇月ボーロ、ウエハース

十一箇月　ビスケット類、輕燒、食パン（マッチ箱一片）

一年—二年落雁（ゴマ等の混り物なきもの）キャラメル類（二—三箇迄）白飴類（麥芽製）リンゴバイ果物等。

榮養のよいものは

お腹の脂肪が厚い

女工さんに次ぐ女學生の胸圍

向上示す體位の測定

國民體位の向上は、結局のところ母體の健康なくしては期待することはできません。母體の體方を増進させるには、何よりもまづ母たるべき女性の體位の現状を知悉することが必要で、そこから出發してはじめて體位向上もあるわけです。この意味で昭和四年以來、東京女子醫學專門學校がその在學生徒について行つてきたいろんな身體測定の綜合の結果は、現代女性の體位を代表するものとして極めて意義があります。同校衞生學敎室の立野君子氏はその大要につき以下のやうに述べられます。

まづ生徒の年齢ですが、十六歳から廿三歳までが大半で、廿三歳以上はわづかです。

身長　最大は一六八・二センチ、最小ば一三六・八センチで、年齢的にみると十九歳から廿歳が一ばん身長が大で最小は廿三歳。入學後は大した身長の發育がなく、十六歳から十九歳までは多少の成長が認められるが、十九歳又は廿歳で成長がとまつてゐる。身長は女學校時代に伸びることが判ります。

體重　最大は七九・七キロ、最少は三三・四キロ。年齢的には十九歳が最大で、平均四九・二六キロ、廿三歳が最小で平均四八・一八キロ。

胸圍　測る場所で大分結果がちがひますが、この調査では乳房のふくらみを避けて第四肋骨の上の部ではかつた。胸圍の最大は九九・七センチ、最小は六三・三センチで、平均値では十八歳が最小で七八・三センチ、廿三歳が最大で七九・三センチ。この女醫學生の胸圍は、これまで報告された各種の女工さんたちの胸圍よりはや〻小さいがその他のものに比べると大です。

坐高　つまり坐つたときの背丈いかんは健康に關係があるとされてゐます。即ち同じ身長なら垂高の大きい方が體力が強いと考へられ、それは脚が長いよりは大事な臟器のある胴體が長い方がよいわけだからです。さて坐高は最大九四・三センチ、最小六五・五センチ、平均では十六歳と十七歳が最小で八三・八センチ、廿、廿一、廿二歳が最大で八四・八センチ

皮下脂肪　お腹の脂肪壁をつまんで測つたもので、これも榮養のよいものは厚いわけです。最大は五一ミリで、最小は四ミリ（實際の厚みはこの數字の半分、以下同じ）年齢平均でみると十六歳が最太で二二・二ミリ廿三歳が最小で一九・三ミリを示し、廿二歳を除くと年齢がますと共に皮下脂肪は減少してゐます。

肺活量　いふまでもなく肺や胸の筋肉の強さと關係があり、最太は四、四三〇立方センチ、最少は一、一六〇立方センチ、年齢平均では廿三歳が最少で二、六二六立方センチ、廿一歳が最大で二、七九二立方センチを示してゐます。

×

以上の結果を綜合すると、女性について從來行はれた測定値より一般に大ですが、しかし、むろん外國の婦人にくらべると坐高を除いた他の點では大てい劣つてゐますもつと〱わが女性の體位は向上されればなりません。

必ず産後二ケ月は岩田帶を續ける

寢冷えに腹卷・その注意

朝晩涼しく寢冷えしやすいこの頃、寢卷の用ひ方について注意を述べてみませう。まづ生後一年以内のお子さん方では、胸から腹へかけて、例の金時式の腹がけ（表がネル、裏はガーゼのものがい〻）を當て〻冷えを防ぎますが、五六歳にもなれば、五寸幅のネルで下腹部に二まはりほど廻るものを着の上からまきつけ、晝夜ともに離させぬことです。そして胃擴張の氣味のあるお子さん方では、保溫が目的だけでなく、しめたか最後、腹癖の緊張味をなか〱ゆるめぬサラシを腹一ぱいにかなり強くしめ、食事に際し早く滿腹感を訴へさせて、むやみに澤山飮んだりするにを防ぐのもよいことです。次に成年男子の腹卷きですが、もつとも普通の毛糸ものや、まれにみるネルの腹卷きなどばむろん保溫の目的は達するもの〻、腹に緊迫力を與へ、活動を敏活にするでは、まつたく問題外です。この二つの目的を兼ねさせるにはやはり一丈位のサラシをつねに二重にしてしめることで、さうすれば同時に腹壁がのびて、お腹がでつぱりがちの方々では、それを防ぐこと〻もなります。なほご承知のやうに姙婦が腹帶をするのは、子宮が骨盤から腹の上部へでてくる五ケ月目からですが、それは臨月まで使へる長さ八尺以上のサラシをもつて（一）動作の不便排除と（二）子宮の位置異常豫防の二大目的のためです。が、これは更に內臟の下垂に陷りやすい。

産後二ケ月間は必ずつゞけて用ひらるべきで、無力性體質者にみられる病的な胃やその他の內臟下垂の場合同じやうに一たん仰向けにねたのち、膝をたて腰をもち上げ、內臟を上へ押しやつてのち下腹部に卷きます。でないと却つて逆効果をまねいてます〱內臟を下垂させること〻もなるので、この點は十二分にご注意なさることです。（慈惠醫大助敎授、忽滑谷精一醫博）

田舍は招く

深日浦　ツカダ・キタロウ

「田舍は招く」などと今更らしく言ふのもお可笑いことだが、深日浦に住んで早や一年、田舍は招く感を抱くことを痛切なものがあります。

「友よ、來れ、田舍に。」

と漁村生活第二年目の劈頭に、私はかう叫ばずには居られません。

大都會集中の弊漸く大にして、地方分散を期せんとする政府の意向なるやの新聞記事を見たからではありませんが、都市防空警備の困難は、都會人士の神經をいやが上に刺戟すると共に、國防上殊に產業保護の立場からも大都會形成、都會集中の危險なることは衞生上、保健上の必要性以上に、重大に考へられて來た樣であります。

從つて、都會ならぬ土地、即ち「田舍」へと、重要なる工場の移轉、有力なる人士の移動などの思考さる〻は理の當然でありまして、季節的に夏期に於てのみ、山に海に親しむ爲の田舍へ移るのとは、非常な差でありまして、大都市と同等に或はより以上に、國民生活の中心勢力の地方進出、重要工場の田舍への移出などが重要視されて來た樣であります。此の時に際して、私は私の親しい人達に斯く呼びかけたいのであります。

「友よ、田舍に來れ。」

今日の如く、國民の保健問題の重要視される時代に於ては、田園生活は實に尊重さるべきでありまして、大都市集中生活は、甚だしく危險を感ぜざるを得ません。

それと共に國防上、或は產業防禦上、或は文化保護の必要上、都會に近接したる、或は又都會より離れて然も交通の便ある農漁村に、國家の文化、產業、敎育の重點を分散せしめることは、非常時に於ては、殊に急を要するの處置でありませう。

斯くの如く考へて來る時に、農漁村の「兒童文化」及び「兒童敎育」は、現在以後に於ては國家に對して、重大なる使命を有するに至るものである事は、明々白々であります。

茲に、私は私の友人諸兄姉に對し、二度三度大聲で叫びたいのです。

「友よ、來れ、田舍に。」

產業に限らず、一國の中心が大都會に集中される場合、敎育にしても、文化にしても、藝術にしても、その發達が阻害されるのみならず、一朝事ある場合非常な危機に到達することを覺悟せねばなりません。

茲に於て、先進諸國に於ては、旣に敎育の中心を田舍に分散せしめ、工業の重心を地方に分離せしめてゐるのでありますが、獨り我國は、海に四圍を繞圍されてゐたため、國防の脅威を感ずることなくして今日に及んだのであります。

然し、戰爭武器の變化は、殊に飛行機の發達は、到底この安眠を許さぬ事情を生じたのでありまして、國家勢力の地方分散を急

務となすに至つたのであります。そこで私はかう言ふのです。

「友よ、田舍に來れ。」とね。

と、まあ、難かしく申さずとも、田舍はよいですよ。是非一度田舍へいらつしやいよ。そして、氣に入つたら、一生田舍で暮したら、どうですかね。」

と、かう皆さんに申上げたいのですよ。と言つた處で別に、田舍にかぶれたのでもなければ、田舍からたのまれたのでもないのですがね。來る度毎に、

「いゝ處〳〵だ。」

と賞められるものだから、ついウカ〳〵と、田舍の提灯持ちをしただけのことです。が然し、田舍はほんとうによいですよ。

夏は、海水浴場として有名な處だけに千客萬來ではありますが、海岸線が長いので、いくら押しよせても、ホンのチョツピリに見えるのです。

市岡高女同窓會が此の地に臨海學舍を建設して、毎夏母校の生徒達に臨海訓練を施してゐるだけあつて、續々として各高女校の宿泊訓練が行はれ、二百三百と女學生の波が押し寄せるのは、さすがに深日浦だと思はれます。それにしても、海水浴場のホンの一隅を使用する程度でありまして、海水浴場だけでもまだ〳〵廣いものであります。

幼稚園でも、園兒に毎日海水浴をさせましたが、僅かの海面で事がすみまして時々は園兒の數をかぞへて見れば、人が減つたのかと思ふ程の廣さであります。

園兒と言へば、私の園では年中無休で夏もズット保育を致しましたが、殊に七八九の三箇月間は、海岸の松林の中で保育してゐますが、五十人やそこらの園兒は、數本の松樹の蔭で充分涼しい有様です。

勿論、都會の樣な盛裝の洋服などは用ひませんが、極く簡單な服——と言ふより布切を着て、殆ど裸の狀態で、夏の日光を受けるのですから、とても眞黑になりますよ。

海岸の松林の間には、短かい笹が生えてゐますので、毎日「手挾鋏」を持つて行つて、自分達の座る場所を中心に、その周圍をチョキ〳〵と切りますと、園兒の保育室や、踊る位の廣場は、すぐ見事に出來あがります。そこで朝會もすれば上衣をぬいで踊りもしますし、少し暑くなる時分には、海水着と着かえて、ジャンプリ海へ飛び込みます。それは涼しい樂しい裸ん坊の幼稚園なんです。

近頃では、朝私の宅へ集つてお仕事だけすませてから、行列をつくつて海岸に行きますが（それも僅かに二三十間の處に海岸があるのですが）この行列が又とても面白いのですよ、と言ふのは、この行列には、いろ〳〵の持物があるからなんです。

第一。この園兒の海邊の保育場への行進の先頭を承るものは實に「三羽の家鴨」なんです。これは、私の園で、卵から孵るとすぐから育てゝ、一人前否一羽前の家鴨にと成長して行きつゝある處の「家鴨」なんです。

勿論、園には、此の他に、矢張り卵から孵るとすぐ園に來た四羽の鷄（これはもうすぐ卵を產むほど成育しました）と四疋の兎（然も二疋はアンゴラですよ。これも生れて一箇月目に貰はれて來た連中です）とがゐますが、家鴨は、水の中で育てる必要上、毎日園兒のお供をして海岸近くの小川まで出かけるのです。

まだ小さいので、貰はれて來た時の空罐に入れられて、二人の園兒に擔はれて海岸に行くのです。そして、赤組（年少組）がその後に、それから青組の順で行列をして行きます。園では、鷄も家鴨も、兎も、同じ垣の內で、同じ餌函より、仲よく育つてゐますのですが、家鴨を空罐に入れるのも、小川に泳がすのも、又、歸りに家鴨を追ふて捕えるのも、皆園兒の仕事なんです。そして擔へて行くのは「當番さん」の役ですが、これも園兒の希望順によつて決まるのです。

私の家では、家鴨のことを「ピョ〳〵さん」と呼んでゐますが、この「ピョ〳〵さん」が一番先頭に空罐に入つて、園兒の肩に搖れ乍らブラ〳〵行く光景は、全く田舍そのものです。勿論、その後につゞく行列だつて、各自の泳ぐ道具の入つた袋の外に、白旗が二旒、園旗が順々に持たれてゐるのです。手ぶらなんか一人だつてありませんよ。

少し廻り道をして、小川に家鴨を泳がせてから、松林の保育場で朝會と體操をします。朝會は、既に御存じの通りで、先づ整列してから、東を向き遙拜をなし明治天皇御製を朗誦します。これは毎日一首づつ新しいのを暗誦させて頂いてゐます。もう十首以上になつてゐます。

それから、敎育勅語を拜誦致します。赤組でも一箇月もすれば全文暗誦致しますから、毎朝元氣よく拜誦させて頂いてゐます。それは〳〵有難い尊い氣がしますよ。全く一日も止められません。嬉しいことです。

そして、朝會體操をします。これは創案者の大河原先生が、わざ〳〵深日に來て敎へて下さつたもので、毎朝思ひ出しては感謝しつゝ元氣でやつてゐます。

これ等の朝會は、松の枝に揭揚された園旗の下で、廣い大阪灣を見晴し乍ら行はれるのです。朝日を受けて、松の木蔭で、淡路島を眺め乍ら、通る汽船や軍艦などへ、敎育勅語も暗誦すれば、朝會體操もするのです。

全くいゝですよ。田舍はね。

それから、ボートをおろして、チャブ〳〵と泳ぎます。海は遠淺です。水は透きとほつてゐます。夏中、波らしい波は一度もないのです。それは面白いですよ。

お晝前になると、再び家鴨を先導にして、幼稚園へ歸つて來ます。例の行列をしてです。

その頃には、家鴨は滿腹して、ピーとも鳴きませんが、園兒の腹はペコ〳〵です。そこで大いそぎに家へ歸つて行きます。私の家の裏木戶から、田圃の畦道を通つてね。

「先生、左樣なら。」

と、お隣りの垣根の、黃色い花に、顏がかくれるまで、畦道をウネリクネリと、竝んで行きます。そして私共は、最後の園兒の顏がかくれるまで窓から見送るのです。

明日の朝、七時を過ぎると、早や、あの垣根から、

「先生、お早よう。」

と、園兒の顏が見えて來るのを思ひ乍ら如何ですか。田舍の幼稚園はね。

田舍へ來ませんかね。そして、畦道を通つて家鴨と一緒に、泳ぎに行きませんかね。

實際に「田舍は招いて」ゐるのですからね。

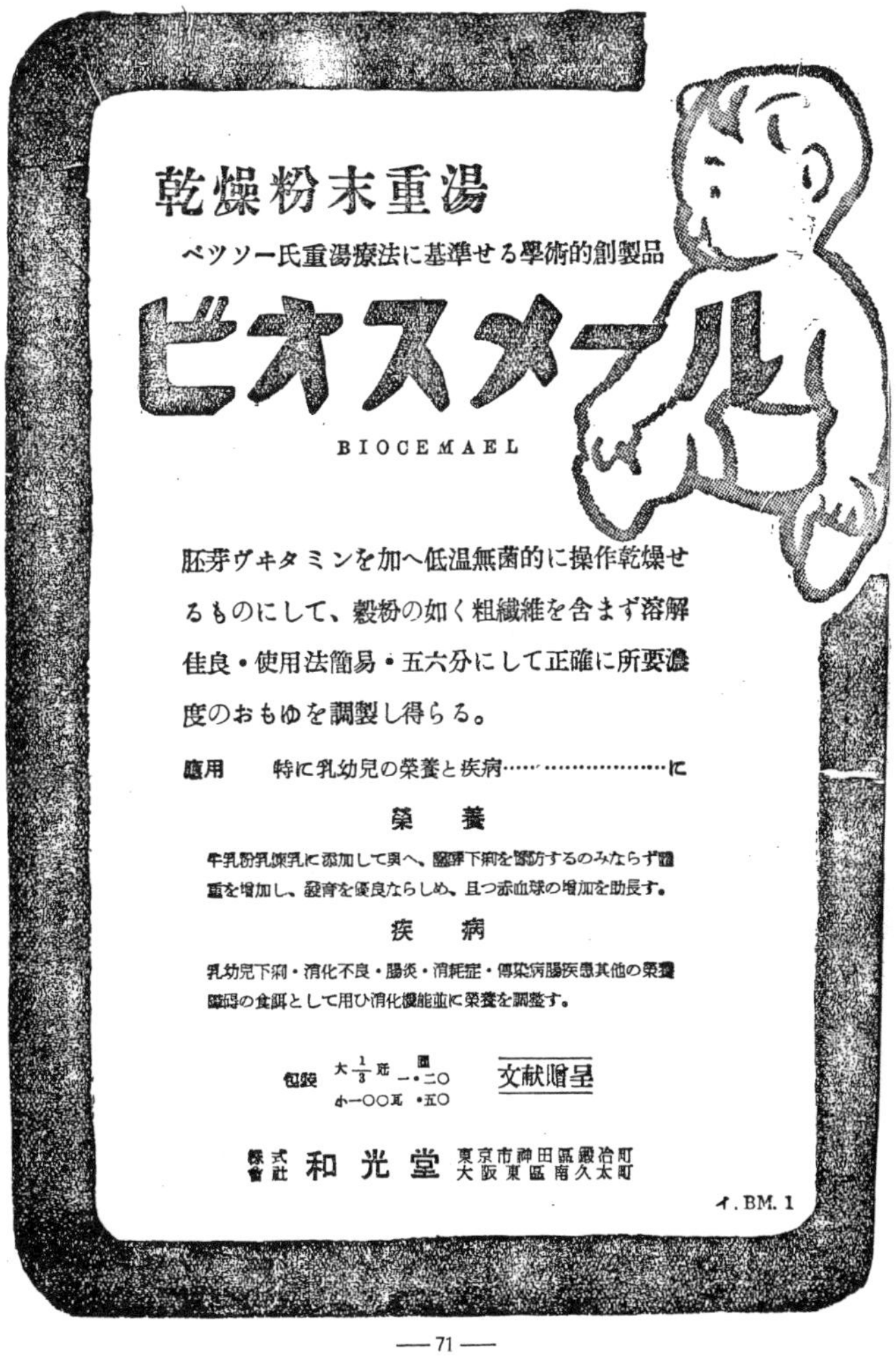

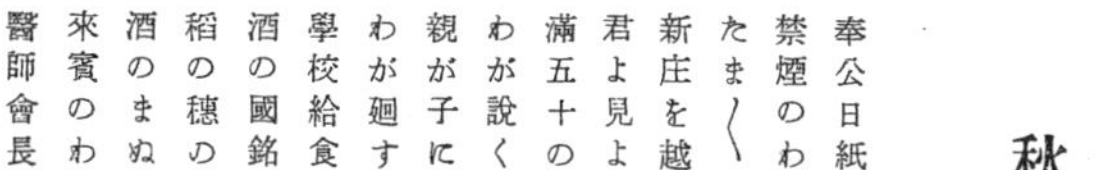

秋田へ

岡田道一

奉公日紙の旗立て我を送る上野の驛の最上將軍（十月一日午後十時奥羽線青森行）
禁煙のわれの旅立つ日を得たり無煙無酒なる食堂に入る
たま〳〵に煙草くわへて入る人へつき出す紙の終りに近し
新庄を越えての先の奥羽本線はじめての旅に驛めづらしゝ
君よ見よ今年瑞穗の八千足穗秋田全縣豐作のさまを
滿五十の誕生日をやゝ紅葉して我を迎へり羽後の山々
わが說くは禁酒禁煙社會家庭手をたづさふる學校衞生（秋田縣學校醫會講演）
親が子に濁酒すゝむる習ひてふ秋田にわが說く酒の害なり
わが廻す學校レントゲンの寫眞をば目をかゞやかし見はれる校醫
學校給食太陽燈は已に古りぬ家庭に求めよ健康敎育
酒の國銘酒爛漫兩關のあれどむなしやわれの前には（壽にて慰勞宴）
稻の穗の熟れてうつくし女らの顏も美し秋田に來れば
酒のまぬわれのさびしや秋田にて美し女酌すると來る
來賓のわれのうたへる義太夫の柳の段の段切れなるも
醫師會長稻見が招く二次會にきくもうれしき秋田オバコよ（大和にて）

われもまたオイサカサツサとうたふらくオバコでハイもおかしかりけり（同）
分春喜綾香がうたふ秋田オバコその哀調もうれしかりけり（秋田オバコ）
ある節はうらむるごとく泣くごとくわれにかなしや秋田岡本（秋田岡本）
さす手引く手四人の女踊るなりキタカサツサの四つ竹よろし（秋田音頭）
ドンとひゞく太皷の音にドッコイナ踊る手ぶりの劍術めける（　同　）
夜更けたる秋田の町を名産の下駄買ひに行けり娘への土産

山形より高湯へ

みちのくの山形にある妻の實家寄りて拂へる旅の塵はも
美しき妹二人門口に立ちて迎へる齒科醫院なり
同じくも酒飮まぬ弟二人率ゐてとある家にきゝぬ山形オバコ
花小路政の家の女將勝重も特にわがため太棹を彈く
新婚の時に來しまゝの藏王高湯歌つくらんと再びを來ぬ
昔ながら湯ぶねあふれし酸性の綠礬泉の流るゝ高湯
妻の母が生れし里てふ藏王高湯小兒いで湯に名高き湯の宿
われ一時靜かにものを考ふる餘裕を得たり林湖畔
山形縣北村山郡堀田村高湯の里にもあらはれしカフエー
一面の薄紅葉なりおちこちを指さすあたり上の山赤湯

秋は體力仕上げの好時季

市保健部
體力課長　醫學博士　深　山　杲

はしがき

春から始めて夏中も行つて來た各種の體力向上運動は、秋に入つて、一層旺に行はねば折角の永い努力が水泡に歸するかも知れない。又春夏をブラリと過して來た人達も、今からでも遲くはない。之から充分に體力を錬りさへすれば、必ず立派な健康を克ち得て、軈がて來る嚴寒の冬を樂々と過せるのである。今年の冬は電氣ガスや石炭木炭が自由に使へない事だらうから、煖房に賴る事は困難となり、勢ひ秋の好季に體力を仕上げておかないと冬の健康が氣遣はれるのである。

秋は天高く馬肥ゆる好季であり、凡ゆる木の實が結ぶみのりの秋である。秋は絕好の發育シーズンであり健康シーズンであるから、市民諸君は此の好シーズンを無爲に過して冬に病氣を招くやうな不幸のないやう、努めて體力向上運動を行つて、充分に健康の收穫を收め、軈がて來る冬に備へねばならない。

偖て秋の體力向上運動として大いに推薦すべき運動は何々であらうか。以下簡單に秋に適はしい體力向上運動を二三紹介し、併せて夫等に關する注意を書き添へることにしよう。

ハイキング

先づ第一は「行樂の秋」と云はれる通り、ハイキングを屢々行ふのが一番よい。之は距離さへ考慮すれば老若男女誰にも適する運動である。同じくハイキングを行ふにしても、三々五々唯漫然と漁り步くのではなく、大勢が集團的に統制をとつて團體訓練を培い乍ら皇陵神社佛閣等の參拜ハイキングをやれば一層効果的である。

斯樣な目的の下に本市體力課では毎月第一、第三日曜

日に市民厚生日ハイキングを實施して、旣に回を重ねること二十數回に及んでゐるが、每回優秀コースを提供し、電車賃も四割引の低賃金でサービスしてゐる。去九月十七日の市民厚生日ハイキングには約二千七百名の參加があつたが、秋が進むに從つて更に多數の參加が期待されてゐるのである。

秋のハイキングで特に注意しなければならない事は、屢々名物の秋時雨に出會すから必ず合羽其他の雨具の用意を忘れてはならない事である。「變り易きは秋の空」と云はれるやうに上天氣と信じてゐても、何時の間にか時雨れて、雨具が無い爲めビショ濡れになつて風邪ひきの因を作る場合が決して少くない。

秋のハイキングで紅葉を折る事や松茸を默つて持ち歸る事なども、公衆道德の上から愼んで貰ひたい。左樣な精神は體力向上の効果にも必ず良い影響は齎らし得ないのである。序で乍らマッチの仕末なども秋山には枯葉が多いだけに充分注意しなければならない。

尙ハイキングの辨當に日の丸辨當が如何にも適はしそうに喧傳されてゐるが、之は再考を要する問題である。成る程運動の後ではどんな粗食も美味しく又身につくが、折角榮養が身につき易い折であるから此際に充分各種の榮養分を攝つて身體を整へるのが悧巧な方法であらう。日の丸辨當で時局を偲ぶなら、家庭で之を攝れば不味いだけに充分時局認識が出來る事だらうと考へる。然し之も時偶にしておかないと之を運用すれば榮養不良に陷つて、銃後を背負ふ國民としては却つて國家に相濟まぬ體力になつて仕舞ふから注意を要する。

勤勞奉仕

次ぎに勤勞奉仕も中々結構な運動である。市民の秋の勤勞奉仕としては、近郊の農村へ出掛けて行つて、稻刈りや野菜の種播き等を手傳ふのが、一番有意義であらう。御承知の通り、目下銃後の農村では應召や都會出稼ぎ等の爲めに非常に勞力の不足を告げてゐるから、市民諸君が農會等と連絡して集團的に勤勞奉仕に出向く事は大いに歡迎されるに違いない。

然かも郊外で土にまみれて勞働する事は保健上最も好ましい運動であつて、八十歲以上の高齡者の六割五分は農業從事者であつたと云ふ事實に徵しても、之は明らかな處である。

斯樣に勤勞奉仕の農村進出は銃後後援と體力向上との一擧兩得の社會的且保健的効果がある許りでなく、平素市民ハイカーが稍々もすれば農作を不用意に荒して、農民の怨嗟を買つてゐる嫌がある事實に鑑み、此種の勤勞奉仕はその罪滅ぼしともなつて、將來、市民と農民との

感情融和にも大いに役立つだらうと考へられるのである。

其他の勤勞奉仕の方法としては、空地の綠化を企てる事も結構であるし、落葉や紙屑の多い街路廣場の淸掃をやる事も至極結構である。之等の勤勞奉仕は本人だけの健康運動でなく、都市保健上からも或は一般市民に公衆道德心を涵養させる上からも極めて有意義と云はねばならない。

一般に勤勞奉仕をやる際には、集團が勤勞奉仕作業を充分理解する迄は、成るべく努力の跡がハッキリ見えて之に興味を覺えるやうな種類のものを選ぶのが得策である。夫れには前述のやうな勤勞奉仕が最適と考へられる。

體育大會

秋に運動會も昔からつきものである。然し、時局下の運動會としては飽くまでも體育的でなければならない。從つて體育大會等を催すことは最も贊成である。

町會等で體育大會を催す際には、運動種目は出來るだけ個人競技を控へて成るべく集團的に行ふ團體競技を選ぶ方がよい。集團の力に依つて勝つ喜びは團結心を涵養し、延いては團結力を尊ぶやうに習慣づけられるのである。團體競技のやり方としては、町會員が老若男女誰でも直ぐにやれる樣な種目にするのがよい。

本市體力課では目下秋の町會體育大會の標準運動種目として男子用三種目女子用二種目を選定中であつて、幸に成案を得れば之を一般に公示してその普及に努める豫定である。而して區町會聯合會或は校下町會聯合會が主催する各體育大會では夫々妙案を凝らした各種競技の中に以上の標準五種目を織込んで行ひ、この五種目の競技を通じて最高得點を獲得した校下町會聯合會乃至一町會に對しては、市に於て然るべく表彰の方法を講じたいと考へてゐる。

然し乍ら斯樣な表彰規定が實施されたとしても、徒らに勝敗に熱中して、本來の目的に背馳するやうな行動は絕對に愼しまねばならない。又賞品目當に相當過激な個人競技等を平素何等の練習も行はず急にやるやうな無暴は斷然禁ずべきである。或は呑み食ひ本位のだらしない本來の運動會等も此際斷乎排擊しなければならない。

今秋の體育大會としては厚生省制定の體力章檢定を實施するのも一案である。參考までに體力章檢定標準を種目別に表記すれば左表の通りである。

體力章檢定標準

種目		初級	中級	上級
走	100米疾走	一六秒	一五秒	一四秒
	三,000米走	九分	八分	七分三〇秒

跳	走幅跳	四米	四米五〇糎	四米八〇糎
投	手榴彈投	三五米	四〇米	四五米
運搬	運搬（五〇米）	四〇瓩—一五秒	五〇瓩—一五秒	六〇瓩—一五秒
懸垂	懸垂屈臂	五回	九回	一二回

右表で初級の標準體力を突破すれば大體甲種合格程度の體力保持者と云ふ事が出來る。尙之は十五歲から二十五歲迄の男子青年に實施すべき標準となつてゐるが、勿論夫れ以上の壯年者でも之だけの體力を發揮出來れば大いに推賞すべき欣快事である。

尤も以上の體力檢定を實施するに當つては必ず相當の練習を經て後でなければ中々全種目の標準突破は困難であり、又突然に實施することは既述の通り身體に却て惡害を及ぼす憾が有り得るから此點は大いに銘記しておかねばならぬ。

厚生大會

最後に近頃流行の厚生運動を採入れた厚生大會を行ふのも尖端的で且有意義な催しと考へる。

厚生運動とは勤勞市民或は靑少年婦女子が餘暇を善用して健全慰樂に過し、以て體位向上或は精神涵養に盡すことを指すのであつて、例へば町內揃つて郊外の然るべき處へ出掛け手頃の天然舞臺を見つけて、其處で町內の聲自慢藝自慢が替る〲一席辯じ或は演じて、やる方も觀る方も樂しみ乍ら心身の健全休養を最も經濟的に行ふ事なども一案である。

厚生運動に就ては本市體力課に根據をおく大阪市厚生協會が萬般の指導を行つてゐるが、去る九月十八日は月曜と八の日が重つて全百貨店の休業日であつたから、此の日に第一回大阪百貨店組合女子從業員聯合厚生體育大會を開催し、千數百名の女子參加を得ての大會綱領齋讀後運動に音樂に嬉々として一日を充分に樂み乍ら意義ある厚生運動を行ひ各方面から感謝されたのである。尙厚生協會では最近國民厚生の歌を選定したがこの朗かな唱歌に依つても一層厚生運動の普及徹底を行ふ事になつてゐる。

むすび

以上のやうな秋に最も適はしい各種の體力向上運動を熱心に實踐するならば、誰でも立派に體力を仕上げる事が出來、嚴寒の冬が來ても煖房なしで薄着の儘、風邪一つひかぬ興亞張りの張り切る健康を把握しつゝ皇紀二千六百年の輝かしい春を幸先よく迎へられる事であらう。秋こそは體力仕上げの絕好季である。市民諸君の充分なる認識と實踐を希つて已まない。

九月の日記（編輯後記）

◈我が國に於ける乳幼兒審査會の創始創案者である本聯盟が、我が大阪に於て第一回の實施をなしたのは去る大正十一年である、今年は此の記念すべき第十七回全大阪乳幼兒審査會が、皷旗堂々來る十月十五日から大阪三越に於て開催される運びとなり、今九月は準備忙殺の月であつた。

◈二日、大阪府社會課長と長部主事を、四日、大阪市保健部に深山、廣島二博士と中田課長を御訪れし、六日、趣旨書を作成して全國の關係團體に發送、九日午前七時五十分着京、大阪の審査會と同時に開催の子供優良必需品展覽會出品の各方面を訪問、十日、出征中の義弟小出陸軍大佐の留守宅を柿の木坂に慰問した處、過ぐる夏、仙臺の幼年學校から歸省した長男の興味ある話しに大笑ひをする、日曜なれば一日を義兄國司氏宅に費し、午後九時、關西の旅より歸京された、永井遞信大臣兼鐵道大臣を御迎えした、雜踏の中なれど親しく御目にかゝる事が出來て嬉しかつた。

◈中學時代の友で大日本電力に居る高山佐綱氏に偶然バスの中で遭つた、「新聞で屢々君の寫眞を拜見して陰乍ら健康を祝福して居るよ」、と云つてゐた、十二日、來る十月下旬施行の東京審査會表彰式に關し、協議會を明治ビルに於て開く、午後、院展、青龍社展、二科展を四時間程費して見た、場內にて富田博士に御目にかゝる、十三日、愛育會に成瀨、渡邊二氏を、內閣統計局に浦上氏を訪れ、夜は共に富田博士を訪れて快談をなす。

◈十四日、廣瀨前厚生大臣を澁谷に御訪れして、過般來の御厚情に對して深甚の謝意を表した、尙、愛育會に齋藤博士と保原幹事を、夜は柿本博士を御訪れした、十五日陸軍省に三木中將閣下と梶浦少佐殿を御訪れした、閣下は「生れつき小い者でも丈夫な者がある、一體優良兒を決定するに體重、身長等に重きを置かれるか」との御質問があり、尙南支戰線の御話しを窺つた、午後中鉢博士に面會、十六日、厚生省に市來施設課長を御訪れし、表彰式に關し種々御依賴をなす、それより岸邊福雄先生を御訪れして過般の御禮を申上げた。

◈十八日朝八時半大阪着、藤原保健部長と廣島、深山、大久保三博士に御目にかゝる、二十日、保嬰館に西川博士を、大學法醫學教室に中田、大村、松倉三博士を、眼科に中村博士を、小兒科に笠原、前田、巽三博士を、內科に伊藤政一博士と西川博士を、二十三日、ライオン齒科衛生院に岡本博士を、電氣局病院に原田龍夫博士を、二十五日、市民病院に谷口博士を、今宮乳兒院に一色博士を、二十六日、女專附屬病院に山本、落合二博士を、二十七日、西川、余田、吉馴三博士を、二十八日、奧野、大野二博士を、二十九日、大學齒科に弓倉教授と永井助教授を、夜は岡町に横田博士を、十三に生地博士を、三十日、原田（達）高階二博士をそれ〲御訪れして審査會の事を御願ひした。

◈二十四日の『朝日』二十五日『毎日』『時事』誌上に審査の記事發表した處、二日間にして申込四千人を突破した、三十日、明治天皇記念館に於ける御醍醐天皇御六百年記念講演會にて魚澄、中村兩先生の有益なる御講演を拜聽した。

本誌定價　一冊金參拾錢　郵稅壹錢五厘
半年分六冊　金壹圓六拾錢　郵稅共
一年分十二冊　金參圓　郵稅共
誌代郵稅は一切前金の事
前金切の場合は發送中止
郵券代用は一割增のこと

昭和十四年九月廿八日印刷（毎月一回）
昭和十四年十月一日發行（一日發行）

兵庫縣武庫郡精道村芦屋
發行兼編輯人　伊藤悌二
大阪市西淀川區海老江上二丁目三七番地
印刷人　木下正人
印刷所　木下印刷所
電話福島㊺（一五三四番 二四二六番）

大阪市北區天神橋筋六丁目
大阪市立北市民館內
發行所　日本兒童愛護聯盟
電話堀川㉟（一〇〇〇一番 一〇〇〇二番）
振替大阪五六七六三番

子供の世紀　第十七巻第十號
大正十三年[illegible]月二十[illegible]日第三種郵便物認可
昭和十四年十月十五日印刷納本
昭和十四年十月二十日發行（毎月一回一日發行）

【定價金參拾錢】

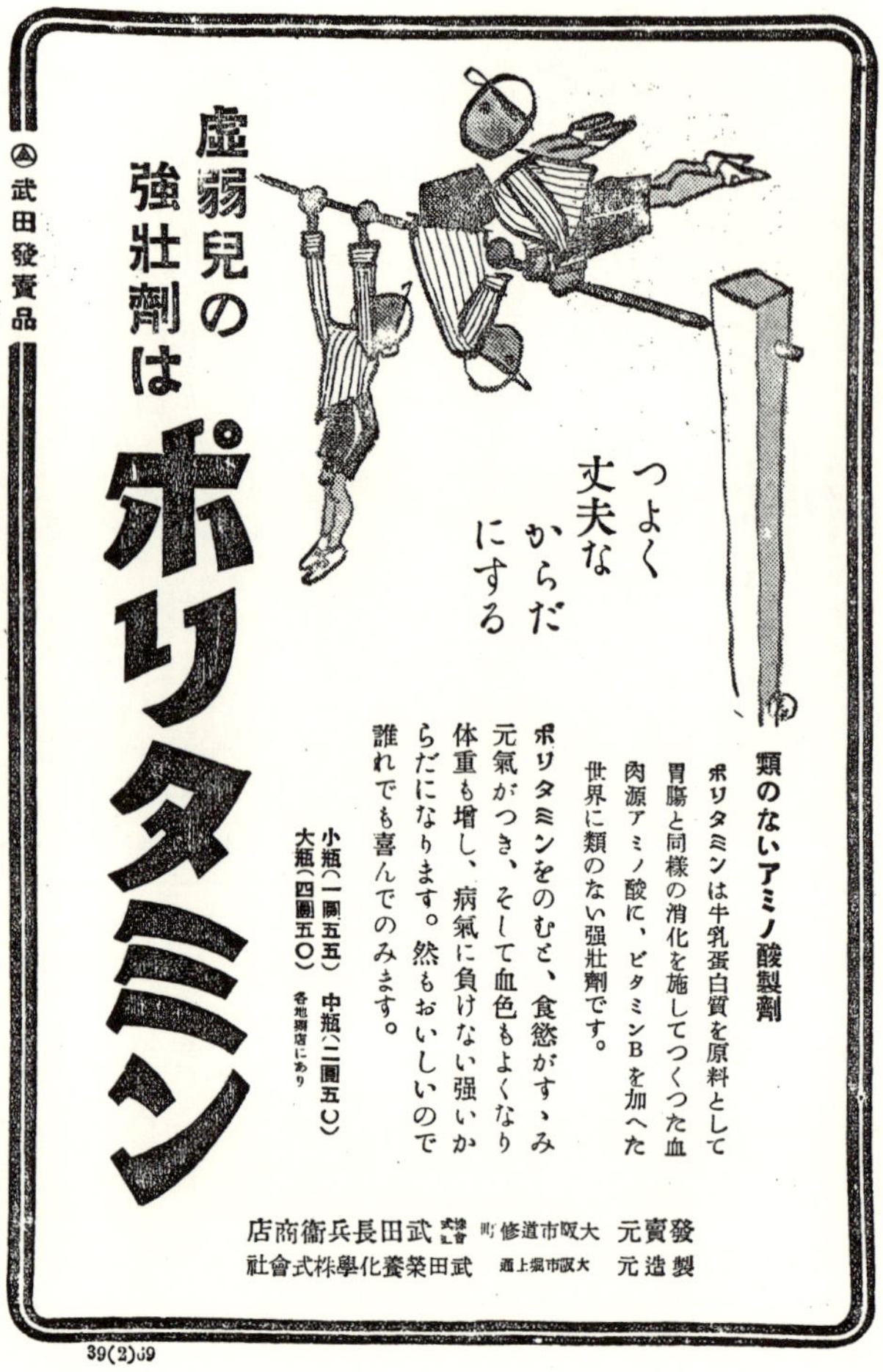

39(2)39

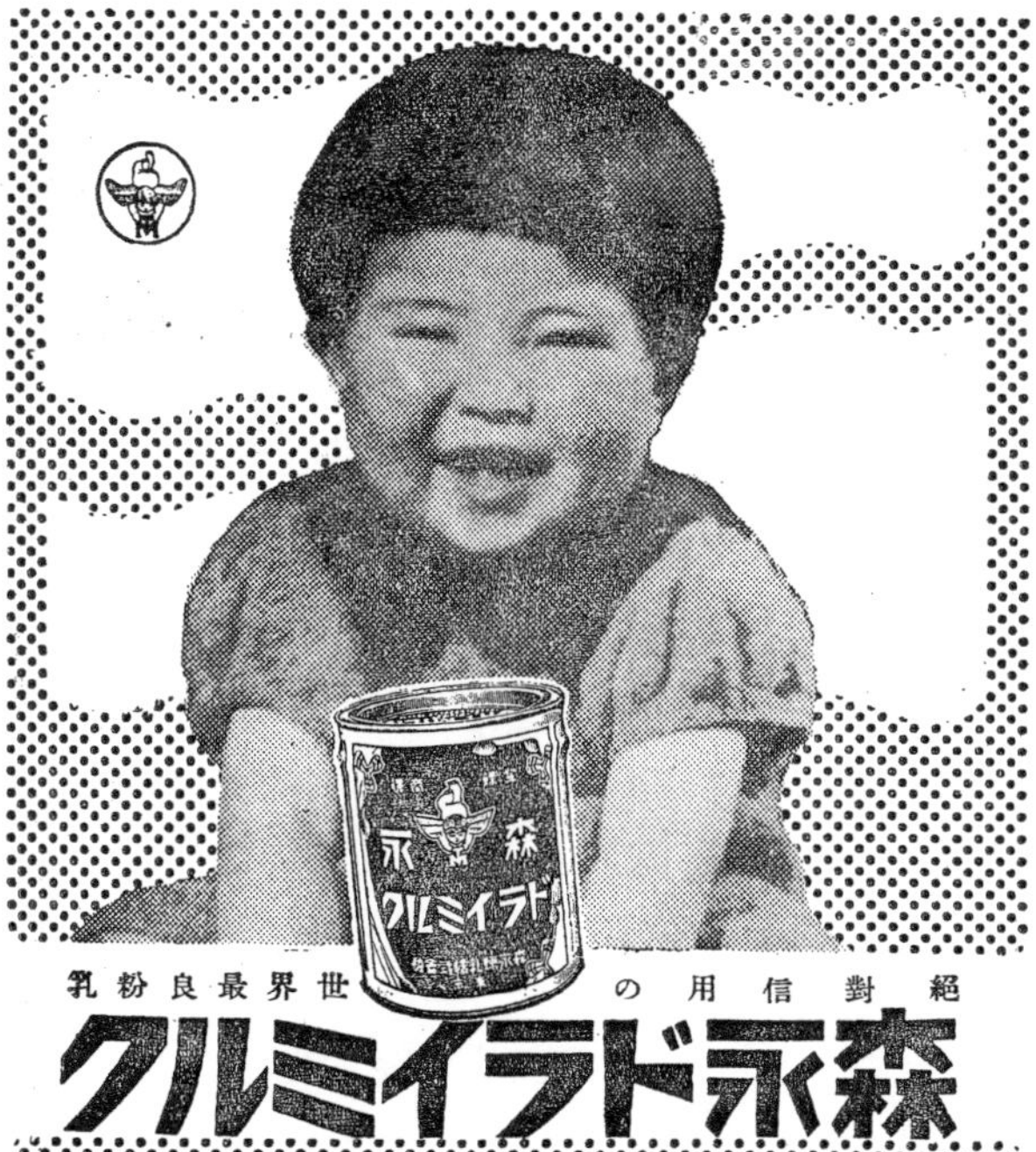

『子供の世紀』（第十七卷第十一號）全大阪審査會號

目次

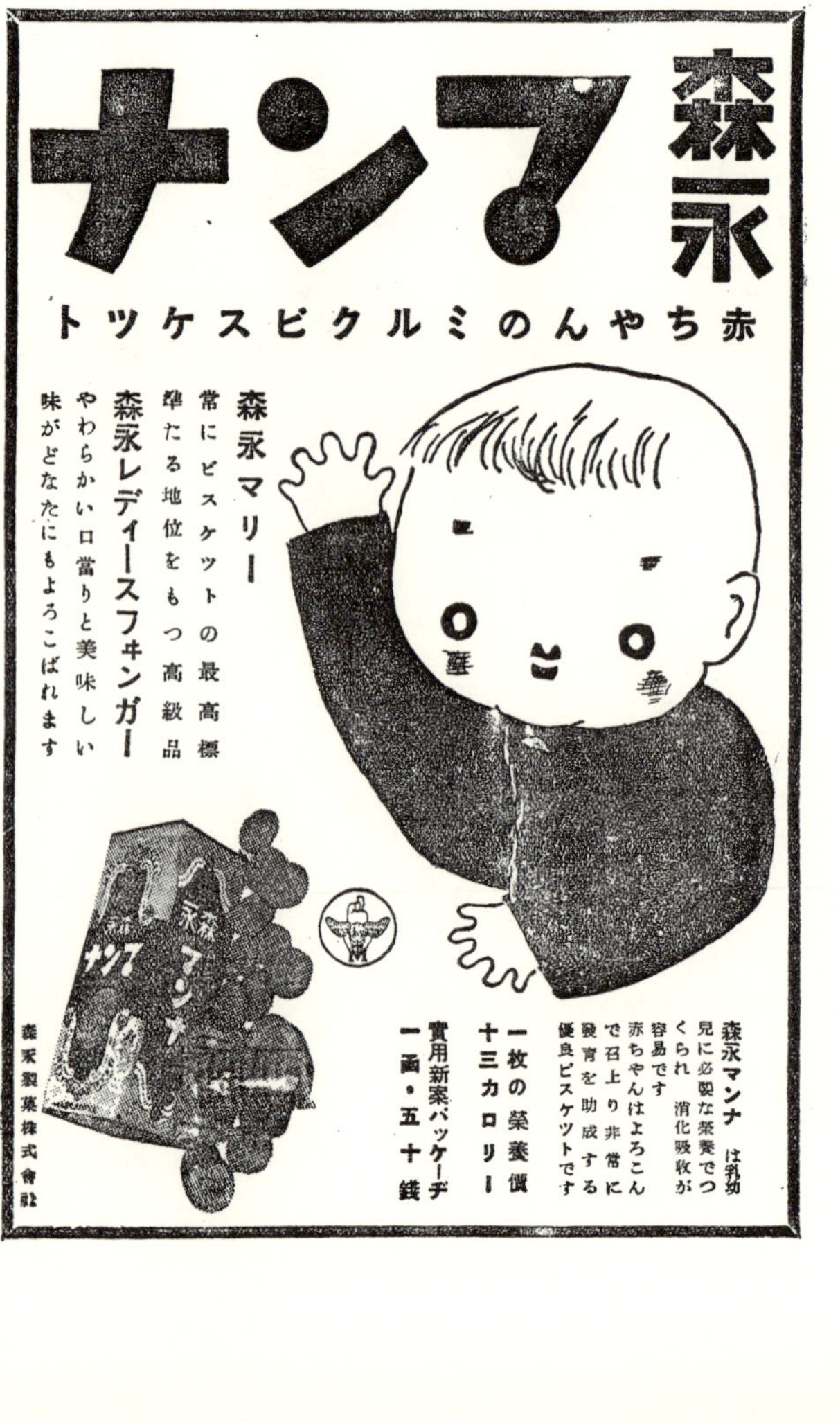

森永
マンナ
赤ちやんのミルクビスケット
森永マリー
常にビスケットの最高標準たる地位をもつ高級品
森永レディースフヰンガー
やわらかい口當りと美味しい味がどなたにもよろこばれます
森永マンナは乳幼兒に必要な榮養でつくられ消化吸收が容易です
赤ちやんはよろこんで召上り非常に發育を助成する優良ビスケツトです
一枚の榮養價
十三カロリー
實用新案パッケーヂ
一函・五十錢
森永製菓株式會社

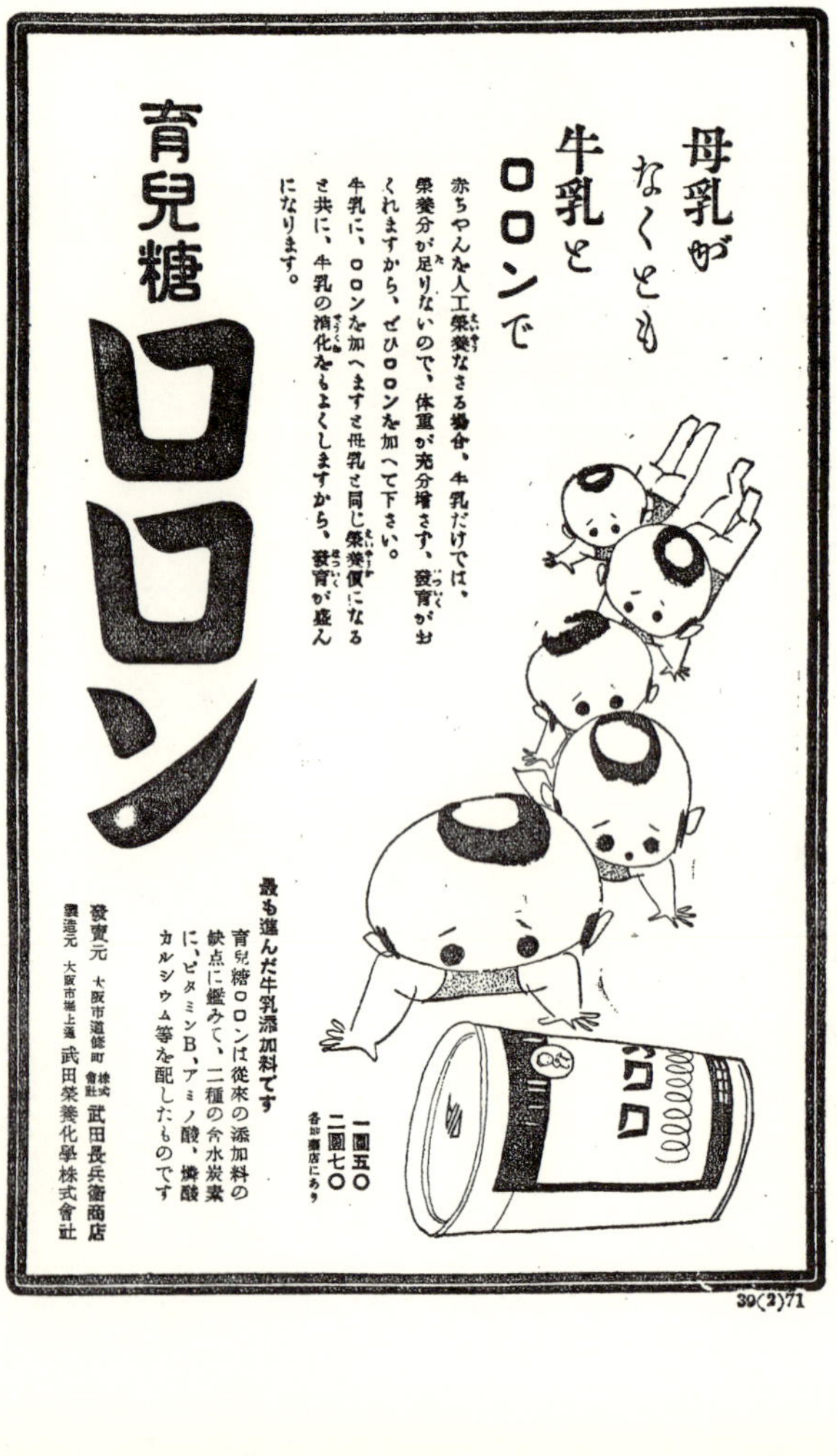

育兒糖
ロロン
母乳がなくとも
牛乳とロロンで
赤ちやんを人工榮養なさる場合、牛乳だけでは、榮養分が足りないので、体重が充分增さず、發育がおくれますから、ぜひロロンを加へて下さい。
牛乳に、ロロンを加へますと母乳と同じ榮養價になると共に、牛乳の消化をもよくしますから、發育が盛んになります。
最も進んだ牛乳添加料です
育兒糖ロロンは從來の添加料の缺点に鑑みて、二種の含水炭素に、ビタミンB、アミノ酸、燐酸カルシウム等を配したものです
一圓五〇
二圓七〇
各地藥店にあり
發賣元 大阪市道修町 株式會社 武田長兵衞商店
製造元 大阪市堀上通 武田榮養化學株式會社

39(2)71

大川吸入器

完全無缺
使用簡易

噴霧は體温以上に温く微細で病状に好影響をもたらします
噴霧管は特許引拔パイプ製で絶對に故障の起らぬ逸品。
器械は堅牢で大川吸入器が標準型です。
本器は一ヶ毎に檢査をして發賣致します故、何處でお求めになつても安心です。
類似品あり、大川式と御指名を乞ふ。（固定式上下式の二種有）

第十七回全大阪乳幼兒審査會會長
坂間大阪市長代理藤原保健部長をお迎へして

（上）十月十五日より施行の古き傳統を誇る本聯盟主催審査會の第四日目に藤原部長は會長代理として來臨された、向つて右より齋藤北市民館長、藤原市長代理、原田遠三博士。
（下）待合所におしよせた民衆の都大阪市の健康な母子たちの元氣な姿。

世のお母さん方へ

優良第二國民の保育には理想的の

福寶育英 子守バンド を是非御使用下さい

A型→

C型↑

構造上に少しも無理がなく全く理想的に出來て居ります、從つて耐久力もあり實用的の品であります、赤ちやんより五六歳位の子供達迄負ふ事が出來ます、體裁もよく立働きが樂で容が小さいので携帶用として至便のものです、殊に子供達連れの遠足などには絶對に必要であります。

是れは優美な高級刺繍を施してありますので赤ちやん向きとして是れ又非常に御好評を賜つて居ります、丈夫さは幾分A型より劣りますが値段の格安さ、出產祝としての値頃品である爲め賣行益々良好であります。

A型 別珍製
仝 朱子製
B型 別珍製刺繍入
C型 別珍製仝（裏ナシ）

各地百貨店、呉服雜貨店ニアリ

製造發賣元
菊池商店
大阪市北區東野田町三
振替大阪 14000番

餘暇善用＝趣味による心の鍛錬
松坂倶樂部
新會員募集

長唄、常磐津、清元、小唄、鳴物、箏曲、尺八、謠曲、能樂、ピアノ、聲樂、ギター、書道、日本畫、洋畫、茶道、華道、料理、洋裁、手藝、俳句、川柳、氣學、碁將棋、婦人圍碁　等

手ほどきから奧義までを氣輕く、樂しく東西一流の名家師匠の指導によつて、御上達出來ます。

御申込は
七階松坂倶樂部へ
電話 戎 三〇三番

松坂屋
大阪 日本橋

上手な吸入のさせ方

吸入や含嗽は、あまり重い病人には著しい効果はありませんが、早くやると侮り難い効を奏するものです。

外出後咽喉がちよつと變だと思ふときは、大人なら含嗽をすればよいのですが、小さいお子さんでは、それができませんから、吸入に替へます。吸入器にはいろ〳〵有りますが注意したいのは、藥液と一緒に冷い風が起り、却て吸入をしたために、よくない場合の起るやうなものを、避けるといふことです。使用上の注意といたしましては釜の湯は三分の一くらゐ注いで、なくなる前に注ぎ足します。湯のなくなつたのを知らずにゐると、破損することがあります。

アルコールを口元まで入れると、發火する虞れがあります。吸入をかけると、お寢衣やお蒲團が濕りますから、防水布やタオルをかけておき、寢たまゝの病人なら徐かにかけてあげて下さい。赤ちやんの吸入は無理にお口を開かせる必要はなく、玩具で機嫌よく遊んでゐるときでも、吸入器の方を近づけて、あたりの空氣を軟くしつとりさせて、少しづゝでも吸ひ込ませるやうにします。一回分をあまり長くかけると倦きますから、一日に三四回にしてコップに二杯ぐらゐで結構です。終りましたら蒸しタオルで拭いて、後にクリームなどをつけてあげると、お顔の荒れを防ぎます。

吸入液の作り方

藥液はいろ〳〵有りますが、お子さんには一%の重曹水で結構です。(約一合の水に茶匙一杯)又は重曹と食鹽を各々一%の割に溶かしたものを用ひてもよろしい。

うがひ藥の作り方

二%硼酸水　硼酸は冷い水に溶け難いが微温湯を用ひますとすぐ溶ます。大人の水藥二日分入りの瓶は通常二百瓦入りですからこれに四瓦入ればよろしい。

二%鹽剝水　鹽素酸加里は常用としてうがひに用ひるのはよくありません殊に小兒には用ひぬのがよろしい。

三%過酸化水素水　過酸化水素又はオキシフルを水百に對して三の割合に二百瓦入りの水藥瓶なれば六瓦入れます。過酸化水素はごみ、又は日光熱等にあへば酸素を發生分解して無效となりますから瓶は清潔なものを用ひ、戸棚か押入等の暗所に置かねばなりません。

日本で一番歷史の古い權威があつて信用のおける **大川吸入器**

太陽を與へよ

青白き都會の兒童に

あの偉大な發育力、生命力を植えつける原動である日光の中でも、最も人体に欠乏する紫外線を苦心して、藥劑化したのが 錠劑オリーゼなのです

うらなりの様な、都會の兒童に、なくてならぬ、珍しい强壯劑が出來たわけです

紫外線の欠乏より起る、小兒腺病、吹出物の出る体質、風邪、結核を豫防し、頑健な体質に築き上げます

勿論服み良いです

詳しい說明書御請求下さい

(大阪中央私書函二十五)

紫外線の藥劑

:60　2.00　5.50

(全國藥店・百貨店にあり)

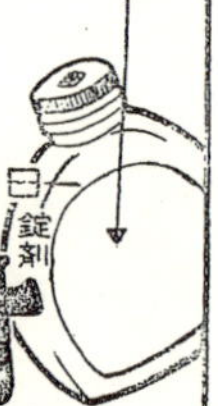

日光ビタミン

錠劑 オリーゼ

乾燥粉末重湯

ベツソー氏重湯療法に基準せる學術的創製品

ビオスメル

BIOCEMAEL

胚芽ヴヰタミンを加へ低温無菌的に操作乾燥せるものにして、穀粉の如く粗纖維を含まず溶解佳良・使用法簡易・五六分にして正確に所要濃度のおもゆを調製し得らる。

應用　特に乳幼兒の榮養と疾病……………………に

榮養

牛乳粉乳煉乳に添加して與へ、醱酵下痢を豫防するのみならず體重を增加し、發育を優良ならしめ、且つ赤血球の增加を助長す。

疾病

乳幼兒下痢・消化不良・腸炎・消耗症・傳染病腸疾患其他の榮養障碍の食餌として用ひ消化機能並に榮養を調整す。

包裝　大 1/3 瓩　一・二〇 圓　小一〇〇瓦　・五〇

文献贈呈

株式會社 **和光堂**　東京市神田區鍛冶町　大阪東區南久太郎町

イ.BM.1

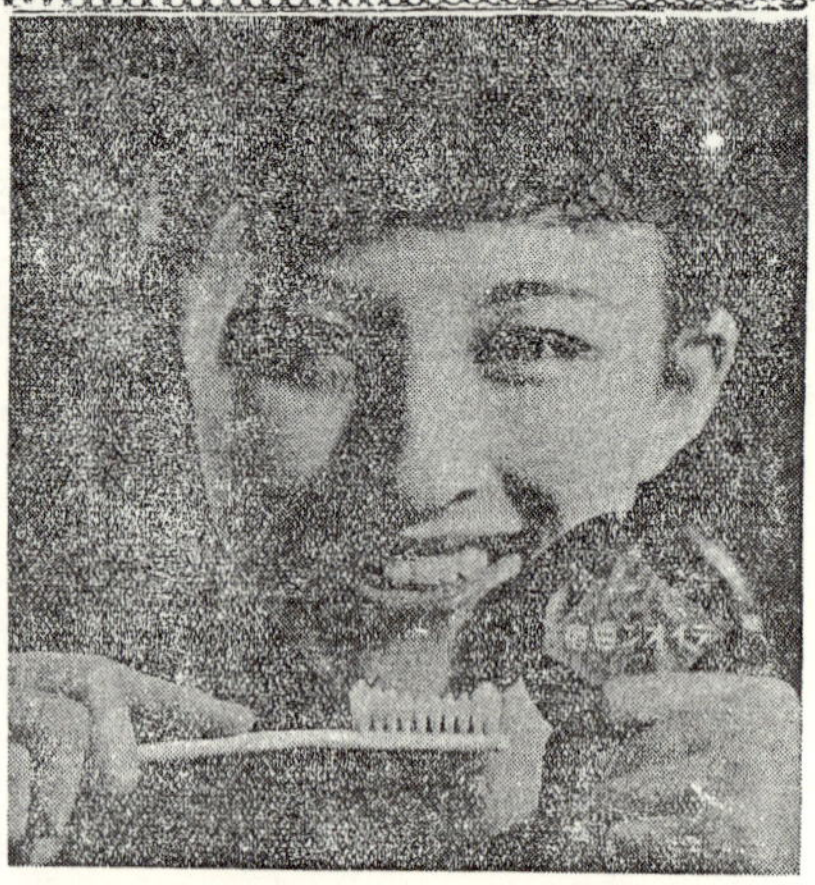

ラヂオの時報合圖に歯を磨きませう

ねる前の歯磨實行千萬人協力大運動

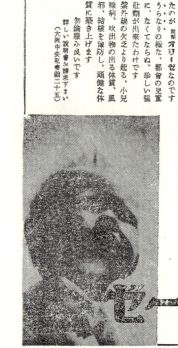

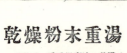

ライオン歯磨

大阪府立社會衛生學院・北市民館の應援

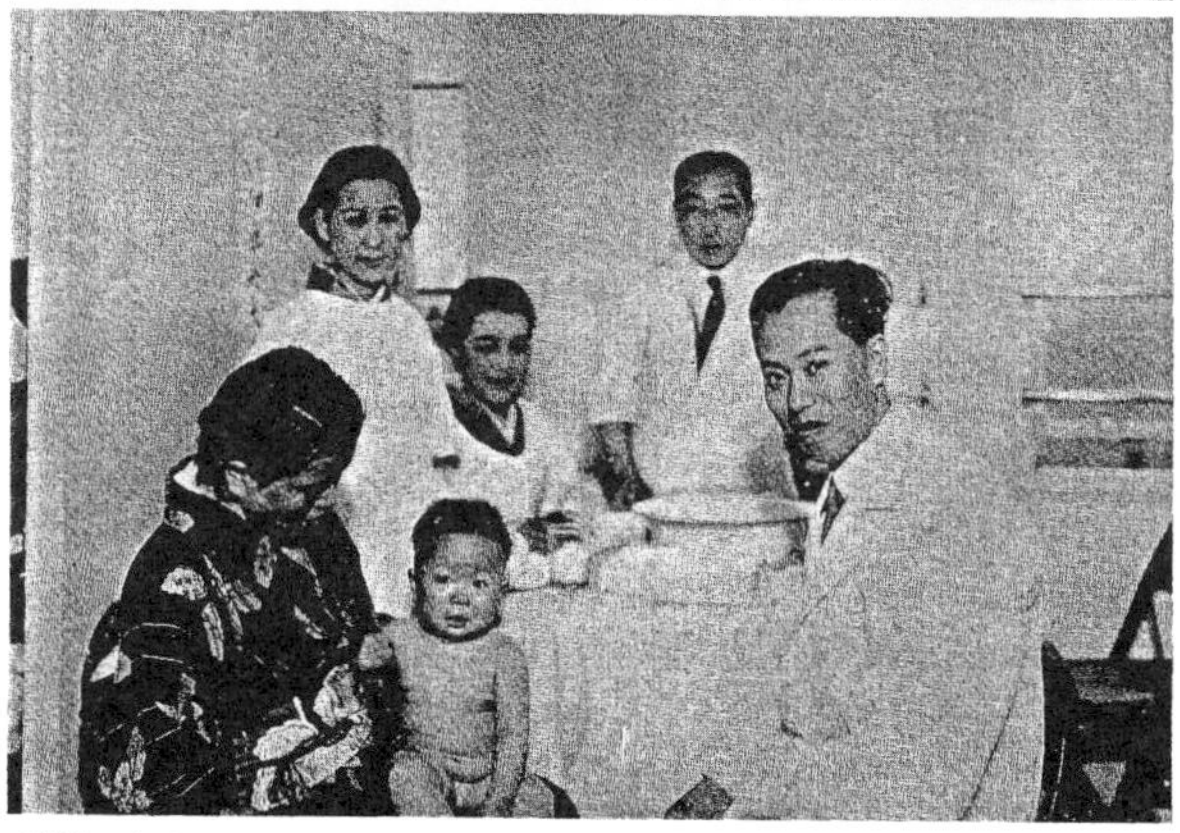

（上）例年の如く社會衛生學院より二十二名の學生諸姉の熱誠なる應援があり、體重身長等雜沓を極むる部門の進行を圓滑ならしめた。（下）大阪市立北市民館兒童齒科部とライオン齒科衛生院の應援・中央はライオン齒科の高安學士・前は北市民館の伊藤齒科部長。

健康兒の結核反應を審査して斯界に新機軸を出す

（上）大阪帝大今村内科の伊藤助敎授・府立保嬰館の西川博士指導のもとに、本年度より健康反應を試みて學界に貢獻し、斯方面を覺醒する處多大であつた、中央は西川博士と今村内科の浮田・堀二學士。（下）奈良女高師の桑野先生御擔當の人氣ある能力檢査の部。

萬國オリンピック水泳軍主將の愛兒も參加した

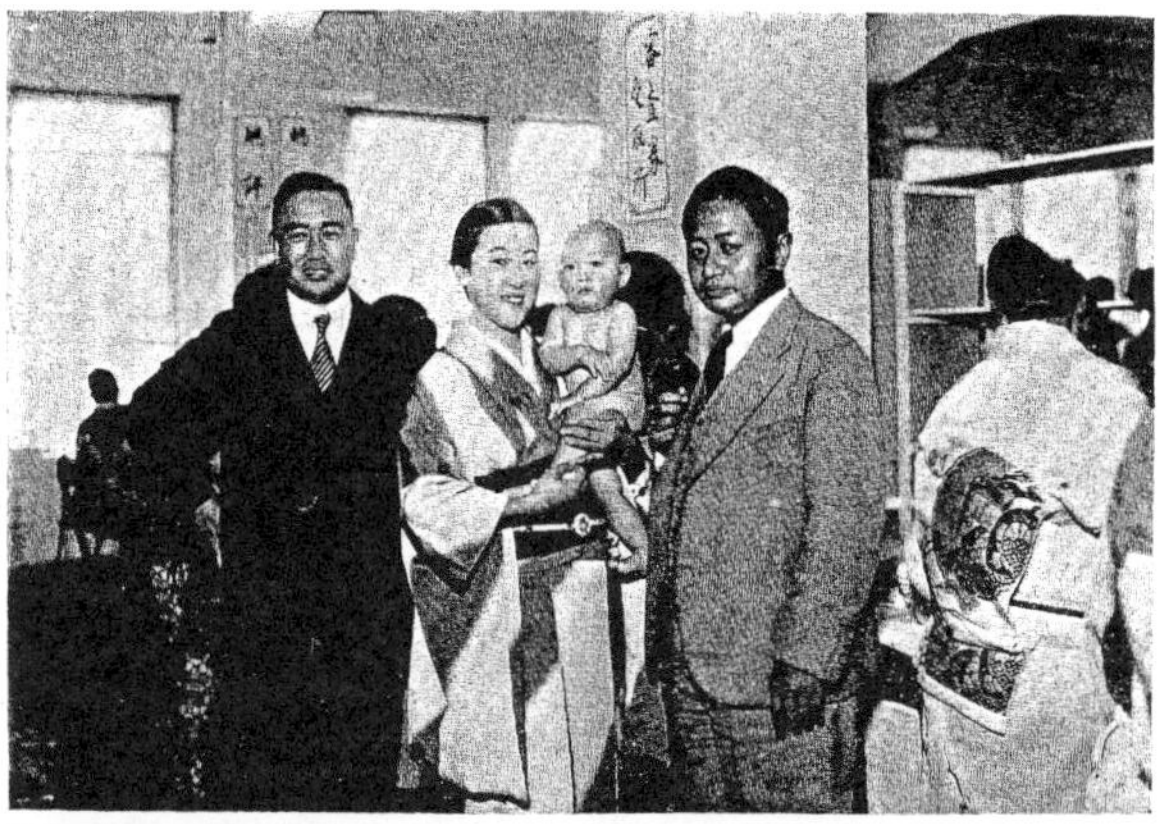

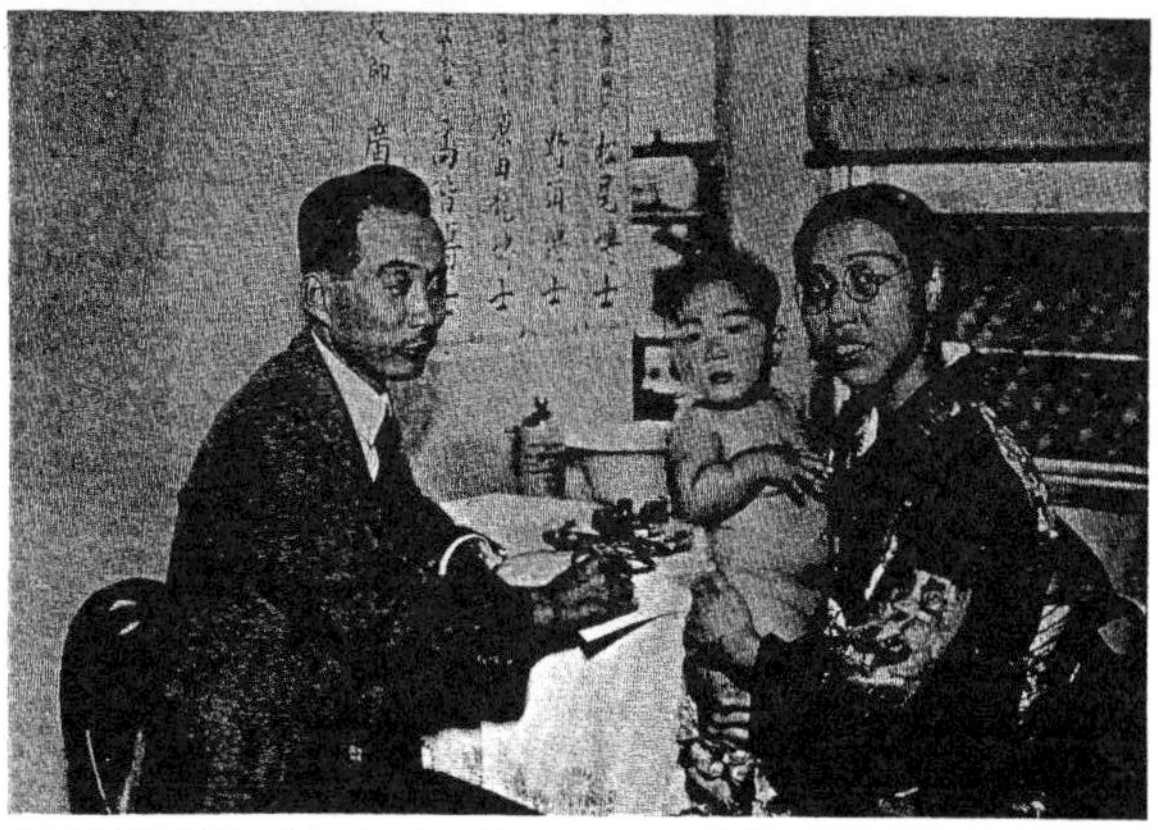

（上）萬國オリンピック選手の主將又はコーチとして明朗をうたはれた菅谷（舊姓松澤）初穗女史の愛兒も、權威ある本聯盟の審査會に參加した、向つて右は大阪市體力課長深山博士・中央は初穗女史と御愛兒。（下）大阪市體力係長廣島博士の懇篤なる總評ぶり。

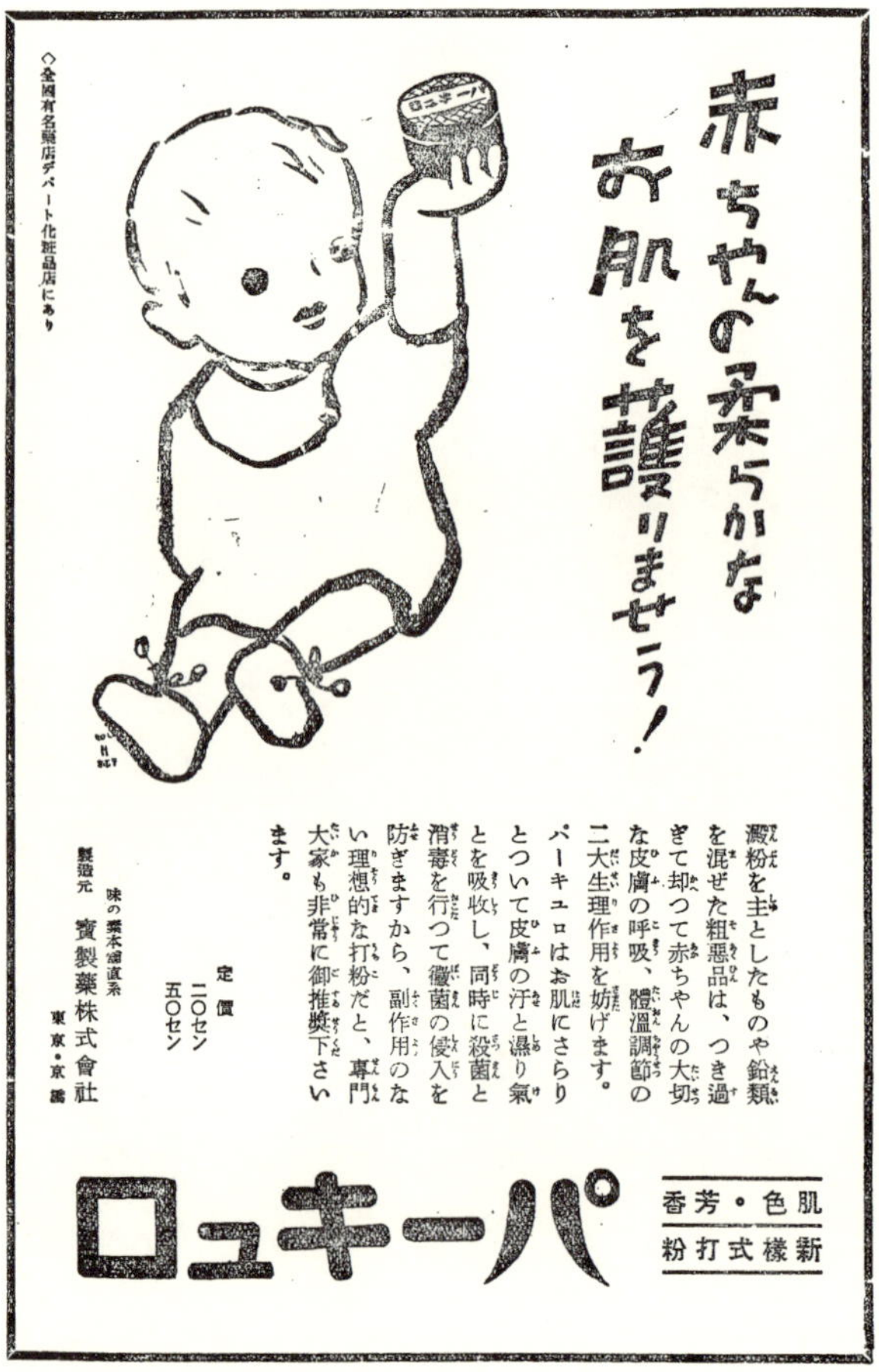
◇全國有名藥店デパート化粧品店にあり
赤ちゃんの柔らかなお肌を護りませう！
澱粉を主としたものや鉛類を混ぜた粗惡品は、つき過ぎて却つて赤ちゃんの大切な皮膚の呼吸、體溫調節の二大生理作用を妨げます。パーキユロはお肌にさらりとついて皮膚の汗と濕り氣とを吸收し、同時に殺菌と消毒を行つて黴菌の侵入を防ぎますから、副作用のない理想的な打粉だと、專門大家も非常に御推奬下さいます。
定價 二〇セン 五〇セン
味の素本舗直系
製造元 寶製藥株式會社 東京・京橋
パーキユロ
肌色・芳香
新様式打粉

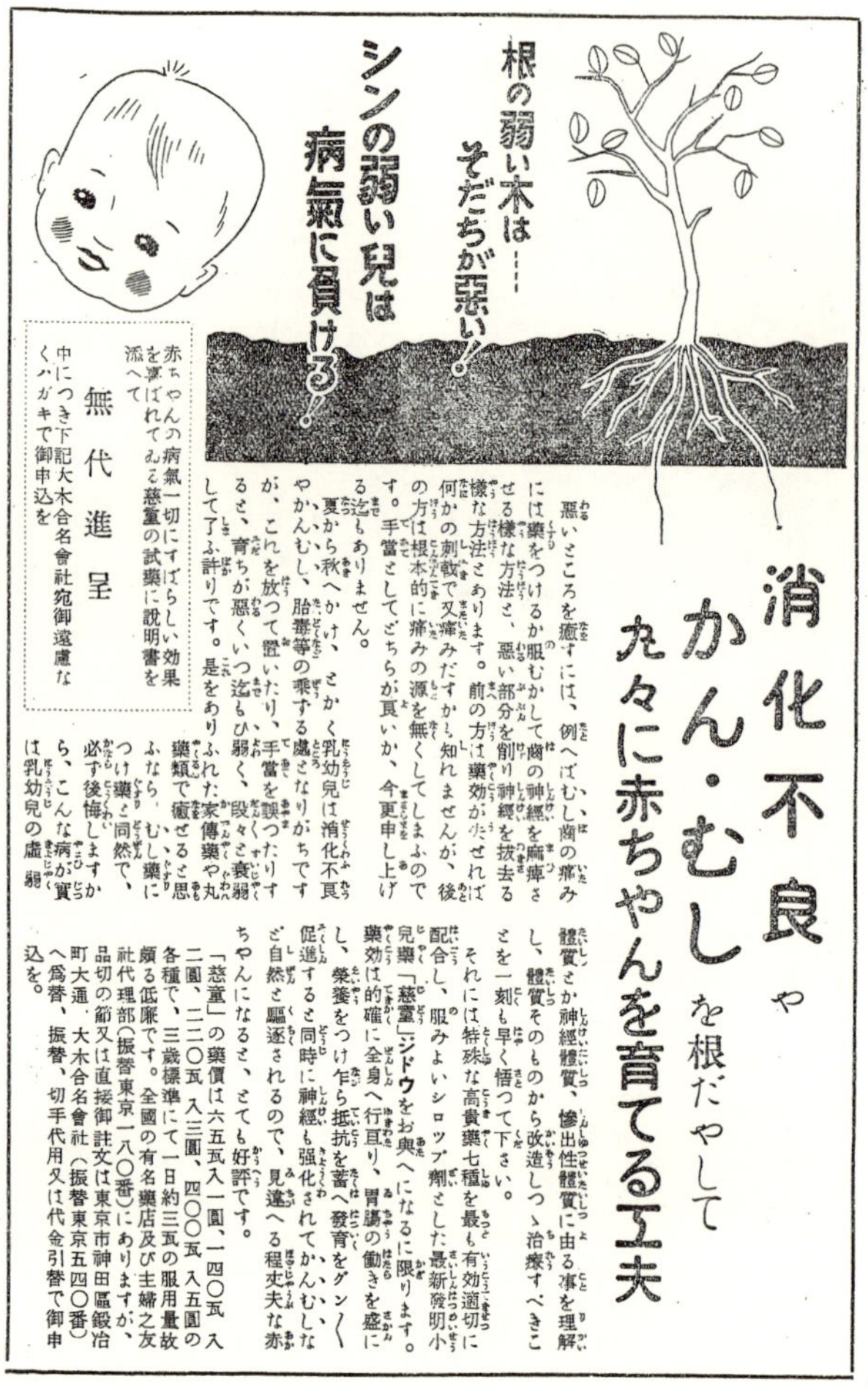
根の弱い木は……そだちが悪い！
シンの弱い兒は病氣に負ける！
消化不良やかん・むしを根だやして丸々に赤ちゃんを育てる工夫
惡いところを癒すには、例へばむし齒の痛みには藥をつけるか眠むかして齒の神經を麻痺させる樣な方法と、惡い部分を削り神經を拔去る樣な方法とあります。前の方は藥効が去れば何かの刺戟で又痛みだすかも知れませんが、後の方は根本的に痛みの源を無くしてしまふのです。手當としてどちらが良いか、今更申し上げる迄もありません。
夏から秋へかけ、とかく乳幼兒は消化不良やかんむし、胎毒等の乘ずる處となりがちですが、これを放つて置いたり、手當を誤つたりすると、育ちが惡くいつ迄もひ弱く、段々と衰弱して了ふ許りです。是をありふれた家傳藥や丸藥類で癒せると思ふなら、むし藥につけ藥と同然で、必ず後悔しますから、こんな病が實は乳幼兒の虚弱體質とか神經體質、滲出性體質に由る事を理解し、體質そのものから改造しつゝ治療すべきことを一刻も早く悟つて下さい。
それには特殊な高貴藥七種を最も有効適切に配合し、服みよいシロップ劑とした最新發明小兒藥「慈靈」ジドウをお與へになるに限ります。藥効は的確に全身へ行亘り、胃腸の働きを盛にし、榮養をつけ乍ら抵抗を蓄へ發育をグン〳〵促進すると同時に神經も強化されてかんむしなど自然と驅逐されるので、見違へる程丈夫な赤ちゃんになると、とても好評です。
「慈靈」の藥價は六五瓦入一圓、一四〇瓦入二圓、二二〇瓦入三圓、四〇〇瓦入五圓の各種で、三歳標準にて一日約三瓦の服用量故頗る低廉です。全國の有名藥店及び主婦之友社代理部(振替東京一八〇番)にありますが、品切の節又は直接御註文は東京市神田區鍛冶町大通、大木合名會社（振替東京五四〇番）へ爲替、振替、切手代用又は代金引替で御申込を。
赤ちゃんの病氣一切にすばらしい効果を擧げてゐる慈靈の試藥に説明書を添へて
無代進呈
中につき下記大木合名會社宛御遠慮なくハガキで御申込を

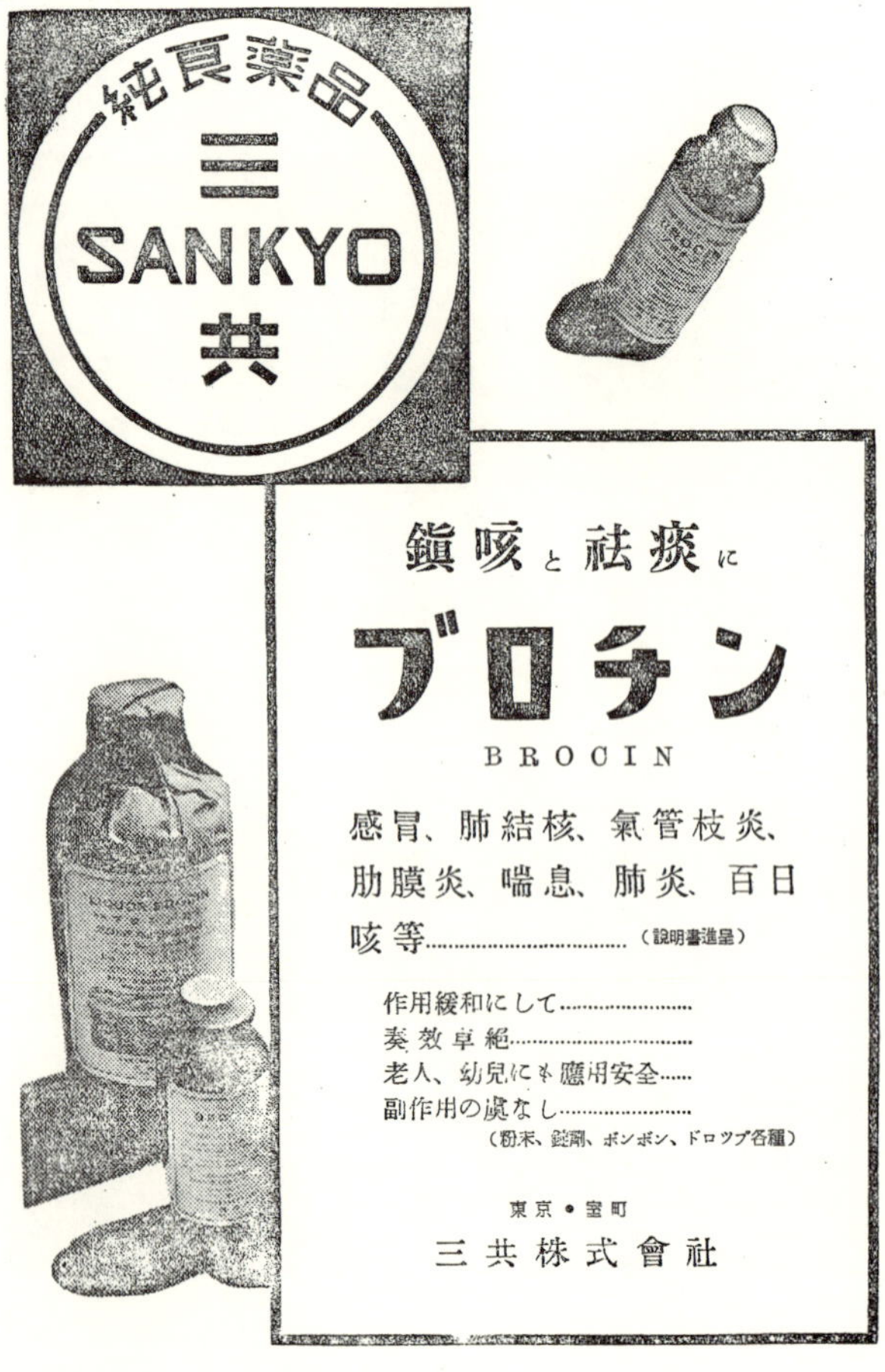
純良藥品
三 SANKYO 共
鎮咳と祛痰に
ブロチン
BROCIN
感冒、肺結核、氣管枝炎、肋膜炎、喘息、肺炎、百日咳等……（説明書進呈）
作用緩和にして……
奏效卓絶……
老人、幼兒にも應用安全……
副作用の虞なし……
（粉末、錠劑、ボンボン、ドロツプ各種）
東京・室町
三共株式會社

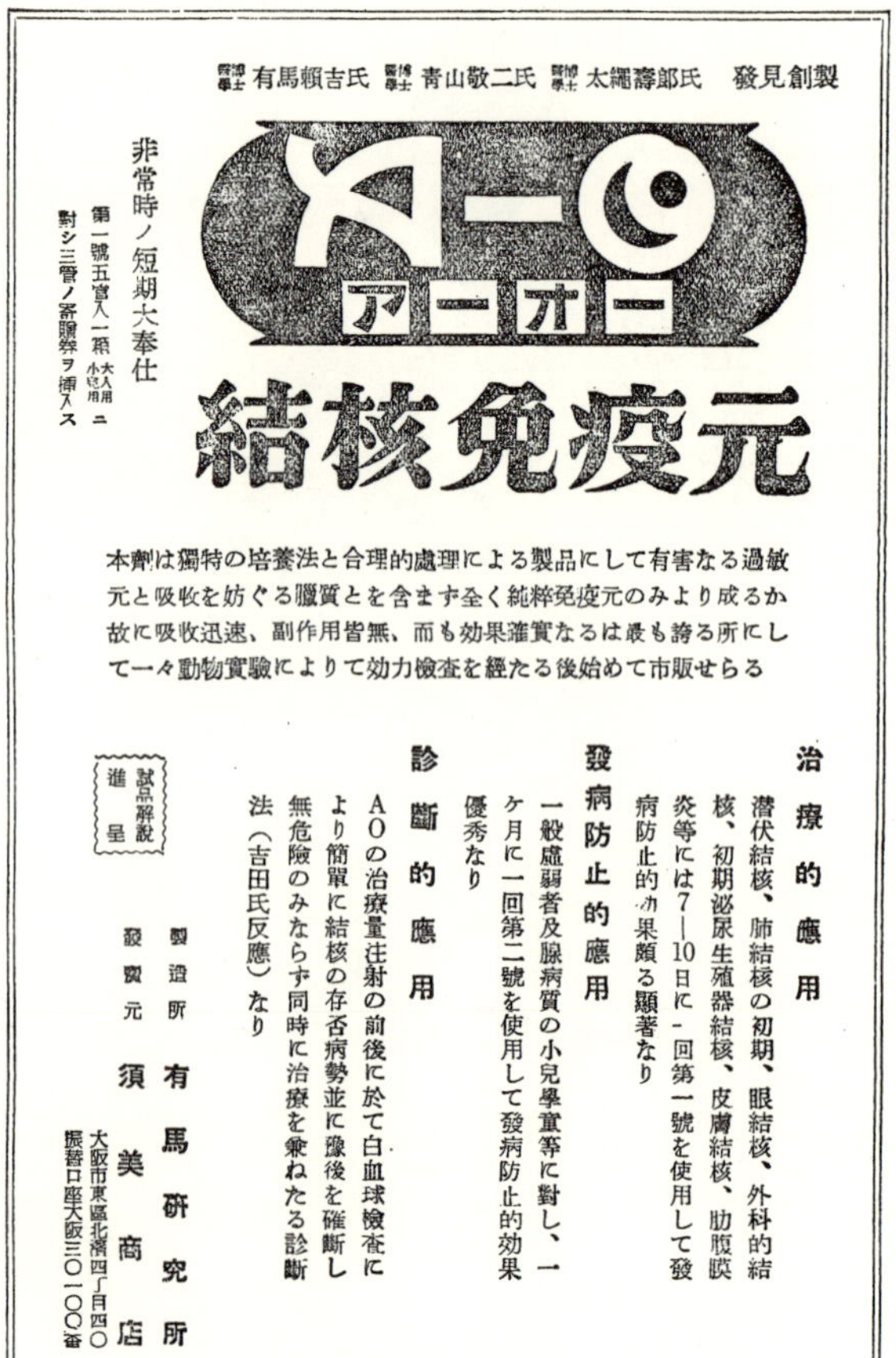
醫學博士 有馬頼吉氏 醫學博士 青山敬二氏 醫學博士 太繩壽郎氏 發見創製
アーオー
結核免疫元
非常時ノ短期大奉仕
第一號五管入一函 大人用二 小兒用
對シ三管ノ寄贈券ヲ挿入ス
本劑は獨特の培養法と合理的處理による製品にして有害なる過敏元と吸收を妨ぐる膿質とを含まず全く純粹免疫元のみより成るが故に吸收迅速、副作用皆無、而も効果確實なるは最も誇る所にして一々動物實驗によりて効力檢査を經たる後始めて市販せらる
治療的應用
潛伏結核、肺結核の初期、眼結核、外科的結核、初期泌尿生殖器結核、皮膚結核、肋膜炎等には7—10日に一回第一號を使用して發病防止的効果頗る顯著なり
發病防止的應用
一般虚弱者及腺病質の小兒學童等に對し、一ヶ月に一回第二號を使用して發病防止的効果優秀なり
診斷的應用
AOの治療量注射の前後に於て白血球檢査により簡單に結核の存否病勢並に豫後を確斷し無危險のみならず同時に治療を兼ねたる診斷法（吉田氏反應）なり
試点解說 進呈
製造所 有馬研究所
發賣元 須美商店
大阪市東區北濱四丁目四〇
振替口座大阪三〇一〇〇番

十一月の言葉（卷頭言）

攝津太郎

◎七つの應接間を有し、家族全體各自の寢室に電話を架設し、家族の各々が數寄をこらした着換室を持つて居り、亦一人の令孃の爲めに茶の湯、生花、ピヤノ、書道、裁縫、料理等の師匠を自家に通はせ、居乍らにして、ありとあらゆる藝道を修得させると云ふ、豪華な生活を敢てして居る大阪のさる富豪の邸宅に、毎夕食後に一家團欒をする爲め、團欒の室と云つてその庭園に數萬金を投じ、一家の和樂をはかる可く特別の室を建築したのである、然し其の和樂の室を邸宅落成後何年になるか知れないが、一度も使用した事がないと其の家の番頭が述懷した。一家の團欒は外觀と形式が整つたとて出來るものではない、それは恰度珍客が毎日澤山來るやうにと、立派な應接間を新築しても、來客を待つ麗しい友愛の情に缺けてゐるのと同じで、心から出直す必要があるのではなからうか。尙皮肉な事には前記の富豪は大阪市内七八ケ所のニユース映畫館の所有者で、云はゞ其の贅澤費は小僧さんや女學生達の月月の小使が結晶し變形して、流行されて居るものだと見るのは間違ひであらうか。

◎本願寺の說教僧が寢臺列車で旅行して居る世の中に、社會事業家にだけ乞食のやうな極貧生活を要求する事は正當な事ではない、昔の苦行僧や、仙人や、修道僧ならいざ知らず、家族を持ち、普通世間並の生活もし交際もしなければならぬ現代の社會事業家にだけ、極貧の生活をせよと迫るのは仁義道德上から赦されぬ事である。國家社會の福祉增進の爲めに日夜苦戰奮鬪して居る彼等を冷眼視せず、モツト溫い心で慰撫し、和心協力以て彼等を勵まし、新東亞建設の聖業を完了しなければならぬと考へる者である。

◎上京中義弟と一夜、新國劇の辰巳柳太郎君の樂屋を訪ねたところ、今しも『われ等失ふとも』を終つた處であつた、そして何を思つたか斯んな事を云つた、「十五年間舞臺に立つて居るが、芝居と云ふものは脚本で讀んだ時は民衆に「大にうけるな」、と思つて舞臺にかけて見ると實に案外冷評される下らないものがある、民衆の心にピツタリする脚本は誰れにでも書けぬものらしい」、と。民衆にうけるとか、民衆に喜ばれるとかと云ふ事は別問題として、我等は何故民衆の爲めになる事業が出來ないものであらうか。此處で我々の乳幼兒審査會を引きあひに出すのではないが、本聯盟の創設當時、まだ時代もさう古くはない大正十年頃であるが、此の頃でも所謂世の識者達が我等の事業に、さんゞゝ惡評をし續けて置いて、そして此の支那事變後、全國家全國民が體力向上、恒久國防を叫び出せば、手の裏を返すやうに、我が物顏にそつくり其の儘我等の乳幼兒審査會を平氣で開催して居ると云ふのは、誠に不可思議千萬なる事ではある。國家の爲めとあらば何をか云はんやだ、然し乍ら昔の俠客や宿場女郎にも仁義と云ふものがあつたと聞いて居る、禮儀を辨へて居ると稱する文化人亦は戰勝國民であらば、先覺者に對して禮を盡し、一度位挨拶しても罰は當るまいと思はれる。

幼兒と病人丈には白いご飯を與へたい

愛育會附屬病院長　齋藤文雄博士

離乳期の子供に胚芽米を與へるとよく下痢をします。それはわれわれ醫者が口にするまでもなく經驗のあるお母さんなら眞先にそれをいはれます。胚芽が小兒にとつていかに不消化であるかは、最近東大小兒科の田村氏の**實驗報告に**　よつて明かです。田村氏はいろいろの年齡のものに胚芽米を食べさせて大便とともにでる胚芽の量を調べたのですが、離乳期の赤ン坊では六四％、生後一年から二年の幼兒では五三％、二歲乃至六歲の小兒では四四％、八歲乃至十三歲では二三％、大人では八％の胚芽が大便の中に排泄されてくると報告してゐます。以上によつて胚芽米が離乳期の子供にとつては實に不消化でいかに好ましくないかが知れます。胚芽米でさへこの通りで、胚芽のほかになほ不消化な糠屑が付着してゐる七分搗米や半搗米がよい筈のないのはむろんでせう。從つて普通のご飯にすつかり馴れるまで、つまりお誕生前後から生後二年迄の一年間位は例外に白米が與へられるやう當局者の考慮が望まれます。もし小兒にも無差別に七分搗食となる場合、よほど離乳期の際の食餌の與へ方には愼重を要し、白米に代る食餌の硏究が必要となつてきます。バツフ・ライスとか、グリース・メールとか、白米や穀物からできてゐてお湯をかければすぐドロドロのお粥になる製品もありますが、これらは有產階級だけに利用されるもので、一般の赤ちやんには緣のないものです。差當つてうどんなどは

白米粥代用　として最適といへませう。その他麥粉を利用する途もあり（尤もわが國では小麥も不足です）麥粉と馬鈴薯をまぜ一種のパンをつくつて與へることはドイツでは盛んに行はれてゐます。しかしドイツあたりと違つて濕度の高いわが國の夏季に米よりも腐敗の早い馬鈴薯を用ひるのは、それでなくてさへ惡性の消化不良の多いときで憂慮されます、食糧窮乏の

第一次大戰　におけるドイツが、最後まで小兒に牛乳を絕やさぬ努力をしたやうに、日本の離乳期の子供のために白米配給の途が講ぜられるやうに望みます。なほ小兒と同じく消化器系統の重病人にも白米食は必要なことです。

聖戰下第三年

第十七回全大阪乳幼兒審査會の記

日本兒童愛護聯盟理事長　伊藤悌二

祖先と子孫に對して責任を果せ

新東亞建設と云ふ大いなる理想を目標とする聖戰の第三年を迎へ、我等は國民精神總動員の旗印のもとに、物心兩方面の總ての犧牲をものともせず、光榮ある神國日本の國民として、銃後の勤めを果さなければならぬと云ふ事は、今更强調を要しないのである。

然し乍ら我等は常住座臥心の奧底に緊張を缺く事無く、二十年後三十年後の我が日東帝國の將來に備ふる、人的資源の方面に遠く慮る事を忘れてはならないのである。昨年度に於ては二十三萬人の出產率減退を見たとの當局の報告に接したのであるが、祖國の將來を思へば指導者たると被指導者たるとを問はず、亦學者たると勤勞者たるとを論ぜず、斯の方面に對し、單なる關心を持つに止まらず、國民としての格段なる覺悟決心を必要とするのではなからうか。

我等の皇祖皇宗は亞細亞の東なる太洋上の大和島根に、然も全世界に對する大いなる使命を感得し、幾多の困難辛苦を嘗められ乍ら、建國の創業を完成したのであつた、我等の祖先も此の大聖業に參與し、奉公滅私の精神を現實に活かし、我等の爲めに筆舌に盡されぬ苦練を經て來たと云ふ事は玆にくどゝゝしく述ぶる必要はなからう。

子孫の安泰と幸福のために、力戰苦鬪した我等の祖先に對する報恩の責任上、我等も亦子孫に對して同樣なる義務を果さなければならないのである。

今にして我が國は聖戰の目的に勇猛邁進し、それを敢行するに非ざれば、我等は我等の祖先と子孫に對して何の面目

があるであらうか、戰へ而して飽く迄も勝たなければならないのである、我等は我等の子孫の災害を除去するためには今日より以上の犧牲を覺悟して皇國に奉仕しなければならぬ。

審査會創始者としての自信と願望

本聯盟は二十年前に二十年後の非常時來る可き事を豫知感得して、全國に率先して二十年後の日本に備ふる兒童愛護事業を創始し、續いて赤ん坊（乳幼兒）の審査會を創案實施して來た事は周知の事實である。本聯盟の此の尊き歷史は何人と雖も滅却し能はざる處であつて、當時醫學專門家、社會事業家と云はず、識者間に於ては甲論乙駁の是非論さへ起り、本聯盟の事業に對し贊否交々であつたが、其の識者たちは今や双手を擧げて贊成をなし、亦全國津々浦々に迄施行されて居る審査會の、審査醫員として奉仕するに至つたのである。今日に於ては政府當局に於かれても乳幼兒の檢診を各府縣と協力されて斷行さるゝに至り、尙有名社會事業團體、婦人團體、一流の新聞社等も本聯盟創案の本事業を模倣して開催するに至つたと云ふ事は、時勢とは申し乍ら、二十年前の苦鬪時代を追懷すれば實に感慨無量の感がするのである。今日迄各地に於て開催されてゐる各種各樣の審（亦は診）査會なるものは、本聯盟の創案にかゝるものより一步も出でて居らぬ、と云ふ事も本聯盟の誇りとすべきである。

此の際我等は斯の種の社會事業團體に對して熱望して止まぬ事は、本審査會をして當事者一二の人々の功名手柄とせず、一時的、表面的の運動とせず、モツト內容のある綿密周到たるものとして天下萬民を誤らして貰ひたくないと云ふ點である。

創始創案者の內容がやゝともすれば劣性となり低下して、賣名に終る事を目擊する度に、實に寒心に堪えぬのであるが、願くは目標を高くされて誠實に實施されん事を切望する者である。

今回全大阪乳幼兒審査會が第十七回を迎へ、創始者として願望する處は本聯盟主催のもとに、全日本乳幼兒審査會を皇紀二千六百年の昭和十五年度に於て開催し、全國の代表的優良兒をして一堂に會せしめ、更に一層嚴密なる再檢討を爲す事である、我等は之れに優る健康報國の事業のない事を確信しつゝ此の計劃を進めて居るのである。

十月十五日の記

本聯盟は大家族主義

本審査會は大阪帝國大學、大阪府、大阪市、其の他各方面各團體の後援支援によつて持續し來り、本年は實に第十七回を迎ふるに至つた事を心から感謝しなければならぬ。

大阪市關係では市民病院小兒科醫長谷口博士外六名、扇町產院からは院長余田博士外二名、阿波堀產院からは小池學士外二名、今宮產院からは院長吉岡博士外三名、北市民館からは齒科長伊藤學士外三名、西淀川保健所からは渡邊婦長等であり、大阪帝國大學からは齒科の嶋學士外四名、眼科は若原學士外二名、今村內科からは浮田學士外二名等應援された。

尚、大阪市產婆會の本日の擔當は大正區、港區、旭區等全員十六名で特に理事の三宅コタミ女史も來援され、府立衛生學院からは二十一名、公衆衛生訪問婦協會からは大谷、安田二女史、ライオン齒科衛生院からは高安學士等應援されたのであるが、然も開催前二時間も前から勢揃ひして待たれたのであつた。以上の外に能力檢査をさるゝ奈良女高師の桑野教授も來援され、一層の力强さを思はしめた。

總評の今日の擔當は林、生地、横田の三博士であつて林博士は南支戰線に活躍されし勇士であり、生地、横田二博士は十數年前より本聯盟の理事、評議員として盡瘁されて來た功勞者である。斯うした愛の無慾の奉仕をさるゝ人々のある限り、本聯盟の審査會は萬代不易である事を確信させらるゝのである。聯盟の組織は大家族主義のやうなもので功利を主張する者なく、協力愛憐の四字を以て貫き、連綿として今日に及んで居るのは不思議な程である、私心私慾を旨として國家同胞の爲めに働きたくない人が一人もゐない事は實に麗しい限りである。

健康兒の結核反應

本年度に於ける新しき試みとしては健康兒の結核反應の檢査であつて、これは帝國大學今村內科の獻身的な事業で、これに關しては教授今村博士、助教授伊藤政一博士、西川博士等の御支持を感謝しなければならぬ、西川博士は公務御多端の折柄、保嬰館の一日の診察を終られてから、連日當會場にて奉仕されると云ふ涙ぐましいお働き振りであつた。

尚、眼科では每日健康兒の眼の疾病を檢査されたが、無論惡性と云ふのは無く要注意の乳兒が二三あつた由である。齒科部にて十年前より石野學士と共に審査に當られた森永登規雄學士と、今日久々で昔を物語つたのであ

ろが、本會創設當時を追懷して時日のたつの早いのには驚かされるのであつた。

社會衛生學院の學生諸姉は、豫診、體重、身長、胸圍、頭圍等の部にて前年にも劣らず若き鮎の如く、潑溂として熱誠なる應援をされたのは實に美しい情景で、見るからに爽快に、審査がスマートに能率的に進行するので、余田博士も此の洗練された態度を心から喜んで下した。

今日は大每、大朝各社の記者の外に、はる〳〵東京から來られた鳥井商店の推橋氏、日本徵兵の筒井大阪支部長、中央製菓の金田氏、實製藥の天野氏、藤澤商店の馬場氏、田邊商店の宮澤氏等來觀された。

それから大阪市社會部の金澤住宅係長の御愛兒も審査に來られ、嬉々として歸られた、三越の堤主任始め小野藤川兩氏は夕刻遲くまでカードの整理をされるのは實に有難い事であり、嬉しい事であつた。

十月十七日の記

先覺者を尊敬せよ

西川爲雄博士曰く「西洋では學界の發見者、社會事業の功勞者等に對しては心から尊敬し、公の席上に於ても必ず人々に紹介して感謝する事を忘れないが、日本は此の點頗る劣つて居る、審査會等の先覺者たる聯盟にモット社會も役所も各團體も心から敬意を表してもよいと考へる」、と。

市民病院の今泉正吉博士曰く「どこも彼處も、誰れも彼れも、どんな團體も各所で審査會を我が物顏に開催してゐるので、實に眼まぐるしい世と云ふ感じがする、聯盟では創始創案者としての歷史的な文獻を今の中に正確に殘す必要があると考へる、俺れが元祖だなどゝ云つて叫び出す者もないとは限らない」、と。

昨十六日は會場である三越は休日であり、今日は切角の神嘗祭であるが、朝からの大雨である、阪神附近の松茸山は數十萬圓の大損害だと云ふ話だ、しかし審査會の出席には變りはなく盛況である。

午後から晴れ上つたので、非常な混雜であつたが、進行係が頭がよいので秩序整然と閉會する事が出來た。

學生時代よりの奉仕者

今日の總評は野須、伊藤（謙）、松尾、原田（龍）、奧野等の諸博士で、結核反應の西川博士、能力檢査の桑野教授榮養狀態の今泉博士等熱心に審査に當られた。今泉博士は「木村毅の隨筆に木下尙江氏の事が記されてゐたから同氏の本を貸して呉れませんか」、と云はれるので約束を果す事にした、同氏の小說や演說は三十年前の青年の血

を湧かした話などをする。

伊藤謙吉博士は學生時代からの本會への奉仕者で、必ず年に一度は文句を云はれず來審されるのである、種々の理窟をならべて姿を見せぬ學徒は非常時型でもなく、國民はさうした人々を自然に信賴しなくなるであらう、報酬のみに生きる人を銃後國民は要求して居らないのである、虛心坦懷と云ふ事の如何に嬉しい文字であらうか。

今日は社會衛生學院始め各團體の應援には變りはなく市產婆會は此花區、浪速區、天王寺區等十五名來援された、訪問婦協會の大谷女史も連日實に熱心に應援されたのであつた。

十月十八日の記

最初の優良兒は高校學生

遞信大臣兼鐵道大臣永井本會名譽會長の揮毫された、「一本一草にも天命あり況んや人間をや敬せよ愛せよ强く育てよ」「可無牛背出英雄」の二大幅の掛物を會場內に掲げた處、來會者は眼をみはつて叮嚀に觀て行つた。

市役所に森下助役、田坂社會部長、藤原保健部長、深山體力課長等を御訪ねして審査會の報告をした。

出征軍人とそれから名譽の戰歿者の愛兒の參加は、每日三十數名に達するので、其の報告を受くる每に默禱して心からなる敬意を捧ぐるのであつた。

姪の嫁いでゐる渡邊家の全家族も今日は愛兒のお伴で乘り込んで來たが、健康反應の注射には流石の愛嬌者も大泣きしたとの事である。

今日は眞に日本晴れのした暑苦しい程の日で、來會者が雜沓し、且つ各社の寫眞撮影のため實に賑しいものであつた。

總評は高階、奧野、西川、肥爪、一色、廣島、原田（龍）諸博士が擔當され、深山課長が參觀された時、恰度、萬國オリンピックの女子水泳軍主將亦はコーチとして渡米、渡歐された、松澤（舊姓）初穗女史が愛兒を連れて審査を受けて居られるのに出會ひ、共に撮影した。

尚、大正十一年の第一回の審査會に表彰された、前大阪市社會部長志賀氏の長男香苗君、（浪速高等學校學生）が、齒科部を手傳はれ滿場の注目を惹いた。

今日は徹頭徹尾大阪市保健部の廣島、一色兩博士と產院、乳兒院の看護婦諸姉が大働きをされた、尙東京で開催された全國兒童保護大會に出席中の保良せき女史も大谷女史と共に奮闘され、市產婆會は東成區、西成區、住吉區の會員が當番だつた。

黄昏、八階屋上にて諸先生と社會衛生學院の諸姉と記念の撮影をした。

十月十九日の記

藤原保健部長の參觀

本會々長坂間大阪市長代理として藤原保健部長が參觀され、審査會に附屬してゐる子供優良必需品展覽會の參加會社出品の品目を一々懇切に視察され、非常時局に相應はしい輸入品にも劣らぬ優良品を讃美され、亦審查會場の秩序整然たる行き屆いた設計を見て「實に他會では見られぬ構想には驚く」、と其の念入りの設備を稱讃されるのであつた。

尙部長は審査員の控室にて審査醫員諸博士、市產婆會關係の役員、折柄來觀中の齋藤市立北市民館長等と數十分間歡談されて府廳に向はれた。

今日の總評は帝大助教授前田伊三次郎博士、原田達三博士、女子醫專小兒科醫長落合博士、大野博士等であつたが、三時間持續された落合博士には實にお氣の毒な程で感謝の言葉も知らない。

やはり兒童保護大會から歸られた府の長野社會事業主事も態々會の成行きを案ぜられて來觀され、前田博士、落合博士等と記念の撮影をされ、黄昏遲くまで余田博士と快談された、尙大阪帝國大學法醫學教室の松倉博士、荻野三共支店長と田口氏、大阪日日の竹田氏等の參觀があつた、市產婆會は西淀川區、東淀川區、東區三區の當番の日で續いて奮鬪を續けられた。

十月二十日の記

尊くも不滅なる聯盟の歷史

大阪市立北市民館兒童齒科部長伊藤英夫氏が連日先頭第一に來場して審査に從事された事は、一般來會者を感動せしめた、今日の總評は一色博士が長時間に亘つて擔當された。

ライオン齒科衛生院の高安光三氏は、多勢の赤ちゃんの泣き聲を默つて聞いてゐたが「未完成交響樂ですな」、と云ふ警句を吐いた。

帝大の齒科、眼科、今村內科、大阪市關係の扇町、阿波座、今宮の三產院、市民病院、今宮乳兒院、それから社會衛生學院諸姉、公衆衛生訪問婦協會等の奉仕は前日及び前々日とは變りはなく熱心に持續され、市產婆會は北區、西區、南區等全員十七名で五日間のレコードであつた。御蔭で今日は無事に盛況裡に民衆の街大阪の審査

會も午後五時を以て全く結了したので、食堂に控へて居られた奉仕團體の方々に御禮廻りをし、記念撮影の寫眞を贈呈した。

五日間に四千人の審査（それも半日だけである）は實に樂ではない、これは二十年間の經驗の賜であり、大家族主義の觀ある奉仕各團體と聯盟役員諸博士の同情の賜でなければならぬ、古き歴史程有難いものはなく、又尊くも不滅なものは他にないのである。

記者は直ちに二十日の午後十一時發の列車で東上したが、幸ひにも審査が終つた晩から溫度が低下したのは嬉しい事であつた、驛には例によつて伊藤英夫兄、渡邊、笠松二女史　長男敏和の見送りがあつた、毎日の疲勞で芦屋から大阪驛迄の省線內も居眠りして居る有様で皆に笑はれた。

結婚は廿歳前後に

生めよ！殖せよ！早婚奬勵

だが、これ丈は注意しませう

近年はわが國の出生數もだんだん減る傾向にあつたところへ、昨年は事變の影響で廿三萬も急激しました。これではならぬと「生めよ殖やせよ」が叫ばれ、早婚が旺に奬勵されてゐます。統計によつて敎へられるまでもなく、たくさん子供を生むには受胎能力の旺盛な時代を少しの間も逸することなく、成るべく早いうち結婚生活にはいることが何より必要とされます。また早いうち結婚した方がお產もずつと輕くてすみます。赤十字產院での十年間の統計によつてみても、異常產の一番少いのは十九歳で、次いで廿三歳、廿二歳、廿一歳、廿四歳の順序となつてゐます。お產の數からいふと十九歳はごく少く廿三歳が一ばん多いので結局女は廿三歳でお產をするのが一番よいといへるわけです。廿三歳でお產をするにはその一二年から二三年前—つまり、廿歳前後で結婚生活にはいるのがよいことになります。かやうに早婚は結婚の幸福及び人口增殖のために必須の條件ではありますがたゞしかし早婚（だいたい廿歳以下の結婚）の場合に注意すべきことは、女子の性器官は廿歳前後ではまだまだ十分に圓熟してゐないため、結婚生活によつて或る種の障害を招き易く例へば局所的な皮膚炎をおこしたり、膀胱炎をおこしたりします。また早婚では男子も若いため結婚生活についての知識に乏しくとかく粗暴に陷りがちです。學校の先生や先輩からする適當な性敎育こそ必要とされ、また結婚後は兩親や產婦人科醫の保護や指導を要することが少くない所以です。更にお產は輕くて濟んでも育兒の知識に暗いため多く生んでも徒らに乳兒死亡をふやすといふ點も心配です。

早婚大いに結構ですが、かやうな弊害をふせぐためには早婚はあくまで家族制度を背景としてはじめて奬勵さるべきもので、決して若い二人がアパートの一室で新生活を營む意味のことはたとへ經濟的に不足はないにせよ贊成致しかねます（赤十字產院柴山、高山兩博士）

小兒の慢性傳染病（二）

大阪市立電氣局病院小兒科醫長醫學博士　原田龍夫

小兒の結核（二）

呼吸器粘膜から侵入した結核菌は、先づ細かい氣管枝を通つて肺の方に進入し肺の表面の肋膜に近い部分に小さな結核の病變を作るのが普通であります。之を原發病竈と稱へます、此處から淋巴管によつて近くにある氣管枝淋巴腺（又は肺門淋巴腺とも云ひます）に達します。淋巴腺は其中に侵入する黴菌を取り押へて他の部分に送らぬ様にする關所の様な役目をする處ですから結核菌も淋巴腺に達すると、此處に取り押へられます。其結果として其淋巴腺は腫脹肥大して淋巴腺炎を起します。此狀態が肺門或は氣管枝淋巴腺結核であります。

結核に感染しても、此肺門淋巴腺結核の程度で治れば非常に好都合であります。實際此程度で治癒するものは多數あります。又治癒しないでも、一時病勢が此處で停止して居ることもあります。之が潛伏性結核と稱へる狀態であります。

若し不幸にして病勢が此處で停止せず進行するか或は一時停止したものが何かの原因で再び活動性となる時は結核菌は淋巴管或は血行によつて、他の種々の器管に轉移を起します。卽ち肺臓を侵す時は肺結核となり、其他肋膜又は關節、骨等の結核を起します。又恐ろしい結核性腦膜炎や粟粒結核を起すのも此時期であります。尙肺結核の病變が更に進行すると、肺の組織が段々に破壞されて遂に空洞が出來ます。

以上結核菌が呼吸器粘膜から侵入して進んでゆく經路の大略を述べましたが、其經過の中で肺門淋巴腺結核の程度にあるものを、初期或は第一期結核と云ひ、それから進んで肺を犯し、又は骨結核、腦膜炎等を起す時期になつたものを、第二期結核と云ひます。更に進んで肺に空洞の出來る時期が第三期結核で、之が慢性肺結核の時期であります。

小兒の結核では其大多數は、初期と第二期結核であります。然し十歳以上年齢の進むに從つて大人の樣な經過を取つて、第三期の症狀を示すものも段々多くなります。

尙小兒結核の經過、豫後は其年齢によつて違ひがあります。卽ち乳兒期に結核の感染を受けると、其抵抗力が非常に弱いために、急速に全身の結核を起して結核性腦膜炎或は粟粒結核となり、其大多數は死亡するものであります。幼兒期では二―三歳頃迄はまだ全身の結核を起す事が多いが、四―五歳位になると局部の結核卽ち淋巴腺の結核、骨の結核等が多くなる爲めに結核の性質は良性となり、死亡率も幾分少くなります。年長兒になると大人に似た肺結核が多くなります。

豫防法　之は仲々むつかしい問題でありますが、小兒では特に必要な事であります。

豫防法の第一は傳染を防禦する事でありまして小兒を結核患者殊に開放性肺結核患者（之は結核菌が外に排出されてゐる患者であります）に接近させない事であります。然し結核患者が到る處に存在してゐる社會に生活してゐる以上、絕對に結核菌に接觸せぬと云ふ事は不可能であります、唯少しでも結核に感染する機會を少くする樣に努力せねばなりません。

小兒の結核に感染する機會の中一番危險なのは、其兩親或は家族の結核であります、然し其危險率は患者が結核菌を外に排出する場合と排出せぬ場合によつて違ひますから、此點を充分檢査せねばなりません。

家庭の中に若し開放性結核の患者がある場合は病人を隔離せねばなりません。之には棟を別にして別居させねばなりません。色々の事情で棟を別にする事が出來ない場合には一部屋を病人專用にする事だけは絕對に必要であります、場合によつては子供は他の親戚へ預けるのが安全であります。

母親が病人で乳兒がある樣な場合は一番困りますが、此際にも隔離を斷行して赤ちやんには適當な哺育を講ぜねばなりません。

病人が輕症で、結核菌を喀出せぬ樣な場合でも醫師へよく相談して注意を怠つてはなりません。

其他乳母、子守、女中等の選擇にも充分注意して結核の疑ある者は採用してはいけません。

幼稚園、學校に於ても先生或はお友達の關係で同樣の

危險がありますから、此の點も充分注意せねばなりません。

其他一般に雜踏する場所は感染の機會が多いので、劇場、デパート等へはなるべく子供を連れてゆかない方が安全です。第二には結核に對する素因的豫防と云ふ事を考へねばなりません。之は個人的素質の保健でありまして、其抵抗力を增進して外敵に對する抵抗を强める事であります。それ故に此の問題は兩親の素質に迄、遡るのでありますが、此中結核婦人の姙娠問題があります。一般に結核婦人から出生したる子供は母體の抵抗薄弱な素質を承けついでゐる事が多く、又母親からの感染を受ける危險が非常に多いのであります。そこで結核婦人の姙娠中絕と云ふ事が論議せられるのでありますが此點は專門醫師の診察を受けて適切なる處置を講ずる事が肝要であります。

小兒の體力を增進して、其抵抗力を高める爲には家庭と醫師或は學園の敎育家とも連絡を取つて種々の方面で努力せねばならぬ問題で、簡單に茲で述べる事は出來ません、然し吾々小兒科醫の方から簡單に申しますと、豊かな日光と新鮮な空氣、充分な榮養の三點に注意を拂ふ事が先づ第一條件であらうと考へます。新鮮な空氣充分な日光の大切な事はよく御承知の事と存じます、都會の密集した處で部屋の割合に多人數住居してゐる場合や、濕つた場處、或は陽當りの惡い處には結核が非常に發生し易いのであります。住居の問題は都會の子供には特に留意すべき點であります。虛弱なる子供は事情が許せば人家の少い日當りのよい空氣清淨の郊外に住居を移してやり度いものです。

次は榮養の問題であります。一般には脂肪蛋白質の多い食餌を與へる樣に云はれて居りますが、之も或る程度迄は必要な事でありますが、過剩榮養は却つて有害であります。新鮮な野菜や果物等も非常に大切なものであります。要は偏食を避けて混食をする事が榮養の第一義であります。

其他子供が弱いからとて兩親が餘りに神經質になる事は禁物であります。子供は常に子供らしく愉快に育てる事も大切な事であります。

次は進んで身體の鍛錬に心掛けねばなりません、然し之は子供の體力に應じて加減すべきものであります。原則としては穩かな運動から始め段々强い運動に向ひ各人の體力に應じ其の程度を決めなければなりません。運動競技による過激なる運動の爲めに豫想外の害毒を受けて居る小兒が往々あります、注意すべき事であります。

近頃ドイツでは乳兒の體操さへ行はれてゐます。此は

積極的健康增進法の一つでありまして、我國でも實行されて良好の成績を發表されて居る處もあります。

尙痲疹、百日咳、流行性感冒、肺炎等の急性傳染病に罹つた小兒は結核に罹り易いと同時に今迄潛伏してゐた結核が此機會に發病惡化する事が多いので此等の病氣の恢復期には、充分な注意を拂はねばなりません。

尙此處で一言申述べたい事は上級學校入學試驗に對する過重な準備敎育の弊害であります。兒童の心身疲勞が結核感染に對する抵抗力を弱める事は明かなる事實であります。此の意味で過重なる準備敎育の弊害については小兒の將來の爲めに大乘的見地に立つて考慮されん事を希望する次第であります。

第三には結核の豫防注射の問題であります、結核の豫防注射は相當古くから種々の研究が試みられてゐますが今日まだ完全な方法が發見されません。

今日此方面で問題となり全世界の學者から注目されてゐるものはB、C、Gワクチンであります。B、C、Gは牛型結核菌でありまして、特殊の培養基に多數代、培養し其の菌力を弱めたもので人體には無毒であつて而も生てゐる牛型結核菌であります。

カルメット及ゲラン兩氏の創製されたもので

Bacilles Calmette Guérin

の頭文字を取つてB、C、Gと云ふのであります。結核に罹つてゐる人又は旣にツベルクリン反應に對して陽性になつて居る者には行はれないのであります。未だ、結核菌に感染して居ない新生兒又は小兒に對して行はれるものであります。此方法は今日相當の効果が唱へられてゐます。今後の研究によつて一層的確な成績が完成せられる事を希望する次第であります。

小兒結核は其犯される場所、症狀等によつて種々の病型に區別されますがその中で最も多いのは肺門淋巴腺結核であります。大人に多い肺結核は小兒期には割合に少い尙小兒に特有なるものとしては結核性腦膜炎、粟粒結核があります結核性腹膜炎も小兒に多い腺病質と稱するものも結核の一種と見做されてゐますが之は小兒に特有のものであります。

以下小兒期に見る結核性疾患の重なるものについて其大略を述べる事に致します。

（一）腺結核（淋巴腺結核）

之は小兒期に多い病型であります結核菌が身體の種々な場所の淋巴腺に浸入して其部に病變を起すもので其侵される部位によつて肺門淋巴腺結核、頸腺結核、腸間膜淋巴腺結核等に分類されます。

（イ）肺門淋巴腺結核（氣管枝淋巴腺結核）　之は肺臟の肺門附近左右の氣管枝の分岐する部位の淋巴腺が結核菌の感染を受けて腫脹肥大して來るもので初期結核の重なる病型で小兒には最も多いものであります。

症狀としては發熱、食慾不振、貧血、倦怠、羸瘦等の一般症狀を以て初まります。此等の中で一番大切なものは發熱であります原因不明の熱が續いて段々瘦せてきたり貧血がある樣な子供では此病氣に注意する必要があります。

熱も一般に不定でありますが、普通は不規則の弛張熱があります。又夕暮時の微熱を來す事もあります。然し熱の割合に元氣がよい事が多い但し食慾は一般に減退します。

肺門部の淋巴腺が腫脹する爲めに氣管、又は氣管枝を壓迫し其刺戟症狀として咳嗽殊に夜間犬の吠へる樣な響のある咳嗽をしたり又百日咳の樣な咳が發作性に來る樣な事もあります。此壓迫症狀は殊に乳兒の場合に多い。

診斷は醫師の方でも充分注意して診察しても仲々困難な場合があります。診斷を確定する爲めにはツベルクリン反應とレントゲン寫眞で檢査する必要があります。

經過は非常に長いが決して不治ではありません、早期に充分な治療法を施せばすぐ治るものが多いのであります。尙其豫後は年齢に關係するもので幼若なる者ほど不良な經過を取り易いものであります。

（ロ）頸腺結核（頸部淋巴腺結核）　之は頸部の淋巴腺が結核に侵されて腫脹する病氣であります。

小兒期では殆んど百人が百人に於て米粒大から小豆大迄位の頸部の淋巴腺を觸れますが之を悉く結核性に見做す事は出來ません。元來小兒の淋巴裝置は大人に比べて一般に機能が盛んであり多少肥大增殖して居り春期發動期頃から段々に縮少するのが常でありますから頸部淋巴腺の腫脹があつても其過半數は生理的のものと見做してよいのであります。

又小兒では頸部の濕疹や齲齒の出來易いために頸部淋巴腺の腫脹が一層著明になる場合も多く又鼻や咽頭の病氣からも頸部淋巴腺の腫脹を來し易いものですから注意を要します。

若し其太さが豌豆大以上になり殊に下顎角の邊りで大きな腺塊を形成してゆく樣な場合には結核性であつて所謂「るいれき」と名づけてゐるものであります。尙此時期になると他に結核性の症狀が表はれてゐる事が多いので診斷は一層はつきりして來ます。

頸部結核では一般症狀も輕く其の經過も非常に慢性でありますが結核性である以上は充分な治療をせねばなりません。

（ハ）腸間膜淋巴腺結核　本症は牛乳其他の食物攝取による腸感染に由來する事がありますが多くは他の結核病竈から續發するものであります。

初期症狀としては肺門淋巴腺結核の場合の一般症狀と同樣に發熱、羸瘦、貧血、食思缺損等がありますが、其他腹部が膨滿して來て屢々腹痛を訴へます。後期になると硬い塊狀又は索狀の腫物をお腹の上から解れる樣になります

（二）肺　結　核

之は大體原發性肺結核と慢性肺結核の二つに分類する事が出來ます。

（イ）原發性肺結核　肺の原發病竈は非常に小さいもので此處から淋巴管によつて近くにある肺門部の淋巴腺を侵すものである事は前に述べた通りであります。年長兒では此の肺門淋巴腺結核で終る事が多いのでありますが乳幼兒では此の病變が向附近へ波及する事が屢々あります。卽ち淋巴腺結核が氣管枝の內へ破れ此から結核性氣管枝炎又は乾酪性肺炎と云ふ樣な病變を起して來ます。

經過は年齡が幼少なる者ほど短く豫後は多くの場合不良であります。

（ロ）慢性肺結核　之は大人の肺結核と同樣の症狀を示すもので學齡期前の小兒には殆どありません學齡期から次第に增加して春期發動期頃には多くなります。大人の樣に肺尖から始まる事は少く多くは肺門部から始まります。麻疹、百日咳、氣管枝肺尖等に續いて起る事が多い。

初期症狀としては不定の發熱、疲勞し易く貧血、食慾減退を起し次いで羸瘦、體重減少、盜汗等を訴へます。

喀血を起す事は子供では稀であります。

經過は大人の樣に慢性で肺の一部が破壞されて空洞になつてゐる樣な事もあります。

（三）粟粒結核

粟粒結核は結核の第二期に於て最も危險な病症で結核菌が血行によつて種々の臟器に傳播されて起るものであります。

結核菌が血行によつて肺、肝臟、腎臟、脾臟、腦膜、其他種々の臟器に傳播されると其處に非常に小さい結核の病竈を多數作り其部分を見ると丁度粟粒を撒布した樣に見えるので粟粒結核と云ふのであります。

麻疹、百日咳、外傷等によつて誘發される場合が多い。

本症は三—五年の幼兒に多い。

症狀は旣に結核の症狀のある者にも來ますが多くは是迄何等結核の症狀の認められぬ外觀上健康であつた小兒が前驅症狀を呈せずに突然發熱を以て始まる事もあり、又一二週間食慾不振、倦怠等の不定の症狀を呈した後に突然重篤な症狀を表はし體溫が急に昇り、呼吸數が著しく増加する樣な場合もあります。然し乳兒では症狀が不定で唯レントゲン檢査或は死後解剖によつて始めて診斷される場合が多いのであります。

幼兒でも症狀が著明でない事が多い、年長兒でも不明の高熱として長く診斷に迷ふ事が少くないので本病の診斷にはレントゲン檢查が極めて重要であります。

經過は二—六週に及びますが多くは約三週間位で死亡します。豫後は極めて不良で治癒する事は絕對にないと云ふてよろしい。

（四）結核性腦膜炎

本症も結核の第二期の中に數へられるもので結核菌が血液循環により或は時に淋巴道を經て腦膜に侵入した時に起るものであります。單獨に起る事もありますが粟粒結核の結果として來る事の方が多い、此腦膜炎に罹ると殆ど全部が死の運命を免れ得ない非常に恐ろしい病氣であります。

年齡は二歲乃至五歲迄の幼兒に最も多く季節では春から初夏に多い。

誘因としては麻疹、百日咳、外傷等が擧げられてゐますが時には全く原因不明の事もあります。症狀は多種多樣でありますが其全經過を其時期によつて次の三期に區別して居ります。

第一期は前驅期と稱へる時期であります此時期には不機嫌、食慾不振、倦怠等の徵候があります。或は今迄快活であつた小兒が引込思案になり一室の隅の方で頻りに眠りを貪る樣になつたり又は刺戟性となり單に我儘としか見られない樣な種々不定の症狀があります。

以上の前驅症狀のあつた後で二つの特有な症狀が表はれます。之は頭痛と嘔吐であります。頭痛は年長兒では明かですが年少兒では不明であります、嘔吐は食物の攝取と云ふ事には關係なしに吐きます。之は嘔吐中樞が直接刺戟された爲めに起るもので腦性嘔吐と名づけられます。

第二期は刺戟期と云ひ此の時期になれば腦の疾患である事が明かになつて來ます卽ち頭痛、嘔吐は一層はげしくなり皮膚や五管器の知覺過敏を起し身體に觸れるのを嫌ひ音や光線に對して過敏となります又切齒をしたり時には溜め息をついたり欠伸をしたりします、時には突然大きな聲を擧げて悲痛な叫び聲を發します。之を腦膜炎喚叫と呼んで居ます。

此時期になると頭部强直が著明に表はれ患兒の頭部を前屈する樣にしても後頭部が硬直して抵抗を感じ疼痛を訴へます、乳兒では大顋門が强く膨隆して緊張して來ます。

嘔吐は初期には甚だしいが時日の經過と共に緩和して次第に嗜眠狀態に移り遂には全身の痙攣を起して來る事もあります。

第三期は麻痺期と云ひ意識は全く溷濁して深い昏睡狀態に陷り手足の麻痺が表はれます脈搏は次第に頻數細少となり呼吸も不整になります。此の時期に體溫が上昇して四一—四二度となる事があります、此れは體溫を調節する中樞の麻痺した結果で之れを死戰期の過熱體溫と稱へます。食事は嚥下運動困難の爲めに全く榮養物を攝取する事が出來ず漸次衰弱して遂に心臟麻痺の爲めに斃れます。

經過は一定しませんが凡そ三—四週間で豫後は絕對に不良であります。（續く）

治り得る畸形

醫學博士　岡田道一

（一）

片方の袖の短い洋服の上着は醜いから、誰も着ようとはしない。また片方の足に齒のある下駄、片方の足に草履、これも不體裁であるから、誰も穿かうとはしない。これと同じやうに、人の身體に在つても、たとへば左右對をなしてゐる臂や脚は、その形態が同じでないと、それを嫌ふものである、卽ち足が曲つてゐるとか、片方の脚が短いとかしては、他も自分も醜いともし、不便とも思ふのである。臂や脚の畸形、これはたしかに醜くもあり、不便でもあるから、斯るものは容姿に於て、亦仕事の能率に於て人よりも劣る。劣るから他から侮られる、侮られるからヒガム心が起きたり、反抗心を起してヒネクレ者になつたりする。かうであるとすると、畸形の者は心までも畸形になると云ふ譯である。心ある者、如何して醜い畸形、不自由な畸形の救濟を念はずに居られるであらう。

（二）

一口に畸形と云ふと、この中には眼球が缺けてゐる者もある、片方の耳がない、と云ふやうなのと、右に擧げた足が曲つてゐる、脚が短い、と云ふやうな運動機能の方面に故障のあるのとがある。今日、この後に示したやうな畸形を總稱してクリユッペルと呼んでゐる。このクリユッペルの中に、完全に治るのと、完全に近く治るものと、絕望なのとがある。私は此の記事に於て、何んなクリュッペルは完全に治るか、何んなのは完全に近く治るか、絕望なものは何う手當を施したものかと考へて見る

とする。クリュッペル兒童のある御家庭の參考にして頂ければ、幸甚の至りである。

（三）

クリュッペルには、先天性のと後天性のとがあるから、この二つに別けて申上げるとする。

先天性のクリュッペルで、一番多いのは、内飜足と股關節の脫臼で、これに次ぐのは、下腿の彎曲してゐるのであらう。それからリツトルと云ふのも相當にある。

内飜足は、胎兒のとき上にしてゐる足が、甲の側に壓を受けてなつたので、生兒百人につき一人ある割になつてゐる。これから推すと此のクリュッペルは可なりの數あると考へられる。この畸形治るか何うか、と云ふに、良く治るのである。何歳までなら治るかと云ふに、その畸形の程度にもよるが、大體十七八歳までのなら治せるのである。壓を受けて何うして曲つたのかと云ふに、これについては、少し考へなければならない。私は壓されたら曲つた、と簡單に考ふべきものではなく、壓された爲め發育を遂げられなくて曲つたのである、と言ふべきものと信ずる、即ち壓された爲めに、足の內側の筋は勿論のこと、踵の上のアヒレス腱、アイレス腱の上の腓腸部の筋も、發育を遂げられなかつた爲めと云ふべきものと信ずる。かく内飜足の近因を發育の障害とすると、發育を助け促して復正するを可とすると云ふことになる。斯の結論當を得てゐるか如何かと云ふに、榮養を進め發育を促すと矯められる黠から、正鵠を得たものと言へると思ふ。そこで榮養を進めると、何うして患部の發育を促せるのか、と云ふに、此の患兒は脊髓に於ける榮養神經の中樞に些も缺陷がないからである。この脊髓の榮養神經の中樞に缺陷のないことは、此の足が脊髓性の小兒麻痺の如くに、寒冷でないのと、數日の治療で暖く出來るのとから證明が出來る。

右のやうに、榮養を進めて矯正が出來るとすると、アヒレス腱のつまつてゐるのを、横に截つて傷をつけ、そして延ばすとするのは愚な手術と言ふことになる。このつまつてゐる腱と腓腸部の筋、榮養を進めると太くも長くもなるのである。その細くて截るのを疑はれる腱でも、屹度太く出來る。斯の黠から私は、截腱術を内飜足の矯正に要のないものとも、腱だけ截つて腓腸部の筋を發育させるとしない療法を、踵の上つてゐる近因についての認識が不足してゐるとも言ふのである。

以上で、先天性内飜足の治る畸形で心配にならぬことは、お解りになれたと思ふ。なほ、發育を促し進めて治す方法は、徒手のマッサージ一つであつて、これで十分である、と申添へて置く。

第二に股關節の脫臼、これは内飜足が男兒に多いのと違つて女兒に多い。三四歳までの間に、整形外科醫に掛つて整復し、つゞいてマッサージを施すとしないと治りようがないから、一生クリュッペルで、悲しい思ひをしなければならない。完全に治るクリュッペルであるから心配は要らないが、少しでも速く矯正するよう、矯め損じのないように矯正しようと、患兒の父兄も、矯正に當るマッサージストも希ふならば、父兄としてはたゞ臀部あたりを中心として施術するとしないで、榮養を進め而して關節嚢の弛緩を矯めるようにして貰ふ、マッサージストとしては左樣するとしなければならない。斯の注意を缺くと、長く掛ると云ふ不手際もあるし、下手をすると矯正が出來ずに終ることもある。マッサージの施し方を誤つた爲め、治るものが治らぬとあつては、相濟まぬ次第である。

第三に、下腿の骨の彎曲してゐるのは、右の内飜足と同じやうに、徒手のマッサージで、榮養を進めながら矯正すれば宜しい、が金屬の棒の曲つたのを眞直にすると云ふ樣には行かない。その內側に當る部分を發育させなければならぬのであるから、その程度にもよるが、十日や十五日で矯められる、とは言へない。

第四にリツトル氏病、多くの人は先天性のクリュッペルは治らぬと云ふが、右の内飜足や股關節の脫臼してゐるの杯は、完全に治るのである。これに反してリツトル氏病と云ふのは、輕いのなら踵を疊につけて步けるようになれるが、重いのは左樣は行かない。全くお氣の毒である。この病氣の矯正には手術の効は少いであらう。

（四）

後天性のクリュッペルで特に目立つて多いのは、脊髓性の小兒麻痺であるから、これに就て左に申上げるとする。

脊髓性の小兒麻痺は、黴菌に因る急性熱性の傳染病の脊髓前角炎に罹つて、運動神經と榮養神經の中樞を損じた爲め、臂脚が利かなくなつたり、その部の筋や骨が萎縮に陷つて、寒冷であつたりするクリュッペルである。原因が斯うであるから輕いのなら兎に角、甚く重いのは治しようがない。至つて輕いのは放つて置いても治るけれども、少し重いのになると、腓腸部の筋と其の下のアヒレス腱が萎縮に陷つて踵が上る。それでも下腿の二本の骨が短くなければ、跛の判らぬやうに治らう。その下腿の骨の短いのでも、步く度に踵が疊に着き肩が下るので、一ケ月もマッサージを施して、冷い下腿が相當暖くなるのであれば、跛行が判らぬやうに步けよう。これより重いのは、何程なりと良くなりはするが、何の程度に

治ると一寸言ひ兼る。右に擧げたやうなのは、たとひ患足が小さくあつても大きく出來る。かうなれば醜い度が減るから仕合せで宜い。

此の小兒麻痺を矯めるにも、アヒレス腱を横に截り傷をつけて延ばし、そして踵を下げるとする者がある。けれども斯のやうに矯正して貰つた患者の中に、截らぬ前より具合ひが惡くなつたと云ふ結果のがある。如何して身體の何れの部分でも、傷つけた場合に良く治るのに、アヒレス腱に手術したのは、良く治らぬのであらう。これは此の腱が榮養障碍のため、發育が出來ないか、出來難いためである。左樣とすれば截つてする矯正法は、感心の出來るものと言ひ難い。

かく截腱術が、此のクリュッペルの良い療法と言ひ難いとして、外に矯正の仕樣がないかと云ふに、右にも言つた通り、此の病氣は榮養神經の障碍が大いに關係があるのであるから治し難い、けれども榮養を促して發育させる餘地が全くない譯ではないのであるから、兎に角さうするが宜しい。このやうにして、一月も經つて下腿が何の位暖くなつたかを注意するが宜しい。それで少しも暖くならなければ、矯正は全く絕望であるが、健脚の暖かさに近いまで暖まれば、右にも言つたやうに、先づ完全に近く矯められる、と思つて間違ひなからう。かゝる次第であるから私は脊髓性の小兒麻痺の踵の上つたのを矯めるとするには、第一に全力を盡して榮養を進め、發育を促すとすべきで、アヒレス腱を截るのは考へものであると言ふのである。

脊髓性の小兒麻痺には、踵の上つたのと反對に、その下つたのがある。これに對して腱を短縮させる療法がある。けれども斯くするよりも、腓腸部の筋の麻痺を矯めそして踵を上げるとするが可い。かくしても上げられない場合に、はじめて腱をつめるとすべきである。

それから、矯正が全然無効な程度のにあつては、如何とも仕樣がないのであるから、放つて置いたものか、と云ふに、此の患兒は脚が不自由で、運動が演じられないか、演じ難くて健康を進めることが出來ないのであるから、マッサージで他動的に運動させるとしなければ不可ない。かうしないと健康狀態が不良になつて、如何なる病氣に罹るかも測られない。かゝる次第であるから、重い小兒麻痺の子供をお持ちの父兄方は、たゞ可哀想と不憫がつて許りゐないで、せめて健康を進めて、他の病氣から免れるようにとなさるが可いと、敢てお兒さんの爲めにお勸めいたす次第である。

第二に、後天性のクリュッペルで、吾々の多く扱ふのは膝關節の强直したのである。この强直したので、必ず治ると言へるのは、大腿や下腿の骨折のため、ギブス繃帶を施してゐた爲めのと、チブス、赤痢のやうな病氣で長い間床に就いてゐた爲めのである。斯る病氣で床に就てゐると、如何して膝關節が屈げられなくなるのかと云ふに、それは榮養が不良に陷つて、大腿前側の四頭股筋と關節嚢が萎縮するからである。かうであるとすれば此の强直を矯め屈伸を自由ならしむるには、四頭股筋と關節嚢の二つを發育させるとす可きである。四頭股筋は膝蓋骨を越えて脛骨の結節に着いてゐるから、これがつまると膝を屈げられないことは、誰にも知れると思ふ。

そこで、その矯正の仕方であるが、右に言つた如くに四頭股筋と關節嚢を發育させながら膝を屈げるとすれば甚だしい痛みを與へることなしに矯められるのである。左樣であるのに、多くの矯正に當るマッサージストの中には、膝蓋骨の周圍を拇指頭で强く揉捻したり、關節の上下に輕擦や揉撚を施したりするだけで、屈げに掛るものがあるが、これでは無理があつて痛いから、患者は悲鳴を揚げずにゐられない。それでも速く治るなら宜しいが四頭股筋と關節嚢を發育させないのであるから、三月經つても、四月經つても少しも良くならない、と云ふ有樣である。

私は、世の膝關節の强直に惱むものに、榮養を促して大腿の筋と關節嚢を發育させ、そして矯正する治療家を物色してお掛りになるよう、お勸めいたすのである。

第三に、長く床に就てゐるとなる寢足、これも榮養を進めつゝマッサージを施し、足關節を運動させれば、長く掛らないで矯正され、步くにも走るにも困らぬように必ずなれる。

第四に、左右の踵の上つた脚氣麻痺、これもマッサージで、腓腸部の筋とアレヒス腱の萎縮を矯めれば長く掛らないで、足駄を穿いて步くことも、疾走することも出來るように必ずなれる。これが矯正にメスを用ふる要は少しもない。

終りに、クリュペル兒童の父兄方は、マッサージの効果を認識し、これが矯正に當るものは、マッサージ術の効果を發揚するよう努力することを、希望して筆を擱くとする。

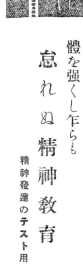

體を強くし乍らも
怠れぬ精神教育
精神發達のテスト用にもなる

生めよ、殖やせよの國策に沿つて幼兒の身體發育については、各家庭でも相當注意を拂つて實行してゐますが、身體發育と並行すべき精神發達については、今まであまりにも無關心にすぎました。恩賜財團愛育會ではこの乳幼兒精神發達の研究に着手し、同會教養部牛島義友、森脇要兩氏が四ケ年の歳月を費して當歳から滿七歳までの乳幼兒千三百名に對しドイツ、アメリカにおいて發表された調査と我國の今までの部分的研究を基礎とし、乳幼兒の年齢による標準精神發達狀況を調査した我國初めての組織的な研究がこのほど完成しました。其中から一般家庭の參考になる部分を兩氏に伺つて見ませう。

今迄の我國の乳幼兒精神發達調査は、極く部分的なもので、幼兒の精神檢査についても、その多くを外國の研究にまつてをりました。人種も環境も違ふ外國のものを、我國に當てはめるとなると、そこに當然無理が生じてきますので、こゝに實際の我國の乳幼兒精神發達の標準を確立するためにこの研究に着手したのですが、その結果として乳幼兒時代の身體發育は、精神發達とは一致せず、殆んど關係がないことが分りました。それ故體を丈夫に育てると共に、精神教育も怠らぬといふ保育方針が望ましいと思ひます。この精神教育の差異は滿五歳の幼稚園の子供と託兒所の子供を調査した時にはつきり分れてきました。家庭環境としては中以上の幼稚園の子供は全體の平均より高い程度を示してゐるのに對し、託兒所の子供は全體の平均より相當惡く、幼稚園の同年齢の子供より約半歳以上も精神發達が遲れてゐます。全體の發達狀況を父兄の職業別に見ますと會社員、小賣商、勞働者の子供も乳兒時代には殆ど相違がなく、それが段々成長するにつれて差が大きくなつてくることは、家庭の精神教育の違ひを證明してをります。男女兒による精神發達の

狀況は普通には女兒の方が早いといはれてゐましたが、綜合的に見ますと滿一歳から四歳までは女兒がやゝ勝り、滿五歳から六歳の間では男兒の方が勝つてゐます。しかしこの差は兩方とも極く僅かなもので、殆ど變りがないといへますが、言葉の發達の點だけでは男兒よりも女兒の方が遙かに早く、一歳六ケ月と二歳迄の普通發達を五十とすると、男兒は四二・八に對し、女兒は五四・五で口の廻ることは子供時代から女の方が勝つてゐます。父母の年齢による子供の精神發達については殆ど變りがなく、老年近い子供でも卅歳時代の子供より高い數字を示しました父母の年齢の差も二歳から十八歳迄の統計をとりましたが、これも大した影響はありませんでしたが、父より母の年齢が多い子は好ましくない結果を示しました。以上の諸點は研究の對照として得た結果で、乳幼兒の感覺、知覺身體運動、社會性、學習、材料處理、精神的生產の六方面より研究した精神發達の標準のうちから、各家庭でできる問題を少しく拔いて見ませう。この標準は逆に子供のテスト用ともなるものであるが、テストをするには專門家の正しい知識と方法の下に行はれぬと正確なことは分りませんから家庭では大體を見る程度です、この標準より多少遲れてゐても心配はありませんが、著しく劣るものは早くから保護者の注意を必要とするでせう。

ウマ〳〵パイ〳〵は

十ケ月以後に言ふ

このテスト問題は家庭で簡單にできるものを一部分拔いたものですから、これだけの成績で精神發達を云々することは危險ですが、參考にはなると思ひます。

生後卅日未滿

〔輕い音で靜かになる〕 むづかつてゐる時、輕い音樂的な音で靜まる。

〔坊害的接觸を避ける〕 鼻をかんでやる動作をすると嫌がつて避けるやうとする。

一ケ月未滿

〔動く毛糸を凝視する〕 目の前に赤い毛糸を一本吊るしてもつて行くと、それを見つめる。

〔體を起した時に頭を眞直に保つ〕 首のぐら〳〵しないこと。

二ケ月未滿

〔音の方に頭を向ける〕 靜かに寢かしておいて子供には見えないやうに鈴をならして見る。

〔他人に對して笑つたり喃語して答へる〕 見知らぬ人を見て笑つたり譯の分らぬアワアワ式の事をいふ。

三ケ月未滿

〔腹這ひで頭と肩を上げる〕 腹這ひにした時の上半身の上げ方を見る、よく上るものほど優秀。

〔ガラガラを手に摑んでゐる〕 摑ましてもすぐ放り出すものもあります

し、摑むことをしない子供もあります。

四ケ月未滿

〔仰向けで支へられた際に頭と肩とを持上げる〕寢かしてある子供を腰へ手をあてゝ少し起した時ふんぞり返るのは落第。

〔室内を走く人を目で追ふ〕

五ケ月未滿

〔眺めたものを手で摑む〕ガラガラを目の前でふつて見ます。手も出さぬ子供もあります。

〔仰向けで覆布を取り除く〕仰向けに寢かしておいて顔へ布をかぶせます。自分でとるのが普通。泣いてゐるだけでは劣ります。

六ケ月未滿

〔仰向から俯向へ身を轉ず〕同一姿勢に飽きて寢返りの打てる子供。

〔組織的なかくれんぼ〕ゐないゐないバアをして喜べば普通。さうした動作のわからぬ子供もあります。

七ケ月未滿

〔一人で坐る〕卅秒が普通。

〔模倣して机を叩く〕見てゐる前で机を叩くと、その眞似をしようとする。

八ケ月乃至九ケ月

〔這ふ〕

〔二ツの匙を打合せる〕兩手に匙を持たして、自分で打合せて見せると、その眞似をする。

十ケ月乃至十一ケ月

〔二語をしやべる〕ウマ／＼、パイパイの類。

〔包まれた玩具を又開く〕子供に玩具を見せて、その上へ布をかぶせると、その布をとり除けようとする。以上滿一歳迄は生れ月によつては多少の相違があります。二月頃生れた五ケ月兒と十一月頃生れた五ケ月兒では氣候のいゝ時に育つた子供の方が幾分發達が早く冬期に育つた子供の方が遲いのが普通ですが、滿一歳以上からはその相違はなくなります。

言語障害と低能との見定め

言語障害と低能とは幼兒の時代にはなか／＼分り難いものですが、このテストはその點の見定めに特徴をもつてゐます。

滿一歳

〔一人で立つ〕

〔要求を理解する〕オツパイ、ネンネオイデオイデの如き言葉を聞き分ける子供。但し言葉だけで動作で示してはなりません。

滿一歳三ケ月

〔一人で歩く〕

〔作畫〕紙へ鉛筆などでわけの分らぬぐじや／＼なものを書く。

滿一歳六ケ月

〔一つの命令〕少し離れた所へ本を置いて「その本をもつていらつしやい」といふ。分らなくてまごまごしてゐる時、それ／＼などと助言は禁物。

〔繪を眺める〕女の兒の繪とか玩具など自分の知つてゐるものゝ繪を眺める。

滿二歳

〔位置關係を理解する〕一個のフタ

のある箱を置き、何かほかのものを持たせ、それを「箱の上へおいてごらんなさい」「後へおいてごらんなさい」「前へおいてごらんなさい」「下へおいてごらんなさい」「中へ入れてごらんなさい」といふ。その中二つ分れば標準智能です。くり返していつてはなりません。

〔四枚の辨板〕三角、半圓、十字、菱形の辨板を三分間に三つできればいゝことになつてゐますが、辨板の代りに家庭では繪を書いて、同じものをその上へおかせてもいいでせう。但しこの方が程度が高いので二つできれば上等です。

滿三歳

〔お腹の空いた時にはどうしますか眠たい時にはどうしますか〕二つともできなければいけません。

〔積木を眞似る〕積木三つで十字架と階段を作つて見せ、その眞似をさせる一つできれば標準です、積木つ三つ以上使ふとむづかしくなります。

滿四歳

〔復唱〕四角な積木を十並べ、右の端から一とすれば、三一二の順序で細い棒で叩いて見せ、その眞似をさせる。早く叩かずゆつくり約一秒の間隔をおく。次ぎには四、三、七、次ぎは八、六、九の三回やらしたうち一回できれば標準。

漸五歳

〔用途定義〕机は何ですか、時計は何ですか、お母さんはどんな人ですか、人形は何ですか、お菓子は何ですか、以上五問をその通り聞く。机は何をするものですか、お母さんはどんなことをしますかと聞くことは禁物。机は木でできて足が四本あり、勉强するものなどといふのはずつと大きい子供で物の定義で一番易しいのはこの用途定義です。お母さんはお白粉をつける人などといふ答は落第で、お母さんはお洗濯する人、私を可愛がつてくれる人といふ類の答が及第です。五問のうち三つできれば標準です。

滿六歳

〔了解問題〕もし貴方が人のものを毀した時、もし貴方が幼稚園へ行く途中でおくれるかも知れないと氣がついた時、もし貴方がよそへ出る時に雨が降つてゐたら、以上の三つを聞いて二つできれば標準。

滿七歳

〔記憶によつて差異を擧げる〕蠅と蝶とどこが違ひますか、卵と石とどこが違ひますか、草と木とどこが違ひますか、以上三問できなければなりません一問のうち相違を多く擧げた子供が優秀です。

大きな母の愛こそ不良化を救ふもの

少年教護法が對象とするのは、滿十四歳以下の少年ですが、すでに不良化して保護を要する少年は、以前は三萬人ぐらゐだつたのが、この頃では激增して數萬人にも及ぶとみられます。このうち溫い教護の手の中にあるのは僅かに數千人、あとは野放しになつてゐるわけです。

事變下にこれらの不良少年の教護に一層の努力が必要な理由は、いふまでもなく人的資源の利用厚生にありますす。彼らの多くは身體は至つて丈夫であり、適當に保護を加へ指導さへすれば、立派に社會のためにつくすことができるのです。事實教護院をでてから少年義勇軍に加はり、大陸開拓の第一線にあるものや、現役志願をして戰線にあるものも決して少くありません。從つて不良になつて親の手をやくほどの少年は、進んで教護院生活を過させるのは大きな親の愛といふことができます。教護院は決して刑務所のやうに、少年を鐵窓のなかに監置しておく場所ではなく彼らを自由に解放し、明朗を旨として教育しつゝあるのです。教護院は現在全國に全部で五十一ケ所あります。これに附屬した少年鑑別所が十五ケ所あり、少年に適する教育法を鑑別してその結果教護院に送るわけです。次に不良防止の第一にこの際われ／＼が考へねばならぬのは、應召軍人家族に不良少年をだしてはならぬといふことです。これまで知られてゐる不良化の主な原因として、片親若しくは兩親ともにゐない點が擧げられます。父親の威嚴やその教化力がいかに子供に必要であるかはいふまでもなく、出征家族の母親は子にたいして單に母の慈愛だけでなく、父親の威嚴をもつて臨まねばなりません。父がゐないから可哀さうだと甘やかすのは一層いけません。なほまた、働く子供の不良化の問題も今日の最大關心事です。まる十四歳足らずの子供でも、この頃はどし／＼工場で働き、働いてゐる收入もずゐ分と多い。そのため子は母親を馬鹿にし母親はその子を大事にして甘やかす傾向があります。自分でとるお小遣ひで買喰ひは覺えるし、いつか不良の徒に加はることになります。たゞ可愛い、可哀さうだではないもつと大きな母の愛こそ戰時下にはとくに望まれる次第です。（厚生省兒童課　森健藏氏）

賀川豊彦氏『太陽を射るもの』以後──（一）

村島歸之

五一、耶蘇のお加持

スケールの大きなオーケストラを聞くやうな思ひを以て賀川氏の驚くべき自傳的小説『死線を越えて』の第一卷を讀了し、續いて第二卷の「太陽を射るもの」に及ぶ時、讀者は、いよ〳〵出でていよ〳〵深刻な人生悲劇の數々に心臟の高鳴りを覺えるであらう。

「太陽を射るもの」の初めの部分は、明治四十五年の春──賀川氏が貧民窟へ這入つてまだ滿二年とは經過してゐない頃の活ける記錄である。

スラムの中の氏の家は依然として貧客萬來である『太陽を射るもの』を披いて見よう。

──日　拐帶者らしい靑年を寄食せしむ。

──日　梅毒で足の腐つた男、張といふ醉漢、兩足のない乞丐などに脅迫される。

──日　猫の婆さん芥箱の中のビラをくれる。

──日　猫の婆さんの癪を癒す。

──日　諸方から耶蘇のお加持を賴まる。

「耶蘇のお加持」──スラムの人たちは、なか〳〵の名文句を吐くものだ。

賀川氏がスラムに移り住んで日のたつと共に、氏の評判は次第に高まつて、氏を活き神樣扱ひする者も出來た。特に「癒し」の能力が、氏にあることを知つた女連は、忽ちにしてその信者となつた。女は一面疑ひ深いが、又かうして最も信じ易い一面を持つてゐる。基督の復活を一番先に信じたものも使徒たちではなくて無智な女だつたのだ。特に稻荷下げなどを信仰するやうな單純信仰の持主の多い貧民窟では、かうして賀川氏を神さまにする者の出る事も當然すぎるほど當然である。

が、しかし、これは必ずしも、迷信とか、宗敎病理とかと、片づけて了ふべきではなかつた。氏は或場合は本心から神に祈ることもあつたからだ。そしてこの祈りと催眠術は、その對者が氏を日頃、神の如く崇拜してゐるところから、一層顯著な利目を示すのだつた。それは「汝の信仰、汝を癒せり」の聖句通りであつた。植木屋の一家族は、氏が手を置いて祈れば、どんな病氣でも直ぐ癒つた。子供の腹痛も、母親の頭痛も、娘の風邪とへ癒つた。

三日以上も病氣が治まらずに弱つてゐた女が、藥を買ひに出かける途中、路次で立つた儘、氏に祈つて貰つたら、文字通り、立ちどころに癒つて、藥はもう買ふ必要がなくなつてその儘歸つて行つた。

耶蘇の加持祈禱の効驗の驚くべくいやちこなることよ。

さなきだに傳播力の強い貧民窟である。忽ち氏は立派な加持祈禱者に祭り上げられて、千客萬來の有樣であつた。

五二、大聲一喝療法

これは、ずつと遲れて大正八年頃の事であるが、筆者が或る日氏を新川に訪れて、話をしてゐると、十二三のこどもがやつて來て、「お爺さんが、神經痛を起してるんや、直ぐ來てんか」と呼びに來た。

氏は、案內も乞はずに、つか〳〵と上つて行つた。そして、老人の痛む腰のあたりに、そつと手をやつたかと思ふと矢庭に大きな聲を出した。氣合をかけたのである。

氏の大聲は有名である。或る音樂家は、これを許し「非音樂的な、そして驚くべき大聲」といつた。敎會の讚美歌の合唱の際でも、數十名のソプラノの合唱に對し、たつた一人の氏のベースが却つてソプラノの上に出るのが例である。

氣合には、この大聲が一層効果があつた。病魔はこの一喝で逃げ出して了ふらしかつた。

氏は、じつと老人の顏を見つめ乍ら腰をさすつてやつてゐる。氣合をかけてゐる氏の額からは、玉のやうな汗がたら〳〵と流れる。

「先生癒りました、もう痛ましまへん。大きに」

老人は起上つて、今までの呻きを忘れたやうにケロリとなつてペコッと一つ頭を下げた。

その歸途、氏は

「こんなことは餘りやりたくないのですが、私が祈つたり、氣合をかけると不思議に癒るので、つい賴まれるといやといふ譯に行かずにやつてゐるんですが、隨分疲れますよ。全身の精力が出て了ふので……」

と笑ひ乍ら氏の語つてゐたことを思ひ出す。

如何に病める貧しき人々のためとはいへ、全身の精力が流れ出るやうな「耶蘇の加持」を繰返すことは、さなきだに病氣を持つ賀川氏の健康に善い影響を及ぼすものとは思へない。

勿論、自分の健康の點からだけではないが、氏はなるべく氏のお加持をすることを避けた。これが、貧しい人たちを迷信に導き、又氏の基督敎の傳道を單なる癒しの宗敎の如く誤解される惧れがあつたからである。イエスが多くの奇蹟を表し乍ら、これを人に言ふなと口止めされたやうに、氏もこのお加持の効能が廣くひろまつて行くことを怖れて努めて防止したが、それでも、スラムの人々に氏の神祕の能のあることが喧傳され信仰されたことは、むしろ自然の勢ひといはればならなかつた。

五三、猫の婆さん

上揭の「猫の婆さん」の如きは、最も熱心な崇拜者の一人であつた。

猫の婆さんについては『太陽を射るもの』の中にも數頁をこれに割いてゐるが、別に『地殼を破つて』の中にも二ケ所、この女について記してゐる。そして氏はこの婆さんの名に冠するに「老人の弟子」といふ光榮ある稱號を以てして左の如く記してゐる。

『私は老人の間に多くの友を作つた。私の祈りを信じてゐる老婆で「猫の婆さん」と云ふのが有つた。林つると云ふ八十二三の老人で有つたが、この婆さんは獨身で、貰ひ子をしたが、もう成長して居るので、あまり顧みてくれない、それで私を保險會社の樣に思ふて、葬式を賴む、葬式を賴むと云ふて、私の信者となつた。この老婆は年が寄つても癪氣があるのだが、痛みが起ると、私を直ぐ呼びにくる。そして私が來ると聞くとすぐ善くなるので私が、家の中へ這入るとすぐ全快してしまうのであつた、そして一時は屢々この病氣が起るので、私は每日のやうに呼びに來られた。然しその度每に、私が祈ると快復するので有つた』

その信仰ぶりが窺はれようではないか。

「猫の婆さん」が本名のおつるさんと呼ばれずに「猫の婆さん」と呼ばれるのは、彼女がいつも十數匹の猫と共同生活を營んでゐるからである。彼女が猫と共に棲むに至つたのは、幽靈が怖いといふスラムらしい理由からであつた。このスラムでなければ見られない獵奇とナンセンスのヒロインについて、もう少し詳しく賀川氏に語つて貰はう。

『猫の婆さんは、神戶の貧民窟でも一番ひどい二疊敷に住んでゐました。ところがその家は首縊のあつた家で幽靈が出るとの評判でした。それで婆さんは私が好きなのでクリスチャンになりましたけれども、まだ幽靈が恐ろしくて、その兇ひに猫を十三匹飼つて居ました。その婆さんには拾ひ子が有りましたが、家計を獨立してやらればならぬので塵箱を覗いて紙屑を拾ふのが商賣でした。この婆さんは正直でしたから、決して惡いことはしませんでした。私が好きで朝から晚まで私の側に居りたいと云ふ程思うてくれました、八十になつても、癪氣があつて痙攣が來ますすそしてその度に私を呼びに來てお祈りをしてくれと云ひます、私が戶口に立つと、もう癒つたと云ふのです。そんな風に一日に二度三度と私を呼びに來ることがあるのです。眞夜中に呼びに來ることもあります。それで婆さんは、私に感謝の印として、色々なものを塵箱の中から持つて來てくれます。私が繪が好きだと知つて居るので、郵船會社の繪廣告を塵箱の中から探し出して來て、それを壁に貼つてくれと云ひます。それで、私はそれを壁に貼ります。之が貧民王の受ける光榮であります。またお玉と云ふ乞食の妻は少し低能でしたが感謝の心で、濱から「ジヤガタラ芋」を拾つて來ては持つて來ます。食うてくれと云ふのです。之が乞食の王樣の特權です。濱から石炭を拾つて來ます。コークスを拾つて來ます。私を彼等の感謝で埋めるのは善いですが、私を丸で屑物拾ひの仲間にして呉れるのです。然し之で彼等が如何に感恩の念に強いかが解るでせう。日本の貧民は感恩の念を忘れて了ふ程墮落したものではありません。』（『地殼を破つて』一八七─一八八頁）

五四、親切なおかみさんたち

ついでだが、賀川氏は、右の猫の婆さんやお玉のみならず、スラムの多くの女から非常に親切にされてゐた。或は氏が若くて美しかつたからかも知れないが、しかし、それぱかりでは決してない。一體、スラムの女、特におかみさんは自分が苦しみ通して生きて來ただけに、他人に對しても人一倍の同情を持つてゐる。彼女たちは、自分たちの生活の苦しみを忘れて尙ほ且つ近隣の人々のために親切をつくすのである。筆者は方面委員の記錄『善き隣人』を三度編述して、愈よこの感を深うしたことだ。

賀川氏は大阪每日新聞神戶附錄に「故鄕を思ふ」と題して次の如くスラムの親切な女たちの事を記してゐる。

『今でも忘れないのは山科のおばあさんの親切、井上お梅さんの同情、裏の池田さんのおかみさんの注意等であつた。私が三宮警察署から海賊の女房が貰ひ子殺しをし損れた子供を連れて歸ると、その世話を喜んでしてくれたのは向ひの山科のお婆さんであつた。

私が病氣をして床に入るとお粥を炊いて持つて來てくれたのは山科のお婆さんや、隣の高山のお榮さんであつた、井上のお梅さんは賣殘したバナナを持つて來てくれた。貧民窟で一人のごろつきに苛められることは南京虫に攻められるよりなほ辛い、或種のごろはだにのやうにくつゝいて來て他人の血をすべて吸うてもまだもの足りないやうな顏をしてゐる。それに反して生れつき親切のお神さん達は酒も飮まず、煙草もすはず一生他人のために苦勞して平氣である、貧民窟の女達は愛の行動をすぐ認めてくれる。それに反してごろは蛇のやうな性質を持つてゐる。なかには改心するものもあるが先天性梅毒や遺傳的酒亂の子供などは全く蛇の性質を捨てない。

氣の毒なのは生來親切な貧民窟の女房達である、私はあの女房達のことを思ふと、永遠に彼等のために盡してあげたい。たゞ我々は貧しい女房達に奉仕し得る精力の六七割までを蛇を追拂ふために使はればならぬと思ふと悲しくなつて來る。

葺合新川はよくなつた、アパートは建ち國道が通り遊園地が出來た。然し悲しいのは人の心である、これだけは一朝一夕に改造出來さうもない。

私が廿五年前に引越した家は今は國道に面してそこまで全部十數軒も道路が食込んで來た。私は今でも度々東京から神戶の新川に歸つて行くが國道が通つたやうに人間の心が開けてくるのは、いつごろだらうと希ひながら熊內から坂を下りて行く。』（昭和九年八月三日、大每所載「故鄕を思ふ」一節）

五五、女乞食を背負ふて歸る

話が橫へそれて了つたが、再びよりを戾して「千客萬來」のその貧客について語りつゞけよう。『太陽を射るもの』は、つゞいて左の如き寄食者の事を次々と記してゐるのである。

――日　元俳優のモヒ患者が仆れ込む。
――日　「江州」と呼ぶ酔ッ拂ひが來て泊り込む。
――日　「辰」といふ無頼漢のかみさんが、夫に虐待され傷けられて泣込む。
――日　びつこのおみつ寄食。
――日　同じく梅毒で一方の脚の動かぬ「うかれ節の市公」も泊る。
――日　肺病人の松永、リユウマチスの男もたよつて來る。

これ等の男たちを泊めるために、教會の外、西の端の家を引續き借りたほどである。

かうして賀川氏の許へ、先方から押しかけて來る貧客だけで手一杯なのにも拘らず、氏は可哀想な人がゐると聞くと、出かけて行つて、連れ戻つて來る場合も少くない。

四十四年の十月、そろ〳〵秋風が立ち初めて肌寒い頃、氏はこんな事を耳にした。それは葺合新川の上の廣場に、二三年前から小屋がけして住んでゐるおみつといふ女乞丐が、近頃、病氣をして咳は出る、下痢はする。しかも誰一人世話する者もなく、警察でも知らぬ顔をしてゐるので、寒さに向つてどうするだらうといふことだつた。

氏は驚いて早速行つて見た。すると果して、元鶏小屋だつたといふみすぼらしい小屋に、鶏ならぬ人間が住んでゐるのだつた。おみつは半身不隨で、全く垂れ流しだつた。臭氣は鼻を衝いて寸時も居耐らないほどだつた。

「これはいかん」と思つた。そしていつた。

「こんな事をしてゐたら死んで了ふばかりだ。よろしい僕の家へいらつしやい。及ばず乍らお世話してあげよう」

しかし、彼女は半身不隨である、その上に病んでゐて身動きができない。已むを得ない、氏はおみつを背に背負つて連れて歸つた。それを見た近所の子供たちは

「おみつは先生のとこへ嫁はんに行くんか」とからかつた。

「ウン、さうや。けふからわしは先生のとこの嫁はんや」

と、氏の背中で、おみつはこどものやうにはしやいだ。

醫者に診せると腸結核だつた。その夜から、氏はおみつの下の世話までもしてやられればならなかつた。夜半でも、

「先生、おまる！」

といへば、氏は起きて、床の下から便器を出して、彼女に充ててやらればならなかつた。

それに、おみつは我儘者だつた。同宿の者が見かれて代つて用を足してやつても「先生でないといやゝ」と駄々をこれた。で、氏は大きな赤ん坊を抱へた母親のやうに忙しかつた。

おみつは三十六、梅毒か何かで頭髪がすつかり脱けて丸坊主だつた。同宿の男たちが、此女に好意を持たないのも當然だつた。

この人の好かないおみつに對して同情を寄せた人が、賀川氏の外にもう一人あつた。それは、後に賀川夫人となつた芝春子さんだつた。春子さんは工場の暇の時には、いつもおみつを見舞つて先生に代つて下の世話もしてやつた。又、自分の寢卷にしてゐた赤裏地のついた袖付の着物などを持つて來ておみつに與へたりした。おみつはその赤い裏地をうれしがつて、來る人毎に袖裏の赤

を見せた。

このおみつの世話がその後に至つて、春子夫人の輿入のその夜から課せられた仕事の一つとなつた事は、既に前回に記した通りである。

五六、めし屋「天國屋」開業

その頃、「金筋といつて、寺や講社の寄進に名をかりて金を強請して歩くのが商賣の谷本といふ坊主が改心し「先生のためなら一命を投げ捨てます」といふ。そこで、氏は豫てから考へてゐた簡易食堂をその男にやらせて見ようと思ひつき、マヤス博士から百二十圓の金を出して貰つてめし屋を開業させた。明治四十五年十一月十八日の事である。

めし屋の名は「天國屋」

果然、天國屋は開業當日から押すな〳〵の大繁昌である。初日などは、二斗炊いた飯が朝の五時には賣切になつて、又もや一釜炊くといふ騷ぎだつた。

こんなに繁昌したら、儲かること請合ひ。そして收益の六割は谷本、四割は賀川氏に返させ新川の貧民救濟資金に充てよう――と、取らぬ狸の皮算用をしてゐた。

だが、これは士族の商賣だつた。士族の汁粉屋が餘りに儲かりすぎるので、よく〳〵勘定して見たら、餅米を計算に入れてゐなかつたのは、正に、この餅米代の脫漏に等しかつた。

毎日の賣上げ十五圓也、但しその內、無錢飲食一圓五十錢也では、薄口錢の飯屋商賣はやつて行ける筈はない。

でも、それだけならまだよかつた。谷本が、たとへ內輪は火の車でも、表面、堂々と店を張つて谷本を羨む者が出來た。尤も、羨むだけならいゝがこの事に因縁をつけて、賀川氏の處へ「俺にも資本を出してくれ」と尻をまくつて來る者が出て來た。

辰といつて前から、女房子供をほつちらかして、いつも氏に迷惑をかけてゐる無頼漢が、まづ因縁をつけて天國屋にゆすりに來た。「百圓出せ」といふので、谷本が「五圓」出したところ、人を馬鹿にしやがるといつて、チャブ臺の汁鍋を叩き碎き、數百箇の茶碗を木ッ葉微塵に粉碎した。そしてその餘勢をかり、大きな斧を携へて氏のところへ闖入し、そこにあつたオルガンをたゝき毀し、椅子を破壞して暴れ廻つた。

氏は、たゞその爲す儘に委せたが、居合せた男たちの手で辰は難なく取押へられ、巡査に引渡された。

暴漢とはいつても、酒の勢ひで暴れ込んで來たのである、警官らにこづき廻されてゐるところは、全く他愛もない醉つ拂ひに過ぎない。賀川氏はそれを見かれて、警官に

「醉がさめたら元通りになるんですから勘忍してやつて下さい」と懇願したが、許されず、彼は荷車の上にくゝりつけられて本署に引かれて行つた。

無頼の夫を持つて、日頃から虐待の限りをつくされ、生傷の絕える間のない彼の女房だが、さすがに夫のこのむごたらしい、そして淺猿しい姿を見ては、胸のはりさける思ひで、三人の子供を一人は抱へ、一人は背負ひ、一人は手をひいて、泣き乍ら、その荷車のあとについて、その名も寂しい日暮れ橋の夕闇の中へ消え

て行つた。

氏は泣き乍ら、そのあとを見送つて、いつまでも黄昏の貧民窟の往來にたゝずんでゐた。

五七、歲晚の行事

天國屋を打つ壞し、さらに賀川氏方にまで乘り込んで大きな斧でオルガンや椅子を壞した辰の一家五人は、頁人（この場合、この文字は皮肉だ）の入監中、氏の許へ引取られた。頁人の壞したオルガンや椅子を目のあたり見ては、現在、その下手人の家族でありながら、此處に世話になつてゐるのが、何としても相濟まぬような氣がしてならなかつたであらう。

辰は十五日の拘留になつたが、間もなく改心したといつて歸つて來て、妻子五人を引取つた。しかし、それも暫くで、間もなく殺人を敢てして再び妻子を氏に委れるやうになるが、これは後段において述べる。

それはさておき、多端だつた明治四十五年といふ年もペスト騷ぎの中に暮れて行かうとする。そのドン詰の二十七八兩日には、前年同樣、吾妻通五丁目の廣場に天幕を張つてこども等のためにクリスマスを催した。それは六甲颪の吹く寒い日だつた。朝仕度を始めようとしてそこへ來た青年たちは、前夜張つて置いた天幕の入口で、地廻りの淫賣婦のお德が寒氣に凍えて仆れてゐるのを發見した。クリスマスの準備よりも、まづこの方の救護をしなければならない。そこで女は取り敢へず賀川氏の家に戸板に乘せて舁ぎ込んだ。

そのうちに、こどもたちは續々と繰込んで來る。夕方までには五百名を越えた。みんなは聲を揃へて讃美歌を唄つた。餘興の暗誦なども上手にやつてのけて、事の意外に誰よりもその親たちを吃驚させた。何にしても僅か一年でこの變りやうは賀川氏たちを喜ばせた。去年のクリスマスの喧噪とは全く見違へるほどおとなしくなつてゐた。

種々の餘興があつて九時プレゼントやお煎餅や蜜柑を抱へたこどもたちは大喜びで歸つて行つた。

二十八日と九日は北本町六丁目の教會に充てゝゐる方の此の家で乞食の招待會を催した。去年同樣芝春子さん（後の賀川夫人）も甲斐々々しく立働いて、五十名餘りの乞食を優しくいたはつた。

御藏、三宅、大島の印象

中西悟堂

一行のいでたちは、探險隊員のやうだつた。寫眞機だの、閃光電球だの、寢具だの、リユックの中ででこ〳〵と角ばつてゐる。清棲伯の荷物は中でも多くて、鐵砲などが突出てゐた。

○三宅島をあとに

三宅島の神着で二時間ばかり遊んで、御藏島へと向つて行く。阿古の鼻を廻るころには、胸鰭の銀のスクリユーを廻して海面近くを滑走する鉛青色の飛魚に、カメラが幾つか向けられたが、これがうまく撮つたら、おもしろい寫眞になると思つた。右舷の海中に、鋭く尖つて立つた玄武岩の岩礁、そばに小さい熔岩の島が二つ……これが下村兼史氏の『北の島・南の島』に、「日本アルプスの小槍をその儘こゝへ持つて來て波上に浮べたやうに」とある三本岳だとすぐわかつた。

カンムリウミスズメやオホミヅナギドリを始め、ミサゴやウミウも蕃殖してゐるらしいことを、私たちはその本から教はつてゐる。「木の葉のやうに輕くゆく」とやはりその本に書かれたアカエリヒレアシシギもちよい〳〵見かけた。古代の大爬行動物のやうな、あるひは巨大なアルマジロのやうな、何れにしても獸の皮膚や背中を聯想させる御藏島が、海上二十五キロのかなたに見え出す。

○御藏島上陸

岸から三百メートルほどを隔てゝ錨を下した萩丸のデツキから見ると、ブルシヤン、ブリユーの水の色と強い對照をした銅赤色の山肌が、睨むやうに峙つてゐる。そ

の山肌の下の、猫の額のやうな狹い空地が前濱で、五十人にあまる島の女だちが園つてゐた。

艀船が着くと、女たちの全部が、小學生の綱曳きのやうに、ロープで艀船をコンクリートの岸に引上げてくれる。出迎への人たちも少くなかつた。

前濱から、石を敷きつめた、かん〳〵日に灼けた上り道を數町上ると、里といふ八十戶ばかりの村で、道ばたに栗本郵便局長の家があつた。澤山の水瓜が迎へてくれた其家の庭には、正覺坊もころがつてゐた。午後三時。

目的地であるオホミヅナギドリの蕃殖地には、島の中央部、八五〇・八メーターの御山の頂上を越えて、更に四百メーターを下つた南岸の中腹、平清水川の源頭附近だといふ。二十萬分の圖幅に描かれた破線の上に、地圖用メーターをギリ〳〵ころがしてみると四キロしかない筈のその山小屋までは、歩くと二里はたつぷりあつて、御山の高さも、それこそ正味の海拔の嶮だといふ。夜に入る前にそこまで强行して海からかへるオホミヅナギドリを見ようといふことになつた。

○御山の胸突

嶮岨ではないが厄介な胸突だつた。傾斜は急でも登路はヂクザクではなく、從つて、石や、堅い椿の横木の、愛嬌のない階段だつた。ヤシヤブシやアカメガシハ、イヌマキやモチノキ、椎や椿、ヤマグルマやタブの林をくゞる狹い登路の道ばたに、アヲノクマタケランの白い花や、クサアヂサヰのこまかな淡紅の花が點々とあつて、一列になつた一行が、常谷氏に草の名を敎はつたり、捕蟲網やカメラを働かせたりしながら、幾らかのゆとりを以て登つたのも二三町の間で、やがて額からも鼻の尖からも、ぽたぽたと汗の玉が落ち始める。小刻みな階段では、足も眼もあそばせることは出來なかつた。——さうしてこれは全コースつゞいた——。計算してみると、丸ビルの二十二倍の高さの段を、南方の夏の日に照されて登るわけである。山登りに馴れた人だつてあるにはあるが、かう登段づくめは、內地の山の常識にはない。

健脚の淸棲伯や下村氏は颯爽と登つて行つたが、一行は山腹の半ばに達しないうちに三々五々の組に分れ、さうして巨獸の胴つ腹をうなつてのぼつた。おまけに頂上までには水がなかつた。管で引いた水が一ケ所、あとは二ケ所に水場はあつたが、飮めるほどのものではない。

○御藏の鳥

が、鳥は多かつた。中でもシチタウメジロとイヒジマメボソが澤山だつた。アカユツコも、アカハラに似た警戒聲を何度もきかせた。オーストンヤマガラも頻りで、ピンピピチュ、ピンピピチュ、ピンピピチュと鳴くのがあ

つた。ビイ、ビイ、ビイ、チチチチチと鳴くのがあつた。ツツピー、ツツピーと鳴くのがあつた。仔をつれた親鳥の一對が、すぐ眼の前の枝にとまつて、人には頓着なく囀る姿も見た。

七八合目から始まつたタネコマドリのヒヒンカラララといふ、內地のコマドリよりは澄んだ高音は、キヤラメルよりも私を潤してくれた。眼下に海を見下しながら駒鳥をきくのは、さすがに島山の特異性である。かと思ふと、うつむいて登る眼のまへに、ノギランやモウセンゴケがつゞいた。

○頂上濕原

頂上は、廣い、堂々とした濕原だつた。ヒロハイヌツゲ、ツゲ、ミクラザサ、（中井猛之進博士命名の新稱）、ミクラコザサ（同上）が、濕原いつぱいに生え、杣の道がその起伏の中をつゞく。

島山の頂の常として、この頂上も霧雲に蔽はれ、その去來が、濕原の廣さに奥行と陰影を與へてゐた。鶯の聲がきこえてきた。

しかしこの時はもう一行の聯絡がなくなつてゐた。私は大島の林動物園長と內田淸一郎氏との三人づれで、この濕原を通つたが、前にも後にも人は見えず、風通しのよいところで休まうと思ふ時分には下りにかゝり、剰へ日は暮れかけてゐたので、急ぐ心に駈られてゐた。仁丹の粒を取出すつもりで、ズボンの中の財布をあけてみたら、何枚かの紙幣は財布の皮ごと一枚に汗でくつついてしまつてゐた。シヤツのポケツトに入れた名刺入を檢めて見たら、これも全部の名刺が汗でぐしや〳〵になつてゐた。

○闇を下る

それよりも山の裏側の下り路がみじめだつた。登路よりも急な降路、闇、霧、かぶさる原生林——少しでも迂濶な瞬間には足を段から踏みはづして、椿の横木を三四段もすべり落る。

石の段をすべる。おまけにその段の路には、唐突な林の木の根がもく〳〵とはみ出てゐて、兵隊靴のトリコニも、地下足袋の感覺も、あまりたよりにならぬ足許の覺束なさと言つたらない。ころぶまいと强く地に突いてるステツキが、石突のところからポキリと折れる。凡そ二十幾座の內地の山の閲歴を持つたステツキだから、捨てるのも惜しまれて、ぶら〳〵下げてあるくのが、あらずもの邪魔物である。

幸に私は懷中電燈を用意してゐたが、たつた一つの電燈では三人の足許が十分にはたしかめられず、かへつて

その光の中に浮んで消える樹の幹が妖怪じみた印象だつた。後續部隊もみんなこんな鹽梅ではなかつたかと思ふ。それでも午後七時半頃には目的地に近づいて、聽くも盛な、オホミヅナギドリの聲だつた。ピョイー、ピョイーと訴へるやうに鳴くのが雄、グワーヱ、グワーヱと破れ喇叭のやうに鳴くのが雌、と林動物園長に敎へられてゐるうちにも、人の足音と懷中電燈の光とにあはてふためいたオホミヅナギドリが　山腹から何羽となくがさ〳〵と飛び出して足許へよろめき寄る。

鋭い嘴のアツタツクを避けるやうにして長い頸を摑み、鷗ぐらゐの白つぽい鳥の凡その體重を知らうと手に下げて下つてゆく。その眼の下に、森を隔てゝ山小屋のあかりが見えた。

○八丈桑伐採小屋

河口ケ澤と名づけられてゐる百二十町歩。その一端にある山小屋の横手には、つめたい平淸水川の溪流が岩に咽んでゐた。山ぢゆうのオホミヅナギドリの鳴聲である。山の腹にも、木の根や草の蔭にも至るところに巢の穴があるらしく、山小屋の床の下でも鳴き通してゐる一組があつた。

森林は小屋の南だけひらけてゐる。そのV字の空門には逆落しになだれ込む銀河の白と、その中に尾をはね上げて全肢體完全な蠍星座。

一行の最終部隊が到着したのは八時だつた。カンテラをともして、暴烈な食欲の晩餐。栗本局長のオホミヅナギドリの話が一くさり。食ふだけ食つて莚の上のごろ寢の夢。——星が頭の芯にきいいんと鳴りさうな眞夜中に、小屋から這ひ出た私は、全裸になつてつめたい溪流に飛込んだ。岩の狹間で首まで水につかつてゐる私の鼻には刺戟の强いしたゝかな樹の匂、耳にはオホミヅナギドリの夜半の怪鳴。

○撮影陣

眠るとは名ばかりの假睡である。幾百萬のオホミヅナギドリは午前三時には、ぞろ〳〵と巢の穴から出て、斜になつた太い樹幹をあとから〳〵と攀ぢ登り、これを飛翔臺にして海へ飛ぶ。午前四時にはもう島に親鳥の姿はない。そこでさういふ斜の幹をみつけて、その周圍にカメラの陣を布くのだといふ。

既に經驗のある下村兼史氏が撮影隊のアンテナである。それから淸棲伯、堀內讃位君に私が、適當な位置に圓陣を据ゑる。

フラツシュの用意のない私は、他の三氏のフラツシュのお蔭に縋つて、光つた途端にレリーズを操作する體勢。四人の目の前には、ほゞ同距離に太い椎の幹があつ

て、ピントを定める懐中電燈が、ぼつ〳〵と幹を明るくする。小屋からは井村博士が出てくる。太田春雄氏が出てくる。奥村博史氏も村田勝四郎氏も、內田清一郎氏もみんな見物に出て、暗闇の中をもそ〳〵と歩いてゐる。

あたりいつぱい、地獄の叫びのやうなオホミヅナギドリの鳴聲。ピョイー、グワーヱ、ホーホヒー——オワーツといふ喚聲が、爽涼な午前三時を壓してゐる。

ガサ〳〵と草を分ける音がする。來たぞ、と誰かの低聲の合圖。とたんに幹を攀づる氣配、最初のフラッシュのスパークの中に、嘴と翼と肢の力でのぼつてゆくオホミヅナギドリの褐色の背中の白つぽい腹を見たのは午前三時二分だつた。

それからは絶え間ない鳥の足音間を置いて閃くスパーク。——そのスパークの中に、翼をひろげ趾を踏みしめてのぼる海鳥の大寫しが、次から次へとつづいた。中には寫眞機のスタンドを蹴とばして幹へ取りつくのもゐた。

午前四時撮影終了。それからは鳥の巣の撮影。卵の撮影鳥の雌雄の鑑別、林相や山小屋の撮影。さうして六時には食事をすませ、仕度をとゝのへて、三々五々の出發だつた。

○神秘の森

ゆふべ闇の下りに苦しめられたこの山道は、しかし朝の目には小鳥の樂しむ神秘な島の森だつた。イヒジマメボソがチビ、チビと鳴く。タネコマドリがヒンカララをやるミヤケゴラやミソサザイが鳴く。オーストンヤマガラのツツピンが森の奥から洩れる。

ぐい〳〵とのぼつて三十分。ふりかへると霧の霽れたあとの、向ひ山の斜面の草原が、靑くはなくて今まで嘗てどこで見たこともない桔梗色の展開。それから二十分で尾根に出ると、シマヘクソカヅラや、カクレミノや、カンドコロの素朴な道、林甚之丞氏、岸田秘書、常谷氏栗本氏などと話しながら歩いてゐた私は、どうしてゆうべはあんなに苦しがつたかと不思議に思ふ位だつた。

それから頂上濕原の、きのふと同じ鶯の聲。忽ち襲ふスコール。

里の村から山小屋まで、島の娘は、いちばん弱い子でも十七貫、强い子は二十五貫の荷を背負つて山越えをするといふ。

それをきいただけでも、この島山を難コースだと考へたのが耻しい位である。下りの展望も素晴らしかつた。ヴアイオレットの海の先に、三宅島の大きい寢姿、それから左へ新島、式根、神津島。神津島のすぐ手前には三本岳が帆かけ船の形に白く浮び、日光はそのパノラマの一切の上に、スペクトルの花綵を惜しげもなくふりまいてゐる。畫慾を刺戟されてゐるらしい奥村氏もけふはどこやら臓揚に下つて行つた。

○島人の親切

それにしても島人の厚意は有難かつた。島をあげての歡待に、里での晝食にはオホウミガメとアシタバの汁も珍らしくすゝつたが、それよりも吾々を迎へるまでの準備や、こま〳〵とした配慮の數々を忘れてはならない。栗本氏は里から山小屋までの全コースを、二日に亘つて私どもの歩きよいやうに草を刈らせたといふ。河ロケ澤の森林は濫りな伐木を禁じてあるが、吾々がオホミヅナギドリを見よいやうに、樹も伐つてくれたといふ。

御山を越えて里へ下る吾々を娘子軍は水瓜やサイダーやビールを積んで待受けてくれた。天候にも豫め氣を配つてくれた。

段々と遠ざかつてゆく御藏島を、デッキから眺めて立つてゐた私どもの胸には、ときつかつた爲めにそれだけ印象の强かつた島の景觀と共に、島人の親切がしつかりと烙きついてゐた。

○三宅島風景

三宅島の大路池は抒情的な風景だつた。御藏島の男性的な風物に比べてずつと女性的な三宅島の坪田村に上陸し、左に並木越しに御藏島を眺め椿の林をくゞつて、四十分で達する大路池は、原始林に抱かれた、睡れる乙女の靜けさ池の岸には、椎やタフの林をのせた草原がひらけてゐる。そこにはイヒジマメボソや、オーストンヤマガラや、シチタウメジロが多かつた。近くの枝にきて遊ぶヒヨドリの親子や、地上をあるくアカツコがゐた。ミヤケコゲラが一本の木の幹を啄いては蟲をくわへ出してゐる。多勢のカメラがその幹の下まで寄つても、ミヤケコゲラは一向物怖ぢもせず、とう〳〵三匹の蟲を引き出して食べた。

汀の草、水からすい〳〵と生えた草——さういふところにはトンボのむれが飛び交つてゐた。つゐ〳〵といふ翅の音もきこえる靜和さだつた。陽の光は、微風がつくる水の皺を銀色に照らし、森を洩れては、金の斑點を草に落してゐた。そこは坪田村少年團の野營地で、テントが幾つも並んでゐた。林甚之丞氏は、規律ある少年團に一場の訓話をし、大島から少年團への土產を携へた鷺鳥や、インデアン・ランナーや、バリケンを池に放した。その微笑ましい人間風景は、池畔の優しい風光に溶けて古城の物語りの中の一シーンか、一幅の活人畫のやうだつた。

この池には一メーターもの鯉がゐるといふ。それよりも來年は「野鳥の會」がこゝでキャムプをしやうといふ話が出た。池に船を浮べ、釣もやり、野鳥、昆虫、植物の專門家を聘して觀察し、撮影の競技もやり、畫も描きそれから〳〵と、——幾らでも樂しいプランは立つ。テントの寢起に、炊事の實習もよいであらう。一日の自由行動に、思ひ〳〵の娯しみは盡きないであらう。少年團の教練も學ぶべきことが多いであらう。それに御馳走や荷物はいくら嵩ばらうと、船からすぐトラックで池畔へ運べる。家族打ちつれての二、三日のキャンプ生活は、是非來年初夏の會のプランの一つに加へたいと、誰も彼もが言ふのであつた。

○大島動物園

三宅島で一泊して大島へ來た一行は、こゝで又、一昨日とは面目一新した動物園を見た。臺灣猿だちは何れも子猿を胸に抱へてゐる。鳳凰孔雀や大鶴や七面鳥や黑鳥が、岐阜の鹿などと共に、のびのびと遊び廻つてゐる。林園長が手を打つと、谷の林から白閑が駈けのぼつてくる。駝鳥が嬌態をつくつて棕梠の林から現れ、脚を曲げて砂の上で壯麗なディスプレイをやつて見せる。——折柄島に來た結城日銀總裁の一行と、吾々の一行は、後になり先になりしてそんなものを見て廻つた。瘦せぎすな結城氏は、帽子に長い鳥の羽を一本ピンと立てゝ、上衣なしで歩いてゐた。

その昔の評論家赤木桁平氏、今は青年內閣の文部參與官池崎忠孝氏のモーニング姿が「日米果して戰ふや」などの心配も忘れたやうに、日の照りつける丘を早足で登つて、洋服のボタンもはづさぬ內田博士と林社長の少年團服久しぶりに逢つた林夫人の奥樣姿は、大島は自分たち都會人の共有の庭だといふやうに板についで見えた。

前後五日の海の旅——追想の網膜に幻覺されるそれはたとへば忙しい日常の塵の中にくつきりと浮び上る、明るい油畫のやうな、さてはアブラギリの花にとまる鮮麗なカラスアゲハのやうな、色彩と光の組合せだ。

悲しむべき捨子の増加

『母性愛』よ！いづこ

母性愛を裏切る捨子の悲劇が最近また〳〵増加してゐます、その原因はいろ〳〵でせうが、「生めよ殖せよ」と人的資源を尊重する一方、捨子のやうな無責任な行爲を何とか防げないものでせうか？赤松常子氏の御意見を伺ひました。

男に捨てられたり、不道徳な男女關係など、子供を捨てる事情は違ひませうが、母親の氣持には同情させられます、母性愛はたれでも持つてゐるものです。

それが周圍の事情に負けてしまつたものでせうが、いま少し强くなつていただけたらと思ひます、いふまでもなく捨子の將來は不幸なものです、幸ひに理解ある人に引取られたとしても、もし自分の過去を知つたら、悲劇が生じます、養育院で成長したら、どうしても暗い影がその人の一生につきまとひます。

しかし、問題は捨子をした母たちだけに止まらず、子供を抱へて途方にくれてゐる幾千の母親をどうするかといふことです、彼女達は捨子をするやうな勇氣(？)もなく、子供と生死をともにするつもりで、どんな慘めな狀態にあつても生き拔いてゆく意志を捨てません。

最近の例ですが、夫が商賣に失敗して家出してしまひ三歲の男子を抱へ、身重の身でどうしても子供を離さずに生きて行かうといふ母親です、こんな人達を收容する市內の母子ホームはどこも滿員ですし、母子保護法による救濟にすがつても、一日五合の食券をもらふのに區役所にお百度を踏まねばならず、方面委員は有力者の紹介なしには相手になつてくれません、また朝から晩まで內職しても僅十五錢の收入しかありませんでした、結局理解と同情ある家庭へ女中さんとして引取られました、幸ひ半年ほどして夫が歸つてきたので家庭を營むことができましたが、私はその時、若い母親の强い意志に打たれました。捨子をすることもできずに苦しむ母親を救ふことが目下の急務です、母子ホームの施設も殘念ながら十分とはいへません、當局の積極的な努力を望みます。

歴史地理上より見たる吉野山（講演）

大阪女子專門學校教授　魚澄惣五郎

一、吉理山の沿革

日本歴史のそれ〳〵の時代の中で私がもつとも興味をもつて居ります吉野朝廷の時代のことをお話いたしますに當つて、もつとこれに縁故の深い當山に於きまして、卑見を申げることが出來ますのは非常に光榮といたす次第でございます。

先づ吉野山の大體の沿革をざつと申上げ、それから所謂修驗道に關することを少し申述べて、更に吉野朝廷がこゝに建設せられたといふことは何故であるか、といふ點を歴史地理上から說き及びたいと思つて居ります。

御承知の通りこの吉野山は金峯山の一分派であつて、それが西北に延びて吉野川の左岸で盡きる所を、吉野山といふのでありまず、古くは神武天皇行幸の御事蹟もあります、のみならず應神天皇の巡狩をはじめ雄略、齊明、天武、持統、文武、元正、聖武等の歴代の天皇が行幸遊ばされた記綠が殘つて居ります。天武天皇の白鳳年間に例の役の行者が金峯山に上つた所謂苦修練行の功を積みまして、こゝに藏王權現を感得し、之を山上に祀りまして、所謂大峯入峯といふことの信仰が起つて參りました。御承知でありませうが、紀州の熊野三山の方から入峯いたしますのを本峯といつた。つまり正しい順路といふ意味である。これに反して吉野金峯山の方から參りますのを逆峯といふことを申して居ります。とに角大峯入峯の信仰が起つて參りました。恰度大峯の入峯にあたり、吉野山が麓の要衝になつて居りますので、こゝにその地主神であるところの金精明神の信仰と合併いたしまして吉野山といふものが宗敎的の靈域、信仰の靈地となつたのであります。歴史上の吉野山は又宗敎上の靈地であるといふことを併せ考へて置かればなりません。そして山上の藏王堂に對しまして山下の藏王堂即ちこの吉野山に僧房堂舍が造立せらるゝ樣になり、所謂金峯山寺として非常なる信仰を集めることになりました。所謂吉野法師の根據地となつて宗敎的方面のみでなく、社會的政治的方面にも活動いたしますところの起原を作りましたのであります。恰度紀伊、大和方面ではこの吉野山の法師と高野山の僧兵、これから熊野の

衆徒とこの三つが鼎立の形になつて來るのであります。このことにつきまして後に詳細に申上げます。

平安朝初期になりまして、例の山城醍醐寺の開山理源大師聖寶や、或は日藏上人といふ方が登山せられまして大峯山は愈々隆昌になりました。皇室の御歸依も篤く、鎭護國家の道場として御祈禱がこゝで盛んに行はれました。平安朝の盛期藤原時代の寬弘四年八月であまりすが、御堂關白藤原道長が登山して願文を捧げたことなどが、道長の日綠たる御堂關白記にも詳しく出てゐる樣な有樣で、漸次藤原氏一族の公卿の信仰が非常に盛んとなりました。かくて山上でも、山下の吉野山でも奉賽奉納等が頻りに行はれ、唯今吉野山中の寺々の中には藤原時代の佛像が今日相當澤山殘つて居りますが、皆當時の隆昌なる模樣を追懷せしむるものであります。また保延元年、平忠盛の寄進にかゝる梵鐘等も殘つて居り、平安朝の末期は堂塔甍をならべた壯觀を呈したことゝ思はれるのであります。

鎌倉時代になりまして文治元年源義經が當山に逃げて參りました、これは兄の賴朝に追はれて入山し、御承知の如く佐藤忠信や義經の妾靜御前の事蹟が留められた譯であります。これについては後に申上げたいと存じますが、大和といふところは一般に逃避地として都合がよかつたのであります。といふのは大和全國は大方奈良の興福寺等の諸大寺の勢力圈でありまして、殊に興福寺の如きは僧兵が居つて事があれば春日社の神木を擔ぎ出すといふ非常手段を常套的にやる、それで大和は武家の支配といふものを除外して居るところと言つてよいのであります。從つて逃げて來る者には大變に隱れやすい、例へば義經が奈良迄逃げた時にも、幕府の武士が搜索に來ると忽ち興福寺の法師がその勢力圈を犯したといふので抗議をする、かういふ有樣で身を隱すものには非常な安全地帶になつて居ります。換言すれば大和全體は神社寺院の神聖なる地域である、淨域である、幕府の兵などが勝手に侵略すべからざるところであるといふ風に定めて居ります。吉野山も同樣で山中の金峯山寺といふ極めて恰好の安全地帶であると見たから義經も逃げこんだので、殊に山伏といふ韜晦に都合のいゝ姿が、この吉野山には伴つてゐたからであります。誠にこの鎌倉時代に於きましては吉野山の信仰が一層旺んになりまして、金峯山寺の寺領もだん〳〵增して來ました。文永元年には河内の僧實圓の勸進で藏王堂の梵鐘が鑄造されて居りますし、いろ〳〵盛んなる法要の行はれたといふことも記綠が今日に殘つて居ります。

後醍醐天皇の元弘のお企ての時に大塔宮護良親王が吉野山に居られたといふことは申す迄もないことであります。その時に藏王堂を以て本陣とせられました。ところが元弘三年例の二階堂出羽入道道蘊といふものが非常な兵、當時の記綠では六萬騎と號せられたものが、當山に改め寄せまして、山は戰亂の巷となり、全山殆ど災害を受けました。村上義光父子が壯烈なる最後を遂げたのもこの時であります。續いて延元元年の暮に後醍醐天皇が當山に行幸になりましてから、五十餘年間吉野朝廷の皇居の地となりましたことは今更申し述べるまでもありません。足利時代になりまして、藏王堂及び仁王門が再建せられましたが、これは康正年間のことであります。唯今の建築がこれであつて、かゝる山の上に

ありますから、そう大きくは見えない樣でありますが、非常に大きなものであつて、これを京都にあたりに持つて行きますと實に大したものであります。當時吉野法師の勢力といふものが如何に大であつたか、この大きなものをよく建て得た力があつたといふことが想像ぜらるゝのであります。

足利時代の末、天正年間でありますが唯今の大阪市の一部平野鄕の人で末吉勘衛といふ外國貿易を盛んにやつて居た人が、この人は德川初期の海外貿易家として有名な人でありますが、櫻の一萬本を山に寄附いたしました。續いて間もなく天正十五年大和大納言秀長が金峯山寺の堂塔建立の爲に力を致し、伽藍の修理も行はれましたが、文祿年間になりまして例の關白秀吉が五千餘人の人を伴ひまして吉野の觀櫻の宴を催して居ります。秀吉はこの後の醍醐の花見とこの吉野の花見とが一生の間に深き印象を殘し、心よく歡樂を擅にいたしましたのであります。名勝地としての所謂花の吉野山もこの頃一層名高くなつたことゝ思はれます。次いで慶長九年になりまして、豐臣秀賴が當山の子守明神の社壇再建をいたしました、山中の櫻本坊には秀賴が奇進した大般若經の經箱などが今多く殘つてゐます、尙秀賴はその他の伽藍等の修覆などをし、復興を計つた樣であります。慶長十九年になりまして德川家康に大變信任を得ました例の天海僧正が當山の學頭に任ぜられました。その時に寺を金輪王寺の日光に移しましたので、それから以來吉野山は一段と衰運に傾きました、明治御維新の頃には更らに甚だしく荒廢してしまつたのでした。併しその後修驗道の信仰がたま〳〵益々旺んになりまして、藏王堂を中心といたしまして全國に百萬に餘る信徒が出來て、年々登山し御承知の如く觀櫻の季節には雜鬧する有樣は申すまでもないのであります。

それからこの山の下の吉野電車の驛に「六田」といふ名がありますが、こゝは昔「六田の渡シ」と云つて、理源大師聖寶が始めて開いた渡場であります。平安朝時代竝に前の奈良朝時代に於ける僧侶が交通に關するいろ〳〵の公益事業を殘して居りますが、この吉野川の六田の渡しを開いたことなどはその內でも名高いものであります。大體の沿革は先づこの位にして置きませう。

二、吉野山と修驗道

これから吉野山と修驗道に關することを申し上げのでありますが、修驗に關する事はその方に御詳しい當金峯山寺の御住職もこの席にお出でになつて居りますし、私も勿論その方の專門でもありませんので間違つたところはどうぞ御訂正を願ひたいと思ひます。修驗といふのは要するに呪文を持し、秘法を修して驗力を練る意味でありまして、密敎の方で、特に諸佛の法を學ぶために隱遁して加持祈禱を修し、眞言の功力を現ずるといふのが修驗でありますが、通俗的に考へますと、必らずしも密敎の修行には限らない佛敎の敎義には餘り關心を持たないで、すべて山に入つて、殊に所謂深山幽谷に入りまして修業をしたり、神や佛の靈地を廻り心身を練り呪驗を感得するのが修驗でありまして、後に起ります西國順禮といふやうなものもある意味におきましては修驗といふやうな風に含めて考へて差支ないことゝ思ひます。

後の修驗者といふものは神と佛とを合せて信ずるのでありま

す、それは修驗道が神佛習合を誘導したことを示したもので、それは山嶽そのものを神聖視するといふ民族的信仰に原因してゐる。その信仰が佛敎の修行と交りまして、それが佛敎的に變化して參りまして、それに或は支那の道敎といふやうなものも加はつて居るのであらうと思ふのであります、その修驗者の信仰といふものは根本的に考へると山嶽或は森林に對する民族的信仰と儀禮とに依つて出來上つたものでありまして、修驗道なるものは今は佛敎の一門派とはいふものゝ餘程日本民族の原始の精神に合致したもの、即ち民族的なものであります。だからして事實といたしましては印度の宗敎といふよりは、日本的の信仰を土臺としものであらうと考へられるのである。この爲めに修驗道は平民的な信仰として廣い範圍に亘り、民間に擴がつて參りました。この點では南都の諸宗や天台眞言の貴族的なのとは餘程趣が違つてゐます。遂には天台や眞言が寧ろこれと結びついて、その敎線を擴張する樣になつたと思はれます。先に申しました通り根本は山嶽崇拜、或は森林崇拜であつて、山の姿の美しいのを見て、例へば富士山を眺めてその秀麗な姿に接して山には神が鎭まりますとか、山そのものが神靈であるとかいふ風に考へたのであります。尤もわが日本は山國であるため、この信仰が著しく發展し、殊にわが國は御承知の如く火山が非常に多いので、火山を一種の神變靈妙なものとし、これを崇め、或は噴火するとか或は鳴動するといふやうなことがあれば、それが神の一つの働きである、山の神の一つの祟りと考へなどした。更らに進むとこの深山幽谷のうちに鎭まります山の神は一般の人々に衣食の材料を供給してくれるとか、或は灌漑の水を供給してくれるとか、雨風を司つて居るいふやうな信念がだん〳〵起つてまゐりました。この思想が山口の神や水分の神といふものを認める樣になるもとゝなつた。この信仰に本づきまして、いろ〳〵山嶽でお祭が行はれます。この山口神や水分神を祀る儀禮の一部が、遂に佛敎化せられましてそこに所謂行場、靈地といふものが起るやうな結果となりました。神や佛の守護の下に惡魔を退治し、呪伏して行を練るために參籠するといふ風なことが、やがて修驗者の行法となつて現はれたのであらうと思ひます。

延喜式といふものはいろ〳〵行政上の細かい規定を記したものでりあますが、その中に神名帳があつて朝廷が幣帛を奉られた諸社の名が國郡別に載錄されてゐます。それによると大和の國には山口神といふものが非常に多く、凡て十四座で次の樣でありまず。平群郡　伊古麻山口神社、添上郡　夜支布山口神社、葛上郡　巨勢山口神社、鴨山口神社、葛下郡　當麻山口神社、大坂山口神社、吉野郡　吉野山口神社、城上郡　長谷山口坐神社、忍坂山口坐神社、城下郡　飛鳥山口坐神社、畝傍山口坐神社、十市郡　石村山口神社、耳成山口神社、山邊郡　都祁山口神社。この中吉野の山口神社は俗に云ふ勝手明神であります。延喜式に依りますとこれら山口神社は何れも月次のお祭の時には官から祭祀が行はれたので、大抵は山の麓に近く、街道で交通の要點に鎭座して居る樣であります。

これは申す迄もなく山の神でありますが、日本の他の諸國と比較して考へると、山口神とは大和以外には非常に少ないのであり

ました、これは大和が山が多いからといふ意味のみでなく、大和は早くから古代文化の發展した所であるから古い日本の民族的信仰が起つて、この意味の信仰が存し國風となり遂には國家の祭祀として現はれる樣になつて、それが延喜式にも記されることゝなつたと思ひます。延喜式の中の祈年祭の祝詞の文を見ると斯ういふことが出て居ります。

山口坐皇神等能前爾曰久飛鳥石村忍坂長谷畝火耳無登御名者
曰氏遠山近山不生立流大木小木乎本末打切氏持參來氏皇御孫
命能瑞能御舍仕奉氏天御陰日御陰登隱座氏四方國乎安國登平
久知食須我故皇御孫命能宇豆乃幣帛乎稱辭竟奉久登宜

これによると山口神といふのは當時いろ〳〵と遠近の山々から大小の木を持ち來り奉つて皇居の建築をする。即ち言ひ換へれば天下を治め、治國平天下の政事を遊ばされる皇居の木材の奉納したのが山口神であるといふのである。又廣瀨大忌祭の祝詞の中にも斯ういふことがあります。

皇神等乃敷座須山口乃自口狹久那多利爾下賜水乎甘水登受而
天下國民乃取作禮留奧都御歲乎惡風荒水爾不相賜

即ち山口の神は山の麓から谷水を流し、麓の人々がよく農業に勵むやうに、雨や風やの災のないやうに豐作を惠んで下さる力をもつて居る神で、而も山神の下される甘水は豐穰と良米のもとゝ考へた。

斯ういふ風に山口の神を考へて居ります。換言すれば水源の神であります、このことはまた大殿祭の祝詞の中にも出て居ります。とにかく山口の神といふものは山嶽崇拜の思想から出たものでありまして、木材利用の道を敎へ、或はまた森林といふものが水源を掌るものであるといふ風なことから、自然に山の神の信仰といふものがいよ〳〵强くなつて來たのであらうと思ふ。かくて神殿を山の口に設けまして、そしていろ〳〵の儀禮を行ふのであつた。この山口の神の存在といふことが自然山の木の濫伐を留めるといふことに間接には非常な働きをなして居るのでありまして、山の木を伐採することは山の神の威靈を犯すといふので、餘程注意をいたし、それ〳〵の祭儀を行ふて後にするのであります。かゝる民族的の信仰、儀禮が國家の祭典となりまして神社として國家でお祀りする、斯ういふことになつたのであります。

かゝる山の信仰を根柢として佛敎の行法が加味せられて、山の行場といふものが開けて參つたのであります。平安朝の初期には行場といふと比叡山、高野山をはじめ愛宕山、鞍馬山、比良山、笠置山、長谷山、葛城山や遠くは白山、筑波山、伯耆大山などが靈山として聞えて居りましたが、中でも一番修驗道の靈地として苦行修練の行者が尊崇いたしましたのがこの吉野山であります。それには云ふまでもなく役の行者の信仰が伴つて居つて、修驗道の根本道場となつたのであります。

一寸申し忘れましたが、吉野山には先に述べた山口の神の外に水分の神、俗に云ふ子守明神が祀られてゐる。これは恰も今日の言葉で云ふ分水嶺にある神で、やはりこれは水を司るのでありますから、農業に關係をもつて居る。即ち水分神は谷水の流れるところの水源を司るのであつて、普通山の頂上に祀られてゐる。延

喜式に依りますと祈雨神祭八十五座の中で、水源風雨の神となつてゐる。これは可なり古い信仰のやうに思はれ吉野山口神と共に注意すべきもので、吉野山が宗敎的靈地として發展する基礎となつてゐると思はれます。

この吉野山に佛寺が營まれたのは然らば何時頃かといふと、これは正しいことは記錄の上からはつきりいたしません。奈良朝にはすでにこの山で佛敎の修業をやつたと傳へらるゝ名僧達も出て居ります。その時分には相當盛んで佛道練行の道場となつてゐたものであります。それに役行者の信仰が結ばれてゐるのは當然であらう。とにかく奈良朝以前の狀態に至りましては、はつきりいたしません。併しこの吉野金峯山は比較的都に近いことでありますから、登山する者が非常に多いのであつたが、平安朝になりますと、眞言、天台兩宗の興隆に伴つて祈禱或は祈願といふやうなことが一層盛んに行はれ、古來の修驗道が天台や眞言に結びつくと共に、吉野山は一段と發展し、平朝初期の諸宗の高僧達、例へば弘法大師や傳敎大師などが登山して修業するやうになりまして、だん〳〵此山は社會的にも知られる樣になつて行きました。

元來修驗道には初めの間儀式などは別に一定したものはなかつたのでありませうが、先に述べた延喜式が出來上つた頃、即ち平安朝のはじめに例の理源大師が長くこの山に修行し、大峯の山上深く入りまして所謂行者園を作り、吉野川の渡しを設けて山上への行者の便を計つてから、次第に宗派的の統一が見える樣になつて來た。尤も吉野金峯山寺は早くから天台宗にも屬してゐたからその所屬の行人も居つたゝと思ふ。宇多天皇の昌泰三年になりまして、天皇が金峯山寺に行幸せられまして金峰山寺に檢校なる寺務職を置かれ、それが山全體を管理することになりました。それから一段と統一がついて來まして山も隆昌となり、苦行修練によつて山の靈氣に接し效驗を現はしたと云ふ功德物語が多くなつて、修驗道に雁行して、吉野山が信仰の對象としての位置を高めた。又延喜の御代日藏上人が二十六年の間この山で苦行をしたといふ記錄も殘つて居るほどであります、いろ〳〵の人が盛んに上るやうになり、巡禮が參籠する風も增して來た。この巡禮者や行者の儀禮といたしましては精進潔齋といふことが行はれる。これは重要な一つの儀禮であつた。

中世に於いて一般に行者のことを精進者と申します。本當のことをいひますと、山に上り行場へ參詣するについての準備行爲を精進すると云ふのでありますが、遂には山に上る行者を精進者といふやうになりました。一體神に奉仕するに穢を忌むといふことは日本の古來からの習俗でありましてこれを濁穢といふ。これを佛敎の方でいひますと齋戒したり、或は葷肉をさけるといふ、佛敎の一つの作法に當るので、この神道、佛敎の二つが合體して精進といふものになつて來たのでありませう。これは非常にむつかしい作法であつたやうであります。平安朝時代では勿論吉野の金峯山寺の行者のみならず初瀨精進であるとか、熊野精進であるとか、澤山出て居りますが、就中この吉野の方は御嶽精進とも云つて最も難行とされてゐたので、この行者を一般にはまた山伏(山臥)ともいふことは御承知の通りであります。

平安朝の末吉野山の旺んな時代にはだん〳〵高貴の方々が參詣

するに伴つて、次々に堂塔が造立せられ、臨時恒例のいろ〳〵の法要、會式が營まれる樣になつた。法華講、懺法會、釋迦會、一切經會とか、藏王堂供養、行者供養などゝ云ふ修驗道に關する儀禮も非常に多くなつて參りました。一方ではだん〳〵土地の寄進などがあつて金峯山寺の經濟も豐かになり、從つて僧侶の數も次第に增して來ました。かくて經濟的の實力に伴ひまして、次第に吉野金峯山も高野山などの僧兵と同じやうに武裝して、所謂山法師が發展して戰爭を始める、やがては吉野法師が多武峯興福寺などゝ爭ひ京都まで侵入するといふことさへが屢々となりました。源平頃の記錄には吉野の惡法師と書かれてあつて非常に有力な團體が出來上つたのであります。鎌倉時代に於きましては更にこれが一層旺んになり、南北朝時代に南朝の最後の根據地即ち吉野朝廷の建設とまでなりました。鎌倉の後足利時代に入つては天台宗寺門派たる園城寺の管轄に大方屬するやうになつたのであります。

吉野山を根據といたしました修驗者、山伏行者はその勢力が熊野方面即ち那智、熊野、新宮の三宮方面にも這入つて修驗の行場としてしまひました。元來那智の宮といふのは熊野の一分祠であるが、那智の瀑布の中に鎭まります神、つまり瀧に對する信仰から起つたので、それが飛瀧權現となつたのは修驗道の影響でありまして本宮や新宮より後の時代に起源があります。全くこれは吉野山の勢力が及んだ結果であらうと思ひます。大體はこの平安朝の頃から鎌倉時代に亘つては大峯山上嶽といふものが中心でありまして、その北の入口が吉野金峯山であり、南の入口が熊野三山といふことになつて居ります。でこの吉野山伏なる行者即ち修驗道と熊野の信仰といふものとは離しては考へることが出來ないのであります。このことは南朝の關係を說明いたします場合にも、吉野朝廷の建設せられたことを考へます上に於ても首肯されることであります。(未完)

學科偏重は有害

入學試驗地獄から救ひ出したい

文部省普通學務局長 小山知一

なぜ改艮を必要とする

まづ最初に、何故學科試驗を改正しなければならなかつたか、その理由についていひたい。

小學校敎育はいふまでもなく國民の全體に對する基礎敎育であつて、その目的とするところは國體觀念に由來する日本精神を體得させ、一旦緩急あれば義勇公に奉ずる忠良なる皇國臣民を育成するに在る。しかるに小學校敎育の現狀を見ると、少數の兒童が上級學校に進學するために、それ以外の大多數の兒童は、少數の兒童の受驗準備のために小學校敎育を受ける上において非常に迷惑を被つてゐる。

また中等學校入學を志願する者も、ひたすらその準備に沒頭して、しらず〳〵の間に心身の發達に惡い影響をおよぼしてゐる。その最大なるものは近視の激增で、ある女學校の近視の七十パーセントは小學校五、六年生の時になつたといふ事實をみても立證される。小學校敎育の全體が歪められるばかりか、近年體位の向上を著るしく妨げてゐることは、將來日滿支を一體とする興亞の大業を荷ふ皇國の少國民として洵に寒心に堪へないのである。

現在の中等學校入學者選拔の方法は昭和二年十一月學科試驗を廢した方法を基本とし、幾度か改正をして今日に至つてゐるが、筆記試問はやむを得ざる場合に行ふ例外として認めてゐたもので、それが現在では少數の府縣を例外として大部分の府縣は筆問の學科考査を行ひ、近年は例外が原則のようになつてゐる實情である。

即ち名稱は入學考査であるが、實質においては昭和二

年の改正以前に行はれてゐた入學試驗と何等變らないのである。學科試驗そのものが本質的に非教育的といふのではないが、むしろ學科試驗は選拔方法としては適當な一つの方法でさへあると思はれるが、今日のように實際問題として準備教育が行はれ、發育途中の兒童の健康に大きな悪影響を與へることになつてみれば、小學校教育の健全な發達のためにも、兒童の體位向上のためにも、何はおいても學科考査を廢するより他に道はないのである。

では、學科試驗に代る考査方法として如何なる方法があるか。準備教育が行はれなければそれで萬事よしといふ譯でなく、従來の考査方法についても十分留意し、さらに將來實施せられる國民學校、中等學校の教育方針についても考慮を拂つて決定せねばならぬので、誠に重大なわけであつて、種々苦慮した結果小學校の報告、中等學校における人物考査、身體檢査の三者を綜合して判定するといふことにしたのである。

情實を心配するなかれ

學科試驗を廢して今回の方法をとると、世間では、小學校の報告に情實がはいりはしないかと心配してゐるがこれは私ども教育關係者としては一番殘念に思はれる。何故なれば小學校教職員は、兒童の教育を父兄から全幅の信頼をもつて託され、またその期待を裏切らぬように教職員は懸命の努力をつゞけてゐるが、それが中等學校の入學者選拔に際して提出する報告書になると全然信用がなくなり、情實がはいりはせぬかと疑はれる。かくの如き考へ方は、小學校の信用を維持するために、全國二十七萬の小學校教職員の名譽にかけて正さなければならない問題であると思ふ。

それで制度として世間が納得のいくように改めねばならぬと考へ、小學校の報告には従來よりも非常な改善を加へ、學業成績に關する學級一覽表のほか、個人調査書を小學校長から志願中等學校へ提出させることゝした。その個人調査書は改正學籍簿の主旨にのつとり、兒童の身體、學業および性行など人物全部全體を察知し得ることからは詳細かつ具體的に記載して、中等學校側の判定に資するようにしてある。たとへば、指導力があるとか内氣であるとか、技能には優れてゐないが數理的方面は優れてゐるといつた風に、巨細にわたつてゐるものである。だからたとへば「自分の子供は勉强は出來るが、口が重く、口頭試問の時にしくじつてしまふ。」などといふ心配は不用である。それにもう一つ公正を期してあることは、この報告書を作成する小學校側も、審査する中等學校側も、ともに校長を中心とする委員會の如きを設けて、一人の專斷に陷らぬようにしてあるので、情實の介入する餘地はないのである。

しかも中等學校の報告書の審査は、各志願者について嚴密に行ひ、一律に小學校間の等差を附するような取扱ひをせぬことにしてゐる。現在においては學校間に色々の關係から學力の點において、多少の差等があることは事實であるが、これを認めると種々不都合が出來るので、一つには差等の矯正を意味して特定の小學校よりの志願者といへども得點に點數を加除しないように警め、それによつて父兄側が小學校の選擇競爭をせぬよう深い注意を拂つてあるのである。

人物考査は口問口答で行ひ、兒童の日常生活において經驗することがらについて、德性に基づく判斷を考査することにした。これについては世間でいろ〳〵意見があるようであるから詳しくお話しすることにしよう。

もと〳〵この人物考査といふのは從來もやつてゐたもので、そのやり方は昭和二年十一月の改正の際「常識、素行、性行の考査」を行ふように指示してあつた。これによると、最初は慣れなかつたせいもあるが、極めて簡單な日常の事項を尋ねてゐたので、これでは果して中等學校に入學させて將來伸びる素質があるかどうかを確めることが出來ないといふこと、その他の事情で昭和四年十一月「常識の考査は小學校の教科に基づき暗記暗誦に流れることなく理解推理の能力を判定し得べき平易なる事項につきこれを行ふこと」と改めたのである。

するとそれが何時の間にか、諸學科にわたる知識を前提とするところの常識に對する準備教育を行ふようになつて來た。それでこんどは兒童が日常生活において一般に經驗する普遍的ことがらについて質問應答をなし、その判斷力を見ることになつた。いふまでもなく、判斷とは全人格の綜合的な働きである。それが德性といふ局面において如何に表現せられたかによつて、人物およびその能力を判定しようといふのであるから、德性に基づく判斷とはいつても、諸學科目にわたる知識が有力な要素となることは當然である。といつて、その物事に關する知識の有無を評價するのではない。兒童が如何なる判斷を下すかを見るのであるから、もし質問されて兒童が知らなければ考査官は其知識を與へてもいゝわけである。

無口を憂ふる必要なし

一年から六年までの國定教科書を見ればわかるが、年齢に應じて判斷力發達の段階が範疇的に認められるのである。だから、口問口答の際兒童の答へる範圍は豫知出來るのでこの豫知し得る解答を、兒童の判斷力發達の段階に照して範疇的に分類すれば、割合簡單に判定することが出來ると思ふのである。それから口問口答だけとなれば、無口な大器晩成型の兒童は損をするだらうとみる向きもあるが、人物考査は單に口問口答だけでなく、身體檢査中においても立居振舞を觀察して不用意に現れた赤裸々の態度や性格および躾を參考にするからこれは杞憂にすぎないことゝ思はれる。

最後に身體檢査であるが、これは疾病、および異常發育、榮養、運動能力につき檢査し特に疾病および異常に重きをおくことにしてゐる。身體に重きをおくとなると世間ではまた、どこといつて惡いところはないが、體は丈夫ではないといふもの、どもり、齲齒、あるひは跛、手が曲つてゐるとかいふものは非常に不利益になるように心配されてゐるが、大體の標準は中等學校の學習全體に妨げとなるか否かによつて決定せられるのであつて、一部に故障があつてたとへば體操の如き科目が出來なくとも中等學校では一部科目の免除が出來ることになつてゐるので、これらの人といへども入學することが絕對に出來ないといふのではない。その點心配の必要はない。

だいたい以上によつて盡きるが、なほ優劣の判定がつきかねる場合は最後の手段として抽籤を行ふことになつてゐる。

最後に尋常五年修了者中優秀なものゝ中學受驗と高等科よりの入學が問題となつてくるが、高等科の方は學科試驗が廢止されるので問題なく、改善案に準據すれば解決出來る。が尋常科五年生はこれまで學科試驗をパスすればよかつたが、改善案によれば中學校令第三十九條第二項によつて中學校で課する六年修了と同程度の學科試驗をパスした上さらに三者綜合判定をパスしなければならないといふ二重試驗になるので、これでは學科試驗廢止の趣旨に副はぬから小學校で適當に指導し五年受驗をなるべく減少させる意向である。

改正の大要は大體以上の通りで、府縣には委員會を組織して十分に研究しこの制度の運用上過ちなきを期してゐる。これからは小學校本來の教育を大いにやつて貰はなければならない。

新婚の婦人へ（一）

木下尚江

我が知る所の若き娘が結婚したので、何か御祝儀を贈らればならないが、偖て適當な品物が無い。錢の要らない、錢で買はれない適當な贈物をと考えた結果、哲人ルウソウの名著エミール（ペインの英抄譯から）の飜譯を思ひ立つた。

ルウソウは此のエミールを書いた爲めに、佛蘭西政府から追放されたと云ふ、然れども彼を追放した佛蘭西王國は瞬く間に滅びて、エミールは二世紀を經た今日、依然として新らしき名作だ。

今ま總論の一章を載す。

（一）

造物者の手から來た時には如何な物でも皆善いが、人間の手に渡つて悉く壞はされてしまふ。人間と云ふ奴は、彼地の物をば此地にも生やし、此の木の果をば彼の木にも實らせやうと無理を爲す。氣候だの、風土だの、時節だの、そんなことには無茶苦茶だ。狗でも、馬でも、奴隷でも、皆な畸形物にしてしまふ。彼奴は何でも顚倒し、破壞する。彼奴の好物は不具と怪物だ。彼奴は何一つ大自然の造つて下さつたまゝには濟ますことが出來ない。人間自身をさへも、乘馬同樣自分の便利に仕込み上げ、庭木同然、自分のお慰になるやうに造り變へれば承知することが出來ない。

草木には培養、人間には教育。——假りに人間と云ふもの、最初から大きく頑丈に生みつけられたとしたら如何だ。身長だの、健康だの云ふことは死んだ後まで氣が着くまい。人は只小兒の運命を氣に掛ける。若し人間が小兒の生長するので無かつたなら、我等は此の人類と云ふものゝ死ぬると云ふことを知らずに居るだらら。

所で我等は弱く生れて來た。從つて健康と云ふことが大切になる。我等は萬事不足に生れて來た。從て他の助力が大切になる。我等は愚鈍に生れて來た。從て智慧が大切になる。此く我等が生れながらに持つて居らずに、成人と共に必要になつて來る所のもの、其れを授げて呉れるのが教育だ。

（二）

此の教育と云ふものを、我等は「夫」と「人」と「物」の中から引つ張り出すのだ。我等の種々な能力や諸々の機關が、内から開發けて來るのは、即ち「天の教育」だ。此の開發の爲めに我等が此の能力機關を活用する、即ち「人の教育」だ。又た我等が周圍の萬事と應援して、日常經驗する蓄積は、皆な是れ「物の教育」だ。斯く我等は皆な此の天と人と物、此の三先生のお世話になつて居るが、三先生の課目が若し離れ〳〵になつて居やうものなら、其の生徒は惡るく教育されて居るので、氣の毒にも遂に調和と云ふものを見ることが出來ない。三拍子揃つて一つ目的に含致して居る時、生徒は己が幸運の道を進み、具足の生涯を辿る。斯くて始めて立派に教育されたと云ふことが出來る。

そこで此の三個の先生の中「物の教育」は幾分我等の自力に動かせるが「天の教育」は、全く手が届かない。只だ「人の教育」だけが眞實我等の領分だ。とは言つたものゝ、是れとてホンの口頭の理窟で、小兒を取り卷く千人萬人の日常の言語行爲を、誰とて番く思ふやうに指圖することの出來るものでない。

されば教育が一たび技術に落ちた時、完全な成功と云ふことは先づ殆ど出來ない相談だ。何故と言つて見たまへ。誰れ一人、其の成功の必要條件を、我が手の中に握つて居るものが無いじやないか。成るべく終局の目的近く推し寄せると云ふのが、人間の精力一杯だ。然かし其れさへも一つは運だ。

では其の終局の目的とは何か。其れは前にも言ふた通り、「天」が示す一物だ。三種の教育の一致と云ふことが、其の成功に必要だとすると、我等人力の届かない其の「天」に、「人」と「物」との二つを差し向ければならぬ。所で此の「天」と云ふ一語、實は意味が少々廣過ぎるので、先づ其れから定めてかゝらればならぬ。

「天」。——つまり「氣習」だよと云ふものがある。「氣習」とは何乎。外來の强迫の爲めに氣習とはなつて居ながらも、決して其の天性を失つて居らないものが、澤山にある。例へば庭師に曲げられた植木のやうなものだ。其の繩を解かれても無理にやられた曲りは其の儘に殘る。然れ共内部の汁液の道は嘗て本來の方向を變へたのでないから、新芽は再び眞直に上を向いて伸びて行く。人間の曲工合も同じものだ。境界が同じい限り、我等は不自然ながらも其の氣習を保存して居るが、其の生涯が變つて見よ。もう直ぐと、其の氣習は消えて天性が出て來る。教育と云ふた所で、要するに一つの氣習だ。世には教育を忘却する人民もある。又能く保有する人民もある。そこで此の相違は何處から起るかと云ふ疑問も出るが、しかし此の天性と云ふ話を、「天然」と一致した氣習と云ふことに制限して說いたなら、此のクダらない疑問に御免蒙むることも出來るだらう。

（三）

我等は感情的に生れたので、生れ早々から此の周圍の萬象の爲めに雜多な影響を受けて居る。我等が物を覺えるやうになつたと思ふと、直ぐ此の知覺と云ふ奴がその知覺を起させる周圍の事物に就て、撰り嫌ひを唆のかす。一番に來るのが、此の周圍と云ふ奴が、我等に好ましいものか如何かと云ふことだ。次に此の周圍と云ふ奴と我等人間との間に一致があるか如何かと云ふこと。最後に來るのは、我等人間が理性で考えた「幸福」だの「完全」だのと云ふ思想で此のあらゆる周圍の事物を判斷することだ。斯うした本性は、人間の感覺が鋭くなり、理性が開けるに連れて愈々

廣く愈々强くなる。が、失張人間の氣習に束縛されて、此本性も自分等の意見と共に多少變つて行く。自分が今ま人間の天性と云ふのは、此の變化の無い以前の本性を指して呼んだのだ。

されば何物も此の人間の原始的本性へ立ち歸られればならぬ。例の三種の教育が別々なものなので、階な原始へ歸すことが出來る。が、斯うした疑問の出ぬでもない即ち若し彼の三教育が互に反對して居たらば如何したもの乎、若し我等人間が自分を目的に教育して居るので無く、他の都合を目的に人を教育しやうとする場合には如何なるもの乎。斯うした時には、三種の一致は出來ないことになる。天然に反對するか、其れとも此の社會に反對するかと責めつけられる場合、我等は「人」になるか、「公民」になるか、何れか一つに決めればならぬ。同時に二個の人間には成れないから仕方が無い。

抑も「天然の人」と云ふものは、一人で完全具足なのだ。數學風に言ふと、彼は直に單位で全體だ。所が「文明人」になると、只だ分母の上に立つ分數的單位で、社會的組織と云ふ「全體」と關係する點でのみ、僅に人間の價値が認められて居る。人間を不自然に造る最良の器械が即ち善良なる社會制度と云ふものだ。斯くて人間は其の絕對的存在を奪はれて、關係的の「一員」と云ふものを與へられ、「我」と云ふものをば、公共的單位の中に埋沒されて、最早再び自分を單位の一個と考えることが出來ない身分にされてしまつた。

（四）

自分は「何か」である。自分と云ふ一物がある。常住永在の一物であると云ふのには、我等是非とも口で喋べるやうに實行しなければならない。我等は道を定めればならぬ。大膽に行かればならぬ。終局まで進まればならぬ。予は切に一個の怪物が現はれ出でゝ、「人」で行くか「公民」で行くか、それとも此の兩者を一身に兼れて踊れるものなら、其の手際を見せて吳れるのを待つ。斯く「人」と「公民」とは、如何しても矛盾する所から、違つた性質の二樣の教育制度が出て來る。一は公共的及び共通的。一は私人的及び家族的。君もし公共的教育の理想を得たいと思ふなら、プラトーの「共和國」を讀みたまへ。世間は其の標題を見て、政治學の書物に思ふらしいが、實は人間が書いた中での最上等の教育書だ。

「空想世界」の話になると、誰でも直ぐプラートの教育法案を持ち出すが、しかし若しライカルガスに立案をさせたものなら、彼は更に幾倍の空想を考へ出したに相違ない。プラトーの事業は人の心を清淨にすると云ふ所に止まつて居たが、ライカルガスの方は、不自然なものに造り上げた。

公共的教育制度と云ふ殊更めいたものは、最早何處にもない。存在するに及ばない。何故と言つて見たまへ。何れの國家を拜見しても、皆なモウ「公民」ならでは夜が明けぬと云ふ御目出度揃ひだ。「國家」「公民」此の二つの語は、近世の字書から消して仕舞つても差支ない。是れにはチャンとした理窟もあるんだが、今ま本文に緣遠いからお預りにして置く。

（五）

「學校」は如何かと言ふかも知れぬが、此の奇妙な建物を「公

共的教育制度」と呼ぶことは御免だ。（尤も現今の無數の學校特に巴里の大學校には、予の愛慕し尊敬する多數の教授先生が居る。若し彼等が「御規則」で虐めつけさへしながらうものなら成程立派に青年等を仕立て上げることも出來やう、予は現に或る教授に向て其の大學改革案を發表することを奬めて見た。我等は必ずしも永遠に救濟の途が無いと言ふわけでは無い。）予は又今の世界の教育と云ふものも、教育制度の勘定に入れたくない。何故と云ふに、今の教育と云ふ奴は、二種の反對の目的を求めて、何方へも到着させて吳れないからだ。つまり今の教育は一寸見れば他の爲めに一切を犧牲にするらしくて、實は自分等の都合ばかりを計る兩面の怪物を造るだけのものだ。是れが所謂「當世」なので、誰を惡いと云ふでも無いが、可惜無駄骨を折つたものだ。

（六）

殘つたものは家族的教育、一名天然教育だ。專ら自身を目的に教育された人間に對して、我等は何とする乎。若し前に言ふた「人」と「公民」の兩面の目的が、鬪らずも其の矛盾を打ち越して一個人の身上に成就されたら如何だ。それこそ人類の幸福に取つて、一大障碍が拂ひ除けられたと言ふものだ。斯うした人物の概念を描くには、彼を其の完全の狀態に於て見、其の性向を察し、其の進步を見、其の發達の順序を尋ねなければならぬ。即ち「天然の人」の云ふものを理解することが必要だ。

然らば、如何したらば斯樣な稀有な人物を作ることが出來る乎。無論道は種々あるが、何よりも肝腎は、外から何も爲せないことだ。我等が船を遣る場合、順風ならば帆を張れば、それで可い。けれど海荒れ浪高くて、泊りたいと思ふ時は、錨を投げる外に仕方はあるまい。しつかりして吳れ、水先案內の若衆達。錨鎖を緩ますな。錨を曳きづらすな。錨を曳きづらすな。船を岸へ打ちあてゝ仰天するやうな平間な眞似をして吳れるな。

（七）

此の社會生活には、萬人一定の身分があるので、皆な身分相應の教育を受けることになつて居る。で若し誰にせよ、其の身分に應じた訓練を受けたものが、其の位地から突き放されやうものなら、最早何方を向いても不用の人物だ。教育が役に立つのは、只だ財產が親讓りの家業に連れ添ふ間だけである。其他は、偏頗心を注ぎ込むと云ふことだけでも、教育と云ふ奴、青年に取つて無用有害だ。埃及のやうに、息子は是非とも父の家業を承け繼がればならぬ國柄では教育もマアマア趣意が立つて居た。が、御同樣の如き、階級だけは親讓りでも、家業は隨意と言ふ世の中では、現在の身分に息子を教育してやることが、果して息子の利益になるやら、ならぬやら、疑はしい。

物の天然の秩序から言へば萬人平等で、我等が共通の職分とも言ふべきものは、「人」と云ふことだ。「人」と云ふことで訓練された學生なら、軍隊へ行かうが、寺へ行かうが、裁判官にならうが、何商賣に打突かつたからとて必ず甘く演れる筈だ。天は親の商賣などには見向きもせずに、直に「人生の本務」で我等をお召しなさる。生きると云ふこと、予は只だ我が學生に是れを教授すれば可い。我が手を去り行く時、彼は官吏でも、兵卒でも、坊主でも何でも無い。何よりも大切なことは、彼が「人」であること

だ。他人の爲す位の事は、其場になれば彼とも出來る。外來の力の爲めに彼は動搖されない。彼はいつでも彼だ。

（八）

我等は人生の行路に就て眞面目に考へればならぬが、予の見る所では、幸運につけ非運につけ、立派に堪え得る道を知つて居る人が、即ち立派に教育された人らしい。從て眞正の教育は、理窟よりも、實行と云ふことになる。我等の訓練は生活を始めた時に始まるのだ。我等の教育は生れ落ると一所に始まるのだ。我等に取て最初の先生は乳房を含めて吳れた人だ。

されば我等が我が生徒を見るにつけても、先づ廣く眼を一般の社會に放ち、世の風波に揉まれた人の身の上を思はればならぬ。若し人間と云ふものが、生れ故鄕を離れることなく、年中氣候に變化なく、身代の榮枯盛衰も無いと決つて居るものなら、成程當節流行の教育法で宜ろしいかも知れぬ。金滿家の息子が身分相當贅澤に教育された所で、其の財產からさへ離されないものならば別に憂き目を見ると云ふ恐れも無いだらう。所が、一たび此「人の世」と云ふ奴の無常迅速特に一代に一度は必ず根本から秩序を覆へさでは置かぬと云ふ此の不安至極な近世的革命精神を見た以上、どうも荒い風には當てない若樣流の教育を、後生大事に守るわけにもなるまいじや無いか。斯うした氣の毒な若樣が、若し一脚土べたへ出やうとか、階子を降りやうとかする時は、直ぐ失敗だ。是れでは艱難に堪えることを教へるではなく、あへこべに艱難を酷く感じさせるやうに育てると云ふものだ。

兎角我等は小兒を保護しやうとばかり考えて居る。が、是れだけでは未だ不充分と云ふものだ。小兒が、一人前の人になつた時に、我が手で自ら保護することが出來るやうに教育しなければならぬ。即ち運命の打擊に耐えるやうに。富貴にも貧賤にも敗けないやうに。北極の深い雪の中にも、赤道の燒ける石の上にも、いざと云ふ時には平氣に安眠ることの出來らやうに教育して遣られればならぬ。君等は兎角小兒の死ぬることに就て、クヨ〳〵氣を揉むが、其れは無用だ。何故と言つて見たまへ。何の道一度は死なればならぬ身じやないか。よしんば君等が氣を揉んだ爲めに小兒が死んだのでないから、其んな心配は馬鹿な話だ。死なないやうにと苦勞するよりも、生きて行く道を教へて遣る方が、多少利益になるだらう。生きると云ふのは、呼吸すると云ふことではなく働くと云ふことだ。我等心身の諸機關、諸官能、諸能力、即ち我等の生存を自覺させて吳れる天然の各要素を活用することだ。多く生きたと云ふことは、長く生きた人のことでは無く、生命と云ふものに就て、最も銳敏な知覺を有つことの出來た人のことだ。世には百歲の長壽を保つたと云はれる人で、實は生れて直ぐ死んだも同然の無意味の人間が多い、こんな連中は、寧ろ眞實生きて居るわいと思つた青春時代に墓場へ行げば可かつたと云ふものだ。

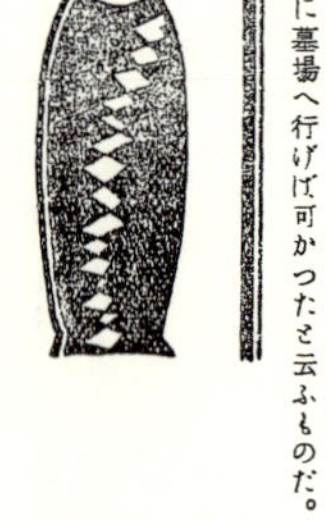

胚芽米知らぬ職業婦人
婦人に多い食べ物の好き嫌ひ

食物の好き嫌ひがはげしいのは子供ばかりでなく、結婚適齢期の婦人にも此の傾向が相當濃厚に認められますこれはやがて母性となり健康な赤ちやんを産まねばならぬ非常時下の婦人として考へねばならぬ問題です。十三歳以上四十七歳までの婦人二百名を都會の高女卒、職業婦人、農山村婦人、炊事婦などに分け個人別に六十種類に亘る日常食物(主食、副食物)について好き嫌ひを報告させたところ、次のやうな興味ある嗜好傾向があらはれました。好き嫌ひがはげしいのは、自分の働いた金で好きなものが食べられる上に、食品種類の多い都會の職業婦人が筆頭で、この食品のうち何でも食べられるといふのは五十八人のうち廿人、次が農山村婦人でこれは百十九名のうち六十五人、炊事婦は年をとつてゐるせゐか廿三人のうち十八人。女學校を出て相當榮養常識をもつてゐる筈の職業婦人のうち、半數以上卅一人が榮養のある七分搗米を食べたことさへなく、更に胚芽米さへ食べたことのない人が十一人もあるのは寒心にたへません。一方農山村婦人も榮養食品に對しては嫌ひなものが多く、納豆、もやし、豆乳などは殊更食べず面白いのは山間の婦人が刺身、川魚など魚肉類を嫌ふ傾向です。大別して職業婦人はあつさりしたものを好み、油つこいものゝ外くわゐ、川魚、人參、馬肉を嫌ひ、農山村婦人は辛子のきいたものや、鹽からいもの、トマト、酢のものなどを好みません。これは勞働の關係で農村婦人は疲勞がはげしく、自然と辛いものより甘いものを好むといふワケですがそれにしても好き嫌ひの報告書にあげられた食物の選び方をみますると、榮養價の平衡がとれずにどちらかにかたよつて、脂肪とビタミンA、澱粉とビタミンBとの榮養的關係のない食物をとり、ビタミンABCDを交互にとるといふ榮養上の常識を全然無視したものが多いのは遺憾です。偏食の害は新陳代謝にあたつて種々な中間的産物を身體の中に殘し、これがたまつて毒素となり脚氣や神經痛といふ根強い病氣になるばかりでなく、ビタミンの缺乏が夜盲や皮膚病、脱毛などの原因になることを特に注意し、母となる體力を增進するため好き嫌ひの傾向を各自矯正する必要があると思ひます。なほ年齢的にみると好き嫌ひのはげしいのは廿歳前後、全然食べられぬといふ食物が六種類にもなりますが、十九歳以下と廿四、五歳以上は半減し、卅七歳以上になるとほとんど嫌ひなものがなくなるといふ傾向がこの報告書にあらはれた特徴です。(東京府衞生課技師　桑原丙午生氏)

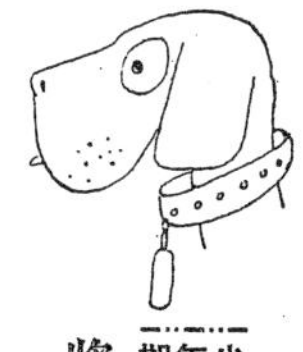

少年期の偏つた運動は將來、發育を停める

『學科試驗が全廢になつたのはよいとして、體格檢査があまり嚴重になつたのでは……』こんどの中等學校の改正選拔法に對する世の父兄の心配はこゝにあるやうです。すなはち病氣や異常の有無、榮養の良否をみる身體檢査が、やかましくなるのは當然としても、跳んだり投げたり走つたりなどの運動能力までをテストされるのでは、これまでの學術に代つてこの種の準備教育が大きな弊害として現れて來るのではないかといふのです。文部當局でも同じやうな懸念を抱いてをり近く限度を全國中等學校に指示するさうです。以下は早くもその兆がみえる學童の體力テスト準備教育にたいする警告として、スポーツ醫事の權威東俊郎博士のお話です。

どんな方法で學童の運動能力を試驗するつもりなのか判りませんが、もし運動の基本的形式である跳、投、走懸垂などについて一々テストするのでしたら、よほどその規準を低くしないと弊害が現はれませう。ご存じの厚生省がこんど制定した體力章檢定は、むろん小學兒童にたいするものではありませんが、標準が少し高すぎます。より高い體力の創造をめざしたものですから、あれは一應結構ですが、中等學校入學の際の體力テスト法が厚生省の體力章檢定に準じてつくられたのでは、テストされる學童はたまつたものでありません。不具者でない限り誰でもできる程度の、平均よりぐつと規準をさげたものでありたいのです。小學生の誰もが運動選手になる譯ではなく、たゞ五ヶ年間の修學に堪へられるかどうかの點をみれば十分なのですから、テストはできるだけやさしくてよい筈です。それにまだ小學時代は鍛錬の時代でなく適當な刺戟のもとに偏らぬ運動をするだけで、十七八歳以後の青年期の發育に好結果を齎らすのです。餘り早くから百米を何秒以内に走る……といふ風に競爭的に無理にやらせると心臓肥大症のやうな障害を招くだけでなく、却つて將來の發育がとまつてしまひます。小學校時代はできるだけ自由に遊ばせる程度の運動で十分なのです。この點を小、中學校當局、及び父兄が心得られて、決して莫迦げた體力テストなどに學童を驅りたてないやうに望みます。

成育に最も必要な鰯の"榮養"を攝りませう

鰯の産額は日本が世界でも有數です、内地と朝鮮とで一年に約二百七十萬トンとれますが、こんなにとれる國は世界でもほかにありません、それも南は台灣から北は樺太、西は朝鮮その間いたるところでとれます、鰯の種類にはマイワシ、シコイワシ、ウルメイワシの三つありますが最も多いのはマイワシです、榮養價の多いものでシスチン、リジン、ヒスチジン、アルギニンなどの成分があり、殊に動物の成長に必要なリジンが一四・九七も蛋白質中に存在してゐます、また内藏中にはビタミンが多く殊にB2があり、頭にはCがあるといはれ、ヨードも豐富です

肥料としてはメ粕、干鰯に利用されるほか食料品として、素乾、煮干その他に利用されてゐます、素乾といふのは生鰯をそのまゝ乾燥したもので田作がこれです、またたゝみ鰯も素乾の一つで、鰯の子を乾したものです、煮干は出汁をとるのが目的で生鰯をお湯で煮て一部の脂肪をとり乾燥したものですが、頭も腸も骨も全體が利用出來、近頃では之を粉末にして賣られてゐます市場などの煮干には油燒けがして臭みがあり、また油が酸化して黄色くなつたものは好ましくありません、全體が油燒けのない表面が銀光りして見事なものをお買ひなさい。

最近燒乾が出てゐますが出汁をとるためにはこれが一番よく出ます、生鰯を串にさして火のまはりに立てゝ燒いたものですがどういふものか都會での需要が少く、東北方面で多く需要されてゐます。

東京では知らないのではないかと思はれます、煮干は味がうすく、油燒けもひどいがこの方は出汁もよく出て安くてうまい、このほかに鰮節がありますが、これは大羽鰯といつて六寸以上の大きなものを煮て干したものにカビをつけ油を除いたもので、値段は高く、近ごろ削り節といつて賣つてるのは皆煮干を削つたものか或はこの鰯節を削つたものです。

水産試驗場では安くてうまいものをといふ目的から鰯のエキスをつくりましたが味がよく、煮干などより安く賣ることが出來ればと研究中です、鰯の肉についても目下實驗中です、それは油燒けしないやうに、これには酸化しないやうにしたもので、これに關鰯といふ名をつけましたが、今のところでは値段が高くつくので今度は肥料にするメ粕を利用して造る事にしてゐます、いづれにしても一種の生臭さがありますが水から味噌汁に入れて沸騰させるといやな臭ひがなくなりますが、味噌汁を沸騰させてそこへ入れたのでは生臭さがとれません

全購聯では農村向として鰯の貯藏を奬勵してゐますが、都會向としてはミリン干でせう、これは頭をとり骨を一部とつて食べられるやうになつてゐるのですが、最近では燻製が市中へ出てゐます、外人は燻製の匂ひで食慾が出るといはれます、日本人がうなぎの蒲燒の匂ひで食慾が喚起されるのと同じで、老人が食べると元氣が出るといはれます、刺戟性のものが燻製にはある爲ですが鰯の燻製は日本では一般に知られてゐません、鰯の油漬も外人間では相當利用されます、巴里の女はオリーブ油を食べるために艶がよいといはれます、また將來性のあるのは酢漬です、骨がやはらかになつてうまく食べられる、お正月に使用する酢漬はコノシロが主ですが鰯もおいしい、殊に卯の花の酢漬は高級で榮養からもよい。

鰯の油は脂肪酸の構造上から毒があるといふことをいはれ、またそれは事實のやうですが、用ひ方によればさういふ事がなくてすむのではないが、例へば生鰯を食べるとき一向あの油は苦になりませんが、さういふ新鮮な油をとつて利用するのです、それも揚げ物など反覆使用するものは酸化するので一度しか利用しない、鰯は産額も魚の總漁獲の五割以上に達し食料として非常に需要で、もつと現在以上にこれを生かして用ひることが必要です(慶應食養研究會にて水産試驗所技師木村金太郎氏談)

生めよ殖やせよ地に充てよ(一)

木下尚江

(一)

花散つて果熟し、雪の下に春の䓫は含まれる。美くしい哉、自然の愛。

何を見ても生々たる神の力の顯現だ。若し無理に精の精、粋の粋とは何かと穿鑿するならば、我等は無論躊躇なく『人間の生殖』と答へる。人間の生殖――我等は實に此の摩訶不思議な莊嚴の事實の上に、神の愛の最も麗はしき姿を拜む。

『生殖器崇拜』を言ふものがあるならば、我等は必ず唇邊に冷やかなる輕き笑を寄せて、『野蠻人の遺迹』と嘲り去る。然れども我等の祖先が拜むだ信仰の内容と、今の我等が輕蔑する知識の意味との間には、千萬里の距離が横はつて、殆ど絶縁無交渉の狀態だ。祖先が拜んだのは『生殖器』だ。而して我等が赤面するのは『淫具』である。我等は先づ此の淫心を離れて考へるでなければ到底我が祖先、即ち我等が輕蔑する蠻人の心に宿つた宗教藝術道德の、莊嚴雄美なる大觀を理解することは出來ない。

(二)

我等の祖先は極めて崇高なる讃歎の心を以て、此の生殖てふ妙智力に、神の容姿を見ることが出來た。此の讃歎の心が、やがて露はれて詩歌となり物語となりて我等の耳にまで傳はつて居る。我等の祖先は見るもの聞くもの、其の凡て觸るゝものゝ上に神の愛と力とを認識し、且つ全心を擧げて其れを讃歎した。日月の出沒、風雲の來往――一切の現象、之を俯仰する時、彼等は夢にも威嚴と慈悲との主なる神の懷裡を忘れることが出來なかつた。一切の作用が生殖だ。而して其の最も精微な作用が

最も近く我が身の中に行はれる。彼等は威嚴と慈悲との主なる神を崇め、之を拜み、之を讃美祈願する象表として、生殖器を見た。彼等は神の力の靈動として生殖作用を歎美した。如何にして此の歎美の切情を言ひ現はすべき乎。日月星辰風雨雲雷、卽ち外なる活動を假り來つて內な情緒を景容した。彼等は神を歎美するが爲めに戀を歌つた。自然界を攝め來つて我が强然な戀を歌つた。

（三）

一歩都會を離れて田舍路を行くならば、男女相擁いた石の彫刻が、必ず村の入口の草叢の中に立つて居る。然れども此の小いさな道祖神の石像が、實に我等が祖先の崇高偉大なる詩歌の名殘であることは、今日殆ど誰も思はない。予は幼年の頃、正月十四日の夜、町にも村にも道祖神の祭禮と云ふものゝ擧行されるのを見た。其の晩には、柳の枝に白い團子を挿したのを携えて參詣することになつて居たので、予も柳を擔いで、人の肩に負はれて、雪の積もつた山國の寒い風の中を毎年行つた。本尊として正面に飾つてあるのは木造の大きな陽具であつたが、其の中に警察が八釜しくなつたと云ふので、撤去されてしまつた。『風俗壞亂』とでも言ふのであつたらう。此の外に陽具陰具を祭つた神社は到る所に必ず有る。斯かる遺物を評して、我等は曾て『古代の人間は實に婬卑猥褻なものであつた』と冷笑した。今も矢張冷笑して居る。放逸無殘の輩を指して、我等は『禽獸のやうな男だ』と惡口する。然れども此の如き無知無學は何處にも無い。猫を見よ、犬を見よ。凡そ我等人間のやうな濫淫亂行な奴が何處に在る乎。螢を見よ。蛬を聽け。時來れば死骸も見せずに逝つてしまふが、去年生みつけて置いた卵は今年孵化して、前の野川に再び光を見せて吳れ、裏の草叢に再び歌を聞かして吳れる。彼等は決して生殖の道を過たない。顧みて人間を見よ。我等は唯だ淫慾に鞭れて走る。生殖は我等人間に取つて實に偶然の出來事となつてしまつた。

今日の我等に取つて生殖は實に偶然の出來事だ。されば此の墮落した時代の智者の言ふ所を聽け。彼等は意氣昂然として生殖を呪咀ふて居る。此の墮落時代に於ける最も賢明なる新しき婦人は、先づ結婚を厭ふ。結婚を厭ふのは異性を厭ふのではない。實に一人の男に束縛せられるのを厭ふのだ。故に彼等は生殖を厭ふ。子を產むことを厭ふ。子を育てることを厭ふ。彼等の乳房は最早兒に含ませる爲めの神の器ではなくして、浮れ男を誘ふ爲めの惡魔の道具となり果てた。

然らば此の如き墮落は何處から來た乎。神を離れた爲めである。魚が水を離れた如くに、神の愛を離れた爲め

である。

（四）

我等は曾て祖先の時代に於て、女性の象表として日輪を拜んだ。男性の象表として月を拜んだ。下つて尙ほ鏡を以て女性を象り、劔を以て男性を表はした。古い鎭守の神體を披いて見れば一目瞭然だ。男女兩性の差別は、神に於て一體平等である。此の單一にして具足、幽去にして明晰なる信念の消息の、やがて溢れて洩れたるもの是れ等々が祖先の宗教で、詩歌で、また道德だ。

地上に散在する諸民族諸國民が傳說する凡ての世界鬪說は、皆な『生殖の詩』だ。偉大なる詩歌は敬虔なる信念から來る。源泉限なし、故に長流盡きず。

一たび神を離れて、歷史は常闇の幕に掩はれた。進化作用は人の生命を切斷して愈々益々取纒めの付かないものにして仕舞つた。試に君等の鎭守の御神體を聞いて見たまへ。すると神官は當社は何々尊を祭つたものだとか何々姫を祭つたものだと說明して吳れる。然らば其の何々尊や何々姫とは何物かと段々に質問して見たまへ、遂に水泡同樣になつて消えてしまふ。其の所謂何の尊とか何の姫とか言ふのは、我等の祖先が曾て崇高なる詩魂に依つて人格化した『性』の靈だ。此の大根本を忘却した我等は、淺薄にも歷史的人物として之を解釋し、我等の祖先が心血を濺いで讃美した神の歌をば、歷史物語として附會しやうと骨を折る。其の一方に於て祖先が嚴肅壯美の苦心の創作『生殖の崇拜』は、轉々して遂に賣淫窟の手に落ちた。我等の墮落加減を自覺せよ。生殖と淫慾とが炭と雪似ても似つかぬものだと云ふことは、今や殆ど理解されないまでに亂れ果てた。

見よ、何時の世にも、此の淫蕩を認めて人生自然の狀態であると强辯する不道德な賢人が現はれると共に、此の生殖をまで併せ厭ふて禁慾の嚴律を誇稱する無智な聖者が出て來るのだ。『厭世禁慾』、是れは聖者でも無ければ道人でも無い。矢張淫慾に打ち負けた滑稽な捕虜である。

（五）

耶蘇敎の聖書は、舊約新約を一貫して實に能く書いてある。アダムは淫慾に誘はれて神を離れた。人の世は化して永久の地獄となつた。地に天國を再建する爲めに基督は來た。洗禮のヨハネは森嚴な禁慾者であつた。彼の豫言を聽いて、猶太の民は上下皆救世の王者を待ち望んだ。救世主は來た。然れども人は皆な其の豫想と甚しく相違する爲めに疑惑した。ヨハネ自身すら實に之を疑惑した。信じたものは歌つて曰く『彼は淫慾より來りて人に非ず。彼は處女の胎に宿れる神の子なり』

神を離れた瞬間、直に化して淫祠邪敎となる。

（六）

今ま日本では伊勢の兩宮を歷史上の神樣にして置くやうだが、溯つて考へて見ると、祖先等の信仰は餘程複雜豐富な內容のものであつた。日露戰爭後、伊勢參宮と云ふことが又た新らしい流行となりかけた。此際古人の信仰狀態を伺つて見るのも、多少の興味があるだらう。南北朝頃の人の手になつた參詣の日記を讀んで見る。

康永（北朝光明院）元年十月十日あまりの頃、太神宮參詣の志ありて、伊勢國安濃津と申す所に着きて侍りしほどに、故鄕にて聊見はべりし人の留め申しゝかは旅の心をも助けむとて、兩三日逗留しはべりぬ。この津は江めぐり、浦遙にして往來の船人の月に漕ぐ聲、旅泊の曉の枕に聞えて、あらき浪風の音しのびがたく侍りしかば、

風寒き磯やの枕夢さめて、よそなる波に濡るゝ袖哉

安濃津を出で、阿漕が浦を過ぎ行くほどに、鹽屋の烟心細くて、うはの空に旅立つ思をそへ、友なし千鳥の鳴きまよふ聲を聞きては、跡もさだめぬ身のたぐひはありけりと思ひしる。水上より時雨くだる。雲出川のはやき浪をしのぎ、小野の古江渡りなど申各所を過行くにも、あはれ都の人と共に見てゆかましかば、知らぬ道も物憂からじと思ひ出で、松風いと寒き三渡の濱にも着きぬ。はるかなる入海に向ひゐて、旅行の人のやすらふに事問へば、遠き道を回ぐらじとて、汐の干る間を待ち侍るなりと答へしかば、時うつる程かしこに休み侍りて、心に浮むことを口にまかせて申すてぬ。

渡口無船憩樹陰。漁村烟暗日沈々。寒潮歸去途程近。又有松濤驚客心。

櫛田川祓殿をも過ぎて行くほどに、世中みだりがはしくなりしより、國のみなみは、あらぬ處のやうに荒れはてゝ、竹の林、杜の木がくれのにぎはひたるも、近き見れば人屋もなし。すゝき苅萱の絕え間にかりはねおほきはりみちあり。おのづから逢ふ人に問へば、是れなむあらを田の成れる果よと答ふるを聞くにいとゞ變れる世の有樣も悲しくて、齋宮にまゐりぬ。いにしへの築地の跡と覺えて草木の高きところ〳〵あり。鳥居は倒れて朽のこりたる柱の、道に橫れるを、人にだにもかくも知らせずばたゞ伏木とのみぞ見て過ぎなまし。齋宮と申すは絕えて久しき跡なりしを、近頃再興あるべしとて、花やかなる風情なとありしかども、芳野山の櫻、常なき風にさそはれ、嵯峨野の原の女郞花、あだなる露にしほれしかば、野宮の名のみ殘りて、齋宮の御下りにも及ばず

神慮のうけおぼしめさぬ政なりけりとは、此時こそ思ひ合せて侍りしが、是は近き程の事なり。昔は又神のいかきを越えし葛の葉に、かりなる露の契を結びしとも侍りけるとかやうけ給れども、今は通路も見えず置きかさねたる霜の下に枯葉の淺茅の僅に殘るばかりにて、何れの草こそ秋の花のかをりよかりし名殘よとだにも見えず、眠てか醒めてかとすさび給ひける其夜の夢も、雲となり雨となりて今は無し。昔しは古き夢今は新しき夢なり。

宮川を渡りて、は山しげ山の蔭の至りて見れば、このもかのもの里道に開きてまことに一と都なり。爰を山田の原と申せば、げにも杉のむら立奧深げなり。是は則外宮也。三寶院と申す增坊に宿うちかりて、連歌の物語など侍りし所に、祠官長官聞き及びて、都の傳も聞かまほしげに侍などさそう人のありしかば、彼宿所へ行きぬ。長官對面して、花のもとのたゝすまひなど尋ねはべりしがとも、不堪の身なれば詳に申のべたる事もなし。神代の昔、垂迹の今を尋ね申す詞の下に、記錄ひらかずして答へ侍しかば、年頃の不審は雲霞の風に散ずるが如し。此人を見るに、霜の眉雪の鬢額氣時にあひ、心の水、ことばの泉、辯舌むかしを浮ぶ。まことに太神宮の祠官なりと、有がたく覺え侍りしかば、終夜の閑談を忘れぬさきにとて、草案にも及ばず筆にまかせて是を記す。

抑內宮御鎭座は垂仁天皇の御宇也。外宮御垂迹は雄略天皇の御世也。數百歲の前後なりといへ共、參詣の次第によりて先外宮御垂跡の事を記す。當宮をば天照豐受大神と申す。卽ち月神なり。これにつきて神書の說これ多し。暫日本紀をひき見るに、伊弉諾伊弉冊尊、日神をうみ月神をうみ給ひて天の原におくりあげ給へり。この日神月神は內外兩宮なりと云々。是は世の常の說なり。一書曰、外宮の月神にてましますことは仔細なし、但伊弉諾伊弉冊尊のうみ給へる月神にはあらず、國常立尊なり。天神七代は水氣を始として月神の號あり。地神五代は火德をつかさどりて日神の御名まします。萬物は陰陽を父母として水火交會のことはりあり、是まことに兩宮眞實のならひなり。參宮の道すがら更に人間とは覺えず、あらぬ境に生れかはれる心あり。古松老檜の年を經たる、陰森々として物寂しく瑞花異草の霜に殘れる、よそほひ茸々としていと哀れなり。鳥居は冠木も反らず、正直のものを照し給ふ本誓を表す。瑞垣には丹朱をも塗らず。御殿には檜皮をもふかず。萱の軒端しどろに苔むして、茅茨きらさりける昔を思ひ出づ。これは是國のわづらひ民の費を

あはれび給ふ故なり。
——さても當宮御垂跡の始を尋ぬれば、雄略天皇の御宇、天照大神大佐々命に勅りし給ひて、天照豐受大神を我國へ移し奉れと示し給ひしかば、命神託の越を奏聞し給ひし程に、帝かの命を丹波國へ下向せしめて、神明を伊勢國へうつし奉れと勅諚ありしかば、卽ち丹波國與謝郡比沼の魚井の原にくだり給て、御遷幸をなし奉り給ひけり。——むかし丹波國ある川邊に天女八人降りて水をあびて遊びけり。一人の老翁これを見て數多の天女の中にひとり衣を取り隱す。天女これに騷ぎて皆飛りぬ。衣を隱されたる天女歎きて衣を乞ふ。翁の云く我に子なし、願くば此國に留りて我子になり給へとて、更に衣を返へさず。天女力及ばで、翁が子となりぬ。養父が家の貧しきことを憐みて、酒を造りて賣るに、此酒を一椀を服すれば百病悉くいゆ。是によりてもろ〱の實を馬車につみておくる程に、富貴の家となりにけり。其後翁、天女を厭ふ心ありければ翁に向ひて其心を問ひ給ふ程に、翁かくれなく申ければ、天女これを恨みて天上に上らんとすれば 天の羽衣に別れて飛行の德を失ひ、下界に住まむとすれば養育の翁にいとはれて起居の處なし。常に蒼天を仰げども、伴ひし乙女は見えず。泣く〱白屋に伏せども憐む人稀なり。昔をしのび今を悲みてよみ給ひける。

天の原振りさき見れば霞たち、家路まよひて行方知らずも。

この天女は神明御遷座の時、御供申して、丹波國より當國へ移りたまへり。天女の泣き居たりける處を奈久郡云々。

忍穗井水——この水は昔し天村雲命、下界の水は不熟也 天上の水をくださむとて、天原に上り給ひて牛漢の水を汲みて瑪瑙の鉢にいれながら外宮に留め置き給ふ。かの水にて神供の御膳を炊ぐに、汲めども盡きず汲まねども餘らず。是第一の奇特なり。天村雲命と申すは、天照大神天降り給ひし時、三十二神御供し給ひたりし其中の一神なり。祠官渡會氏の祖神云々。當宮には巫女なし。子良とて幼稚の乙女の未だ夫婦のわざも知らぬが御膳をそなふる器用にて召つかはるゝばかりなり、神慮にかなひぬれば、一二三十までも月事なし。冥鑒にそむきぬれば、十一二より障はる。障れば則ち職を辭す。大宮の巽に御池を隔て高き山にましますに、高の宮と申す。當宮に祈り申すことをば先づ此の御神に申せば、この御神また太神宮に奏し給ふと云へり。直奏せざる神事諸社に此例なし。又當宮の後ろの山に希代の岩崛あり。諸神こゝに集り仙客常に來る

と申傳へたり。岩屋の數は四十八と云へり。唯今まで人の居たるとおぼえて石面のあたゝかなる處もあり。又世の常ならぬ翁の人に行逢ふ時もあり。——月讀の宮に參りて拜すれば、森の朽葉跡をかくして、庭の冬草壘をなせり。

山田より內宮に參る道すがら、賤しき筆のはしにて述べ難し。或は水烟山を浮べて影を垂涙に倒まにせる處もあり。或は雲氣道を埋めて、峯を千領にかくす處もあり。既に宇治の里に到りぬれば、都に近き其名もなつかしく、外宮よりは巽にあたれる處なれば、爰にも庵を結びてしが住む人やあるらんと覺ゆる山陰なり。檜原がくれの木深き陰を遙に分けて入る程に、道は人烟を離れて忽に有漏の境を遁れぬるかとおぼえ、山仙雲に隣て既に無何の里に至れるかと疑ふ。二の鳥居の內まで參りて拜するに、山下松暗くして百枝の梢は何れともわきまへ難く、宮中の杉いよやかにして、千木の片そぎも定かには拜れ給はず。倩この身の有樣を案ずるに十惡心に在り。故に長く佛意にそむく恥を抱き一衣肩にかゝれり。故に今ま神道に遠き恨を殘す。就中當宮參詣の深き習は、念珠をもとらず。幣帛をも捧げずして、心に祈る所なきを內淸淨と云ふ。潮をかき水をあびて、身にけがれたる處なきを外淸淨と云へり。內外淸淨になりぬれば、神の心と吾心と隔なし。既に神明に同じ。然らば何を望んでか祈請の心あるべきや。これ眞實の參宮なりとうけ給はりし程に、渇仰の涙とゞめ難し。抑內宮の御體は神鏡なり。天上にて八百萬の神達の鑄たてまつり給ひける御鏡なり。

一書いはく、天照大神天岩戶にとぢこもらせ給し時、天下常闇になりにけり。此の時四方の神達集り給ひて天香久山の根こしの榊に鏡を懸け玉をかけ、靑にぎて白幣をかけて、神樂をうたひ給ひし時、天照大神の岩戶を細めに明けて見そなはし給ひけるを、手力雄命の岩戶を引開きて大神を取出したてまつる。その御影のうつらせ給ひたりし御鏡なり。——五十鈴川は大宮と風の宮との溪間より流れて、深山木の木高き陰に落ち來る水の音、まことに心細し。此の川は減盡せん時濁るべしと神詫あり。されば五月雨夕立にも濁ることなし。大宮の乾に少し高き處あり。かしこにましますは荒祭神と申なり。外宮の高宮、內宮の荒祭神は深祕なる故に何れの神と申あらはさず。櫻の宮と申すは大宮の間近き處にましますが御殿もなし。唯一本の櫻を神體とすとうけ給り及ぶばかりにて、宮中へは參らず。風の宮へ參りぬ。苔深き岩根つたひの道をしのぎて、眞木の葉の奧なる宮居に詣づ。造替あるべき月日も過ぎぬれば、甍破れて雨殿栢のもとに滴り、軒傾きて嵐夏松の陰を拂ふ。天下の兵革は王道の衰微なりとは歎きはべりしに、世上擾亂は宗廟の荒廢にも及びけれと例の涙袖に餘るばかりなり。五十鈴の川と御裳濯川の落合ひたる處に松あり。御遷宮のもろ〱の神寶をかしこへ出し奉りて神祓ありて、あたらし殿へ入れ奉る。是を河原の御祓となづく。又瀧祭の神とて河の洲崎松杉などの一むら立てるばかりにて御社もましまさず。神體は水底に御座とかやぞうけ給はる。是則龍宮なりと云へり。北を望めば長橋の流を切るあり。綠松たれて行人の道をさゝへ、南を顧れば高巖浪を碎くあり。紅葉殘りて遊客の心をそむ。所に觸れて感を動かし、物每に興を催ほさすと云ふことなし。

問云、內宮は日神女體、外宮は月神男體なり。日神ならば陽神なり、男體にてこそましますべきに、女體心得難し。答曰、火は水を得て滋をあらはし、水は火を得て氣をおこす。故に焰はふさがりて見えず、水氣內にあるによりて也。水はすき融りて明なり。火德內にあるによりて也。水火和合して其德をあらはすこと天然の理也。是によりてゆうかづらの白をもて男は冠を結びかけ、帶の赤きをもて女は身をかざる。是則陽は水をもて身を淸め、陰は火をもて身を淸むる姿なり。しかあれば神も陰陽を具足して、男來れば陽に同じ、女來れば陰に同じくし給ふ。本有常住の神體には陰もなく陽もなし。衆生隨類の垂跡には男に現じ女に現ず。たとへば玉の水火を出すが如し。玉には水火なけれども日に向ひて火を取り、月に對しては水を取る。是れ卽ち因緣所生の水火也。故に日神は陽中に陰を含み、月神は陰中に陽を含み給へり。是は一陰なり。一陰なり。兩宮は天地の父母として萬物を出生し給へる道理尤も深し。——山風とき〲時雨て夕波立さわぐ河の邊に、參宮のともがりこりをかきて寒げなるけしきもなし。麻の衣のいやしき賤女も、身を淸めぬればと喜ぶ色あり。

花やかなる袂のにほひ深き人も、肌をあらはにして、羞かしめたる顏はさも見えず、和光の水は善惡の塵をえらぶことなく、利物の淵は高位の影を分つことなし。御裳濯川の流つひに伊勢の海に入ぬれば、細流巨海隔もなく、一味平等の法水となる、此の道理を思ひ知りながら、身は彌陀の心水をも浴びず、好みて濁惡の泥に沈み、心は神明の願海にも入らず、かりに淸潔の流をむすぶばかりなり。かやうのことを思ひつゞけてなく〱境內を出で侍りぬ。

日神を女性とするのは、一般の傳說だが、伊勢の他の舊

記には、天照大神を男性とし、豊受太神を女性として歌つたものもある。此の日記中に見える忍穂井は、つまり古詩を轉化して歴史的遺跡としたもので、丁度『逢坂の關の清水に影見えて』など云ふ駒迎の古歌に據つて『關の清水』と云ふ遺跡を捏造し、甚しきは『和歌の浦に潮滿ち來れば潟を無み』の古歌を誦み誤つて『男波女波』の名所を捏造したのと同じ流だが、其の原本の古詩は實に面白い。

皇太神宮皇孫之命天降ります時に、天村雲命御前に立ちて天降り仕へまつる時に、皇孫命、天村雲命を召びて詔はく『食國の水は熟せずて荒水にありけり、かれ御祖命の御許に參上り、此由申して來れ』と詔ふ。即ち天村雲命參上りて、御祖御前に皇御孫命の申上げ給ふことを仔細に申上る時、御祖尊詔はく『雜にまつらむ政は下だしまつりてありしも、水取る政は遺れてありけり。何れの神をか下だしまつらむと思ふ間に、勇をしく參上り來』と詔りて、天の忍石の長井の水を八盛と取りて誨へ給はく『此水持ち來りて皇太神の御饌に八盛り、又皇御孫命の御水に八盛りまつりて、遺る水は天忍水として食國の水の上に灌和ぜてたてまつり又御伴に天降り仕へまつる神等、八十友の諸人にも斯水を飲ませよ』と詔りて下しまつる。即ち受賜ふて持ち參り下りて獻つる時に、皇御孫命詔りて『何れの道よりぞ參上りし』と問給ふ。申さく『大橋は須賣太神并に皇御孫命の天降りますを恐れて、小橋より參上りし』と申す時『後にも恐れ仕へまつること勇をし』と詔りて、天村雲命、天二上命、後小橋命と三つの名を賜はれり。

古人の信仰生活は生殖の尊嚴てふ一大事實が中心で、其の奔放快活不羈自在なる詩魂は、天然を假りて縱横に人事を歌つたものだ。（未完）

十月の日記（編輯後記）

◉十月一日、永井閣下の揮毫せられた「一木一草にも天命あり況んや人間をや、敬せよ愛せよ強く育てよ」の懸軸を掲げて、第十七回全大阪乳幼兒審査會施行の準備に着手した、二日、酒井老博士を久々にてお訪ねした、御病氣が全快せられた由である、それより高階博士、肥爪博士、三宅前大阪市産婆會長と續けざまにお訪ねして審査會の件を御願みした、三日、松尾博士宅に挨拶に赴き、夜は熊本から上京されて東京の飛行學校に入學する志賀良人氏令息を歡迎した、四日、本誌編輯後全東京乳幼兒審査會の成績通知狀の印刷を開始し、五日府の社會課にて長部主事に面會して社會衛生學院の學生諸姉應援に關して打合せをした。

◉六日、春世の精道第一小學校では早朝から運動會なので、一家總出の留守中に、中島翠竹堂から幟干を張る若者が來たので外出不可能となる、七日、保嬰館の西川博士に電話で今回の審査會にて、來會の參加者全部に結核反應の注射をする件に就き御示敎を仰ぐ、其處へ市保健部の廣島博士より電話があり、余田博士の御來訪を受けた、博士は長子と次子との姙娠期間の月數を調査したいとの御話しであつた、其の夜九時發にて上京した。

◉八日、着京早々原田龍夫博士に發信して、夜は西下さる、佐々木體力局長を東京驛にお見送りした、局長は大阪中之島公會堂に於ける乳幼兒大講演會の爲めの御旅行で、厚生省の椎名、南二氏も同道された、「何も話す事はないのです、唯下村博士の前座をつとめるだけです」、と謙遜された、九日、厚生省市來施設課長を御訪れして、小原厚生大臣閣下を全東京乳幼兒審査會總裁に推戴の儀を決定して頂く、尚宇田川博士に御目にかゝり、それより中央社會事業協會に赴き大谷氏に面會、夜は驛に市來課長、下村博士の御西下を見送る、博士は汽車の動かぬ前から上段の寢臺に臥して讀書されてゐた。

◉十日、大阪から一足先きに來てゐた志賀香苗君と三越に至り青木大乘氏の個展を觀同氏にも面會し、三時、永田町の鐵道大臣官邸に至り、鮫島秘書官に御目にかゝり月末の表彰式に關して御願ひをした、十一日、表彰狀製作に着手し、三時、愛育會と內閣統計局を訪問した、十二日、今日から軍人會館で全國兒童保護大會が開催されるので、先づ來會者一同は早朝雨の中を靖國神社に參拜した、齋藤市民館長始め大阪方面の人々に社頭で遭つた、開會式には小原厚相始め各大臣の祝辭があり、總會は廣瀨前厚相の名議長振りで議事は圓滑に進行した、會場で風見產婆會長、中鉢博士等に御目にかゝる、そして其の夜九時半發にて西下した。

◉十五日からの大阪の審査會は、堤、小野、藤川諸氏によりて準備が進められてゐた、別項記載の如き大阪の審査會は二十日に結了するので、其の夜の十一時發にて亦々東京の表彰式の爲めに上京する豫定である。

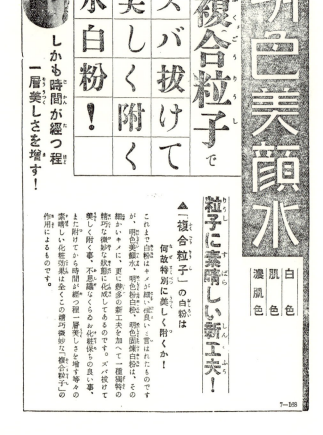

本誌定價 一冊金參拾錢 郵稅壹錢五厘
半年分六冊 金壹圓六拾錢 郵稅共
一年分十二冊 金參圓 郵稅共
誌代郵稅は一切前金の事
前金切の場合は發送中止
郵券代用は一割增のこと
昭和十四年十月廿八日印刷（每月一回）
昭和十四年十一月一日發行（一日發行）
兵庫縣武庫郡精道村芦屋
發行兼編輯人 伊藤悌二
印刷人 木下正人
大阪市西淀川區海老江上二丁目三七番地
印刷所 木下印刷所
電話福島㊺（一五三四番 二四二六番）
大阪市北區天神橋筋六丁目
大阪市立北市民館內
發行所 日本兒童愛護聯盟
電話堀川㉟（〇〇〇一番 〇〇〇二番）
振替大阪五六七六三番

子供の世紀 第十七巻第十一號
大正十三年二月二十日第三種郵便物認可
昭和十四年十一月廿三日印刷納本
昭和十四年十二月十五日發行（毎月一回一日發行）

【定價金參拾錢】

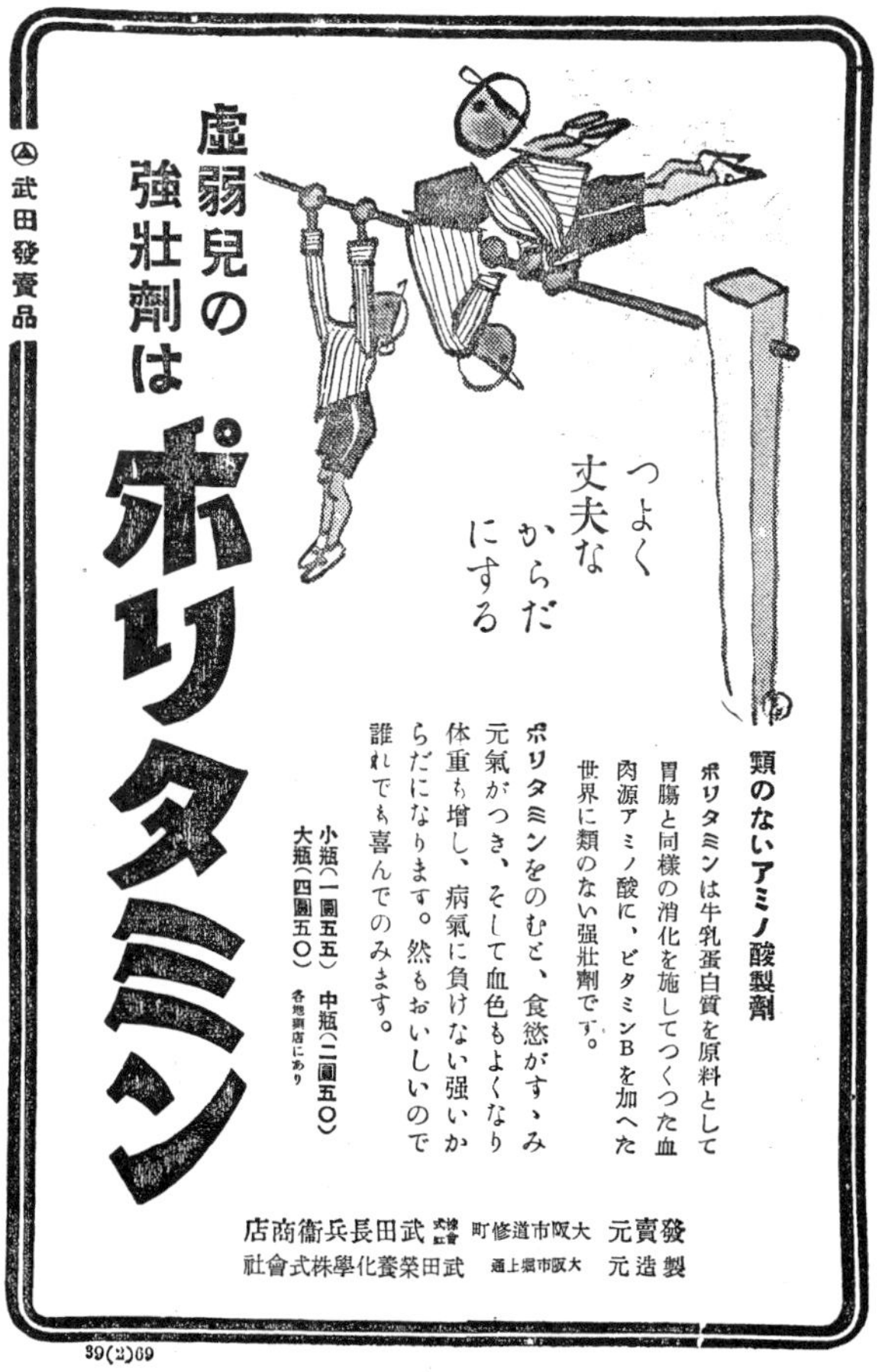

39(2)69

恒久國防・國民體位向上

子供の世紀

銃後の子寶禮讃號

第十七卷第十二號

日本兒童愛護聯盟
大阪市立北市民館内

大正十三年二月二十日　第三種郵便物認可
昭和十四年十二月十三日　印刷納本
昭和十四年十二月十五日發行（每月一回十五日發行）

『子供の世紀』（第十七卷第十二號）銃後子寶禮讃號

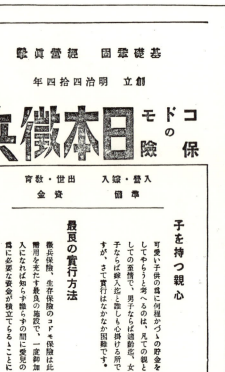

目次

興亞の審査會

帝都全新聞が報道する優良兒表彰式

健康報國

世紀の特輯

賀川豊彦氏

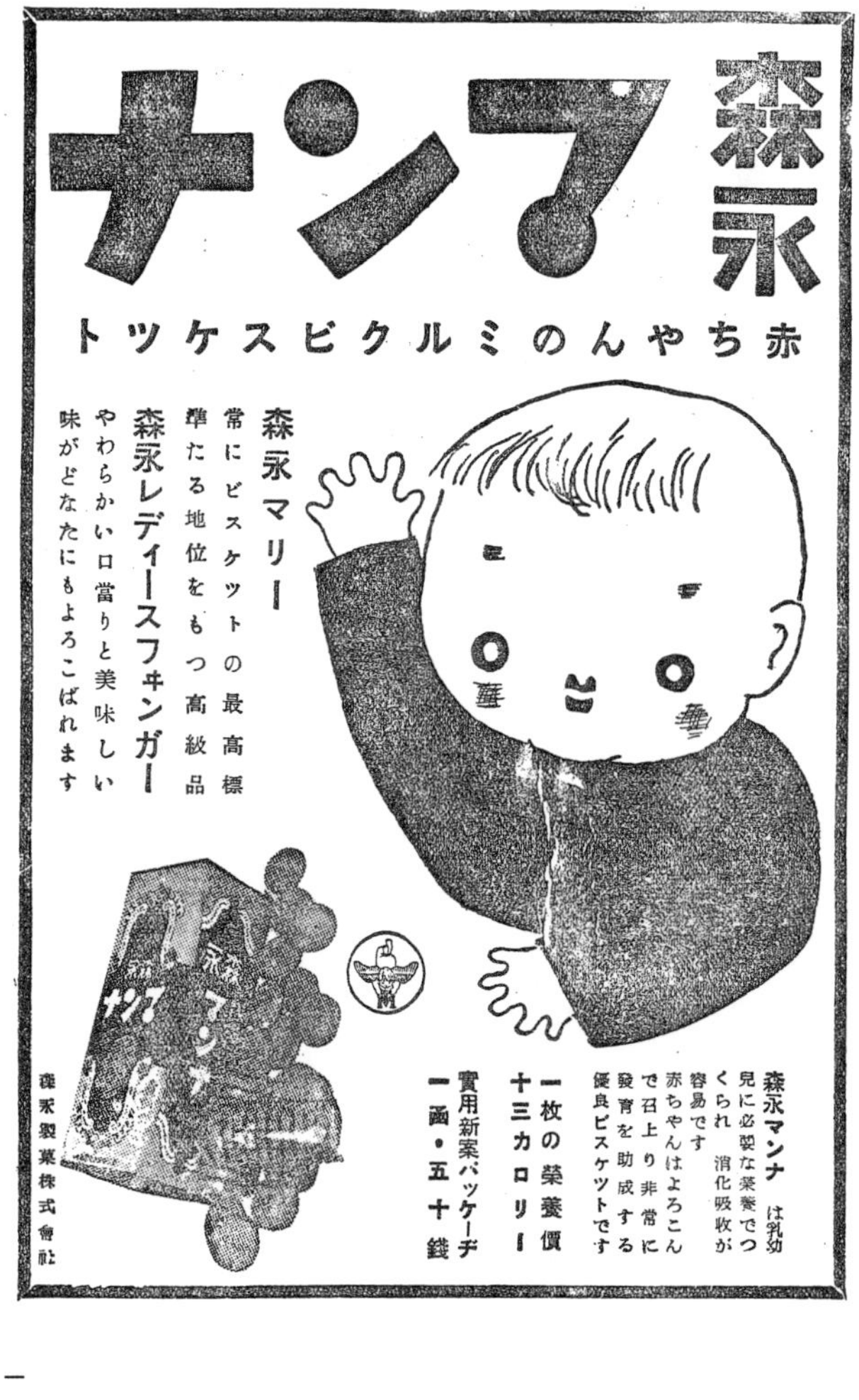

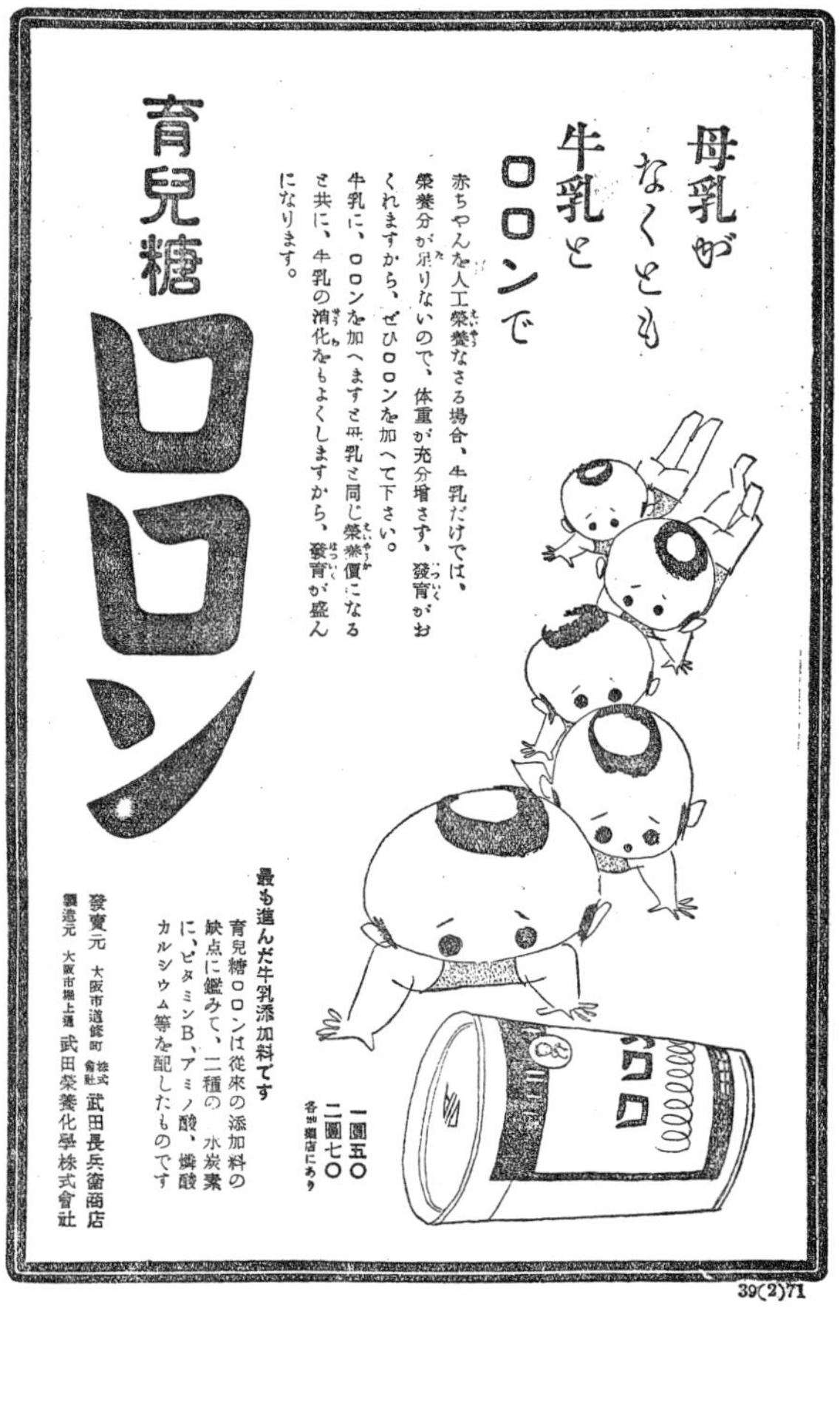

大川
吸入器
完全無缺
使用簡易
噴霧は體温以上に温く微細で病狀に好影響をもたらします噴霧管は特許引拔パイプ製で絶對に故障の起らぬ逸品。器械は堅牢で大川吸入器が標準型です。
本器は一ヶ毎に檢査をして發賣致します故、何處でお求めになつても安心です。類似品あり、大川式と御指名を乞ふ。（固定式上下式の二種有）

全東京の乳幼兒中より選抜の優良兒代表

――優良兒父は戰場にあり――

第十一回全東京乳幼兒審査會の表彰式は、去る十一月二十九日東京高島屋に於て、別項記載のやうに極めて盛況裡に擧行されたが、上圖は本會總裁小原厚生大臣閣下代理宇田川博士より優良兒母子に對し表彰狀を授與さるゝ光景である。

因みに此の代表者は田中旭君、吉田勝彦君、杉田康子さん、田中たか子さんで、四人共現に父君は戰場に奮鬪されて居らるゝのである。（高島屋寫眞部撮影）

お医者がスゝメル滋養のお菓子
乳菓
カルケット
いつでも安心して召し上れる品
いづれの御家庭でも喜ばれる品
乳菓カルケット製造元
東京 中央製菓株式會社 大阪

明治
赤罐
コナミルク
母乳代用・國産唯一品
用ひ方が簡易で値段の廉い
優良加糖粉乳！
砂糖を加へる手數が省ける◇
水にも湯にも溶け易い◇
消化吸收が極めて良好
明治製菓株式會社
明治
コナミルク
母乳代用
加糖粉乳
明治製菓株式會社
・母乳代用品添加料・
ママーゲン

上手な吸入のさせ方

吸入や含嗽は、あまり重い病人には著しい効果はありませんが、早くやると侮り難い効を奏するものです。

外出後咽喉がちよつと變だと思ふときは、大人なら含嗽をすればよいのですが、小さいお子さんでは、それができませんから、吸入に替へます。吸入器にはいろ〳〵有りますが注意したいのは、薬液と一緒に冷い風が起り、却て吸入をしたために、よくない場合の起るやうなものを、避けるといふことです。使用上の注意といたしましては釜の湯は三分の一くらゐ注いで、なくなる前に注ぎ足します。湯のなくなつたのを知らずにゐると、破損することがあります。

アルコールを口元まで入れると、發火する虞れがあります。吸入をかけると、お寢衣やお蒲團が濕りますから、防水布やタオルをかけておき、寢たまゝの病人なら徐かにかけてあげて下さい。赤ちやんの吸入は無理にお口を開かせる必要はなく、玩具で機嫌よく遊んでゐるときでも、吸入器の方を近づけて、あたりの空氣を軟くしつとりさせて、少しづゝでも吸ひ込ませるやうにします。一回分をあまり長くかけると倦きますから、一日に三四回にしてコップに二杯ぐらゐで結構です。終りましたら蒸しタオルで拭いて、後にクリームなどをつけてあげると、お顔の荒れを防ぎます。

吸入液の作り方

薬液はいろ〳〵有りますが、お子さんには一%の重曹水で結構です。（約一合の水に茶匙一杯）又は重曹と食鹽を各々一%の割に溶かしたものを用ひてもよろしい。

うがひ薬の作り方

二%硼酸水　硼酸は冷い水に溶け難いが微溫湯を用ひますとすぐ溶ます。大人の水薬二日分入りの瓶は通常二百瓦入りですからこれに四瓦入ればよろしい。

二%鹽剝水　鹽素酸加里は常用としてうがひに用ひるのはよくありません殊に小兒には用ひぬのがよろしい。

三%過酸化水素水　過酸化水素又はオキシフルを水百に對して三の割合に二百瓦入りの水薬瓶なれば六瓦入れます。過酸化水素はごみ、又は日光熱等にあへば酸素を發生分解して無効となりますから瓶は清潔なものを用ひ、戸棚か押入等の暗所に置かねばなりません。

日本で一番歴史の古い權威があつて信用のおける　**大川吸入器**

このマーク

メガネ肝油球

一番よい

經濟的國民榮養素

眼鏡肝油

銃後國民の務めは
體力の充實にあり
最も効果的にして然かも經濟的なる故　時局下に於ける國民榮養劑として最適のものなり

大阪　合資會社 伊藤千太郎商會

紫外線の藥劑

.60　2.00　5.50
（全國藥店・百貨店にあり）

太陽を與へよ

青白き都會の兒童に

あの偉大な發育力、生命力を植えつける原動である日光の中でも、最も人体に欠乏する紫外線を苦心して、藥劑化したのが 錠劑**オリーゼ**なのです

うらなりの様な、都會の兒童に、なくてならぬ、珍しい强壯劑が出來たわけです

紫外線の欠乏より起る、小兒腺病、吹出物の出る体質、風邪、結核を豫防し、頑健な体質に築き上げます

勿論服み良いです

詳しい説明書お請求下さい
（大阪中央私書凾二十五）

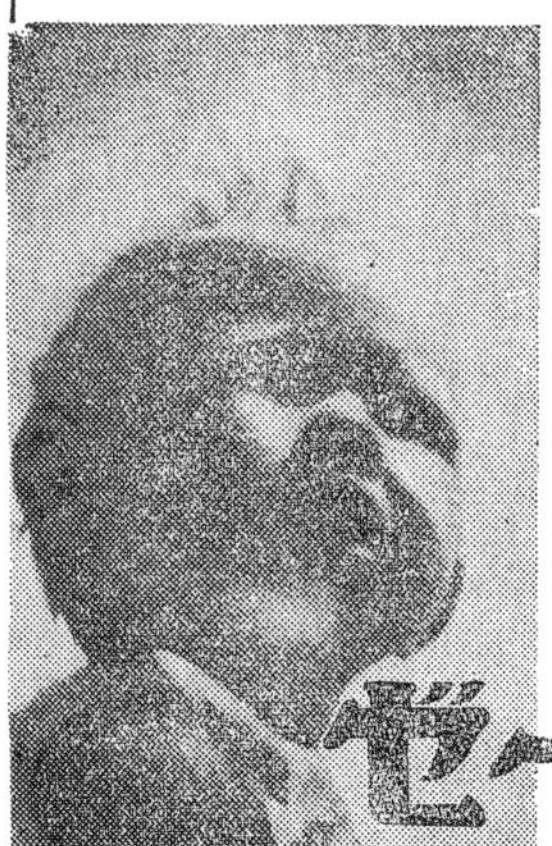

日光ビタミン—

錠劑 **オリーゼ**

世のお母さん方へ

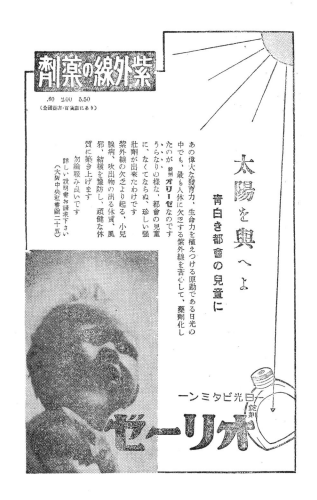

優良第二國民の保育には理想的の→

福寶育英 子守バンド を是非御使用下さい

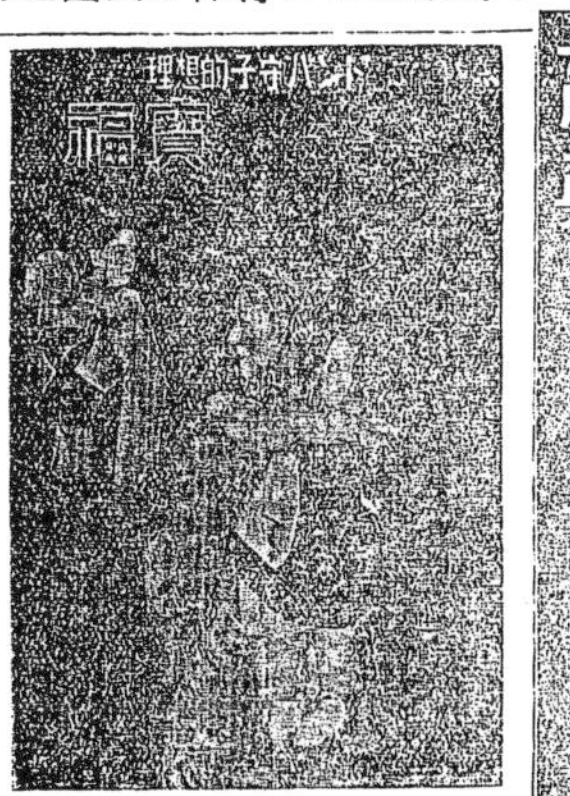

A型→

C型↑

構造上に少しも無理がなく全く理想的に出來て居ります、從つて耐久力もあり實用的の品であります、赤ちやんより五六歳位の子供達迄負ふ事が出來ます、體裁もよく立働きが樂で容が小さいので携帶用として至便のものです、殊に子供逹連れの遠足などには絶對に必要であります。

是れは優美な高級刺繍を施してありますので赤ちやん向きとして是れ又非常に御好評を賜つて居ります、丈夫さは幾分A型より劣りますが値段の格安さ、出産祝としての値頃品である爲め賣行益々良好であります。

A型　別珍製
仝　朱子製
B型　別珍製刺繍入
C型　別珍製仝（裏ナシ）
各地百貨店、呉服雑貨店ニアリ

製造發賣元
菊池商店
大阪市北區東野田町三
振替大阪 14000番

母親の母親までも御供する眞劍さ

第十七回全大阪乳幼兒審査會の一情景

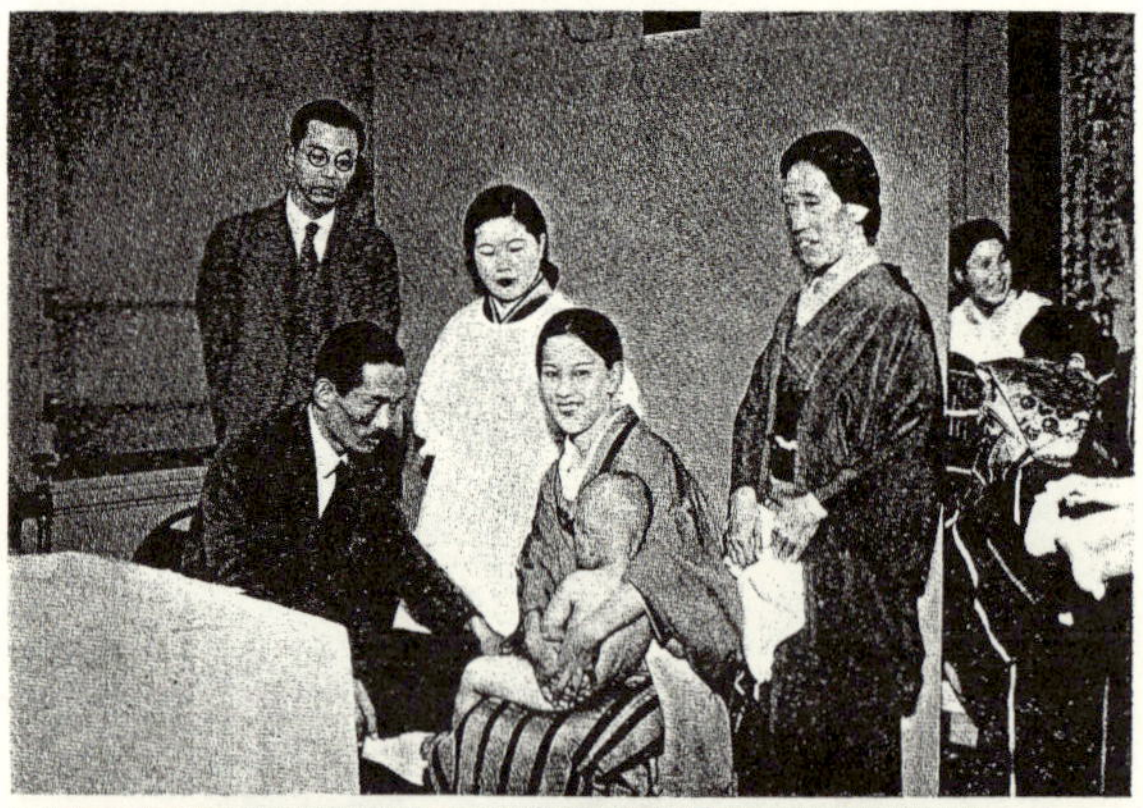

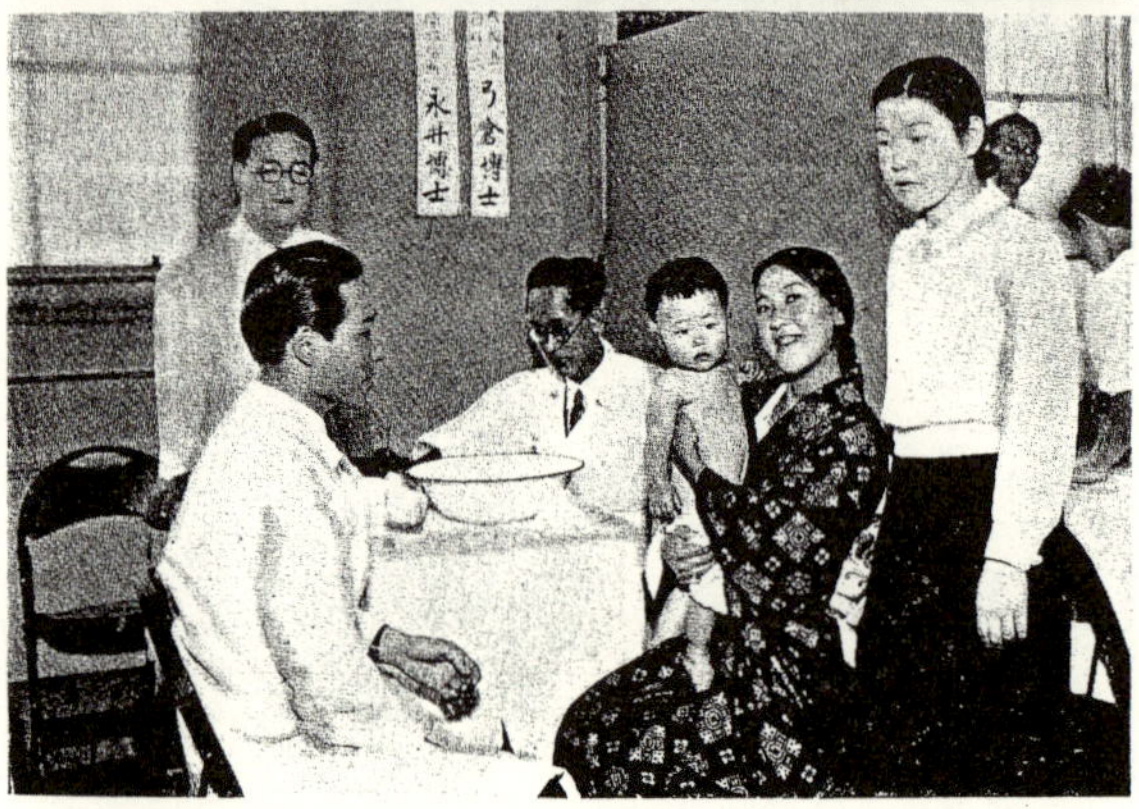

（上）眼科の部門は大阪帝大醫學部中村眼科醫長の御指導にて、連日、若原、太田、飯田三先生が審査を擔當された。
（下）齒科の部門は同大學弓倉齒科醫長の御指導にて、連日、嶋、馬場、由谷三先生が審査を擔當された。

嚴肅莊重なる全東京審査會表彰式

──岸邊福雄先生の祝辭──

既報の通り我等の全東京乳幼兒審査會表彰式は、前後三回に渉りて施行され、六千五百名の中より一千六百名を表彰したが、十月二十九日は小原厚生大臣の告辭、永井遞信大臣、河原田文部大臣の祝辭、中鉢博士の審査報告等があつて、受賞者の全家族を感動せしめた。

上圖は本會顧問岸邊福雄先生の實に有益なる祝辭をのべらるゝ場面である。

祖國の保健運動に奉仕の若き女性たち

大阪府立社會衛生院の學生諸姉

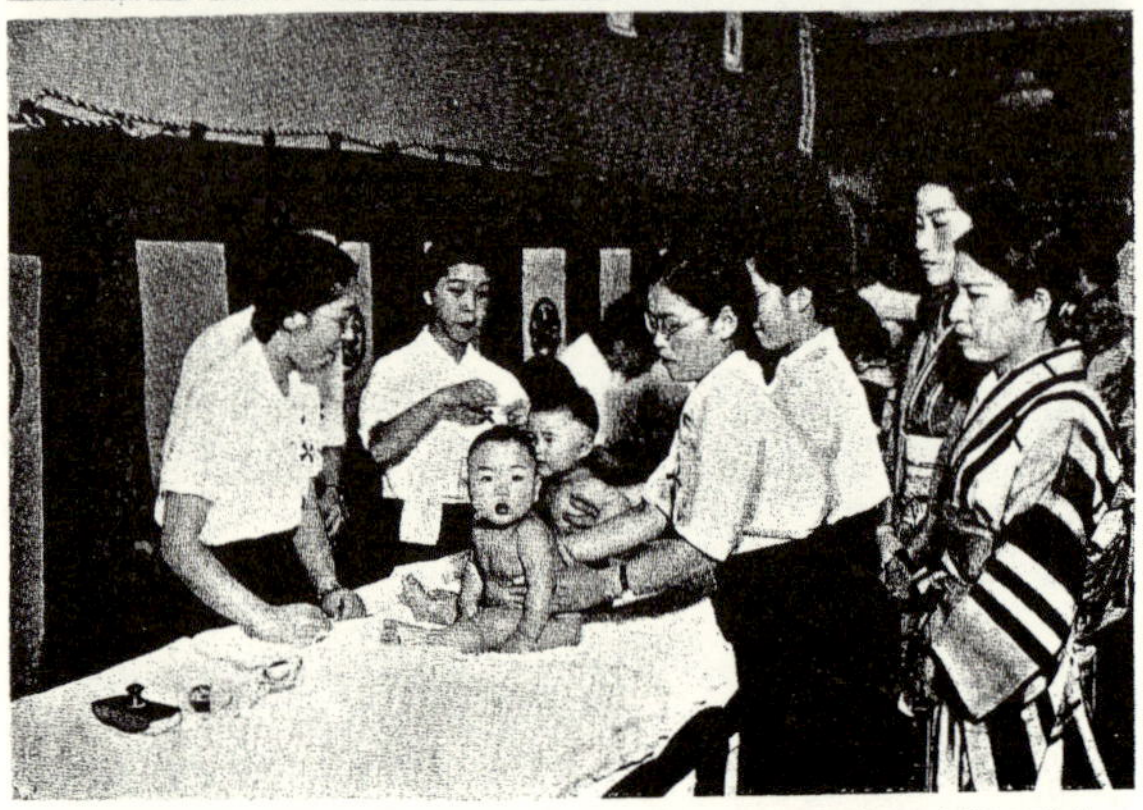

（上）去る十月中旬開催された、大阪三越に於ける審査會に奉仕の、社會衛生院學生諸姉が、本會結了の日三越屋上庭園にて記念撮影。
（下）同會場内頭圍、胸圍、身長の部に奉仕の同院學生諸姉。（記事參照）

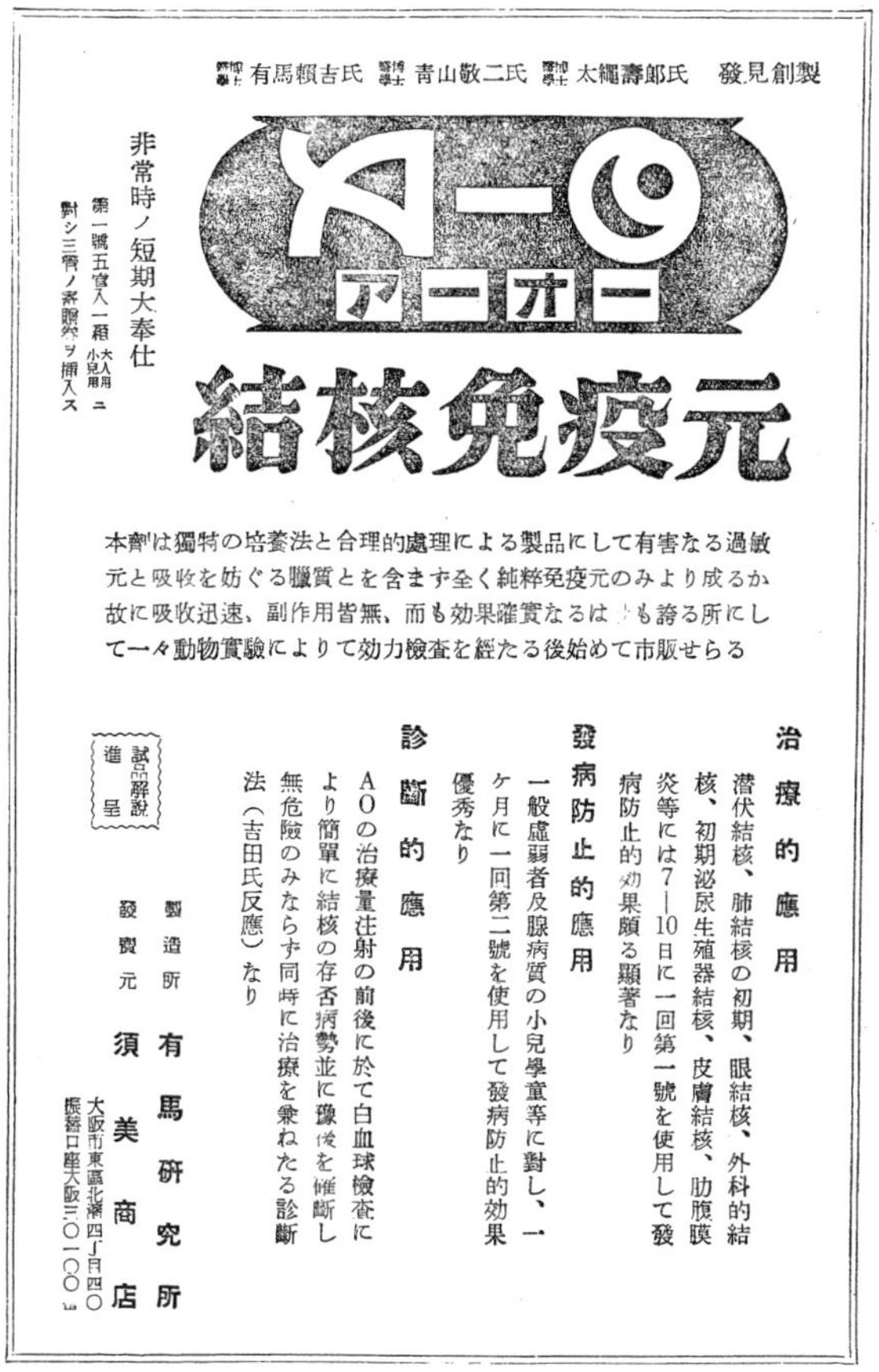
製創見發　醫學博士太繩壽郎氏　醫學博士青山敬二氏　醫學博士有馬頼吉氏
アーオー
元疫免核結
非常時ノ短期大奉仕
第一號五官入一箱 大人用二 小兒用
對シ三管ノ斋眼券ヲ挿入ス
本劑は獨特の培養法と合理的處理による製品にして有害なる過敏元と吸收を妨ぐる贜質とを含まず全く純粹免疫元のみより成るか故に吸收迅速、副作用皆無、而も効果確實なるは　も誇る所にして一々動物實驗によりて効力檢査を經たる後始めて市販せらる
治療的應用
潛伏結核、肺結核の初期、眼結核、外科的結核、初期泌尿生殖器結核、皮膚結核、肋膜炎等には7―10日に一回第一號を使用して發病防止的効果頗る顯著なり
發病防止的應用
一般虛弱者及腺病質の小兒學童等に對し、一ケ月に一回第二號を使用して發病防止的効果優秀なり
診斷的應用
AOの治療量注射の前後に於て白血球檢査により簡單に結核の存否病勢並に豫後を確斷し無危險のみならず同時に治療を兼ねたる診斷法（吉田氏反應）なり
製造所　有馬研究所
發賣元　須美商店
大阪市東區北濱四丁目四〇
振替口座大阪三〇一〇〇
試品解說進呈

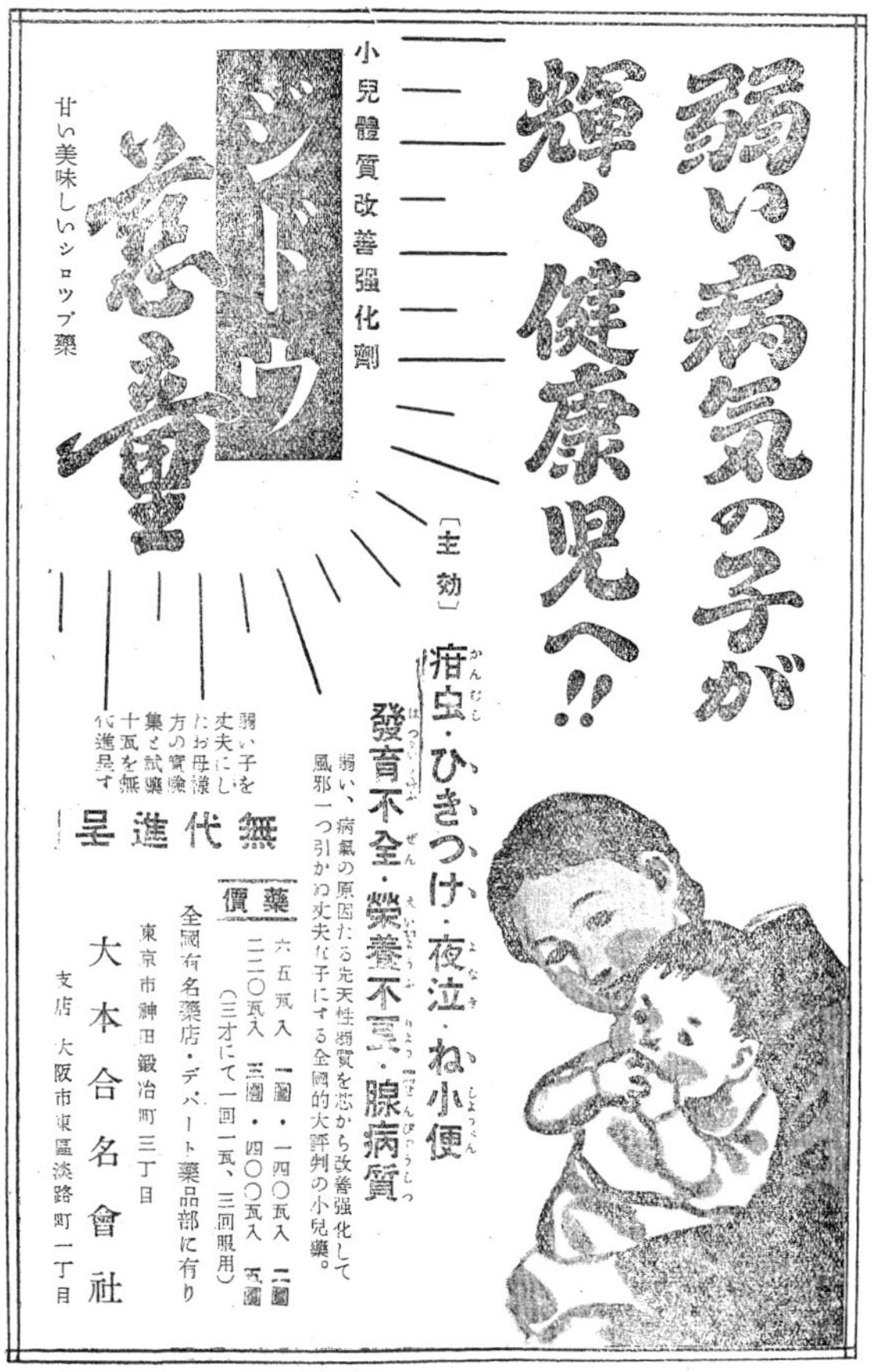
弱い、病気の子が輝く健康兒へ!!
小兒體質改善强化劑
ジドウ
慈童
甘い美味しいシロップ藥
〔主効〕
疳虫・ひきつけ・夜泣・ね小便
發育不全・榮養不良・腺病質
弱い、病氣の原因たる先天性弱質を芯から改善强化して風邪一つ引かぬ丈夫な子にする全國的大評判の小兒藥。
弱い子を丈夫にしたお母樣方の實驗集と試藥十瓦を無代進呈す
無代進呈
藥價
六五瓦入　一圓・一四〇瓦入　二圓
二二〇瓦入　三圓・四〇〇瓦入　五圓
（三才にて一回一瓦、三回服用）
全國有名藥店・デパート藥品部に有り
大本合名會社
東京市神田鍛冶町三丁目
支店　大阪市東區淡路町一丁目

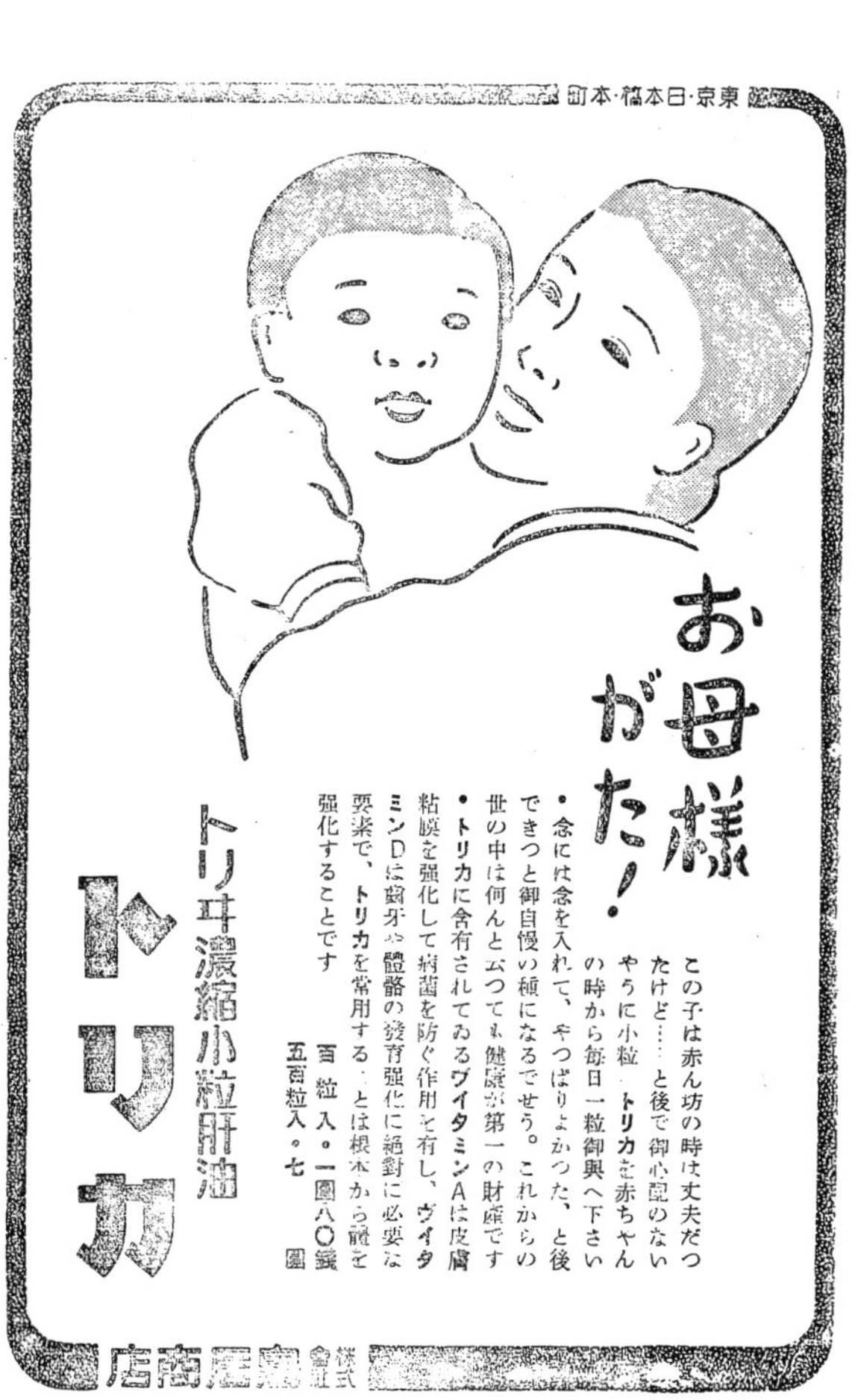
東京・日本橋・本町
お母様がた！
この子は赤ん坊の時は丈夫だつたけど……と後で御心配のないやうに小粒トリカを赤ちゃんの時から毎日一粒御與へ下さい
・念には念を入れて、やつぱりよかつた、と後できつと御自慢の種になるでせう。これからの世の中は何んと云つても健康が第一の財産です
・トリカに含有されてゐるヴイタミンAは皮膚粘膜を强化して病菌を防ぐ作用を有し、ヴイタミンDは齒牙や體骼の發育强化に絕對に必要な要素で、トリカを常用する、とは根本から體を强化することです
百粒入・一圓八〇錢
五百粒入・七圓
トリ肝濃縮小粒肝油
トリカ
株式會社
商店

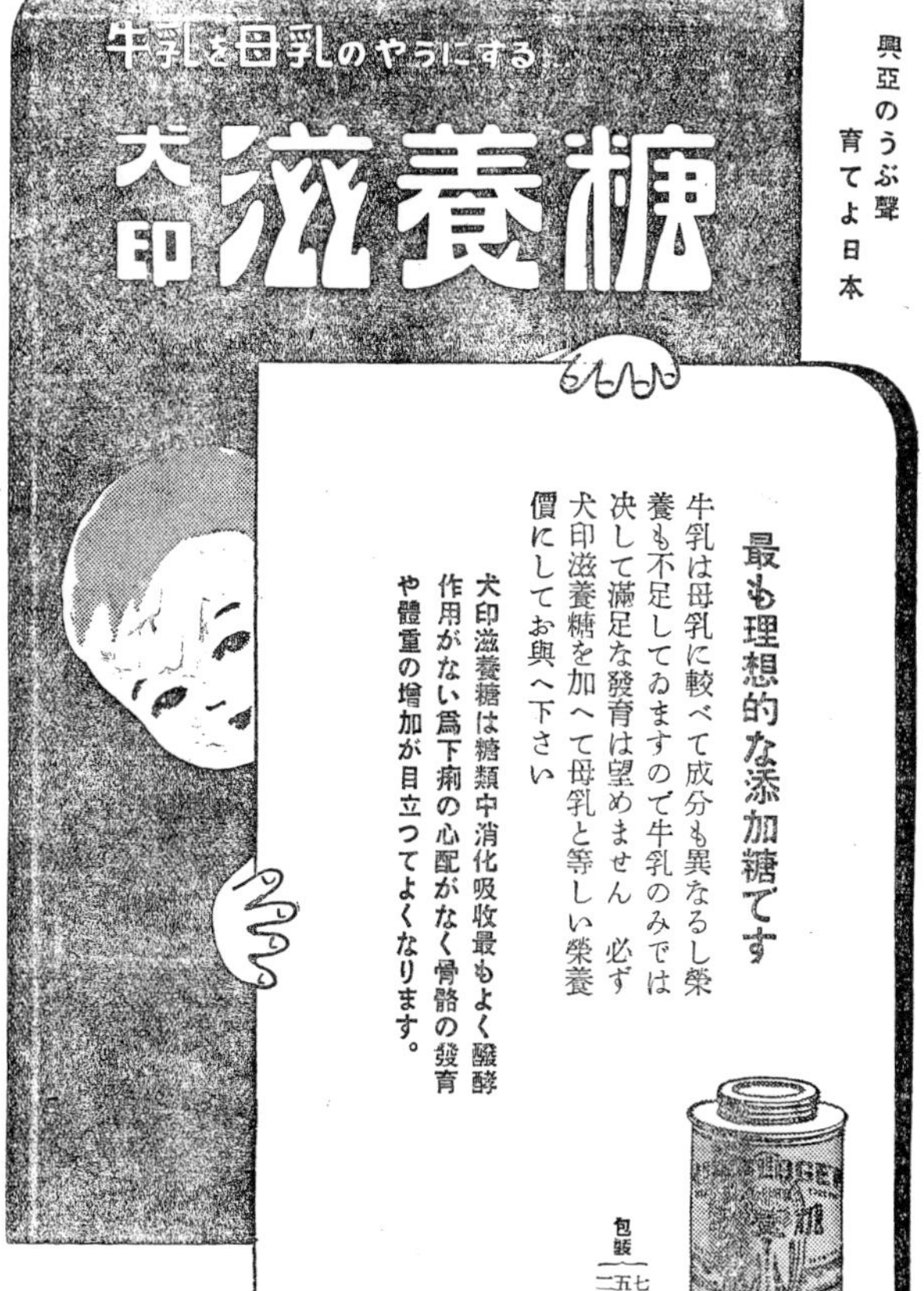
牛乳を母乳のやうにする
犬印滋養糖
興亞のうぶ聲
育てよ日本
最も理想的な添加糖です
牛乳は母乳に較べて成分も異なるし榮養も不足してゐますので牛乳のみでは決して滿足な發育は望めません　必ず犬印滋養糖を加へて母乳と等しい榮養價にしてお與へ下さい
犬印滋養糖は糖類中消化吸收最もよく醱酵作用がない爲下痢の心配がなく骨骼の發育や體重の増加が目立つてよくなります。
包裝
七〇〇瓦
五〇〇瓦
二五〇瓦
株式會社
和光堂
大阪市東區南久太郎町
東京市神田區鍛冶町

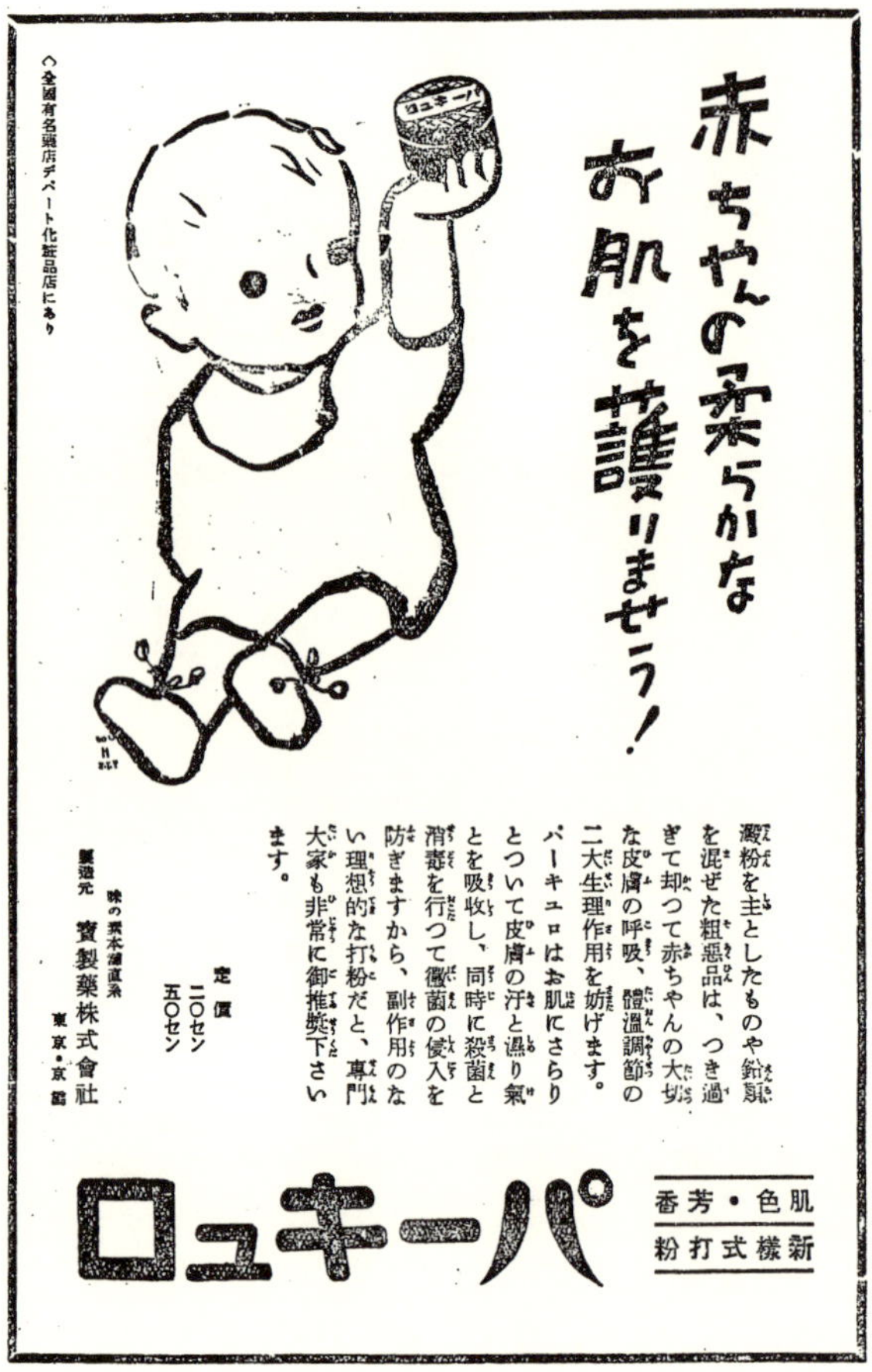

全東京乳幼兒審査會表彰式祝辭

本日茲に日本兒童愛護聯盟主催第十一回全東京乳幼兒審査會表彰式を擧行せらるゝは、邦家の爲め洵に慶賀に堪へざるなり。

惟ふに、乳幼兒發育の如何は國民健康に多大の影響を及ぼし、國運の消長に關係するところ極めて大なり、されば之が愛護に最善を致すは國本を不抜に培ふ所以にして、哺育者の任務眞に大なりと謂はざるべからず。

今や國運隆々として萬邦に輝き、興亞の聖業著々として進捗を見つゝありと雖も、前途益々多事にして人的資源の培養に俟つもの彌々切なるの秋、本聯盟が發育優秀なる乳幼兒を表彰して育兒に關する一般の知識を啓發し、之が指導に努力せらるゝの意義深長なるものあるを覺ゆ、予は茲に受賞者各位の周到懇切なる注意と努力が、能く此の榮譽を贏ち得られたるを思ひ、深甚の敬意を表すると共に、將來益々育兒の本義に徹して之が大成を期せられ、關係者各位愈々皇國の使命に顧み育兒の重要性に察して、斯道の堅實なる發展に貢獻し、以て皇國進運の根基に培はれんことを一言所懷を述べて祝辭となす。

昭和十四年十月二十九日

文部大臣　河原田稼吉

第十一回全東京乳幼兒審査會表彰式告辭

曩に日本兒童愛護聯盟が乳幼兒の審査を行ひ、其の際特に優良兒として選抜した兒童の爲に、本日表彰式を擧げられますことは寔に機宜に適した企でありまして、乳幼兒の體力增進上に效果の尠くないことを思ひ慶賀致す次第であります。

今や國を擧げて興亞大業の完成に邁進しつゝある秋に當つて、强健な國民を必要とすること、今日の如きは未だ曾て無い所であります。

而して國民の體力を增進するに就いては、國家としても個人としても注意すべき點が多々有るのでありまするが其の中でも乳幼兒の保健に甚大の關心を持ち、生れた子供を一人殘らず强健に育て上げるやうに努めることが最も大切であります。之は直接保育の任に當られる母性の重大なる責任であるは勿論のこと、銃後に於ける一般國民の大なる義務であると存じます。

日本兒童愛護聯盟が本日此の表彰式を擧げられるのも、蓋し乳幼兒の保健について汎く世の關心を喚び起す爲でありませう。唯今皆様の溫い胸に抱かれて居る愛らしい赤ちやんは、健康上申分のない優良兒として、茲に表彰の榮譽を擔はれたのであります。如何に生來健康な素質を具へて居られたとしても、今日に至るまでに育て上げられる御兩親及其の他の御苦心は容易ならぬものであつたと存じます。又今後眞に立派な一人前の國民と成るまでの御苦心はそれこそ筆にも言葉にも現はすことの出來ないものが有るのであります。申す迄もなく御子さんは皆様の家庭に於ける寶であつて御家庭團欒の中心であると同時に、國家の寶であつて將來の東亞に咲き匂ふ大和櫻の若木でありま す。皆様には何卒今日の光榮を長く保持せられ、國民が赤ちやんの上に懸けらるゝ大なる期待に副はれますやう、御養育に萬全を期せられますことを切望致して已みませぬ。

終に臨み、表彰を受けられた赤ちやん方の前途を祝福致すと同時に、此の席上から全東京市否全日本の乳幼兒が今日只今表彰せられた赤ちやん同様すくすくと强健に成長せられますことを祈念する次第であります。

以上を以て告辭と致します。

昭和十四年十月二十九日

第十一回全東京乳幼兒審査會總裁
厚生大臣　小原直

子福者の家庭を優遇せよ

臺灣總督府臺南醫院內科醫長
醫學博士　赤　司　和　嘉

多産多死の國

支那事變下にあつて最も人的資源の必要が叫ばれ、「生めよ殖へよ」の聲が各方面に起つてゐる時に當つて、人的資源の根元である子福者の家庭に對し何等優遇施設がない事は、我日本の爲めに悲しむべき事であると云はなければならない。

元來我國は多産國であつて、毎年の出生率は、人口千人に對し三十一人前後で、文明國中第一位である。然るに同時に毎年の死亡率は、人口千人に對し十七人前後であつて、これ又文明國中第一位である。云ひかへれば、我國の人口は多く生れる代りに、また非常に多く死ぬのであつて、最も不經濟な多産多死、卽ち未開國的人口動態を示してゐるのである。もつと簡單に云へば粗製濫造の傾がある。これでは決して我國に於ける多産は喜ぶべき現象とは云はれない。多く生れるだけでは何の役にも立たない。生れ出た者が總て健全に育ち、立派な教養を得てこそ國民的發展に貢獻し得るものである。

尚我國の人口動態は年々二百十萬人前後の出生があり百二十萬人前後の死亡があつて、結局九十萬人前後の自然增加となり、依然として世界有數の人口增加國である事を示してゐる。この事實からして我國の人口增加に就ては、少しの危惧の念をも抱く必要がないやうに見へるが、他面又我國の乳兒死亡や結核死亡が、他國に比べて甚だしく多數である事を考ふれば、その生き殘つた九十萬人の内には可なり虛弱な人間がゐる事が考へ得られる

のである。昨今の各地に於ける體格檢査に於て、靑年、學生、壯丁等の體位低下はその事實を物語つてゐる。卽ち我國に於ける人口增加は必ずしも慶ばしい現象ではないのである。

最近に於ける人口の激減

尚最近數年間の我國に於ける人口動態を詳しく觀察すれば、出生率は年々減少の傾向にある事が解る。特に昭和十三年度は激減して、人口千人に對して二十六人の出生となつた。これは勿論事變の影響であつて、父となるべき者が多數出征した爲である。併し事變の影響は、出征者と共に、戰死者も多數ある事であり、當分續くものと思はなければならない。否この減少率はもつと增加するものと覺悟せねばならない。實數に於て昭和十三年に於ける自然增加は例年に比し二十三萬減少したが、今後四十萬の減少が想像されてゐる。次に死亡率は、大正十年の人口千人に對する死亡者二十三人に比較すれば、幾分改善された跡を見る事が出來るが、最近數年は殆ど變りなく、人口千人に對する死亡者十六—十七人を示してゐる。これを獨逸の十一人、英國の十二人、和蘭の八人に比較すれば可なりの差があり、依然として文明國中第一位を示して居る。卽ち我國に於ける最近の人口動態は出生が減少して死亡は少しも減少しないと云ふ最も惡い狀態なのである。これは容易ならぬ、見過しに出來ない現象である。この惡い狀態に對して、一日も早く適當の對策を講ぜざれば、日本は戰爭で勝つても、國民體位低下の爲めに、思はざる破綻が來ないとは誰が保證し得やう。この對策は我國に取つて焦眉の急務である。

人口增加の對策

然らばその對策は如何にすべきか？先づ**第一に出生率を減少せしめてゐる原因**を除かねばならない。その爲めには、人爲的に故意に出生率を低下せしめつゝある方法卽ち産兒制限、姙娠調節や特別の理由のない流産を禁じなければならない。母體が病弱である爲め、出産に堪へられずに人工流産を施すのは理由のある人工流産であるが、それ以外の流産を云ふのである。次に死産や姙娠率を減退せしめる原因となつてゐる花柳病に感染する機會を無くする事である。これ等は男子の思想を向上せしめて高尚な趣味を持たせ、花柳界から遠ざからしめる事が肝要である。**第二に死亡率を減少せしめる方法**であるが死亡の最も大きな原因となつてゐる乳兒死亡及び結核死亡を減少せしめる爲めに、育兒思想、衞生思想の普及と共に充分なる社會的施設が必要である。この點歐米には實に羨ましい程の充分な施設があるが、殘念な事には我國に於ては未だ殆ど見るべき施設は存在しない。目下厚生省に於て鋭意斯かる施設に努力しつゝあるが、一日も早く國民がその恩惠に浴する日が來る事を望むものであ

る。社會的施設の詳細に就ては茲では略して、唯一つ國民體位向上に對する對策として、子福者の家庭を優遇せよと云ふ事を提唱したい。

子福者を優遇せよ

昨今我國に於ては「生めよ殖へよ」と云つて多産を奬勵してゐるが、子福者に對して特別の優遇方法を講じてないので、子供が多く生れゝば生れる程、生活の爲めに苦しまねばならぬ現狀にある。一般に日本人は歐米人に比較して裕福ではない。それ故中流又はそれ以下の家庭では、五人も子女があれば、家計は決して樂ではない。從つて榮養は充分に採れず、皆が健全に育つ事が困難となり、又病氣にも罹り易くなる。誰か一人重症の病氣に罹れば家計は借金しなければ凌げない位だ。それで唯食べさせるだけがやつとで、子供の健康を考へて榮養食を與へたり、立派な教養を得させる事は覺束ない。こんな所に日本人の乳兒死亡率や結核死亡率の多い一つの原因があるやうに考へられる。又こんな所に靑年壯丁の體位低下の原因があるやうに考へられる。

産兒制限論の誤謬

人口增加は確に國力伸張の象徵である。併し準備のない人口增加は國力伸張の基とならないばかりか、却つて逆に國家に取つて過重の負擔となつて、國力低下を來す原因となる。この事はこれを小さく家庭に喩へて見ればはつきり解る。どんなに子供が多くても、その銘々の子供が丈夫に育ち、各々立派な職業を持つやうになれば、その家は榮へるが、その子供達が病氣ばかりしてゐればその家はこの世の中の競走に遲れ、悲慘な敗殘者となつてしまはなければならない。それでそんな悲慘を味ひたくない、少ない子供でもいゝから丈夫に立派に育てたいと云ふ考への下に、産兒制限や姙娠調節の運動が起つて來たのである。それ故斯かる産兒制限や姙娠調節運動の最初の考へには間違ひはなく、寧ろ國民體位向上に資する所が多からうと期待されたのである。然しその結果は斯かる産兒制限を利用したのは、産兒制限の必要な下層階級ではなく、寧ろそれらの不必要な上層階級や知識階級であつて、ある者は快樂遊蕩を恣にする手段として利用したのである。それで優生學上、優生種が減じて、劣性種が增加する事になり、日本としては誠に不利な結果となるのである。此處に産兒制限論の大きな誤謬があつたのである。

それで我國では斷然産兒制限を禁止して、「生めよ殖へよ」でなく、「生めよ育てよ」の下に國民を指導する事が最も理想的となつた。その爲めには先づ、何人子供を生んでもその家庭が困らないやうな、社會的施設が必要なのである。現在その施設の乏しい我國に、一日も早く斯

かる施設を實現する事が焦眉の急務なのである。余はその一つの手段として子福者の家庭を優遇せよと提唱したい。

此の實例を見よ

斯かる子福者優遇法として外國の例を擧げると、伊太利に於ては、一方に於ては完全なる母性兒童保護の社會的施設が備つてゐるが、他方現に十人以上の子女を自己の手で同一家庭内に養育してゐる兩親、又は十二人以上の子女を生んで（死産流産を除く）、その内六名以上を現に同一家庭内に養つてゐる兩親に對しては、總ての税金が免除されてゐる。若し所得及び資産の總額が、十萬リーラを超過する時は、十萬リーラまでの額に對して免税される。學校税並に追加税は、現に本人の負擔で養つてゐる子女の數の多少にかゝはらず、過去に於て十二名以上の子女を生んだ者、又は十名以上の生存子女を有する者は免除される。かゝる兩親に對しては、電車、乘合自動車、全國の汽車、國營の乘物は總て無賃の特權を與へられてゐる。獨逸では子供一人生れると税金の十分の一が減ぜられる。二人・三人と子供が增加されるに連れて税金が漸減する譯である。尚獨逸に於ける斯かる施設に對して、調査が不充分なのでこれ以上の事は述べられないが、伊太利に劣らず充分な施設がある事を信ずるのである。佛蘭西では拾子があるとそれを乳母に託して、一ケ月二百フラン、乳を離れると百二十フランを支給する。尚貧困な者で子女が多數の場合、兩親があれば四人目より一人一日一フランの補助をする。父一人の場合は三人目より補助し、母一人の場合は二人目より補助する。何れも我々にとつて羨ましい施設ばかりである。尚これと同時に獨身税が設けられてゐて、税收入はかゝる社會的施設の費用に當て、他方結婚を奬勵して、人口增殖を計つてゐるのである。

國家百年の計

勿論我國に於ても、扶助の必要ある未成年者や老人がある時、その家庭に對して税金の減額が爲されてゐるが僅かなものである。それで少くとも五人以上の子女のある家庭に對しては、その收入に應じて、特別の優遇方法を講ずべきであると考へる。例へば税金の減額、扶助料の給與、學校授業料の免除、官公立病院治療費の免除等である。かゝる施設が備へられてこそ、安心して子供は何人でも生むことが出來、子供は丈夫に育てられるものと思ふのである。

今や新東亞建設は着々と進捗し、無數の邦人が大陸に進出しつゝある時、國家百年の大計は、多産、乳幼兒靑少年保護等第二國民强化に重點を置き、大いに人的資源の培養に勉むべきであると思ふのである。この際各種社會的施設の急務は申す迄もなき事ながら、その施設の一端として、「子福者を優遇せよ」と云ふ愚見を述べて各位の共鳴を願つた次第である。

結核豫防と療養所の使命

大阪市立貝塚千石莊副院長
醫學博士　利　齋　潔

(一) はしがき

興亞の偉業に邁進しつゝある吾が日本民族に取つて、此の重大な世代に於て遂行せなければならない事柄は、肇國精神の顯揚を始めとして多々あるであらうが、民族發展の根幹たる人的資源が、結核菌に蝕れて年々歳々、約十五萬の尊き生命を奪はれ、殊に其の民族の原動力たる十五歳乃至三十五歳の青壯年期に於て其の過半數六四%を占め、病めるもの又百七、八十萬と稱せられて其の慘害數年來停止する所を知らず、しかも近來やゝともすれば憎惡の傾向さへある事實は、他國に於ても其の例を見ざる所であつて、是が非でも國民的協力によつて之が撲滅を期せねばならない宿題である。

各國の人口一萬に對する結核死亡累年比較

年次	日本	英吉利	佛蘭西	伊太利	獨逸	北米	和蘭	白耳義	丁抹
昭和二年(一九二七年)	一九・五	九・七	一七・四	一三・三	九・三	八・一	九・四	九・七	七・八
同三年(一九二八年)	一九・二	九・二	一六・五	一二・五	八・八	七・九	八・四	九・三	七・四
同四年(一九二九年)	一九・七	九・六	一六・七	一二・二	八・七	七・五	八・六	九・七	七・四
同五年(一九三〇年)	一八・六	九・〇	一六・一	一一・二	七・九	七・二	七・五	九・一	七・一
同六年(一九三一年)	一八・六	八・九	一五・二	一〇・八	七・九	六・八	七・三	九・五	六・九
同七年(一九三二年)	一八・〇	八・四	一三・九	一〇・四	七・六	六・二	六・四	八・三	六・九
同八年(一九三三年)	一八・八	八・二	一三・一	九・九	七・三	六・〇	六・〇	七・九	五・八
同九年(一九三四年)	一九・三	七・六		九・二	七・二	五・七	五・四	七・四	五・五
同十年(一九三五年)	一九・一	七・二		八・九	七・四	五・五	五・二	七・四	五・二
同十一年(一九三六年)	二〇・七								

年齢別結核死亡者數（昭和十一年）

年齢	男	女	計	當該年齢級人口一萬ニ對スル結核死亡數
〇―四	二、八一九	二、四七一	五、二九〇	五・八七
五―九	一、九〇〇	二、〇五〇	三、九五〇	五・〇九
一〇―一四	二、六六七	五、九六二	八、六二九	一二・六八
一五―一九	一二、三三六	一六、四一八	二八、七五四	四三・九七
二〇―二四	一五、四九二	一四、九八五	三〇、四七七	五五・一〇
二五―二九	一一、四三七	九、八六九	二一、三〇六	四四・〇六
三〇―三四	六、八四九	五、九二六	一二、七七五	三〇・三二
三五―三九	四、六六五	三、七五六	八、四二一	二三・四九
四〇―四四	三、五七八	二、六五七	六、二三五	一八・九七
四五―四九	三、一〇六	二、〇二六	五、一三二	一六・八五
五〇―五四	二、七一五	一、七八九	四、五〇四	一五・九一
五五―五九	二、四四七	一、五六九	四、〇一六	一八・一二
六〇―六四	一、七四七	一、〇四二	二、七八九	一六・二〇
六五―六九	一、〇一二	六二二	一、六三四	一三・〇一
七〇―七九	六五八	四六二	一、一二〇	七・五八
八〇―八九	六五	五八	一二三	三・九〇
九〇―	―	一	一	七・〇九
年齢不詳	二	二	四	―
合計	七三、四九五	七一、六六五	一四五、一六〇	二一・五二

畏くも本年四月二十八日　皇后陛下におかせられては、結核の豫防並に治療に關し内閣總理大臣に對し、優渥なる令旨を賜ひたるは洵に恐懼感激に堪えざる次第でありまして、政府では來る十一月十四日を期して、令旨奉體結核豫防國民運動を開始するに至りたる事は、誠に欣快とする所である。

(二) 結核豫防の要項

さて結核豫防については、次の如き事柄が、平行的に實質的に行はれなければならぬ。

一、結核豫防に關する智識の普及。
一、生活環境の改善。
一、生活内容の充實。
一、年少者の養護。
一、傳染源の除去（發見、消毒及び隔離）
一、個人抵抗力の增强。
一、大衆、團體及個人の直接指導。
一、早期發見（治療及隔離）
一、治療の研究。

右の内結核豫防の智識に關して些か記述せんとする次第である。

(三) 感染と發病

結核の感染、卽結核の發病ではない。然し乍ら發病は必ず感染と云ふ基礎の上に在るものであるから、感染と發病との關係を認識して置くことは大切な事である。

結核感染の有無を檢査する方法に、マントー氏反應試驗と云ふのがあるが之れに依つて感染率を年齢別に調べて見ると大略次の通である。

井上氏調査（福岡縣郡部）		八歳	二一・三%
		十五歳	四〇・四%
岩橋氏調査（大阪市内）		八歳	三五・六%
		十二歳	六〇・九%
小林氏調査（海軍）		十四歳―十七歳	三〇・四%
		二十―二十一歳	六六・五%
		二十七―三十四歳	一〇〇・〇%
長崎醫大看護婦	都市出身者	十七―十九歳	六三・九%
		二十五歳	一〇〇・〇%
	郡部出身者	十七―十九歳	三五・八%
		三十歳	一〇〇・〇%

之で見ると人間三十歳に達すれば感染百%である。此の間小學校、中等學校時代に於ける增加は急激であるから、年齢別に見た感染率曲線は上圖の樣になり、これに前揭の年齢別死亡率を併記して觀察すると興味がある。

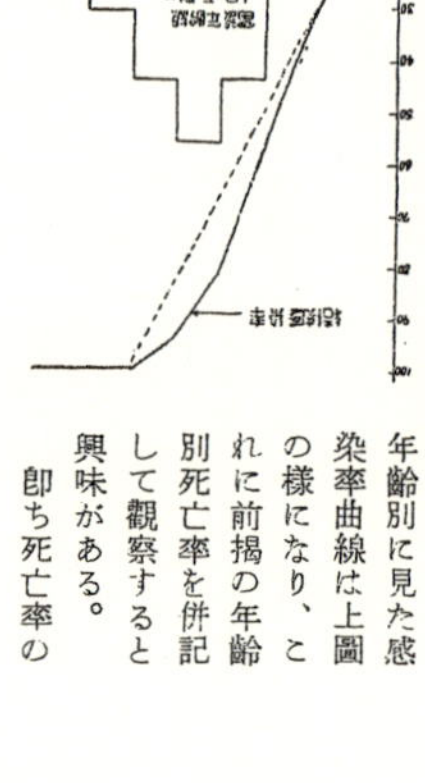

卽ち死亡率の最高は二十歳―二十四歳の間にあり、感染率が急激に增加する時期にやゝ遲れるが略々一致し、感染が全部に行き亘つた二十五歳―三十歳の頃からは死亡率は急に下降するが、感染率曲線は下降しない。此の感染率曲線の下降しないと云ふ事は、度々再染をして居る證據であつて、しかし此の再感染の期間に於て死亡率が減少するのみであるから、結核死亡の大多數は初感染による發病か又は初感染に依つて作られたる原發竈が、抵抗力消耗の機會に有力なる轉移竈を形成したるに起因すると見るべきであつて、再感染發病は稀なるものと思はれる。

岡氏は、某結核療養所に於ける看護婦について觀察した處によると、數年間マントー氏反應陽性にして、肺にレントゲン檢査上陰影を認めない者からは、發病した例がない。一般にマントー氏反應陽性となつてから、時日の經過した者からは發病者が少ないが(三・八%)、新陽轉者からの發病は、三六・八%にも達してゐる。

以上の諸點から、結核の發病に對しては初感染時の體力如何、及初感染時より暫時の期間の抵抗力の問題が、重要なる意義を有することがうかがはれる。

故に結核の豫防には、感染豫防と發病豫防とに焦點を置かねばならぬ。

(四) 感染豫防

前述せる如く、結核の感染は、或る年齢に達すれば否應なしに百となる現況である。然し乍ら、年少者の感染又は病後、姙娠、產褥、其他抵抗力の減弱せる機會に於ける感染は發病する傾向が大であるから感染豫防に努めねばならぬ。

感染豫防の第一步は傳染源の早期發見と消毒と隔離である。早期發見には、マントー氏反應檢査が又重要なる意義を有するものであつて、單に感染率を知るのみではなく、此の檢査を地域的系統的に行ふ事に依つて、傳染源を發見する手懸りとなる。例へば、或る通學區域に、或る家庭に、多數のマントー陽性者存する事を發見すれば、近くに傳染源の存在を疑はなければならぬ。所謂老人の咳持ちは往々にして結核菌の撒布車である。斯の如き傳染源の早期發見は、健康相談所、保健所等の活動に依つて得られるのである。

(五) 發病豫防

感染は、抵抗少き或る期間は、極力之を防止するとしても、所詮完全に免れる事は不可能と見る他はない。茲に發病豫防には、マントー氏反應が、新に陽性となつた時から一年間が最も重大なる意義がある。勿論、陰性者は、如何なる時期に陽轉するとも、發病を阻止し得るの體力を、平素より培ふべきではあるが、尙、陽轉直後は

過度の勉學、勞働を避け榮養、住居に關しても萬全を期せねばならぬ。此の爲には、時々のマントー氏反應檢査が必要であり、陽轉後の健康診斷が肝要である。斯くして又早期治療の可能性が增大するのである。

（六）結核療養所

萬一發病すれば、其の發病せしめた環境を根元的に改善することは絶對に必要である。然し乍ら、環境の卽時改革と云ふ事は通常中々至難なことであつて、やゝもすれば行はれ難い。故に發病した環境では治癒しないものである、など言はれる樣な仕末である。茲に於て轉地療養の意義が生じて來る。轉地療養は、發病を誘致した心身に不適當な環境から遠ざかる事が主たる目的であるから、必ずしも療養所に入所すべきものとは限らないので、都塵を離れ心勞を絶つて、山間や海濱に寄寓するは良いのではあるが、發病當初は是非共一定期間正しき療養所生活を經驗する樣にせなければならぬ。でなければ自己の病勢の程度を辨へず、我流療法に墮し、時には放從にさへ流れて、所期の目的に背馳する結果となり易いものである。又完備した療養所に於ては、傳染源の隔離が完全に行はれ、結核豫防上重要な役割を受持つのである。隔離は開放性結核のみに考慮を置くは尙不充分であつて開放性結核と判るまでに相當な害毒を流布してゐる事も多いのであるから、出來るだけ療養所の收容力を增して其の機能を充分發揮する樣努めねばならぬ。

療養所の濫觴は、一八五九年ブレーメル氏が、ゲルベルスドルに世界最初のサナトリウムを作つたのに始まるのであつて、其後二十三年を經て結核菌が發見されたのである。同氏は結核の地理的分布に關する研究をなした結果、榮養を適當なる環境に於て、保護療法と練磨療法とを行へば、當時全く不治と稱せられてゐた結核も治癒せしめ得ると信じ、これを實行すべくサナトリウムを建て、而して豫期以上の成績を擧げたのである。

都塵を離れて郊外の療養所に入れば、それまでの複雜な周圍から解放され、日々の心勞から脫却して患者自身も伸々した氣持に成れる。其處には醫師の監督下に規律正しい生活があり、適切な治療と溫かい看護がある。患者相互の同情的友情から生れる慰藉による好影響に至つては、療養所以外では望まれないものである。近來恢復期の患者に職業的作業療法を行つて成績を擧げてゐるものもある。

療養所に於て、一定期間正しき療養生活を修得したる上は病狀如何に依つて適宜轉地、又は家庭療養を行つても良い。此の場合は、周圍の同病者に對しては、體驗ある良き指導者となつて、結核豫防の一翼に參加することゝ

なるであらう。

參考までに左に各國に於ける結核病床數を記載して筆を擱く。

各國に於ける結核病床數（日本以外ノ計數ハ國際衞生年鑑ニ依ル）

病床數	結核死亡百ニ對スル病床	調査年	國名
一一、七二七	九・三六	一九三三年（昭和八年）	日本
二四、五七八	六四・七〇	一九二九年（昭和四年）	英國（イングランド及ウエールス）
七八、五九六	一一三・二八	一九二九年（同）	米國
六四、一五二	一一五・五〇	一九二九年（同）	獨逸
四九、五五二	七三・二二	一九二八年（昭和三年）	佛國
一四、九〇四	三三・八四	一九二八年（同）	伊國
三、三〇〇	五一・〇七	一九二九年（昭和四年）	和蘭
二、九九三	三四・一六	一九二九年（同）	白耳義國

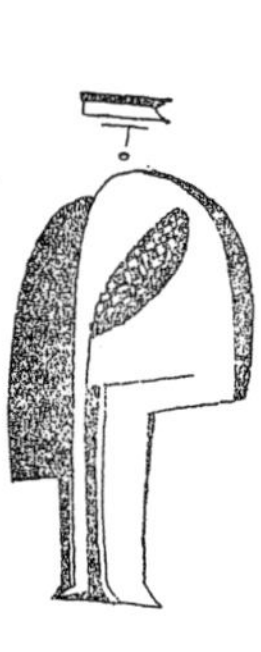

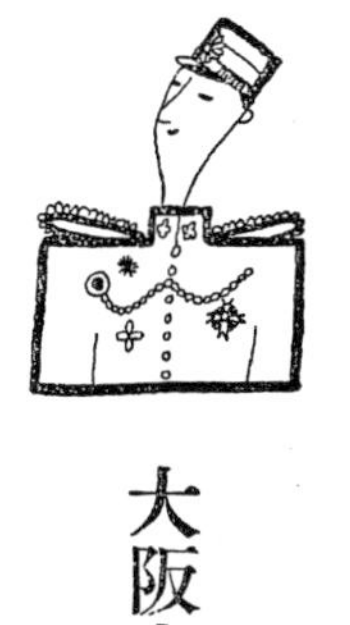

大阪市の軍事援護事業

—授産場及び勲の家を中心として—

大阪市社會部長　田坂茂忠

一

軍事援護事業は云ふまでもなく戰歿軍人軍屬の遺族、出征軍人の家族、傷痍軍人及び歸還軍人並びにその家族を援護・支援することを目的とするものであるが、これはわが國民が過去二千六百年間幾多の國家的非常時に際し顯現し來つた自發的國民的自覺であり、擧國一致の强固なる愛國的精神と隣保相扶の精神をその根幹とし、明治以後は特に國民皆兵の本義に立脚し國民の總力をもつて戰はんとする熱意が軍事援護にも著しく反映してきたことは見逃せない事實である。かくして軍事援護事業は國家の法による援護を經とし下より盛り上る國民の援護を緯として圓滑なる運行を續けてゐるのである。このことは本市に最も適確であつて卽ち本市三百萬市民の力强い銃後援護の熱誠と國家の援護事業とは「大阪市」といふ媒介によつて完全に握手融合し渾然一體の援護體系を形成して些かの分立をも許さぬ實狀にある。いまこの有機的活動を概觀し二、三の施設に就いて眺めたいと思ふ。

二

本市における銃後援護事業は大別して制度的援護、施設的援護、精神的援護の三となすことを得るであらう。尤もこの區分は便宜的なるものであり、程度の差に過ぎないものもあるが、いま各別にこれを簡單に見ることとしたい。

先づ制度的援護に屬するものとして國家の軍事扶助法の運用、大阪市銃後奉公會の結成、大阪市軍事援護資金・軍事扶助金立替資金の設置、本市施設使用の特例、水道料・電燈料の補給、市稅・學校授業料の免除等がある。軍事扶助法の運用は各區がこれを擔當し、大阪府に申請

するものであるが、これには次に述べる銃後奉公會が大きな役割を演じてゐる。事變勃發直後本市には二八〇の軍人遺家族援護組合が結成され、これらの組合は軍事援護の第一線を擔當し、各種扶助の斡旋・慰問・家業の援助等を行ひ來つたのであるが、本年四月大阪市銃後奉公會として改組せられるに至つたものである。而してこの銃後奉公會は本市援護事業の中樞團體として活躍し凡ゆる援護の手はこれを通じて遺家族に達する。大阪市軍事援護資金は軍事扶助法による扶助の補給的意味の下に恩賜財團軍人援護會等の扶助と相俟つて生活援護の完璧を期しつつあるが、この上銃後奉公會自體の資金による扶助も加はるのであつて未だ充分なりとは云ひ得ないとしても生活の最低保障といふ點には略々近いのではないかと思はれる。尚ほ軍事扶助の指令を受けながら扶助金交付の遲延する場合に第一回分の立替支拂をなすために特に軍事扶助金立替資金の制を設け一日も早く現金が遺家族の手に渡るやう細かい注意を拂つてゐる。つぎに本市施設使用の特例として生業資本融通施設、市設質舖、市設住宅、市設託兒所、市民病院その他の施設の使用料を減免し、その負擔の輕減を圖つてゐる。

また施設的援護に屬するものとして軍事援護相談所、母子寮、授產場、勳の家等の創設がある。軍事援護相談所は事變直後各區役所及び出張所に設けられた軍人遺家族相談所を擴充して昨年十二月に軍事援護相談所と改稱したものであつて、生計、身の上、戶籍、法律、子女教育等萬般の相談に應じてゐる。母子寮は戰歿者の妻子に適當な住居を與へ母の生活を保護するとともに子供の養育を圖らしめんとして昨年五月に設置せられた。授產場及び勳の家については後述することとしたい。

最後に精神的援護は事變の長期化と共に新たなる意義を加へその對策實施は刻下喫緊の要務である。從つて從來行はれて來た遺家族に對する慰問、慰安會の開催、慰安施設の解放、優待、現地皇軍の慰問及び戰歿者の弔慰、傷痍軍人の慰問、優待等の消極的慰安から飛躍して遺家族の精神的生活の向上、生活改善による積極的援護を實施し長期戰下に不動の銃後家庭を築き以て援護の完璧を期すべく目下知名の社會教育家、宗教家、學者等の協力を得て、遺族、家族、子供それぞれに應じて講演會、懇談會或ひは生花茶の湯、育兒等の講習會及び「子供の會」の開催など續々實施中である。

三

さきに述べた如く本市は軍事援護事業に對して全力を盡し、その萬全を期してゐるのであるが、前節に施設的

援護の一つとして揭げた授產場及び勳の家について少しく詳細にこれを眺めることとしよう。

授產場施設ははじめ出征軍人遺家族の生業援護のために一昨昭和十二年十一月一日から北、東、大正、天王寺、浪速、玉出、此花の七市民館に設けられたもので、家庭收入の增加を圖らしめるとともに銃後勤勞報國の精神涵養を目的とし、單に扶助の受領に終ることなく本人の自力更生を目指したものである。その後事變の進展とともに物資統制に基く離失業者が生じたので、銃後社會施設の擴充整備を圖る必要があり、本年三月天王寺區東上町に中央授產場を設け、同時に東區黑門町に玉造授產場を設置し、更に九月西淀川區海老江上一丁目に海老江授產場を、また十一月には田邊授產場を設くるに至つた。

中央授產場は創設費二十萬圓を以て創設したもので、作業種目は洋服・雜貨のミシン裁縫、手藝編物、印刷で定員はそれぞれ一八〇人、一〇〇人、二〇人となつてゐる。玉造及び海老江の兩授產場は何れも洋服雜貨のミシン裁縫をなすもので定員は玉造二〇人、海老江四〇人である。北市民館授產場ではミシンを使つて大阪陸軍被服支廠その他の註文品の仕立を行つてゐるが、その他の市民館ではミシン裁縫のほかに編物等をやつてゐる。

工賃は仕事によつて異り、出來高によつて異るが、例へば大阪陸軍被服支廠より註文せられたる冬襦袢の仕立の如きは一枚十錢、冬袴下仕立は同じく九錢、また冬袴下のマトメの如きは同じく十二錢となつてをり、一人一日に一圓乃至一圓五、六十錢の工賃となる。本市はこの授產出席者に對して一日二十錢以內の奬勵金を與へ出席を奬勵してゐる。幼兒のある人に對しては中央授產場に兒童室が設けられ無料保育に當つてをり、各市民館ではそれぞれ託兒所において受託保育を行ひ、母親をして安んじて業に專念せしむるやう細かい注意が拂はれてゐる。

四

勳の家阿倍野寮は住吉區阿倍野筋三丁目にあり創設費十二萬餘圓を費して本年五月竣工、六月開所したもので戰歿者遺族の住居保護を目的とする施設である。室數は三十八室で第一種（三疊、六疊のもの）六室、第二種（三疊、四疊半のもの）三十二室、寮室は主として南向きで通風・採光に意を用ひ、室內には押入、專用炊事場があり、電燈・水道・瓦斯の設備が完備してゐる。この寮室のほか晝間幼兒保育のための兒童室、集會室、浴室等が設けられてゐる。室料は第一種月額五圓四十錢、第二種四圓五十錢となつてゐる。

現在（十月十日）の居住者數は一二二人、世帶にして三三世帶、兒童數七六人である。世帶主の職業は保險外交員、保姆見習、女工、看護婦各一人、授產從事者五人等で何れも雄々しく生活の道を立ててゐる。併し居住者のすべては夫を失つた妻とその子女であるので、その精神的方面の指導に意を用ひ隨時講演會、懇談會を開催するとともに、通學兒童の歸宅後の遊び場所並びに保育幼兒の運動場として附近の地所を無料で借り受けその成長を助け、力強い銃後の第二の世代として父兄に劣らぬ働きをなさしめんとしてゐる。更に精神的援護の一としてこれらの子供達を集めて「子供の會」を開催し、榮譽ある遺家族としての矜持を保たしめるに努めてゐる。

以上要するに授產場施設も勳の家も施設的援護の一として本市の軍事援護事業の重要部分を占むるとともに等しく子供の保護に留意してゐる。

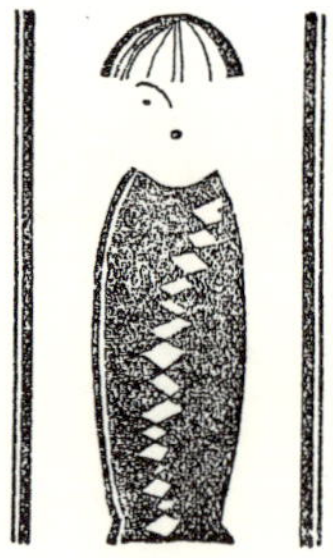

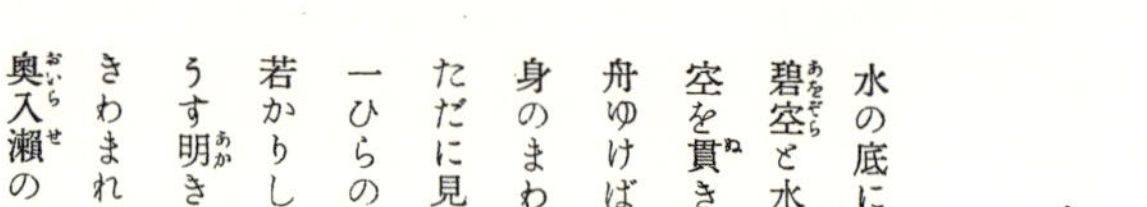

紅葉する十和田湖

納　秀子

水の底に巖根ふとしく湖の秋は深まり朝けしづもる
碧空（あをぞら）と水にひとしく紅葉をきて十和田の湖はややに晴れゆく
空を貫（ぬ）き水に身を伏せつつましくこの紅葉せる山横たわる
舟ゆけば唯一列にうかび來てすこし搖れ寄る十和田のもみぢ
身のまわりただくれなゐと紺靑の粧ひなれば心をどりつ
ただに見むに惜しく詠むてふことはなほ難き十和田の紅葉とおもへる
一ひらの紅葉をもちて歸るさへなにかやましき心地するかな
若かりしきのふの頃に人と來て見むには惜しき紅葉なりけり
うす明（あか）き夕陽に長くかげ落ちて向つ山の木湖を渡り來
きわまれる紅葉のうちに身を浮かせ泣かまほしさの十和田なりけり
奧入瀨（おいらせ）のとどろ音（ね）するは瀧か否音もせでわが胸に泌む音

ある時のわれの如くも横はる島に木賊のかすかに波す
のぞき見てややに興ざめそのかみの鬼神お松をたれにたぐへむ
目のうらに安錦繪の毒々しかのお松はも女なりけむに
奥入瀬の水音きゝつゝ子を抱く鬼神お松も乳食ませけむ
三亂の流と君と何と比せむあとのひとつは憎きものかな
これやこの十和田の水のうまきかな三國一の酒の味かも
わが夫は奥入瀬の水しみしみと飲みて曰く三界の美味
明るさと暗と貫ぬき音もせで流るる水に歌まゐらせむ
鬼ぜんまゐわが山中の庭よりもなほみづみづしなほ生々し
かりそめの歌などにくし此處に來てこの山を見よこの瀧をみよ
ひそやかに千鳥啼きつゝあゆみよる奥入瀬の川に紅葉する島に
月よけれ防空の夜を冴えわたる裸身のごとくわれを抱けば
白髪ふえしとかりそめごとの可笑しけれ發荷峠に夫のいふこと
こゝにして見下す湖のうすひかり黄にくれなゐに山かがやけば

若き女性の審査會觀

大阪府立社會衞生院學生諸姉

審査會場の戰利品・乳首

岸　正子

丸々太つた多くの乳幼兒が、體重、身長、胸圍、頭圍等の測定にと、次から次へと送られて行くのを眺め、未來の日本がたのもしく、出生率減少の憂ひもどこ吹く風かと疑はれる程の盛況でした。

第一日、第二日は、生後幾月も經ない乳兒であつた爲か、すべての測定が非常に容易でした。が第三日目より母と他人と區別する樣になつた月齡の乳幼兒が多く、私等を見て測定されるのを嫌がつて困難でした。

次に最も殘念に思つた事を申し、世のお母樣に反省していたゞきたいと思ひます。それは乳首を吸はせてゐる母親が相當見うけられた事です。戰利品と稱し二つ三つ取りあげられてあつたのは愉快でなりませんでした。もう一つは、審査場で次の檢査まで時間が少しあれば授乳さし亦檢査がすめば授乳さしてゐる母親が二三人有りました。こんなにチョビチョビ授乳して良い筈はありません。「授乳時間嚴守」これはあまりにも一般に知られたる事柄でありますが、これすら完全に行はれて居ない實狀ですから他の事は推量されます。

乳首にしろ授乳時間嚴守にしても身體の衞生上は勿論特に精神的にも影響する事が考慮されてゐない樣に思はれました。乳首は性敎育に、授乳時間嚴守は子供の自制心に夫々精神的に害を及ぼす事が甚しい。肉體上に育兒の注意が肝要とされてゐると同時に、精神上にもその注意を及ぼしていたゞきたいものです。

我が子を優良兒に我が子こそ優良兒にと競つて來る母親にしては片手落ちの感なきを得ませんでした。

要するに一般の母親はまだ〳〵身心共の育兒知識が不充分ではないでせうか。

母親達の眞劍な態度

奥村佐久

此の重大時局になつて、國民の體位向上が一般に一層注意され出した今日に於て、將來の國運を擔ふべき乳幼兒の審査會に參加出來、赤ちやんを取扱つた事は意義深い事でした。勿論あの樣な處に來らるゝ赤ちやんですから元氣ななき聲、標準以上の體重等總て現今の乳幼兒死亡率の增加しつゝある等は、思ひ出す事も出來ぬ樣な元氣振りで、二十年後の壯丁を夢みて眞に心安をおぼえました。

お母樣方の眞劍な態度は意外な程でして、殊に若いお母樣方が、忠實に正しい育兒法の實行を心掛けられ、又經驗の多かつたお母樣方の中にも、從來しば〳〵見られる樣な經驗のみで育て樣となさらず、初めての赤ちやんの樣に熱心に研究しつゝ育てられて居るのをみて、より尊く美しく心をうたれました。

近頃新聞紙上等の名士の御言葉の中に「もつと女性は科學的になる樣に」、とおつしやつて居られますが、育兒上には常に冷靜な判斷力をもつて、子供を正しくあつかひ、良習慣をつける事が大切であると特に感じました。

私達女性の最大使命に對して眞劍に、そして日々に進んで行く育兒法に從つて行こうと努力してこそ、より優良なる國民を殘し引いては國家の將來性をより大にする最大の御奉公と存じます。

未來の英雄はだまされる

中野良子

「乳幼兒審査會のお手傳ひをして」……お母さんをはなすまいとする赤ちやん！　ニコ〳〵と何をされても笑つてる、又不思議そうにみる赤ん坊！　未來の政治家も、軍人さんも、この中に何人居ることだらう……。その英雄もガラ〳〵にだまされたり、ビスケットでだまらせられたりしてるからとても〳〵可愛い、しかしお母樣方が育兒に對して相當の關心をもつて居られても、訓練といふ育兒法を少しもわきまへて居られないとつく〴〵感じました、これは誰もが感じたことだらうと思ひます。

身長を測つて居りました故大して赤ちやんについて、否審査會について取あげ得る樣な感想はありませんでした。

乳幼兒の審査會といふ言葉は前より知つて居りましたが、この樣にやり難いことだとは考へませんでした、むづかしいといふ事はよく〳〵知ることが出來ました、何しろ相手は無心なる乳幼兒、初めは反對なさつた先生方も今は審査委員になつてゐるとか。

立派な赤ちやんが毎年多くて、こまるくらひに盛大になることでせう。

五日間をお手傳ひして、良き勉强をすることが出來たと喜んで居ります、都會の子供特有の膚をした赤ちやんを多數みうけました。やはりこんがりと色の良い皮膚には、光澤があつてみづ〳〵しい、本當に赤ん坊らしく感じられました。

私達が社會に出た時、同じ方面の仕事をする以上、少しでも良くみちびいてあげねばならぬといふ感じで居ります。つまらぬ事をしてゐることでも、實際にしてみなければわからない自分を、もつとみがかねばならぬと思ひ、この審査會を利用する人をもつとまさねばよりよき乳幼兒を得られないと考へました。

泣き騒ぐ國民の双葉!!

佐藤いさ子

形のよい頭、少し寢せ方の注意を云つて上げたい樣な絶壁頭も混つて、次々と送られて來る赤ん坊の頭、頭…… 。だが抱き上げる體の、何と丸々と肥つて氣持の良い此の感觸だらう。

非常時〳〵の聲の繰返される度に、何か御役に立ちたい慾望にかられてゐた私達に、此の專門の赤ん坊對手の審査會に、御手傳をさして戴けた事は本當に何より有難い嬉しい事だつた。

「此の頃の赤ん坊はオギア〳〵なんて泣かないのか知ら？」そう思はれる程、來る赤ちやんも赤ちやんも、丸々と肥つてまるで一人前の樣な聲で泣き騒いで續く。

矢張り御自慢丈あつて、私達が保健所で見なれてゐる乳兒達より、はるかにピチ〳〵した感を受けるのは否めない、それに附添ひの御母さん方が、皆揃つて健康相にそして若い方が多い樣に感じられたのも、又皆うなづかれる氣がして嬉しい事だつた。頭圍の測定を命じられて居た私には、此の集つた可愛ゆく肥つた赤ちやん部隊が御母さん達のどんな苦心の許にどんな育兒法によつて、こんなに立派に育て上げられたかと云ふ事の一つ〳〵を聞く事が出來なかつたのは殘念だつたが、來る人每に、「育兒相談所を知つてますか、利用してゐますか」、なんて聞き度い樣な氣さへして、此の種の催がどんなに育兒知識に疎いと非難され勝な多くの日本の母を敎育し、私達の仕事を理解してくれる素地を作つてくれる事かと思ふ時、二十年前から初められたと聞く此の會の歴史に對して、深い敬意と感謝を捧げずにはゐられなかつた。

此の兒等が育ち、此の兒等が伸びた時日本からは體位低下の文字は無くなるだらう。そしてやがて國を背負つて立つ英雄、それを支持する健全な忠良な多くの國民の双葉は、今こゝで悠々とオシツコをし、頭にまで青筋を立てゝ泣き騒いでゐるのだ、女として否人間として之を愛さずにゐられるだらうか。——私達でさへこんなに期待し可愛い赤ん坊を、日本の御母さん方は何故あんなに多勢殺さねばならないのだらうか？そう思ふ時力弱い身乍ら何だか、之から自分の擔當せんとする仕事への激しい熱情をゆすぶられる様な氣がして、48cm……45cm と頭圍測定を繰返し乍ら〃子供の世紀！子供の世紀!!〃と心につぶやきつゝ、何て嬉しい希望に滿ちた言葉だらうと思つた。そして此の小供の可愛ゆらしさは、一體何處から來るのだらうと不思議に思はずには居られなかつた。

乳幼兒愛護事業の興隆

河村幸子

聖戰三年を迎へて增々人的資源の必要を感ずる今日、はじめて乳幼兒の審査會に參加して、多くの經驗を得たことをほんとうにうれしく思つて居ります。今日大阪に於ては乳兒死亡率が非常に高いと敎はつて居りますが、毎日毎日意外に多くの健康な赤ちやんに接し、たのもしく思ひました。頰の落ちさうな可愛いゝ赤ちやん、頸のない赤ちやん、手首に輪の入つた赤ちやん、それ〴〵お父さんお母さん御自慢のよく肥えた赤ちやんぞろひにて細い自分が全く恥かしい位でした。普通以上に發育のよい赤ちやんは、やはり小兒保健所を利用してゐられ、小兒保健所といふものゝ有効と偉大さを感じました。唯一つ危險に思つたことはお母さん自身「この子は百日咳ですから……」とおつしやつて、あんなに澤山の赤ちやんばかりの所へお連れになり、他の方への傳染といふことをお考へにならないのかと遺憾に思ひました。もう少しお母さんの病氣に對する御注意がほしいと思ひます。學校にて敎はる諸先生のお敎へを、今度こそ實地に習得することが出來、私達にとつて實習するには誠に有意義なるよき機會だつたと思ひます。優良兒として表彰される赤ちやんはあの中のどの赤ちやんか、審査の結果が待ち遠しく思はれます。審査會に來られた赤ちやんは立派な體格の持主ばかりでしたが、併しまだ〳〵統計上より見て乳兒死亡率の高いこの頃、先天性虛弱兒童の少くなる様、肺炎にかゝらせぬ様、世のお母様達がよく〳〵注意せられて、ます〳〵非常時の日本に於ける第二國民の健康に努力せられる様、亦ます〳〵乳幼兒愛護事業の興隆をお祈り申し上げます。

お母様に似て肥えてゐる

三宅つや子

無心に笑つてゐる赤ちやん、ほゝの肉が今にも落ちる程、二枚の白い乳齒が愛くるしいまでに目立つてゐる、次々の忙しい仕事にも思はず微笑を返さずにおられない、卷尺を手早く胸にあてゝ柔かい皮膚の感觸に、グルリと廻して胸圍を計る、五一糎とカルテに記入。「まあ隨分澤山ある事」、と獨言を云つたら、「お母様に良く似て肥えてゐるのよ」、と誰かゞ云つた。私は此の「お母様に良くにて」、と云ふ言葉を、何度も〳〵歸路の市電の中で、色々解剖して考へたら獨り嬉しくなつた。

今日の審査會に來られた赤ちやんを見てゐると、我國の乳兒死亡がどうしてあの様に澤山の數字になつてゐるかと思ふ程、皆良い體格でまる〳〵と肥つて力強く育つてゐる子ばかりでした。然し私達の考へます事は、此の審査會に來られなかつた數萬の赤ちやんの發育なり、榮養、疾病の如何が、現在の一般の乳幼兒死亡に關係してゐるのだと思ひました。來年は此の有意義な審査會には一人殘らず來られ、赤ちやん敎育に、環境の改善に努力なされ、正しい育兒の知識を探求されたら、愛兒を亡くす悲しみも知らず尙一層此の目的にも新に光を添へる事になるのだと思ひました。

蒼白い都會の子等

谷本靜子

今回乳幼兒審査會に參加さして戴きまして、私の感じました事柄を二、三述べさして戴きたいと存じます。

體位向上の叫ばれてゐます今日、將來永遠の光輝ある發展を期する爲に、乳幼兒審査會等の催しが行はれます事は誠に意義深き事と存じます。

五日間を通じ最も感じました事は、市內と郡部の子供の差違のある事でした。顏色について申しますと、少し蒼いとか血色がないと思ひまして診斷書を見ますと、大阪市內の乳兒が大部分を占めてをりました。やはり市內の乳兒は、日光に直接當る機會が少い關係からであらうと思ひました。文化の發達する所に保健衞生は普及され立派な施設や制度は設けられますが、これと反比例して人間の健康は次第に虚弱になる趣が多少あるのではないかと思ひます。一概にこの樣に決定する事は困難であるかも知れません。やはり育兒知識の普及した都會の方が母親もその榮養法等は高いかも知れませんが、田舍の自然環境のもたらす影響は都會地よりは大きいのではないかと思ひます。所謂これが後になつて都會に虚弱兒童の多くなる所以の一であらうと思ひます。

次に大きな母親には大きな赤ん坊の多い事でした、第二の國民たるべき乳幼兒の母の體力が如何に重要視すべきであるかゞ、はつきりとわかつた樣に思ひました。

健康なる次の國民を作ると云ふ事は、現在の母親の双肩にかゝると云ふ事が痛切に感じられ、母體の健康保持増進も又乳兒の保護と共に、もつと考察すべき事であると云ふ事がはつきりと感じさせられました。

乳兒と云ふものは細長く作らず、むしろ横に長いよく太つた赤ん坊に育てる樣にしなくてはならないと思ひます。

第二の國民たるべき乳幼兒は、家の寶であり又國の寶でもあるのです。東亞建設の今日我々は銃後の務として一致協力して乳兒を强く丈夫に育て、育兒報國の誠をつくさねばならないと思ひます。

煤煙の都にも優良兒あり

伊藤文子

私達は學術的に赤ちゃんを知つてゐるだけで、實際の乳兒取扱には餘り遭遇してゐないので、この機會に大いに赤ちゃんに親しんでおこうと思つた。私は體重測定をしてゐたが、お母さんが體重にとても注意しておられたそれ故正確にと針と「にらめつこ」してゐたわけである。大部分の赤ちゃんは標準より遙かに突破してゐたので、さすが優良兒の候補者として天晴なる體格と感心した。煤煙の都と稱される工業都市に、よくもこんなに丈夫な赤ちゃんに育て上げられたその努力は、並大抵ではなかつたらうと察せられる。電車、自動車の絶間なしの騷音の中でどうして安眠出來よう、これでは神經質の赤ちゃんになるのも無理ない事と思はれる。七、八ケ月頃の赤ちゃんになると「人見知り」をして、お母さんの手から離れると泣いて體重計の上でとてもあばれる。切角精密にと思つてもつい駄目になつて仕舞ふ、そしてお母さんの御期待にそむく事になる、正確を望まれるならば、どうか常日頃から正しき訓練を施して、機會ある毎に「體重計はこわくないもの」と云ふ觀念を敎へて戴けたらと思つた。又乳首のいけない事がわかつてゐる今日、若いお母さんが吸はさせてゐられるので、「赤ちゃんには乳首はいけないのですよ」、と云ふと「おばあさんが……」、と云はれる。現代のおばあさん全部こうであるとは云へないが經驗を基礎とする舊式育兒法と文化の進むにつれて變り行く近代育兒法、その間には自づと差異が生ずるであらう、近代育兒法必ずしも可とは斷定出來ないが、若いお母さんの育兒法にも耳をかされてよき理解者となられて共に赤ちゃんを正しく導いて、將來規律正しい有爲の人となるやう、國家の基礎を立派に育て上げて戴きたいと思つた。

基礎的な人格は母性愛から

西村ヒサ子

審査を受けようとする赤ちゃんが、お母樣に抱かれてニコ〳〵顏。私は赤ちゃんの無邪氣溢るゝ狀態を尊敬せずには居られませんでした。社會が複雜になるにつれて自然と人間の顏にもいやみがあり、のんびりした處がなくなり、奈良の都を櫻かざして今日もくらしつ、と云つた樣なゆつたりとした顏が赤ちゃんのみに表れてゐると思ひます。

審査をうける境遇に置かれた赤ちゃんは、本當に幸福だと思ひました。此の審査會に出せない樣な體の赤ちゃんが幾人かくれてゐるでせうか、其の原因の一つにお母樣の不注意から來たものがないでせうか、等々深く感ずる處が御座居ました。

御自慢な赤ちゃんをおつれになつたやうですが、お母樣方は他人の立派な赤ちゃんを御覽になつて、亦審査をお受けになつて反省する處があり、注意する處が多々あつた事と思ひます。

時局柄出征勇士の赤ちゃんも多くいらつしやいましたが、此等の赤ちゃんが幾年後には國家の中樞となり、大日本帝國の發展の爲に働いて下さるかと思ひますと、成功を祈らずには居られませんでした。それにつけてもお母樣が正當な母性愛、學問的な知識を備へられ、養育に當られますならば、三ツ子の魂百までもとれないと云ふ基礎的な好い習慣及人格が出來る事と確信いたします。

育兒知識が無さ過ぎる

宮崎郁子

昭和十四年十月十五日より五日間、大阪三越で開かれました第十七回全大阪乳幼兒審査會に、微力ながら應援させて頂き、多くの乳幼兒に接しまして二、三感じました事を述べさせて頂きます。

「此の子こそは」と母親達が自慢の子供ですから、皆揃つて元氣であり、外見上非常に丈夫そうでした。しかし切角こゝ迄丈夫に育つて居るのに……も少しお母さん方の育兒知識があつてほしいと、切望致しました事が度々ありました事を非常に殘念に存じます。審査を受けつゝも甘い羊羹を、今買つたばかりと思はれる樣なのをそのまゝ握らせて居りました。又審査會場の雜踏の中で、平氣で授乳する等は、少し母親が注意すれば改められる事だと思ひます。それからゴム性の俗に言ふ乳首を絕えず吸つて居る赤ちゃんを見掛けましたが、之も乳兒の衛生上遺憾に思ひました。

今日一人でも多くの乳幼兒を立派に育て上げるのは、我國の願望であります、此の大切な子供を養育する母親達に正しい育兒知識を與へ、廣く母子を護つて行く上に私共の大きな責任を深く强く感ずる次第で御座います。

丈夫に育てよ二才の國民
お子さま方が發育成長してゆくためには非常にたくさんの榮養分が必要です。そのためには三度々々のお食事をたくさん食べ、それを餘す所なく血や肉にするやうに工夫してあげなければなりません。
ところが―どちらのご家庭でもお食事のたびにあれはいやだ、これは嫌ひ　だだをこねるお子さまがとても多いものですそのまゝにして置きますと、榮養分の攝取が減つてだん〳〵と身體が痩せ、顏色が蒼くなり、神經質になり發育が遲れがちになるものです。
エビオス錠
こんな場合、叱つたりすかしたりするよりも、何故お子さまが好き嫌ひするかを考へて見ることが大切です。多くの場合ビタミンB複合體と云ふ貴重な榮養素が不足して胃腸の機能が弱つてゐるために好き嫌ひするのです。
ビタミンB複合體のかたまりと云はれる酵母劑――エビオス錠は、胃腸をしんから丈夫にし、お子さま方の好き嫌ひを矯しますから、發育の遲いお子だちにどちらのご家庭でも賞用されて居ります。

帝都全新聞が報道する優良兒表彰式

——全紙上寫眞掲載——

東京朝日新聞（十月二十九日、夕刊）

戰時ッ子のコンクール

泣聲も突貫型

兵隊さん見ればお父ちゃんく

譽れの「征」の字揃ひ

〃九段の父〃や戰地にゐるお父さん達に見せてあげたい元氣なこの顔、むつちりふとつたこの腕——

賴もしい銃後の赤ちゃん比べ、日本兒童愛護聯盟主催第十一回全東京乳幼兒童審査會の表彰式は二十九日と十一月七日の兩日日本橋の高島屋八階大ホールと京橋の明治製菓ビル講堂とで夫々擧行するが流石に戰時下、當日表彰される約二百名の最優良兒中には、譽れの戰死者や第一線の勇士を父に持つ文字通りの〃戰時つ子〃も多數含まれてゐる

これらの最優良兒は去る六月上旬の審査會に參加したお母さん御自慢の赤ちゃん六千餘名の中から特に選ばれた何れ劣らぬ粒揃ひ、その中にも斷然異彩を放つてゐるのは一昨年の十一月十三日上海戰線南翔附近土地堂の戰鬪で壯烈無比の戰死を遂げ昨年十月の論功行賞で譽の殊勳甲「功四旭五」の恩賞に浴した故川上倫一步兵少佐（岡山縣出身）の遺兒川上倫子ちゃん（二才）である。

倫子ちゃんは未亡人の母おさわさん（二八）や兄ちゃんの正史君（六才）と一緒にお母さんの兄に當る本鄕區湯島二ノ五甘栗商北澤嘉幸さん方に身を寄せてゐるが故少佐の戰死後、昨年の四月十八日に生れただけに故少佐の思ひは如何ばかり。又倫子ちゃんも今度父少佐が靖國神社

に合祀されたのを機會にお母さんの胸に抱かれ、はじめて〃九段の對面〃をしたといふ、丸々育つた我が子の姿に神鎭まつた少佐の喜びも如何ばかり！北澤嘉幸さん方に川上母子を訪ふとおさわ未亡人は

亡くなつた主人に元氣な子供の姿をと思ひますが何もお國のためですから……

と母の喜びを語つた、更に出征軍人を父に持つ赤ちゃんでは——

〔その一〕　は、本郷區金助町三蔦職土橋兼造さん方坂入だいさん（二四）長女雅子ちゃん（二才）、雅子ちゃんの父幸吉上等兵（母型職）は下川部隊の勇士として中支戰線に活躍してゐるが雅子さんが生れたのはお父さんが出征してから一ケ月後の昨年六月九日、生れてからいまだ風邪一つ引いたことがないといふ健康兒で、寫眞班のフラッシュに驚いてワッと泣き出す、その聲も天晴れの突貫型だ。

〔その二〕　牛込區戸山町七瀬戸厂子さん（二八）の長男征二ちゃん（滿一才）、恰度お誕生日の朝最優良兒の通知があつた、昨夏來北支へ出征してゐるお父さんの東電社員毅一郎さん（三二）は月々送られる征二ちゃんの寫眞を便箋の速製アルバムに貼つて成長を樂しんでゐると云ふが最近の目方は驚く勿れ三貫目、誕生祝ひに九州から上京した曾祖父の匡さん（八五）は可愛がらうにも重くて抱けぬとこぼしてゐる、喜びの夜はその曾祖父や祖父文德さん（五五）を始め一家は擧つて征坊のために祝盃をあげた、征坊は兵隊さんを見れば誰にもパパと呼びかけ、お馬の玩具が大好きとある。

〔その三〕　は王子區王子町一〇二一會社員齋藤武久さん（三三）の長男征久ちゃん（三才）である、武久さんは一昨秋十月北支へ出征したがこの坊やは其三日前に生れた工兵曹長の父親は未だ目もハッキリ開かない征久さんの面影を抱いて戰野を轉々してゐる中、征久ちゃんは隣近所でびつくりする程に立派に元氣に生長した、唯父親の顏を知らぬためにこの坊やも又兵隊さんの寫眞さへ見ればお父ちゃん〳〵と呼んで笑はれる。

女親かねさん（三四）は特に子供を育てるのが上手らしく長女の靜代さん（八才）も評判の健康兒だ、祕法は唯野菜物を主にして、のんびり育てるにあると云ふが同家でも坊やのためにお赤飯を炊いて萬々歲。

なほ表彰される最優良兒の中には本社機械課長鴨下淸氏の長女倫子ちゃん（二才も）選ばれた。

寫眞（縱三寸五分、横二寸七分）（右上）瀬戸征二君母子（右下）坂入雅子ちゃん母子と父上等兵（左上）川上倫子ちゃん母子と父故少佐（左下）齋藤征久君母子

報知新聞　（十月三十日、夕刊）

廿年後は引受けた
張切る優良赤ちゃん部隊

日本兒童愛護聯盟では去る六月第十一回全東京乳幼兒審査會を催して六千五百名の赤ちゃんを審査したが、二十九日午前十時から日本橋高島屋において最優良兒、優良兒五百三十名、佳良可良兒八百九十名の表彰式を擧行した。

寫眞（縱二寸五分、横三寸）　表彰式場でニコ〳〵のお母さんと赤ちゃん達。

都新聞　（十月三十日、夕刊）

賴母しい興亞の赤ちゃん出陣
けふ恒例審査會

日本兒童愛護聯盟主催第十一回全東京乳幼兒審査會の表彰式は廿九日午前十時から日本橋高島屋で行はれた。

集まつた自慢の赤ちゃんは最優良兒二百六十九名、優良兒三百卅一名、佳良兒四百五十八名、可良兒四百四十七名の大部隊、中には出征家庭の赤ちゃん六十名も混つて何處を見ても賴母しい金太郎さん振り。

聯盟伊藤理事長の開會の挨拶についで審査報告、表彰狀と賞品を授與されたのち厚生、遞信兩大臣の各祝辭代讀があつた後黑須兼氏から〃銃後の赤ちゃんの育て方〃の特別講演を聽いて午後一時散會した。

寫眞（二寸五分四方）　は集つた赤ちゃん達

東京每夕新聞　（十月三十日、夕刊）

優良兒表彰　日本兒童愛護聯盟では去る六日日本橋高島屋で第十一回全東京乳幼兒審査會を催して六千五百名の赤ちゃんを審査したがそのうち最優良兒の表彰式を二十九日午前十時から日本橋高島屋に於て擧行した。

寫眞（縱二寸五分、横三寸三分）　は表彰された赤ちゃん

國民新聞　（十月三十日、夕刊）

銃後の優良健康兒
嬉しい表彰狀授與式

〃可愛いはち切れさうな體位向上ぶりを見て下さい〃

と廿九日午前十時から日本橋高島屋八階大ホールで日本兒童愛護聯盟主催、第十一回全東京乳幼兒童審査會の審査に選ばれて譽れの表彰を受ける銃後優良健康兒二百名がお母ちゃんやお姉ちゃん達に抱かれて銃後坊やたちの意氣を示した。

自慢の健康兒六千名中から選抜されて表彰を受ける二百の最優良健康兒童の中には名譽の戰死者川上倫一歩兵少佐の遺兒倫子ちゃん（二つ）を初め、現在大陸の各地に勇戰しつゝある譽れの出征軍人をお父さんにもつ本郷區金助町三坂入雅（二つ）ちゃんなどが混つてゐる。

表彰式は午前中は代表者二十名に先づうれしい表彰狀が授與され、一旦休憩後の午後二時から秋晴れの屋上にて全兒童へ表彰狀が渡されて同四時盛會裡に散會した。

東京朝日新聞　（十一月八日、夕刊）

〃あたちも殊勳甲〃
九段の父に見せたい可愛い顏

日本兒童愛護聯盟主催の既報第十一回全東京乳幼兒童審査會に見事入選したお母さん自慢の赤ちゃんの中三百五十四名の優良赤ちゃん表彰式が七日朝十時から京橋の明治製菓ビル講堂で行はれた、戰線の兵隊さんをお父さんに持つ擧の赤ちゃんをはじめ今日を晴れと自慢顏のお母さん達、お巡りさんまで加はる賑やかさの中に開會、參加赤ちゃんの中で唯一人の遺兒として一人異彩を放つ故川上倫一少佐の愛孃倫子ちゃん（二才）がお母さんのおさわ未亡人に抱かれて最前列に進み、一同を代表して同會總裁小原厚相代理市來施設課長から輝く〃最優良兒〃の表彰狀と名譽會長永井遞鐵相揮毫の賞品『天下一品にあらざる兒童なし敬せよ愛せよ强く育てよ』の軸物を授與されゝば滿場感激の拍手、今は亡き父の〃殊勳甲〃に呼應してこの譽の表彰をうけた當の倫子ちゃんは無心にニコ〳〵笑つてゐたが、おさわ未亡人は母としての喜びに思はず涙ぐむばかり、續いて前線勇士をお父さんに持つ赤ちゃん十五名、最優良兒六十名へとそれ〳〵微笑ましい表彰が行はれた。

寫眞（縱二寸五分、横二寸三分）　は優良赤ちゃん表彰式、右が故川上少佐の遺兒倫子さん

報知新聞　（十一月八日、夕刊）

健康赤ちゃんけふ表彰式

日本兒童愛護聯盟主催で去る六月中旬行はれた第十一

回全東京乳兒審査會の表彰式が七日午前十時京橋明治製菓ビル講堂で行はれた、申込六千五百餘名から審査の結果選ばれた三百五十名其うち出征者愛兒十五名がある、中でも最優良兒の一人に選ばれた川上倫子ちゃん（生後一年六月）は一昨年上海附近の激戰で華と散つた功四級勳五等殊勳甲陸軍歩兵少佐川上倫一氏の長女で、お母さんのさわ子未亡人に抱かれて壇上に進み表彰狀を授與される姿に滿場敬けんな面持で感謝の拍手を送つた。

寫眞（縱一寸二分、横二寸）　は入選した出征者の愛兒達。

國民新聞　（十一月八日、夕刊）

在天の父もさぞ嬉しかろ！
坊も天晴れ殊勳甲
府の赤ちゃん表彰會に奇しくも
遺兒三名揃つて入賞

銃後の秋に體位向上の嬉しい意氣を示す〃赤ちゃん表彰式〃が七日午前十時から明治製菓ビル講堂で行はれた、これは日本兒童愛護聯盟が去る六日行つた第十一回東京乳幼兒體育審査會で入選した中の三百五十四名を招いて最優良、優良と佳良の三種に分けてそれ〳〵立派な表彰狀と記念品を贈る微笑ましい行事で、丸々と肥つた赤ちゃんが晴れ着に飾られ、お母さんの膝から乘り出すやうにして元氣にあふれた聲をワン〳〵させながら來賓の祝辭を最後にこの和やかな式を終つた。

表彰された赤ちゃんのうちには大陸の戰野で東亞建設の銃を執つてゐる名譽の出征軍人を父に持つ赤ちゃん十五名があり、このうち一昨年十一月南翔附近の激戰で散華した故陸軍歩兵少佐川上倫一氏の長女で、今は母さわ（二八）さんとともに、伯父さんに當る本鄕區湯島二の五、北澤嘉幸氏方に假寓してゐる川上倫子（生後一年六ケ月）ちゃんをはじめ奇しくも漢口陷落の日に生れた牛込區戸山町七故毅一郎工兵曹長を父に持つ瀬戸征二（生後一年一ケ月）ちゃん、王子區王子町一、〇二一故工兵曹長齋藤武久氏長男征久（生後一年）ちゃんと三名の戰死軍人の遺兒が天晴れ、父ちゃんに劣らず殊勳甲の〃最優良〃となつてゐる。

寫眞（縱三寸五分、横三寸七分）　表彰に喜ぶお母さんと赤ちゃん。（第三十九頁につゞく）

祝辭

本日は本年六月上旬日本兒童愛護聯盟御主催の下に、當會場で行はれました第十一回全東京赤ちやん審査會に御參加を戴きました、約六千名と云ふ多數のお子様の中から選拔されました、優秀な體格のお子様方のお目出度い表彰式でござゐまして、會場側高島屋を代表致しまして玆に心からお慶びとお祝を申上げる次第で御座ゐます。

申上げる迄もなく、本年は支那事變勃發以來旣に三年に及び、我が國東亞聖業の完遂を前に、物心兩面に亘りいよいよ國家總力戰を痛感されるのであります。

特に人的資源獲得には政府御當局は勿論、各方面を擧げて一段御苦心の樣に承りますが、此の時に當り今回の赤ちやん表彰式は、來るべき時代の國防第一線の守りを固める意味合から、從來とは全く異つた誠に意義深いものが御座ゐます。

この意義深い表彰式に於きまして、優秀の賞を御受け遊ばした本日御集りのお子様方は、今後益々御健かに御成育遊ばして、將來の國防の固として國家への御奉公を堅く信ずるので御座ゐます。

この御立派な御子様を御生みになり、斯くも丸々と御育て遊ばします御兩親樣の御滿悅は素より、新東亞大建設の途上にある日本帝國の爲誠に欣快に耐えぬ處で御座ゐます。

玆に簡單ながら高島屋を代表致しまして御祝詞を申上げる次第で御座ゐます。

昭和十四年十月二十九日

株式會社高島屋取締役理事　村松善次郎

正しき健康道（一）

ライオン齒科衞生院長
醫學博士　岡本清纓

小島の春とムシ齒

救癩の熱情　昨年の暮頃から大變愛讀された『小島の春』といふのがあります。小川正子さんといふ女醫が、その心魂を救癩事業に捧げて、瀨戶內海や四國の癩患者を收容すべく出張された當時の記錄文學として、誠に敬服に値するのであります。癩が如何に悲慘な病氣であるかはいふまでもありませんが、うら若き女性の身をもつて日本國土よりこれを撲滅し淨土と化さんとして、小川女史が幾多の迫害苦難に堪へて活動された尊き信念と愛の力とには只々感激の外ありません。この本によつて、癩患者に對する同情の念が湧き起り救癩事業に關する認識が深められましたことは同慶に堪へません。

癩患者は日本の國土には約三萬人あると言はれてゐます。その中約七千人が各療養所に收容されてゐます。癩は遺傳ではなくて接觸傳染ですから隔離してしまへばそれで絕滅する事が出來ます。故に、殘り二萬三千人の癩者を療養所に收容すれば、それで我國土は淨化される譯であります。然るに此療養所が足りない、もつと當局でも、民間でも力を入れれば、僅かに二萬三千人でありますから容易に實現出來る問題だと思ひます。

然るに、齒の病氣は餘りにも數が多い。內地人だけに就ていへばムシ齒で惱んでゐる者は人口約七千萬人中七割として四千九百萬人であります。更に齒の周りの病氣である所の齒槽膿漏は靑壯老年期に多いのですが、大約その八割として二千萬人と推定されてゐます。かくの如く多い病氣を如何にして撲滅するか、これは今日焦眉の急を要する大問題でなければなりません。

『小島の春』に一掬同情の淚をそそぎ、救癩に心を向ける者はあつても、この人類の殆んどすべてが惱む所の數多いムシ齒の豫防に對しては、實に無關心と云はふか殆んど顧みる者がないといふ狀態でありまして、これが爲めに人類が如何に健康を害し長壽を妨げて居るか、遺憾千萬であります。

人的資源としての健康

今日非常時下の日本に最も要求されるものは强い立派な肉體と精神力であります。戰爭に勝つ爲には人間の數の多いことが大切と謂はれて居ますが、併し數だけ多ければそれでよいのではない。現に支那が四億の民を有しながら、あの悲慘なる運命にあることよりみても、人間の數が多いだけでは駄目です。どうしても量的に多いのと共に質的に優秀なる人間が必要であります。

日本の人口は約一億、その中內地では約七千萬人、必ずしも列國に比して劣るものではありません。それのみか、人口生產率に於ては獨伊英佛の四大强國に比して首位を占めて居ります。人間の生れる率は先づ世界第一でこの表の通りですが、それが近頃は漸次減少する傾向があります。

出產比較表（人口一千に對する出產）

	一九〇一―一九〇五年	一九二一―一九二五年	一九三一年	一九三六年 昭和十一年
日本	三一、八	三四、六	三二、二	二九、九
伊太利	三二、六	二九、一	二四、七	二三、五
獨逸	三四、三	二二、一	一六、〇	一九、〇
英國	二八、一	一九、九	一五、八	一四、八
フランス	二二、一	一九、五	一七、四	一五、〇

けれども、人口が增加する爲には生れる數が多く死亡する者が少いことが必要でありますが、悲しいかな、我國の乳幼兒死亡率に於ても、結核死亡率に於ても、五大强國の中第一であります。此の死亡率を低減することは保健衞生の力に俟たねばなりませんが、實際に於て一歲未滿の乳兒死亡率の如きは

大正七年には　出產千人に對して死者一八九でありましたが

昭和十一年には　出產千人に對して死者一一七

に減じて居ります。それでも尙且つ五大强國の第一位を占めて居ります。昭和十二年には乳兒死亡數は約二十三萬人に達して居ります。從つて乳幼兒保護は人的資源の愛護の上に重要な問題でありまして、政府も非常に力を入れて參りました。

結核といふ病氣は、現在日本には約百四五十萬人ゐると謂はれ、その中每年約十五萬人位死んで居ります。これによる國力の消耗は蓋し甚大でありまして、畏くも皇后陛下の御仁慈によつて御下賜金が下しおかれ、これが救濟に當局が力を盡して居ります。其他身體中のどこが惡くても體力が劣弱となりますが、殊にムシ齒や齒槽膿漏から起る全身的惡影響は皆さまの御想像以上でありまして、これによる人的資源の損失は勿論、物質損失に於ても非常に大きいのであります。

我々の身體が生きてゐるのは心臟が働いてゐるからであります。だが併し、心臟が働いてゐるのは身體が生きてゐるからであります。その心臟が働く爲には同時に呼吸が行はれねばなりません。呼吸が止れば心臟も働けません。身體の榮養が不良になれば、その心臟も働けなくなりますし、呼吸も止つてしまひます。卽ち消化器に故障が起れば、直ちに他の器官にも影響してその働きに故障が起るのでありまして、我々の身體のいづれの部分でも決して獨立して活動してゐるものではありません。悉く他と一體となつて働いてゐるのであつて、或るものが或る他のものゝ原因となり、其結果が前のものゝ、更に他のものゝ原因となるのであります。卽ち身體中のあらゆる働きは原因結果の複合であつて、あらゆるものが、あらゆる他に關りつゝ、しかもそれは常に全體に關つてゐるといふ働き方を全機性といふのであります。この言葉は第一高等學校長橋田邦彥博士が初めて用ひられたもので、橋田博士は生理學＝先生は生機學といふてゐます＝の權威者であります。

かくの如く全機的な働きを有する身體を健全に保つ爲には、そのいづれの器官にも故障があつてはなりません。齒は石ころのやうなものであると考へられた時代は過ぎた　今日の學問では固有の齒卽ち琺瑯質・象牙質・齒髓＝俗にいふ神經＝の他にこれをとりまいて支へてゐる支持組織卽ち齒根膜、齒齦、齒槽骨、白堊質等をひつくるめて齒牙臟器と言はれてゐます。もしこの臟器が破壞されたならば、直ちに消化器を初め他の臟器器官に故障の起る事は當然であります。この事實を見逃して、齒の病氣はたゞ痛むから困るとか、食物が嚙めないからといふ位のことに考へたならば非常な誤りであります。

今や、興亞の大業完遂の爲には、人的資源愛護に醒めて、飽くまでも强い肉體と精神力を培養すべき秋に際して、皆樣が結核、近視眼と共に國民病と稱せらるゝムシ齒の殲滅に對して眞劍に考へ直さねばならぬのであります。

先づ榮養から

本年五月一日に厚生次官文部次官から各地方長官に宛

て、ムシ齒豫防思想普及に關する通牒が發せられましたが、これは日本府政初めての出來事であります。齲齒の豫防に就て政府が一般大衆に指示を與へたといふことは、これが最初であります。

そこで其内容を少しく解説して御參考に供したいと存じます。

第一に、身體ヲ强健ナラシメ齒牙ノ健全ヲ圖ルコトといふのでありますが、齒を丈夫にするには先づ身體全體を健全に保つこと、殊に榮養に注意することであります。榮養といへば、直ちに食物の蛋白質・脂肪・含水炭素・ビタミン・カルシウムなどを澤山食べることだと考へられますが、これらを如何にして消化し吸收して體內に利用するかを充分考へなければなりません。

榮養硏究所長佐伯博士は、榮養食によつて肺結核・肺尖カタル・氣管枝カタル・肋膜炎・結核性淋巴腺腫等の呼吸器病が半數以下になるとまで言はれて居りまして、榮養こそは國民體位の向上、體力增進の根源となるのであります。（未完）

（第三十四頁よりつゞく）

都新聞（十一月八日、夕刊）

興亞の赤ちやんけふ晴の表彰式

日本兒童愛護聯盟主催の第十一回全東京乳幼兒審査會表彰式がけふ午前十時半から明治製菓ビル六階ホールで行はれた、〃興亞の赤ちやん〃は三百五十四名、會場を可愛らしい泣き聲で埋て、赤ちやんを抱きしめるお母さん達の顏もほんとにうれしさう

やがて〃赤ちやん代表〃として譽れの遺兒川上倫子ちやん（一年六月）がお母さんのさわ（二八）さんに抱かれて同聯盟總裁小原內厚相代理市來體力局施設課長から表彰狀を――これで去月廿九日表彰された千四百人と合せて千七百五十四名の赤ちやんが優良兒として表彰されたわけだ。

寫眞（縱一寸二分、橫二寸）は表彰式。

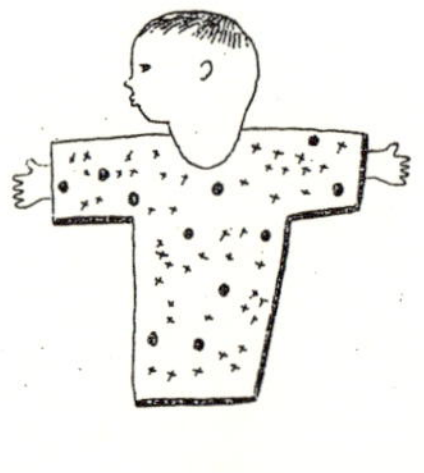

離乳期食餌を與へるに就ての注意

醫學博士　一　色　　征

離乳は生れて五ヶ月頃から、ぼつ〳〵準備し、生れて七、八ヶ月頃には離乳を始め、大體二、三ヶ月で離乳を完了し、おそくとも、初誕生までには離乳を完了するやうにするのが、最もよろしいのであります。離乳期が眞夏とか、梅雨時とかに當つた時は、秋まで延期するのがよろしい。夏は食物が腐敗し易く、又赤ちやんの胃腸の働きも鈍ぶり勝ちになるからであります。

離乳はあせらず一歩々々と進め、五六日の間隔を置いて、一つ〳〵のお食餌に慣らし、一種類の食餌に充分自信が出來て、胃腸を壞さぬ事を見極めた上で、次の食餌に移るやうにして頂き度い。

食餌の種類は赤ん坊の月齡に應じ、その時期に適した食餌を出來るだけ多くの種類を選び、色々の獻立を作る事を忘れてはなりません。赤ちやんの胃腸の働きは、初誕生を過ぎても未だ〳〵弱いのでありますから、食餌の種類や調理法に特別注意し、大人の食物や調理法をそのまゝ離乳食餌に用ひてはよくありません。離乳期食餌の種類や獻立は、專門醫や專任の保健婦に、充分尋ねて用ふるのがよろしい。

食物はゆつくりと喰べさし、食物を充分嚙み下し終へぬ前に、次の食物を口中に入れてはなりません。

好き嫌ひの習慣は赤ちやんの離乳期から充分注意して避けるやうにして頂き度い。兩親の偏食は子供にも移り易いのですから、子供の偏食をなくするには、お父さんやお母さん其他一家中が力を協せて注意せなければなりません。

離乳中は時々體重を測定し、その增減に注意して下さい。

離乳食の調理

離乳準備期食餌の調理法

一、果物汁

果汁は何故に乳兒に必要か　人工榮養で育てゝゐる生後二ヶ月以上の赤ちやんには果汁は是非必要なものであります。それは人工榮養品（牛乳、粉乳、煉乳）は色々の事からヴィタミンCが破壞され、赤ちやんの發育に必要な相當量が充分に攝取せられないからであつて、永く果汁を與へないで居ると「メエレル・バロー」氏病と云ふ病氣を起します。

母乳で育てゝゐる赤ちやんには、果汁は生後四―五ヶ月頃から與へ初めてよろしく、離乳の準備或はヴィタミン補給の意味で與へる必要があります。

健康なる偏食をしないお母さんのお乳であれば、ヴィタミンCは充分に母乳中に含まれてゐるので、人工榮養兒のやうに生後早くから與へなくてもよろしい。

果汁の作り方

りんご　皮のまゝよく洗ひ、丼に入れ熱湯をかけてから四つ割にし、おろし器でおろしお茶こしでこします。

みかん　よく洗ひ眞二つに切りみかんしぼり器でしぼるか又は其の儘お茶こしでこします。

トマト　皮の儘熱湯をかけ、皮を半分はがして殘りの皮の所をもつておろし器でおろしお茶こしでこします。

だい根　質のよい、からくないのを選びよく洗つて熱湯をかけ、おろし器でおろしお茶こしでこします。

果汁の與へ方　初めは前記の如くにして作つた汁を湯さましで二倍位に薄め、少量の砂糖を加へたものを毎日一回一茶匙宛お乳とお乳との間に與へます。二―三日の間毎日一匙宛續けてみて、下痢もなく便性に變りなければ一日一回二茶匙に、更に二―三日後には一日一回三茶匙位にし、茶匙に十―十五匙、或は一回五〇―六〇瓦を與へ得るやうになると果汁を一日二回とする。かくして次第に慣れてくると、湯さましで薄めないで、その儘の搾つた汁を一日一回一茶匙宛より始め、次第に分量を增して一回五〇瓦位與へ得るやうになれば、一日二回にして續けます。

果汁を薄めて與へても下痢を起し易い場合には、最近出來たヴィクミンC製劑を用ふるのがよろしい。

二、野菜スープのつくり方

新鮮な野菜（ほうれん草、人蔘、かぶら、キヤベツ、白菜、百合、馬鈴薯、大根、甘藷）の內の二三種を細か

く切つて、弱火でよく煮出します。これを布でこし、鹽醬油、味の素等でうす味をして、單獨で與へたり、又粥と一緒に煮込んだり、かき玉汁、燒麩のすまし汁や、茶わんむしのおだし代りに使用します。

離乳開始期（生後七、八ヶ月頃）
食餌の調理法

一、重湯のつくり方

薄い重湯
- お米（二〇瓦）茶匙五杯
- 水　（四〇〇瓦）約二合
- 食鹽　茶匙三分ノ一

濃い重湯
- お米（二〇瓦）茶匙五杯
- 水　（二五〇瓦）約一合三勺
- 食鹽　茶匙三分ノ一

お鍋に右の分量のお湯をわかし、よく洗つたお米を入れて、約三分間强火で煮沸し、次で鍋底から一度よくかき廻し、蓋を少し開けて、弱火にしてかきまわさず靜かに一時間程煮て、煮詰つたら最初の量だけ水を加へて、更に煮たものを、火をとめる前に、食鹽を入れて火を消し、淸潔なガーゼか布で濾します。濾す時は、飯粒を無理に搾らぬ方がよろしい。

この重湯は牛乳に加へたり、又濾した後の米粒を混ぜておまじりにして與へたりいたします。重湯をとる時に、馬鈴薯、人蔘、大根、ホーレン草などの野菜や昆布や鰹節等を一緒に入れて重湯をとると、更に美味で榮養分も多いものが出來ます。

重湯は非常に腐敗し易いものですから、重湯を長く貯へておかないのがよく、牛乳に混ぜるのも使用時毎に混ぜるのがよろしい。又重湯はカロリーに乏しいものですから、お乳の代用になるものと思ひ違ひをしてはなりません。

二、穀粉煮汁のつくり方

上新粉、パン粉、メリケン粉、ちゝ粉等を茶匙に輕く一杯約二瓦に水二〇〇瓦約一合を少しづゝ入れてよく攪き混ぜよくといて後、火にかけ、沸騰させます。之は一%の濃さのものです。初めは之れ位の薄いものから次第に濃くして、三%位の濃さのものを用ひます。之は重湯の代りに牛乳の稀釋液として用ひたり、離乳の初めに重湯の代りとして用ひたりします。

離乳第二期（生後八、十ヶ月頃）
食餌の調理法

一、つぶし粥（碾割米粥、グリーズ粥）のつくり方

つぶし米	盃	一　杯（二〇瓦）
水	盃	二十杯（四〇〇瓦）
食　鹽	少量	

お米を前の晩に洗つておいて、擂り鉢ですりつぶし、小粒にしておいてお米の約二十倍の水を土鍋に入れて弱火で約三十分間靜かに煮て出來た所へすぐ食鹽を少し加へる。

右記の分量の粥は五%のものでありますが、離乳のすゝむに從ひ次第に濃くしてゆきます。又鰹節煮出汁や野菜スープを入れて醤油や味の素で味をつけてもよろしい。

二、おまじりのつくり方

前記の薄い重湯のつくり方の分量で出來上つた重湯五勺の中に重湯をとつた殘りの米粒を茶匙一杯入れたものが薄いおまじりで、二杯入れたものが少し濃いおまじりとし、お粥に移る前に與へます。

三、食パン牛乳煮(食パン野菜スープ煮)のつくり方

食パン　マツチ箱大一個
牛乳　(野菜スープ)五勺
砂糖　茶匙一杯
食鹽　少々

パンは作りたてのねばり氣のあるものでなく、作つてから一日位おいたものを選び、耳をとつて牛乳又は野菜スープでくたくたに煮て砂糖、鹽で味付して與へます。

四、食パントーストのつくり方

耳をとつたマツチ箱大の食パン一個を炭火の上で遠くからかざしてこんがりとやき、薄くバターを塗り、バターの乾くまで火にかざしてカチカチになつたものを擂鉢ですつて粉にし、それに温かい牛乳を注ぎかけて與へます。

五、野菜うらごしのつくり方

野菜の裏漉しは初め茶匙一杯毎日一回から始め、次第に增し、茶匙八杯位まで與へます。

野菜は人蔘、ほうれん草、馬鈴薯、百合根、キャベツ、甘藷、青豌豆等で、古いものはいけませんから新しい旬のものを用ひます。ほうれん草、人蔘等を與へると大便に色がつきますが心配に及びません。

にんじん　皮の儘よくたわしでこすつて洗ひ、大きいものは二つに割り、小皿に入れて蒸器で蒸すかゆでゝ細目のうらごしの上にのせ、お杓子で壓しつぶし作らこします。

ほうれん草　よく洗つて大きな根元には庖丁で切込を入れ、小皿に入れてそのまゝ蒸しかるく水を切つてから前記の如くうらごしします。

馬鈴薯　皮のまゝたわしでこすつて洗ひ、大きいものは二つ又は四つに切つて蒸し、あつい内にうらごしします。

キャベツ　一枚一枚丁寧に洗ひ、大きいものはザツと切つて小皿に入れ、蒸し、軟かくなつたのをうらごしします。

以上の野菜を煮る時は、水が殘らぬやうに少くして煮ます。うらごししたものは少量の食鹽或はバター牛乳で調味します。ほうれん草の樣な青葉類をゆでる時は、空な鍋でゆでると自身から出る水で榮養分を損ぜずよくゆでられます。

六、かき玉汁

玉子黃味半個、野菜スープ又はお出し五勺醤油、鹽少量を用ひて作ります、それは與へてよい一回分の量であります。

七、カスタードクリーム

味付けした野菜スープに、よくほぐした黃味を入れかきまぜながら火よりおろします。

牛乳五勺に砂糖を茶匙に二杯入れて煮て溶かしておく。牛乳の冷めた時に玉子の黃味小一個を溶かして混ぜ、プリン型にうすくバターを塗つて前の混ぜた物を流し込んで中火で蒸します。

離乳第三期（生後十、十二ケ月頃）

食餌の調理法

一、お粥のつくり方

薄いお粥	お米	（二〇瓦）茶匙五杯
	水	（二五〇瓦）約一合三勺
	食鹽	茶匙三分ノ一
濃いお粥	お米	（四〇瓦）茶匙十杯
	水	（二五〇瓦）約一合三勺
	食鹽	茶匙三分ノ一

お鍋に右の分量のお湯をわかし、よく洗つたお米を入れて約三分間煮沸し、鍋底から一度よくかき廻し、蓋を少し開けてその後は決してかき廻さないで靜かに弱火で約四十分から一時間も煮て火をとめる前に食鹽を少し入れ火をとめてから五分間むらします。煮詰まればお白湯を最初の量にまでまわしてよろしい。

三分粥　お米三勺に水五合五勺加へて前記同樣に煮る
五分粥　お米五勺に水五合五勺。
全　粥　お米一合に水五合五勺加へて同樣に煮る。

二、野菜入りおぢやのつくり方

馬鈴薯、人蔘等の野菜を細かく切りお米及び鰹節と一緒に水で永い間ことこと煮る。お米がすつかり溶けそうになり、野菜類も大部分形がくづれる頃に味の素、鹽、醤油で薄味をつける。

三、煮込うどん

玉子をかき玉にして上からかけてもよく、又水とぎした葛を入れて餡かけにしてもよい。

四、牛乳粥

普通の粥が大體出來上つた時に牛乳を入れて煮つめ砂糖、鹽で味をします。

五、半熟玉子

鍋又は土瓶にお湯を沸かし、煮立つた時に玉子一個を入れてすぐ火から外して四、五分間そのまゝにしておき、それを湯の中から出して割つて鹽味します。このやうにすると白みも黃みも半熟になります。

六、いり玉子

玉子一個を鉢にとき少量の牛乳又は出しを入れ、砂糖、鹽で味付し、よくかき混ぜおく。鍋にバターをとかし、中に玉子を入れて數本の箸で手早く掻き廻します。

七、ボイルドフイツシユ(魚をゆでるか、むしたもの)

平目、鯛等の刺身にする部分を求めうす鹽して御飯むして蒸すか、或はざつと鹽ゆでにしよく身をほぐして擂鉢ですつたものを、最初は茶匙に一―二杯から始め漸次增量します。

八、魚のホワイトソースかけ

平目、鯛等の白身の魚半切をうす鹽をして御飯蒸しで蒸し、ホワイトソースをかけて與へる。

ホワイトソースの作り方　瀨戸引鍋にバター茶匙一杯をとかし、それにメリケン粉茶匙一杯入れて黃色になるまでいため、たえず木杓子にてかきまぜながら牛乳五勺を徐々に加へ、とろとろのなめらかなソースを作り鹽味をします。これをホワイトソースと云ひ、この中にホーレン草のうらごし又は靑豌豆等のうらごしを入れたものをグリンソースと云ひ、玉子の黃味を入れたものをイエローソースと云ひます。

九、南京豆腐

南瓜の皮をとつて軟かに鹽ゆでにしうらごしして南瓜の量の五分の一片栗粉をよく混ぜ、砂糖を混ぜゆるめすぎぬやう煮出汁でゆるめて四角な器に入れ蒸します。それを取出して四角に切ります。

十、豆腐、葛あんかけ

豆腐やつこ三個を水茹でして水を切つておく。(煮だつたらすぐ豆腐をすくひ出すこと) 冷めた出汁五勺に葛粉大匙半杯を入れかき混ぜ作ら火を通し砂糖、醤油で味を付け豆腐にかける。

十一、魚、葛あんかけ

鮃半切を一寸鹽をして蒸しておく。冷えた出し汁に葛粉を入れ掻き混ぜながら火に通し、醤油、砂糖で味をして前の鮃にかける。

十二、茶碗むし

玉子一個出し汁又は野菜スープ八勺平目お刺身三切、ほうれん草細ぎり茶匙二杯、醤油、味の素を用ふ。

十三、オムレツ

ほうれん草五株、馬鈴薯半個を共にうらごしにし玉子一個、牛乳大匙一杯半、鹽、バター共に少量を用ふ。

此外に變つた献立を御家庭で色々と工夫して下さい。

離乳完了期献立表(三日分)

	午前六時	午前九時	午後一時	午後三時	午後六時
一	牛乳一八〇瓦、角砂糖一個パンマッチ箱大バター付	普通粥子供茶碗二—三杯、麩清汁(麩二ツ)鰹田麩二—三茶匙	粥、白身魚二切小蕪一個、麩二個煮付	牛乳一〇〇瓦、角砂糖½個、ビスケット二個、林檎卸し¼個	粥、ほうれん草すりつぶし入り玉子とぢほうれん草二茶匙玉子一個
二	牛乳一八〇瓦、角砂糖一個、パンバター付一個	粥、麩入味噌汁(麩二—三個)麩おさつ卸し煮(麩一個おさつ一大匙)	粥、白身魚ホワイトソース和、(魚二切、ほうれん草裏漉し二茶匙)	牛乳一〇〇瓦、砂糖一茶匙、片栗粉二茶匙、林檎砂糖煮½個	粥(肉スープ炊きトマトオムレツ)(トマト½個 玉子½個)
三	牛乳一八〇瓦、角砂糖林檎½個	野菜粥、かき玉汁(玉子一個)、片栗粉少々海苔みじんかけ	粥、白身魚、大根卸し煮(魚二切、大根卸し一大匙)	牛乳一〇〇瓦、砂糖一茶匙、パンバター一個	粥、野菜ホワイトソース煮込み(小蕪、ポテト各½個、人参卸し二茶匙)

小兒結核の豫防に就て

醫學博士 野 須 新 一

日本は毎年十五萬の結核死亡者を出し、結核罹病者數は年約百五十萬乃至二百萬人あるものと見られて居る。此の結核死亡者の中、半數は十四歳から二十九歳迄の間に死亡して居る現狀である。卽ち日本では結核死亡の最高な年齢が二十歳—二十四歳、之に次で十五歳—十九歳之に次で二十五歳—二十九歳であります。之は由々しき大問題であつて國家の中堅となつて之から活動をはじめ樣とする時期に病臥死亡することは本人の不幸は勿論、國家としても影響極めて甚大である。獨逸或は米國、佛蘭西等に於ける結核死亡最高年齢は五十歳—七十歳となつて居るのに比べて、日本の現狀は誠に寒心す可き狀態にあるものと言へよう。一九〇三年にベーリング氏が成人肺癆とは單に小兒期に罹患した結核の末期に過ぎないことを説いて居りますが、實際に小兒結核の豫防は卽ち大人の結核豫防の上にも重要な意義を有するものであります。實に小兒期結核は總て成人結核の根であり、芽であり、又幹であるとも言へるのであります。結核性疾患は小兒期に治療し豫防してこそ始めて眞の効果が擧げられるものであることを忘れてはなりません。小兒期結核の豫防上以下の點に注意せねばならぬ。

一、結核に罹つて居る婦人の姙娠は極力之を避けることである。結核を病む婦人、ことに肺癆婦人は姙娠によつて病勢の增惡を來すことは周知の事實である。その增惡の程度は一樣ではないが、決して好影響を與ふるものではない。中には姙娠以前に何等結核らしき兆候も無かつた婦人が姙娠と共に喀血を起してそれと診斷せらるゝものもある。又姙娠中には異狀の無かつたものも産が濟んで後俄かに增惡して鬼籍に入る人もある。從つて結核

婦人が姙娠した場合其の豫後如何は容易に察知する事が困難である。又肺癆婦人が生む所の兒は母體の抵抗薄弱なる素質を承け繼いで、自らの一生が不幸な丈でなく、肺癆患者である母からの感染の危險頗る大であつて、感染後間もなく幼若にして死亡する例も甚だ多いのである。外國では結核患者の斷種法規定が論議せられてゐる。曾て結核に罹患した事のある婦人、最近迄結核性の病氣で休んで居た御婦人等は餘程愼重に健康診斷を受ける必要がある。

二、結核婦人が分娩した場合には乳兒は直ちに母體から引離して、出來る丈長い間健全な環境に乳兒を移し、育てるのが良い。又家族に開放性結核患者があつてどん〳〵咳や痰を出して居る場合もそうした危險な環境から一刻も早く完全に乳兒を引き離して育てることが大切である。結核感染による死亡率は小兒が幼若な程大であつて、惡性の經過を取るものである。而して年齢が進むに從つて段々抵抗が增して來るものである。從つて出來ることならば學齢期迄は絶對に安全な環境に於て養育する樣努力せねばならぬ。

三、結核豫防接種 小兒に特別な物質を接種して結核に對する免疫を得させようとする研究は餘程以前からあつたのであるが、今日の所完全な方法が無い。今日迄に試みられた各種の免疫物質の中で主なものはツベルクリン、或は之に似たもの、結核の死菌又は結核の毒性を弱くした生菌等であつた。その中でも有名なのはカルメット、ゲラン兩氏の所謂B・C・G菌である。このB・C・G菌を乳兒に連續、隔日に三回服用させて免疫を得させる方法である。カルメット氏は一九二六年に五一八三名の乳兒に接種した所、それ等の小兒の死亡率は二五%と云ふ平均死亡率から一八%に低下せしめることが出來たと報告して居る。我國には未だ結核豫防接種は實際的應用としては一般化して居らぬ。

四、結核感染後の增惡豫防 小兒結核感染後の增惡原因の一として重要な意義を有つものは結核の重感染である。殊に重感染は小兒の家族中に結核患者の出來た場合に於て最もその危險大である。從つて之を豫防する爲めに結核患者を有つ結核家族は勿論の事、健康な家庭に於ても對結核定期的の診察を受け、出來ればレントゲン診察を受けるのが最も良い。又小兒が麻疹、百日咳、肺炎などに罹つた後には一般的養生法を充分に施行すると同時にレントゲン診察を受けて置くのも必要な事である。小兒の結核感染如何は簡單にツベルクリン反應或はピルケ反應、又はマントー氏反應等を檢査することによつて確實に知る事が出來る。幼い乳幼兒で本反應が陽性であ

つた場合には結核に感染して居る事實を示すものとして餘程注意を要する。その場合一體小兒は何處から感染したものかと云ふ感染源を發見して先づ之が對策をせねばならぬ。それには先づ家族全員の健康診斷を受け、若し家族中に開放性結核患者ある場合には之を隔離する適當の方法を講ずるのである。現在の日本では家族に開放性結核患者があつても、之を隔離する事が甚だ困難な狀態にある。殊に小兒を隔離すると云ふ事に至つては一層困難な狀況にある。家族の使用人に開放性結核患者ある場合は之を解雇することによつて解決が出來るのでありますが、小兒の友人、學校の教師、或は隣人等に感染源のある場合には之を見出すことが相當に困難である。學校幼稚園に通ふ兒のある家庭では常にこの點に注意が肝要である。級友、又は教師に感染源を見出すことが多いから、この場合は夫等感染源となる學友、教師を隔離する方法を講ずる必要がある。出來ねば轉校するも良い。人口稠密な都市生活者の小兒では殊に感染の危險が大である。重感染の危險も勿論ある。從つて感染兒を見出した家庭ではその住居を人口の稀薄な郊外に移し、日光のよくあたる新鮮な空氣の充ちた土地に住む事は殊に小兒の健康狀態を良くする上に効果が多い。學童に對して學校として小兒結核豫防上注意すべき點は多々ある。殊に過重な學業が兒童の心身の疲勞を來し身體の健康條件を惡化して、一般的及特殊抵抗力を弱める事は餘程考慮を拂ふべき問題である。學校に於ける學習以外に宿題を課せられ、生徒は歸宅後も尙之に對して相當時間の努力を拂はねばならず、尙又中、女學校入學準備のため實に過重な學業を課せらるゝ丈でなく、家庭に於ても家庭教師或は準備學習を授くる教師の許に通學せしめると云ふ樣な狀態にある。近年小學兒童の準備教育嚴禁、家庭教師學習嚴禁方針の許に兒童の過重なる學習負擔を輕減する方策を樹てられ、中學校入學試驗全廢說迄出づるに至つた所以も實に此の過重なる勉學の兒童に及ぼす健康上の影響を輕減せんがための必要なる處置と云へよう。又運動競技による過激なる運動は前述の過度の勉學より起る以上の害毒を生徒に與へるのである。勿論過激なる過動によつて誘發せらるゝ呼吸器の疾病は單に疲勞による結核感染に對する抵抗減弱丈に原因するのではなく、食餌榮養の不適當、不斷の塵埃吸引等色々の原因が之に加はつて居る事は云ふ迄もない。然し一般に運動家に結核の多い事に留意して定期的に健康診斷を受けるのが最善の方法と云へよう。學校と結核の問題に就て旣に一部分述べたけれ共結核の感染或は重感染に對して學校が大きい役割を演じて居る事は決して忘れてはならぬ。同級生間に

(第五十三頁につゞく)

虚弱兒を丈夫にするには

醫學博士　吉馴高明

よく虚弱兒童とか有熱兒童とか云ひまして學校では養護學級を作つたりして對策を講じて居りますが、醫學的立場から觀て虚弱兒とか有熱兒とか申しますと、結核が最も問題となるのであります。然し一概に結核兒童とは限らないのであります。一般の人は兎も角之が指導に當る學校の先生方もこの虚弱兒の醫學的解釋を明かにして居られる方は少いのでは無いでせうか。この事を明かにする事は最も重要な事であります。一人の虚弱兒をとらへて之を丈夫にするには何が原因して虚弱なるかを檢査して之が適正な療法を講じなければ虚弱兒を丈夫にする事は到底覺束ない事であるのみならず、却て惡くする樣な結果となる事も無いとは限りません。

虚弱兒童は先づツベルクリン反應をやる必要があります。ツベルクリン反應陰性のものは先づ非結核性のもので、そういふ兒は神經質が原因して居る事が多い。それは子供の養育に當り親自身が神經質なため餘り今までやかましく云ひ過ぎた嫌ひがあります。從つて療法としては開放的な教育をし、强壯療法をするのがよい。日光浴よし、運動よし、睡眠よし、鍛錬よしであります。ツベルクリン反應陽性のものは養護と鍛錬とを嚴格に區別せねばなりません。養護を要するものに鍛錬を課する時には却てその子供を惡く致します。養護をすべきか鍛錬をすべきかは醫師が診察をし充分檢査して決定すべきであります。その檢査の一例を申しますと赤血球沈降速度であります。赤血球沈降速度が正常でありますと勿論その他の症狀も併せ考へてゞありますが、その子供は結核には感染して居るが現今その結核病竈は活動して居ないと見てよいのです。從つて療法としても嚴格なる養護は不必要で、日光浴も、運動も、多少行ふべきであります。唯この際には次第にその度を高めて行くべきで急に長時

間の日光浴や運動をさせてはなりません。赤血球沈降速度が促進してゐて、結核病竈が多少とも活動性を思はせる時には養護が絶對必要であります。こういふ子供が樂しい修學旅行の後に發病したりするのであります。運動日光浴等强壯療法は病竈が安定して後徐々に始めるべきです。

虚弱兒の總てに必要なのは、新鮮な空氣と、充分な睡眠と、豊富な榮養とであります。新鮮な空氣と充分な睡眠とを子供に與へる時は食慾は自然に旺盛となり、虚弱兒に附きものゝ偏食は自然消滅します。以上の點から虚弱兒には田舍がよろしい。

（第五十頁よりつゞく）

或は受持教師に開放性結核（殊に喉頭結核）のある場合その教室内兒童に感染する危險最も大である。學童及教師の定期檢診を嚴密に實行して斯うした危險を避けしむる方法を講ぜねばならぬ。尚學童の教室掃除に際しては出來る丈塵埃を飛散らさぬやう、掃除前に鋸屑を床上に撒布し、兒童には一定の上衣を着せ、嚴重にマスクを付けさせ、掃除が濟んだらば必ず石鹼と清水を以て汚染した手や顔面を洗はしめることを勵行すべきである。出來れば學童の掃除廢止が望ましい。

歴史地理上より見たる吉野山（講演）

大阪女子專門學校敎授　魚澄惣五郎

三、吉野朝廷と吉野金峯山寺

さてこれから吉野朝廷とこの吉野金峯山寺との關係に及んで申上げることにいたします。

吉野山と南朝の關係が始まつたのは早い時期からであります。元弘の時即ち後醍醐天皇が鎌倉幕府を討伐される御計畫をなさいました時に、その最初にあたりまして、藏人內記日野俊基が叡山横川僧徒の禁廷に捧げた訴狀を、多くの人の面前でわざと讀み誤つて多くの公家の嘲笑を買ひ、それを恥辱と披露して半年ばかり籠居し、やがて修驗者に身を易へて紀伊の温泉に行くといつて都を立つて大和河内の形勝をさぐりつゝ密かに後醍醐天皇の御味方の武士を集めたといふことが、太平記や増鏡に出て居ります。

俊基が修驗者、行者となつて紀州の温泉に行つたといふからにはこの熊野三山や吉野と南野との關係に思ひ至らねばならないのであります。殊に紀州の温泉といふのは何處を指したものであるか、湯崎か、本宮の湯ノ峯温泉か、これは判りませんが、とにかく紀州熊野三山の勢力目當といふことも考へられる。而も修驗者の姿所謂柿の衣にあやゐ笠で、都を出て大和河内紀伊方面で兵を集めたといふのでありまして、實に元弘の御企は山伏の姿によつて序幕を切つて落されたと云つてもよい。又同時に天皇の眷寵最も深かつた檢非違使別當日野資朝も山伏姿で關東へ遊說に出掛けたので、都の人も怪しんだのでありました。

然らば必らずや當時もつと盛んであり、經濟的にも實力を有して居つたこの吉野山にも登山し、藏王堂の寶前に俊基等がさぞ祈願を罩めたであらうと想像することは許されるでせう。

殊に當山は山城醍醐寺とは關係が深いのでありますが、當時後醍醐天皇の非常な御信任を受けて居つたところの僧文觀は醍醐寺の僧正であつて、天皇の元弘建武の御計畫について彼が裏面で盛んに飛躍をやつて居つたといふことは、諸君の既に御承知の通りであります。從つて日野俊基等が修驗者に身をやつしてそして紀州の温泉に浴するとて出掛けた時に、文觀と俊基との間に何かの默契があつただらうといふことは想像が出來るのであります。想

像を逞しうすれば文覺が俊基の爲に吉野金峯山寺への紹介状を認め、その援助を依頼したかも知れない。しかしこれは全く私の想像であります。後になつての後醍醐天皇と吉野山との關係は既にこの時に因縁づけられたものであらうと思はれる。而もそれには吉野山伏の活動といふことを頭に置いて考へねばなりません。

大塔宮が元弘の時に吉野山を中心として活動せられて居ることは申す迄もないことでありますが、元弘二年の六月多分吉野山からであらうと思ひますが、大塔宮から熊野三山に向つて御味方の兵を募られ、其爲の令旨を下されて居ります。それと同じ月に伊勢の方から勤王の兵が非常な勢ひをもつて興つて來て居ります。これは竹原八郎が熊野で宮の令旨を拜して、一族擧つて痛快な活動を始めたのであります。これらの策動即ち令旨の傳達や、密使の往來などすべて吉野金峯山寺の修驗者山伏によつて達成されたものでないかと想像するのであります。吉野山から大塔宮が下された令旨といふものは非常に多いのであつて、現在殘つて居るものでも相當あります。これらの令旨の傳達は常に山岳地帶を跋渉し、山中の間道などをよく心得てゐる山伏を利用することが如何に都合よいかは云ふまでもありません。曾て源義經は兄頼朝の勘氣に觸れて流浪した時、吉野山に遁れ入り千本櫻の説話を遺し、次いで北國に走つて安宅關で勸進帳の戲曲を作り上げました。義經や辨慶の山伏姿が如何に監視者の目を瞞ますに都合よかつたかはこれらで想像されます。大塔宮が吉野山伏を引つけて活動せられたことは梅松論にも見えてゐます。吉野朝時代を通じて太平記等の記錄、物語の中に山伏の話があまりに多く點綴されてゐるのに驚くほどであります。殊に太平記にある時勢の將來に對する豫言の物語が、羽黑山の山伏や、京の愛宕山の山伏によつて物語られるなど諸君の御記憶のことゝ思ひます。私は少し極端に申すことを許されるならば、太平記の作者なる小島法師は山伏でないかと思ひます。彼等山伏一味は諸國にその敎線を擴げてゐますから凡ての事情が明瞭である譯であり、また太平記が叡山のことを深い崇敬の念を以て記してゐる譯を、天臺宗と山伏との關係によつて説明されると思ひます。

さて楠木正成が河内千早赤坂城に於て兵を擧げますと、鎌倉幕府は驚きまして急に大軍を西上せしめて勤王の兵を一掃しやうとした。その時の軍の配置振りを考へますと、第一軍は金剛山に向つて居ります、第二軍は吉野山に向ひ、吉野の總攻擊にかゝりました。第三軍は紀州方面の攻擊に當りました。この形勢から考へると何としても吉野が中心であります。楠木正成の據つた千早、赤坂城といふものは吉野の正面の防禦地帶で、所謂大手にあたります。紀州は吉野の背面で所謂搦手に相當してゐます。

この時の戰爭は御承知の通り、大手の正成も奮戰の甲斐なく破れ、吉野でも例の四條隆貞を始め、村上義光、義隆親子の壯烈なる忠死となつたのであります。また吉野の吉水院眞遍が活動したのもこの時であつた。とにかく戰爭は駄目となつて大塔宮護良親王は遂に高野山にお逃れになりました。

これは北條氏が滅亡いたします迄のことであります。さてそれから後に尊氏が後醍醐天皇に叛きまして兵を擧げましてからはいよ〳〵吉野朝廷の建設、吉野の皇居が定められるといふことにな

るのでありますが、このことにつきまして、即ち吉野朝廷がこの山地に治定されたといふことは北畠親房の計畫によると一般には謂はれて居ります。曾つて故田中義成博士も吉野朝建設は親房の計畫であると斷言せられて居りまして、如何にも尤もなことでさう思はれます。然し親房がこゝに定める以前に後醍醐天皇の御味方として、吉野山伏なる修驗者が活躍してゐることを見遁してはならないのであります。吉野金峯山寺その他塔頭子院が災厄に遭つて、殆んどこの時代の史料を保存してゐないのでとかくこの點が閑却される樣であります。

延元々年十二月に後醍醐天皇が京都の花山院をお逃れになつてからは、三種の神器を奉じ、恐らく葛城の山路を經て吉野の金峯山寺にお入りになつたことゝ思はれる。神皇正統記を見ますと、「河内國に正成と云ひしが一族共を召し具して吉野に入らせ給ひぬ」とあります。これは親房が親ら書いたものであるから間違はないでせう。吉野山に天皇が入御せらるゝと同時に高野山に願文を捧げられて、高野山衆徒を招かれて居ります。勿論吉野山は地理上景勝の地であると云ふことが皇居を定められた重要な原因でありますが、金峯山寺の山伏の勢力を後醍醐天皇が心強く思召されたのと、又山伏が天皇のためにあらゆる忠勤を抽んでたといふ關係が吉野朝廷を建設せられるところの重要な原因をなして居ると思ふのであります。そしてこの大和、紀伊、伊勢の三軍が官軍の本據であつて吉野山が恰かもその中心となつて居るのであります。又天皇も吉野山の要害の地であるといふことを堅く信ぜられたやうであります。延元三年八月十三日に後醍醐天皇か吉野山から征西將軍懷良親王の許に賜はりました御遺勅の中にも、「云要害」とあつて、吉野の堅固なことを述べさせられてゐます。

またこの吉野山を考へます上に於きまして伊勢との關係を注意せなければならんのであります。伊勢は當時義軍の一大中心であります。北畠顯家が和泉に於て最後を遂げまして後、北畠顯信が近衛中將に任ぜられ、同時に陸奥介鎭守府將軍として、皇子義良親王を奉じて伊勢の大湊から延元三年八月に船出をいたして居ります。しかしこの御一行は途中暴風雨に遭ひ、その内親王のお乘りになつた船は伊勢に吹き戻されました。そして義良親王はどういふ道を辿つてお歸りになつたか分りませんが、間もなく吉野山にお入りになつた樣であります。やがてこの義良親王が即位遊ばして後村上天皇と申上げるのであります。

親房の乘つて居りましたところの船は幸に常陸に着きまして、非常な活動を始めたといふことは御承知の通りであります。しかし親房も關、大寶の諸城が陷つて全く力盡き海路伊勢へ赴き、更に吉野へ歸つた樣です。尤もこの吉野に歸つたのは陸路であるか船であるかは實ははつきりしませんけれども、當時陸路では到底吉野へ歸る餘地はありません、どうしてもこれは船で伊勢大湊へ着いたのでしやう。

元來伊勢は親房の領地であり、從つて彼の根據地であつたのです。かくの如く伊勢は大湊を中心として東海邊及び東北方面との連絡の要衝になつて居ります。而してこれが親房の領地であるといふことを考へ合見ると、伊勢と吉野山との交通如何といふことを考へなければならんのであります。全體吉野からの命令が伊勢

の方に早く傳はつてゐる樣子から見ると、吉野山との連絡が巧に取れてゐたと思はれます。

次に紀州の方との關係でありますが、義貞の歿後新田義助が北國で破れた後、一旦吉野に歸り更に紀伊路により高野山を經て田邊…今の湯崎溫泉のある所ですが、こゝから船で四國に渡つて居ります。これは太平記の記載に據つたので、他にこれに關する確かな史料は御座いません。またこの田邊を出るとき、熊野の兵船三百餘艘を仕立たと書いてあります。恐らく當時熊野三山に屬して勢力のあつた海賊船を利用したのでありませう。私はこの十日程前に熊野三山に參詣いたしましたが、新宮町の木材同業組合事務所でその所藏に係る熊野木材運送に關するいろ〳〵有益な文書を見てまゐりました。新宮の御宮にも史料が相當ありまして、これらを瞥見しただけでも、中世に於ける熊野水軍活動の狀態が窺はれます。從つて義助が吉野を出る時にすでに熊野三山の兵を利用するといふことは勿論考へて居つたことであらうと思はれるので、元來吉野朝廷と瀨戶內海との關係は終始熊野水軍が中心となつてゐます。

懷良親王が征西將軍宮として九州に御下向の時にも義助と同樣な筋道を辿られました。やはり京都から高野山にお登りになり、更に紀州の海岸から御出發になつて瀨戶內海にお出でになつたのであります。かくの如き際大抵は紀州熊野衆徒の援助に依るのが吉野側のお極りであります。懷良親王のこの御征西にあたりましても熊野の水兵が非常な活動を始めて、御助け申したといふことは申すまでもありません。當時陸上の交通は殆んど足利氏の爲に遮斷せられ、殊に山陽道の如きは足利氏の大切な勢力圈でありまして、到底官軍が自由に往來出來る筈がありません、それで紀州から船出せられたのでありますが、元來九州官軍と吉野との連絡といふことはなか〳〵よく行屆いてゐて驚くほどであつて、皆熊野衆徒の働きであらうと思はれます。

始めから官軍には熊野や伊勢、瀨戶內海の水軍が附いて居りました。殊に熊野は山上王藏堂を中心とした山伏行者の大切な行場であるから、熊野と吉野山との連絡はこれによつて容易に推測されるのであります。懷良親王が九州入御と共に南朝の水軍は盛んに九州の沿岸を脅しました。正平二年に薩摩の東福寺城攻擊の時熊野の水軍數千人押寄ぜて「熊野海賊以下數千人海陸兵寄來之間雖三爲二無勢一、捨二身命一防戰之刻」云々、賊軍の島津方の軍忠狀にも書いてあります。

とにかく以上のやうな次第でありまして、熊野と吉野との關係は非常に早くから修驗者を媒介として連絡がされて居り、進んでそれによつて四國や九州、近くは伊勢と提携し、更に伊勢を經て海上遠く東北の方面まで吉野朝廷の勢力といふものを延ばされてゐたといふ譯であります。

四、吉野山の地理的考察

最後に吉野山を地理的に考へて見ませう。一體南朝が五十七年の間微弱ながらその力を維持し、吉野山の朝廷が續いたといふことは一寸解せられない樣であります。天下の大半の武士を敵として、一時はあるかなきかといふやうなお氣の毒な狀態でありまし

たに、何故かく嚴として存續されたのであらうか。然しこれには精神的方面からも考へればなりません。一體吉野朝廷の精神、言ひ換へれば後醍醐天皇の高邁な御理想といふものが最後まで堂々と發現されてゐて、吉野朝廷の御精神に對しては國民の一部が限りなき崇敬の念を拂つて居ります。この何となく犯しがたいといふ心持が、かく吉野朝廷を永く持續せしめたところの精神的の原因であらうと思ひます。

武力は假令弱くても南朝の御理想は非常に高いものであるに引換へて、足利氏は大軍を擁してもどうしても心の中に弱いところがある、即ち大義名分にもとつてゐるので、精神的に敗けて居る。これがこの五十七年の長い間を嚴として南朝を保たしめた原因の一であらうと思ふのであります。

次にこれを實際的武力等の問題から考へますと、第一に吉野山の地理的位置が非常な效果を與へて居るのであります。先程申しましたやうに、大和一圓は寺社の勢力圈で、武力から遁れるには安全地帶といふ風に考へられて居つたのでありますが、しかし決して深山幽居でひそかに蟄居したのではない、吉野は御承知の通り北は大和平野に臨んで居り、東へは櫛田川、西へは紀伊川が蜿蜒と流れてゐる分水嶺であります。この河々の縱合を通じて東は伊勢の方に出る道があり、西は紀州に出る道があつて存外便利であります。即ち東伊勢に出ると大湊から東海道、東國常陸方面の官軍と連絡をとることが出來る。殊に伊勢は北畠氏の控へて居るところであつて、北畠氏が常陸方面に發展することが出來たことについてはやはり吉野山の地勢を考慮に入れればなりません。

同時に吉野は熊野との連絡が都合よく、而も熊野が西方海上との要點となつて居ります。即ち吉野山の背面には熊野川が流れてゐる。この河谷によつて熊野三山と道が開かれてゐました。この道は恐らく山伏行者の往來した所であらうと思ひます。かく東西兩方と背面とには川によつて交通が比較的容易であつた。

更に他の方面を見ますと、吉野からはかの紀伊見峠を經て河内に出るやうになつて居て、千早城はこの出口を支配してゐる。即ち正面の大手は大和河内平野で兩國の境には葛城、金剛の連峰が聳へて、恰も吉野山の前に大きな屛風を立てたやうなもので前面の保障であります、これで表門を閉して居る形で、その表門の戶口が千早、赤坂の城といふことに考へられます。西の方は經濟交通の上に重要な紀伊川の流域で、山の兵糧を供給する本源地であります。東は山々が重疊連綿たる有樣でありますけれども、有數の良港の大湊に通ずることが出來る。斯ういふ風に吉野山は大變都合が良い地形に位してゐます。

而してこの時の戰爭で最後の決戰をする場所は何處であるかといふとそれは勿論大阪平野であります。大阪平野は大和川、淀川の流域で大和川は今日河筋が全く變りましたが、とにかくこの平野戰が行はれます。この地點を握ると大抵京都の死命を制することが出來るので、進んで山崎、男山附近を押へることが出來ます。これらに就いては福田弘氏が「戰史の研究」で多分お話になつたことゝ思ひますから省略いたしますが、とにかく大阪平野が決勝地點で而もこれを押へて、得るところの中心が何處にあるかといふとそれは千早、赤坂の城であります。これが吉野朝廷の大手と

（第七十二頁につゞく）

子供のゐる俳風景（秋の部）

佐藤亞我

海贏打や十五の大人まじりゐる　碧梧桐

世の中は三角形から成立つてゐる、と云つた人がゐたがどうかは判りませんが、さうある事が望ましいし、安全性がより大きい譯であります。一國に例をとりましても上に元首が居られるし、一會社、一家庭にしても統率者が必ずゐるのであります。わが子供の世界にもキットゐます。繩飛びに五六人集つても、凧揚げに數人寄つて來ても、必ずや一人、年かさなれば勿論その子が、同じ年頃でもその中の元氣な子がその遊びグループの統率者となります。女の子のうちらでは何んと云ひますか知りませんが、男の子の方ではこんなのを餓鬼大將と云ひます。男の子十五歳にもなれば立派なもの、昔なれば元服ですが、今では大人と子供の中間的存在。大人は遊んで呉れませんし、仕方なしに子供の國に入り込む、そこで縱横に怪腕を振つて一とかどのヒツトラーになる、尤もこのヒツトラーが上手に進行係をつとめて呉れゝばこの遊びグループは大變面白おかしく時の經つのを忘れることが出來るには出來るのですが。然し第三者から見ると如何にもこの統率はユーゲントにピツタリ參りません。水に油です。一見鼻を垂らして子供の國に遊んでゐてもおかしくない樣なものゝどうも大人くさいのです。この邊の意味合ひを作者は實に巧みに「十五の大人」と云ふ言葉で表現してゐます。

海贏と云ふのは一名「べいごま」とも云ひ、貝の一種ばいの殼に種々の蠟や鉛を塡めて獨樂の樣にして、獨樂同樣紐で卷いて廻はす子供の玩具。昔は九月九日の節句の遊戯でありましたが今では正月などにも盛んにやつてゐます。そして貝の殼でなく鉛でその形に作り蜜柑箱等の空箱の中に茣蓙を敷いて遊んで居ります。ばい打と云ふのは互ひにばいを打ち合つて勝負をしてゐることで、句意は明瞭と存じます。

その他にばいの句で左記の樣なのがあります。

強海贏を懷にしてかへりけり　水巴
駄菓子屋の前ひと時や海贏廻し　冠太子
勝海贏をさましもあへず卷きにけり　童観

前後の句は非常に緊張した句で、實際何遍も何遍も打つてゐますと鉛に熱を生じて來ます、勝に乘じてそれを冷ますどころか、眼を輝かして次ぎ〳〵と紐を卷きつけては打ちおろす少年の顔が見える樣です。

忍び寄る子に靜かなる蜻蛉かな　水鶏子

「蜻蛉には羽があるよ」とよく揶揄はれたものでありますが、今度こそと子供心に奮起した事を思ひ出します。拔き足差し足、呼吸を殺して忍び寄る姿。音のない風が吹いても草が搖れる恐れがある。友達が走つて來ても困まる。飛行機が飛んで來ても勿論困まる。今のうち、誰も來ない、風も吹かない、ツツツと寄りたいが、急いては事を仕損んじる。まるで劍道の極意の樣なものです。愼重だが内に焦る人間の姿と、いとも靜かに日を浴びてゐる無心な動物の姿、一讀何か考へさせられる處がある樣です。いや〳〵俳句はそんな處まで考へなくとも良いのです、秋の眞晝の靜けさの中、サン〳〵と降る日矢の下に蜻蛉を捕らへんとする子供がゐる風景を心の中に書いて頂けばそれでよろしいのです。

闇に匂ふ子の粧ひや地藏盆　一九八

お地藏樣は子供を勞はる佛であると云ふので八月廿四日には菓子や念物をその土地々々の地藏樣に供へ香華を獻じたり、地口行燈などを懸けて祭ります。最も有名なのは京都の六地藏詣と云つて、御泥池、山科、伏見、鳥羽、桂、太秦のお地藏樣に詣る事になつてゐます。

秋になつたものゝまだ暑い八月二十四日、一ト風呂浴びて、夕餉をすませてからポツポツお詣りに出掛けます。その頃はもう夜の幕もおりて夜風がソヨ〳〵と吹いて來ます、オ父さんオ母さんに手を引かれた子供が皆一樣に綺麗に着飾つて、お白粉をつけて、ブラ〳〵お地藏樣に集つて來ます。うちの子供の提灯はどこに懸つてゐるだらう等と見て廻るのも樂しい。お詣りをして、行きずる近所の人等に挨拶を交はし、しばし辻の夜風に當つてゐると、何やらいゝ匂ひがする。あゝさう〳〵先程つけてやつた子供のお白粉の香りか……夜風が吹いて來て提灯が一樣に搖れる、露も下りて來た樣で蠟燭がジ、と音を立てる。

次男を擧ぐ

くりくりに育てよと栗貰ひけり　東一紅

この赤ちやんは丁度栗の實の熟るゝ秋も酣の頃に健かに產れたのであります。さて何をお祝に上げませうか、と考へて見たものゝチヤンチヤンコぢやケープぢやは方々から澤山お貰ひなさる事でせう。親しい仲を幸ひ謎々で行きませう。

「どうかこの栗の樣にクリ〳〵と丈夫に育ちなさいます樣……」

と山盛一杯栗をお届けしました處、これは何よりと大好評でありました。

元來俳句は天然自然の現象につまり吾人の感情、詠嘆の發露でありますから、人事である處の慶弔、歡迎、送別等を詠ずるには相當の困難を感ずるものでありますがこの句等洒落におちず、理窟にならず、自然に則した好句と云ふべきです。

毒茸をけりおこし行く童かな　逝水

食べられないと判つてゐる毒茸だから無頓着で行けばよろしいのに、一々靴先で蹴とばして行くと云ふのは如何にも子供らしい、決して大人ではしない仕草です。こゝいらが他の詩の追隨をゆるさぬ俳句獨特の境地であります。短歌や詩では扱ひ得ぬこの境地を俳句でこの樣に表現する時は、秋の山の景色、嬉々として大人に混り行く子供の姿がまるで生きるが如く眼前に浮んで來るのであります。

次の間に父の寝てゐる夜業かな　一星人
鉦叩われが好めば子供等も　みづほ
木の實拾ふ子に逢ひしより山淋し　南天樓
椎の實や庭ひろ〳〵と育兒院　香風
子を負ふて秋耕の犁とりにけり　祥石

等についても一言申し上げ度いと思ひますが何れ又の機會に致します。

相模抄

平澤壽子

遠人を思へば早く雲流る相模のみ野に冬來るらし
山蔭の小暗きわたり風出でて夕燒空に高く飛ぶ鳥
防波堤に小さき灯ともる夕なりよしなきことを思ひつづける
酒宴明日は召される兵士の家より洩れる唄聲あまた
窓をそとすかして朝の風を入る友の寢息の靜なる部屋
托鉢の團扇太鼓も遠のきて白晝一村もの音もせず
山時雨濡れつつ急ぐ見渡せば陽影長閑に往く人もあり
十年まへ亡母と歩みし湯の街に旅の疲れを癒さむとよる
アダリンを飲みて漸く眠りたる音のわれを思ひおこせり
その夫に迎への電報打ちていま從姉はホームを輕がる歩む
戸を閉して深く籠りてありぬべし一人眺めて何が月ぞも

傷しや思ひつめつつ野を往けば身近に歩む友も忘れぬ
冷えはてし灰ならましをなまなかに消がたき胸の埋火にして
われをして叛かましめし人故に三十路わびしく冬籠りせり

とほびと

全歐の制覇めざして秋深くヒ總統の雄たけびきこゆ
くろがねの守備は堅しと豪語する首相チエンバレンに白き髪多し
送れるは新妻ならむ人垣の蔭に濡れたるその眸なりし（驛頭所見）
破るには惜しき文などまじりゐぬ燈火管制下の文箱の整理
工場街下絃の月に黒ぐろと浮きたちて六本煙突竝ぶ
遠人は愛しきものを夢見つついつか涙を流したるかも
もの言はず涙流せし人のため都の夜半に潮騒を聞く
その人はわが胸に住むもろともに聽きし師走の海鳴りもまた
大空にかかれる虹の中を行く小さき舟はわが乘れる舟（外房妙の浦にて）

新いろは童話

—第三回—

坂野潤

おてらの　おしようさんは、とても　おはなしが　すきです。こどもが　あそびにいくと、おもしろいおはなしを　きかせてくれます。
「むかし、やまのおくに、あかおにと　あをおにがゐて……」
おしようさんのおはなしは、いつでも　おにのおはなしです。

くらい　ばんです。こんやは　ぼうくうえんしゆうで、どこも　まつろです。
おくびようもの、　いもうとは「こわい、こわい」と、いつて、おかあさんのそばを　はなれません。みんなは　おかしくて、くす〳〵　わらひました。

「やあ、くたびれた。くたびれた」やまから　とんできた　からすが、ていしやばのやねで　ひとやすみ。そこへ　すごい　いきよいをたてて、きゆうかうれつしやが　はいつてきました。びつくりしたからすは「やあ、おどろいた。おどろいた」と、やまのほうへとんでかへりました。

まるい　おほきな　つきがでて、まちはあかるくなりました。まどからみてゐる　こどもたち、こどものかほも　まんまるい。

けふは　にちようび、あさから　しゆうじのおけいこを　しました。ひるからは、うらのおはなばたけの　くさをとりました。あそびにきたおとなりのけい子ちやんも、てつだつてくれました。すんでから　おやつの　ビスケットを、ふたりでわけてたべました。

ふわり、ふわり　と、しろいくもが　とんでいきます。のを　こえ、やまを　こえ、かぜにふかれて　とんでいきます。みてゐると　だん〳〵ちいさくなつて、おしまひには　どこかへきえてしまひました。

こもりうたが　きこえてきます。ぢつと　きいてゐると、とても　ぢようずに　うたつてゐます。
〃ねんねん　ころりよ、おころりよ……〃
どこの　こもりさんでせうか、ほんとに　うつくしいこえです。

えだから　えだへ、ことりが　とびまわつてゐます。とびまわつては、ピーチク、ピーチク　さえずつてゐます。
「ことりよ、ことり。えさを　やるから　おりてこい」

てじなづかいの　しなじんが　きてゐます。かたなをのんだり、おさらをまわしたりして　みせてゐます。につぽんのことばが　わからないのか、てじなづかいは　なにもいはないで、わらつてばかりゐます。

あしたは　たのしい　えんそくです。あめがふらないやうに、あめぼうずをつくつて　おいのりしませう。
まどをあけてみると、にしのそらはゆうやけで　まつかです。「きつと、あしたはよいてんきよ」と、おかあさんが　おつしやいました。「まあ、あんしんしておいでよ」と、おばあさんも　おつしやいました。

猫を弔ふ

安達太郎

このペンを握る僕の指には、まだ、死んでいつた小猫の肌のぬくもりが残つてゐる．僕は今たまらない異常な寂しさの中に落ちてゐる。一匹の小猫の死でそんなに烈しいショックをうけるものかと人は思ふであらう。恐らく、これは小猫對僕の愛情の交流で、この交流は畜類と生活を共にする者でなければ深い理解は困難な事だ。

けふ死んだ小猫は七月の中頃、僕の家の附近を二匹でうろ〳〵してゐた捨猫でそれを僕のうちで拾ひあげて一匹は川崎のある猫好きなうちにあげた。この小猫は若い奥さんに抱かれて行つたが、今では立派に生長してゐるといふ。もう一匹の方を、どこかいゝところがあつたら飼つて貰はうと心がけてゐたが、仲々思ふ様な所がないので僕が育てゝゐた。この猫はとても眼が悪かつたので僕は硼酸で洗つたり、ロート眼薬をさしたりして何としても、なほしてやらうと思つた。この眼がなほらなければ貰ひ手もないにきまつてゐる。この眼は朝がくると、めやにでふさがつてしまつた。かうしたたちのわるい眼も、やがて、まるいはつきりした眼になつた。勿論眼だけではない。蚤をとる。食事をとらせる。はじめは蚤をとると卵をもつた大蚤が二十匹から三十匹位とれて、僕の指先も爪もづき〳〵と痛んだ。夜中に泣き出すと、それ小便ぢやないかと、廊下の戸をあけて庭に出してやる。この小猫は、箱の中などへしなかつた。寝小便なんか一度だつてしない。僕の小さい時よりも餘程えらい。僕はかつをぶしをかいたり、魚の骨をとつてむしつてやつたり、肛門から虫が出ればセメンをのませ糞をすれば、下痢をしてはゐないかと、糞しらべをするし、丁度自分の子供のやうに愛した。もし、僕に子供があつたら、僕は子供を可愛がる量と、猫を可愛がる量を、等分にしたいと思つてゐる。こんなわけで僕がこの小猫を愛する氣持は、至極利己的になつてゐる。これがうちの外を遊んでゐる時に、なまじ近所の人が口先だけで可愛いとかなんとかいふと、それがかへつて不愉快になつてしようがない。そんなに可愛ければなぜ拾つて飼はうとしないのかと、僕を少々ふんがいさせる。それに僕は、もう一匹捨てられた大猫を飢ゑさせたくないので養つてゐる。しかし僕は決して猫きちがひではない。尤も、猫きちがひだと言はれても僕は決して反對しないそれでいゝと思ふ。かうしたきちがひなら他の悪性のきちがひとはちがふ。むしろよろこぶべききちがひではなからうか。だから、近所の子供たちが、追ひかけたり、野良猫だと叫んだりすると、どうかされはしまいかと、もうぢつとしてはゐられないから不思議だ。それにかうした子供たちの親に限つてまた犬猫の嫌ひな人が多いから親子關係といふものは全く爭へないものである。ところで僕の愛する處の小猫は、その後順調に、すく〳〵と育つていつた。木登りをしたり、とんぼをねらつたり、屋根を歩いたり、團扇を破つたり、家具を傷つけたり、すつかりいたづらッ子になつてしまつた。だから、僕は今ぼかんと手もちぶさたでゐるような氣がする。ところで一昨日の朝、この小猫がどうしたものか飛ばず啼かずといふわけですつかり參つてゐる。水も飲まない。あれほど、いつもなら五時起きで朝食をねだるのにその日は、まるつきり元氣がない。魚をむしつてやつても食べない。日向ばかり漁つて歩いてゐる。そして、うづくまつてればかりゐる。あんまり急なので僕と母はこれは蚊とり線香がきゝすぎたか、それとも氣候の變り目でやられたのかもしれないと考へて、とにかく近所の藥局で藥を作つて貰つてそれを飲ました。そのうちには、きつと、よくなると思つて蒲團の中に入れたりして、冷えないやうに注意したが一向思はしくない。これはいけないと思つて、その夜は僕が顏をつけるようにして、いつしよにねた。翌日、早速醫師にかけるために、姉の家の方が便利がいゝので僕はこれを一時そつちへ移した。もうこの小猫は全く弱つてゐた。あんまり急なので僕も母もすつかり驚いてしまつた、醫師は聽診器を出して小猫の腹にあてた。「どうも顏つきがよくないですね。」もうだめだといふ口ぶりだ。「原因は、なんでせう」「中毒ですね。たべものゝ中毒です」こんなにうちでは食物に注意してやつてゐるのに。しかし、うちの近所の人たちは自分たちがたべた魚の骨やかたい乾物やくさりかけたものを、猫にやりたがる妙な性質の所有者たちが多い。きつと變なものを、これにもやつたのだ。僕がこんなに可愛がつてゐるのを知つてゐるのに、まだ野良猫扱ひをするこの近所の人たちの心理を僕は子供のやうに、くやしく思へてならなかつた。僕の感情は極端に近所となりへさんでいつてしまつた。動物園でもノロといふ珍らしい動物が心なしの人のあたへた餌をたべて、中毒になつて、ころりと死んでしまつたさうだ。いよ〳〵うちの小猫がこのノロと同じやうな、不運な病死を遂げてしまふ日が來たのだ。昨夜は、母が姉の家に泊つて看護につとめた。まるつきり眠れなかつたさうだ。醫師に葡萄糖の注射をして貰つたので今日になつて少しでも食欲が出れば、たすかるといふ醫師の言葉をたよりに、僕は良き結果になるやう、ひそかに希つてゐた。しかし、容態は今日になつて全く惡化してしまつた。しらせによつて、僕がとんでいつた時には、もう自分の好きな箱の中に埋まるやうにねて、動く事も出來なかつた。ぱつちりと眼をあけてゐるが、はたして僕が見えるかどうかわからない。それでも僕が呼ぶと僕をかきよせるように、僕の手につかまつて、やつと細い聲で泣いた。その口で、よくきてくれたといふ風に、僕の指をそつと啣へた。僕は、思はずこの小猫の心魂にふれて涙をにじませてゐた。醫師に電話をかけてあるが、まだ、やつてこなかつた。あれは僕のひざの上にあがりたくて、動かないからだをむりに動かして僕の方にのり出してきた。肛門からは、小便と、少しばかりの大便が出てゐた。僕はそれをふいてひざの上にのせてやつた。息苦しさうに白い小さな齒をかみしめて、もたれかゝつてゐる。時々、かすれた聲を出す僕は、臨終の肉親に對するやうに大きな聲で、しやべつた水をのみたがる。ガーゼで口の中をしめしてやると、そのガーゼをつよく嚙みしめてしまふ。しまひには、さう〳〵暴れ出した。呻くやうに泣いた。ガブ〳〵と水を飲んだ。もう、うち中で顏色をかへて大騷ぎだ。それでも何とかしたいと更に醫師に性急して、醫師の遲いのを恨んだりした。しかし醫師の來ないうちにあれは死の苦しみに呻き、暴れ、齒をくひしばつて僕の手で口先に水をつけて貰ひながら、ついに遠い世界へ旅立つてしまつた。

あれの肌にさはる僕の手から次第に、あれの體溫が消へていつた。わづかに下肢だけが痙攣してゐたが、それも束の間であつた。それでも僕は、まだ〳〵生きるやうな思ひがした。次第につめたくなつてゆくあれのからだを撫でながら僕は、あの時、たしかに泣いてゐた。あふれてくる哀しみを、どうして押へる事が出來よう。人と動物。人と人。僕には人といふ意識も、あれが動物であるといふ事も、僕にとつては問題ではなかつたのだ。ただ、あれの僕に對する思慕と僕のあれに對する愛情の世界だつた。あれの兩眼は、虛空に開き、あれの頰のあたりは一刻にして、こけてしまつた。これが、あれの短い生涯であつた。僕は、あれのつめたいからだを拭いてやつた。あれは不運な一生だつた。僕は、あれの軀をおろして、あれが、ねおきをしてゐた小さい箱の中に、あれの遺骸を入れた。あれは新しい白いガーゼの下に靜かにねてゐるやうに見えた。僕はあれの箱に枇杷の圖案が貼つてあるのが、餘計寂しく思へた。やがて、自轉車がついて醫師のY氏が來た。Y氏は、もう昨日だめだと思つてゐたと言つた。「きつと、他のうちに貰はれてゆくのがいやで死んだのですよ……」Y氏が、かうつけ加へて呉れた言葉で僕等は慰めればならなかつた。あれがほんたうにさういふつもりで死んだのなら、僕は、一層、寂しさがつのつてくる。常に最も、理論的な、僕が、かうした際には、最も感傷に痛んでゐるのだ。やがて小さな、枇杷の箱の柩が、北向きに、安置されて、さゝやかながら線香と水が供へられた。僕等はその前で、子供のやうに手をあはせた。この柩は、川崎の海邊の墓地に入る事になつた。あれは靜かに眠る事が出來るだらうか。僕のひざより、冬の近い土の中は、つめたいにちがひない。チビよ。

（一四、九、二六）

賀川豊彦氏
「太陽を射るもの」以後――（二）

村島歸之

五八、貧兒を富裕な家庭へ

又、このクリスマスの二つの催しに魁けて、氏は米國のビッグ・ブラザー制度に倣つて信仰のある上流中流の家庭へ、スラムのこどもを招いて貰つた。これはビッグ・ブラザーのやうに長期にわたつて預つて貰ふのではなく、たゞクリスマスの前夜一晩だけを預つて貰ふのだつたが、こどもらにとつてはその夜だけは、お伽の國に遊んで、自身、王子や女王様になつたやうな夢心地に過すことが出來た。

喜んで此の貧しい賓客を迎へてくれたのは、凡て美しいクリスチャン・ホームで船長、貿易商の番頭、呉服店主といつた種類の家であつた。こどもたちは有頂天になつてゐた。

或る船長さんの留守宅へ迎へられた乞食の長は、何といつて自分の感激と感謝とを言ひ現してよいのか、その表現に困つて、矢庭に、船長夫人の前で鯱ほこ立ちをした。手の舞ひ、足の踏むところを知らぬといふ喜びを、如實に表現したものといへよう。

澤山の、おいしい御馳走が出た。こどもたちは貪り喰ふかと思ひの外、大部分殘して

「おかんにやるんや」

といつた。日頃、足りぬ勝ちの生活をしてゐる彼等には、滿ち足りた御馳走を獨り喰べるのが、寧ろ罪惡のやうに思へたのであらう。

「そんなこといはないで、おあがり」

と勸められて、一口二口は追加して見るが、矢張り「おかんにやるわ」といつて殘した。

このいぢらしいこどもたちの態度に、婦人たちはすつかり泣かされて了つた。

人間性は善だ。救ひの望みはある。

この招待會は、兒らにとつて一日天國旅行であつたが、迎へた家庭にとつても「足るを知るは富なり」といふ聖句を、如實に示されたやうなものだつた。賜物は、どつちに多かつたか判らなかつた。

さうかうしてゐるうちに大晦日が來た。天國屋も、大晦日に勘定して見ると、家賃を別にして尙且つ二十五圓の缺損だつた、言ふまでもなく、前述した如く喰ひ逃げが多かつたためである。

五九、雜煮も喰へぬ正月

大正二年の正月が來た。世は諒闇ではあるが、貧しい人々のため、せめては元日の朝の雜煮だけは祝はせてやりたいものだといふ、賀川氏の思ひやりから五斗の小餅がつかれた。果然、正月の天國屋は大入滿員で、「お金がないので餅もつかなんだが、天國屋のおかげで雜煮も祝へた」といつてみんな悅んで歸つて行つた。

賀川氏方の隣りの、あけて十四になる花枝さんは、正月から賀屋への使をさせられてゐて、彼女の家では雜煮どころではなかつたが、花枝さんだけは賀川氏の家で雜煮を祝はせて貰つた。

しかし平和なのは、氏の家の中だけで、スラムの路次は、元旦からあつちこつちで夫婦喧嘩だ。正月に、ありたきものがないからである。甲高い女の聲に混つて茶碗でも割つたらしい物音。又しても殺傷事件だ。いふまでもなく酒の上からである。

路次のあちこちではハツタリ賭博！

でも賀川氏はそれに負けてはならぬと元氣を出して、湊川公園へ路傍說教に出かけて行つた。そして戻つて來てからは、吾妻通りの廣場にスラムの子供たちを集めて、賀川氏が餓鬼大將になつて遊んだ。さうしてゐれば子供らは、少くも正月につきものゝ、賭博の眞似や喧嘩や掻つ拂ひに引き入れられることがないからである。

大勢のこどもが集つた。だが、當然來るべき筈の少年――賀川氏の家に寄食してゐる松藏だけは、不良の仲間と一緒に芝居見に行つたとかで姿を見せなかつた。仲間の多くが掏摸の手先であるだけに、賀川氏は一方ならず、松藏の行先が氣になつてならなかつた。

六〇、不良少年松藏

松藏のことは既に幾度か紹介した。彼はまだ小學校へ通ふ少年だが、賀川家の居候としては大先輩で、草分と拾つて來た。

この惡習は賀川氏の許へ引取られて後も容易に脫けきらないで警察へ引かれて行くことも度々あつた。その都度、賀川氏は警察へ頭を下げに行つて貰ひ下げて來るのが例である。

賀川氏の許に引取られた後まで、松藏はなぜ斯うした惡性の拾ひ物をするのか、それは永い間の拾ひ物屋生活の中染み込んだ泥棒癖が兎もすれば頭を擡げるからである。何しろ、電線などを拾つてくれば、直ぐ二十錢や三十錢の金になつて、彼はその金でほしいものを買ひ、喰ひ、或は見物することが出來るのである。それが賀川氏の許へ引取られて後は、なるほど、食ふことの心配は要らなくなつた。雨露に打たれる憂ひもなくなつた。けれども、小遣錢は毎日五錢白銅一つと限定されたので今までのやうなボロ

イ事は全然なくなつた。
貧民窟のこどもは親らか與へられるところが少くても、自身で稼ぎ出すことを知つてゐる。ボロイ儲けの方法と、その味を知つてゐる。彼等の多くはスリの手先をやつて、その分け前に與るからである。

六一、スリを稼ぐチンピラ

スリにもその仕事の場所や方法によつて種々の區別がある。田舍廻りの高町組、市專門のズットー組、棚の上の荷物を狙ふ棚師、それから汽車、電車に乘込んで働く「箱師」又は「箱乘」などは、スリ仲間でも兄哥株の仕事である。殊に、箱師の中でも、洋服の内ポケットを狙ふ内モサなどは最も熟練を要する。スリ仲間の利け者になると、洋服の釦を外して内ポケットの紙入をすり取つて、又元通り釦を掛けて置くといふ。寢てゐるのをさうするのではない。起きてゐる人間の目の前でさうするのだ。「生馬の眼を拔く」といふ江戸のスリ」と古川柳にうたはれたのもうべなるかな。

しかし、貧民窟のこどもはかうした箱師などの荒仕事は稼がない。彼等は概ね平場又はボタハタキといつて、盛り場の、往還の激しいところで行違ひざまにあひてのスキを狙つて時計や財布をすりとるのである。中には鋭利な小鋏——これを當りといふ——や二三寸の剃刀の片——これをハネといふ——を指の間に挾んで、袂を切るのもある。しかし、多くは「違ひ」といつて行違ひざまに、袂や帶の間から拔くので、チンピラと呼ばれる不良少年などは、親分の指揮の下にこの「違ひ」をやる。貧民窟のこどもも、この部類に屬した。

松藏が、この「違ひ」をやつたかどうか、それは與り知るところではないが、彼の友達がこれをやつてゐた事だけは爭へない事實である。『太陽を射るもの』を見ると、彼等仲間の兄哥株が、銘仙の着物、菊といふ十六歳になる黑羽二重の羽織、博多の角帶といふ隆とした風をして、金時計を取卷きのチンピラどもに見せびらかしてゐるところが出てゐるが、これが松藏の先輩なのである。

菊はもう一人前の立派なスリだつた。彼の身の廻りはすべて彼の腕一つで稼ぎ出したのである。

斯うして彼等は少年に不相應な金を手にし、これを酒食や、甚しきは娼婦のために費す。松藏が、これを羨望して、賀川氏の目を盜んで、昔の仕事場へ歸つて行くのはむしろ、當然の事だつたかも知れない。

六二、新川の不良少年の癖

松藏は獅子ッ鼻で反齒で、怒つた時は豹のやうな顔になつた。疳癖が強くて、食事中に叱つたりすると、茶碗を庭に投げつけて飛出して行つた。さうした日は、夜も戻つては來ないで、諸方をうろついた末、人の軒先やゴミ溜の中で寢るのだつた。

彼は不良少年仲間の利け者だつた。新川の不良少年の綽名が數へ唱式に出來てゐるが、それによると彼は「十五、豪傑の松藏」と出てゐる。

氏は松藏の訓育に隨分と骨を折つた。着物か汚いから學校へ行

くのはいやだとすれると、自分の着衣を脱いでこれを着せて出した。式の日に、袴と羽織がないから行かないといふと、無理算段してそれも買つてやつた。

かうした母代りの氏の愛撫も、既に性質の歪められてゐる彼を眞人間に返すことはなか〱至難だつた。彼は時には、あらうことかあるまいことか、賀川氏の財布を盜んだりした。氏はこの蝕まられた少年の魂の救ひのために、心から神に祈つた。

けふ元日、松藏は夜になつても歸つて來ない。賀川氏は暗い五燭光の電燈のついた臺所に、たゞ獨り火鉢によつて、灰を搔き乍ら松藏の歸りを待つのだつた。

十一時過ぎになつて松藏はコツ〱と歸つて來た。賀川氏はホッとして「歸つたか」とたつた一言いつた切りで、何も咎めはしなかつた。

翌二日の朝、岸[redacted]の爺さんが松藏の蒲團をあげようとして意外なものを發見した。これはニッケル製の懷中時計だつた。賀川氏の昨夜の心配は、果してこゝに一個の時計となつて氏の前に出て來たのである。

松藏は友達から貰つたのだと抗辯した。或はさうだつたのかも知れなかつた。彼はチンピラたちと一緒に元日の盛り場を遊び歩いてゐたのである。そしてその一人から贓品の時計を貰つたのかも知れない。賀川氏は、直ぐ時計をその友達に返させにやつた。

（第五十八頁よりつゞく）

して一番大切なところで、こゝに無二の忠臣、智謀に富んだ楠氏が控へて居りました。楠氏は大和川の支流石河の上流に形勝の地を占め、背後は山越で吉野山と連絡をとりまして、攝津の平野を睥睨して居つたのであります。

だから金剛山は敵にとりましては非常な脅威であつた。河内、和泉、攝津三ケ國に於て堅い地盤をもつて居るところの楠氏が、京都に物資を供給する大切な經濟的の場所である大阪平野を絶えず襲ふたのであります。

斯ういふ風に考へますと隨分吉野山の地理上、軍事上の位置が絶好の場所であつたことが御分りであらうと思ひます。當時の吉野山は尙深山幽谷の觀を呈してゐたでありませう。今日のやうな便利な吉野山ではありません、從つて斯ういふ僻地に於きましてはいろ〱の困難も伴ひましたが、とにかくこゝで北畠親房等が中心となつて誠に不思議なほど各地方との連絡が甘くされて日本全國に亘つて大規模の活動が續けられたのであります。

第十六回全大阪乳幼兒審査會に於ける

母親のメンタルテスト（三）

伊藤悌二

=出産の順位=

◎このお子さんは何番目ですか

第一子	六百八十一	（五十一・四）%
第二子	三百三	（二十二・九）
第三子	百六十二	（十二・二）
第四子	八十八	（六・六）
第五子	五十	（三・八）
第六子	十八	（一・四）
第七子	八	（〇・六）
第八子	十	（〇・八）
第九子	一	（〇・一）
第十子	一	（〇・一）
第十一子	一	（〇・一）
不詳	二	（〇・二）
合計	千三百二十五	（一〇〇・〇）

=命名の由來=

◎このお子さんのお名は何にちなんでつけましたか

一、人に關係するもの

（イ）近親の名に關するもの

（1）父親の名	八十九
（2）母親の名	三
（3）父母の文字	一
（4）父の雅號の一路	一
（5）父の頭字と一番に生れた故	一
（6）兄の名	三
（7）長男の名	一
（8）祖父と母	一
（9）祖父の名と一番に生れたので	一
（10）父と曾祖父	一
（11）曾祖父、祖父	一
（12）曾祖父、祖父、叔父の長所を合せ	一

（13）先祖と父の頭字	一
（14）父方の叔父の名と父の名	一
（15）叔父の名	五
（16）從兄の名	一
（17）親族の中成績良好な者の名	一
（ロ）近親の名と時に關するもの	
（1）時代と父の頭字	一
（2）祖父と月日の頭字	一
（3）聖戰と祖父の名	一
（4）時局と祖父の名	一
（5）先祖の名と時代	一
（ハ）其の他近親の名と組合せたるもの	
（1）父の名と姓名學者	三
（2）父の名と番號	一
（3）父の名と神社の名	一
（4）親の名、字體、姓名學	一
（5）先祖の頭字と姓名學	一
（6）先祖の名と家號	一
（ニ）近親と他人の名に關するもの	
（1）父と名士の名	一
（2）祖父の一字と忠士にあやかる樣	一
（ホ）他人の名に關するもの	
（1）友人	五
（2）知人の名	一
（3）父の友人の名	二
（4）父の親友の名	一
（5）知人の子供にあやかる樣	二
（6）學校の先生	三
（7）父の先生	一
（8）政治家	三
（9）軍人に因み	一
（10）軍人の名を頂く	二
（11）英雄忠義な人の名	一
（12）偉人の名をとる	一
（13）傑人の名	一
（14）崇拜者の名	二
（15）志士	一
（16）博士	三
（17）學者	一
（18）醫師	一
（19）名士	二
（20）恩人の名	三
（ヘ）名附人に關するもの	
（1）父がつく	五
（2）父が戰地よりつく	一
（3）母がつく	一
（4）夫婦相談の上	二
（5）祖父がつく	二

(6) 祖父の主意によりつける　一
(7) 祖母がつく　一
(8) 義兄がつく　一
(9) 叔父がつく　一
(10) 家內一同　五
(11) 目上の方につけて貰ふ　一
(12) 宗教の先生　一

二、時に關するもの

(1) 時　局　二十三
(2) 時代に因み　三
(3) 聖戰に因み　二
(4) 出征に因み　三
(5) 戰捷に因み　十
(6) 日支事變に因み　二十二
(7) 地久節に生れたので　一
(8) 楠公六百年記念　一
(9) 同じ年である故　一
(10) 正月に因み　三
(11) 出生年月日時　一
(12) 祭　日　六
(13) 記　念　日　一
(14) 冬至に因み　一
(15) 寅年に因み　一

三、書、其の他の名稱に依るもの

(イ) 書物によるもの

(1) 雜誌より　十一
(2) 禮　記　一
(3) 論　語　一
(4) 漢　書　一
(5) 老　子　一
(6) 萬　葉　集　一
(7) 聖書より　二
(8) 百人一首　一
(9) 曆により　三
(10) 本を見て付く　一
(11) 新聞より　一
(12) 修身卷六より　一
(13) 紳　士　錄　一

(ロ) 其の他の名稱

(1) 處　の　名　五
(2) 景　色　一
(3) 寺に因み　一
(4) 節句の菖蒲に因み　一
(5) 故鄉の名　一
(6) 大海原に因み　一

四、姓名學によるもの

(イ) 姓　名　學

(1) 姓　名　學　五百二十三

(2) 姓名學と時局　一
(3) 易經說卦傳　一
(4) 易者より貰ふ　一
(5) 姓との調和　三
(6) 姓と名との續合　一
(7) 姓に因み　二
(8) 字義字格　一
(9) 字　畫　三
(10) 解　字　術　一
(11) 姓名選定所　一
(12) 選　定　名　三
(13) 生地と生命學　一

(ロ) 字　の　意　味

(1) 字の意味　八十三
(2) 利を繼ぐの意　一
(3) 歷史にのる程出世の意　一
(4) 何事も成就する意　一
(5) 人間が正しいといふ意　一
(6) 物事は貫があつて何でも始まるといふ意　一
(7) 光の中一すぢといふ意　一
(8) 人格圓滿の意　一
(9) 倫理的意味に於て命名　一
(10) さとし育てと云ふ意　一
(11) 智身德を鍊磨する意　一
(12) 兄弟力行の意　一
(13) 世に秀でるとの意　一
(14) 宏大の意　一
(15) 國のますらをの意　一
(16) 事に徹底する樣との意　一
(17) 皇軍將兵の武勳の如く勇しく　一
(18) 將來國家有爲の人たらんため　一
(19) 敏捷で大樹の如く大きくなる樣　一
(20) 武士道に精進せよ　一
(21) 夫を信ずる樣　一
(22) 虎の如く强くあれと　一
(23) 偉人になる樣　五
(24) 子孫の榮える樣　一
(25) 家庭平和の爲　一
(26) 賢人になる樣　一
(27) 兵隊に行ける樣　一
(28) 兵隊らしい名と思ひ　一
(29) 良いと信じ　一
(30) 榮える樣　一
(31) 溫順で優秀な子に思つて　一
(32) 正しく成長する樣　一
(33) 相撲取にあやかる樣　一
(34) 人の上に立つ樣　一
(35) 成功を祈りて　一

(36) 思ひ出の名　一
(37) 思ひつき　一
(38) 日本國民として健やかに育つ樣　一
(39) 航空を志して　一
(40) 勤勉より　一
(41) 英敏なるを希ひ　一
(42) 戰爭で死ぬ覺悟で　一
(43) 近所にない名　一
(44) 次の我が國に立つ英雄たれと　一
(45) 己に勝つ　一
(46) 心を廣く大きく持つ樣　一
(47) 武運長久　三
(48) 出征の征　三
(49) 青い鳥をさがす樣　一
(50) 戰勝を願つて　一
(51) 軍人になる樣　六
(52) 如何なる事も行ふ　一
(53) 大人物となる樣　一
(54) 長男であるから　二
(55) 健康を目的として　十
(56) 日本と云ふ觀念が强く感じた　一
(57) 困難辛苦をつき通す　一
(58) 男らしい讀み易い名　一
(59) 健康と生れた順番　一

五、感情に依るもの

(1) 喜びに因み　二
(2) 感じが良いと思ひ　一
(3) 書き易し　二
(4) 男らしい名　一
(5) 勝氣な男らしく　二
(6) 直　觀　的　三
(7) 主　觀　的　一
(8) 呼び易し　二
(9) 夢　判　斷　十
(10) 夢　一

六、宗教に關するもの

(1) 神樣の思召　八
(2) 金光教の御宣託　一
(3) 氏　神　樣　六
(4) 不動尊につけて貰ふ　一
(5) 守　護　神　一
(6) 神社より授けらる　三
(7) まじなひ　一
(8) 神占により　一
(9) 宗教上より　一
(10) 神宮の禮より　一

七、其の他に依るもの　百七十九

八、由來なし　七十四

九、返答なし　十五

合　計　千三百二十五

十一月の記（編者謹記）

◉畏くも天皇陛下には十一月二日事變以來御はじめて明治神宮に行幸、さらに外苑競技場に臨幸、神域に繰展げられた第十回明治神宮國民體育大會の熱戰を二時間餘にわたつて天覽あらせられた、陛下には同午後一時三十五分軍樂隊の「君が代」奏樂裡に玉座に臨御あらせられた、この時號令一下、一齊に最敬禮、次いで小原會長恭しく奉迎文を奉讀、同會長の發聲にて聖壽の萬歲を奉唱し、總員最敬禮して奉迎式を終了、晴れの天覽演技に移つた、記者も何の幸か此の光榮ある然も極めて嚴肅なる式に列するを得、感激おくところを知らざる程であつた、　陛下には總裁宮殿下の御說明にて集團體操、柔劍道、陸上競技など各種演技を天覽遊ばされた、聖戰下銃後國民の體位向上に寄せさせ給ふ大御心のほど、まことに畏き極みである。

◉興亞若人の意氣を傾けた體育大會は、畏くも總裁宮殿下台臨の下、三日夕闇濃き競技場に明治神宮の御神火を迎へ奉つて莊重な閉會式が擧行された、表彰をうくる三千名の選手の入場、大會の歌の齊唱などあり、御神火は二十個の篝火に移され、こゝに淨闇の外苑原頭に煌々たる聖火が點綴されたのであつたが、記者は斯くの如き神秘にして嚴肅なる式に未だ曾つて列した事がなく、一生涯を通して尊くも忘れ得ざる印象を與へられたのである。

◉第十一回全東京乳幼兒審査會表彰式施行に關し打合せと御禮の爲め、四日は鐵道省に鮫島秘書官、遞信省に東秘書官、厚生省に宇田川博士、椎名屬官、陸軍省に三木中將、梶浦少佐、文部省に小山事務官、大西學校衞生係長、神田に岸邊先生等を御訪れし、九日は黑須ドクトル、富田博士、廣井先生、永井閣下、市來厚生省施設課長、柿本博士等の御宅を御訪れした。

◉十日午後九時四十分東京發にて西下したが、偶然にも坂間大阪市長と同列車であつた、十三日、社會衞生院訪問、十四日、市保健部に藤原部長、廣島博士を御訪れして大阪の表彰式に關する御願ひをし、十五日は中村、弓倉、前田、西川の諸博士を大學病院に御訪れした、十八日、ライオン本舖主催良き齒の會表彰式に參列、結核豫防講演會の爲め御來阪中の廣瀨前厚生大臣閣下を驛に御見送りした。

◉二十三日、北市民館洗心會員二十五名の同志と赤目四十八瀧を探る、二十五日、大阪城天主閣に故大賀壽吉翁のダンテに關する文獻を觀、黑田正利氏の講演を聽く、同夜、本聯盟の感謝記念の會を黃鶴樓に開く、二十六日、肥爪博士の御招待にて媛順子と南海深日の秋を探る、二十九日、北市民館に開催の山本俊平博士の奉仕十年表敬感謝會に參列して、二十五年前の伊東に於ける博士の追懷談をした、博士は當時高等學校の學生だつたのである。

本誌定價　一冊金參拾錢　郵稅壹錢五厘
半年分六冊　金壹圓六拾錢　郵稅共
一年分十二冊　金參圓　郵稅共
誌代郵稅は一切前金の事
前金切の場合は發送中止
郵券代用は一割增のこと

昭和十四年十二月十三日印刷
昭和十四年十二月十五日發行（每月一回十五日發行）

兵庫縣武庫郡精道村芦屋
發行兼編輯人　伊藤悌二
大阪市西淀川區海老江上二丁目三七番地
印刷人　木下正人
印刷所　木下印刷所
電話福島(45)一五三四番・二二四二六番

大阪市北區天神橋筋六丁目
大阪市立北市民館內
發行所　日本兒童愛護聯盟
電話堀川(35)一〇〇〇一番・一〇〇〇二番
振替大阪五六七六三番

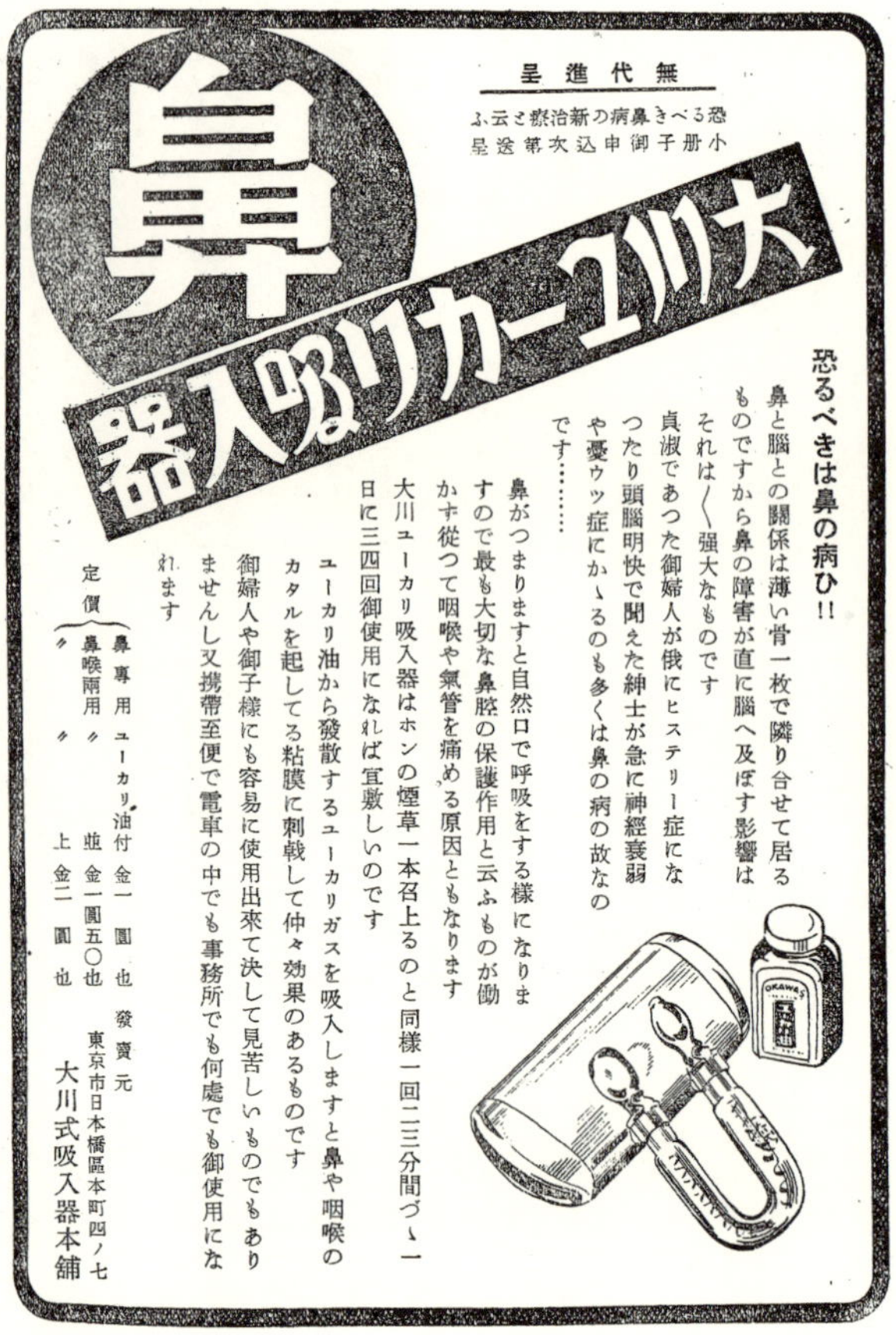
無代進呈
恐るべき鼻病の新治療さ云ふ
小冊子御申込次第送呈
鼻
大川ユーカリ吸入器
恐るべきは鼻の病ひ!!
鼻と腦との關係は薄い骨一枚で隣り合せて居るものですから鼻の障害が直に腦へ及ぼす影響はそれは〳〵强大なものです
貞淑であつた御婦人が俄にヒステリー症になつたり頭腦明快で聞えた紳士が急に神經衰弱や憂ウツ症にかゝるのも多くは鼻の病の故なのです……
鼻がつまりますと自然口で呼吸をする樣になりますので最も大切な鼻腔の保護作用と云ふものが働かず從つて咽喉や氣管を痛める原因ともなります
大川ユーカリ吸入器はホンの煙草一本召上るのと同樣一回二三分間づゝ一日に三四回御使用になれば宜敷しいのです
ユーカリ油から發散するユーカリガスを吸入しますと鼻や咽喉のカタルを起してる粘膜に刺戟して仲々効果のあるものです
御婦人や御子樣にも容易に使用出來て決して見苦しいものでもありませんし又携帶至便で電車の中でも事務所でも何處でも御使用になれます
定價 鼻專用 ユーカリ油付 金一圓也
〃 鼻喉兩用 〃 並 金一圓五〇也
〃 〃 上 金二圓也
發賣元
東京市日本橋區本町四ノ七
大川式吸入器本舗

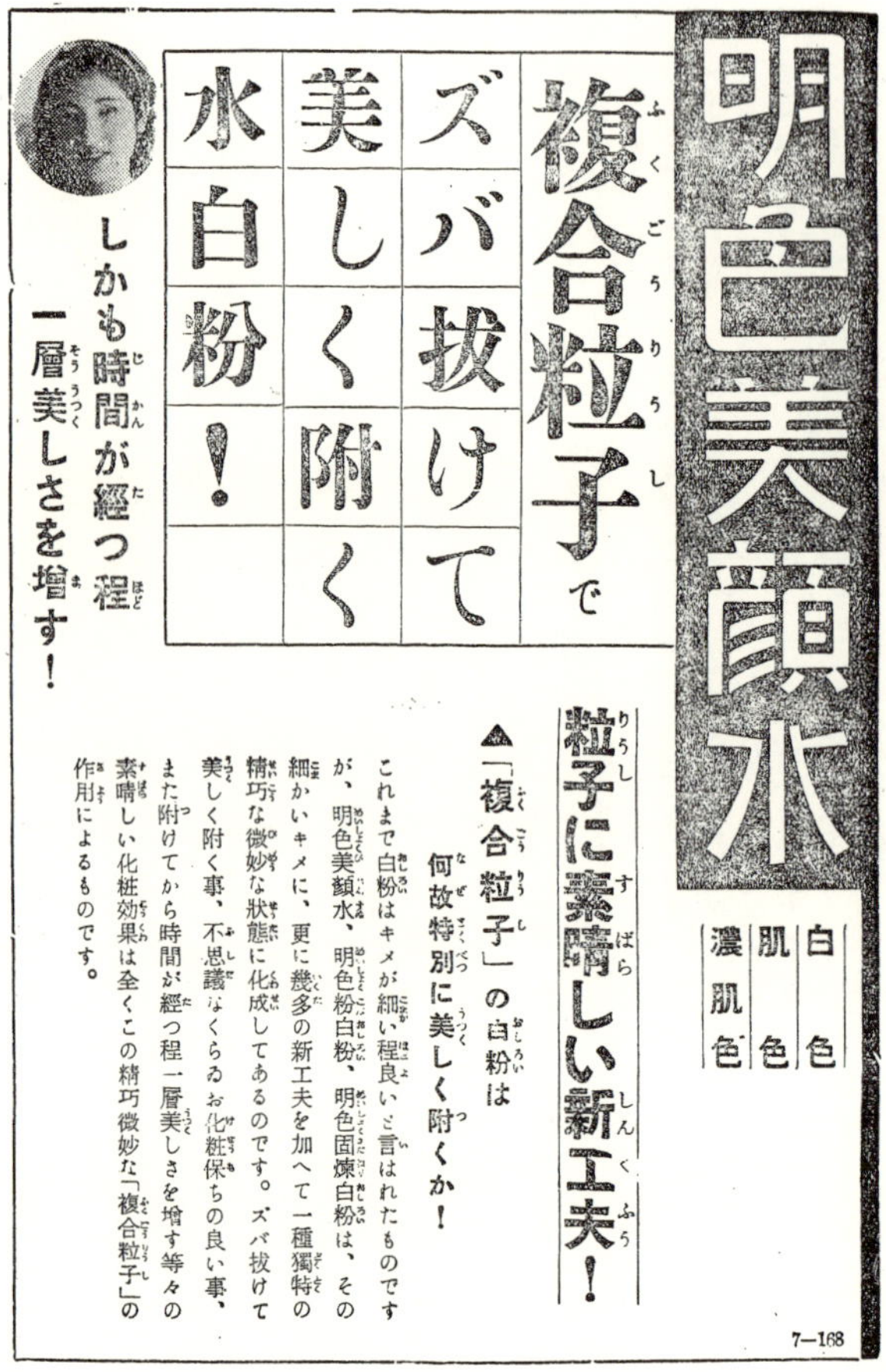
明色美顔水
複合粒子で
ズバ抜けて
美しく附く
水白粉！
しかも時間が經つ程
一層美しさを增す！
粒子に素晴しい新工夫！
▲「複合粒子」の白粉は
何故特別に美しく附くか！
これまで白粉はキメが細い程良いと言はれたものですが、明色美顔水、明色粉白粉、明色固煉白粉は、その細かいキメに、更に幾多の新工夫を加へて一種獨特の精巧な微妙な狀態に化成してあるのです。ズバ拔けて美しく附く事、不思議なくらゐお化粧保ちの良い事、また附けてから時間が經つ程一層美しさを增す等々の素晴しい化粧効果は全くこの精巧微妙な「複合粒子」の作用によるものです。
白色
肌色
濃肌色
7—168

子供の世紀　第十七卷第十二號
（毎月一回十五日發行）
實用的でお丈夫な
お子樣用品は……
皆樣の高島屋へ
（五階）
髙
東京・日本橋
髙島屋
【定價金參拾錢】

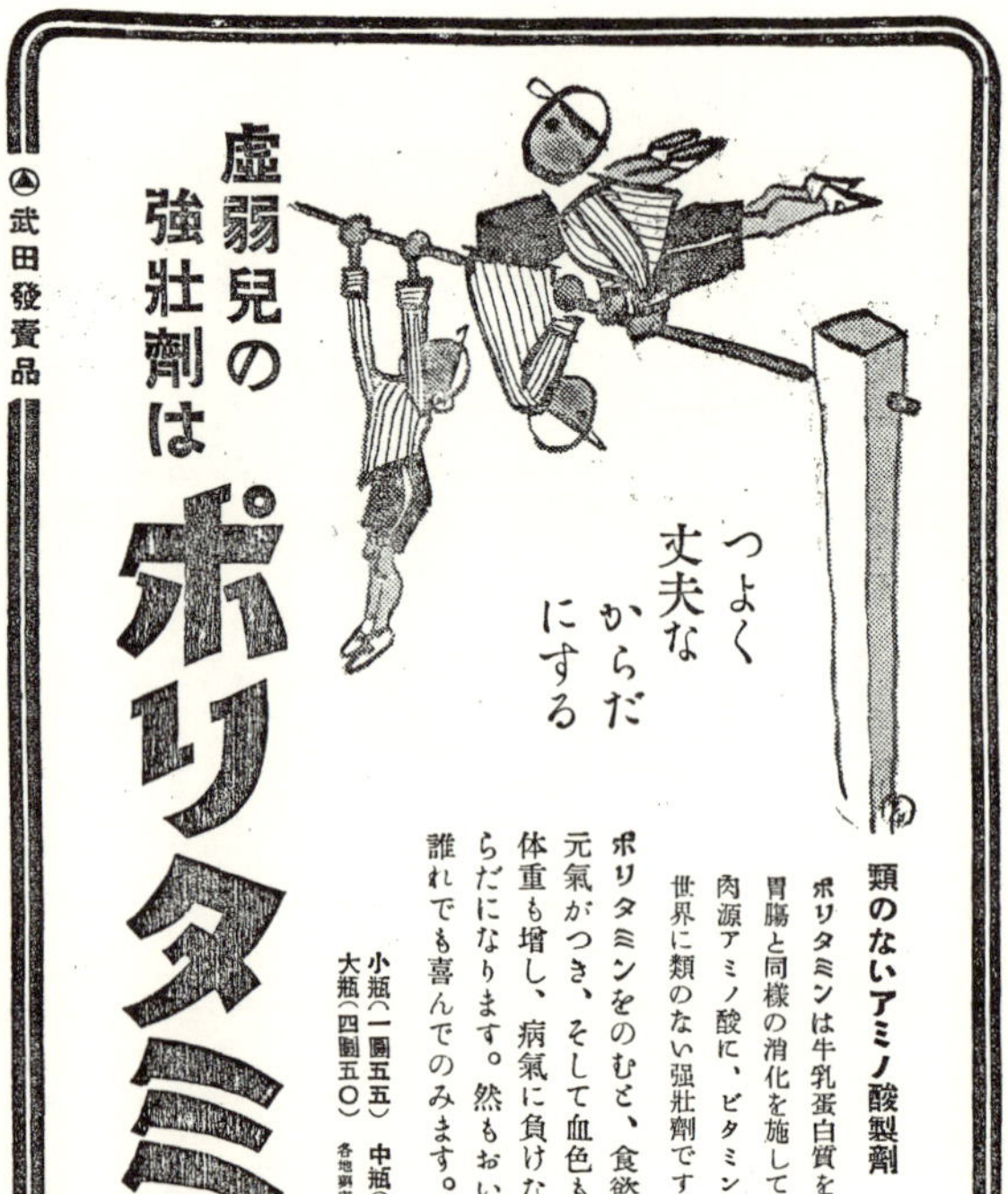
⦿武田發賣品
虛弱兒の
強壯劑は
ポリタミン
つよく
丈夫な
からだ
にする
類のないアミノ酸製劑
ポリタミンは牛乳蛋白質を原料として胃腸と同樣の消化を施してつくつた血肉源アミノ酸に、ビタミンBを加へた世界に類のない强壯劑です。
ポリタミンをのむと、食慾がすゝみ元氣がつき、そして血色もよくなり体重も增し、病氣に負けない强いからだになります。然もおいしいので誰れでも喜んでのみます。
小瓶（一圓五五）　中瓶（二圓五〇）
大瓶（四圓五〇）
各地藥店にあり
發賣元　大阪市道修町　株式會社　武田長兵衞商店
製造元　大阪市堀上通　武田榮養化學株式會社
39(2)69

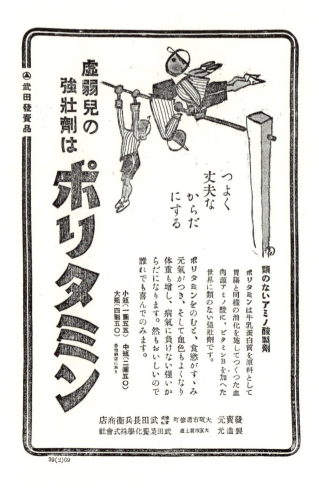

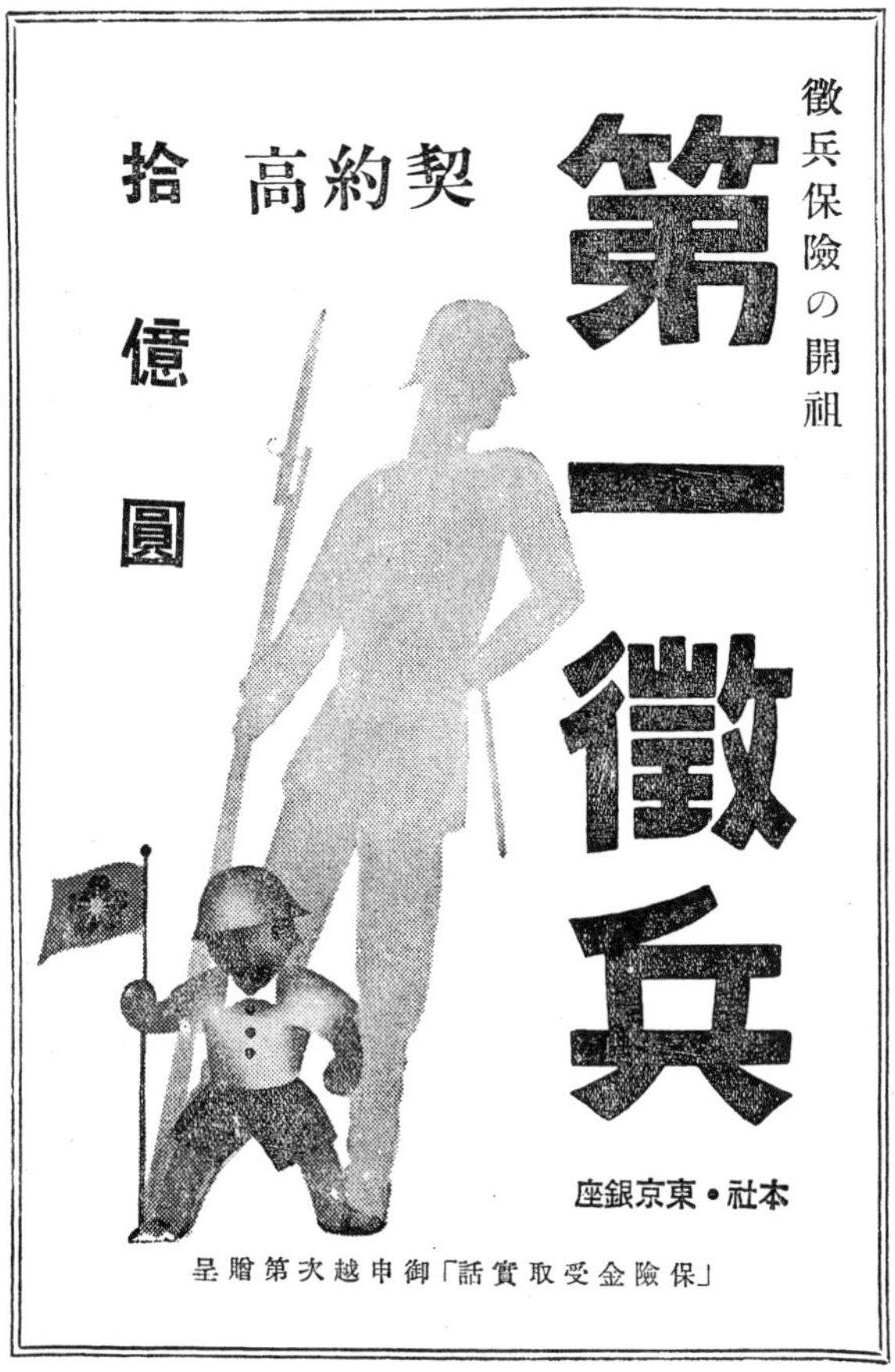

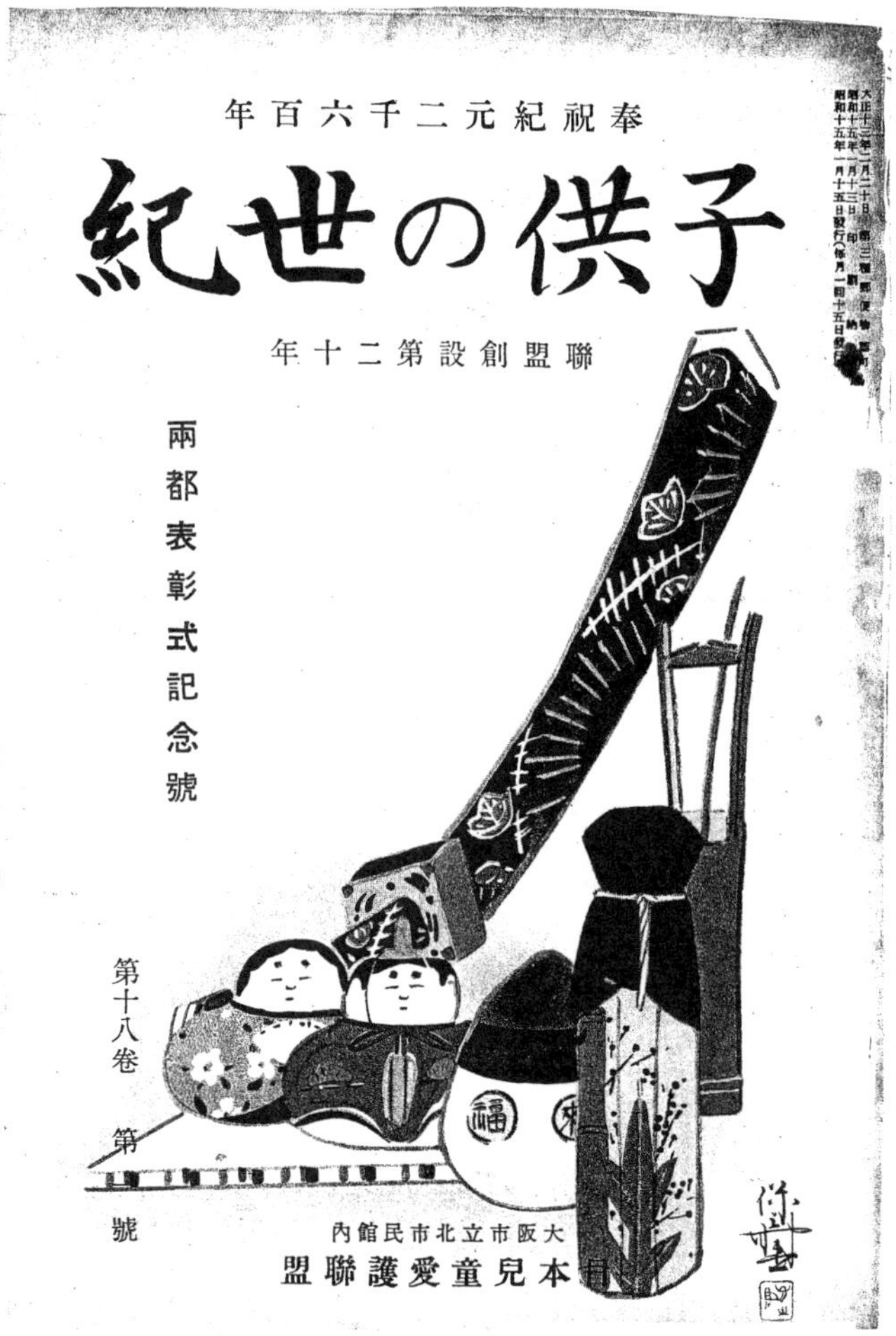

『子供の世紀』（第十八巻第一號）兩都表彰式記念號

目次

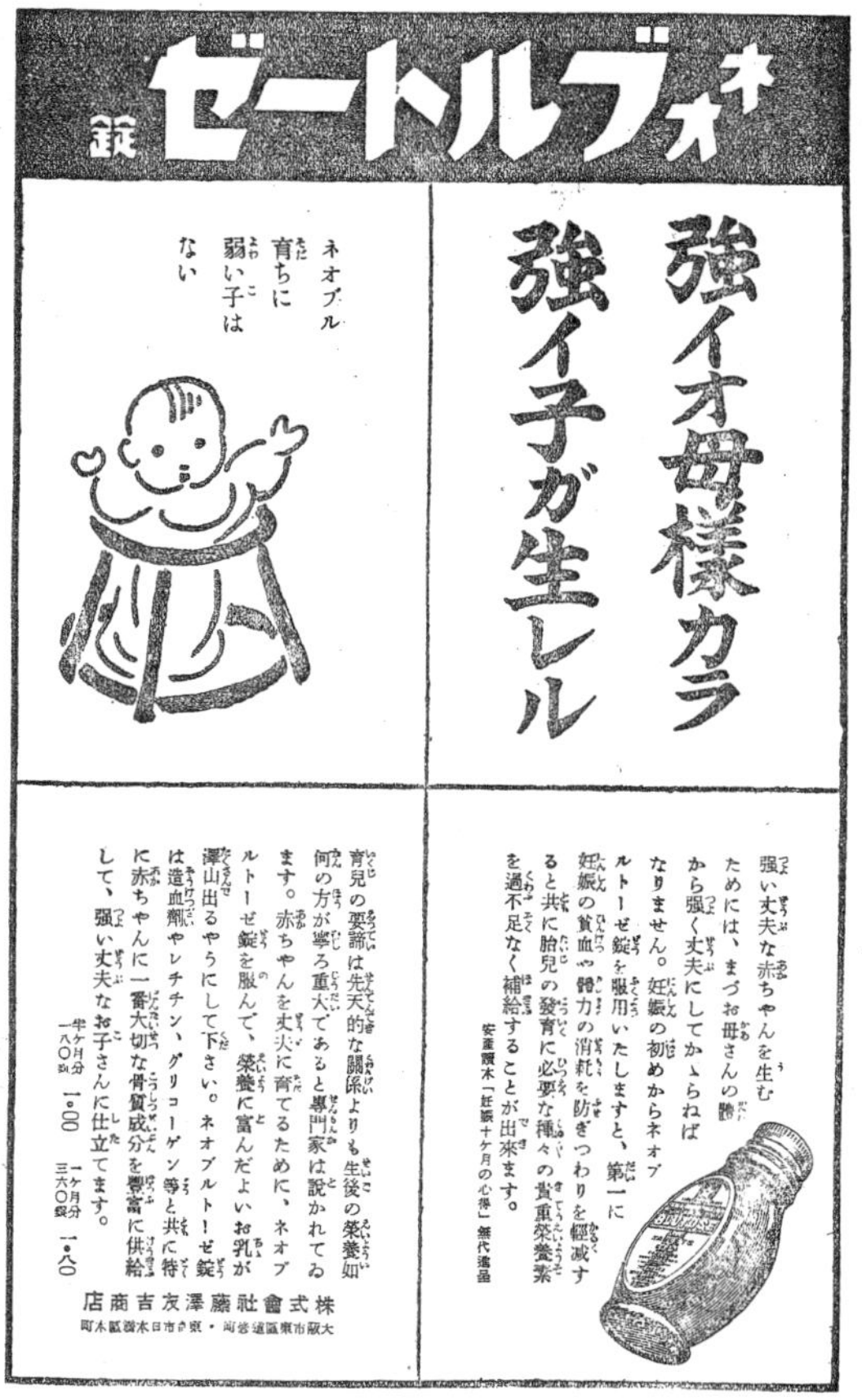

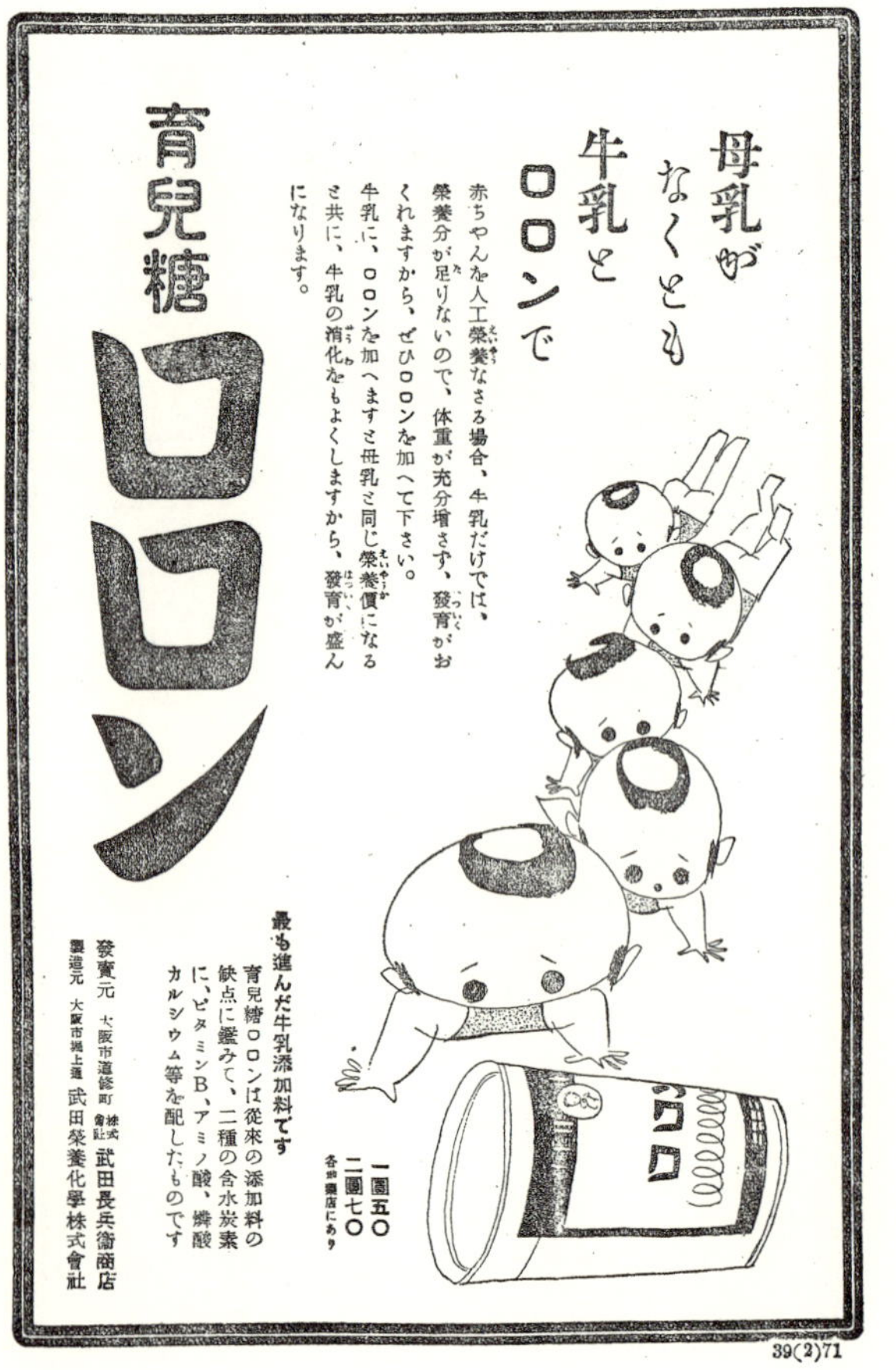

39(2)71

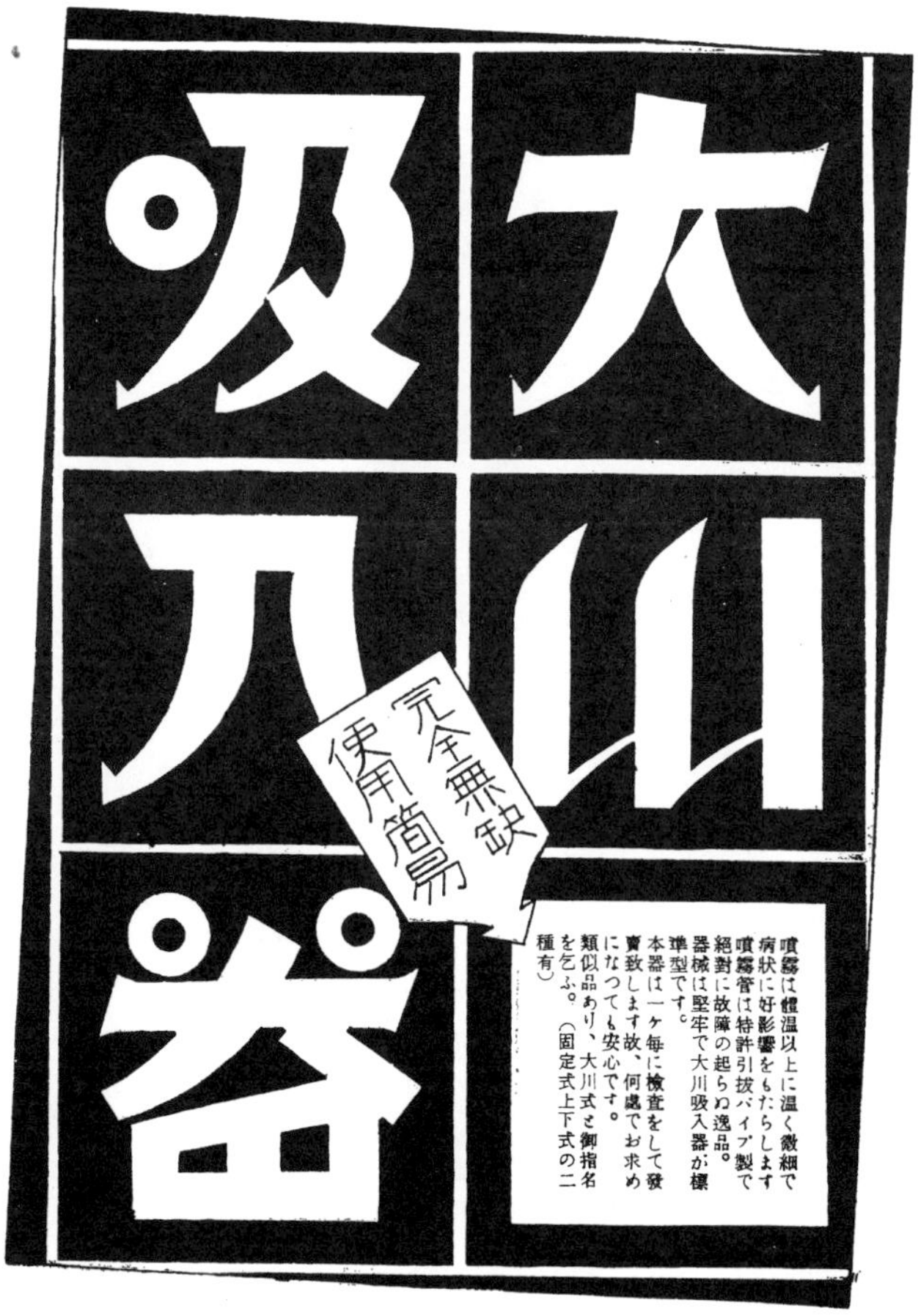
大川吸入器
完全無缺
使用簡易
噴霧は體温以上に温く微細で病状に好影響をもたらします噴霧管は特許引拔パイプ製で絶對に故障の起らぬ逸品。器械は堅牢で大川吸入器が標準型です。
本器は一ヶ毎に檢査をして發賣致します故、何處でお求めになつても安心です。
類似品あり、大川式と御指名を乞ふ。（固定式上下式の二種有）

二十年の歴史と權威を誇る本聯盟の事業

東京朝日新聞

"あたちも殊勲甲"

九段の父に見せたい可愛い顔

日本兒童愛護聯盟主催の既報第十一回全東京乳幼兒童審査會に見事入選したお母さん自慢の赤ちやんの中、三百五十四名の優良赤ちやん表彰式が七日朝十時から京橋の明治製菓ビル講堂で行はれた、戰線の兵隊さんをお父さんに持つ譽の赤ちやんをはじめ、今日を晴れと自慢顔のお母さん達、お巡りさんまで加はる賑やかさの中に開會、參加赤ちやんの中で唯一人の遺兒として一人異彩を放つ故川上倫一少佐の愛孃倫子ちやん（二才）がお母さんのおさわ未亡人に抱かれて最前列に進み、一同を代表して同會總裁小原厚相代理市來施設課長から輝く"最優良兒"の表彰狀と名譽會長永井遞鐵相揮毫の賞品『天下一品にあらざる兒童なし敬せよ愛せよ強く育てよ』の軸物を授與されゝば滿場感激の拍手、今は亡き父の"殊勲甲"に呼應してこの譽の表彰をうけた當の倫子ちやんは無心にニコ〳〵笑つてゐたが、おさわ未亡人は母としての喜びに思はず涙ぐむばかり、續いて前線勇士をお父さんに持つ赤ちやん十五名、最優良兒六十名へとそれ〴〵微笑ましい表彰が行はれた。

（寫眞は相馬會長の祝辭）

近代大阪の名所

食堂は午後九時まで營業
（サロン大食堂）

上手な吸入のさせ方

吸入や含嗽は、あまり重い病人には著しい効果はありませんが、早くやると侮り難い効を奏するものです。

外出後咽喉がちよつと變だと思ふときは、大人なら含嗽をすればよいのですが、小さいお子さんでは、それができませんから、吸入に替へます。吸入器にはいろ〳〵有りますが注意したいのは、藥液と一緒に冷い風が起り、却て吸入をしたために、よくない場合の起るやうなものを、避けるといふことです。使用上の注意といたしましては釜の湯は三分の一くらゐ注いで、なくなる前に注ぎ足します。湯のなくなつたのを知らずにゐると、破損することがあります。

アルコールを口元まで入れると、發火する虞れがあります。吸入をかけると、お寝衣やお蒲團が濕りますから、防水布やタオルをかけておき、寝たまゝの病人なら徐かにかけてあげて下さい。赤ちやんの吸入は無理にお口を開かせる必要はなく、玩具で機嫌よく遊んでゐるときでも、吸入器の方を近づけて、あたりの空氣を軟くしつとりさせて、少しづゝでも吸ひ込ませるやうにします。一回分をあまり長くかけると倦きますから、一日に三四回にしてコップに二杯ぐらゐで結構です。終りましたら蒸しタオルで拭いて、後にクリームなどをつけてあげると、お顔の荒れを防ぎます。

吸入液の作り方

藥液はいろ〳〵有りますが、お子さんには一%の重曹水で結構です。（約一合の水に茶匙一杯）又は重曹と食鹽を各々一%の割に溶かしたものを用ひてもよろしい。

うがひ藥の作り方

二%硼酸水　硼酸は冷い水に溶け難いが微溫湯を用ひますとすぐ溶ます。大人の水藥二日分入りの瓶は通常二百瓦入りですからこれに四瓦入ればよろしい。

二%鹽剝水　鹽素酸加里は常用としてうがひに用ひるのはよくありません殊に小兒には用ひぬのがよろしい。

三%過酸化水素水　過酸化水素又はオキシフルを水百に對して三の割合にます。二百瓦入りの水藥瓶なれば六瓦入れます。過酸化水素はごみ、又は日光熱等にあへば酸素を發生分解して無效となりますから瓶は清潔なものを用ひ、戸棚か押入等の暗所に置かねばなりません。

厚生大臣の告辭と大阪府知事の祝辭

（上）既報の如く、過般東京高島屋にて施行したる表彰式に於ける本會總裁小原厚生大臣の告辭朗讀（宇田川博士代讀）
（下）大阪三越にて施行したる表彰式に於ける本會名譽會長半井大阪府知事の祝辭（西田社會課長代讀）

九段の父よ前線の父よ坊やは强し

（上）東京に於て表彰されたる父君を出征軍人に持つ田中旭君・吉田勝彦君・杉田康さん・田中かた子さん。（會場・東京高島屋）
（下）大阪に於て表彰されたる父君は名譽の戰死をさげた榮えの加藤德子さん・都染嚴君・田中定明君・辻本隆之君の祖母君。（會場大阪三越）

君が代の奉唱・總裁の告辭敬聽

第十一回全東京乳幼兒審査會表彰式

（上）開會に先ち一同起立して君が代の敬虔なる奉唱をした。（會場・東京高島屋）
（下）例年の事乍ら總裁・名譽會長である小原厚生大臣・永井遞信大臣の御懇ろなる訓辭は來會者を傾聽せしむるのである。（會場・明治講堂）

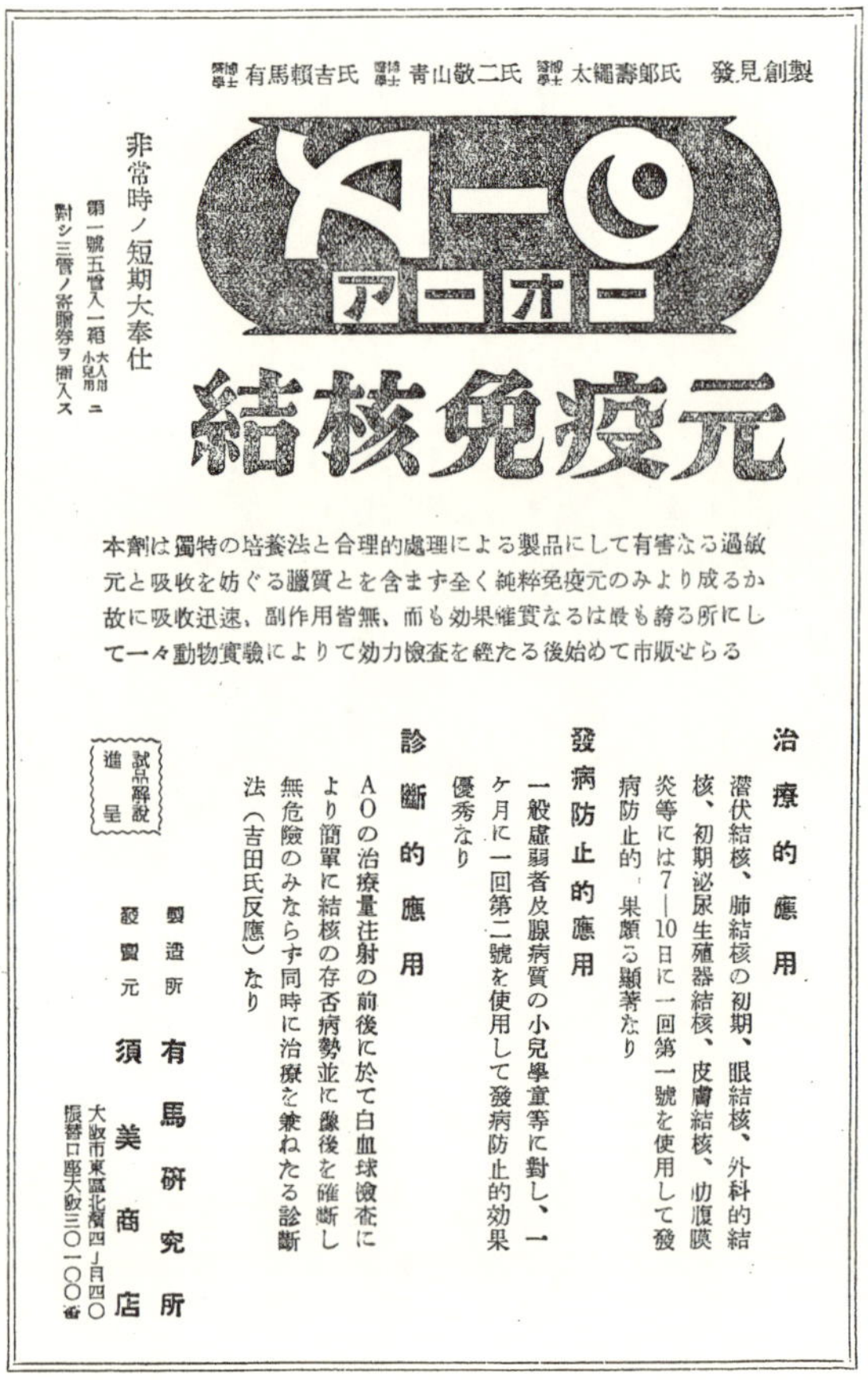
發見創製 醫學博士 太彌壽郎氏 醫學博士 青山敬二氏 醫學博士 有馬頼吉氏
アーオー
結核免疫元
非常時ノ短期大奉仕
第一號五管入一箱 大人用 小兒用 ニ對シ三管ノ寄贈券ヲ掛入ス
本劑は獨特の培養法と合理的處理による製品にして有害なる過敏元と吸收を妨ぐる蠟質とを含まず全く純粹免疫元のみより成るが故に吸收迅速、副作用皆無、而も効果確實なるは最も誇る所にして一々動物實驗によりて効力檢査を經たる後始めて市販せらる
治療的應用
潜伏結核、肺結核の初期、眼結核、外科的結核、初期泌尿生殖器結核、皮膚結核、肋腹膜炎等には7—10日に一回第一號を使用して發病防止的効果頗る顯著なり
發病防止的應用
一般虚弱者及腺病質の小兒學童等に對し、一ケ月に一回第二號を使用して發病防止的効果優秀なり
診斷的應用
AOの治療量注射の前後に於て白血球檢査により簡單に結核の存否病勢並に豫後を確斷し無危險のみならず同時に治療を兼ねたる診斷法（吉田氏反應）なり
試品解說 進呈
製造所 有馬研究所
發賣元 須美商店
大阪市東區北濱四丁目四〇
振替口座大阪三〇一〇〇番

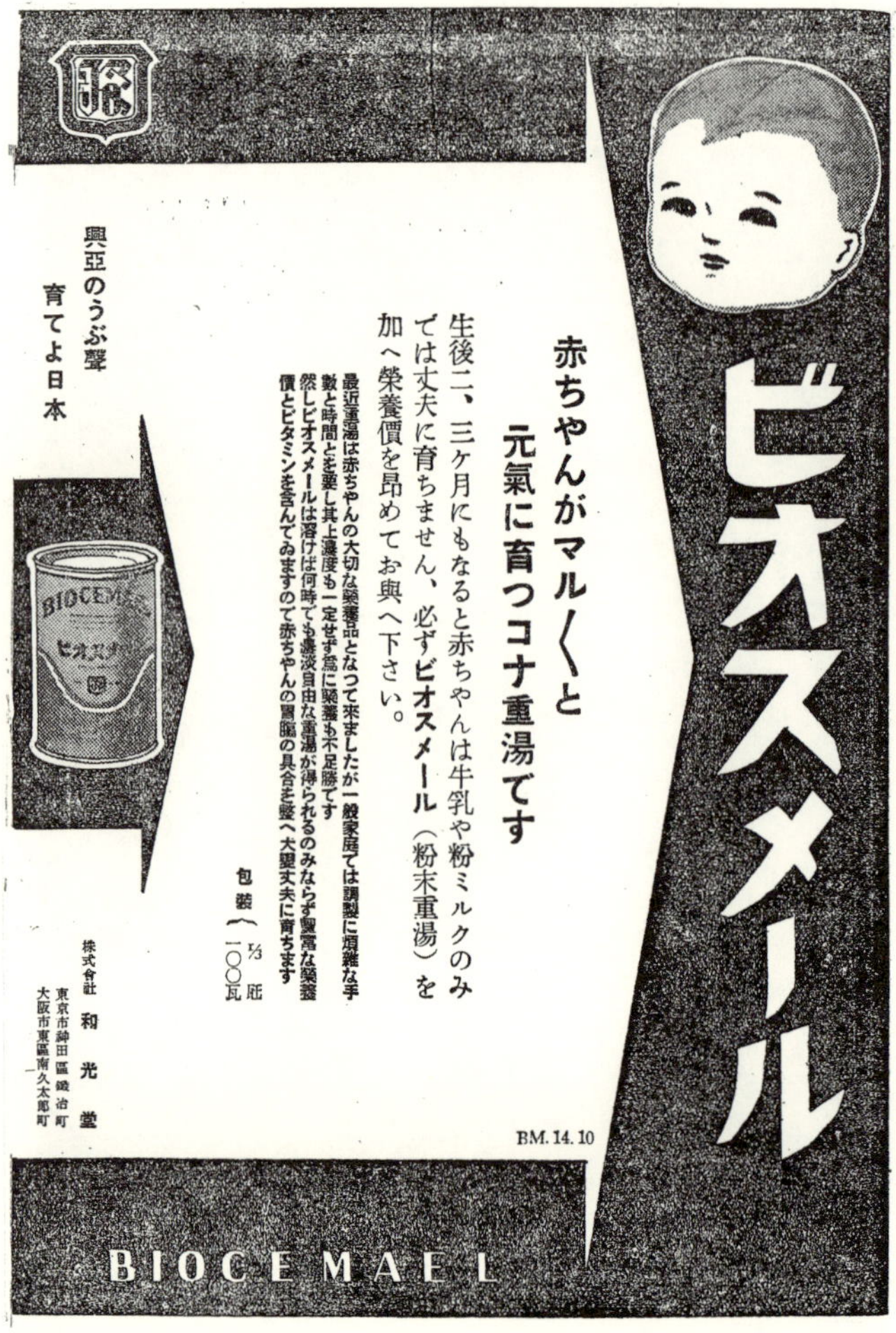
ビオスメール
赤ちゃんがマルくと
元氣に育つコナ重湯です
生後二、三ケ月にもなると赤ちゃんは牛乳や粉ミルクのみでは丈夫に育ちません、必ずビオスメール（粉末重湯）を加へ榮養價を昂めてお與へ下さい。
最近重湯は赤ちゃんの大切な榮養品となつて來ましたが一般家庭では調製に煩雜な手數と時間とを要し其上濃度も一定せず爲に榮養も不足勝です然しビオスメールは溶けば何時でも濃淡自由な重湯が得られるのみならず豐富な榮養價とビタミンを含んでゐますので赤ちゃんの胃腸の具合を整へ大變丈夫に育ちます
包裝（1/3 瓩 一〇〇瓦）
興亞のうぶ聲
育てよ日本
株式會社 和光堂
東京市神田區鍛冶町
大阪市東區南久太郎町
BM.14.10
BIOCEMAEL

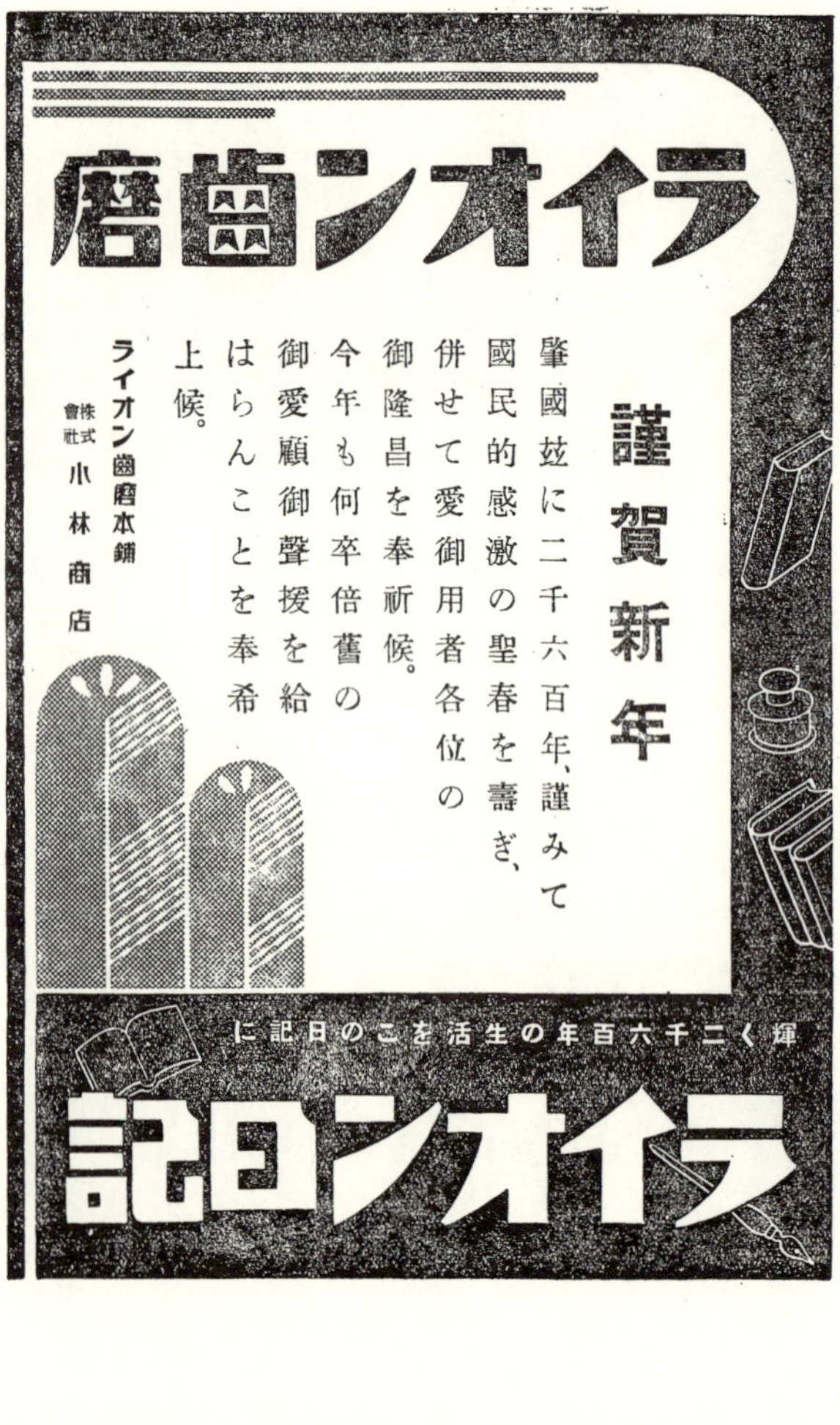
ライオン歯磨
謹賀新年
肇國茲に二千六百年、謹みて
國民的感激の聖春を壽ぎ、
併せて愛御用者各位の
御隆昌を奉祈候。
今年も何卒倍舊の
御愛顧御聲援を給
はらんことを奉希
上候。
ライオン歯磨本舗
株式會社 小林商店
輝く二千六百年の生活をこの日記に
ライオン日記

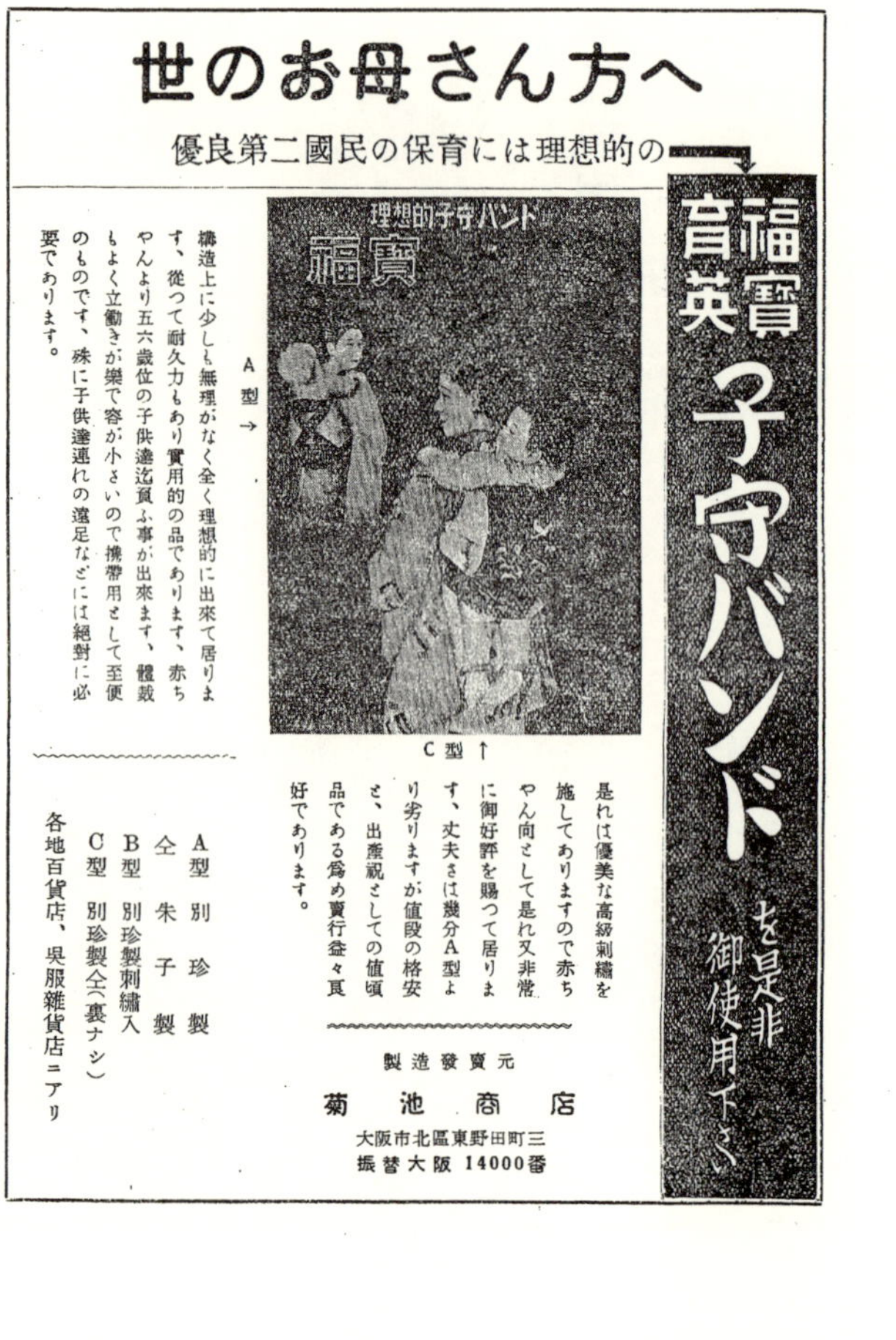
世のお母さん方へ
優良第二國民の保育には理想的の
福寶育英 子守バンド を是非御使用下さい
理想的子守バンド 福寶
A型→
C型↑
構造上に少しも無理がなく全く理想的に出來て居ります、従つて耐久力もあり實用的の品であります、赤ちやんより五六歳位の子供達迄負ふ事が出來ます、體裁もよく立働きが樂で容が小さいので携帶用として至便のものです、殊に子供達連れの遠足などには絶對に必要であります。
是れは優美な高級刺繍を施してありますので赤ちやん向きとして是れ又非常に御好評を賜つて居ります、丈夫さは幾分A型より劣りますが値段の格安さ、出産祝としての値頃品である爲め賣行益々良好であります。
A型 別珍製
仝 朱子製
B型 別珍製刺繍入
C型 別珍製仝（裏ナシ）
各地百貨店、呉服雜貨店ニアリ
製造發賣元
菊池商店
大阪市北區東野田町三
振替大阪 14000番

昭和十五年　子供の世紀　一月號

紀元二千六百年の春を迎へて

余田忠吾

百八除夜の梵鐘は、森羅萬象を一齊に沈默せしむるが如く、地軸一轉、東海の旭日は、瞠々として扶桑の天地を照らし來たる。

皇統連綿、茲に紀元二千六百年の光輝ある新春を迎へた。

富嶽は、萬古の雪を戴き、東亞の風雲を壓排して、泰然として天空に聳えて居る。

皇居の空には、鳳翔鸞舞の瑞祥が動いて居る。

興亞の聖戰茲に第四春を迎へ、干戈の裡にも我大日本帝國は一億の國民敬神崇祖の念に充ちて、伊勢神宮橋前禮拜の群衆を賭ること誠に悦ばしきものがある。

興亞聖戰の將士は、凛烈肌を裂く極寒と鬪ひ、唯だ　天皇陛下の爲め滅私奉公の忠魂を捧げ、銃後の國民は偏へに興亞の大聖慮を奉體して堅忍努力の實を擧ぐべく邁進して居る。

昭和十五年は興亞確立上正に鍵となるべき年なりと謂ふべきである。東亞の形勢、歐洲天地の風雲を察するときに蔣政權は眼前に沒落することあるべきも、歐洲の戰雲は急に收まりそうにも思はれぬ。

洋の東西を問はず民族運動の大波紋は昔も今も變はることない狀態である。

斯時に當り光輝ある紀元二千六百年の歷史は、正に我大日本帝國が世界に勇飛して第一步に興亞の盟主を獲得し、進んで世界の盟主たる準備期たらしむべき大意義を附與せられたるものあるを思ふ。

今や國民の緊張强醒は愈々切實となり、諸統制下に於ける國運の發揚は容易ならざるものがある。國民の保健、體位向上、結核撲滅、諸統制の遂行、輸出貿易の好調、經濟力の充實等國民の責任は前途大なるものがある。

茲に光輝ある新春を迎へて撤酒三杯先づ　聖壽の萬歲を奉賀し、興亞聖戰の目的遂行に一層の覺醒的努力を祈るものである。

紀元二千六百年に際し

神武天皇の御東遷を追懷し奉りて

紀元二千六百年元旦
昭和十五年

陸軍少將　戸波辨次

天皇の御時代に於て、九州から大和に遷都遊ばさるゝといふことは、現代吾々の思も及ばざる大事業たりしに相違ない、從て之が爲には、長期に亘り周到なる御準備あらせられたるは勿論であらふ。日向御出發より浪速御到著まで、日本書紀に據れば三年四月餘、古事記に從へば少くとも十六年を要したと傳へられる。果して此何れが眞なりやは之を知るに由もないが、御進路上に群據する諸豪族に豫め言向けてその向背を慥め給ひたる後、直接垂德懷柔せられつゝ、逐次後方の安全を策して前進遊ばされたのであらふから、定めて長年月を要したと思はれる。從て古事記の傳ふる年月必しも過大といふことは出來ぬ、兎に角、長期に亘る堅忍不拔の御進軍であつたことは察するに難くない。

圖らざりき、龍田越の聞きしに優る難路、遂に膽駒越に御轉進の止むなきに至り孔舍衞坂の御不幸なる戰鬪に唯一の御兄の命を失はせられ、御悲嘆の間に紀州の地に名草、丹敷の兩戸畔の御誅伐、熊野の御苦戰、困難なる山地の御進軍等、道路發達せる現代の地圖を繙ひて偲び奉るだにも御辛勞の程察せられて、唯々恐懼の外はない。愈々長年月御待望の大和平野を指顧の間に見る菟田の地に御到著遊ばされ、偉業御達成の今や一步の直前に於て强敵嶮峻に據り要害を扼するの難關に遭遇遊ばされたのである。御燥焦深きものあらせられたるや必定である、然るに此の九仭の功を一簣に決すべきの危機に於て、悠々迫らず、周到を極めたる敵情の御偵察に依て、遂に敵の弱點を覰破し給ひ、三段の各個擊破を以て敵を殲滅せられ、遷都の御大業を完成あらせられたる、堅鐵の如き御意志と、是を扶翼し奉れる吾等祖先の誠忠との前には、肅然襟を正しふせざるを得ぬ。

今次事變開始以來、歲を迎ふること茲に三度、然かも前途益々多事多難ならんとするの秋、恰も紀元二千六百年を迎へ、長期の難業を突破あらせ給ひし天皇の御偉業と、懸軍萬里、年を經、難を重ねて、志氣益々高かりし吾等祖先の忠

勇義烈を偲ぶの機會に遇ふことは、正にこれ、難關突破に邁進する吾等國民を、更に激勵し給ふの神慮ではあるまいか神訓ではあるまいか。

東天を拜し、英靈に默禱し、皇軍將兵の武運長久と銃後の健闘を祈りて、筆を擱く。

神武天皇御事蹟年表

皇紀	御事蹟
自前五十一年 至前八年	一、御降誕、御幼名狹野命 二、父君、彥波瀲武鸕鷀草葺不合尊 三、母君、海神の女玉依姬 四、皇兄 彥五瀨命 稻飯命（海神國御繼承） 三毛入野命（常世國渡御） 五、日向國吾田邑の吾平津媛を娶す 六、皇子手研耳命御生誕
前七年	御齡四十五歲 遷都御決意 十月五日日向御出發 速吸門に椎根津彥奉迎 筑紫國菟狹の菟狹津彥、菟狹津姬奉迎 十一月九日筑紫國崗水門御著 十二月二十七日安藝國埃宮著御
前六年	三月六日吉備國高嶋宮著御
前五年、四年	高嶋宮御滯在
前三年	二月十一日高嶋宮發御 難波之碕通御 三月十日河內國草香邑白肩之津著御 四月九日龍田越進軍 膽駒越に御轉進 孔舍衙坂の戰、五瀨命御戰傷 草香津の退軍 五月八日茅渟山城門著御 五瀨命崩御、竈山に奉葬 六月二十三日名草邑著御 名草戶畔を誅せらる 狹野を經て熊野神邑著天磐盾御攀登

皇紀	御事蹟
前三年	熊野荒坂津著御丹敷戶畔を誅せらる 熊野軍の奇襲、皇軍苦戰 高倉下軍增援 八咫烏嚮導に任し山地御進軍 菟田下縣著御 八月二日　兄猾弟猾を召す 弟猾歸順 兄猾を誅せらる 九月五日菟田高倉山上敵情御偵察 椎根津彥及弟猾を天香山に御差遣 丹生川上の御親祭 十月一日國見岳の八十梟帥御討伐 忍阪に殘敵殲滅 御本營移轉 十月七日兄磯城を召す來らず 弟磯城歸順 兄磯城及兄倉下、弟倉下を召す來らず 兄磯城軍殲滅 十二月四日長髓彥御討伐 金鵄の奇瑞 饒速日命歸順
前二年	二月二十日大和平野掃蕩 三月七日勅語下賜皇居御造營
前一年	九月二十四日媛蹈鞴五十鈴媛命を正妃とし給ふ
元年	元旦御卽位
二年	二月二日論功行賞
四年	鳥見山中の親祭
四十二年	正月三日立太子
七十六年	三月十一日崩御、御齡百二十七歲
七十七年	九月十二日畝傍山奉葬
備考	一、本年表は主として日本書紀に據り編纂せり但し稻飯命の海神國御繼承及三毛入野命の常世國渡御の事は古事記に據れり 二、日本書紀熊野灘の御海難及兎田御駐軍の吉野御巡視は省略せり 三、古事記には崗田宮一年、埃宮七年、高嶋宮八年の御滯留期の外年月を傳へず

四つ兒、五つ兒の誕生

内閣統計局　浦　上　英　男

◎はしがき

廣東に四つ兒が生れ母子共健全といふニュースが新聞紙上に報道され、朗かな話題を提供したのはつい先頃のことでした。之れより先七月の中旬にメキシコで五つ兒が誕生し、あの有名なカナダのディオンヌ五つ兒姉妹に續いて「世紀の奇蹟」を再現したと傳へられ、極く最近では東京だけで三組の三つ兒誕生が報ぜられるなど、こゝの處朝野を擧げて叫ばれる「生めよ殖やせよ」の懸聲に呼應して目出度くも勇ましい記事が矢繼早に出て居ります。

無論時局柄斯うした記事が特に歡迎される爲めからでもありませうが、同時に事實三つ兒、四つ兒の誕生が多いのかも知れません。若し今の日本の御婦人方が本當は一人生む筈のところを揃って三つ兒や四つ兒を生み、そして丈夫に育てゝ呉れたら目下人的資源の不足に惱む我國の窮狀が餘程救はれるでせう。そんなことが出來るのかなどと眞面目にとられると困りますが、然し四つ兒のお産は決して一般に考へられる程稀なものではありません。以下我國ばかりでなく外國の例も入れて、四つ兒五つ兒のお産を統計から調べて見ませう。

◎五つ兒は五千萬回のお産に一回

學者の調査に依ると五つ兒の出產は過去五百年間に三

十四、五回ある相です。そして之は約五千萬回の分娩に一回の割に當ると言はれます。

けれども是等三十數組の五つ兒の中出產後正常な發育を遂げたものは殆んど無いのです。生後何十分で死んだとか十何日目に死んだとかいふ記錄ばかりです。いやそればかりではありません、兎も角も生きて生れるならいゝが死んで生れるつまり死產が隨分多いのです。だから皆樣御存知の樣に生後丈夫に育つてゐる、カナダの五つ兒ディオンヌ姉妹こそ文句無しに珍らしいと折紙がついてゐるのです。彼女等は昭和九年五月二十八日カナダの一寒村キャランダー村に、平均體重僅か三百二十匁の八ケ月早產兒として生れたのですが、デフォーといふ醫師の獻身的な努力に依つて無事に生長し、早くも日本流の數へ年で七歲の新年を迎へた譯です。五つ兒が生れたことそれ自體は奇蹟でも何でもありませんが、五人共全部育て上げたといふことは確かに驚異と言つてよく、正に近代醫學の輝かしい勝利といへるでせう。

我國にも明治三十四年福島縣に平均體重三百九十匁の五つ兒が誕生しました。ずつと古いことはいざ知らず明治以後では之が五つ兒の唯一の記錄です。然し惜しいことに生後十日經たない中に次々死亡してしまひました。

イタリアでは一八七二年から一九三七年（昭和十二年）迄の六十六年間に三組の五つ兒が誕生し、最近のは昭和八年といふからディオンヌ姉妹の生れる丁度前年です。同國ピユグリエ州トレマヂオレ村に生れた此の五つ兒は一應生きて生れたものゝその後間もなく死亡しました。之が順調に育てばディオンヌ姉妹より一足お先に世界中の人氣者になつたことでせうが惜しいことをしたものです。前に述べたメキシコの五つ兒は昨年七月ヴィラ・エルモーサ附近に生れたもので出產後無事に發育してゐると當時の新聞は報じてゐましたが、その後何の消息も傳はらない處を見るとどうなりましたか。

さて五つ兒と申してもディオンヌ姉妹の樣に女兒ばかりのもあればメキシコの樣な男兒三人、女兒二人といつた組合せもあります。前述した我國の五つ兒も男三人、女二人でしたが、イタリアの昭和八年生れも矢張り之と同じでした。此の樣に比較的最近の外國の二例と少し古いが我國の一例と性の組合せを同じうしてゐるのは奇とするに足りませう。が過去の記錄を調べるならば恐らく五人共男兒ばかりといふのもあるでせうし、一男四女などといふのも出て來るでせうが、斯うしたことが何故起るかに付ては一括して後に述べることとします。

◎四つ兒の誕生を探ねる

四つ兒誕生の事實は五つ兒の場合に較べると可成り多

いので之を探すのはさう苦勞せずに濟みます。先づお膝元の我國から行けば大正十二年から昭和十三年の十六年間に都合七回ある。大體二年に一回の割ですが昭和十二年は此の年だけで二組あり、昭和十三年も一組あつて、一見「生めよ殖やせよ」の國策に沿つてゐるやうな力强さを感じさせます。が昭和十二年青森縣の一組は出生でしたけれども生後間もなく死亡し、同年鹿兒島縣の一組も一兒は初めから死產、三兒は出生でしたが矢張り直ぐ死亡して居り、昭和十三年大阪市の一組は四つ兒共死產といつた具合に、實質的には人的資源擴充に何等役立つてゐないのは殘念です。之より先にあつた大正十二、十三、十四年の各一組、昭和九年の一組は何れも悉く死產でした。

さて此の最近十六年間の我國內地に於ける總分娩回數（四つ兒、三つ兒の分娩も各一回に計算し、死產の回數も加へたもの）は合計三千五百二十萬回と少しですから一組の四つ兒が生れる爲めには約五百三萬回のお產がなければならぬ勘定になります。五百萬回のお產に一回の四つ兒誕生は外國に較べて一體多いでせうかそれとも少な過ぎませうか。そして外國でも我國の樣に四つ兒は大部分死產でせう。か

外國の實狀を見る爲に先づ米國を取り上げると同國には本邦と違つて四つ兒の出產記錄が殆んど每年五組や六組あります。例へば昭和八年乃至昭和十一年の四年間に付て見ると合計十八回の四つ兒出產がありました。昭和十一年の如きは此の年だけで七組もあり、その中一組の四つ兒が死產だつただけで殘る六組卽ち二十四兒は總て出生だつたなど、我國の事實しか知らぬ者から見れば噓みたいな話です。昭和九年も六組あつたのが全部出生でした。但し是等の子供が其の後順調に生長したかどうかは遺憾乍ら明らかでありません。ところで同國に於ける右の四年間の四つ兒出產十八回に要した分娩總回數は約八百六十八萬回ですから、四つ兒が生れるのは四十八萬回のお產に一回の割といふことになります。我國の五百萬回に一回と比較すれば米國には十倍以上も頻發することが判るのであります。

他の諸外國でも大體米國と似たり寄つたりの狀態が認められますが、例へばイタリアでは最近六十六年間に百二回の四つ兒出產があり、一年に一回半位の平均に該り分娩後六十萬回に一回の割となつてゐます。獨逸では昭和二年乃至同十一年の十年間に十七組の四つ兒が生れましたから、之を此の間の分娩總數千百五十萬回に對比すると、四つ兒分娩一回當りに要する出產回數は約六十八萬回といふ數字が出て來ます。佛蘭西へ行くと昭和六年

同十年の五年間に五回あり矢張りざつと六、七十萬回のお產に一回位となつて居ります。

最後にディオンヌ五つ兒の生れたカナダがどうなつてゐるかと一寸好奇心を動かせば同國には不思議と四つ兒が少い。昭和元年乃至同十一年の十一年間に於て僅か昭和六年に一回あつた切りであるから此の間の分娩回數二百六十萬回に一回限りとなります。だからカナダは五つ兒では名を賣つたが四つ兒では餘り威張れないといふ譯です。

米國生れの四つ兒が大部分生きて生れたことは既に述べましたがイタリアの昭和十一年生れの二組の四つ兒も出生であつたことを申添へて置きませう。

◎むすび

此の樣に五つ兒は兎も角として四つ兒では外國に斷然多く、しかもその大半が出生であることは注目すべきです。

四つ兒などはいづれは早產兒に違ひありませんから育てるに骨の折れることは當然想像されますが、然し體重三百匁を少し超えたばかりの五つ兒でさへ保育の方法如何では立派に育つのですから、まして四つ兒ではもつと樂に生長し相に素人として感じられます。事實米國邊りでは四つ兒が全部揃つて無事に生長することなど決して珍らしくないとの話です。かうなると日本だつて一組や二組の四つ兒兄妹が生きてゐてもよさ相に思へますね。だが双兒でさへ變な迷信から忌み嫌ふ我が國民には四つ兒を生んで育てゝ下さいなどゝ注文する方が無理なのかも知れません。

茲に書き殘したことゝ三つ兒、双兒に付ては次號にまた紹介致しませう。

健康相談

これだけは心得て置くべし

問　夕方になると視力を失ひ、眼が見えなくなります。療法をお教へ下さい

答　所謂トリメです。夜盲症はビタミンAの缺乏に原因するものですから、肝油＝ハリバの如き視力保存にビタミンAの豐富なものを攝取されるのが一ばんです。

第十一回全東京乳幼兒審査會表彰式祝辭

本日茲に日本兒童愛護聯盟主催の下に優良兒の表彰式を擧げらるゝに當りまして、一言祝辭を述べますことは、私の最も欣快とする所であります。

現下の我邦は國家の總力を擧げて聖戰の目的を貫徹して、皇運を無窮に扶翼し奉らなければならぬのであります。之が爲め最も必要とせらるゝは人的資源の確保でありまして、就中新時代を擔ふへき小國民の體位向上を圖ることは、實に喫緊の要務と申さねばなりません。

此の意味に於きまして、私は夙に日本兒童愛護聯盟の方々の御骨折に對し、深く敬意を表しますると共に、本日表彰の光榮を荷はれましたる御子樣並に御家族の方々に對し、衷心より御悅びを申上ぐるものであります。御承知の通り、我邦では昔から子寶と謂はれ、又「健康は最大の貯蓄なり」、と謂はれて居ります。

どうか御家族の方々に於かれましては、今後愛兒の御養育に就て一層の御理解と御熱意とを以て努力せられ、本日の榮譽をして皆樣方の御家庭のためにも、又日本帝國のためにも、益々光輝あらしむゝ樣精進せられんことを希望致しまして、御祝の言葉に代ゆる次第であります。

昭和十四年十月二十九日

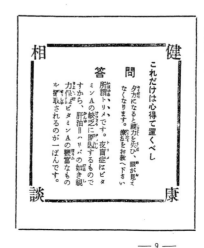

遞信大臣　永井柳太郎

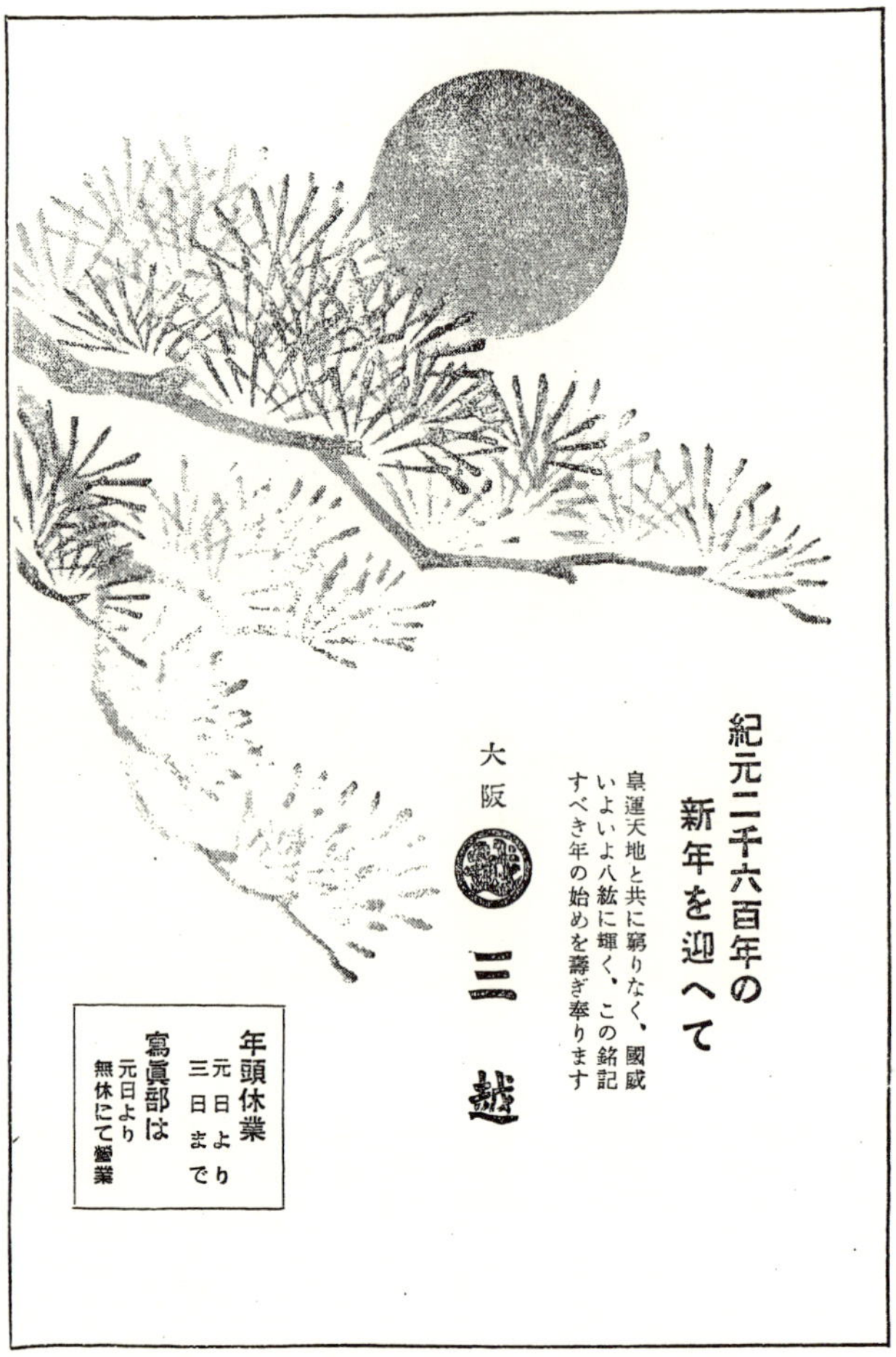
紀元二千六百年の
新年を迎へて
皇運天地と共に窮りなく、國威いよいよ八紘に輝く、この銘記すべき年の始めを壽ぎ奉ります
大阪
三越
年頭休業
元日より
三日まで
寫眞部は
元日より
無休にて營業

第十七回全大阪乳幼児審査會表彰式

名譽會長祝辭

本日茲に、日本兒童愛護聯盟主催、第十七回全大阪乳幼兒審査會表彰式を擧行せらるゝに方りまして、一言所懐を述べて祝意を表する機會を得ましたことは、私の欣快とする所であります。

今や我國は總力を擧げて新東亞の建設に邁進しつゝありまして、我々國民は前途に横はる凡ゆる時難を克服しなければなりません。之が爲には人的資源の擴充强化を圖り、國力の伸展を期するの要愈々緊切であります。

此の意味より、次の時代を背負つて立つべき乳幼兒の保護如何は、今後の國運の消長に極めて重大且密接なる關係を有するものでありまして、之が萬全を期することは刻下の緊要事であり、且又國家百年の大計であると謂ふべきであります。

從つて、此の事變下に於ける表彰式は洵に意義深いものがあり、本日表彰を受けられました赤ちやんの名譽と、お母さん方の御名譽と御喜は、又格別であると存じます。

何うか本日の表彰の趣旨を體せられまして、今後とも從來に渝らざる養育上の苦心を積まれ、此の名擧を損ふことなく心身共に優秀な次代の國民たらしめらるゝ樣、御努力下さることを切に希望致す次第であります。

昭和十四年十二月六日

全大阪乳幼兒審査會名譽會長
大阪府知事　半井　清

第十七回全大阪乳幼兒審査會表彰式

會長式辭

本日茲に、第十七回大阪乳幼兒審査會表彰式を擧行するに方りまして、會長として一言御挨拶を申上げます。

本審査會も年毎に隆盛に向ひまして、殊に本年は殊の外多數の申込に達しましたが、審査能力の都合上止むなく御斷り申さなければならなかつた樣な盛況で、其の成績も例年に比し著しく良好なるものがありましたことは、現下非常時局の際何よりも心强く感ずる次第でありまして、衷心より御同慶至極に存ずるのであります。

扨て本年の審査會の結果を申述べますと、審査致しました總數は二千六百八十五名、其の中發育の最も優良なる者二百十一名、優良なる者三百四十一名、佳良なる者四百六十六名、可良なる者五百五十六名、發育普通なる者千百十一名となつて居りますが、斯く發育佳良以上の御子樣達が千十八名に達したと言ふことは、誠に優良な成績と申すべく、私達は非常に意を强くすると同時に、邦家の爲眞に慶祝の至りでありまして、斯樣に皆樣の御子樣達が良好なる發育を遂げられましたことは、天賦の體質によることは勿論でありますが、就中御兩親不斷の御注意と御努力の賜であると、深く信じ滿腔の敬意を表する次第であります。

又本日、此の名譽ある表彰を受けられる御子樣達の内に、今事變に於て名譽の戰死を遊ばされました方の御子樣が四名、出征軍人の御子樣が十六名も入選されてゐますことは、銃後を預かる御母樣方の御苦心御努力には只々感激の外はありません。

今般、大阪市に於かれましては此の審査會に於て、最優良兒と認定されました中で、更に優秀なる男女各二十名の御子樣達に、優良兒賞を寄贈になりましたので、之をどうか本日表彰を受けられました皆樣はこの名譽を永く保持されまして、尙一層圓滿なる御發育と、育兒思想の普及啓發に御努力を致されんことを切に希望する次第であります。

以上簡單乍ら御挨拶と致します。

昭和十四年十二月六日

全大阪乳幼兒審査會々長
大阪市長　坂間棟治

第十七回全大阪乳幼兒審査會表彰式

祝辭

日本兒童愛護聯盟の御努力により、全大阪乳幼兒審査會は回を重ねて茲にその第十七回審査會の表彰式を擧行されるに至りました事は、本審査會が日本に始めて創始されて以來、聊か微力を致したるものとして、當店の甚だ欣快に存ずるところであります。

今や我が日本帝國は、有史以來空前の大事業を打建てるために、朝野をあげて之に邁進致して居りますが、今後二十年にして皆樣が立派に成長なされた曉に、日本を中心として如何に光輝ある歷史が展開されつゝありますかは今日想像いたします以上であらうと存じます。

殊に明年は紀元二千六百年といふ、容易に巡り合はす事の出來ない有難い年を迎へます。皆樣はその輝しい日本の躍進時代に御生れになり、更にその中で特に健康優良なる御寶として表彰を受けられたのでありますから、洋々たる日本の國の將來と共に、その立派な御成育が非常なる祝福と、期待とを以て切に待たれて居るのであります。

同時に皆樣方の御母さんは此の時、此の御子の將來に深く思ひを致され、體力に於ても、精神に於ても日本の寶として立派な若者となるやう慈しみ御育て下さる、義務を負つてゐられますことをよく承知して頂かなければなりません。本日の芽出度き表彰式に際し、限りなく賴母しき御子達の前途に對し一言祝辭を呈します。

昭和十四年十二月六日

三越大阪支店長　瀨長良直

小兒の慢性傳染病（三）

大阪市立電氣局病院小兒科醫長醫學博士 原田龍夫

小兒の結核（三）

（五）腺病質

世間一般に腺病質と言ふ言葉が廣く用ひられてゐますが之は唯慢然と結核に罹り易い弱々しい體質と言ふ程度のものを言ふ事が多く通俗的の名稱である場合が多い。學問上で言ふ腺病質或は腺病と言ふ病名の定義については今日尚多少の議論がありますが、第二期の小兒結核に屬すべき一種の症候群であると言ふ說が一般に認められてゐます。

卽ち腺病質は結核性疾患の一種でありますが、此病氣が一種特別の症狀を表はすのは其子供の體質が普通と異り滲出性體質或は淋巴腺體質を持つてゐる爲であると言ふのであります、此病氣は乳兒には稀で大抵二—九年位の小兒に表はれます、症狀は一般症狀としては皮膚が蒼白で筋肉が弛緩し疲勞し易く頭痛、食慾不振等を訴へる事があります、大切な症狀は皮膚及粘膜が炎症を起し易く又細菌感染を起し易い點であります、殊に之等の症狀は顏面に著明に明はれ所謂腺病質樣顏貌と言ふて一種特有の顏付をして居ります。卽ち鼻孔から其周圍口唇及び其附近等は濕疹が出來糜爛したり痂皮が出來たり腫脹したりしてゐます、又眼はフリクテン性結膜炎又は角膜炎を起す爲に、涙が多く羞明が多く特有の目付をしてゐます。

尙同時に頸、腋下、鼠蹊部等の淋巴腺が腫脹して居ます。其他骨、關節等にも結核の症狀が表はれ風刺病と言ふて手の指の骨が紡錘狀に腫脹すると言ふ樣な事もあります。

ツベルクリン反應は常に陽性に現はれます。

經過は非常に慢性でありますが豫後は他の結核性疾患に比較して一般に佳良であります。

腺病質の原名「スクロフローゼ」と言ふのはギリシヤ語の幼豚（スクロフア）に語原を發するもので口唇が肥厚隆起し顎下、頸部の淋巴腺が腫脹してゐる狀態が豚の顏貌を思はせる樣な狀態から來たものであります。

（六）結核性腹膜炎

結核性腹膜炎は腸又は肋膜の結核に引續いて起る事もあり又は肺門淋巴腺結核から結核菌が血行によつて腹膜に達して起る事もあります。

乳兒に起る事は稀で四—五才から十二才頃迄の小兒に多い結核性腹膜炎は一般に除々に發病する事が多く何時から始まつたか判明しない事が多い、子供の元氣がなくなり顏色が惡くなり食慾不振、羸瘦、輕い體溫上昇を訴へて居る中にお腹が小し大きくなつて來て初めて腹膜炎でないかと心配する事が多いのであります。一番目につく症狀はお腹が膨くれる事であります、之は多くは滲出液が溜まる爲で之を腹水と言ひます、時には腹水は非常に少くして腹膜、腸間膜淋巴腺等が肥厚して互に癒著する事もあります、前者を滲出性腹膜炎と言ひ後者を癒着性腹膜炎と名づけてゐます。

滲出性の方はお腹が蛙の腹の樣に膨れて腹部を觸れても比較的軟かいが癒着性の方は腹壁が硬く一種の抵抗があります、時には大小不同の硬結物を觸れます、そして壓痛があります。一般狀態は滲出性より癒着性の方が強く犯され腹痛等を訴へる事も多い、豫後にも滲出性腹膜炎の方は比較的良好でありますが癒着性の方は概して不良であります。

經過は慢性で治癒するにしても非常に長い經過を取ります。

（七）肋膜炎

大人の肋膜炎は其大多數が結核性でありますが小兒の肋膜炎は此の關係が違ひます、小兒殊に五才以下の乳幼兒の肋膜炎の大多數は化膿性肋膜炎（膿胸とも言ひます）で肺炎に續發した肋膜炎が多い。之は大多數肺炎菌で起るもので結核性ではありません。年長兒になると段々結核性の肋膜炎が增加して十才以上にもなれば大人と同樣のものが多くなります。

小兒の肋膜炎も大人と同樣に濕性と乾性の二種類に分類されます。

濕性肋膜炎とは肺臟と胸壁との間にある肋膜腔の中に漿液卽ち水の溜まるものであります。乾性肋膜炎とは水が溜らないで內外二重の肋膜が互に癒着するものを言ひます。然し此の乾性肋膜炎は最初に水溜つたものが段々吸收された後癒着して起るものが大多數であります。

症狀としては發熱、倦怠、食慾減退、羸瘦樣の一般症狀の外に咳嗽と胸痛を訴へる事が多い、咳嗽は所謂乾性咳嗽と言ふ種類で咳をしても少しも痰を出しません、年長兒では此の烈しい咳の時に胸側に痛みを起すことが多い、滲出液が多量になる時には呼吸困難を訴へて來る樣になります。

滲出性肋膜炎の大多數は適當の治療に依つて水が段々に吸收されて治癒する事が多いものであります。

（八）骨及關節結核

骨結核で小兒に起つて來るものは風刺病と脊推カリエスがあります。

風刺病と言ふのは手の指、趾の小さい管狀骨に發生する事が多い、發病は徐々で之等の部分の骨は次第に腫脹して遂には壜狀になります、然し熱も輕徵で疼痛もありません。

脊推カリエスは脊推の各所で起りますが、最も多く胸部の下方腰部の上方部を侵します、又往々に胸推と頸推の移行部に發生します、小兒では其主訴が不明瞭である爲めに長い間診斷がつき難い場合が少くありません。

關節結核は主として股關節、膝關節を侵し、而も一關節に來るのが普通であります。初發症狀としては運動不活發、跛行樣の輕い機能障碍と運動時の疼痛であります、然し其發生が徐々で慢性に經過しますから早期診斷は容易でありません、ツベルクリン反應やレントゲン檢査は非常に必要であります。

先天性黴毒

先天性黴毒とは小兒が生れる前に母の胎內で親から傳染された黴毒性の病氣を言ふので生れながらに罹つてゐると言ふ意味で先天性黴毒と言ひます。

小兒の黴毒は大部分は先天性のものでありますが、又後天的に生れた後で傳染した黴毒も全くない事はありません。例へば乳兒が母親でない婦人に哺育される場合は不幸其婦人が黴毒に罹つて居た時或は食器又は接吻等が仲介となつて傳染する場合もあります。然し之は非常に稀な事であります。

先天性黴毒の場合は其の子供の兩親か又は兩親の何れか一方殊に母親に黴毒が必ずあります。然し黴毒は極めて慢性に經過し殊に婦人では大した苦痛を伴はない爲に母親が黴毒に罹つて居る事を氣づかずに居る事が多い、子供に症狀が現はれて始めて驚く樣な事が度々あります非常に強い感染を受けた場合には胎兒は大抵流產や早產をして了ひます。辛じて產れ出ても出生後間もなく死亡して了ひます。

然し輕い場合には出生時には一見健康兒と變りない様ですが數ケ月の間には黴毒の種々の症狀が現はれます。又小兒時代は無事にすぎても青春期頃に黴毒症狀が現はれて來る事があります。

病原體は一九〇五年シヤウデン、ホフマン兩氏により發見された、スピロヘータパリダと言ふ極めて纖細な螺旋狀體であります。

先天性黴毒の傳染經路は母體が黴毒に感染して居る場合に其の血液中にあるスピロヘータが胎盤の血行を介して胎兒に移行して起るものであります。之を胎盤傳染又は子宮內傳染と稱へます。其の他胚種傳染と言つて精子(精虫)からする傳染又は卵からする傳染が考へられない事はありませんが之は其證明が容易でありません、實際上最も普通に行はれる傳染經路は胎盤傳染であります。

黴毒の診斷に血液檢査卽ち血清學的診斷法が非常に大切である事は皆さんも御承知の事と思ひます。先天性黴毒の場合も同樣であります、此血液檢査の中最も有名であるのはワッセルマン氏反應であります。其他比較的廣く行はれて居るものはザックスゲオルギー氏反應、村田氏反應等であります。

先天性黴毒は其症狀の發現する時期により普通之を胎兒黴毒、乳兒黴毒、遲發性黴毒の三種に區別されてゐます。

(一)胎兒黴毒　此場合は胎兒が胎內で健全な發育を遂げる事が出來ない爲めに死產となり流產となり又は早產となつて來るのであります。

姙娠の度每に何回も流產する事のある所謂常習性流產と診斷されるものは黴毒が原因になつて來る事が多いのであります。

(二)乳兒黴毒　先天性黴毒の大多數は此乳兒黴毒であります。乳兒黴毒は生れて直ぐ症狀を現はす事もありますが多くは生れた時には全く健康の樣に見え生後一、二ケ月經つた後で始めて症狀を現はして來るのが普通であります、乳兒黴毒の症狀は多種多樣でありますが其中主要なものは皮膚、粘膜、骨に於ける變化であります。

皮膚の變化としては顏面、手掌、足蹠等の皮膚に浸潤を來します、口唇、口角の附近に容易に出血する裂傷が出て來ます其裂傷の方向が丁度車の輻の樣に放射狀になつてゐるのが特有であります。

手掌、足蹠の皮膚は銅赤色を呈し一種の光澤を帶び光つてゐる事が多い、又往々上皮の剝離を來してゐます。

粘膜の變化として一番多いのは黴毒性の鼻加答兒であります、呼吸する每にグス〳〵と鼻が鳴り、黃色乃至褐色の鼻汁を漏し或は痂皮が出來て鼻孔を塞いで來る樣な事もあります。

骨の變化としては長骨の骨端部特に下肢の膝の附近上肢の肘の附近が紡錘狀に腫脹して來ます此部の關節を動かすと疼痛がありますので、手足の運動が不充分になり麻痺の狀態になりますので之をパロー氏假性麻痺と言ひます。

其他黴毒性腦水腫と稱へ頭が大きくなつて福助頭の樣な格好になる事があります、此樣な子供は多少精神の發育も遲れる事があります。

尙內臟では肝臟脾臟が腫れて大きくなつて來るのが普通であります。

又一般に皮膚は貧血を起し榮養も犯されて發育が非常に遲れて居る事が多いものであります。

(三)遲發性黴毒　之は乳兒期には症狀が現はれずに潛伏して居て第二生齒期卽ち六、七歲から春機發動期に及んで始めて症狀が現はれるものを言ひます。

此場合は大人の第三期黴毒に似た症狀を現します。卽ち皮膚粘膜には護謨結節を骨には護謨腫、骨膜炎を生ずるのが特徵であります。

尙五管器の變化として、眼には實質性角膜炎、耳は內耳疾患の爲、聾となる事があります、其他永久齒の上顎內門齒が咀嚼面で半月狀に缺けて來る特殊の變形を現します。之をハッチンソン氏齒と稱へます。此特殊の齒の變形と實質性角膜炎と內耳聾とをハッチンソン氏三徵候と名づけ遲發性黴毒の特徵とされてゐます。

先天性黴毒の豫防については兩親の黴毒を豫防並に治療する事が先決問題であります。

第一未婚者で黴毒に罹つて居る場合は充分な治療を受けて傳染の惧れが全くない樣になる迄結婚を延期せねばなりません。結婚後黴毒の症狀が現はれた際にも出來るだけ早期に十分な治療を受けねばなりません。尙一定の期間は避姙の適當な方法を講ずべきが至當であります、若し黴毒に罹つてゐる婦人が姙娠した場合は勿論可及的早期に治療を受けねばなりません、たゞ黴毒の治療は屢々不十分に終り易いものですから醫師と患者と協力して十分な治療を行ふ事が肝要であります。

第二には母親の身體に黴毒の症狀が現はれないでも何等の理由なくして度々流產、早產を起して來る樣な場合は血液檢査をして黴毒の有無を調べねばなりません、尙一般に黴毒は父から母に母から胎兒へと傳染するものでありますから、黴毒の療法は夫妻同時に行ふべきであります。

第三には乳母を雇入れたり貰乳をする場合には必ず其婦人の身體に黴毒の有無を檢査せねばなりません、但し貰乳をする場合には其婦人の身體檢査も出來ませんが、其場合にも其婦人の赤ちやんが健康である事を確める事は是非必要な事であります。

先天性黴毒の治療法も大人の場合と略同樣で有名なサルバルサン療法の外水銀療法蒼鉛療法又は沃度劑療法等が行はれます。殊にサルバルサンと水銀の併用療法が最も普通に行はれる方法であります。

尙先天性黴毒の乳兒は非常に抵抗が弱くて種々の病氣に罹り易いから、榮養については特に注意すべきであります。

附、消毒法

消毒法とは傳染病の傳播を防ぐために其病原體を殺滅する方法であります。此方法にも種々ありますが、主として傳染病豫防法施行規則に定められた方法について述べる事に致します。

各種の消毒法を一括表に示しますと、次の通りであります。

甲、理學的消毒法
- 一、低溫
- 二、乾燥
- 三、光線
- 四、蒸氣
- 五、燒却
- 六、煮沸
- 七、蒸氣

乙、化學的消毒法
- 八、石炭酸
- 九、クレゾール水
- 十、昇汞水
- 十一、煆性石灰
- 十二、クロール石灰水
- 十三、ホルマリン水
- 十四、ホルムアルデヒド
- 十五、酒精
- 十六、硼酸
- 十七、過マンガン酸加里

此第四から第十四迄は傳染病豫防法に規定された消毒法であります

甲、理學的消毒法　之は主として熱を應用した消毒法であります。

一、燒却消毒法　病毒に汚染された物を燒き捨てる方法で最も簡單で、最も確實な消毒法であります。

二、煮沸消毒法　消毒する物品を全部水中に浸し、之を煮沸して消毒する方法で三十分間以上煮沸する事が必要であります。

外科器械を消毒するシュムメルブッシ氏煮沸消毒器は此消毒法であります。

三、蒸氣消毒法　之は高熱蒸氣によつて殺菌する方法でコッホ氏蒸氣消毒器は之であります、蒸氣消毒は流通蒸氣で、成る可く消毒器內の空氣を排除し一時間以上攝氏一〇〇度以上の溫熱に觸れしむる事が必要であります。

四、其他　低溫、乾燥、光線、熱氣による消毒法がありますが此等は消毒が不十分の爲め、傳染病豫防には用ひられません。

低溫消毒法とは攝氏六十五度で三十分間消毒する方法で近頃は牛乳の消毒法に良く用ひられてゐます。

乾燥消毒法は抵抗力の弱い細菌でなければ死滅さす事が出來ませんので、餘り有効な消毒法ではありません。

光線による消毒は太陽光線を直射させると抵抗力の弱い病原體は數時間で死滅します、其他エッキス光線、ラヂウム線による殺菌法もありますが實用的には利用されません。熱氣消毒とは、空氣を熱くして消毒する方法でありますが、之も消毒力は弱いものであります。

乙、化學的(或は藥物的)消毒法　之は殺菌作用のある藥品や瓦斯で消毒する方法でありますが、此には藥液の濃度と液の中に浸して置く時間を正確にする必要があります。

一、3.0%石炭酸水　之は防疫用石炭酸三分に水九十七分を加へたもので消毒物は二時間以上浸漬する事が必要であります。

二、3.0%クレゾール水　之はクレゾール石鹼三分に水九十七分を加へたもので、石炭酸水と同じ目的に使用されます。

三、0.1昇汞水　此は昇汞一分、食塩一分、水一〇〇〇分又は昇汞錠(一錠は〇、五瓦の昇汞を含む)一錠に水五〇〇瓦を加へて作ります。昇汞水は猛毒でありますが、味も臭もなく他の藥と間違ひ易いものでありますから、必ず赤い色素を加へて警戒せねばなりません。又金屬を腐蝕する性質がありますから金屬製でない容器に入れて貯へねばなりません、それで飲食器具、玩具、金屬類一般の消毒には不適當であります。

又蛋白を凝固させ消毒力を減ずるから蛋白質を含む屎尿、吐瀉物、喀痰等の消毒にも不適當であります。

四、煆性石灰

(イ)煆性石灰末　煆性石灰末は使用に臨み煆製石灰(生石灰)に少量の水を加へ、粉末となし(此時熱を發し崩れる)使用するのであります屎尿、吐瀉物には排泄物容量の約三十分の一を加へ、二時間以上放置します。井戸、水槽、汚水等には水量の五十分の一を投じ十二時間以上放置致します。

(ロ)20.0％石灰乳　石灰乳は煆製石灰(二分)に徐々に水(八分)を加へて攪拌します消毒物の量の約五分の一を加へます廣用は煆製石灰末と同じです。

(ハ)普通石灰　之は煆製石灰を得る事の出來ない時に限り代用します用量は煆製石灰の倍量です。

五、5.0％クロール石灰水　クロール石灰水はクロール石灰水五分に水九十五分を加へたものであります、石灰乳と同様に使用します。

六、ホルマリン　水之はホルマリン（ホルマリン三瓦にはホルムアルデヒード約一瓦を含む）一分に水三十四分を加へたもので、使用毎に新に調整します蛋白質を凝固させますから糞尿、吐瀉物に使用してはなりません。

七、ホルムアルデヒード　之は瓦斯消毒法でありますホルムアルデヒードを發生させるにはホルマリンを噴霧器によつて噴霧狀とするか又はホルマリン瓦斯發生器を用ひ、又はホルマリンにカメレオンを加へて發生させます。

八、其他　酒精、硼酸過マンガン酸加里等がありますが、之等は消毒力が弱いから傳染病豫防には用ひられません。酒精は五〇―七〇％の濃度のものが一番殺菌力が强く純アルコールや薄いアルコールは消毒力が弱くなつてゐます。硼酸の消毒力は微弱であります。過マンガン酸加里は消毒力稍强く、通常五〇〇〇倍溶液を用ひます。

消毒方法の選擇　以上述べました消毒方法も消毒すべきものによつて其應用が違ひます、傳染病の場合に普通消毒を行ふものについて其應用を述べると次の通りであります。

第一、**患者**　患者の病氣がすつかり治つた時入浴をさせ衣類を着かへさせます時には、浴水中に0.3％の割合にクレゾールを入れる事があります。使用した湯は充分消毒した上で棄てます入浴が出來ない場合は溫濕布を以つて身體を清拭して入浴に代へる事があります。

第二、**屎尿　吐瀉物其他の排泄物**　是等には同容量の石炭酸水若くはクレゾール水。其容量の三十分の一以上の煆製石灰末又は其容量の四分の一以上の石灰乳、或はクロール石灰水を加へてよく攪拌し二時間以上放置します又は之を煮沸し或は燒却します昇汞水及フォルマリン水は是等の消毒に適しません。

第三、**病毒に接觸したる者**　看護人や患者の家族等は患兒に接した度毎に石炭酸水、クレゾール水又は昇汞水等で手足を消毒し又は時々入浴を致します。

第四、**衣類、寢具、敷物、布片**　之等のものには蒸氣消毒、煮沸消毒を行ひ、又は石炭酸水、クレゾール水、フォルマリン水中に二時間以上浸漬し又はフォルムアルデヒードを以て消毒致します。絹布、毛織物、綿、綿入蒲團、羽蒲團等はなる可く蒸氣消毒を行ひ又はホルムアルデヒードで消毒します。

第五、**圖書、書籍類**　ホルムアルデヒードを以つて消毒します。

第六、**硝子器、陶器、磁器、鐵製品、竹木製品**　石炭酸水、クレゾール水、昇汞水、ホルマリン水、石灰乳等の中に浸して消毒し、又は石炭酸水、クレゾール水、昇汞水、ホルマリン水等に浸した布片でよく拭きます氣熱に堪へるものは蒸氣消毒若くは煮沸消毒を行ひます。

前に述べた様に飲食器具、玩具、金屬製品等の消毒には昇汞水を絕對に使用してはなりません。

第七、**革類、塗物類**　革製品、漆器、ゴム製品、セルロイド製品、膠附品、糊附品、毛皮、象牙、鼈甲、角製品等は石炭酸水、クレゾール水、ホルマリン水等でよく拭くか又はホルムアルデヒードの瓦斯消毒をやります。

蒸氣消毒、煮沸消毒では膠や糊が取れたり、セルロイドの形が崩れたりしますから此等の消毒は適しません。

第八、**椅子、卓子、室內各部**　石炭酸水、クレゾール水、昇汞水若くはホルマリン水でよく拭き、或は之等の藥品を撒布致します。但し密閉の出來る室はホルムアルデヒードの瓦斯消毒法を行ひます。

第九、**便所、芥溜、溝渠**　便所は石炭酸水、クレゾール水又はホルマリン水で消毒し便池、肥料溜等には煆製石灰末、石灰乳又はクロール石灰水を灌ぎ充分攪拌致します。屎尿は消毒後一週間を經過しなければ肥料に用ひる事が出來ません。

芥溜には石灰乳、クロール石灰水などを灌ぎます。塵埃は燒却する方が一番消毒完全であります。溝渠にも石灰乳、クロール石灰水を灌ぎます。

第十、**井戸、水槽、汚水**　之等の消毒には其水量の五〇分の一の煆製石灰を乳狀としたものか又は水量の五〇〇分の一のクロール石灰水を投入して充分攪拌した後十二時間以上を放置し又は適當の裝置で熱蒸氣を通じ三十分以上沸騰させます。（完了）

乳兒人工榮養臨牀より觀たるヴイタミンC (一)

醫學博士　柿本　保

一、ヴイタミンC

吾々が蛋白質、脂肪、含水炭素、鹽類及び水等の五大榮養のみで榮養される場合は、必ず或疾病を惹起して、結局生存することが出來なくなる。其事實から、是等五大榮養素以外に吾々の生命存續上必要缺くべからざる物質があることが認められる様になり、之を「ヴイタミン」と命名したのである。

爾來二十數年間多數學者の倦まざる研鑽の結果、其化學的性狀は漸次判明し、殊に最近四―五年間に於て劃期的進展を來し、遂に「ヴイタミン」C、B^1、B^2等の人工的合成の成功を見、「ヴイタミン」Aに於ては既に化學的構造式闡明され、「ヴイタミン」Dは「エルゴステリン」、「コステリン」の紫外線照射によつて成製を見、Eも略々純粹に抽出される様になつた。從つて是等「ヴイタミン」の生物學的作用も追々黎明の域に達し、榮養學上の一大要素となりしのみならず、藥理學上一大藥品として、其藥治學的應用範圍も益々擴大せらるゝに至つた。

「ヴイタミン」Cは「ヴイタミン」中最も不安定で、一時は食物中より抽出すること殆ど不可能とされてゐたのであるが、一九二八年 v. Szent Györgyi が副腎皮質機能の研究中、其組織中に含有する强力なる還元物質を發見し、之を Hexuronsäure と命名し、一九三二年「ヴイタミン」Cと全く同一物であることを立證した。茲に於て Haworth は Györgyi の同意を得て Hexuronsäure を Ascorbinsäure と改稱した。次で同年「ヴイタミン」Cの化學構造式が Karrer, Cox—Hirt 等に依り明にされ、一九三三年 Reichstein, Haworth, Michel 等に依り完全に合成されたのである。此の合成左旋性「アスコルビン」酸は天然の「ヴイタミン」Cと全く同一物で、水、酒精、木精、「アセトン」等に良溶性、「クロロホルム」に不溶性、酸に對しては比較的安定で、「アルカリ」に弱く、强力なる還元性を有してゐる。

熱に對しては可成り鋭敏で、八〇度乃至九〇度では完全に破壞される。然し酸素を遮斷する時は一四〇度位に堪えることが出來る。尙抗壞血病性作用を有してゐる。

生體內に於ける「ヴイタミン」Cの生物學的意義は、各細胞の酸化、還元作用を觸媒的に誘導促進し、細胞の活力機能を遂行せしむるに役立つものとされてゐる。夫は「アスコルビン」酸の化學上並に生理學上重要なる點で、或物質の酸化作用を受ける時は、總ての分子の破壞迄に至らず、中間の酸化型となり、次で還元力を有する或物質の作用に依り、再び元の「アスコルビン」酸になる性質を有するものである。之は、即分子中 CO—HOC=HOC の如き原子團があつて、此

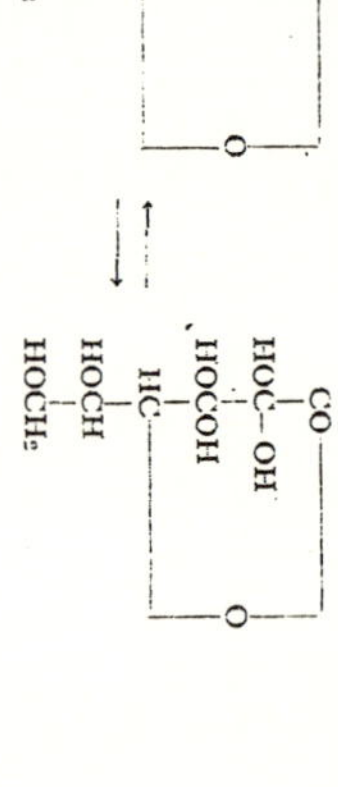

1—アスコルビン酸（ヴイタミンC）　還元型　　酸化型

二重結合は水から二個のOH基を奪つて、容易に酸化する。此際遊離せるH原子は强力なる還元作用を發揮し、而も此反應は可逆的で、酸化型の「アスコルビン」酸は組織中に於て還元型に戻る。此現象が生活細胞の呼吸作用を觸媒的に誘導促進するものである。從つて此「ヴイタミン」C缺乏は細胞の代謝機能の上に障碍を來し、種々なる標徵を出來することも肯ける譯である。

「ヴイタミン」Cは廣く植物界に存し、植物體內に於て葡萄糖の如き單糖類から合成されるものである。動物體に於ても合成されるが、「ヴイタミン」C合成能力は其種類に依つて大に異るのである。從つて其强弱がC需要量に差異を生じて來るのである。白鼠、廿日鼠、鳩、猫、犬等は其合成能力大であるため、「ヴイタミン」Cを多量に攝るの必要なく、反對に海猽はC合成能力甚だ微弱であるがため、其缺乏は忽ち壞血病を起して來る譯である。乳兒並に其に近い幼少な小兒は、其合成能力大であるため「ヴイタミン」C缺乏症を起し難い。殊に生後三―四ヶ月の乳兒に於て壞血病を見ることがないのは、恐らく此理由に基くものと思はれる。

二、「ヴイタミン」C減少並に缺乏は生體に如何なる現象を起すか

（一）「ヴイタミン」C減少症 C—Hypovitaminose

之は本來の壞血病症候を生來する「ヴイタミン」C減少の潛伏時期で、潛在性壞血病、或は前驅壞血病と云つてゐる。此「ヴイタミン」C減少症は個體の「ヴヴイタミン」C不足に基因し、Cの消失特に多きためか、腸管內に於けるC吸收障碍を生ぜるためか、或はC缺乏食の攝取等に依るものである。「ヴイタミン」C減少に際し、現はれる主なる標徵は

（イ）食思缺損「ヴイタミン」Cは消化腺の分泌作用を强進せしむると同時に、組織細胞の代謝機能を助勢する作用あるを以て、此缺乏は食思の缺損を來す。

（ロ）榮養失調症　元來「ヴイタミン」は一種の發育素であつて、之れが缺乏は個體の發育停止、體重の減少を來すものである。之に與るは「ヴイタミン」A、B、Dと云はれてゐる。「ヴイタミン」Cは現在發育素として認められてゐないが、「ヴイタミン」Cの大量投與は、小兒の體重、身長の發育を促進せしむると云ふことは、實驗的に報告されてゐるところから、「ヴイタミン」CもAの如く小兒の發育と關係あるものと思はれる。

（ハ）Dysergie「ヂスエルギー」とは個體の免疫抵抗力の低下減退を意味するものであるが、「ヴイタミン」C減少並に缺乏は「ヂスエルギー」の狀態を惹起し、種々なる傳染性疾患に罹患し易くなるのである。斯る事柄は「ヴイタミン」C含有量少き人工榮養品を以て榮養される乳兒が、天然榮養兒に比べて、種々なる疾病に對する罹患率が大である所以も幾分關係のあることではないかと思はれる。

（ニ）血管榮養障碍 Angiodystrophie　壞血病の潛在期に起る重要なる症狀の一つである。即出血性素質が發現する譯であるが、之は毛細管內皮細胞の Interzelluläre Kittsubstanz（細胞間接合物質）の產出機能減退して、內皮細胞壁の緻密度が失はれ、血管壁の透過性が昂まり、血球は鬱血せる毛細管から濾出するからである。

（二）壞血病並に其に類似する出血性疾患

由來、遠洋航海、長期に亘る戰爭、飢饉年等に、壞血病並に其に類似する出血性疾患が發生することは古くから記載された事實で、其は新鮮なる野菜の缺乏する時に生ずるものとされてゐた。然るに近年「ヴイタミン」研究の長足的進步に依つて、此等の疾患は「ヴイタミン」Cの缺乏に依ることが判明し、一大福音を得た譯である。即壞血病並に其に類似の疾患、例ばウエールホーフ氏紫斑病 Morbus msculosus werhofi、單純性紫斑病 Purpura simplex、腹性紫斑病 Schönlein-Hennochsche Purpura 及びメルレル・バロー氏病 Möller-Barlowsche Krankheit 等は此「ヴイタミン」Cの缺乏に依るもので、「アスコルビン」酸の投與に依り、比較的易く快癒するものである。重症なる壞血病にても一日量五〇―一〇〇瓱を非經口的に投與する時は、忽ちにして輕快に赴くものであると云はれてゐる。(Schlützer, Bauke)。メルレル・バロー氏病は乳兒並に乳幼兒に見る壞血病で、殊に之は「ヴイタミン」C含有量少く、季節的に、動物飼育法に依りC含有量の極めて動搖し易い異種乳、例へば牛乳等を以て、又誤れる保存法、調理法が行はれ易い人工榮養品を以て榮養される人工榮養兒に、主として見られるのである。然し極く少數ではあるが、稀に人乳榮養兒にも見られる。夫は母親に潛在性壞血病のある場合、或は母親が新鮮なる果汁、野菜等を嫌惡せる場合、或は小兒が自ら欲せざる場合、或は果汁、野菜等は投與されてはゐるが、調理法の當を得てゐない場合等に起り得るのである。

然し乳兒並に乳幼兒は體內に於て、C合成能力强大であるため、比較的罹患し難い傾向があることに就ては既に述べた通りであるが、其が最も顯著なのは生後三―四ヶ月で、斯る月齡に於てメルレル・バロー氏病の報告は殆どない。生後六、七ヶ月になると經驗する様になる。殊に月齡の人工榮養兒に多く見るのである。近年粉乳榮養兒にも可成り見られる。吾々が乳兒を榮養する場合天然榮養に如くものはないのであるが、時として何うしても人工榮養を採らねばならぬ場合が生ずる。斯る時は可及的正しき榮養法を行ふ樣に努め、出來る丈誤まらざる知識を以て小兒を保育成長せしむるの必要があるのである。乳兒人工榮養臨牀の生れ出た所以も茲に存するのである。人乳並に人工榮養品中の「ヴイタミン」C量に關しては別條下に述べることにする。

乳兒並に其に近い乳幼兒が、無災に生存を保持して行くに必要な「ヴイタミン」C需要量は、研究者の異るに從ひ多少の相違はあるが、一般に「アスコルビン」酸一日二・五―三・〇瓱（Stepp, 笠原）とされてゐる。成人では二〇―三〇瓱である。メルレル・バロー氏病に對する治癒量は、一日三〇―五〇瓱、成人では五〇―一〇〇瓱と云はれてゐる。

（三）色素代謝障碍

「ヴイタミン」Cと色素代謝との關係に就ては今日尙定說はない。然し色素代謝を調整してゐる副腎、腦下垂體に多量に之を含有し、皮膚、殊に表皮に多量にCを有し、アヂソン氏病に對し「アスコルビン」酸の投與が効果あることより、恐らく色素代謝とも關係のあるものと考へられてゐる。

（四）貧　血

「ヴイタミン」Cが血液生成臟器と一定の關係を有し、或種の貧血に對しては赤血球の再生機能を助成すると云はれてゐる。

（五）鑛物代謝障碍

「ヴイタミン」Cは鑛物質代謝に一定の關係のあるものらしく、其缺乏は不完備なる齒牙形成を來し、或は齲齒形成に陷り易く、又骨折を起し易い點より、或一定の關係のあるものであらうと思はれる。

（六）其他「ヴイタミン」Cとの關係に就ては種々論議されてゐることがあるが、其等に關しては他日に讓ることにする。（未完）

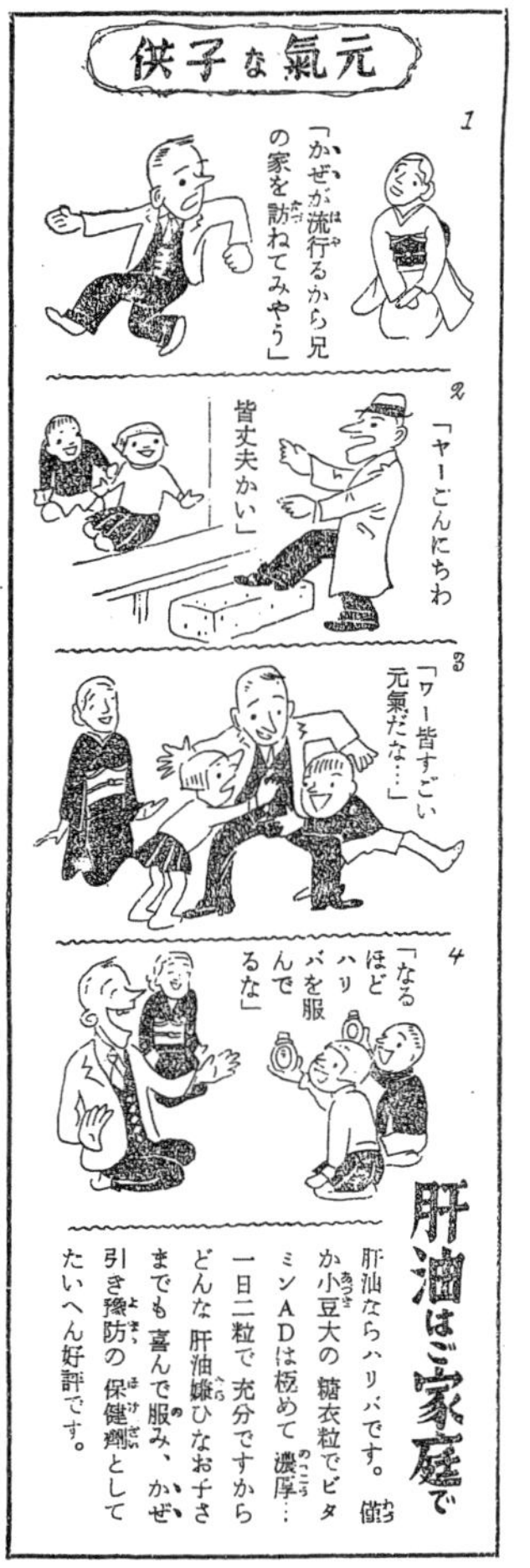

都會人は何故弱いか？

——こうすれば必ず强くなる！——

大阪市保健部體力課長
醫學博士　深　山　杲

先般來朝した獨逸の醫學使節ヘーデンカムプ博士は、「都會は文化高く地方よりも優良者が多く生活してゐる。然かも都會は之等地方から吸集した優秀者を消耗する坩堝である。從つて都會は優秀者の人口消耗地であるから、若しも地方からの供給力が減退すればその國家は軈て衰微する。」と論じてゐたが至極名言である。獨逸では夫故に都會を「人口消耗地」たらしめて國運の衰微を招く事のないやうに凡ゆる對策を講じつゝあつて現在獨逸の各都市は何れも斯樣な汚名を雪ぎ得る程、立派なものになつてゐるのである。

偖て大阪市はどうかと云ふに、市民は年々結核又は赤痢、チブス等の法定傳染病で夥しく斃れ、その犧牲は益々增加する許りであつて、更に乳兒死亡率も近年增加の傾向にあり、其他性病、近視眼等も殖える一方で、全く大阪市は「人口消耗地」であり更に現世の「地獄」とも評される程である。事變勃發以來、大阪市は銃後產業都市として重要な地位にあるにも拘らず、幾多の優秀者は應召してその供給の途を絕ち、折角の殘存者が斯樣な悲境に在る現狀は國運發展上、由々しき一大事と謂はねばならない。

夫れでは大阪市では何故こんなに犧牲者が多いかと云ふに、色々原因はあらうけれども歸する處、大阪市の環境が極めて非衞生である爲めと、今一つは市民が非衞生地帶に在り乍ら全く無頓着で、且日常生活に何等保健的考慮を拂はない惡習慣が存する爲めに他ならない。

御存知の通り大阪市は煙都と謂はれる程煤煙が多く日中も陽が見えない位煙霧に閉ぢ籠められ勝ちで、又空地少く且河川道路は極度に汚染されてゐて全くお話にならない不潔さである。然かも市民等は之等の不潔な環境に對し、一向自發的改善をしようともせず平氣で暮してゐる。不潔な器の中にあるものが不潔にならない道理はなく不潔都市の市民は何時の間にか不潔に慣れ不潔に浸みて仕舞ふのである。そして健康を求める自發運動は一向に顧られず、唯、營々と働いて識らぬ間に病に斃れて行くのが僞らぬ現實であらう。

斯く考へるならば、「地獄」の大阪市も市民の心得一つで「金が儲かり、病氣にもならない此世の極樂」たらしめる事は決して難事ではないのである。現に諸外國の文明都市を訪れた日本人は誰でも市街の淸潔な事に一驚を喫するであらうし、更に市民の公衆衞生道德が徹底してゐる事實に感服されるのである。且又市民が一人殘らず保健生活に非常な熱心さを示し、食事に對する注意は勿論、勤勞、休養、慰安、體育等に關しても總べて節度を誤らず、極めて合理的に實踐してゐる樣子をハツキリ認識されるのである。

今や大阪市は世界的大都市として非常時日本の產業を脊負つて躍進し、大陸の新經營に重大な貢獻をしつゝあるのである。從つて大阪市の鼓動が聊かたりとも不堅實であれば決して健全な日本たり得ないのであつて、市民は須らくその重大使命を自覺して健康報國の誠を致し、歷史的大使命遂行の重責を果さなければならないのである。

其の爲めには、先づ大阪市を我家と思つて努めて淸潔に保つ事が第一に肝要である。此の實行は市民の一人々々が總べて責任を自覺して自ら相戒め相行ふのでなければ到底成果は擧らない。歐米各都市を行脚して市街に紙屑や煙草の吸殼が一つも落ちてゐない爽々しさは市民の衞生觀念が如何に徹底してゐるかを覗はれて羨ましい限りである。

次ぎに勤勞時間の節度を守る事も最も重要な一つである。商店法や勞働時間制限法等は何れも勤勞市民の健康を希つて政府が制定實施したのであるから、市民は總てその精神を充分に汲んで互に自肅しなければならない。仕事に熱中する事は結構であるが、過度に亘れば限りある健康力は軈て蝕まれ、惡疾に乘じられる機會を作るのである。過勞こそは先づ愼しむべき心得の第一である。

更に日常の食物にも充分注意を拂ひ、特に勤勞市民の榮養に就ては單に食物の量だけでなくその質卽ち內容も考慮して、勞働力の源泉に不足のない樣にしなければならない。勤勞市民は稍々もすれば不足し易い榮養はヴイタミンB、(胚芽米の內にあるもの)及び蛋白質（魚類、肉類）であるから之等を每日豊富に攝らねば必ず勞働の原動力が衰へ身體を壞す因となるのである。

最後に休養慰樂の方法を誤らないやうに注意する必要がある。勤勞の餘暇を氣分轉換の爲めに好きな娛樂に興じる事は眞に結構であるが、徒らに酒食に耽けるとか、深夜に及ぶやうな慰樂は却つて過勞を增し、睡眠不足を來して百害を伴ふから之等は絕對に排擊して、必ず健全な道德的な且經濟的な慰樂のみを撰び、常に充分の睡眠を攝る事も怠つてはならない。又休日等には努めて郊外に進出して新鮮な空氣や輝かしい日光を浴びて體育運動を行ふ事も健康確保の祕訣である。

……○ 奉祝紀元二千六百年 ○……

聯盟創設第二十年を祝し・全日本乳幼兒審査會の發展を祈る

小兒科專門
醫學博士
志摩次郎
和歌山市屋形町四ノ三
電話五八六番

小兒科專門
醫學博士
多田克己
名古屋市東區撞木町
一丁目十三番地

小兒科專門
醫學博士
大野内記
大阪市南區南綿屋町四七
電話南三二八番

恩賜財團愛育會
常務理事
齊藤守圀
東京市荏原區
小山町五〇〇

陸軍少將
戸波辨次
大阪府下濱寺町
下石津二九四

大阪市立衞生試驗所所長
醫學博士
下田吉人
大阪市住吉區
山坂町四ノ六八

醫師
河野桃乃
神奈川縣茅ヶ崎
南湖院

日本書家
内田靑薫
東京市板橋區
茂呂町三九〇〇

河井やえ
大阪市東區森ノ宮
西ノ町五六〇番地

……○ 奉祝紀元二千六百年 ○……

聯盟創設第二十年を祝し・全日本乳幼兒審査會の發展を祈る

小兒科專門
醫學博士
酒井幹夫
大阪市東區高麗橋
五丁目二十五番地

大阪市立刀根山病院長
醫學博士
太繩壽郎
大阪市外
阪急沿線會根

有馬研究所長
醫學博士
有馬賴吉
大阪市西淀川區海老江
上一丁目五十七番地

大阪府女子專門學校教授
魚澄惣五郎
兵庫縣武庫郡
本山村森三六五

菅沼小兒科醫院長
醫學博士
菅沼巖雄
大阪市東成區舍利寺町
七十八番地

小兒科專門
醫學博士
松尾勇
大阪市西區西長堀
南通二丁目一番地

高洲病院長
醫學博士
肥爪貫三郎
大阪市南區北桃谷町三五
高洲病院

國司道輔
東京市目黑區
柿ノ木坂二五二

會社員
宇井庸德
大阪市西淀川區
佃町一、一〇一

……○ 奉祝紀元二千六百年 ○……

聯盟創設第二十年を祝し・全日本乳幼兒審査會の發展を祈る

厚生省體力局施設課長
市來鐵郎

厚生省防疫課長
醫學博士
南崎雄七
東京市豊島區目白町
三ノ三五三四番地

北海道帝國大學醫學部
小兒科醫長
醫學博士
永井一夫
札幌市南二條
西十二丁目

厚生省囑託
醫學博士
宇田川與三郎
東京市中野區
天神町二〇番地

小兒科專門
醫學博士
山田治郎
東京市赤坂區青山
北町四丁目七十六番地
電話青山三八八八番

小兒科專門
醫學博士
上村雄
西宮市今津字高潮
電話西宮一三四〇番

東京市淀橋區戸塚町四ノ六九二
「生命の交り」發行
山下信義
靜岡縣三島町

曙石綿株式會社社長
納三治妻
納秀子
東京市淀橋區
下落合二ノ六六六

臺灣總督府文教局社會課
細野浩三
臺北市大安字十二甲
二七七

……○ 奉祝紀元二千六百年 ○……

聯盟創設第二十年を祝し・全日本乳幼兒審査會の發展を祈る

株式會社
高島屋取締役理事
村松善次郎
東京市日本橋區通二丁
株式會社高島屋

慶應義塾大學醫學部講師
醫學博士
中鉢不二郎
東京市目黑區中目黑
三丁目九百四十七番地

有澤眼科病院長
醫學博士
有澤潤
大阪北濱二丁目

辯護士
堀川嘉夫
法律事務所
大阪市北區北森町
電話堀川四四番

日赤名古屋病院小兒科醫長
醫學博士
高橋潤二
名古屋市東區
上竪杉町五ノ一

子ども衞生社
醫學博士
岡田道一
東京市豊島區千早町二ノ三七
電話落合長崎三〇四七番

東京齒科醫學士
野崎吉郎
西宮市千歳町三

大阪府社會事業主事
長部英三
西宮市今津

大阪市都島幼稚園長
比嘉周子
大阪市北區都島
本通四ノ三二

生めよ殖やせよ地に充てよ（二）

木下尙江

（七）

古い神社の縁起と云ふものは、何れも人心墮落した後世の製作で、一寸見れば荒唐無稽誠につまらぬものだが然かし若し目ありて之を見るならば、其の拙劣究屈な文章の中に、自ら原始的信仰の片影が殘つて居る。其一例として大和國廣瀬社の縁起と云ふものを抄載する。

『夫れ當社は人皇十代崇神天皇の御宇、大和國廣瀬郡河合村に出現し給ふ。所以いかん。彼の里長藤時の門外に、異人着冠束帶して化來す。其の容貌端正、靈香甚だ薫ず。然り而して里長に託して曰く、汝家の北に一龍池あり、之を水足の池と號す。其の深厚八億由旬也。其の底下龍宮城也。此地上に社壇を造立すべし云々、藤時答へて曰ふ、冷水は八百會也。何あれば社壇を建立すべき。異人また曰く、汝が謂ふ所其理あり、吾宜しく龍池を變じて陸地となすべく、其時に建立すべし。

里長答へて曰く、此段尋常の義に非ず、奏聞すべし。化人神妙々々。言ひ訖つて忽ち見えず。其の明日平旦に、水足池、陸地となり。里長天聽に達し、則ち勅使を立てられ、諸官有司に仰せて七宇社を造立し、水足明神と號す。

役優婆塞十九歳にして箕面の瀧に入り、又た水足池に入り、忽ち龍宮城に到る。地に七寶を敷き、四面に四神旗を立て、四門を構ふ。行者南門に入る。宮殿樓閣あり。栴檀の柱を立て、金銀の椽を懸け、瑠璃の扇を開き、水精の壁を鏤り一々莊嚴にして諸梵天の如し。其中央に女體の尊形在ます。行者尊神に謂て言く、此の尊神は天上の神孫乎。地下の後胤乎。時に尊神七言四句の文をもて託宣して云く。

我是天照連枝族。本地大悲觀世音。哀愍三界衆生故。示現明神度一切。

行者頓首再拜して白さく 一切神明、佛法傳來以來經卷を誦し法味を捧ぐ、尊神者は五時の教法の內、何れの經をか誦すべきと。神勅宣すらく、往昔釋尊說法の時、龍王現して法華經を守護せり、其因緣を以て聽問すべし云々。抑も吾朝は天孫降臨已來、上一人より下萬民に至るまで皆な神孫也。故に神國の遺法を守りて遂に外國の儒教を嘗めざりき。而るに千五百年を經て爰に推古天皇の御宇、上宮太子密かに奏言すらく、日本は種子を生じ、震旦は枝葉を顯し、天竺は華實を開く。故に佛經は萬法の華實たり。震旦は萬法の枝葉たり。神道は萬法の根本たり。枝葉華實を以て其の根元を顯はす。花落ちて根に歸るが故なり。今佛法東漸せり。爾りしより以降佛閣經教專ら興隆す。天平年中眞言密教此土に流れ、後供養法を修せんが爲に、諸社に本迹の二門を立つ。花實を以て根元を顯はすの謂也。舒明天皇の御宇、池邊右大臣深則、帝王を恨み奉り、妻子を捨てゝ深山に隱る。妻子啼泣、三七日當社に參籠して祈請懈らず。爰に明神無二の丹誠を鑒み、一心の懇念に答へ、結願の曉に容貌端正の女體、神殿を開きて託して曰く、汝の愁歎比類なし。吾一切衆生を度せんが爲に此地に垂迹せり。何ぞ此の願望を叶へざらんや。深則隱れて龍田山に在り。明日此の北方の河岸に到らしめん。汝彼所に相待つべしと言ひ訖つて御戶を閉づ。則ち妻女、神託に從ひしに、果して深則到來し、互に此の河の中瀨を渡りて相合せんと欲せり。故に此地を名けて河合と曰ふ。――

此の廣瀨神社は則ち女性を祭つたものだ。此の緣起の中にも切りに龍宮と云ふことを書いてあるが、龍宮とは子宮の形容で、凡て龍宮物語と云ふのは、生殖の詩歌だ。有名な加茂神社の如きも、

『千早振神代の昔、天の八重雲を押しわけて、日向國襲の高千穗の峰に天降らせ給ひて、宮柱太敷立てゝ久しうぞ留ります。それより大和國葛木の峰に宿り給ひて是より山城の岡田の賀茂に遷座し給ふ。此の山の麓よりこの小川流れ下りて此處にて落合へり。此川波靜かにして細う狹く底淸かりしかば、御神是をめで給ひて、石川せみの小川となむのたまひて、御手を濯ぎ給ふ。故にみたらし川とも申なり。久かたの天の岩船漕ぎ寄せて御神の形を顯はし給ふ。故に御生所とは申奉るなり云々。』

と舊記に書いてある。

（八）

生殖を神の本體、信仰の中心とした民族の氣風と、厭生禁慾の空氣に包まれた佛教とは、どうしてもシツくり

と肌が合はない。聖德太子以來奈良平安兩朝の僧侶が歷代の苦心は、如何にもして佛教を固有の信仰に融和させやうと云ふ一點で、最後に輸入された眞言宗は此點に於て最も成功したと言はれて居る。元來此の眞言宗の教義は、佛教中でも特別の系統と色彩とを保ち、胎藏界金剛界と云ふ兩部の立て方の如き、明かに生殖作用に基礎を置いたもので、父母所生のまゝ卽ち佛であると『卽身成佛』の義を主張して居る。所で矢張印度一流の哀調を解脫することが出來ず、却つて一層嚴烈な厭生禁慾の戒律に陷つた。思想の根柢、信仰の中心に於て積極と消極と相逆する神道と佛教とは、當時の國民生活の上に隨分滑稽を演じて居る。其の一例として三條實房の治承元年に於ける伊勢勅使の日記を擧げて見る。治承元年と云へば平安朝の終末で、當時の人間は、公卿でも武士でも平民でも、皆な寺に詣り僧を招じて現世の苦惱を遁れ未來の冥福を得るやうにと一途に祈請を込めて居た。所で伊勢神宮への勅使を仰せ付けられることになると、其の期間だけは全然別格の生活を營まねばならぬ。勅使任命の內沙汰を聞くと同時に、肌身を離さぬ持佛をも遠けねばならぬ。尼法師からの手紙は手を觸れてはならぬ。佛經嘗類まで皆んな他の家へ運んでしまつた。八月十三日愈々公然任命の沙汰を蒙つて、來月十日に出發と云ふたことが確定すると、表門へ大きな札を立てゝ『自今日至來月十日、僧尼重輕服并不淨之輩、不可參入』と黑々と書きつけた。所で一つ椿事が起つた。卽ち同月十五日の所に左の如く記してある。

『十五日壬午。晴。去夜僧侶を夢む。佛經類に於ては先日併せて取去り了りぬ。然り而して夢の告に驚きて搜求せしむるの處、出居廊長押の上に揚柳觀音一體を見出し、卽ち以て取り退け了りぬ。信心彌々凝りぬ。謹愼殊重。恐るべし〳〵。』

又た二十二日の所には

『二十二日己丑。陰晴不定。今日魚味を食ふ。恒例の精進日也。然り而して神宮の事を承るに依つて精進せざる也』

と特筆して居る。平等ならば、精進日に魚でも食べやうものなら、佛罰を恐怖して大騷ぎが起るのだ。然るに伊勢へ行く爲めに精進日は殊更に魚を食ふて居る。

神道と佛教とは生活上に到底融和することが出來なかつた。

親鸞が妻帶したと云ふことは、厭生禁慾の佛教徒に取りては罰當りの大椿事でもあつたらうが、本來を云へば何でもないことだ。然れども親鸞の妻帶も其の精神を尋ねれば、矢張厭生禁慾主義其物であつた。卽ち我等末世

の凡夫には持戒淸淨の生活を守ることが出來ないから、煩惱積惡の罪人の身ながに彌陀の慈悲に縋ると云ふに過ぎなかつた。生殖其物が最も壯嚴なる神力の發現だと云ふ固有の信仰と比較すれば、實に晝夜の相違である。

（九）

基督教にも使徒ポウロの思想が入り込んで、厭生禁慾の空氣が歷史の上に漲つて居る。

『爾曹、我に書きおくりしことについては、男の女に近れざるを善とす。然れども淫行を免るゝ爲に人各々其妻をもち、女も各々其夫をもつべし。夫は其分を妻になすべし。妻はまた夫に然かすべし。妻は自ら其身を主ることを得ず。主これを主どる。此の如く夫も其身を主どることを得ず。妻これを主どる。相共に拒むなかれ。然れど互に意を合はせて暫く祈禱の爲に別るゝは可し。後また合ふべし。是れサタン爾曹の情の禁へざるに乘じて爾曹を誘はざらん爲め也。然れど我これを言ふは命ずるにあらず許すなり。我は衆の人の我が如く爲さんことを願ふ。然れど各々神より己の賜を受けたり。此は此の如く彼は彼の如し。我未だ婚姻せざるもの及び寡婦に言はん。もし我が如くして居らば彼等に善なり。若し自ら制ゆること能はずば婚姻するも可し。そは婚姻するは胸の熾へるよりも癒れば也。』

此手紙に見はれたポウロの思想は、明白に厭生禁慾だ。

勿論當時の淫卑な社會、壞亂した風俗は、眞摯敬虔なポウロを激して此の如き悲觀の極へ陷れたに相違ないが、同時にポウロ其人の如何ばかり神經質な病人であつたかを見ることが出來る。神經質な病人は何時の世にも必ず厭生禁慾の哲學を發明する。春の花、秋の月、皆な是れ悲哀の原因だ。

『生殖』を忘れて『淫慾』を恐怖する時、所謂道德は遂に束縛だ。

我が病人なることを反省せよ。淫心を去つて靜慮せよ。生殖は神の祭壇だ。而して我等は實に長く之を汚がして來た。

御藏島の大水薙鳥の牧鳥

栗本惣吉

家畜を彼等の自然生活に近い狀態で管理し、其生產物を利用することを、牧畜と云ふのなら、伊豆七島の御藏島で、海燕科の海鳥である大水薙鳥を管理利用するのを牧鳥と言ふ言葉で表現してもよいと思ふ。其處では、村落附近を除き、海拔千五百尺以下の低地には、島內到る處に大水薙鳥が棲息してゐるが、特に其密集地を區劃し、これを村の所有とし、伐木採草に制限を加へ、成鳥と卵の採捕を禁止し、每年雛鳥の巢立期に、日を定めて島民に捕獲を許し、其收入を榮養に供してゐる。此大水薙鳥の牧鳥は、御藏島の草分時代より行はれ、年と共に漸次發達したもので、永い星霜を經過して、今日も尙ほ維持されてゐるのは、牧畜業の方面より見ても、頗る珍奇な存在であらう。

鷗科のウミネコの棲息地、青森縣鮫港蕪島や、島根縣日御碕經島は、廣く世間に知られてゐるが、大水薙鳥の棲息地である御藏島は、餘り知られてゐないやうだ。しかし鎌倉時代に著作されたと云ふ、保元物語には、「爲朝鬼ヶ島へ渡る」條に、八丈島の脇島である鬼ヶ島では、島民が鳥を食料とし、穴を掘つて鳥を捕り、鳥穴の多いことを記載してゐるゆえ、伊豆七島の大水薙鳥については、鎌倉政權の首腦部では、夙に調査してゐたものと思はれるのである。

日本の空を飛ぶもののうち、航空機の將來は未知に屬するが、鳥類の中で、鴨類や小鳥の群にも勝つて、大群を爲してゐるものは大水薙鳥であらう。暖流である黑潮は、臺灣の東側を北上し、九州、四國、本州の太平洋方面を流れ、遙にアラスカ沿革に達してゐるが、大水薙鳥は此黑潮を飛翔し、甚だ廣い區域を行動してゐる。それで黑潮を航行したものは誰でも經驗させられることではあるが、大水薙鳥は洋上にはなか〳〵多い。或時は此鳥群の爲めに、さすがに廣い海面も、水平線が霞んで見えない位である。

大水薙鳥は、本州、四國の沿革、伊豆七島の島嶼には多少とも棲息してゐるが、擧けて言ふ程のこともなく、其主たる棲息地は御藏島である。日本海沿岸の京都府加佐郡冠島は、此島の棲息地

として知られてゐるが、天然記念物として保護されてゐる點で、御藏島の牧鳥を行ひ、毎年數萬羽を捕獲してゐるのに比べて、略其狀態を察知することが出來やう。かう考へると御藏島は、黑潮流域に無數に群れ飛ぶ、幾百萬の大水薙鳥の、蕃殖の一大根據地であることが分る。

そこで此島の住民は、其草分の時代から、大水薙鳥の利用について考究し、早くから此の珍奇な海鳥の牧鳥を創案したものである。前にも述べた通り、御藏島には中央高所を除き、島內到る處に大水薙鳥が棲息してゐるが、現在密集せる地域は、村落の南方字河口ヶ澤である。其處は約壹百五拾町步の面積を有し、平清水川と云ふ清冷な谿流が貫流してゐる。此土地は村有で、村では大水薙鳥の牧鳥地として、伐木採草に制限を加へてゐるので、鬱蒼たる大古の森林をなし、常には人の出入も稀である。

大水薙鳥の利用は、御藏島では主として肉と脂肪とであるが、成鳥は二つながら價値が乏しいので、雛鳥を利用することになつてゐる。それゆえ蕃殖保護の爲め、成鳥と卵の採捕は嚴禁されてゐる。そしてたま〳〵不心得の者が、此禁制を犯した場合には、村長の譴責を受け、其情狀によつては、雛鳥の捕獲期に於て、村有地たる河口ヶ澤牧鳥地に、立入を禁ぜらるゝことになつてゐる。しかし島民も永い間の傳統と、大水薙鳥の利用に理解を有してゐるので、恰も家禽のやうに愛護し濫獲の弊は絶無である。

大水薙鳥は、伊豆七島ではカツヂドリ、伊豆國や房州邊の漁業者は、マトリと呼んでゐる。黑潮水面に、鰹や鮪の群を逐ひ、これ等の魚群と共同戰線を張り、其餌である小魚類を獲得して、生活する鳥である。それゆえ鰹、鮪の遠洋漁船には、親しみが深く、漁業上の目標として大切にされ、三十年前、保護鳥と定められた。しかし現在大水薙鳥の種類が繁榮してゐるのは、御藏島で幾百年の間營業として牧鳥を行ひ、濫獲を禁じ、愛護してゐたのによるものであつて、今は地方限りの害鳥として、捕獲を許されてゐる。

御藏島の水薙鳥は、毎年十一月末になると、雛が成育するので、共に巢立するが、遠く南方洋上に移動するらしい。それより翌年二月中頃迄、約二ヶ月間此島からまつたく其姿を沒する。これは其共產者である鰹、鮪の群が日本近海を去るので、それに隨伴して、南方に去るものと思はれる、しかし二月中頃には全部歸來し、前記の巢立期迄は、續いて棲息してゐる。巢を造るのが四月頃で、其巢には雌雄兩鳥が重つて協力して營んでゐる。產卵は入梅期の終りに始まり、七月中旬頃に至る。孵化は八月中旬より下旬の間である。

御藏島での大水薙鳥は、雛の育養に、殆んど夏秋の間を努力する狀態である。餌は鰯 鯖、烏賊等の小魚類で、晝間母鳥は海中で捕獲したこれ等の魚類を、口中に啣み、夜間巢に運び雛鳥に與へてゐる。巢は何れも土の中に營まれ、大抵地上より一尺內外の深さに橫穴が造られ、其中に落葉を敷いて、雛の坐を設ける。秋の末になつて雛が完全に生育すれば、母鳥は育養の責任が解除されて、餌の供給を停止する。そして雛鳥は體內の脂肪を消耗し、體量を輕くして巢立するのである。

御藏島では、雛島の脂肪消耗に達した頃を好獵期として、十月下旬より十一月上旬にかけ、捕獲するを例としてゐる。それで牧鳥

地は村長が管理してゐるので、捕獲は總て村長の命による。島の內に秋風が吹きこんで涼しくなると、島の野はツハブキが黃金色の花を開く。御藏島では、このツハブキの花が、昔から水薙鳥の獵期を象徵するものとしてゐる。そこで全村總出で、女子供までも捕りに行く。捕獲器具には鍬を用ひる。島民は牧鳥地の土中の穴に巢喰つてゐる大水薙鳥を、鍬で堀り出すのである。

捕獲の期間は毎年三日の定であるが、大水薙鳥の蕃殖にも、年により豊凶があり、結果が良けれぱ二日で中止することもある。壯年の男子は、午前中に三四百羽を掘り出すものもあるが、牧鳥地から村まで二里の險坂を肩で運搬するので、大抵一人の捕獲數は百羽內外である。捕獲された鳥は、前夜母鳥が與へた生魚を胃貯めてゐて、處理までに內臟の腐敗する心配があるので、島民は大水薙鳥の腹部を押し、胃の中の內容物を絞り出し、籠に入れて持ち返るのである。そして此捕獲期間に捕る鳥の數は、三四萬羽に達し、一時に多數の生物を著るのであるから、隨分緊張させられる光景である。

このやうにして捕獲された大水薙鳥は、家に持ち返つて先づ羽毛が採られ、翼と足は不用の部分より切斷される。次に豫め準備した湯の中で、肌毛が揉み落され、人肌のやうに綺麗になる。これを庖刀で背より割り、四肢の肉は、脂肪の爲め肥厚した皮に着けて料理し、大抵醬油空樽に鹽漬にする。大水薙鳥の雛は脂肪が多いので、內臟よりは油が煎られる。骨は叩いて肉碾器で挽き、鹽をまぶして貯藏する。かく處理された生產物のうち、羽毛は純白なので、高級羽毛品の原料となり、鹽漬肉は隣島三宅島に輸出する。同島では昔より此肉を嗜好し、冬季野菜と共に煮て食し、體溫を保つと云はれてゐる。油は島民が揚物に使用し、叩鹽漬は野菜の味付に供せられる。

此雛鳥の生肉は柔で、スキ燒などにすると非常に美味しい。御藏島にはカクレミノの大木が多く、秋になると其枯木に方言シラミミと云ふ灰白毛の茸が發生する。島民は此茸と共に煮て食ふが水薙鳥の肉には適してゐるやうに思ふ。巢立前の雛鳥の肉が豊富に食べられるのは、矢張り珍しいであらう。

大水薙鳥の成鳥は、營業期と抱卵期を除き、日中は棲息地に止まることはない。彼等は太陽が水平線に昇るまでに、其巢である土中の穴を出でゝ海上に飛び去り、終日魚群を逐うて餌を漁り、夕日が波上に沒する頃再び巢に歸つて來る。遠洋に出稼したものは、夜通し飛んで歸るのである。此幾百萬とも數知れぬ大水薙鳥の大群が、棲息地に朝に飛翔し去來する光景は云ひ現はせない一大偉觀で、この種の實況をまだ見ぬ人にはとても想像が及ばない。

御藏島ではこの大水薙鳥の去來の光景に、それ〳〵相應の名を付けて、鳥吹雪、島流れ、鳥地獄などゝ云つてゐる。鳥吹雪とは夕方鳥の大群が棲息地に歸來した光景である。夕日の殘映がうすれるかと見るまに、嵐のやうに殺到した鳥群が、天を被ひ、其巢や雛の在家を尋ね、空中に相交錯し、旋回飛翔するのは、恰も繽紛と降る雪が、風に亂れて吹雪となるに似てゐるからである。島流れとは未明の頃、大水薙鳥が雛鳥と別れ、其巢を出でて海に飛び去る光景である。朝空に舞ひ上つた無數の鳥が海洋を目指して一直線に飛び去り、さらに後から後からと續いて絶えないのは、

丁度河の流れの盡きないのに似てゐるからである。鳥地獄とは、夜間に大水薙鳥の鳴き騷ぐ光景である。此島は海上で高い調子で群れて鳴くのであるが、棲息地では、雛を尋ね親を呼び、雌を戀ひ雄を慕ひ、憚りなく鳴き叫ぶのであるから、此幾百萬とも知れぬ鳥の鳴聲は、一種異樣の一大騷音となり、それが夜間のことであるので何んとも知れず心の戰慄を覺え、其物凄さは譬に聞く、地獄に似てゐると云ふのである。

毎朝大水薙鳥の巢立の順序は、未明の頃、土中の穴を出でて先づ飛行臺を求め、登るに便な樹木の下に集つて來る。そして其樹下に先着の鳥から、行列を正して梢に舞ひ上り、これより飛び立つのである。かく林中の木に、地上より梢を指して、多數の鳥の舞ひ上る光景はまた、一つの奇觀である。しかし雛鳥の巢立の場合は、これと違ひ、巢を出でたる後、親鳥のやうに直ちに飛び立たず、徐々に山を降り谿流に出で、流を傳ひ海岸に達し、それより飛翔するものである。其頃牧鳥地字河口ヶ澤を貫流する平清水川の邊に行けば、ステツキをもつて一擧にして數百羽を捕獲することが出來る。しかし此捕獲方法は御藏島では、古來嚴禁されてゐる。

茲で御藏島の大水薙鳥の牧鳥について、少しく史的考察をしてみたいと思ふ。前に筆者は、此牧鳥が、草分時代の創案であらうことを述べた。現在鄕社稻根神社には、この島の古代產業繪圖が保存されてゐる。其製作は德川氏中期に屬し、御藏島の古代產業の狀態を、後世に傳へる目的を持つものと考へられる。該繪圖には、特產物ツゲ樹の伐木搬出と、海にアチウミガメを獲り、山に大水薙鳥を捕る光景を畫いてゐる。

昔時御藏島は、三宅島の屬島であつたが、享保年間に分離し獨立した。島勢高峻で斜度が強く、且つ海岸が險惡で、船着場を缺く爲めに、永く無人島の狀態であつたと思ふ。しかし隣島三宅島が、相當開發されるやうになつて、自然生產物の採捕の爲めに同島の船が屢々往來したものであらうことが察せられる。これによつて當時の來島者は御藏島は、大水薙鳥の多いことを知つたであらう。そして恐くば、後には水薙鳥捕獲の目的で渡島する者を生じたのであらうことは疑ない。

然るに、三宅島よりの頻繁なる渡島は、御藏島の事情を明瞭ならしめ、此の處女地に移住を希望する者が出來たであらう。此事實を立證する資料は、筆者に於て別に持つて居る。そして之等の移住者は、三宅島より自然生產物採捕のため渡島する船を交通線とし、御藏島に多い大水薙鳥を捕獲し、其鹽漬を作つて渡島の船に供給し、自分達の農業に必要な器具や、家具と交換して、生活したのであらう。御藏島特產のツゲ材や、柔材が、まだ商品化しない其の草分時代に於ては、此の大水薙鳥が唯一の移出品であつたので、之等の理由により、此の特殊にして珍奇な牧鳥が發達したものであらう。

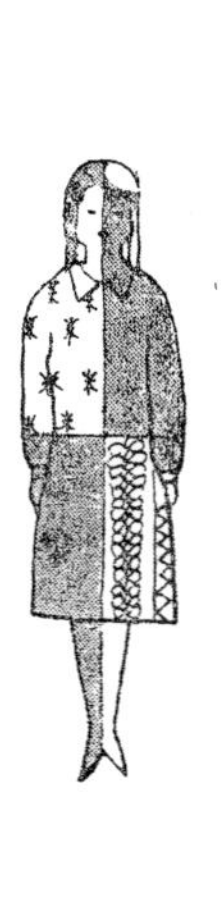

初旅

佐藤亞我

國のうちでもこの地方は殊に傳說に富んでゐるのは私はこの濱の由來を地理書で讀んでしまつてゐるのである。と云つて傳說があるのか無いのかそれは知らないのであるが、今車窓に移り過ぐる風景を眺め乍ら傳說の一つ位はありさうなものだと思つたりしてゐたのである。午後三時だと云ふのに窓外は雪空がどんよりと垂れ下つて薄暗い。線路の右側には割合に人家が連つてゐるが、左側は田畑の連續である。何か阪神地方とは樣子の違つた田畑が多分砂地なのだらう薄茶色をして冬枯れのまゝ放置されてゐる。然しこれが米子市から北西に突出して美保灣と中海とを分つ夜見ヶ濱なのだらうか。濱と云ふ以上線路間近かに風に荒ぶ日本海の白浪が押寄せてゐるものとのみ思つてゐたのであるが、豫想に反して廣大である。たゞ續く田畑と砂丘、そして所々に森が茂つて人家があり、白浪の穗さえも見られない有樣なのである。濱と云ふのではない半島、砂地の半島なのである。

地質的に云へば、この砂の半島は殆んど近い過去に於て出來たものであつて、その營力は北東から日本海上を吹き來る風であり、その材料は半島の基部米子の東を流れて美保灣に注ぐ日野川が中國山脈から運んで來た砂なのである。この風と砂とが、今日では砂の庭に埋もれて終れてゐる基部なる石英現面岩に蓄積し、米子の丁度北に突出してゐる島根半島の崎ヶ濱との間に弓形に自然發達したものなのである。而してこの砂は中國山脈に廣く分布する花崗岩の崩壞したるものであるから、月明の夜闢の五本松の邊りより眺むる時白砂を敷く半島が一の銀線を弓形に張つてゐるごとく輝く故夜見ヶ濱とも弓ヶ濱とも云ふのであるとは地理書の云ふ所である。

私は詩的な傳説と云ふものに思ひを向けながら、一方科學的なこの濱の由來がどうしても頭を離れない妙な雰圍氣のまゝ、初めてこの山陰の風物を眺めてゐたのである。家を出る時はうらゝかな元旦の太陽が燦々と輝き、遥かに見られた茅渟の海は家の隙間々々や門松の穗の上に雲母の樣に漣を立てゝゐたので、妻が「でも山陰は判りませんョ、雪のすさぶ國ですから」と普段は着ない重い方のオーバーを無理に着せかけるのを無精げに受けて來たのではあるが、汽車が柏原、石生、黑井を過ぎて福知山にかゝる頃にはまるで同じ今日の日とは思えない樣な空模樣となり、佐津の海岸に出た時には、初めて見る日本海とは云へ巖を嚙む怒濤、低く垂れ込めた雪空から浪飛沫ともまがう雪片が荒浪に吸ひ込まれてゐる樣に當面してはたゞ魂を奪はれ目を見張つてゐるばかりであつた。そして天候はそのまゝ時折は雪の切れ間はあつたが一向に好轉せず、ましてや暮るゝに早いこの地方に最早暮の帳の萠をさえ濽してゐるのであつた。私はオーバーの襟をかき立て、膝を合せて、まるで何か荷物の樣に、そんな雰圍氣の中に堅く腰掛けてゐたのである。

ひた走る汽車と云つても東海道線の樣なことは勿論ない、このさゝやかな片田舍の支線の汽車が、（陰鬱）の代名詞の如き山陰の冬空の重壓の中を至極單調なる風景を迭り迭りひた走るのである。幾つかの驛を過ぎ約二十五分の後これは又雪の降りしきる境港驛に私は降り立つたのである。

三輛の客車に乘合つてゐたこの土地の人々の群に混つて驛から出たが勿論傘は持たぬ私はオーバーの襟を殊更立掛け、帽子を目深かにかぶり、でも流石都會人の樣な步調で横なぐりに降る雪の中を步き出した。町は案外大きかつた。國旗を揭げた家並、トラックがあちこちに待期してゐる商店や倉庫、晝を灯してレコードを鳴らしてゐるカフエー、仲仕と漁師の往き來する町は旅の心に活氣を印象づけて呉れた。私は旅をする時家の構や商品の動きに注意はするが殊に屋根を見ることを忘れない。この町はこの村は繁榮してゐるだらうか、生活の程度はどうであらうかを屋根を見て判斷し、安心をして見たり、暗い心になつたりするのである。藁葺でもよい、分厚く新しく葺れてあると「あゝこの村人は相當裕福に暮してゐるのだらう」と明るい氣持ちに見て過ぎるのであるが幾年前に葺いたのか判らない屋根の黑く破れて傾むいてゐるのに逢ふと何かなし、射す日も寒く、風も冷たく感ずるのである。この港は大正十一年より國庫補助によつて出來た防波堤を町の東北に蜿蜒と持ち、日本海の荒浪を防いでゐる良港であるが、朝鮮、滿洲へ京阪神よりの

最短距離と云ふ、一大特典を有して近年益々發展の途上にあると聞く。さもありなん瓦で葺いた屋根は勿論北の雪國であるから高く立派ではないが、シツカリと櫛比してゐて力强い。

私はこれから連絡の蒸氣に乘つて島根半島の突端美穗神社に參詣しようとしてゐるのである。途中一度船着場を尋ねた。すぐ判つた。幼い時に父母につれられて熱海に行つた時乘つた記憶のある輕便のあの小さな客車かそれとも電車の古手なのか、ペンキの剝げた車體が岸に置かれてある。これが切符賣場である。島の樣な感じの島根半島の東端が突ッ立つた絕壁の上に松を頂いて、押ッかぶさる樣に三十七メートルの中江の瀬戸を隔てゝ横たわつてゐる。滿々と湛える瀬戸の流は激げしい。深く暗い色はしてゐるが淸冽なる流である。時折渦をなして降りしきる粉雪の爲めに對岸が見えなくなると思ふと、チラリと日のかげを見せたりする。心のはげしい女の樣な山陰の天候に獨り旅の心を淋しくする。

船にせまる山に日あたる粉雪かな

島根洗ふ潮の早さや雪の暮

蒸氣の時間にまだ間のあるまゝに尙ほ先の方に步いて行つた。遠く防波堤の彼方に流石荒れ狂ふ日本海の白波が見られた。濤の音が風に迭られて來る樣に思つた。私は煙草に火をつけながら岸に繫がれた大きな船の陰に風をさけて踞つた。舳に飾つた大きな注連飾の藁と齒朶が風にガサ〳〵と音を立てゝゐる。瀬戸の流が寒げに船底を洗ふ。

廂より高く船つく飾かな

だが今私の眼に浮んでゐるのは不思議にも麗かなる南の海、太陽の燦々と降り注ぐ茅渟の海、白帆一つ三つ、北に屛風と立ち塞がる六甲の山襞も濃く日當る連峯の起伏であつた。

賀川豊彦氏

「太陽を射るもの」以後 ──（三）

村島歸之

六三、感恩の念なき寄食者

賀川氏は、その頃まだ獨り者だつたが、しかし松藏を始め、多くの老人やこどもの父親であり、又同時に母親でもあつた。氏は能ふ限り、これ等の憐むべき人々のために手助けをした。

だが、此の氏の愛に行ひに對して、彼等は感謝をもつて酬いただらうか。否、彼等の多くは殆んど感謝の念を持つてゐないやうにさへ思はれた。たゞ少數の老人や女が感恩の誠を捧げたに止つた。

いや、感謝などはどうでも善いのだ。「酬いを望まで人に施せ」といふのが聖旨なのだから。そして賀川氏の氣持もそこにあつたのだから──。

だが、感謝はされなくても、せめて、素直に愛を受けてくれゝば滿足であるが、彼等はそれで足れりとせず、さらに第二段の要求をした。そしてその第二段の要求が容れられないと、さきの愛の賜物をも帳消しにして、氏を無情だとして怨んだ。甚しきは、これを根に持つて、氏を刄物やピストルで脅した。なまじ善をしようとさへしなかつたら、こんな迫害もなかつたのに、善をなさうとする者の惱み、愛の苦行を氏は幾度もつぶさに身を以て體驗したのだつた。

賀川氏の許へ尻から尻へと轉がり込んで來る多くの寄食者にはその通有性ともいふべき厚かましさが見出された。賀川氏がトルストイ的信仰から菜食主義を實踐して、肉食をしないのに不服を鳴らして、

「先生、たまには牛肉も食はしてんか」

と要求したりした。氏は下宿屋でもなければ、又ありあまる財を擁して、道樂でスラムに住んでゐるのではないことが十分に判つ

てゐても、寄食した最初は兎も角、日が經つにつれそろ〳〵不服を訴へた。鷄小屋から拾はれて來た半身不隨のおみつも、氏の恩愛に狎れて、こどものやうに「先生おチン二錢おくれ」と要求した。二錢の錢で飴ン棒や芋を買はうといふのだ。しかし、お賞の要求は寧ろ可愛い。中には、家での粗食の入れ合せに、外で一杯やつて來ようとして、氏の胸ぐらをとつて酒代を强請するやうな輩さへあつた。

沖仲仕の上杉といふ無頼漢は、來ると早々、さきから居る連中特に半身不隨のおみつや片腕の津田少年を手荒くいぢめるので、氏が「弱い者いぢめをする者は出て行つてくれ」と言ふとその儘出て行つたが、夜半になつてこつそりと歸つて來て、ひとの寢床にもぐり込んだ、そして數日を經たる或る夕方、今度は酒を呑んで歸つて來て矢庭に、氏の鼻先へ拳骨をすりつけて

「Go to hell dem!」クソ!くたばりやがれ!!

氏がいつもの流儀で默つてゐると、今度は胸倉をムンズと摑んで叫んだ。「金、くれ!」それでも氏が默つて彼の顏を凝と見つめると、「睨みやがつたな。此奴、生意氣な」

といつて、その場に氏を投げ飛ばした。氏は猛獸か惡魔を身邊に飼つてゐるやうなものだつた。

六四、老夫婦の信賴

でも、氏の許へ來る者が皆、かうした猛獸や惡魔ばかりではなかつた。岸[redacted]さんと呼ぶ老夫婦の如き、全く佛さまのやうな善人もあつた。岸[redacted]さんの事は、氏は今以て屢々說敎の中でも引合ひに出してゐるほどである。

岸[redacted]さんは六十八歲の老人で、大阪に靴屋を營む倅はあるが、窃盜前科四犯のしたゝか者で、親の世話をしようともしない。已むを得ないので、羅宇のすげ替を商賣して街から街へと出歩いてゐたが、寄る年波に身體もいふ事が利かなくなつて、夏の日盛りに街頭で日射病を起して仆れて了つた。連添ふ女房のおみよ婆さんといふのが、元は江戸の家老の娘だとかで、上品な婆さんだが身體が不自由で、仆れた爺さんに代つて仕事に出るだけの力もない。そこで、賀川氏の裏に住むおしささんといふのが同情し、氏の許へ連れて來たものであつた。

岸[redacted]さん(賀川氏はこの老人の事を語つたり書いたりする時いつも、さんと敬語をつける)は賀川氏を、さながら「封建時代の足輕が大名を思ふやうに」忠誠を盡して仕へた。老夫婦は、朝四時頃に目を覺まして、竈を焚きつけ、氏の起きるまでに大根や蕪や小芋を切込んだ阿波味噌の味噌汁を拵へた。

賀川氏は、さきにも記した如く味噌汁が好物だつた。そして味噌汁あるが故に菜食一點張りの粗食だつたのにも拘らず、十分に榮養も攝れた。「岸[redacted]さんの作つてくれた味噌汁は、本當においしかつた」と今でも氏は當時を述懷して語るほどである。

六時、賀川氏が起き出ると、老夫婦は鞠躬如として出て來て兩手をつかへて、「お早うございます」と朝の挨拶をした。こんな禮儀正しい挨拶をするのは、氏の許に世話になつてゐる者の中では全くの異例だつた。

爺さんは潔癖だつた。掃除し榮えのせぬスラムの借家ではある

が、その家の內外を綺麗に掃除するのが、この老人の唯一の勤めであり、また趣味でもあつた。まづ入口の敷居を拭いて、格子を拭き、外廻りを掃いた。で、スラムでも氏の家の外だけは塵一つない淸淨さだつた。それから、便所の掃除。部屋の中も、岸[redacted]さんが來てからは、見違へるやうに整頓した。

爺さんは若い頃大井川の雲助をしてゐたこともあつて、素より飮ける口だつたが、賀川氏の許へ來るやうになつてから、晩餐にも、以前の五錢かのお神酒をきつぱりたつて宗旨替をした。宗旨替といへば、賀川氏にせがんで、四號活字の新約聖書を貰つて、眼鏡をかけては「シユウ・ウ・イイ・タモウ・オ・ナンジイラア……」と讀んだ。そして、婆さんを顧みて言つた。

「なア、お婆、結構なこつちやないか。現在のわが子は世話もしてくれないのに、先生は二人を引取つて下さつて、死水を汲んで下さらうといふのぢや」

と視力さへ薄れかゝつた眼をしばたゝいた。

全く、賀川氏に委せ切つた心境である。氏もまた此の二人の信賴を裏切る事がなかつた。

六五、生徒二人の朝晩學校

貧民窟に住み込んでから、既に足かけ三年の星霜が過ぎて、世は大正の御代となり、賀川氏のスラムにおける仕事も漸く舞臺について來た。

その頃の氏は、毎日、早天に起き出で、五時には早くも青年たちのための學校を開いた。尤も、學校とはいつても、校舍はスラムの中の氏の住居であり、敎場は破れた疊の上であり、そして生徒の數は無慮二名。勿論、先生は賀川氏一人である。

二名の生徒の中でも、氏が最も將來を樂しみにして力を注いだのは、現在の神戸勞働紹介所長武內勝氏で、小說には「竹田」といふ名で出てゐる青年がそれである。

「太陽を射るもの」において、氏はその學校及び竹田について次の如く記してゐる。

竹田は悧發な方ではないが、實に善良な青年なので、新見もこの青年だけなりと、立派なものにしたいものと希望をかけた。で、毎朝五時から數學を敎へ、晩になると、中學程度の學科全部を敎へることにした。それは夏から引續いた。

最初は竹田も家から通つてゐたが、しまひには敎會へ寢泊りをするやうになつた。そして朝は疾くから起きて勉强し、夜も遲くまで起きてゐて勉强した。

月謝は勿論一文も取らない代り、竹田は特志な青年であるから新見のすることには何一つとして反對したこともなく、晩の勉强がすむと必ず新見と一緒に路傍說敎にも出た。

武內氏——竹田——はその當時、琺瑯鍋工場へ通つてゐて、三百度以上の高熱の竈の前に立つて餘り上手とはいへない讚美歌を唱ひ乍ら鍋や茶瓶を燒いてゐた。

賀川氏はこの好ましい青年を一人前の人間に仕上げるために懸命の努力を拂つた。(武內氏の事は後に重ねて詳記する)

武內氏の外の、もう一人の生徒といふのは、路傍說敎に出ると必ず「私は神の子であります」と絕叫するので「神の子」といふ

綽名のついた十五歲になる少年であつた。この二人の青少年を敎へることは、賀川氏にとつて、最も樂しい日課であつた。「生木地に彫刻するような喜び」を感じたと氏自身いつてゐるほどである。

早朝の氏の「魂の彫刻」が濟むと、七時から、寄宿してゐる病人たちの面倒を見たり、著述をしたりして午前を過し、晝からは貧民窟を見廻つて、各家庭の相談相手となつたり、子供たちの遊び相手となつたりする。やがて夜になると、仕事場から歸つて來る武內青年等を迎へ朝に引續いて學校を開き、八時には路傍說敎に出て、九時半に歸宅、そして十時には就寢といふのが、日々の氏の日課であつた。

この外、毎火曜日には、沖仲仕の傳道のために辨天濱へ出かけて行つて說敎を試み、又土曜日には、神戸市內八ヶ所の貧民窟の路次から路次へさまよひ歩いて說敎をした。

路傍說敎を助ける者は、前記武內氏を始め「救靈團」の人々である。

六六、救靈團

賀川氏は日本基督敎派に屬する神戸神學校を出て、貧民窟に移り住んだが、勿論その目的は、基督に倣ふてそこに住むさまよへる人々の靈肉を救ひ、福音を彼等の中に宣べ傳へやうためであつた。そのため、氏は「敎會」をスラムの中に開くことゝなつた。

敎會といつても、シャンデリア美しいゴシック式の敎會ではない。見るもいぶせき二疊敷長屋の、薄ぼんやりとした灯の下で、破れ疊の上に坐つての集會である。

尤も暮れのクリスマスなどは、二間をぶちぬいて九疊敷にして見ても、到底、二三百名もの貧客を入れるには足りないので、附近の木賃宿を借りたり、廣場に天幕を張つたりしたが、平常の禮拜はその五疊敷で守つた。そして、明治四十三年一月一日以來、禮拜は完全に繼續された。尤もその敎會は、傳道の擴大と共に次第に大きくなつて行つたが、それは單に疊數が殖えただけで、依然たるスラムの中の、破れ障子、破れ疊の敎會で、三十年後の今日にまで及んでゐるのである。

氏の敎會の名は今は「イエス團」と呼んでゐるが、初めは「救靈團」と稱した。何々「敎會」の名を避けたのは、普通の敎會の如く、敎派からの財的補助を受ける代り、その指令の下に立つといふやり方を潔とせず、全く自己の自由意志によつて、獨自の行き方をしやうために、何等敎派からの財的援助を受けないといふことを表したのであつた。

勿論氏が神戸神學校を出てゐた關係上、救靈團は日本基督敎派に屬してはゐたが、神學校の敎授であるマヤス博士の個人的援助を受ける以外、敎派からの補助金は鐚一文受けず、從つて何等敎派の制肘を加へられることがなかつた。

「條件附の補助金など貰はなくつたつて、必要なものは神樣が與へて下さるんだ。」

といつて、先方から進んで淨財を捧げて來るのでない限り、氏の方から寄附を貰ひに行くことは斷じてしないといふのが、年少の頃の行き方だつた。それでも外國婦人などの寄附金の申出でが次

から次へと續いた。尤も、時には絕えることもあつたが、不思議に支へられて必要に對しては、きつと與へられた。

「エリシャの油壷」である。求めるところには必ず神が油を湧かせ、マナを降らせ賜ふのだ。

かくて救靈團は、全く獨立不羈の敎團として存在することが出來た。

それなら、日本基督に屬することもやめたらよかりさうに——と言ふ人もあらう。が、氏は敎派といふものを尊重してゐないために、日本基督を捨てなかつた。なぜなら別に一團體を作ることそれ自身が敎派を尊重することになるからである。

救靈團は、牧師も長老も執事もない。在るのは先生と弟子だけだつた。いゝや、團長賀川と、團員たる貧しき人々だけといつた方が適當かも知れない。

團長賀川は、當時まだ敎師試驗もパスしてゐないし、按手禮の資格も得てゐなかつたので、牧師といふ譯にも行かず、先生若くはリーダーといふに過ぎなかつた。

でも、そんな資格や肩書は、スラムの人々には何の權威にも値しなかつたし、氏自身にとつても何等の關心事ではなかつた。で、牧師の資格なしで十數年を過した。

六七、路傍說敎

救靈團は、一般の敎會のやうに、月曜の朝、扉を開くだけで、他の平日は眠つてゐるやうなものとは全く異つてゐた。救靈團は室內の禮拜を守るだけではなく、その延長をあそこの四ッ辻、こゝの街角に持つた。

毎晩のやうに、スラムの要所々々で路傍說敎がなされたのである。

「救靈團」と大書した大提灯を一人が持ち、他の一人が太鼓を敲いて先頭に立ち、そのあとから、着流しや仕事着の青年たちが太鼓に合せて、調子外れの讚美歌を唱ひ乍ら續く。すると近所の老人小兒も「先生の路傍が始まるんや、行つて見よう」といつてぞろ〳〵とついて來る。

賀川氏は、これも着流しに、木綿の三つ紋付——紋所は團子三つを一本の串で突つさした氏獨特の珍紋——を羽織り、人一倍太いベースで讚美歌の音頭をとつた。

救靈團は、かうして、低い家並の間から仰がれる星の光のまばたく下で、集會を持つた。

今は世界に喧傳されてゐる氏の說敎も、かうしてスラム辻にその搖籃を見出したのである。

路傍傳道には幾多のコツがあつた。餘りに往來の激しい處で行ふのは勞多くして効少き嫌ひがあつた。人は流れ去つて了つて、止ることがないからである。これに反し、往來から少し這入つたところを選ぶことにすれば、人々は安んじてそこに立止つて聞くのである。

長廣舌も、博學多識も禁物であつた。簡潔にして平易な話でなければならなかつた。ざらに慾を言へば、多少のユーモアがほしい。賀川氏はこれ等の點を十分に考慮し、短く、やさしく、そして面白く福音を說いた。

福音は救ひのあることを説かればならない。他はつけたりである。筆者等も後年、淺草觀音堂裏その他で氏らと共に説教をやつたが、いつも氏はその體驗をみんなに語り聞かせたものだ。

　スラムでは、特にこのコツが必要だつた。そして、スラムの居住者の中には、これ等の要諦を十二分に心得た辯士を見出すことが出來た。

　そのスラムの雄辯家の一人として、植[redacted]與[redacted]五[redacted]君の事を語らう。

六八、斬られの與[redacted]五[redacted]

與[redacted]五[redacted]君は、明治四十四年頃から早くも賀川氏の世話になり始めて、大正九年、死ぬ日まで、氏の愛弟子——武内氏らとは違つた意味の——一人として氏の周圍にゐた。

　彼は、賀川氏の弟子になるまでは、手に負へない呑ン平の暴れ者で、酒の上の事から人を斬り、人に斬られて「斬られの與[redacted]」の綽名もあり、又傷害罪で監獄の門とも御馴染だつた。

　彼は豆腐屋が渡世だつた。でも、普通の豆腐屋ではなかつた。豆腐屋としての彼について面白い挿話がある。

　明治四十五年秋、葺合新川の貧民窟にペストが這入つて、賀川氏の住む同じ長屋、二十間とも隔つてゐない處に住む仲仕がペストにかゝり、附近十數軒の全家族が和田岬の消毒所へ送られるといふ騒ぎを演じた時ペストを媒介する鼠が一匹五錢で買上げられた。これを知つた彼與[redacted]五[redacted]は、奇貨措くべからずとして、朝は豆腐の荷を擔いで出、行つた先々で鼷鼠を貰つたり、拾つたりして、歸りの空箱にそれを忍ばせて戻り、新川で捕つた鼠だとして交番へ届けた。これは豆腐の行商よりも多くの收入があつた。

　又或る時、豆腐の材料の豆を買ひに行つた。一斗の豆は受取つたものゝ、その代金を拂はうとして、持ち金を檢べると二十錢許り足りない。家へ戻つて取つて來やうか。それも面倒だし、第一家に歸つても女房が持つてゐるとは限らない。借りやうか。いや呑ン平で通つて來た自分には、たとへ十錢でも貸してくれるか、どうか判らない。どうしたものだらうと思つてゐると、ふと、豆屋の婆さんの異樣な姿が目にうつゝた。それは他の客から受取つた金を、婆さんが眼をしよぼつかせ乍ら、數へてゐるところだつた。

　（この婆さん、眼が惡いらしいな）そう氣づくと、とつさの智慧が彼の頭に閃いた。

　「婆さん、此處へ錢置いとくでえ」

　そういつた儘彼は持合せた金だけをそこへ置いて、素早く豆屋の店を離れた。

　後日、金が不足だつたといはれても、「そんな筈があるかい」と突つぱればいゝのだし、誰の分が不足してゐたかといふ證據が殘る譯のものでもないし、それに第一、あの老眼では——そう思つて儲け物をしたやうに、意氣揚々と引揚げて來た。

　その頃、彼の信仰は漸く熱を帶びて來た。賀川氏も、熱心に彼を導いた。そして悔ひ改めを説いた。すると彼は、豆屋の婆さんを欺したことを思ひ出して、賀川氏の前にそれを懺悔した。

　その翌日、彼は豆屋を訪れて、さきの日の事を懺悔して婆さん

に詫び、金を辨濟してそれでホッとした。

　「斬られの與[redacted]」は救はれたのだ。彼は心から悔改めてイエスの弟子となり、賀川氏から洗禮さへ受けた。

　それからといふもの、生れ變つたやうに眞人間に立返つた植[redacted]與[redacted]五[redacted]君は、引續いて豆腐屋をやり乍ら、夜になると救靈團へ來て、賀川氏と一緒に路傍説教に出た。

　彼は生れつき倭軀である上に、片眼だつた。その倭軀の肩を張り、背伸びをし、片眼を光らせ乍ら、賀川張りの蠻聲を張り上げるだけでも、スラムの人々の親愛と、喝采を贏ち得るのに十分であるのに、その上彼の説教なるものは、或は浪花節の一節を引用し、或は講談物の人物を拉し來り、又時には都々逸や端唄の文句をさへ挿むことがあつた。彼の説教が、他の誰よりも、スラムの人々に善く諒解され、且興味を持たれたことはいふまでもない。

　彼の説教はまるで、浪花節か漫談を聞くやうに面白かつた。聽衆はいつも彼によつて湧立たされた。

　六ケしい辯士に退屈した時など、聽衆は「與[redacted]五[redacted]を出せ！」と催促することさへあつた。彼は一躍救靈團の人氣スターとなつた。

　筆者が彼を知つたのは、ずつと遲れて大正八年頃で、賀川氏の家だけではなく、勞働運動の演説會などの樂屋でも屢々彼に會つた。彼はその頃、賀川氏のお先棒を買つて出て、路傍傳道のみならず、勞働問題の演説會にも出て、最も大衆の人氣を呼ぶ辯士として重寳がられてゐたものである。

　確か普選促進演説が神戸下山手の青年會で開かれた時だつたと思ふ。型の如く滿員で、場外に溢れた群衆は、辯士控室にゐる與[redacted]五[redacted]の姿を外から硝子越しに發見して「與[redacted]五[redacted]を出せ！」と聲をかけた。

　「窓から顔出したら演説ぜ言ひよるやろな」

　「構ふもんか。その窓のとつから諸君ッてやれよ。巡査に咎められたら、群衆を制してゐるんだと言へばいゝさ。」

　當夜の辯士の一人だつた筆者がけしをかけると、演説がやりたくてうづ〳〵してゐた彼は、片眼をニコ〳〵させ乍ら窓の上にヒラリと飛上つた。五尺あるかなしの倭軀の彼は、窓わくに恰度一杯になつた。

　彼のそこでの即席演説が、さなきだに退屈してゐる場外の群衆からヤンヤの拍手を買つたことは言ふまでもない。

　筆者は彼の事を、詳しく當時の大阪毎日に書いたことを記憶するが、今その切拔がないので、これ以上詳細に記すことの出來ないのは殘念である。

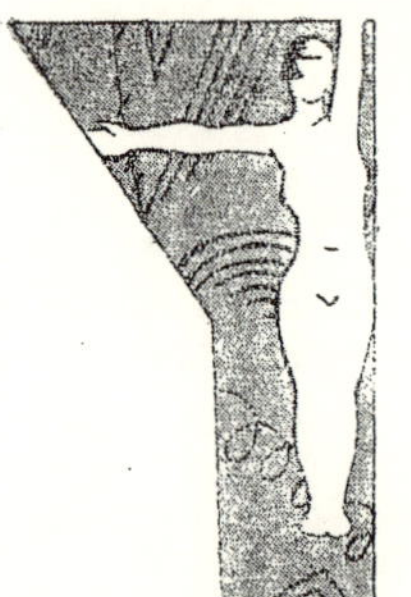

寒期の保健衛生

大阪市保健部保健係長
醫學博士　廣島英夫

室の換氣を圖れ

藤原保健部長の大陸旅行談に「ハルビン」では「ロシア」人は如何に寒くとも暇があると戸外に出て歩いてゐる。然るに日本人は常に室内に閉ぢ籠つて、不衛生な室内生活に終始して冬季を送つてゐる。あれでは結核に冒されるのも當然である、と言つて居られる誠に至言である。室内に籠り勝ちな冬季生活に於ては、日光と新鮮な空氣とに接する機會が稍もすると少くなる。從つて出來得る限りの機會を捕へて戸外に出るやうにせねばならない。部屋の窓を開けて換氣をよくすることをも、冬は殊に注意せねばならない。寒いが故に、よく判つてゐる換氣さへも往々にして注意されぬことが多い。卑近な事であるが故に、等閑にされ易い。冬こそ日光と新鮮な空氣とが必要である。尙本年の如く燃料節約の爲め暖房の制限される時には、殊に窓の開放は屢々行はれないであらう。會社、學校等では炭酸ガス等による空氣汚染ばかりでなく、病氣の傳染に就いても考慮せねばならぬ。病原菌を含有する泡沫と塵埃とは、室が密閉されてゐる時は何時までも浮游してゐる。從つて病氣の傳播も亦換氣と密接な關係がある。

炭火の中毒に注意せよ

木炭が燃燒する時は一酸化炭素を發生する。此の一酸化炭素は猛毒で、空氣中に僅か〇・〇五乃至〇・一%あつても中毒を起すものである。普通木炭から發生する量は燃燒方法によつて差異があるが、平均八・五%餘と見做されてゐる。即ち極めて多量に發生する。而かも注意す可きは木炭が赤く燃燒してゐる時に多量に發生するのである。此の樣に木炭では有害な一酸化炭素が多量に發生するのに、從來何故その中毒が少なかつたかと云へば純粹の和室では天井、床板、戸障子の間に隙間が多い爲めに、換氣又は擴散によつて室内の有害瓦斯が容易に室外へ散出するからである。又障子の紙は硝子に比べて通氣が良いことも原因する。然し乍ら洋室では此の樣なことが全く無い故、洋室を木炭で暖める時は極めて危險で

ある。森田博士に據ると、火鉢で木炭を燃して暖める時和室では、其の時の室溫より攝氏十一度半以上昇せしめる時に蓄積する一酸化炭素の量は中毒を起すに十分である。然るに洋室では僅か一度半上昇せしめても既に危險であるとの事である。一酸化炭素の中毒の初めは頭痛がして、のぼせ氣味になり、次第に耳鳴り、眩暈、嘔氣、嘔吐等を起し、遂に意識が朦朧となり手足の麻痺が起る。重い時は不幸の轉歸をとるが、よし生命を取り止めても後に種々の病氣を遺す場合が多い。

　尙炭火の中毒として注意を要するのは「こたつ」である。冬になると乳兒が「こたつ」で死ぬ例を新聞紙上にて屢々見る。これは多く乳兒を頭からすつぽり蒲團を被せるため、蒲團の中は有害瓦斯で充滿し、その中で乳兒が寢るやうになる爲である。「こたつ」は斷然止めて「湯たんぽ」にせねばならない。若し止むを得ぬ時は必ず乳兒の顔より上を蒲團の外へ出すやうになし、又「こたつ」の後の方に少し隙間をあけて、有害瓦斯の蒲團の中に充滿せぬやうにせねばならない。將來益々純粹の和室は改良せられて、洋室風になるのが多いと考へられる。從つて此の炭火の中毒は增々起り得るものと想像せられる。殊に本年の如く石炭の不足と「ストーブ」類の暖房器具の無いこと及び電力の不足等よりして、木炭による開放火鉢暖房が多いことゝ思ふ。從つて尙一層炭火中毒が注意されねばならない。

清潔と薄着の癖をつけよ

冬は殊に室内の清潔に留意する必要がある。冬は室内に居る時間が多くなり勝ち故、室内に塵埃が溜り易い。良く清掃して室内は常に新鮮な空氣と日光とに滿ちてゐるやうにせねばならない。又身體も入浴の機會の少くなる爲め不潔となり易いので、屢々入浴して身體を清潔にする樣心懸ける。着物も再三着代へて常に清潔なものを着る。殊に肌着はよく着代へねばならない。清潔は健康の基である。冬の着物で特に注意致し度いのは、子供の厚着である。厚着のために反つて風邪を引いたり、皮膚が弱くなる子供が多いのである。元來衣服と皮膚との間にある空氣の溫度が凡そ攝氏三十二度、濕度が凡そ五十%位である程度に衣服を着ればよいのである。之より上ると着せすぎである。實際問題として、肌着が汗ばんで濕つてゐるやうでは既に着せすぎと考へねばならない。又子供では運動時、靜止時、朝夕、外出時等で着せ方を加減してやらねばならない。子供は大人に比べて體溫機能が不十分であつて、且つ體表面積が比較的大である爲め、溫度の影響を受け易い。故に小兒では殊に衣服の調節は大切である。

冬こそ身體を鍛錬せよ

上述のやうに冬季は稍もすると不健康な生活に陷り易く、殊に身體の鍛錬も消極的になり易い。從つて冬こそ積極的の鍛錬が必要である。

最初に述べた如く出來る限り戸外に出て、日光と空氣に接し、適度の運動を行ふことが必要である。先づ朝夕の勤務先の往復には歩くことである。又晝食後一時間は事務机を離れて室外に出て散歩するか、ラヂオ體操等の輕い運動をする。かうした手近な所より始めて、休日には「ハイキング」其他種々の運動によつて身體を鍛錬する、殊に「スキー」等は男性的運動として良いものである。普通なれば火鉢にかぢり付いてゐる場合に、シャツ一枚で白雪の高原を滑走することは、思つたばかりでも壯快である。又從來學校等で行はれてゐた寒稽古を、町會、其の他の團體でも行ふと良い。身體ばかりでなく、精神の鍛錬にも極めて有意義である。皮膚の鍛錬として冷水摩擦、乾布摩擦、空氣浴、日光浴等を行ふのも亦優れた健康法である。かくして皮膚が強くなれば自然と身體が壯健となり、殊に冬季に多い感冒、肺炎を豫防することが出來る。然し上述の鍛錬法も毎日規則正しく行はねばならない。氣まぐれに一日二日のみ行つたのでは決して效果は無い。日常生活に就て良い習慣をつけることは亦最良の健康法である。

紀元二千六百年の春

納　秀子

雲の上のことはかしこし黄金に十六かざす帝王の菊
紀元二千六百年の朝そらに龍と書きし凧高らかに飛ぶ
この朝け第二の國のますらをの生聲ときく凧のうなりを
門松もいとつつましく三年の戰ひつゞく正月の門
春らしき空のふかさに飛行機の爆音ききつあゆむ地の上
すべてみな宿命とおもふ生きてあるものの憎みと愛と寂しさ
南天のつぶら實にくる鳥のあり赤き羽毛の帽子かぶりて
霜柱二寸高しと子の聲す北支に出征く君に恥し
疊拭きてやゝ新らしくなりし上に春の日ざしののどかなりけり
新らしき紙と古めくものとまぢる障子もよしや非常時の春
白と赤の日本犬にリボンかざり子どもの春にかへる母かな
モンペはきて新らしき春にまづおもふ自給自足の久しかるべきを
をみな等は雄々しく優し戰も三年經にけり新春となる
小松菜を今朝霜白きうちにつむ夫と子のため雜煮つくると
枝のうちに三日の花を秘めてあり濃き紅梅と吾子いつくしむ
さゝなきの籔鶯もこのごろは久しくも來ず春となりつれ
新らしき足袋をはきたる心地して春は廊下をしづしづとゆく
紀州より密柑來れり箱あけて薫り高きにしみじみと醉ふ
密柑むく娘の指のしなしなとなにか怪しく美しきかな
いつの間にわが黑かみも短くて春かさねしとおもひけるかな

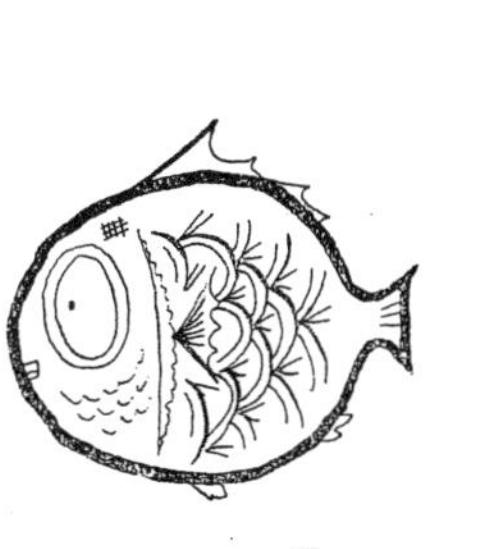

コドモの家だより

逃げた家鴨

ツカダ・キタロウ

「家鴨が居ない」

「どうしたのだらう」

よく「青くなつた」と言ふ言葉を使はれるが、實際青くなるほど驚いたのは、去る日曜日の午後の事です。

幼稚園と言ふ處は「幼兒を自然に接觸せしめる處」だと聞いてゐるので、海に近し山に近しの、この僻村を選んで、自然に親しむ幼稚園を創めたのだが、家畜類も出來るだけ接觸せしめたいとは、創立當初よりの希望でありました。それで機會があれば動物を飼育したいと常々考へて居たものです。

と言つて、勿論動物園を造る譯でもありませんが、普通お互の生活に親しい家畜類だけでも飼ひたいと思つては居たもの丶、仲々實現が困難なことで、その實例はどこの幼稚園でも飼育動物の少いのでも判ります。

處で、或る園兒の母親が、幼稚園へ鶏の雛を寄贈して呉れたので、それを最初にして、ボツ〳〵乍ら家畜を増やす計畫を建てゝ、話のついでに「家鴨の雛」を孵化して呉れぬかとたのんだのが實現して、とう〳〵四羽の雛家鴨が到着しました。

急なことでもあり、初めてのことでもあり、家鴨小屋の増築も出來ぬまゝに、鶏の雛が貰はれて來た小箱を、そのまゝに假屋として、柵内に假居させることになつたのは數日前の事であります。

この「柵」とても、村の青年と一緒に近所の籔に出かけて行つて、細竹を束にして肩いで來たのを、素人細工に紐で結びつけた迄のもので、鶏も今は大丈夫だが、ヒヨコの時には竹の目から拔け出して、隨分苦心させられた程度のものであります。

其の後鶏はだん〳〵成長して身體が大きくなつたので、假小屋を柵内の一隅に造つて寢屋とし、園兒の居る間は

小屋から出して、時には柵外にも自由散歩をさせて、園兒と親しませる樣にして居ります。

が、何分貰ひたての雛でもある家鴨はまだ〳〵放し飼ひとまでは行かぬので、精々鶏の留守に柵内を自由にさせる程度に過ぎません。處で、その家鴨たるや、仲々ヒヨコの類ではなく、相當なものでピー〳〵と柵の竹目を拔けて出ては姿をかくすので、いさゝか神經を過敏にさせ勝ちであつたのです。

その家鴨が、僅かな隙に居なくなつたのです。それこそ、ホンの僅かな時間の油斷に、全部即ち四羽とも姿を消したから驚いたのです。

昨年の秋から移つたまゝ、床板の具合の惡いのもそのまゝで辛抱してゐたので今日の日曜日の天氣なのを、幸ひにとばかり、室々の疊を全部あげて日光浴をさせ、床下の掃除も終へたのでホット一息して、幼稚園へ出かけて見ると、家鴨の姿がない。

勿論、鶏の柵は閉めてありますし、先般來屢々床下へくゞり込んだ穴は、全部土砂で防いで置いたのに、家鴨だけ姿が見へないのです。然も四羽とも全部居ないのです。

サア大變と許り、幼稚園の庭から、近所の畑まで、探し歩いたが居ない。ピー〳〵と鳴く聲が耳につくので、それを目當てに探して行くが姿がない。よく調べると、鶏や野の鳥の聲らしい。

全くの處、前にも鶏小屋が犬に荒されて、小屋から飛び出した鶏を探し廻つた時にも、隨分雀や雲雀の泣き聲にまどはされたものだが、今度も同じ思ひを繰返へす事再三再四。

實際嘘の樣だが、事實でありまして、少しでもピーと啼くと、亡くなつた鶏かと、畑の中へ這入り込んで探したものので今度も同じ思ひで隨分探したが見つからないのです。

前の鶏の時は、畑には作物――麥や豆が――一番澤山茂つてゐたので、探し難かつた事もありますが、今度は畑は田植前で、作物もなし、探すのには頗る便利なのに、家鴨の姿が見つからないのだから、駄目だとガツカリしたのです。

家からも應援をたのんで、隨分遠方の畑や溝まで探し求めたが見つかりません、家鴨には芹がよいからと、昨日も近所から親切に芹を貰つて家鴨にやつたので、ヒヨツトしたら芹を探しに行つたのではあるまいかと、いつぞやスキ燒の時に探して來た、芹の溝まで探しに行つたが家鴨は居ないのです。

嘘でも笑ひ事でもありませんよ。實際の處です。

もう駄目だとガツカリして、幼稚園

の縁側に腰をおろすと、一番頭に浮ぶのは、園兒達の失望の顏です。明日來たらどんなにか氣を落すだらうかと、それが一番淋しい氣がして來ます。それから、家鴨を孵して呉れた親の失望です。

　鷄よりも長い時日、卽ち二十八日間も親鷄に溫めさせて孵して呉れた、親の親切に對して、不注意の詫びの言葉がないので、心を痛めて來ます。

　否、それよりも前にも少しの不注意から、野良犬に鷄小屋へ踏み込まれて、とう〳〵一羽の雌鷄の雛を死なせて居るので、又四羽も家鴨を亡くしては、可哀さうでたまらぬ氣がします。

　こんな事を、呆然として考へ續けてゐますと、親切な野良仕事をしてゐる村の人が、鷄に菜葉をやらうと言つて呉れます。が然し、貰ひに行く元氣がありません。無事な鷄の餌よりも、亡くなつた家鴨を探したい心で一杯なのです。

「それより、家鴨を見ませんでしたか」

　隨分變な質問です。が然し人の良い村人は、無禮をとがめず

「どこかの杉の木の根にでも、かゞんでゐるんでせう。もつと探してごらんよ」

と、親切に言葉ぞへをして呉れます。

　幼稚園の周圍の低い土堤には、杉苗が植ゑてありまして、もう可成りの成長をしてゐます。その根元は、よい餌物でありますので、鷄がよくツ、キに行きますので、先刻より隨分氣をつけて探して廻つたのです。

　實際の處、村人の親切な言葉の、その杉苗の根元には、一羽の家鴨も居ないのです。それでこそ大騷ぎ、大探しとなつた譯なのです。然し、念のため探したが矢張り居ませんので、ガッカりして縁側に再び腰をおろしました。隨分淋しい氣持です。何だか物足らぬ變な氣がします。價格にしたら、何程のものでもありますまい。事實大した價値ある存在ではないかも知れません家鴨です。然も雛です。が、幼稚園の家族の一員として、僅か數日でも寢食を共にした家鴨ですから、どうしても諦める譯には行きません。

「大きな落し物をした氣持」とは、こんなのを言ふのでせう。

　それに就ても思ひ出されるのは、子を失つた親の氣持であります。先日も驛々に張り出されて居た迷ひ子探しの廣告などの如く、行衞を失つた子等を持つ親の心は、如何ばかりかと、その萬分の一位はわかる氣がします。

　と、まあ、そんな大袈裟な事さへ考へて氣を落しては居たものゝ、斯くて

は果てじと諦めて、惓歸らうとすると、

「居た！　四羽とも居た！」

村人の言葉には間違ひのないもので、杉苗の土堤の側に、例の通り四羽の家鴨が、身體と身體とをスリツケ乍ら、丸くなつて座つて居ます。

　眼の前が、一ぺんに明るくなつた氣持あれですね、全く、心が一度に開けた氣です。嬉しかつたですよ。

「居た、居た、居た」

大きな聲で叫び乍ら、應援を求めて、巢箱の中へ追ひ込んで、扉をおとした時には、實際ホットしましたよ。

　全く嬉しかつたです。ほんとうにホットしました。探し物の出て來た時の氣持、然も愛するものを探し當てた時の氣持、得も言はれぬ感じです。

　家鴨は、水に泳ぐ鳥だから、生れた時から水に入れて育てる事とばかり信じて居た私共は、家鴨の雛を早く水流に追ひ込まうとしたり、水をかけてやつたりしたものですが、村人に教はつて見ると、仲々水にいれるのはズット大きくなつてからのことで、梅雨の雨に濡れても死ぬとのことなのです。

　田の草が生じて來て、一番草を取る時分になると、家鴨が害蟲を取つて食ふて呉れると言ふので、農家では田の中へ家鴨の這入ることを喜ぶとのことで、その時分になれば丁度家鴨が水に這入れる樣に成長すると聞いては、自然界の法則に今更の樣に驚かされるのです。

　二、三度家鴨を追ふて往復させて、道を覺えさせて置きさへすれば、鐘などの合圖だけで、チャンと寢屋へもどつて來るなど話を聞くほど、エライものだと思はされます。

　自然界の法則に逆ふことを、文明であるなどと考へ違ひをしてゐる人もある樣だが、結局は自然には勝てぬものだと氣がつくと思ふて、自然の前に自から頭が下るのです。

　なるほど、幼兒を自然に接觸せしむることを、幼稚園と稱して、大切な幼兒教育の基礎としたのは、この自然の法則に觸れて、人生を教ふることであるかと思つて、始祖の卓見に敬服させられます。

　それについても思ひ出す事は「砂場」でありまして、幼稚園の設備には、是非砂場が必要なものと許り思ひ違ひをして三間に五間の大砂場を掘つたことは、前にも記した通りでありますが、水に這入つてよい時節にさへなれば、海岸の砂地がだん〳〵澤山現はれて來て、到底「人工砂場」などは、馬鹿らしくて問題にならぬことを敎はつたのです。

　これ等は、如何に私が、從來の幼稚園觀に惑はされて、自然の法則に逆つて、無駄をしたかのよい手本で、汗顏の至りでありますが、家鴨を飼ふて見て、一層この自然の法則を感ぜしめられます。

　野犬の害をのがれる爲に、又遠方に迷ひ出ぬためにと、竹柵の中から外へは出さぬ樣に心がけてゐますが、園兒の居ります間は、出來るだけ、園庭に鷄も家鴨も出して、時には兎も出して、園兒に親しませたいと努力してゐます。

　處で、鷄は柵外に出ると、否、扉を開くことを待ちかねて柵外に飛び出しては例の杉苗の土堤に入り込んで、餌ものあさりに專心して居りますが、家鴨は決して柵外に出ぬので、面白い現象と思つて居ります。

　少しは、家鴨を追ふ練習でもして置かうと、棒で家鴨を追ひますと、四羽揃つて身體をすりつけ乍ら走ります。一羽はなれると、お互にピー〳〵と鳴き交しては、又かたまつて走ります。これは鷄でも同じ事ですが、興深く眺めてゐます。

　或る時などは、折角追ひ出しておいた家鴨がいつの間にやら柵の中へ歸つてゐた有樣です。鷄も亦、そんな時があつたのを發見しましたが、歸巢本能とか申すのか、何も鳩に限つたものでないと敎はつた次第です。

「逃げた家鴨」は今は足も強くなり、身體も大きくなつて、元氣で柵内を走り廻つて居ります。最初は、よく鷄にコッかれて逃げ廻つて居りましたが、今では左程鷄を恐れぬ樣です。

　幼稚園の裏も表も、横も皆田植の最中です。今にスッカリ田植もすんで、やがて一番草を取る頃になれば、幼稚園の家鴨も出張して、お百姓の手傳をすることでせう。

　と、今から樂しみにしてゐます。

東京・日本橋・本町
KT—8
お母様がた！
この子は赤ん坊の時は丈夫だつたけれど、と後で御心配のないやうに小粒のトリカを赤ちやんの時から毎日一粒御與へ下さい……やつぱりよかつた、と後できつと御自慢の種になるでせう。これからの世の中は何んと云つても健康が第一の財產です。「トリカに含有されてゐるヴイタミンAは皮膚粘膜を强化して病菌を防ぐ作用を有し、ヴイタミンDは齒牙や骨骼の發育强化に絕對に必要な要素で、トリカを常用することは根本から體を强化することです」
百粒入・一圓八〇錢　五百粒入・七圓
濃縮小粒肝油
トリカ
振替 東京・二二六八四番
株式會社 鳥居商店

小兒結核の治療方法

　吾々都會生活者の半數以上は、旣に小兒期に於て結核の第一次感染を受けてゐる。所が、小兒結核は極めて治り易き疾病で、普通は榮養狀態も一般狀態も餘り變りなく「風邪が少しこぢれた」程度にて初期感染を經過するが、何かの原因で不幸の轉歸を取る事もあり、又表面は平穩無事でありながら將來の禍根を藏したまゝ靑年期を迎へる事となる場合もある。之等と反對に他の原因によつて顏色優れず、榮養狀態の不良なる小兒が結核なりとして特別なる取扱ひ治療を受けてゐる場合も屢々であるが何れもよくない事である。

　然らば醫者は此等の結核感染兒を如何に取扱ふか。先づ治療を要するや、否やを決定し、要するとせば、如何なる程度の養生法を必要とするかを決定せねばならぬ。「頸部淋巴腺の腫れる」或は「風邪を引き易い」等の理由のみにて漫然と小兒結核なりとする事は絕對によくない。此の際には必ず (1)結核に感染せるや否や（主としてツベルクリン反應による） (2)感感染せりとせば如何なる狀態なりやを、レントゲン所見、血球沈降速度、理學的所見、一般狀態其の他を併せ考へて愼重に今後の治療方針を決すべきである。尙、此の際參考となる事は結核の初感染期を知る事である。之にはツベルクリン反應を主とする定期結核檢査を幼少の頃より受ける事が必要であり、之は結核の豫防上、治療上非常に有效である。

　現在結核に感染し、治療を要する小兒を如何に治療すべきや。成人結核に於ても同樣であるが結核の治療には特效藥はない。種々なる方面より細心の注意を拂ひつゝ治療養生を進めねばならない。此等の內、重要なる項目を上げる。

　(1)感染源より隔離する事

　小兒結核（乳兒結核は尙更）は成人結核と違ひ比較的近い過去に感染を受けたるもので、現在も尙同じ人より引續き結核菌を注入されてゐるかも知れない。然りとせば其の感染源より隔離するにあらざれば、如何なる妙藥、萬本の注射も何の奏効なく、其の小兒は早急に死の運命

を辿るより致し方がない。故に小兒結核を見た場合、直ちに其の小兒と日常接觸する人々を觀察し檢査して開放性結核の有無を探索せねばならぬ。之は小兒自身の治療上必要なるのみでなく、未感染の弟妹或は他の小兒の結核豫防上是非必要である。注意すべきは醫師が塗抹標本による喀痰檢査にて三、四回結核菌陰性なりとするも其の患者が開放性ならずとも安心する事はよくない。

(2)**安靜、日光、新鮮なる空氣**

結核の療養に安靜の必要なるは何人も知る所であるが初感染期に於ては特に安靜が必要であり有効である。然るに自覺症狀の少い小兒結核患兒に安靜を守らせる事は仲々難かしい事であるが、周圍の人も常に此の事を忘れてはならない。同時に新鮮なる空氣、適度の日光が必要なるは誰も知る所である。

(3)**豐富なる榮養**

榮養の大切なる事も皆の知る所である。小兒には特に偏食させぬ樣、食思缺乏より來る偏食、此の種の偏食に多い脂肪分の缺乏、此等を避けねばならぬ。

以上、(1)(2)(3)の內何れの一つが缺けても小兒結核治療の完成は望み得ない。

（釜江博士記）

大阪全新聞が報道する優良兒表彰式

大阪朝日新聞（十二月四日・夕刊）

九段の父よ坊やは强し
優良兒審査に榮えの表彰

日本兒童愛護聯盟が十月大阪三越で催した第十七回全大阪乳幼兒審査會で五千名にのぼる赤ちやんのうちから『これこそ立派な優良兒』と折紙をつけられた最優良兒二百五十名、優良兒三百五十名、佳良兒四百五十名可良兒五百五十名合計千五百五十名が決定された、表彰式は六日三越で擧行されるが、最優良の赤ちやんのうちには興亞聖戰の花と散つた靖國の勇士の遺兒が四名もあり、その他出征勇士の愛兒十六名が父勇士の名にそむかぬ見事な發育をみせて〃天晴れ勇士の愛兒よ〃と坂間市長から名譽の表彰狀を授與されることになつた。

勇士の遺兒四人は大阪東區淡路町一丁目故田中定治伍長長男定明ちやん（三年）住吉區平野梅ヶ枝町三丁目故都染克己上等兵の長男巖ちやん（二年）西淀川區大和田町加藤德一郎氏の遺兒德子ちやん（二年）および大阪府泉北郡福泉町野々井辻本重親氏の遺兒隆之ちやん（二年）でいづれもまる〱と肥つて廻らぬ舌で亡き父勇士の武勳を偲ばせてゐる。

寫眞（縱四寸三分・橫三寸）は譽れの赤ちやん右田中定明君（左上）都染巖君（左下）加藤德子ちやん

大阪朝日新聞（十二月・五日朝刊）

父勇士に負けずに
まる〱と太つた發育ぶり
表彰される赤ちやんたち

夕刊既報＝日本兒童愛護協會主催の第十七回全大阪乳

幼兒審査會で五千名に上る全大阪の赤ちやんの中から選び出されて六日大阪三越八階ホールで表彰される千五百五十名の優良兒の中からさらに最優良兒の折紙をつけられた二百五十名のうち九段でいまは亡きお父さんとあふ日を待つ旣報の遺兒四名と興亞聖戰に活躍する父勇士の還り來る日を待つてゐる赤ちやん十六名はさすが勇士の愛兒だけあつていづれもまる〱と肥え太つた立派な體格、このほか變り種としては第九回オリンピック女子競泳陣の監督ならびに主將としてロスアンゼルスとベルリンで活躍した水の女王菅谷初穗さん（舊姓松澤）＝西宮市居住＝の愛兒が見事最優良兒の一人に選ばれたのもこの母にしてこの子ありとうなづかせてゐる、最優良兒に選ばれた大阪市の出征勇士の赤ちやんは左の通り

前田八郎ちやん（一年）＝住吉區天王寺町前田義雄、合田好昭ちやん（一年）＝同區桑津町合田覺一、西川たゞよしちやん（二年）＝同區殿辻町西川禎介、奥井晃ちやん（一年）＝東區玉堀町奥井榮、梶原政亞ちやん（一年）＝天王寺區眞法院町梶原瀞、末澤俊樹ちやん（一年）＝此花區上福島中一丁目末澤俊夫、吉岡賢一ちやん（一年）＝大正區鶴町二丁目吉岡又市、高田賢一ちやん（一年）＝港區八雲町四丁目高田福三郎、前川敦子ちやん（一年）＝北區樋之上町前川富藏、上田まき子ちやん（一年）＝東成區今里本町六丁目上田繁春、大川順子ちやん（二年）＝東成區大瀬町一丁目大川孝治郎、岡本登子ちやん（二年）＝旭區赤川町岡本林太郎

大阪時事新報（十二月五日・朝刊）

九段の夫よ 兒は立派に育ちました
最優良に興亞の兒廿四名
天晴れ女子水泳松澤さんの愛兒

日本兒童愛護聯盟が十月大阪三越で第十七回全大阪乳幼兒審査會を開催したがそれに參加した五千名の赤ちやんの中から「これこそ明日の健康日本を背負つてたつ優良兒」と折紙つけられた優良兒千五百五十名の表彰式は來る六日午前十時から三越八階で擧行さる、內譯すれば最優良兒二百五十名、優良兒三百五十名、佳良兒四百五十名、可良兒五百五十名で同會名譽會長坂間市長から表彰狀を授與される最優良の赤ちやんの中には事變兒或は興亞兒とでも云はうか、出征將士をお父さんに持つ、赤ちやんが二十名、そのうちお父さんを靖國神社に仰ぐ、興亞聖戰の花と散つた勇士の遺兒が四名もあり、東區淡

路町一丁目故田中定松伍長の長男明君（三つ）住吉區平野梅ヶ枝町三丁目故都染克己上等兵長男巖君（二つ）および西淀川區大和田町故加藤德一郎氏の長女德子ちやん（二つ）府下泉北郡福泉町野々井故辻本重親氏の長男隆之君（三つ）でいづれも〃親はなくとも子は育つ〃の諺をうれしく實證してまるまると肥り見るからに亡き父の勳をがつちり受けついだ健康色、まはらぬ舌でおませな口をきいて若いお母さんを思はずほろりとさせてゐるが、かうした可愛い赤ちやんたちに混つて異彩を放つてゐるのは前オリンピック女子水泳選手監督菅谷（舊姓松澤）初穗さんの愛兒である、これによつてスポーツマンがお母さんになるとどうも子供が思はしくない、といふ在來の常識は幾多の波紋を描きつゝ朗らかに裏切られたわけだ。

（寫眞は松澤さんとお自慢の赤ちやん）

大阪毎日新聞（十二月六日・夕刊）

金太郎赤ちやん
粒よりの四百人にご褒美
中に光る勇士の遺兒

〃興亞の赤ちやん〃四百餘名が金太郎さんのような丸々肥つたからだをお母んに抱かれて大阪三越のホールに詰めかけ元氣のいゝ泣き聲を會場にみなぎらせて賑やかな赤ちやん樂園を現出した——それは日本兒童愛護協會主催の第十七回全大阪乳幼兒審査會の最優良兒四十名と優良兒三百六十五名の表彰式で、六日午前十時よりさきに審査された五千名にのぼる赤ちやんのうちから「これこれ興亞の幼兒」と賴もしい折紙をつけられた榮えの赤ちやん、中には聖戰の花と散つた勇士の遺兒都染巖ちやん（二つ）住吉區平野梅ヶ枝町三ノ六△辻本隆之ちやん（二つ）泉北郡福泉町字野々井△田中定明ちやん（三つ）東區淡路町一ノ六川瀨鐵造方△加藤德子ちやん（二つ）西淀川區大和田町六六八の四名をはじめ、出征勇士の愛兒十六名があり、さすが勇士の愛兒だけあつてあつぱれな發育ぶり、故勇士の四遺兒は壇上で感謝の拍手が送られた。

このほか變り種としては第九回オリンピック水泳選手菅谷初穗さん（舊姓松澤）の愛兒もまじつて喜びの市長賞を授與された。

寫眞（圓形）は初穗さんと譽れの愛兒

夕刊大阪新聞（十二月六日・夕刊）

九段で父は微笑む
けふ赤ちやん表彰式
多い勇士の遺兒

去る十月三越で開かれた日本兒童愛護聯盟主催の第十七回全大阪乳幼兒審査會で四千名の赤ちやん中から選ばれた發育最良二一一、優良三四一、佳良四六六、可良五五六、合計一、五七四名の表彰式は今六日午前十時午後二時の二回にわたり三越ホールで擧行された、二十年後の祖國日本を脊負ふ頼もしい發育振りを見せた。表彰兒は何れもお母さんや姉さんに抱かれて參列、市長代理藤原保健部長が表彰狀とメタルを記念品として贈呈したがこの優良兒中には住吉區平野梅ケ枝町三丁目都染巖ちやん、泉北郡福泉町辻本隆之ちやん、東區淡路町一川瀬方田中定明ちやん、西淀川區大和田町加藤德子ちやんら名譽の戰死者の可憐な遺兒や勇士を父に持つ者廿名も含まれ忠靈、勇士を微笑ませた。

尚明七日も同樣二回にわたり表彰式を行ふ。

寫眞（縱二寸五分・横三寸五分）は表彰式

大阪時事新報（十二月六日・夕刊）

偲ぶ九段の父の微笑
優良赤ちやん・けふ表彰

去る十月三越で開かれた日本兒童愛護聯盟主催の第十七回全大阪乳幼兒審査會で四千名の赤ちやん中から選ばれた發育最良二一一、優良三四一、佳良四六六、可良五五六、合計一、五七四名の表彰式は今六日午前十時午後二時の二回にわたり三越ホールで擧行された。

廿年後の祖國日本を脊負ふ頼もしい發育振りを見せた表彰兒は、いづれもお母さんや姉さんに抱かれて參列、市長代理藤原保健部長が表彰狀とメタルを記念品として贈呈したが、この優良兒中には住吉區平野梅ケ枝町三丁目都染巖ちやん、泉北郡福原町辻本隆之ちやん、東區淡路町一川瀬方田中定明ちやん、西淀川區大和田町加藤德子ちやんら名譽の戰死者の可憐な遺兒や、勇士を父に持つ者廿名も含まれ忠靈の勇士を微笑ませた。なほ明七日も同樣二回にわたり表彰式を行ふ。

寫眞（縱二寸五分・横四寸）その式場と最優良兒賞を受けた喜びの元オリンピツク水泳選手松澤初穗さん母子（一寸五分四方）

大阪日日新聞（十二月六日・夕刊）

强し勇士の遺兒たち
〝ボクは健康兒〟
九段の父も微笑もう
けふ優良赤ちやん表彰式

去る十月三越で開かれた日本兒童愛護聯盟主催の第十七回全大阪乳幼兒審査會で四千名の赤ちやん中から選ばれた發育最良二一一、優良三四一、佳良四六六、可良五五六、合計一、五七四名の表彰式は今六日午前十時、午後二時の二回にわたり三越ホールで擧行された。二十年後の祖國日本を背負ふ頼もしい發育振りを見せた表彰兒はいづれもお母さんや姉さんに抱かれて參列市長代理藤原保健部長が表彰狀とメタルを記念品として贈呈したがこの優良兒中には住吉區平野梅ケ枝町三丁目都染巖ちやん、泉北郡福原町辻本隆之ちやん、東區淡路町一川瀬方田中定明ちやん、西淀川區大和田町加藤德子ちやんら名譽の戰死者の可憐な遺兒や勇士を父に持つ者廿名も含まれ、忠靈勇士を微笑ませた、尚明七日も同樣二回にわたり表彰式を行ふ。

寫眞（縱二寸五分・横三寸）は表彰式

大正日日新聞（十二月六日・夕刊）

九段に前線に父は微笑む
父ちやんより强いゾ
興亞の赤ちやんにご褒美

去る十月三越で開かれた日本兒童愛護聯盟主催の第十七回全大阪乳幼兒審査會で四千名の赤ちやん中から選ばれた發育最良二一一、優良三四一、佳良四六六、可良五五六、合計一五七四名の表彰式は今六日午前十時と午後二時の二回にわたり三越ホールで擧行された、二十年後の祖國日本を背負ふ頼もしい發育振りを見せた表彰兒はいづれもお母さんや姉さんに抱かれて參列、坂間市長代理藤原保健部長が表彰狀とメタルを記念品として贈呈したが、この優良兒中には住吉區平野梅ケ枝町三丁目都染巖ちやん、泉北郡福泉町辻本隆之ちやん、東區淡路町一川瀬方田中定明ちやん、西淀川區大和田町加藤德子ちやんら名譽の戰死者の可憐な遺兒や勇士を父に持つ者廿名も含まれ忠靈、勇士を微笑まさせた、なほ明七日も同樣二回にわたり表彰式を行ふ。

寫眞（縱二寸五分・横三寸五分）は戰歿勇士の遺兒表彰

第十七回全大阪乳幼兒審査會最優良兒中に於ける
名譽の戰死者並びに出征者の愛兒

（男子）

前田八郎	昭一四、七、一		義雄	住吉區天王寺町二九九三	鐵工
合田好棟	昭一四、六、二九		覺一	住吉區桑津町四五	不明
奥井晃	昭一四、五、四		榮	東區玉堀町五七六	不明
梶原政亞	昭一四、五、八		灘	天王寺區眞法院町九一立龜樣方	會社員
末澤俊樹	昭一四、三、一二		俊夫	此花區上福島中一ノ四	燃料卸
吉岡海治	昭一四、二、一三		又市	大正區爐町二ノ三一	印刷業
高田賢一	昭一四、一、五		福三郎	港區八雲町四ノ三八	不明
都染巖	昭一三、一二、三〇	父克巳戰死	朝子	住吉區平野梅ケ枝三ノ六	軍人
辻本隆之	昭一三、七、二二	父重親戰死	愛子	泉北郡福泉町大字野々井	農
西川タダヨシ	昭一三、二、一一		禎介	住吉區殿辻町二四	鐵工
田中定明	昭一二、一二、二八	父定治戰死	富美子	東區淡路町一ノ六川瀨鐵造樣方	ミシン業

（女子）

前川敦子	昭一四、三、一七		富藏	北區樋上町八二中田豊一樣方	會社員
上田マキ子	昭一四、二、一八		繁春	東成區大今里本町六ノ四一五	店員
間島千惠子	昭一三、九、一七		孝五郎	武庫郡甲東村段上町田二	會社員
大川順子	昭一三、九、一六		孝治郎	東成區大瀬町一ノ三四	電氣局員
清水初音	昭一三、五、一四		晋次郎	三島郡新田村下新田	農
加藤德子	昭一三、四、二四	父德一戰死	初枝	西淀川區大和田町六六八	阪神電氣
尾若節子	昭一三、三、三		米松	中河內郡若江村南五五八	不明
西山昌子	昭一三、二、一四		正雄	堺市戎之町二一	公吏
岡本登子	昭一三、一、一六		林太郎	旭區赤川町五〇一	會社員

編輯後記

◉聖戰下第四年の新春を迎へ、謹みて聖壽の無窮を壽ぎ奉り、讀者諸賢の萬福を祈り上げます。

◉今やわが日本は支那事變を樞軸として、東亞の歷史を書き換へようとしてゐる、國家總ての問題が此の事變處理を基調として動いてゐる、我皇軍の赫々たる威武逐次支那大陸を光被し、擧國興亞の大業に邁進しつゝある時、我等兒童愛護の事業に從事する者はしみ〴〵此の大業完成の責任益々重且つ大なる事を感得しなければならぬ。

◉何の幸か紀元二千六百年の今年は、本聯盟創設第二十年、乳幼兒審査會創始第十九年、『子供の世紀』創刊第十八年に相當するので、過去を追懷する時實に感慨無量である、今日の盛大を觀るに至つたのは無論諸官廳の懇篤なる御指導御協贊、後援團體の絕大なる支持、かくれたる應援者の庇護助勢に依るのであるが、天下の公紙公誌である新聞雜誌社當局の壓倒的な然も熱烈なる後援加勢の賜である事を衷心より感謝する者である。

◉「笛吹けども躍らず」、と云ふ言葉があるが、笛を吹かなくとも天下大衆が躍つて與れる事業は眞の事業であるやうだ、世の中には宣傳に精根財寶を費し、血眼になつて奔走しても、何の反響も湧かぬ事業のあるのはどうした事だらう、斯うした時局下眞心的に其の動機を反省して出直す必要があると思ふ。

◉世界的と稱せらるゝ『大阪朝日』『大阪每日』の大新聞その他の諸新聞が、本聯盟創設當時より如何に熱誠なる支援をされて來たかは天下周知の事實であるが、此の二三年來、發行部數何十萬を誇る『キング』『家の光』『主婦之友』等が本聯盟事業の記事寫眞を揭載するやうになつた、殊に『主婦之友』は過般來眞面目に審査會座談會等の記事を揭載する外、新年號の口繪二頁を本聯盟審査會入選赤ちやんの寫眞の爲めに割愛された事は、第一流雜誌社編輯部當局の誠實にして賢明なるプランによる處と、心から敬意を表し感謝を捧ぐる者である。

◉本誌特別寄稿家である內閣統計局の浦上英男氏が、本誌第十七卷七月號に御執筆の「戰時に於ける出生率低下の影響」と題する論說か、そつくり其の儘專門家の雜誌である『小兒保健研究』（第六卷八月號）卷頭論說に轉載されてゐたのは實に光榮であると共に本誌の誇りとすべきである、尙我が國佛敎界に於て唯一の日刊新聞と自負する京都の或る佛敎新聞が、本誌揭載の志賀氏に關する記事を無斷で轉載されてゐたのは寧ろ奇異の感に打たれたのであつた。

◉舊臘、大阪の表彰式と本誌正月號の編輯を終つて、十二日の鷗號で上京し、永井閣下、三木軍醫中將、佐々木厚生省體力局長、市來施設課長始め各方面の後援者に年末の御挨拶をした、二十日の朝、歸阪して十五年度『愛兒カレンダー』の麗しき和氣淸靄公（岩田正巳氏繪）の表紙の出來ばえを見て實に嬉しかつた、仕事は尙も永久に續くのである。

本誌定價 一册金參拾錢 郵稅壹錢五厘
半年分六册 金壹圓六拾錢 郵稅共
一年分十二册 金參圓 郵稅共
誌代郵稅は一切前金の事
前金切の場合は發送中止
郵劵代用は一割增のこと

昭和十五年一月十三日印刷
昭和十五年一月十五日發行（每月一回十五日發行）

兵庫縣武庫郡精道村芦屋
發行兼編輯人 伊藤悌二
大阪市西淀川區海老江上二丁目三七番地
印刷人 木下正人
印刷所 木下印刷所
電話福島⑮（一五三四番／二四二六番）

大阪市北區天神橋筋六丁目
大阪市立北市民館內
發行所 日本兒童愛護聯盟
電話堀川㉟（〇〇〇一番／〇〇〇二番）
振替大阪五六七六三番

鼻

大川ユーカリ吸入器

無代進呈

恐るべき鼻病の新治療と云ふ
小冊子御申込次第送呈

恐るべきは鼻の病ひ!!

鼻と腦との關係は薄い骨一枚で隣り合せて居るものですから鼻の障害が直に腦へ及ぼす影響はそれは〳〵强大なものです

貞淑であつた御婦人が俄にヒステリー症になつたり頭腦明快で聞えた紳士が急に神經衰弱や憂ウツ症にかゝるのも多くは鼻の病の故なのです………

鼻がつまりますと自然口で呼吸をする樣になりますので最も大切な鼻腔の保護作用と云ふものが働かず從つて咽喉や氣管を痛める原因ともなります

大川ユーカリ吸入器はホンの煙草一本召上るのと同樣一回二三分間づゝ一日に三四回御使用になれば宜敷しいのです

ユーカリ油から發散するユーカリガスを吸入しますと鼻や咽喉のカタルを起してる粘膜に刺戟して仲々効果のあるものです

御婦人や御子樣にも容易に使用出來て決して見苦しいものでもありませんし又携帶至便で電車の中でも事務所でも何處でも御使用になれます

定價
鼻專用 ユーカリ油付 金一圓也
鼻喉兩用 〃 金一圓五〇也
〃 〃 上 金二圓也

發賣元
東京市日本橋區本町四ノ七
大川式吸入器本舗

明色美顔水

複合粒子で
ズバ抜けて
美しく附く
水白粉！

しかも時間が經つ程
一層美しさを增す！

粒子に素晴しい新工夫！

白色　肌色　濃肌色

▲「複合粒子」の白粉は
何故特別に美しく附くか！

これまで白粉はキメが細い程良いと言はれたものですが、明色美顔水、明色粉白粉、明色固煉白粉は、その細かいキメに、更に幾多の新工夫を加へて一種獨特の精巧な微妙な狀態に化成してあるのです。ズバ拔けて美しく附く事、不思議なくらゐお化粧保ちの良い事、また附けてから時間が經つ程一層美しさを增す等々の素晴しい化粧効果は全くこの精巧微妙な「複合粒子」の作用によるものです。

7—163

基礎鞏固　經營眞摯

創立　明治四拾四年

日本徴兵

コドモの保險

入營・嫁入　準備
出世・教育　資金

子を持つ親心

可愛い子供の爲に何程かづゝの貯金をしてやらうと考へるのは、凡ての親としての至情で、男子ならば適齡迄、女子ならば嫁入迄と誰しも心掛ける所ですが、さて實行はなかなか困難です。

最良の實行方法

徴兵保險、生存保險のコドモ保險は此需用を充たす最良の施設で、一度御加入になれば知らず識らずの間に愛兒の爲に必要な資金が積立てらるゝことになります。

日本徴兵保險株式會社

本社　東京市麹町區内山下町一ノ一

時局下に相應しき 最も
眞摯なる 百貨配給機關

として その指命の達成
に 邁進致して居ります

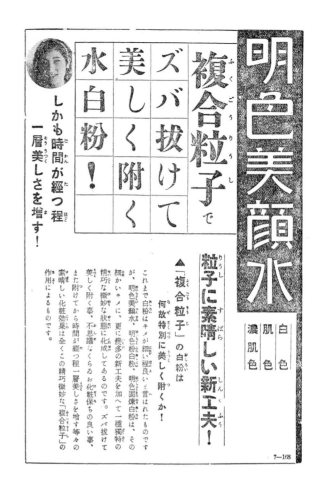

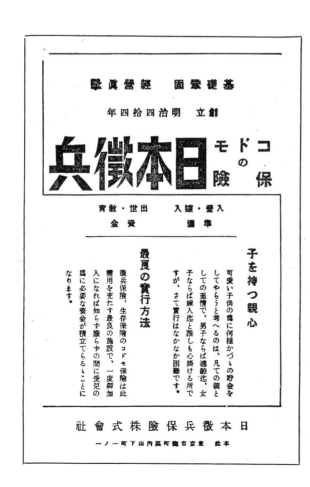

大丸
大阪心齋橋
月曜休業

子供の世紀 第十八巻第一號
大正十三年二月二十日第三種郵便物認可 昭和十五年一月十日印刷納本 昭和十五年一月十五日發行（毎月一回十五日發行）
【定價金參拾錢】

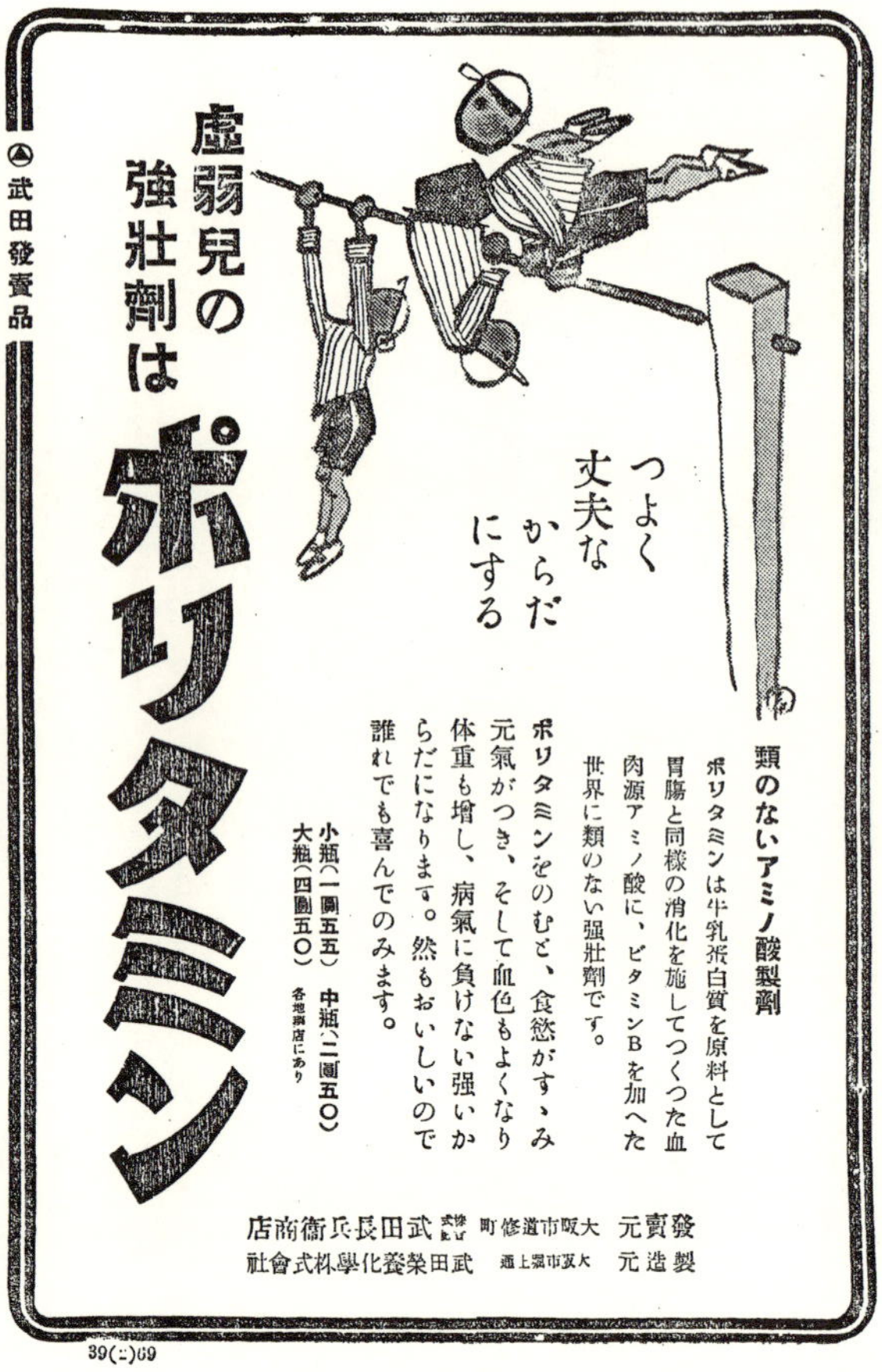

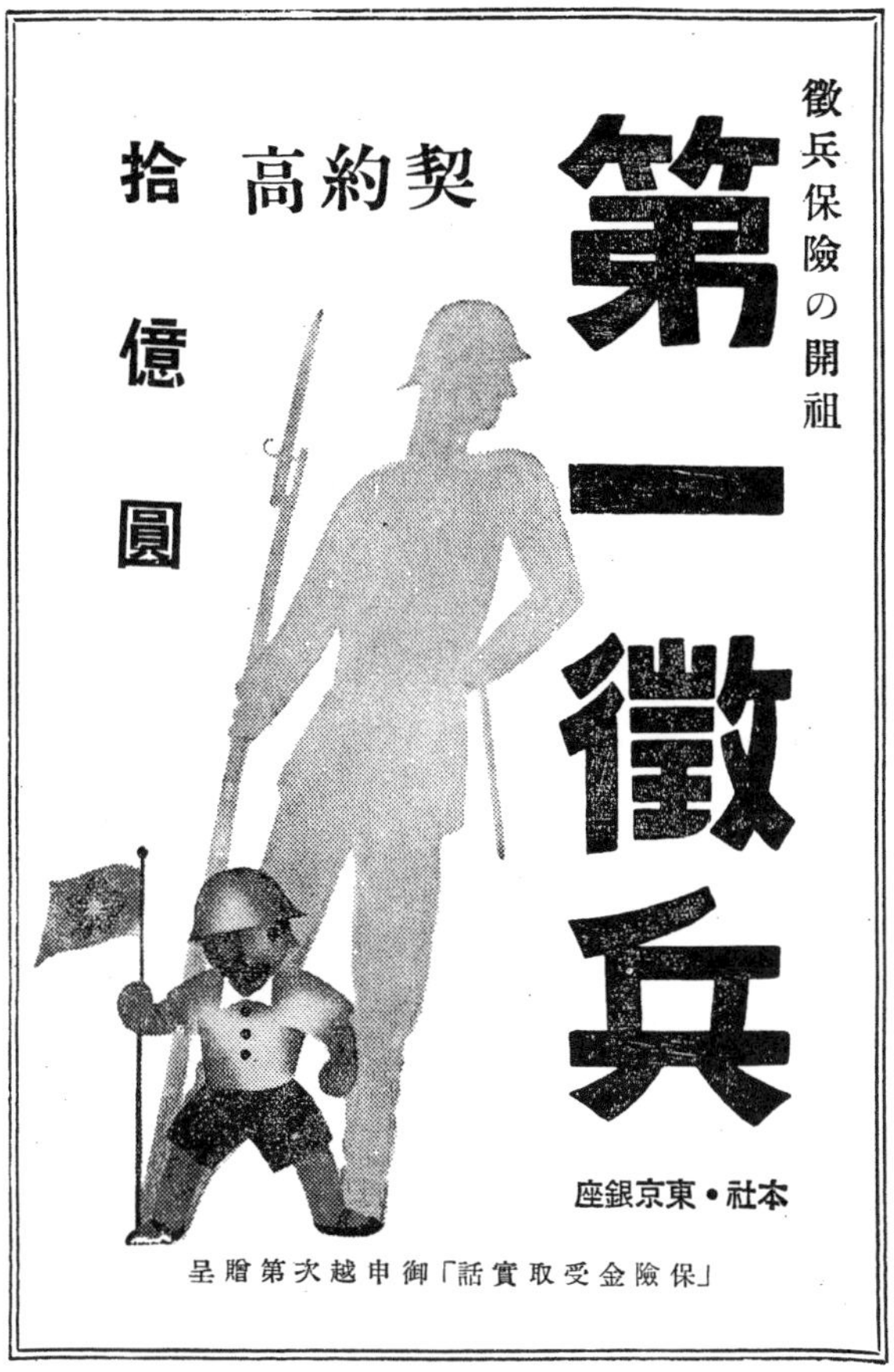

『子供の世紀』（第十八卷第二號）興亞愛育再檢討號

目次

三つ兒のお産は年々五十五回、三つ兒は七八割生きて生れる、
三つ兒は四萬回のお産に一回の割合、外國には三つ兒の誕生が多い、
三つ兒は男ばかりか女ばかりの事が多い、外國では性の異る場合が多い
三つ兒は何故我國に少いか、性の組合せの違ふ理由、むすび

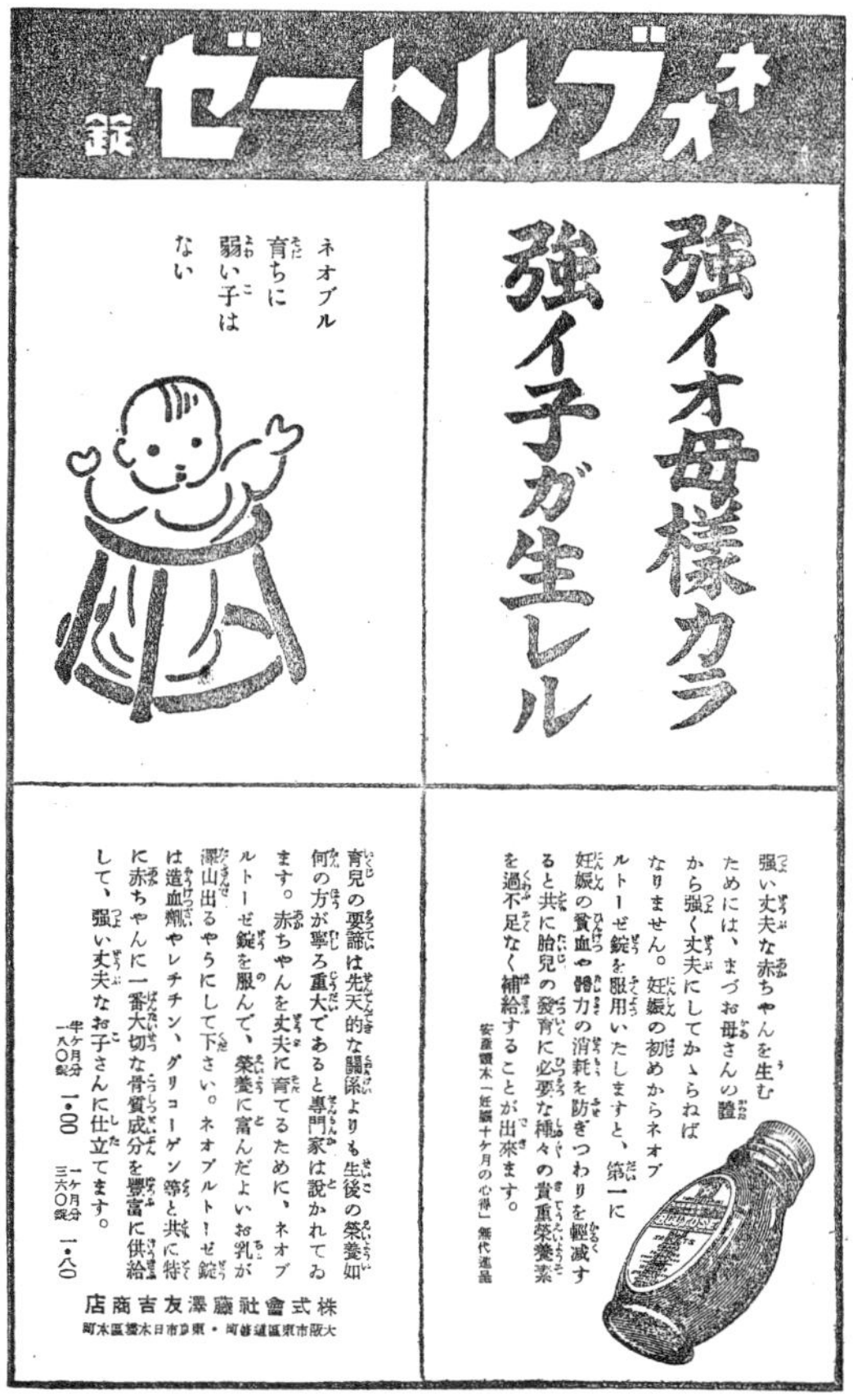

——八紘一宇——

——鶯聲迎春——

——興亞健康道——

第一線殊勳甲の父君に呼應して譽れの表彰

第十一回全東京乳幼兒審査會表彰式

本會總裁小原厚生大臣代理宇田川博士より表彰されんさする、前線勇士の愛兒たち向田修基君、竹内眞知子さん、菊池陽一郎君、大場伊都子さん。

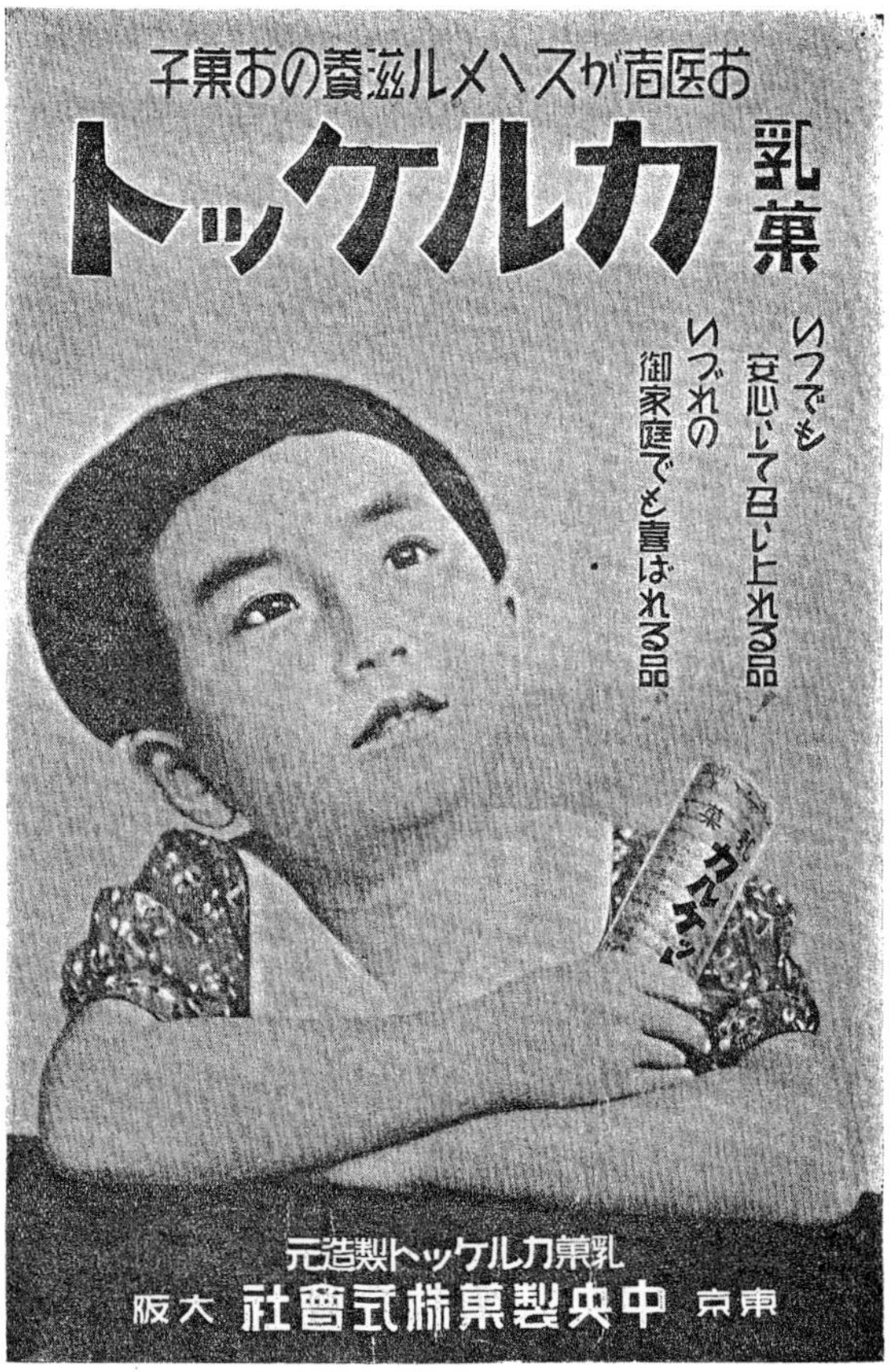

上手な吸入のさせ方

吸入や含嗽は、あまり重い病人には著しい効果はありませんが、早くやると侮り難い効を奏するものです。外出後咽喉がちよつと變だと思ふときは、大人なら含嗽をすればよいのですが、小さいお子さんでは、それができませんから、吸入に替へます。吸入器にはいろ〳〵有りますが注意したいのは、薬液と一緒に冷い風が起り、却て吸入をしたために、よくない場合の起るやうなものを、避けるといふことです。使用上の注意といたしましては釜の湯は三分の一くらゐ注いで、なくなる前に注ぎ足します。湯のなくなつたのを知らずにゐると、破損することがあります。

アルコールを口元まで入れると、發火する虞れがあります。吸入をかけると、お寢衣やお蒲團が濕りますから、防水布やタオルをかけておき、寢たまゝの病人なら徐かにかけてあげて下さい。赤ちやんの吸入は無理にお口を開かせる必要はなく、玩具で機嫌よく遊んでゐるときでも、吸入器の方を近づけて、あたりの空氣を軟くしつとりさせて、少しづゝでも吸ひ込ませるやうにします。一回分をあまり長くかけると倦きますから、一日に三四回にしてコツプに二杯ぐらゐで結構です。終りましたら蒸しタオルで拭いて、後にクリームなどをつけてあげると、お顔の荒れを防ぎます。

吸入液の作り方

薬液はいろ〳〵有りますが、お子さんには一%の重曹水で結構です。（約一合の水に茶匙一杯）又は重曹と食鹽を各々一%の割に溶かしたものを用ひてもよろしい。

うがひ薬の作り方

二%硼酸水　硼酸は冷い水に溶け難いが微溫湯を用ひますとすぐ溶けます。大人の水藥二日分入りの瓶は通常二百瓦入りですからこれに四瓦入ればよろしい。

二%鹽剥水　鹽素酸加里は常用としてうがひに用ひるのはよくありませんが殊に小兒には用ひぬのがよろしい。

三%過酸化水素水　過酸化水素又はオキシフルを水百に對して三の割合に二百瓦入りの水藥瓶なれば六瓦入れます。過酸化水素はごみ、又は日光熱等にあへば酸素を發生分解して無効となりますから瓶は清潔なものを用ひ、戸棚か押入等の暗所に置かねばなりません。

勇士の子等文部大臣の祝辭敬聽

第十一回全東京乳幼兒審査會表彰式

(上)東京高島屋ホールに於ける表彰式の光景——文部大臣の祝辭を代讀する小山社會教育官・向つて右より司會者平田文二氏、伊藤理事、東遞信大臣秘書官——
(下)前二列の全部は母君たちに抱かれたる童子軍は出征軍人の愛兒たち。

九段の父に見せたい無心の可愛い顔

名譽の戰死をとげた故川上倫一少佐の遺兒倫子さんは、さわ未亡人に抱かれ、本會總裁厚生大臣代理市來施設課長より最優良兒として表彰された。

表彰式の直前休憩室にて——向つて右より厚生大臣代理市來施設課長、宮本來治氏、伊藤理事、鐵道大臣代理鮫島秘書官——

既報の如く朝野諸名士參列のもとに、東京明治製菓講堂に於て、嚴肅なる表彰式が施行された。(伊藤理事の挨拶)

坂間大阪市長功勞者と最優良兒を表彰

第十七回全大阪乳幼兒審査會表彰式

(上)大阪に於ける表彰式に際し、會長坂間市長代理藤原保健部長は、本會の功勞者大阪府社會事業主事長部英三氏に、別項の如き感謝狀と記念品を授與された。
(下)最優良兒二百五十名の總代金澤孝之君、菅谷定彦君(母君はオリンピツク選手)渡邊昌明君、佐藤路子さん。

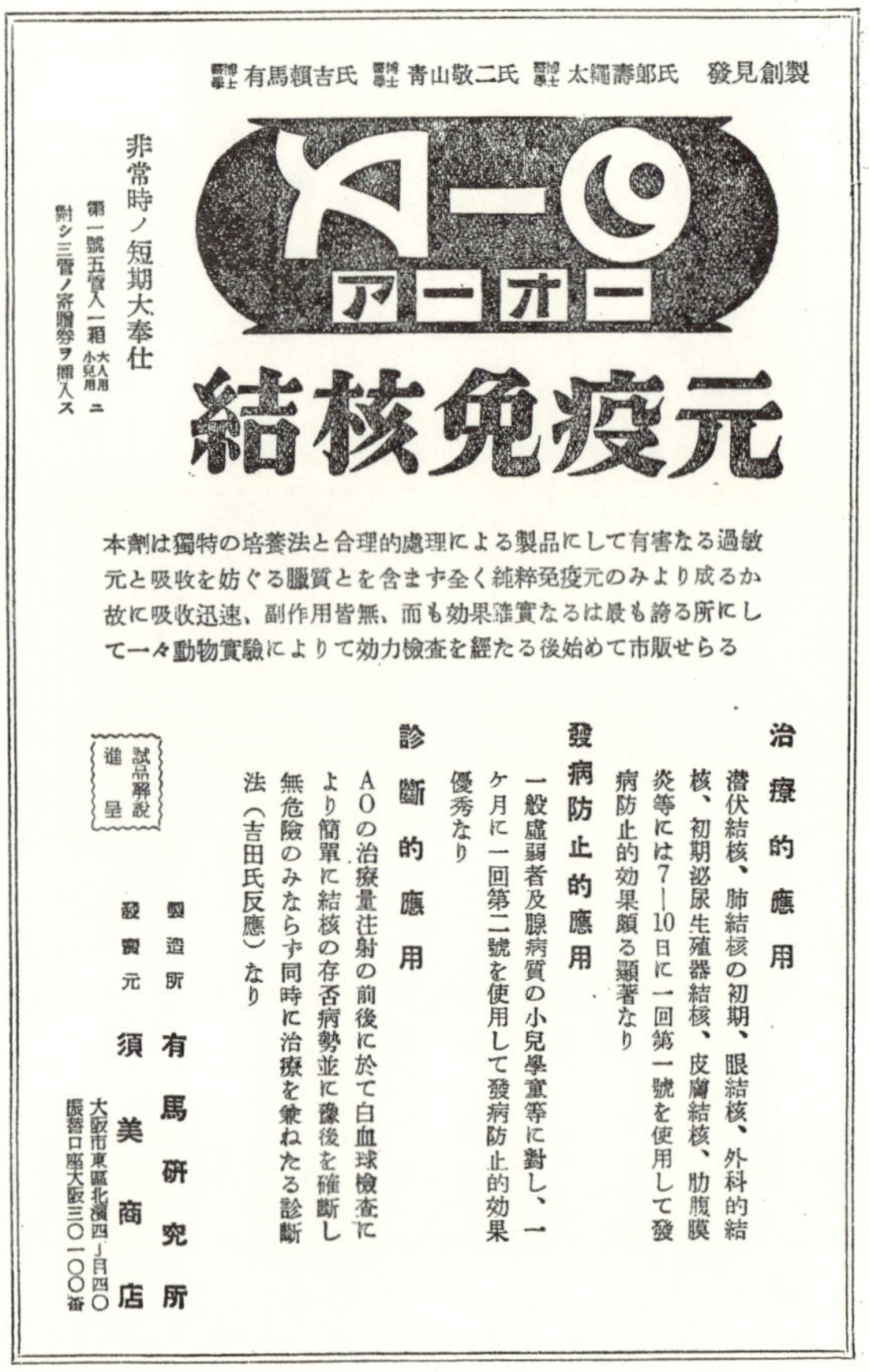
醫學博士 有馬頼吉氏 醫學博士 青山敬二氏 醫學博士 太繩壽郎氏 發見創製
AO
アーオー
結核免疫元
非常時ノ短期大奉仕
第一號五管入一箱 大人用 小兒用 ニ 對シ三管ノ寄贈券ヲ挿入ス
本劑は獨特の培養法と合理的處理による製品にして有害なる過敏元と吸收を妨ぐる膿質とを含まず全く純粹免疫元のみより成るか故に吸收迅速、副作用皆無、而も効果確實なるは最も誇る所にして一々動物實驗によりて効力檢査を經たる後始めて市販せらる
治療的應用
潜伏結核、肺結核の初期、眼結核、外科的結核、初期泌尿生殖器結核、皮膚結核、肋腹膜炎等には7―10日に一回第一號を使用して發病防止的効果頗る顯著なり
發病防止的應用
一般虚弱者及腺病質の小兒學童等に對し、一ケ月に一回第二號を使用して發病防止的効果優秀なり
診斷的應用
AOの治療量注射の前後に於て白血球檢査により簡單に結核の存否病勢並に豫後を確斷し無危險のみならず同時に治療を兼ねたる診斷法（吉田氏反應）なり
試品解説 進呈
製造所 有馬研究所
發賣元 須美商店
大阪市東區北濱四丁目四〇
振替口座大阪三〇一〇〇番

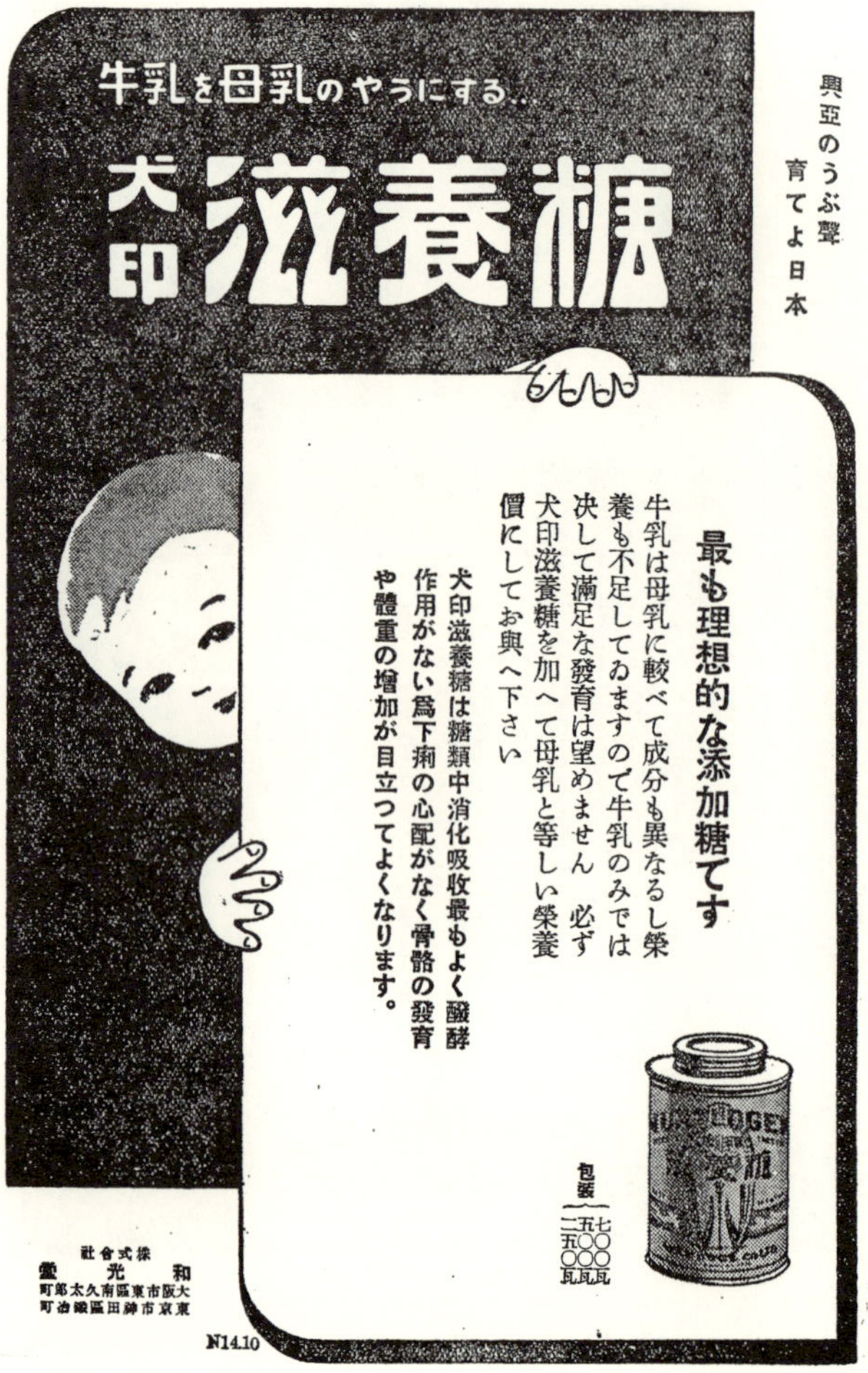
牛乳を母乳のやうにする…
犬印滋養糖
興亞のうぶ聲
育てよ日本
最も理想的な添加糖てす
牛乳は母乳に較べて成分も異なるし榮養も不足してゐますので牛乳のみでは決して滿足な發育は望めません 必ず犬印滋養糖を加へて母乳と等しい榮養價にしてお與へ下さい
犬印滋養糖は糖類中消化吸收最もよく醱酵作用がない爲下痢の心配がなく骨骼の發育や體重の增加が目立つてよくなります。
包裝 七〇〇瓦 五〇〇瓦 二五〇瓦
株式會社 和光堂
大阪市東區南久太郎町
東京市神田區鍛冶町
N14.10

明治 赤罐 コナミルク
加糖粉乳
明治 コナミルク
母乳代用
母乳代用・國産第一品
用ひ方が簡易で値段の廉い
優良加糖粉乳
砂糖を加へる手數が省ける
◇
水にも湯にも溶け易い
◇
消化吸收が極めて良好
明治製菓株式會社
・母乳代用品添加料・
ママーゲン
當社發賣のママーゲン（榮養素配合穀粉）を牛乳「ミルク
粉乳に添加すれば體重增加「腸胃作用顯著に「母乳代用品
の効果を完璧にいたします。而かも開罐後吸濕變
性の虞れなく價格も亦至極低廉でございます。

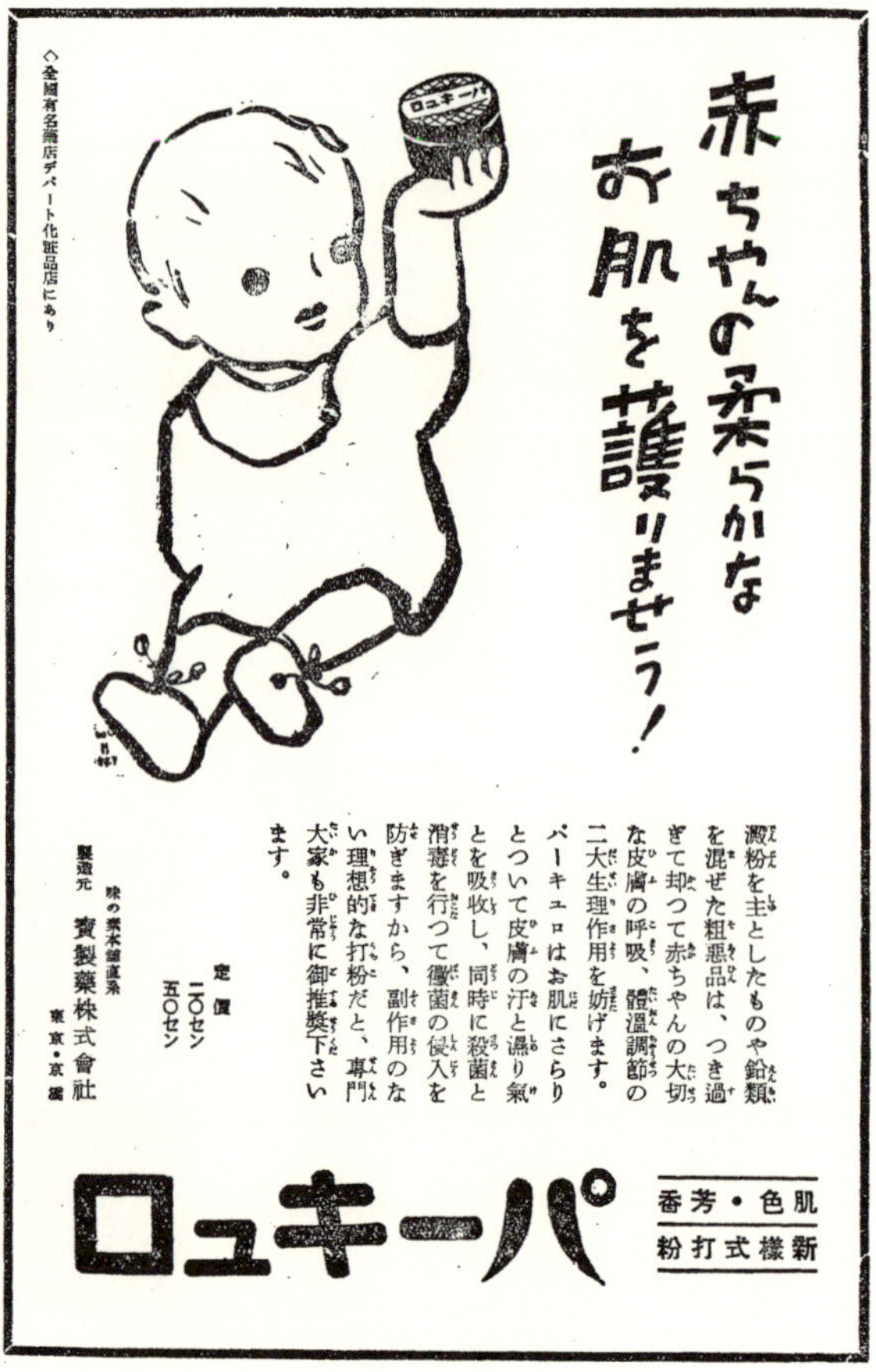
赤ちゃんの柔らかなお肌を護りませう！
◇全國有名藥店デパート化粧品店にあり
澱粉を主としたものや鉛類を混ぜた粗惡品は、つき過ぎて却つて赤ちゃんの大切な皮膚の呼吸、體溫調節の二大生理作用を妨げます。パーキュロはお肌にさらりとついて皮膚の汗と濕り氣とを吸收し、同時に殺菌と消毒を行つて黴菌の侵入を防ぎますから、副作用のない理想的な打粉だと、専門大家も非常に御推奬下さいます。
定價 二〇セン 五〇セン
製造元 味の素本舗直系 寳製藥株式會社 東京・京橋
パーキュロ
肌色・芳香
新樣式打粉

昭和十五年 子供の世紀 二月號

二月の言葉（巻頭言）

攝津太郎

◎明けて一昨年、長友杉山元治郎氏は北支派遣軍慰問の途上、序で乍ら大陸の農村視察をした時、一夜或る部落の村長級の翁と沁々新東亞建設に關して腹藏ない意見の交換をした。ところが其の翁は驚異の眼をみはり、感嘆措く能はずと云つた敬虔な態度で、「私は此の年になつて我が亞細亞に、斯くの如く賴母しくも立派で、且つ溫厚の君士に遭つた事はない、どうか尙隣村の人々にも紹介したいから、もう數日滯在して吳れないか」、と懇望され、豫定の日程を二日程變更して、素朴此の上もない農民たちと膝を交へて話し、よき印象を殘して來たと云ふ事である。

新東亞建設は、我利々々猛者の私利私慾を目的とする人々によつてのみ成就するものでは斷じてない、新東亞建設は彼我の道德の標準が高まる事によつて完成するのではなからうか。私は躍進譜をかなで乍ら大陸進出を試みんとする若人等に餞けしたい、「斯くの如く麗しい人格の權化も我が亞細亞にあつたのか、と云はれるやうな働きをして貰ひたいものである。」と。

◎富豪が無條件で學校經營の爲めに私財を投じ、それで模範的な法人組織の學校が設立されるならば、第二國民育成の爲め、國家の將來のため、どれだけ幸福な事であらうか。

然るに世には先づ淨財を獻げておき乍ら、後ちになつて何千圓かの繪畫を其の學校に賣りつけたり、緣邊の教師を幾人も幾人も押し付けたりするやうな、實に愚劣極まる書商や、狡猾な周旋業者のやうな眞似を敢てする金滿家があるとの事である。洵に金持の天國に入る事が、駱駝の針の穴を通るよりも尙困難な事であるらしい、一體斯うした富豪の救はれるのは何時の世の事なんだらうか？

◎現在國家樞要の地位に立つて居られる人々、亦社會にあつて有意義な活動を續けて居られる年輩の人々は、主として明治三十年時代の小學生、明治四十年時代の中學生であらう、此の時代の少年少女諸君は、今市場や街頭で賣つて居るやうな種類の多い西洋菓子の味も、味の素の味も、乃至は西洋料理の味も知らぬ人が多いに相違ない、菓子の代りに黒砂糖で我慢をし、食事のおかづは鹽鮭など上等の部類に屬する方で、優して況んや現時、各小學校で供給さるゝ榮養劑など夢にも口舌にする事が出來ぬ代物であつたのである。

實に隔世の感がする、今や超非常時と云ふ太鼓が鳴り響いて、戸每戸每に節約、統制が警告される時代が潮の如く襲ふて來て居ると云ふのに、戰爭が何處にあるかと云つたやうな顏をして、贅澤三昧な生活をして居る家庭の人々を見る度に、何の統制、何の節約なりやと反問したくなるのである。

◎大阪から東京に旅した人が、「東京の婦人たちは、今寢床からはでな長襦袢の儘街頭に飛び出したやうな風をして居る」、と云つた、自分の年齢や容貌や身分と相談なしに自分の着物の柄を撰擇する事の如何に危險な事であらうか、これは大阪の婦人たちにも東京の婦人たちにも申上げたい事である、時勢を考ふるならば、さう破天荒な流行の飛躍をしなくともよかりさうに思ふ、と。

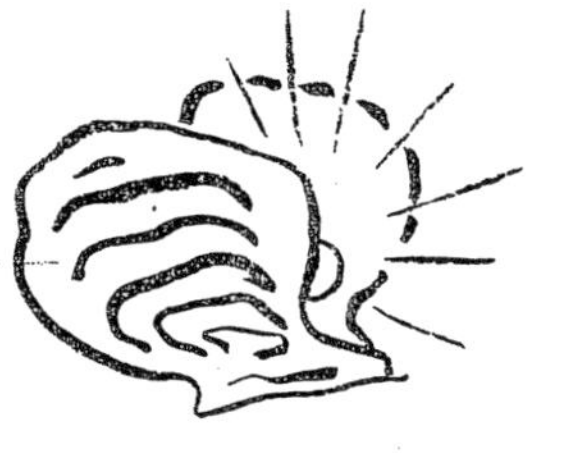

三つ兒の誕生

内閣統計局 浦上英男

紀元二千六百年の元旦山梨縣に三つ兒の男子が生れ、母子共健在で興亞新春の瑞祥と稱へられてゐるといふ、明朗なニュースが新春の話題を賑はゝしました。まことにお目出度いことで、「生めよ殖やせよ」の折柄銃後國民として何より勝る御奉公と言へませう。

此の機會を利用し、また前號に紹介した四つ兒、五つ兒に引續き、今度は三つ兒の誕生を統計に探ねて見ることゝしませう。

◎三つ兒のお產は年に五十五回

三つ兒の誕生は無論珍らしいには相違ありませんが、併し一般に考へられてゐる程稀なものではありません。

我國の記錄を調べて見ると、此の種の統計が初めて作られた大正十二年から昭和十三年迄の十六年間に、內地全體で八百七十五回の三產（双兒のお產を双產と言ふ樣に以下三つ兒のお產をかう呼びます）がありました。此の數はお產の回數ですから生れた赤ちやんの數は之を丁度三倍した二、六二五人といふことになります。

大正十二年は四十三回で、其の後は極く僅かづゝですが殖えて行く傾向が見えます。一番多かつたのは昭和十二年の六十八回でした。之を平均しますと一年に約五十五回、生れる子供の數にして百六十四人の三產がある勘定になります。

◎三つ兒は七、八割生きて生れる

但し前に擧げた數の中には赤ちやんが生きて生れた場合卽ち死產も含まれております。幾ら目出度い三つ兒でも死產では張合ひがないから、生きて生れた三つ兒がどの位あるかを調べて見ませう。

昭和十三年內地にあつた三產の回數は全部で四十三回、生れた赤ちやんは此の三倍の百廿九人でした。此中死產兒は二十一人で、殘る百八人は皆生きて生れた兒ばかりです。つまり三つ兒のうち八割四分は出生といふことになりますが、同年は此の生きて生れた者の割合が例年に較べて大分多かつた樣で、昭和十二年は之が六割四分、昭和十一年は七割五分となつてゐます。ですから今迄には生きて生れた三つ兒が隨分澤山あつた譯で、ざつと計算しますと、內輪に見ても最近十六年間で千五百人位には達してゐませう。

たゞお斷りして置きますが、是等の三つ兒が三人共一緒に生きて生れたものとばかりは限りません。中には二人だけ生きて生れ、他の一人が死んで生れた場合もありませうし、二人が死產で一人だけ無事に出生したといふ場合もある筈です。從つて斯ういふ生きて生れた子供だけの數を加算したのが前に示した數字なのです。

それから、折角生きて生れた三つ兒でも生後順調に育つたかどうかといふ點になりますと、之は遺憾乍ら調査が無いので判り兼ねます、然し吾々の日常生活に於て、三つ兒の生長した人に出會ふことの殆んど無いことは（尤も自ら三つ兒の一人であると名乘る人も少いでせうが）、一應生きて生れても其後うまく育たないのではないか、と想像させる根據になるかも知れません。

◎三つ兒は四萬回のお產に一回の割合

さて最近十六年間のお產回數は出生、死產を合せてざつと三千五百二十萬回ばかりでした。前にも述べた樣に此の中八七五回が三產でしたから、之から謂はゞ三つ兒の出產率といつたものを計算しますと、丁度十萬回のお產中約二回半の三產があることになります。言ひ換へると約四萬回のお產があれば、その中一回だけはきつと三つ兒があると考へてよいのです。

かうして見ますと三つ兒の生れる機會は馬鹿に少い樣に感じられますが、併し我國內地では一年間に二百萬回以上もお產があるのですから、此の中三つ兒の出產は如何に少くとも四十回や五十回はあると看做さなければなりません。

◎外國には三つ兒の誕生が多い

以上は我國の話ですが、外國ではどうかと申しますと、日本と違つて、三つ兒のお產が非常に多いのです。何も三つ兒ばかりに限らず双兒も四つ兒、五つ兒も、專門的に言ふと一括して所謂「複(胎)產」ですが、之が大分多い。手近な例をとりますと、米國には昭和十一年だけで二百九十七回もありました。同年の分娩總回數は二百十九萬回でしたから、十萬回に付き十三回半の三產があつた譯で、つまり七千四百回のお產に一回といふ割合です。我國では三產一回ある爲には四萬回ものお產がなければならなかつたのですから、之を思ふと日米兩國の間には隨分大きな開きのあることが知られます。

米國以外の國にあつた三產に就ては一々述べ立てる煩を避けて、次の樣な統計表にして示しましたから之を御覽下さい。各國共最近十一年間だけの數字しか載せませんでしたが、年に依る多少の增減はあるとしても、每年凡そ此の見當の數があると見て差支ありません。但し我國は曩にも述べた如く昭和十三年に記錄された三產が例年より少かつたので、前述の過去十六年間の平均よりは多い數字が現はれてゐます。

最近各國の三つ兒統計

國名	年次	三產回數	三つ兒 總數	三つ兒 出生	三つ兒 死產	總分娩回數	分娩十萬回中三つ兒出產度數	三つ兒出產一回に要する分娩回數
日本(內地)	昭和十三年	四三	一二九	一〇八	二一	二、〇二〇、六八五	二・一三	四六、九九三
米國	〃十一年	二九七	八九一	七七〇	一二一	二、一九二、三二七	一三・五五	七、三八二
佛蘭西	〃十一年	五〇	一五〇	一二三	二七	五九二、三四三	八・四四	一一、八四七
伊太利	〃十二年	一五三	四五九	三九六	六三	一、〇一〇、五六七	一五・一四	六、六〇五
獨逸	〃十一年	一七六	五二八	？	？	一、二九五、八四八	一三・五八	七、三六三
和蘭	〃十一年	二三	六九	六〇	九	一七三、八五八	一三・二三	七、五五九
ノルウエー	〃十二年	六	一八	一五	三	四四、二〇九	一三・五七	七、二二八
濠洲	〃十一年	一一	三三	三〇	三	一一四、九一七	九・五七	一〇、四四七
カナダ	〃十一年	三一	九三	八一	一二	二二四、〇五九	一三・八四	七、三六八

何處を見ても我國の如く三つ兒の出產率の低い所は見當りません。就中伊太利などは迚も高く、此の國では六千六百回のお產があればその中一回は必らず三產といふ狀態です。又、ディオンヌ五つ兒姉妹の生れたカナダも

流石之に劣らず三産が多く、昭和十一年の統計では七千四百回のお産に一回といふ割合を示しております。が、七千回のお産に一組の三つ兒が生れる國は外にも獨逸、オランダ、ノルウエーなどがあり、決して珍らしくはありません。

尙右の統計表を見てお判りになつたでせうが、各國共三つ兒は八割以上生きて生れることになつてゐます。濠洲の如きは九割以上が出生です。

◎三つ兒は男ばかりか女ばかりの事が多い

御承知の通り三つ兒には、三人共男であるか、或ひは全部女であるか、又は二男一女であるか、一男二女であるか、都合四つの場合が考へられます。そこで我國の最近十六年間の三産合計八七五回と分けますと、三人共男の場合が三一五回で三六・〇%、三人共女の場合が三四三回の三九・二%、二男一女の場合が一一〇回の一二・六%、一男二女の場合が一〇七回の一二・二%に該ります。

結局全部男か、でなければ女か、此の二つの場合が斷然多くて、二男一女、一男二女といつた風に性の違ふ三つ兒の例は極めて少いのです。現に、本文の冐頭に述べました元旦生れの三つ兒も男兒ばかりだつたではありませんか。だから何處かで三つ兒が生れたら、男ばかりか女ばかりか、そのどつちかに考へても大抵は外れませんが、但し之は吾々日本人に就てだけ言へることで、外國へ行くと餘程趣が違つて參ります。

◎外國では性の異る場合が多い

米國に昭和十一年二九七回の三産があつたことは前述したが、之を産兒の性別にすると男三人の場合が六八回(二二・九%)、女三人が六九回(二三・二%)、二男一女が七五回(二五・三%)、一男二女が八五回(二八・六%)ですから半數以上は性を異にする場合であることが判ります。此の例などは一寸多過ぎますが、次に掲げた數字を見ても判る通り、兎も角外國に此の性を異にする三つ兒の非常に多いことは歷然たる事實であります。

三つ兒に於ける男女の組合せ

	日本(內地)	米國	獨逸	伊太利
	%	%	%	%
三人共男	三六・〇	二六・六	二五・六	二四・九
二男一女	一二・六	二三・三	二四・五	二五・六
一男二女	一二・二	二四・四	二三・〇	二六・一
三人共女	三九・二	二五・八	二六・九	二三・四

右表の割合は「偶然誤差」を極力少くする爲、日本は最近十六年、米國は最近四年、獨逸及び伊太利は夫々最近五年間の平均をとつたものです。一年一年を捉へると

可成り變動がありまして、上述した米國の數字がその好例です。また獨逸でも昭和九年だけの事實を觀ますと、男三人二三・五%、一男二女二六・一%、一男二女二八・八%、女三人二一・六%で、此の年は一男二女の組合せが一番多數を占め、次が一男二女で、男三人或は女三人の場合がぐつと少くなつてゐます。

こんな具合に外國の三つ兒は、性の組合せが四つの場合共大體均衡しておりまして、日本の樣に同性のものがそれ程優勢ではないのです。そして之と同じことが双兒についても見出されるのです。

◎三つ兒は何故我國に少いか

以上極く少數の國の統計を利用したに過ぎませんが、それでも吾々日本人が外國人に比較して、如何に特異な立場に在るかゞ凡そ見當附きませう。

大きな相違は、先づ第一に我國に三産が甚だ少いことであり、第二に性の配合割合の異ることです。何故でせうか?之に對する說明は、遺傳學理論の未だしつかり確立されない今日、確定的とは言へませんが大體次の樣に考へられます。

御存知の通り、我國民の間には古來から、一産多子を畜生腹とか狗子腹とかいつて忌み嫌ふ迷信が橫行してゐたものです。その爲過去に複産のあつた家との緣組を出來るだけ避けるとか、生れた複産兒を慘酷にも殺害するとか、斯ういふことが半ば公然と行はれたものらしい。ところが元來複産には遺傳的傾向が强いもので、ウイーンの或る農夫の妻は結婚後十一回の分娩に、双兒を三回三つ兒を六回、四つ兒を二回と計三十二人を生み、しかも此の婦人は自身四つ兒の一人であり、其の夫も双兒の一人であつたなどといふ珍らしい例が殘つてゐる位であります。斯うして複産嫌惡の氣持と實踐が、勢ひ長年月の間に複産遺傳系統の絕滅へと導いたことは容易に想像されませう。今日では斯かる根據の無い迷信が後を絕つた樣でして、複産が漸增の傾向へと動いてゐるのは取りも直さずその一つの現れと解せるかも知れません。

今一つの說明は、民族性に依つて遺傳質の分布が違ふ、判り易く言ふと、我國民と他の外國人とでは複産の遺傳素質に相違があり、日本人に無い或る種の複産を起し易い素質を、外國人が持合せてゐるといふ考へ方です。外國人にも複産に對する嫌惡の感情が全然無かつた譯ではありませんが、少くとも我國民程露骨ではなかつたのですから、複産遺傳系統の自然淘汰も餘り行はれず、昔も今も相變らず多いのであります。

以上の二つは生物學的、遺傳學的解釋ですが、此の外にも人爲的工作が戶籍屆出上、延いて統計上不當に複産を少く見せてゐると看做すべき節があります。それは複産兒なるが故に、出生の月日を變へて別々に屆出たり、

里子に出したり、他家へ吳れてやる等のことが、過去に於て行はれ、また現代でも地方に依つては未だあるからです。

◎性の組合せの違ふ理由

次に外國との相違で目立つ第二の點、卽ち我國の三つ兒は男女孰れか一方である場合が多く、その反面性を異にする組合せが少いことに對する說明をしませう。

この理由の一つとしては、右に述べた複産の自然淘汰が先づ擧げられます。つまり一産多子中でも性の異る兒の場合には、之を双兒なら夫婦子、心中の生れ變りと稱して、別しても排擊したといふ事實は、複産の中でも特に性を異にするものゝ遺傳系統を減らしたことになります。

更にもう一つ有力な、寧ろ根本的な理由があります。複産には一卵性と多卵性(二卵性、三卵性等々の總稱)とあり、三つ兒の場合は一卵性、二卵性、三卵性とあります。ところが一卵性の三つ兒は必ず男ばかりか女ばかりか、いづれか一方に限られ、男女が混合して生れるのは二卵性、三卵性の三産に限ります。多卵性でも男或ひは女の一方ばかり受胎する事もあるが、一卵性には決してそんな事が起り得ないのです。然るに日本人は外國人と民族的に遺傳質の分布が違ふ爲め、一卵性のものが多く、多卵性の受胎が少い。從つて性の異る、言ひ換へると二人男で一人女、或ひは一人男で二人女といふ場合が外國人に比してずつと少いのは當然のことなのであります。

◎む　す　び

原始人は二人乃至三人づゝ生んだのが普通だつたのに進化に連れて一人が普通になり、現代では二人以上を同時に生むことは進化途上の過渡的一現象と見られてゐます。然し以上二回に亘つて述べた樣に、双兒は七、八十回の分娩に一組、三つ兒は七、八千回に一組、四つ兒は六、七十萬回に一組、五つ兒は約五千萬回に一組生れつゝあるのが世界の現狀でありまして、之を生むのが原始人に近いとは斷定出來ません。その證據に自ら先進國民と自負する歐米人に之が多いではありませんか。就中米國人に頻發するではありませんか(但し父母の人種が獨逸人系、佛蘭西人系である場合も入つてゐますが)。そして逆に白人が輕侮する我々日本人に少いではありませんか。

とまれ近代醫學の進步は早産複胎兒の保育に自信を深めて來ました。五つ兒、四つ兒と慾張る必要もありますまいが、双兒、三つ兒をどしく生んで强く育てゝ、そして人的資源缺乏に喘ぐ我國の非常時を多少でも緩和出來ないものかと、之は獨り筆者の空想的希念に止まらないでせう。

（完）

小兒の健康と環境

醫學博士　齋　藤　潔

凡ゆる生物は、その凡てを先づ遺傳に因つて決定せられ、次いで環境の支配を受けて、其の一生が運命付けられるのである。千差の遺傳を享けたものが、萬別の環境の中に生活するのであるから、遺傳と環境との關聯と、更に其の結果である個體の生活現象の凡てを明らかにすることは、全く至難のことである。

人の健康も、亦この遺傳と環境との交錯の結果として生れるものを、各個人がその身體に具顯してゐるのに過ぎないのである。人體の本來の姿と、これが異常とを研究するのが科學としての醫學であつて、この異常を矯正し、治療するのが、臨牀醫學、治療醫學であり、後者は醫學の應用である。

醫學の基礎の上に立つて、人體の異常を豫防し、更に正常なる人體機能を增强せんとするものが衞生學である。

衞生學が人體の疾病を豫防し、健康の保持增進を究める學であるならば、衞生學の對照は健全なる遺傳と、健全なる環境との硏究である。

遺傳學に基いての衞生は、優生學竝に民族衞生學と稱せらるゝものであつて、兩者の範圍に多少の差はあるが、前者は主として英米に於て、後者は獨逸に於て發達しつゝあるものである。

この遺傳學を基とする衞生學は其の硏究が困難であつて、遲々として進んでゐるのである。其結果として現はれたものも、優生運動の消極的方面としてのものとして、惡質の遺傳を遺さないための斷種、禁酒等が、古くより今日に至るまで硏究論議せられ、新らしくして古き問題である。尙又結婚に際して、性病有無の證明書が交換する法律の如きも、一二の國々に於てのみ、試驗的に行はれてゐるに過ぎない現狀である。

かゝる間に、一般衞生學は著しい進步の跡を示した。一般の衞生學は環境を硏究して環境をして人體に適應せしめ、又は有害なる環境を無害なる狀態に持ち來たすこ

とを、研究する科學である。遺傳からくる體質、素質等を充分知らずして、環境のみで衞生を論議することは學としては勿論不徹底の業であるが、體質、素質の研究の今日の進歩の程度では又已むを得ざる實狀である。

環境には自然的のものと、人爲的のものとがある、自然的のものとしては、主として氣象であつて、氣溫、濕度、風、雨、光、音響、空氣「イオン」等の諸氣象要素の人體への影響である。人爲的のものとしては、社會的、經濟的のものから、衞生知識の普及程度等であつて、其結果として生れる衞生施設の發達程度もある。

さて環境に就いて考察するに、胎生動物に於ては、受胎と出生との間に胎生期がある。

故に人の環境には、胎生期平均二百八十日の胎內環境と出生後の所謂環境とがある。環境を先天と後天とに區分するならば、遺傳的關係と、胎生期間とを合せたものが先天であつて、出生後が後天である。

嚴密には遺傳性と、先天性とは同一ではない。兩親の遺傳因子が働いて、之れに或る種の變質を來たすものが遺傳性であつて、遺傳因子には關係なく、胎生期に於て胎兒に働いて、胎兒の健康に影響を及ぼし、又は疾病を傳染せしめるが如きは、先天性といふのである。「アルコール」は、遺傳因子の變質を來たすのであるから遺傳性であつて、黴毒は母體內に於て母體より胎兒に傳染するのであるから、先天性といふべきである。

一、胎兒の健康と胎內環境

母體は胎兒の環境の凡てゞある。胎兒は母體に包まれ護られ、胎兒は母體との、直接の接續に依つて哺まれてゐるのであるから、母體の凡てが胎兒に影響することは明らかである。この母體の影響の凡てを知ることは、不可能であるが、母體の或種の健康狀態竝に或種の疾病に就いては、その胎兒への影響が知られてゐる。

胎兒の健康狀態は、之れを母體內に於て凡てを明かにすることは困難であるが、分娩異常として現はれるものに就いては之れが原因を究めるための研究が行はれてゐる。流產、死產、早產の場合がこれである。

分娩異常の原因としては、遺傳に因るものもあるが、又、黴毒及び姙婦の不攝生より來る胎內環境によるものもある。

黴毒はその罹病率は意外に高く、東京市產院に於ける吾々の調査に於ては、一般入院者の間に一〇％以上のワ氏反應陽性率である。

昨年名古屋小兒保健所の調査に於ても、一〇・三％であるから、本邦姙婦の約一〇％は陽性と觀て大差ないであらう。而して流產、死產の原因の大部分が黴毒であつて、次いで死亡乳兒の一〇％に又陽性がある。又學童の陽性率は四％である（東京市保健館調査）この四％が大體成人の先天黴毒として殘されることになるであらう。

他方に於て、胎兒の衞生として、姙產婦の衞生がある（私はこれに母性衞生といふ名稱を與へて公衆衞生院、東京市保健館、竝に愛育研究所に於て、本邦に於ける最初の研究を始める準備中である）。

かくて小兒の健康は、最初に胎內環境の影響を擔つて出生するのである。

二、出生後の環境

出生後の環境とは、所謂環境である。自然的環境、卽ち氣象要素が小兒の健康に及ぼす影響に就いては、自然の狀態に於ける研究としては世界の各部に亙る大調査研究が行はるゝに非らざれば、精細なる科學的根據を得ることは頗る困難であるが、熱帶地方と寒帶地方との保健上の差異は氣象要素が、人體の發育に影響を及ぼす結果として、其各地方の住民の壽命に關係をもつことゝ、兩帶に於ける特殊の流行病、傳染病がその小兒の健康に影響することは顯著なるものである。然しながら日本國內に於て、北海道と九州との間に著しき氣象の影響の差を見出し得ないのである。尙ほ又、富山、石川、福井等の北陸地方が日光の不足のため、佝僂病小兒を多數見るが如きは、明らかに小兒の健康と重要なる關聯をなすことは考へられる。氣象と人體との關係を研究するものは生理衞生學である。此の方面の研究は未だ發達の初步にある。人體の生理的機能と、氣象の各要素又は諸要素の關聯する影響の研究である。

環境として一般に考慮せらるべきものは、人爲的環境である。人爲的環境とは、小兒の衣、食、住の凡てを含むものであるが、之等が小兒身體の生理的影響を環境の影響といふのである。人爲的環境は、又、社會的、經濟的の狀態、保健施設の充實程度より、更に住民の保健衞生知識の普及等に關聯するものである。故に人爲的影響は「富」と「知識」とに支配せらるゝことにもなるのである。

富と知識とが充分に活用せられ、且つ兩者の完全なる合致が行はれて、初めて、こゝに小兒の健康て維持增進せられるのである。この知識の基礎をなすものが小兒衞生學である。

多くの場合に於て、富と知識とは一致するものであるが、必ずしも然かあるとも限られない。富が充分知識に依つて活用せられねばならない。

富が小兒の健康のために使用せられる場合が勿論多いのである。又、知識が貧を補ひ得る場合もあり得るのである。貧が必ずしも無智ではない、又知識に就いても、知識が知識で終つては、何等小兒の保健に役立たないのである。知識が經驗と固い意志によつて活用せられねばならない。

今小兒の環境を觀るに、小兒期は全く兩親の養護の下に置かれてゐる。その社會的環境は乳幼兒期に於ては家庭であり、學齡期に於ては家庭と學校との等分の生活である。かゝる環境にある小兒の健康を期せんが爲めには、先づ小兒各個の健康と（個人衞生）次いで其生活する社會の衞生（公衆衞生）とが考慮せられるのである。個人の健康は人體の生理から出發して、人體諸器官が其生理的使命に從ひ、健全なる働を營む事によつて決せられるのである。而して諸器官が健全に働き、且つ强健なるためには、こゝに衣、食、住其他凡ての日常生活を通じての訓練が必要である。更に其の訓練は日常生活の中に完全に織込まれるべきである。結局小兒の健康は、衣、食、住凡ての環境に亙る日常生活に於て生理に適つた健康生活の習慣を養成することである。訓練である以上は生理學竝に衞生學の知識を得るのみではならない。こゝに精神的要素が加味せられて、之れを實行することが必要である。

かくして小兒の健康は、兩親其の他の保護者の健康訓練の如何によつて、支配せられることが多いのである。これと同時に其の生活する社會の公衆衞生狀態の發達程度如何が又影響を及ぼすことは勿論である。

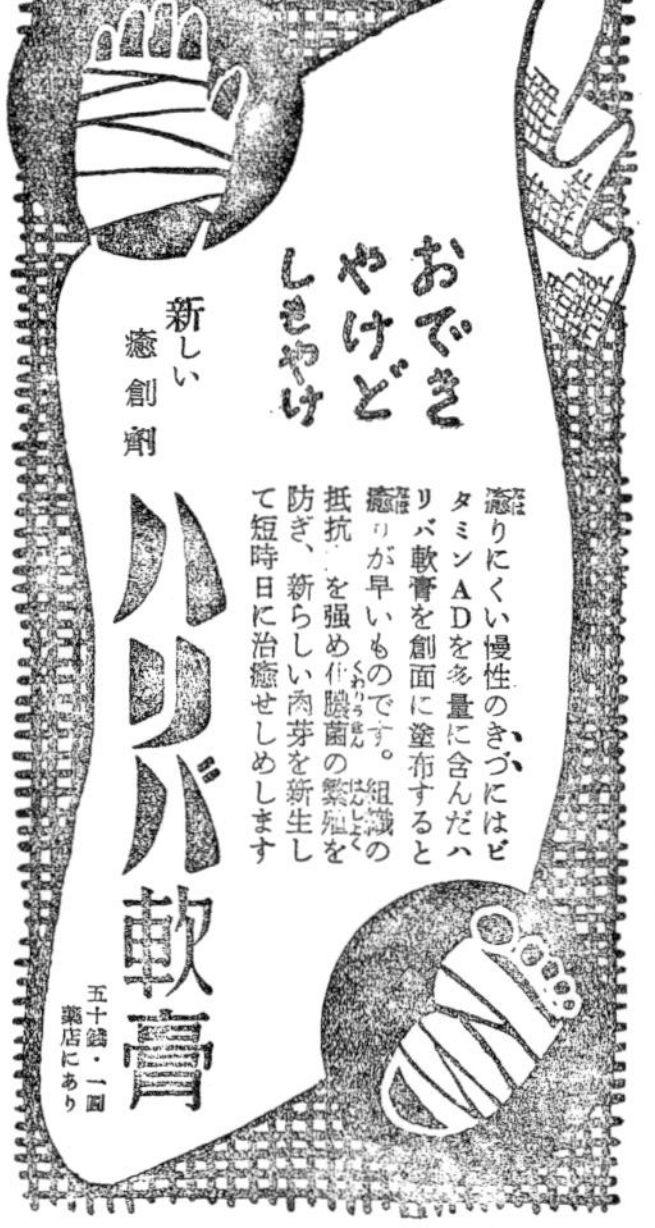

臨牀講座

乳兒人工榮養臨牀より觀たるヴイタミンC（二）

醫學博士　柿本　保

三、「ヴイタミン」Cと乳汁

上述の種々なる記載により、「ヴイタミン」Cが吾々生體に如何に必要であり、如何なる作用をなし、其缺乏が如何なることを惹起するかと云ふことに就ては、簡單ながら稍々理解出來たことと思ふ。玆に於て乳兒竝に乳幼兒を發育成長せしむるに必要不可缺の榮養品、卽乳汁と「ヴイタミン」Cとに就て檢討して見やう。

（一）　自然界に於ける「ヴイタミン」Cの分布

「ヴイタミン」Cは植物界に多く分布され、凡ゆる植物の綠色部、果實中に含有されてゐる。例へば「レモン」（汁六〇瓱％）、「オレンヂ」（汁四八―七五瓱％）、「ネーブル」（汁八〇瓱％）、夏蜜柑（三二・一瓱％）、「キヤベツ」（一〇〇瓱％）、「トマト」（汁二二瓱％）、林檎（果肉〇―一・六―一六瓱％、果皮二一―九―七七瓱％）、桃（汁一・五瓱％）、大根（一〇瓱％）及び馬鈴薯（一〇瓱％）等には記載相當量を含有してゐるが、是等は新鮮なるもののC價である。貯藏された場合は一般にC價は減少し四分の一となる。

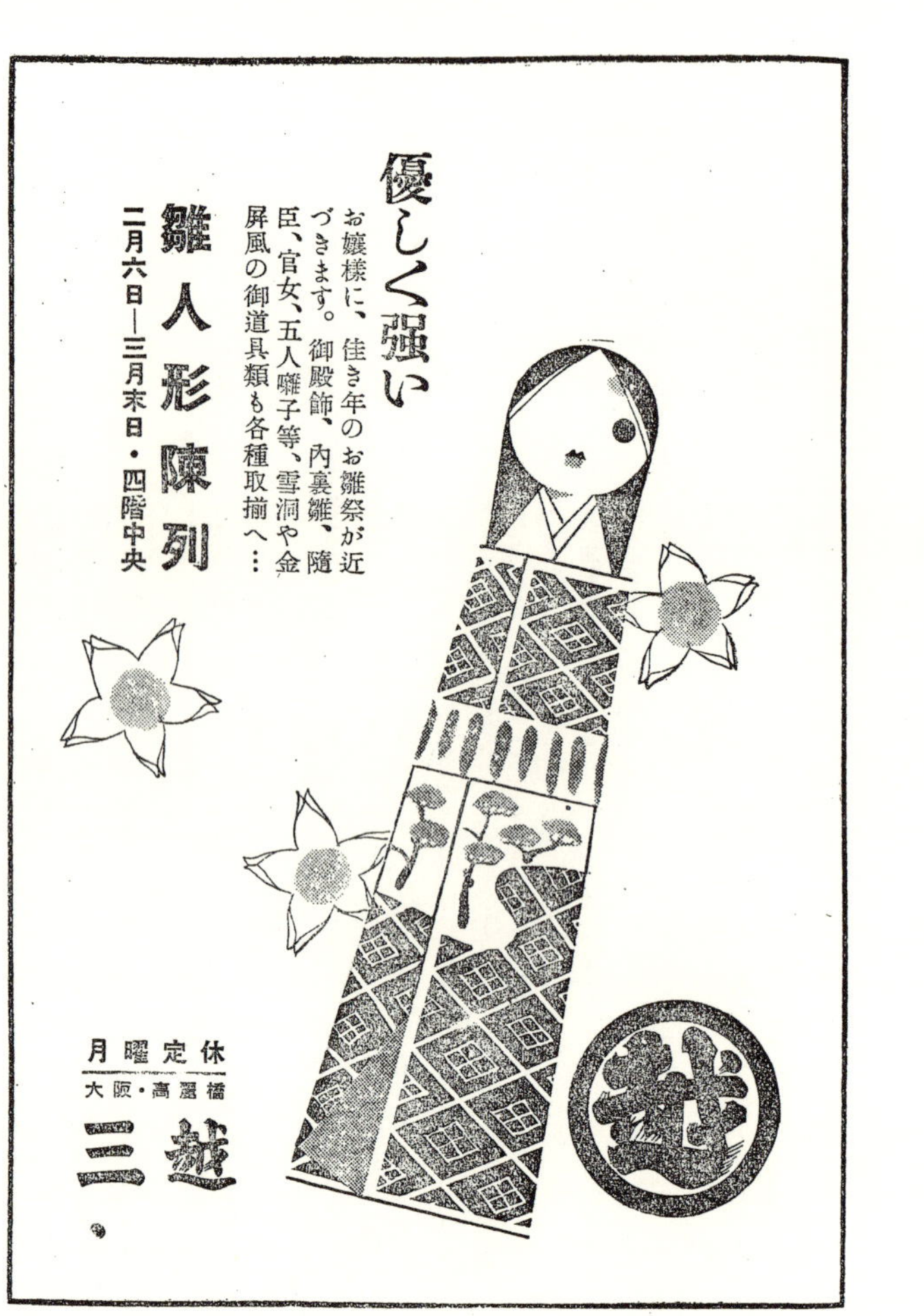

優しく強い
お嬢様に、佳き年のお雛祭が近づきます。御殿飾、内裏雛、隨臣、官女、五人囃子等、雪洞や金屏風の御道具類も各種取揃へ…
雛人形陳列
二月六日—三月末日・四階中央
月曜定休
大阪・高麗橋
三越

此植物界に於けるC價は季節的並に地方的に、殊に季節的に動揺がある。春から夏にかけて其含有量大で、冬季は一般に小である。「ヴイタミン」Cは植物界のみならず動物界に於ても存在し、多量に含有する臓器は副腎、肝、脳下垂體等で、其他種々の臓器に少量ながら含有されてゐる。

（二） 乳汁中の「ヴイタミン」C量

乳兒並に其に近い幼少な小兒の體重、身長の發育と或密接なる關係を有するとされてゐる「ヴイタミン」Cが、乳汁中に如何に分布されてゐるか、其含有量多寡が臨牀的に如何なる重要性を持つか等に就て檢討することも、强ち徒事ではあるまいかと思ふ。

人乳中に於けるC含有量は產後の日數、季節、母の榮養關係、生活狀況及び人種的關係に依り異るのである。Schiaparelli, Buogo に依ると、母乳C含有量は平均二・九瓱%、初乳は稍々多く四・〇瓱%である。Wachholder は四・二—五・六瓱%と報告してゐる。Chakraborty に依れば人種的に差異があると同時に、同人種でも攝取する榮養の種類、生活狀況で異り、印度人で最も高いのは六・瓱%であるが、回教徒の乳汁C含有量は三・瓱%で、低價である。本邦に於ける人乳「ヴイタミン」C含有量は、平均二・七五瓱%（慶松、山口）、笹原に依れば春は冬に比して多く、春五・二瓱%、冬二・九瓱%、本邦内地人一・六—七・〇瓱、平均四・〇瓱%、鮮人三・〇—九・一瓱%、平均五・一瓱%で、本邦人より其價稍々大である。而して人乳中のC價は、一般に人乳代用品として使用されてゐる乳汁中の夫より大なること四—五倍で、概して人乳榮養兒にメルレル、バロー氏病を經驗し得ないのも、一部此理に由ると思はれる。故に次に述べる人工榮養品を以て乳兒の榮養を行ふ場合は、斯る點に充分心すべきであると思はれる。人工榮養品中に含有するC價は、人乳榮養品に比べて低價である。それのみならず人乳の場合と異り、其動物を榮養する飼料、季節的關係、地方的關係等に依り動揺のあるものである。

牛乳中に於ける「ヴイタミン」C含有量は、Westerienen, Chakraborty は平均二・〇瓱%を報告し、Buogo, Schiaparelli は〇・八五—一・八瓱%、Caro, Speier は〇・八七瓱%、東京市販牛乳一・三—一・五瓱%（慶松、山口）、大阪では一・五—三・三瓱%、京城では夏〇・四—一三・〇瓱%、冬〇・一—一・〇瓱%（高井）等を夫々報告してゐる。更に市販殺菌牛乳は、其消毒方法及び消毒容器の種類に依りて異るが、一般に減少を來すものである。例へば〇・〇七—一・一瓱%（Nueweiler）、〇—〇・七瓱%（慶松、山口）、夏期乳〇・一—〇・六瓱%、冬期〇—〇・三瓱%（高井）である。消毒金屬容器は「アルミニューム」製が比較的良く、銅製容器は不良である。生牛乳三〇分間、攝氏六〇度に「アルミニューム」容器内に殺菌する時は、C價は二〇—四〇%減少し、銅製の容器の場合は八〇—一〇〇%減少を來すからである。

水牛乳は一・〇瓱%、羊乳は〇・九瓱%（Chakraborty）で、人乳に比べて遙に小である。

粉乳は牛乳C含有量より稍々高いとされてゐるが、Schiaperelli, Buogo に依れば、C價は〇・五瓱%以下であると報告してゐる。Renner は粉乳は比較的C價は高いが、其は乾燥製粉過程が良好に行はれた場合であると云つてゐる。本邦では一・〇—一三・〇瓱%（高井）と報告されてゐる。煉乳は慶松、山口によれば、加糖の場合一・四—一・二瓱%、無糖の場合〇・七—一・八瓱%で、殺菌牛乳より稍々多いのである。

「ミルクフード」は高井によれば五・〇—一〇・〇瓱%で、牛酪乳は一・〇—七・〇瓱%、蛋白乳は皆無であると報告されてゐる。

牛乳の場合は既に述べし如く、冬に低く、三月に至つて急激にC價は增加し、十一月迄續く。其は乳汁を分泌する動物が、綠色飼料を攝取する様になるためである。又牛乳中のC價は、動物の飼料外の種々なる條件で左右される。Lojander に依れば、直接日光に曝す、三〇—四〇度（攝氏）の溫度に長時間置く、牛乳を振盪する、室中に單に放置して置く等に依り、C價は低下する。Wachholde は Pasteurisieren（殺菌）することに依つて、牛乳中の「ヴイタミン」C量は、二五・%減少すると云つてゐる。牛乳を煮沸する時は、「ヴイタミン」Cは殆ど破壞されるのである（Busson, Westerienen）。

（三） 授乳上の注意

「ヴイタミン」Cが小兒成長發育の大部分を司らない迄も、少くも其一要素として之に關與し、而も C—Hypovitaminose 並に Möller—Barlowsche Krankheit 等が人工榮養兒に多く出現するを見れば、吾々が人工榮養品を以て乳兒を榮養する場合、常に「ヴイタミン」Cに關して閑却することの出來ぬ事柄があると思はれる。

一般に乳兒は、既に述べたる如く「ヴイタシン」C減少症並に壞血病に罹り難く、殊に生後三—四ケ月頃迄は殆んどない。メルレル、バロー氏病の大部分は五ケ月以後である。其の內極く少數の天然榮養兒を除く外、凡て人工榮養兒である。既述の如く人乳は牛乳よりC價が大である。人乳の場合はC價小なる時は、母の食餌によつて母乳中のC價を比較的易く高めることが出來る。然し牛乳の場合は人乳の場合の如く自由に調節增加せしめることは困難である。牛乳は季節により可成りC價は動揺する故、乳兒の發育榮養に可成り影響して來る譯である。尙牛乳の場合は人乳と異り、一應殺菌して授乳する必要がある。一般に牛乳を乳兒に與へる場合は、低溫殺菌のものを尙一度家庭で溫める。其際六〇—七〇度であれば良いが、多く一度煮沸する迄溫める。すると牛乳が少し煮沸し始めるのは九十三、四度で、多く沸騰し溢れるのを恐れて、勿論通氣的であるため、斯る溫度でも既に可成りの%の「ヴイタミン」C量を損失することになるのである。牛乳中のC價の小なるのに、加へて煮沸に依つてC價の減少を來すことは愈々危險である。煮沸と迄行かなくも、Pasteurisieren によつても二五・%を消失する（Wachholder）と云はれてゐる故、十二分注意を要する。消毒に用ひる容器は金屬製を用ひるが、銅製のものより「アルミニウム」容器が最も良い。此方がC價の消失する度合が少いからである。

既述の如く、生後三—四ケ月に於て「ヴイタミン」C減少症並に缺乏症から殆ど保護されてゐるのは、體內に於けるC合成機能の旺盛であるが爲、天然榮養兒と人工榮養兒とに拘らず經驗しないのである。然し六、七ケ月になると、體內C合成能力は幾分減退して來て、C供給量に不足を生ずる時は、C—Hypovitaminose 並に Möller-Barlowsche Krankheit 等を起して來る譯である。とりわけC含有量少き、又誤れる調理法の行はれ易い榮養品を以て榮養されてゐる人工榮養兒に多く現はれる様になる。故に榮養品に十分使用上注意を計ると同時に、乳兒には果汁の如き形を以て「ヴイタミン」Cを、其乳兒の一日の需要量、卽「アスコルビン」酸二・五瓱—三・〇瓱（オレンヂ汁六瓱）に適切なる量を、出來る丈早く、遲くも生後四ケ月頃から始めるのが至當と思はれる。之は人工榮養兒に限らず、天然榮養兒に於ても使用することが良いと思ふ。歐洲に於ては人工榮養兒と否とに拘らず生後三ケ月頃から果汁を始め、米國に於ては通俗的に生後一ケ月から「オレンヂ」汁一匙每日使用することが敎へられてゐる。

斯くして潜在性壞血病を治癒し、併せて小兒發育の一助成とすることが出來るのではないかと思はれる。尙人工榮養兒に Dysergie の狀態から免れ得せしめることは臨牀醫學上重大な意義のあることである。

皇都としての大阪

大阪市立北市民館長　齋藤藤吉

祖國愛の搖籃は母性の暖き懷

祖國愛の熾烈なること、又その必要の痛感、今日ほどなるは、蓋し三千年の皇國史上稀なることであらう。未曾有の大聖戰も第四年に入つた。我等皇國民は一にこの至愛の發露に依つて、聖戰の目的完遂が見られるわけである。

今や世界も第二の世界大戰の紛亂に陷つた。祖國愛の高潮は各國民にも押寄せてゐる。壯烈怒濤の勢は世界史上稀有のことであり、各國の存亡は一にかゝつてその强弱にある有樣である。

我等の祖國愛は他と全く異なる。それは神代ながらのもの、祖先このかた一貫不易であり、祖國愛そのまゝが大君への盡忠であり匪躬の節である。祖國愛卽忠義忠君卽愛國である。世界無比の國體がそこに仰がれる。八束劔を執つて高天原から天孫の降臨に奉仕した忠良も、畝傍山東南橿原の宮に八紘一宇の肇國大精神を宣揚して、卽位の大禮を擧げさせ給へる皇宗に伴の雄として、海行かば水づく屍山行かば草生す屍を誓ひ、滅私奉公した勇士もみな我等の祖先である。試みに悠久二千六百年の時間を一日に壓縮し得ば、昨日の神武天皇は卽ち今日の今上天皇陛下であらせられ、美豆良頭に弓箭をもつ大伴物部等の忠臣は、戰車に爆擊機に艦艇に活躍しつゝある忠烈無比の皇軍であり、神のつくりなせる豊葦原の大八洲はそのまゝ輝く大日本帝國である。このやうな歷史の國が地球上どこにあらう。神國日本とはこれである。歷史は唯一である。過去に逆つてつくるわけにはゆかぬと同樣將來も創造である。眞實の歷史こそ神のつくるもの神の使命である。

祖國愛の搖籃は母性の尊き暖き懷である。母性が祖國悠久の歷史への憧憬が自ら溢れて童話物語史話となり、更に根本的には不言不語體認から體認へ傳へられる胎敎から全的遺傳にまで及ぶ。

祖國愛はまづ鄕土愛から育てられる。鄕土愛は鄕土史に根をもつ。我等の幸福は其所にもあつて、我が大八洲に於ける鄕土史は寸土尺地何所も同じく、皇國國體の精華を發揚する狹き皇國史であることである。この幸福も他國にては求め得らるべくもない。

皇都としての大阪といふ周知の鄕土史であり國史であるものを、簡素に回顧せんとするのも『子供之世紀』愛讀の母性に敬意も表し訴へもしたいためである。

皇都大阪の概要

大阪は最も古くして最も新しき、不可思議な世界的大都市である。神武天皇御東幸によつて紀元前四年初めて世にあらはれた『浪速』は、第十六代仁德天皇、第三十六代孝德天皇、第四十五代聖武天皇、第九十七代後村上天皇の皇都として前後百八年、又、第四十代天武天皇より第五十代桓武天皇に至る、凡百十七年間は準皇都の地であつた。京都平安京一千餘年には比すべくもないが、奈良平城京よりも花の吉野朝よりも、又今日に至る東京帝都よりも長い。而も皇國史上特記せらるゝ最も光輝ある時であつた。加ふるに古くより數々の離宮も置かれ、由緖深き社寺は現存するものも數多く、稀有の聖地であり聖都である。然るに今日の大阪は經濟產業の首都として、たゞ物質の都金の都とのみ見られてゐる。儼然たる大阪城の如きも、いかにも力の表象として豊臣及び德川時代の實力を示し、豊公築城直前の石山本願寺の文化も、遠き高津宮豊碕宮等の聖蹟をも、壓倒するかの感もあるので、無理もないことながら遺憾である。今日の大阪の上に皇都としての光輝が耀くことは、新東亞建設上にも一大偉力を副へることに思はれる。

仁德天皇高津宮

『高きやにのぼりて見れば煙立つ』の、時平の歌に有名な高津宮は、仁德天皇が皇子として既に宮居し給へる由緣の難波の地——諸說あれど大體大阪城丘陵地帶中心は、今の八聯隊營所の邊——に營まれ、謙讓三年の後御卽位、至仁至德君民一本の皇國國體具現の聖世八十七年であらせられた。

當時の難波は、皇祖母神功皇后皇考應神天皇の國威發揚の後をうけて、外交上文化上の要衝であつたことは想像に難くない。たゞ當時の難波の地勢は、今の大阪城上町一帶の丘陵が岬となつて、橋立のそれの如く東北西の渺茫たる水面に蜿蜒突出し、北方デルタ地帶には次々と幾多の島が現出し、岬丘の緣邊や低平の地域は、屢々水害なども被つたやうである。天皇の詔によつて、郊澤のみ曠く田圃少く河水が溢れて下流せず、霖雨あるごとに海潮が逆上して、行路も舟をやらねばならぬ有樣がわかる。かの卽位四年春、高臺に登り遠望あらせられしに煙氣起らず、百姓の窮乏を察し一切の御窮乏を御忍びあつて、三年又三年の課役を免じ、先づ民力の休養蘊蓄を圖らせ給はつたことも大要拜察が出來る。

課役免除三年後の卽位七年四月一日に、再登臺せられたるに「民の竈は賑はひ」、煙氣盛に起り立つを欝はしては、御感のあまり一切の御窮乏を忘れさせ『朕既に富めり』と仰せられ、君民一體の聖敎を垂れ、尙更に三年の課役を免じ給はつた。そこで民力は殷盛にいづれも感激報恩の至情を漲らし、まづ頹壞年久しき高津宮の修築を懇願した。『是に於て百姓老を扶け幼を擕へ、先を爭つて來赴き、材を運び簣を負ひ日夜營作し、未だ幾ならずして宮室悉成り』、燦然として押照る難波の海に映えるに至つた。爾來疏水掘江拓地開圃架橋敷道等々の大土木を成し、內政整ひ外交振ひ物心の文明眞に劃期を來たし、肇國宏遠の國體君民一本の精華、幾百千年の後世にまで光被してゐる。

高津宮の南門から直指して、河內丹比邑に至る大道のほとり、百舌鳥耳原—堺市—に崩御前廿一年に作らしめ給へる壽陵、所謂大仙御陵を千五百四十年後の今日、昔ながらに景仰し奉り得る皇國民の殊遇は何にたとへよう。

孝德天皇難波長柄豊碕宮

高津宮に仁德天皇崩後二百四十七年、大化元年十二月九日に、都は飛鳥より難波長柄豊碕宮—諸說紛々たれども大體高津宮と同樣大阪城丘陵地帶—に遷され、白雉五年十月十日この宮に天皇崩御まで、十年間再び皇都となつた。尤も遷都の完成は遲れ、新宮殿の大成は六年の後にもなつてゐるが、遷都は初より行はれ、難波の地の諸宮殿にあらせられたのであつた。

大化改新は神武天皇御創業後未曾有の大革新であつた。紀元千三百五年に至るまでに、所謂部族政治の餘弊は愈增大し、就中强族の跋扈は遂に幾多の潛越をも敢て行ふに至つた。聖德太子の御一族までが御信望高きが故に、擧つて滅除せらるゝに至つたので、皇極天皇の四年卽大化元年六月十二日、飛鳥板葢宮に於ける中大兄皇子、中臣鎌足等の義擧となり、蘇我氏の誅滅をその魁とした。次いで十四日皇弟孝德天皇踐祚、乃ち天神地祇に告げて肇國の大精神に依つて革新を斷行すべきを誓はせられ、始めて年號を立て此年を大化元年とした。未曾有の大革新は、武治文政相並んで着々邁進せしむべく、是年の十二月に難波遷都が行はれた。

當時難波の地は、半島並に大陸との交通の頻繁によりて愈重要性を加へ、かの文化の大殿堂たる敬田悲田施藥療病四院の四天王寺の如きも、夙に聖德太子によつて創建せられ、積極進取の大改革をなすに最適の地として選ばせられ、大規模の都が龕められたのであつた。かくして大阪は皇國史上三大革新といはるゝ大化改新をこゝに完遂し、神武天皇御創業に方つては浪速としてあらはれ、明治維新には大久保甲東等の大阪遷都の主唱の中に、事實賢所を奉じての長期の行幸が、明治元年三月に於て仰がれ、諸般の新政がここに發端するに至つた名譽を負つてゐる。

攝津職の難波と聖武天皇難波宮

孝德天皇崩後難波は直接の皇都ではなかつたが、依然外交文化の中樞であつて準皇都の面目を維持した。乃ち廿三年後の天武天皇五年十月に、內大錦下丹比麻呂を攝津職大夫として難波を經治せしめられた。之は地方官でなく中央官として、明に難波の準皇都たる重要性を示されたものである。爾後百十七年間、桓武天皇が長岡京から平安京に遷都せらるゝ前年、卽延曆十二年三月攝津職を改廢して攝津國とせらるゝまでつゞき、和氣淸麻呂も大夫であつた。

其の間に於て天武天皇は、再び難波遷都の御計畫もあらせられたが果されなかつた。天皇の御曾孫聖武天皇は屢々難波宮に行幸あらせられたが、遂に天平十六年正月廿六日勅定して行幸中の難波宮を皇都となし給ひ、翌十七年五月六日車駕再び恭仁京に遷らるゝまで、一年有半なれども大阪は三度皇都となつた。かの大佛鑄造を信樂に於て試みられしもこの時であつた。

後村上天皇住吉行宮

攝津職が改められて攝津國となりてより星霜五百六十餘年、吉野朝後村上天皇は正平十五年九月住吉社—正印殿住吉殿—に行幸あらせられてより九年、正平廿三年三月十一日是所行宮に於て、御年四十一を以て崩御せらるゝまでは、大凡こゝに駐蹕あらせられ、四度我が大阪は皇都となつた。もとより吉野朝の歷史は甚しく史料を欠き、年次等必ずしも定かならず、その都も吉野賀名生天野觀心寺等いづれも假宮と考へられ、京都の皇都を主とせられてゐるが、それは南北對立を豫想したるもので吉野朝としては至上の皇都と見奉るべきである。後村上天皇が後醍醐天皇の繼體の君として御年十一を以て踐祚あらせられ、終始天業の恢弘をはかり給ひ、悲壯なる御生涯を終らせられたのである。

南風は遂に競はず天皇の御素志は長く遂げ給はなかつたが、豊臣から德川の繁榮の時も、終に近く慶應二年夏には將軍德川家茂が大阪城に病歿し、翌三年には大政奉還幕府滅亡、翌明治元年には明治天皇大阪行幸となり、皇政復古の大業初めて緖につき、後村上天皇の御素志が成就せられた。

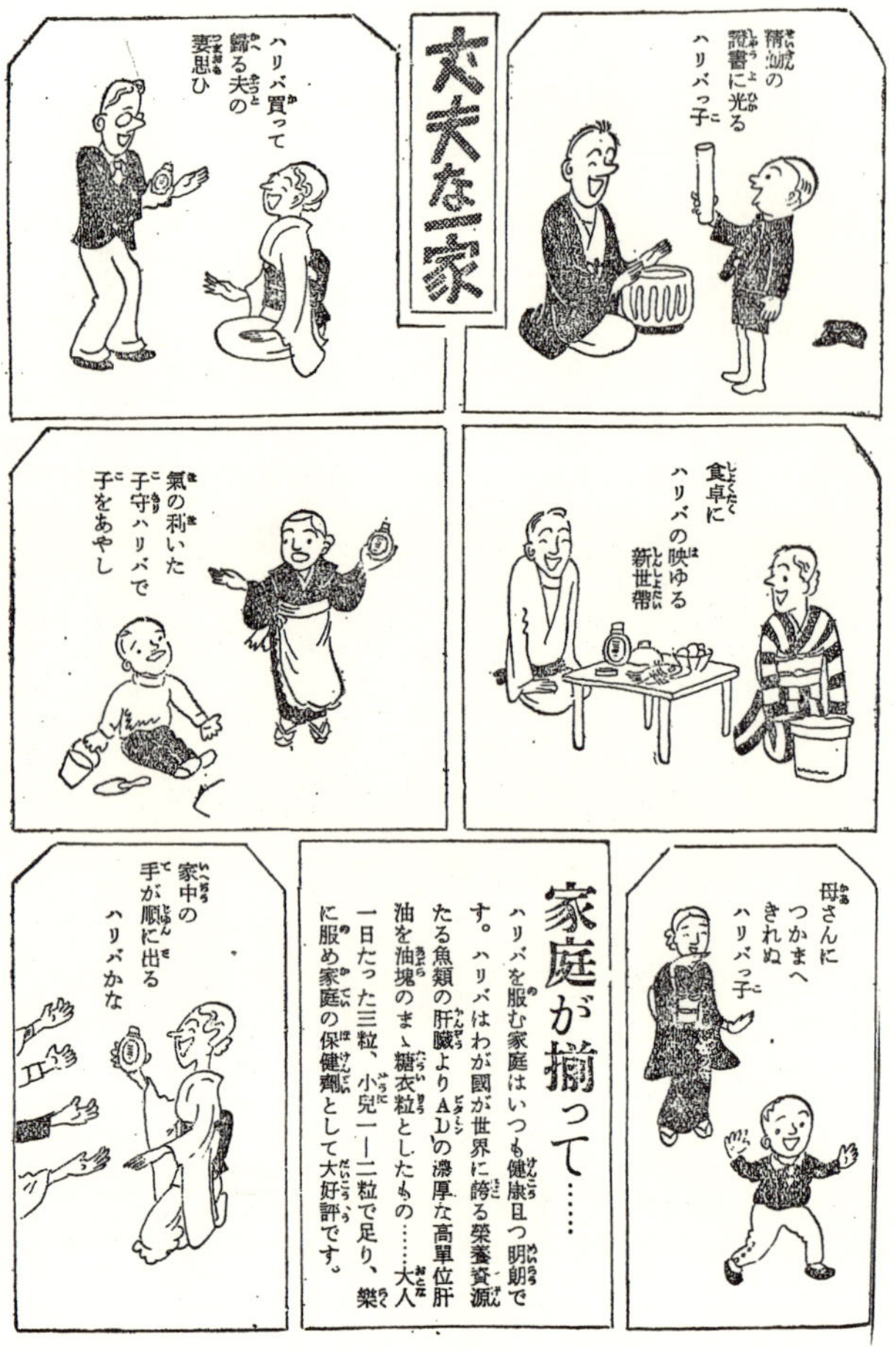

神代の聖地巡拜

川口信教

緒言

二千六百年に當り、吾人大和民族は建國の地大和の地に參るは當然のことであるが、然し畿内に住む者が橿原に行くだけでは、充分に神武の聖業を味ふことが出來ない。どうしても建國以前の地、即ち日向方面に行き細かく御東征の御苦心の程を偲ばねばならぬと思ふ。

この意味に於て私は昨年十一月下旬大和民族として忘るべからざる民族發祥の地、筑紫の日向の橘の地に旅行し神代三聖の神社に詣で親しく祖先神々の偉業の程を拜して來たのである、而して吾等の祖先の神々樣があの嶮岨な地に於て、その昔種々御活躍遊ばされたかを偲び感無量のものがあつた。

霧島神宮

霧島驛に下車するとバスが連絡してゐて約二里の山道を二十分位で有名な、高千穗の峯の麓なる霧島神宮に參拜することが出來た、神宮は鹿兒島縣内に鎭座ましますがこの邊一帶は高原地帶であり、はるかに天孫降臨の日向卽ち宮崎縣の高千穗の峯を見ることが出來る。

霧島神宮は天孫瓊瓊杵尊を祀る官幣大社である。この地方の人は多く參拜する樣であるが、神社具付の參拜者名簿によると昭和十四年になつて私達の參拜した十一月下旬までに十七名しかなかつた、高千穗山麓の森の中に鳥居から參道の橋、社殿の總てが朱塗りの金の金具が眞によく調和したるもので、現今のお社殿は二百二十年前、國主島津吉貴公の重建にして誠に壯嚴を極めてゐる。

高千穗の峯に登るにはこゝから往復六時間は要するとのことである、私の參つたとき一緒に鹿兒島から行つた高等小學の女生徒が辨當を終つて草履をはいて登る仕度をしてゐた。

私等も登りたかつたが時間の都合で中止した、頂上に

は天の逆鉾ありと云ふ。

青島神社

尋三の國語にある二つの玉、卽海幸山幸の傳說のある青島は又熱帶植物の繁茂で有名である、こゝには瓊瓊杵尊の御子、彥火々出見尊及その妃豐玉姬命を祀つてある青島神社がある、この宮はさして大きくはないが昔から色々の行事のあつた祭があるとのことである、こゝは宮崎よりバスで三十分約三里程離れた大平洋の中にある島で、干潮のときは陸から步いても行ける島である、大變變つた島でその樹木及岩は全く見ものである。

海幸山幸の話は、國定教科書や又は或る小說戲曲等にあるからこゝに略することにするが、あの時釣針を求めて龍宮に行かれた弟神火遠理命が後に彥火々出目尊となつて第二代をお繼ぎになり我が國を治められたのであるが、その時龍宮の神樣豐玉彥のお娘樣豐玉姬が、彥火火出目尊の後をお慕つてお出になり遂に妃とならせられたのである。

鵜戸神宮

この豐玉姬がお姙娠遊ばされ、そのお出產に際し別棟を作らせられ、お屋根を葺く間を待たれずに岩屋の中でお出產あらせられたのが卽鸕鷀草葺不合尊で、卽鸕鷀草を葺くのに間に合はなかつたと云ふ意味のお名を名乘り遊ばされたのである。

このとき姬は夫君彥火火出目尊に、このお產場を見てはなりませんと云はれたのに、尊は見てはいけないと云はれるとなほ見たいのが人情で遂に御覽になると、龍が赤ん坊卽ち鸕鷀草葺不合尊を抱いてゐた。姬はこの姿を夫君に見られたのを非常に恥しくお思ひになりそのまゝ龍宮にお歸りになりました。然し後に殘した我が子鸕鷀草葺不合尊のことが氣になり、妹玉依姬に飴を持たせておつかはしになりお育てになつた。今鵜戸神宮の名物は乳飴でありその境内の窟の天井より落つる水を呑むとお乳が出ると稱せられ婦人方は皆呑んでゐた。

このお宮は卽第三代鸕鷀草葺不合尊を祀つた宮であつて尊のお誕生の地である。大層異つた宮で卽大平洋の波逆卷く岸邊の大きな岩窟の中に彫刻極彩色等の華麗な社殿があり、波打つしぶきあは等が飛び舞ふ所を素裸足で參拜せねばならぬのである。

宮崎市より青島を經て約十二里餘り大平洋岸に面して七廻り七峠の嶮を越えて行くのでその中自動車は或は波しぶきを浴び、或るときは二百尺の斷崖上を走り或るときは岩石の頭上に迫るあり眞に物凄く、昔よりこの社に參拜する者で心掛の惡いものは無事に歸ることは出來ないと稱せられてゐるとのことである。

又宮崎地方では昔から新婚の夫が妻を貰つたら直ちにこの鵜戸さんに參らぬと、人からかいしようなしと云つて笑はれ、この嶮岨な道を若夫婦が蝶に道を訪ね、花にたはむれつゝ四五日費して新婚旅行をなしつゝ參拜したものだ、その歸り道は途中まで親や親族が馬を持つて出迎へたものであり、そこで新夫は新妻をその馬に乘せ自分はそのたづなを取つて歸る、所謂シヤン〳〵馬の鄕土藝術となつたのである。今宮崎の生產物にこのシヤン〳〵馬の彫刻、繪等あるはこれに由來してゐる。

宮崎神宮

吾人が常に神前に於て神宮の祝詞の中にある筑紫の日向の橘の地は卽ち宮崎である、前述の鸕鷀草葺不合尊のお子神武天皇を祀る宮崎神宮のある所である。今の宮崎市の東端にある神宮は神武天皇が御東征の軍議をなされた所に鎭座まします、小山の如き遠影で、大阪の南河應神陵を眺める感がある、神宮は質素な白木造りである、そこより十丁程離れた所に皇居屋と稱して神武天皇の御皇居跡がある、こゝは餘り廣くはないが當時お使用の井戶があり小祠がある。

神武天皇この日向の橘の岸でお祓の後お舟出遊ばされたのであるが、そのとき土地の人々はせめてものお餞別にとてお團子を作つて差し上げ奉らんとしてゐたが、潮の都合でお出立が急に早くなつたので、お團子が充分まに合はず、つきたてのまゝお舟になげ入れたとて、今につき入れ餅の名物が賣り出されてゐる。この日向の橘は今大淀川の川口にあり、この川の橋の所は今橘通りと稱して宮崎市第一の立派な町である。宮崎は最も古い町であり、且つ最も新しい町で今日は日進月步の躍進を續けてゐるが、我が大和民族發祥の地として吾人は一本一石も捨て難い氣がする、遠く吾等の祖先がこの地を步き廻つてゐたことであらうと思つて實に感無量であつた。

尙別に宮崎遊覽バス會社から賴まれた譯でもないが、このバスを利用することは旅行者に最も便でバスガールが美しい聲で、宮崎の歷史地理理科產業から宮崎の生んだ人物生產物の案內まで語り、參宮の手洗水までくんでくれるサービス振から、熱帶植物の靑島でバス乘合客の記念寫眞まで撮影し、辨當の世話等七時間のバス生活は實に愉快で恐らく全國第一であらうと思ふ。

私の行つた日程

尙參考までに私の行つたコースを記す。

第一日　午後五時四十八分大阪驛發夜行、下關行。

第二日　午前六時長府着、忌宮神社、乃木神社、赤間宮に順次參拜後、九州に渡り香椎宮、筥崎神宮、太宰府神社に參拜の後福岡縣少年敎護院、福岡學園見學の上午後八時博多驛再び夜行にて鹿兒島に向ふ。

第三日　午後六時鹿兒島着、自動車にて市內一巡し照國神社、南洲神社に參拜し、城山を見て同九時鹿兒島發にて霧島に向ふ、午前十時半霧島驛にて途中下車し、霧島神社に參拜し午後一時半同驛發、都城を經て宮崎に向ふ、午後四時宮崎着、宮崎神宮皇居屋に參拜の上市內にて宿す。

第四日　午前八時半より宮崎遊覽バスにて市內の見物に次いで靑島神社に參り遠く鵜戶神宮に參拜し、午後四時宮崎歸着直ちに汽車にて別府に向ふ。午後十時別府着一泊。

第五日　午後別府見物地獄廻り等、午後一時半別府發海路こがね丸にて大阪に向ふ船中で宿す。

第六日　午前八時四十五分大阪天保山着。

後　記

九州一周としては雲仙と阿蘇を殘したことは殘念だが日時がなかつた上に專ら宮崎神宮と神代三代の神社に參るのが目的であつた關係上止むを得ず、それ等を後日の樂しみに殘し又神代三帝の御陵にもお參り致したかつたが、それもとても不便の地にあり一陵に參るのでも一日を要する關係上乍殘念後日にゆずることにした。

ハンガリーのお話

深　海　　昇

ハンガリーは昔から、大變日本及び日本人に好意をもつてゐる國ですが、第一次歐洲大戰以來、さうした感情が俄に高まり、昨今文化協定、防共同盟の一員に加つてから、更にハンガリー國民の親日熱は白熱化して來まして、日洪の握手を祝福し、全世界平和のためには最後の血まで惜まぬと、民族的情熱を昂めてゐるのですし、從つて日本に對する友情の程も、私共の想像以上のものがあるのです。しかし、外交的、政治的なお話は別の機會にゆづるとして、こゝでは餘り紹介されないハンガリーの興味あるトピック的なお話を拾つて見ませう。

御承知の通り、ハンガリーは昔から東洋系の人種だと、皆な信じてゐて、ヤパーノツク、ア、ミ、テシユトブエール、ネセゼトンク（日本人は我々の兄弟だ）と云つて居り、それに就て、美しい傳說を今だに語りつたへてゐます。それで、ハンガリーの少年少女達は、必らずお父さんや叔父さん達から、夏の夜の美しい「天の川」を眺めながら、「昔々、東洋から、私達の先祖があの空にかゝつてゐる橋を渡つて、この國に來たのですよ。ですから、よくご覽なさい。今でも、時々あの星の上を鎧兜をつけて、馬に乘つたサムラヒの魂が渡つて來るでせう」と聞かされるのです。かうした物語を幼いうちから聞かされて育つたので、大きくなつても一種の信仰的な民族觀をもつ様になつたのでせう。

○

それから、田舍の子供達に忘れてならない生活に鶴がゐます。日本のあの美しい鶴とは少し違ひ、大きさは同じ位ですが、嘴と足が眞赤で、滑稽味を帶びて、愛らしいものです。私は動物學者でありませんから、詳しいお話は知りませんが、或ひは鍋鶴といふ鶴に似た鳥ではないかと思つてゐますけれど。每年暖かくなると、家々の大きな煙突の上に立派な巢を慥へて置いて、同じその鶴がきつと歸つて來ます。よ

くその季節になりますと、年寄つたお百姓さんが、自分の家に戾つて來た鶴の首を撫でながら、「やア、おぢさん！また來たか」と馴染み深さうに話しかけてゐる光景を見かけるのです。恰度日本の燕のやうに親しいものですね。

○

また、ハンガリーの蜃氣樓は實に素晴しいもので、北極のオーロラの樣に旅人を吃驚させます。遠くはアフリカの棕梠の樹がはつきりと見えたり、近くはチエツコ・スロバアキヤやルーマニアなどの隣國の町とか村などが鮮やかに、空中に浮んで見えることがあるさうです。氣象の關係でせうが、中歐の國からアフリカの樹までがはつきり見えるとは珍らしい蜃氣樓ではありませんか。

○

また、ハンガリーではお母さま達が可愛い子供の爲めに優しいお話をして聞かせます。ハンガリーはカトリックの國ですから、どんな小さな子供でも日曜日には敎會の彌撒に參りますが、母親達は子供達を正しく立派に育つやうにと、絕えず祈ります。子供達の一番樂しみにしてゐることの一つに、お母さまから話して頂くお話があります。それは優しい女王さまのお話です。

――昔、エリサベト女王樣といふ優しい美しいお妃さまがいらつしやいました。非常に信仰の厚いお情け深い女王樣で、いつも王樣にかくれて哀れな病人とか貧乏な人々に、慰めと施與をしていらつしやいました。或日のこと王樣はそれにお氣づきになつて、大變立腹なさり、いやしくも上に立つ者が、賤ましい汚い人々の所へ行くとは穢しいことだ。これからは斷じてその樣な行ひはしてはならぬ。ときつく申されました。でも、女王樣は、矢張りお可哀想な人々のよき慰め人でしたので遂に王樣はたまりかねて、女王樣が裏門から忍んでお出掛けになるところを見つけられ、そして女王樣の裳裾の中に一杯入つてゐたパンやその他の食物などを指され、「どこへ行くのか？それは何だ？みんな出して見せなさい」と劍をもつて詰め寄られたのです。しかし、女王樣は平然としたまゝ、（何事も神さまのお胸のまゝに）と云つて、裳裾を擴げてご覽になりました。すると、どうでせう。パンなどの食物が入つてゐた筈の裳裾の中には、輝やくばかりの美しいバラの花で一杯ではありませんか。王樣はそれをご覽になつて、神さまのあまりにもお德の高いのに、今更の樣に驚き且つ恐れて、それから後はすつかり改心なさいました。

○

ハンガリーの小さな子供達はこのお話がとても好きなのです。恰度、日本の子供達が花咲爺や桃太郞などのお話に耳を傾けながら大きくなつたやうに。

それからまた、ハンガリーにはこんな愉快な習慣があります。ハンガリー

の冬は雪が多いので、田舍では戶外の仕事が出來ませんから、女の子達は皆な集つて、お部屋の中でお話をしたり美しい刺繡やレースなどの縫物をします。これは女の人達にとつて樂しい冬の生活の一ツなのです。そして、每年かうして若い女の人々は樂しい結婚の夢を描きながら、晴着を縫つたり、ベツドカバー（しきふ）や卓子掛け、カーテンなどをこしらへ、それ等を嫁入道具に持つて行きますが、自分で作つた品數が多いほど、「働き者」とされて、婿さんに大變可愛がられます。美しい習慣、結構な心掛けですね。

さう云へば、あの中歐の小諸國は大抵手藝が盛んですけれど、領ける樣な氣がします。昭和四年でしたか、當時の田中文相に、ハンガリーの婦人敎育家グスターフ・クルスといふ未亡人がいろ〳〵な物を贈つて參りましたが、その中に見事な手藝品がありました。この未亡人は昨年の一月だつたと思ひますが、再び荒木文相に宛て、新しい人形やハンガリー婦人獨特の寶石をちりばめた短衣やスカートや手藝品などいろ〳〵の物を澤山贈つて來ました。日本婦人の手先きの器用さにも負けないほど見事な品物ばかりで、これも雪の多い地方によく見られる家庭產業の盛んなのと同じやうに、自然がさうさせたのかも知れません。

○

お話が永くなりましたから、最後にもう一つ附加へて終りませう。これは日本の千人針に似たお話ですが、ハンガリーにも愛國的なものはあります。ハンガリーの婦人達は、名譽の出征兵士のために、薄い金物で造つた心臟（ハート）形のものを眞心をこめて祈りながら、兵隊さんの胸にかけてあげるのです。もし彈丸が當つても大事な心臟は、そのハートの金物が守つてくれる意味なのです。日本でもこれと同じことは支那事變で經驗してゐますね。母や戀人から贈られた金札のために生命を救つたとか、千人針に縫ひ込めた銅貨のお守りによつて一命を免れたと云ふ樣なことは澤山あつたのです。第一次大戰の時には、婦人も子供も皆な力を合せて、お國の爲めに働き、赤十字に出ました。

旅心湧く

ツカダキタロウ

一、序

深日浦に住んで一年有餘、此の間に旅らしい旅をしなかつた私が、招かれて廣島縣三原市の、藝備保育大會に出席する機會を得た爲め、數泊の旅をなすことが出來たのは、近來嬉しいことでありました。

秋晴の中國の島々を巡り、療養所を訪れる機會をも併せ得ため、旅心頻りに湧き、久方ぶりの愉快を感じましたので又旅日記を記さうと思ひはじめた次第です。

此度の旅は、私の園兒がJOBKのマイクの前に初めて立たせて頂いた事から始まるのでありまして、眞に因緣の面白さを今更の如く感じさせられます。田舍の、然も開園早々の幼稚園兒が、晴れの放送が出來るなどとは、夢にも思つてゐなかつたと申した方が、正眞な位の有様なのです。

然し、幼稚園が幼な思ひ出を尊重する教育機關である限りに於ては、在園中に數々の經驗をさせて置きたいものと、今夏は「夏休み廢止」をはじめ「園兒のみの一泊旅行」などを致した次第。放送もよい思ひ出にこそと思つたのです。

何しろ、大阪へ一時間と言ふ遠方である爲め、同じ大阪府下にあり乍ら、とかく「他縣扱ひ」を受けてゐる村の實情故放送局を知らぬ親達も多い譯ですので、附添に親達も同行させて、共々放送局見學の喜びを得させ樣と、同勢六十六名の大人數で朝早く出發したのです。

今日を晴と着飾つたのは、園兒達よりも附添の親達で、紋附羽織と言ふ氣張り方。地下鐵はじめ、大阪市の交通量の絶大なのに驚き乍ら放送局着。

無事放送も終り、見學も終つて、大阪城、天王寺動物園などを見物して、午後三時過解散。それから私共の旅の支度にとりかゝつたのです。

今度の用件は、廣島縣三原市の三原女子師範學校竝に附屬幼稚園で開催される「藝備保育大會」に出講することなので「幼兒童話の實演とその說明」といふが私に與へられた演題であります。

頼まれゝば「越後からでも米搗きに」來るとさへ諺にある通りで、喜び勇んで御引受けしたのでありました。と申するには、今一つ理由があつたからであります。

二、病友を思ふて

つれ〲の友となりてもなぐさめよ
行くことかたきわれにかはりて

この御歌を拜する程の者が、感激措く能はざる如く　皇太后陛下の「癩病者」に對する御仁慈の御心を拜する國民として、一日も忘れてならぬものは、病友に對する同情でありませう。

「お前の雜誌は、癩病の本か」と未知の方から評されし程、私の筆が常に「病友と療養所」に向ひ勝ちであつたことは、既に御承知の通りでありまして、暇ある毎に癩病院を訪れるのが、私の何より樂しみであつたのです。

處が、最近此の地深日浦に居を移すと共に、南海幼稚園の創設は地理的にも、時間的にも外出の困難を來たし、遂に昨年度竝に今年度に於て、一つの癩病院をも訪れることが出來なかつたのでありました。

此時に當つて、JOBK放送の翌日、廣島までも招かれしことは、時間的にも地理的にも眞に不思議な御命令でありまして、三原の歸りに、充分愛生園へも訪問するの餘裕を生じ得ることになるのであります。

二年間の御無沙汰を詫びると共に、同じ長島の西端に昨年開園され、長島愛生園の醫官たりし神宮博士が園長として就任されてゐる光明園（元の外島療養所）をも初訪問する機會が捉え得る譯であります。

更に、若し海路穩かなりせば、國立公園「瀨戸内海」を横斷して、未知の航海を經て、大島療養所に直航し得る可能性が充分あるのです。行かずんばあるべからずとの考へが生じたのは當然でありませう。

因緣クサイ言葉を竝べる心算はありませんが、眞に不思議とも申すべき發端にて、思ひもかけず「氣にかゝる雲」を拂ふことの出來たのは望外の幸福でありました。否、實は望外ではないのでありまして、望内の實現だつたのであります。

前述の次第で、愛生園へは二年ぶり、光明園は初訪問、大島へは三年ぶりと言ふ空前の疎遠ぶりであつたことに氣がついて「一度島々を訪れたいものだナア」と長歎息をしたのは月初めのことでありました。

丁度その翌日の朝舞ひ込んだ手紙が、實に三原女師附屬幼稚園よりの招聘狀であつたのです。

早速廣島縣の地圖を按じ、時間表と首ぴきして、三原市ならぬ長島訪問、大島廻航の旅程を作成して自信を得た上で、承知の旨を先方へ通知した次第であります。

これは私の未知の方には、眞に御不審のことゝ存じますが、十年來の「私と癩病院」との關係を御存じの方には、如何に私がこの機會を喜んだか御想像願へると信じます。御歌の御主旨にもある如くこれは國民として當然のことであると共に、主催者の廣島の方々にも御許しが願へると思ひますと共に、この好機をお與へ下さつたことを、心から感謝致して居ります。

三、夜行列車

隨分旅行なれてゐた時には、よく夜行列車を利用して、宿ない旅行などやつたものでありますが、久振りの旅には、果して昔の如く夜行列車で三原まで行つて、翌日のお役が勤まるかどうか、甚だ不安であつたのです。

と言つて、晝間の汽車で行つて宿をとるほどの餘裕もなし、如何ぜんものかと案じてゐますと、畏友大塚喜一兄が、京都に於て三等寢臺を豫約することを引受けて下さつたので大助かり、一安心をしたのでした。

大塚喜一兄の事に就ては、今後屢々申述べる機會があると思ひますので、今は同兄が京都平安女學院專攻科の保育科の教授であつて、私が最も敎へを受けてゐる親友であること丈けを御紹介申して置くに止めますが、同兄の保育界に於ける特異の存在であることゝ、幼兒童話に對しての權威であることは、既に全國的に有名な事實であります。

丁度京都發下關行の普通列車が、急行と同じ速力で走るので、その列車に上段の寢臺をお願ひして置いたので、ワザワザ京都より寢臺券を持參して來阪して下さつたのを梅田驛(阪急の)に出迎え發車時間迄の間を、例により「談判」に費すことゝなつたのです。

この「ダンパン」なる語は、大塚兄の最も好きな言葉でありまして、毎月の泊りがけの深日浦訪問も、實は幼稚園半分このダンパン半分と言ふ有樣なのです。

ダンパンの內容は、主として保育に關することゝ、同樣に幼兒童話に關するものでありまして、是に就ては、いつか詳しく記して見たいと思つて居ります。

とにもかくにも、大塚兄の御厚意により、夜行列車の座席の豫約だけ確實となつたので、非常に安心をしたのでありますが、この夜行列車の混雜たるや、實に言語に絕すると申すべきであつたのです。

この列車は前述の如く、急行券を要せぬ急行とも申すべき性質を有するだけに大阪驛のプラットホームは乘客の山であります。

始發驛京都のことゝて、僅かに始發驛だけの乘客だけしかないこの列車が、大阪驛に於て、既に滿員を越えて、どの客車もどの客車も、全部通路もギッシリ立ちん坊で一杯の狀態になつて終つたのです。

私は會社に勤めてゐました時には、よくこの列車にのつて長島愛生園を訪問したもので、夜行列車の混雜の辛さを充分に味つてゐます。いつだつたかは、重い荷物を手に提げた儘、ステップに立ち通しで岡山まで行つたことがあつた程で、おかげで二三日寢ついたことを覺えてゐます。

今夜の列車も、文字通りの滿員で殊にどこかの女學生が團體で乘つたのですから、嘸、女學生も他の客も困つたことでせう。

友の情と言ふものが、如何に有難いものか、私は今更の如く感謝しつゝ、第一號上段の寢臺に、ゆる〳〵足を伸ばし乍ら、驛々の乘客の困難や混雜を知らずに三原へと下つて行つたのでありました。

(以下次號)

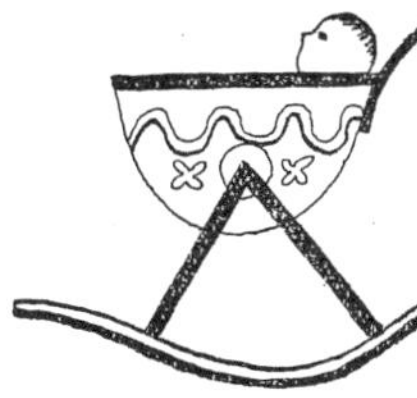

新いろは童話

——第四回——

坂野潤

さ むいかぜのふいてゐる、さかみちです。かれたすゝきのはが、かさ〳〵かせになつてゐます。

さつきから、どつかのこもりが、うたをうたつて、たつてゐます。もうひがくれて、さむい、さかのうえです。「こもりさん、はやくおうちへ、おかへりよ。」

き れいな、はなびです。おほしさまのやうに、きらきらひかつて、きえました。

こんどは、きくのはなのやうです。ほんとに、はなびは、きれいですこと。

ゆ きだ、ゆきだ。はつゆきだ。にいさん、しやしんを、とりました。こいぬのころも、うれしさう、ゆきのなかを、はしります。

ゆきだ、ゆきだ。はつゆきだ。みる〳〵うちに、つもります。つもれば、つくろよ、ゆきだるま。

め だかが、ちよろ〳〵と、およぎはじめました。やなぎのめもふくらんで、もうはるです。にいさんが、めいよのせんしをしたのも、いまごろです。まもなく、ひばりもなきだすでせう。

み ごとな、みかんです。いなかのをぢさんが、おくつてくれたのです。みんなで、たべませう。おとなりへも、おむかへも、おわけしませう。

し やぼんだまを、つくりました。ふけば、だん〳〵ふれて、ひとりでに、とんでいきます。くる〳〵まつて、あかくなつたり、あをくなつたりします。おしまひには、みんなわれて、どつかへ、きえてしまひました。

ゑ かきさんが、ゑをかいてゐます。じやまをしないで、みてゐませう。

あれ〳〵、はとをかきました。はとはなにもしらないで、ゑさをひろつてゐます。おほきなこゑをしては、はとはにげてしまひますよ。しづかにみてゐませう。

ひ のくにの、はたはひのまる。おひさまが、かがやくやうだよ。ひのまるのはたは、ばんざい。てにもつて、みんなうたふよ。

ひのくにの、はたはひのまる。おひさまがのぼるやうだよ。ひのまるのはは、ばんざい。かどごとに、たてていわうよ。

も し、もし……」おねえさんが、でんわをかけてゐます。おともだちの、とこへです。

「もものおはなみに、いきませう。」と、いつてゐます。わたしもいつしよに、いきたいなあ。

せ いのたかい、せんせいです。けふから、ぼくらのくみの、うけもちです。はせがわせんせいと、いひます。

いちじかんめに、せんさうのおはなしを、してくださいました。ぼくらのせんせい、よいせんせい。はせがわせんせい、ありがたう。

す ずめが、ちゆん〳〵なき〳〵あそんでゐます。ようちゑんの、すなばです。なにかみつけて、みんなでなかよくたべてゐます。こつ〳〵と、くつおとをたてると、すずめはとんでにげましたが、すぐ、またすなばにおりてきました。

—おしまひ—

賀川豊彦氏『太陽を射るもの』以後——(四)

村島歸之

六九、親鸞よりは日蓮に

親鸞は「歎異抄」の第六章において「親鸞は弟子一人ももたずさふらふ」といつてゐる。つまり、求道者に對する場合、敎化的、指導者的態度をとらず、「共に如來の敎法聞かん」といつた行き方をしたのである。これに反し、日蓮は自らを大善知識とし、眞理の體得者としてその所信と情熱の下に萬人を吸引し、指導し、敎化した。從つて、日蓮の敎を受けた者は悉くその弟子となり、又弟子であつた。

わが賀川氏は、親鸞であるよりも日蓮である。その指導性においても、又その情熱においても。——

氏は自己の所信の絕對的眞理なることを確信して、神の名においても民衆を敎化し、且つその詩人的情熱の下に大衆を指導してゐる。氏は、だから日本全國に、いや世界各國に多くの弟子を持つてゐる。

彼等は必ずしも基督敎信者ではない。しかし賀川豊彦の弟子であり、賀川宗の信者であることだけは間違ひない。そして、氏の弟子、氏の信者は、佛敎徒における日蓮宗徒と同じく、他の敎徒よりも遙かに熱情的、積極的である。その上に、彼等の悉くが小日蓮、小賀川を以て任じて、日常坐臥もその師に倣はうとし、又これに似通ふ點を多く持つてゐる。

賀川氏とその事業に接近したことのある人は、氏の周圍に多くの小賀川の存在する事を知つてゐるだらう。賀川服と呼ばれる足袋地のコールテンを以て作つた一着三圓五十錢の洋服をまとふてゐて、その外形が酷似してゐるのをいふのではない。理想に燃え、信念の下、情熱をたぎらせて、勇敢に、大膽に驀進して行くその態度が皆同じだといふのである。

賀川氏の影響下に立つ者は、悉く同じ鑄型に鑄込まれるのである。

ところが、此處に一人の例外がある。しかも、その例外の彼は實に賀川氏の弟子の中の弟子、第一の弟子ともいふべき人なのだから不思議である。

彼といふのは、「死線を越えて」に竹田の名で出て來る武内勝氏の事である。

七〇、型の違つた一の弟子

武内氏は、賀川氏が貧民窟に這入つて最初に見た青年らしき青年であり、最初に手をとつて敎へた眞の弟子であり、そして最初から最後まで續く協同者である。一の弟子であり、最も古い同志でもあり、協同者のＮｏ１でもある。

武内氏はその倭軀を賀川服に包んで、常に邊幅を飾ることなく、或は貧民窟の露路に立ち、或は勞働者の群に取圍れてゐるところは、後年の賀川氏の外形を偲ばせるものがある。

しかし、彼はどつちかといふと默し勝ちで、無愛想でその師賀川氏の如き雄辯も愛嬌も持ち合さない。才氣縱橫といふところは、微塵も見られないで、村夫子然たるその外貌の示す如く朴吶な男である。心の中には火のような情熱をたゝえてゐるのだらうが、外見はどこまでも行ひ澄ました禪坊主のそれだ。

賀川氏のやうな、詩人肌のところもないし、ファイテング、スプリットの旺んな鬪士型のところもない。

かうして賀川氏と武内氏の間には、内に包む信仰的情熱を除いては全くその性格において共通性はない。他の多くの「小賀川」が、それ〲僅か乍らも賀川氏のどの部分かを承けてゐるのに、武内氏許りはその感化を最も多く受けてゐるのにも拘らず賀川型でない。

「小賀川」の中の或る者が、鳥度した事から賀川氏を離れて行くのに、武内氏許りは三十年の久しきにわたつて一度も賀川氏と感情の疎隔を來すこともなく、終始、影の形に添ふ如く、賀川氏の周圍を離れずにゐるのも、一つは、斯うした性格の相違が却つて二人を膠の如く固着させて放さないのかも知れない。

昭和六年夏、筆者は賀川氏と共に米國に遊び、ロサンゼルスにおいてイエスの友（賀川氏を中心とする信仰上の集團——後に詳述する）の集りに出た時、或日の食後の小演説において、賀川氏が、「同志銘々傳」を語つたのを聞いた。その際、賀川氏はその劈頭第一に「武内勝」について語つた。今はもうはつきりと記憶してはゐないが、神戸新川における自分の仕事が、斯うして自分の不在中も繼續して行けるのは、全く武内氏が在るためであること、彼は三十年の久しきにわたり默々として自分の小さい仕事を助けてくれて、酬ゆるところの殆んどないのにも拘らず、些かの不平もいはず、又欠呻もせずにゐること等を感謝と感激のうちに物語つたことだけは確かに記憶してゐる。

武内氏は、眞に親愛し且つ信頼出來る人物だ。必ずしも傑出したエラ物ではない。又目から鼻への智慧者でもない。頭腦明晰な賢い男といふ部類の人でもない。

昔から兩雄は竝び立たずともいふ。若し武内氏が賀川氏と同じ位までは行かずとも、これに比肩出來るやうな人物だつたら、恐らく、三十年にわたる兩者の協力は望めなかつたのかも知れない。しかし、武内氏は三十年師弟の禮を以て、常に賀川氏を奉じ

忠實にこれに仕へ、賀川氏は又賀川氏で武内氏を兄弟以上に信頼し、誘導して來たため今日まで二人の關係が持續出來たのであらう。

七一、義弟以上の愛弟子

かういふ事は、一家の秘事であつて、明るみに出すことは差控へればならないのだらうが、賀川氏が如何に武内氏を信じてゐたかを立證するため、敢て一挿話を玆に書く。

「死線を越えて」には春子夫人に當る樋口さんの姉妹が出て來て、賀川氏に當る新見のスラムにおける仕事を助けることが記されてゐる。そして樋口さんの妹の〇〇子さんに對しては、賀川氏も特に目をかけてゐるところが隨所に見られるが、賀川氏はこの義妹の配偶として、武内氏をひそかにその意中に持つてゐたのである。

又春子さんが賀川氏と結婚することに決した時、春子さんが後取りであるため、籍を拔くことが出來なかつた。その時も、武内氏は一時、春子さんの里方である芝家へ養子として入籍し、春子さんの籍を拔いた後、再び武内氏姓に歸つたのだと聞いてゐる。たとへ一時にしろ、夫人の家へ養子とし、且つ義妹の良人として考へてゐたほど、武内氏は賀川氏に信頼されてゐたのである。

春子夫人の妹文子さん（死線を越えてには××子さんと出てゐる）は、不幸にして婚約の成立するのを俟たずして、惜しくも早世した。若しこの文子さんが存命だつたら、今は賀川氏の義弟としての武内氏が存在したのであらう。いゝや、武内氏は、賀川氏にとつて義弟以上である。戸籍上の義弟は必ずしも協同者を意味しないし、弟子でもないからである。

では賀川氏の義弟以上の愛弟子武内氏とは一體どういふ人となりで、又どんな經歷を經て來た人なのだらうか。

七二、二人とない勞働紹介所長

武内氏は現に神戸市の勞働紹介所長として、日々多くの荒くれ男に接し、彼等にそれ〲仕事の口を配つてやつてゐるのだが、一つ間違へばドスを閃めかせ鐵拳をふるふ彼等であるのに、武内氏に對しては全く猫の如く從順である。

勞働紹介所といふのは、人夫の寄場である。その所長は、だから、人夫の親方である。親方といへば人殺しの二度や三度はやつたことがあつて、人夫たちを顎一つで使ひ、その手間賃のカスリで生きる搾取の親玉、ボスである。

若し武内氏を、その肩書の勞働紹介所長とあるのからかうしたボス型を想像して、氏に會つたとしたら、その餘りの豫想外れに驚くであらう。

武内氏は暴力や權力で人夫たちを御してはゐない。全く宗敎的な愛を以て臨んでゐるのだ。人夫にとつて武内氏は怖い親方でもなく、さりとて甘い所長さんでもない恩威竝びに施して、信頼の出來る代りに、恩愛に狃れさせない「善き親方」である。

今はそれほどでもないが、不景氣で仕事のアブレ勝ちの時には人夫仲間ではその日〲の飯代にさへ事缺く者が多く、かうした日には「けふもキン・チャプや」といつて水を呑んで暮すことが

多かつた。キン・チャプといふのは、說明するまでもなく飯がたべられず、金魚のやうに水を呑んで暮すとの意味に外ならない。

紹介の前には、餅を賣る店があつて、寄場に來る人夫たちの空腹を滿してゐた。ところがアブレの多い日が續くと、このしがない餅屋の店頭にも、カラッ風が吹きまくつて、「オッさん、借りさくで」といつて錢を拂はずに去る者や、一片の餅を掻つ拂つて脫兎の如く逃げ出す者などが出た。

そうした時、武内氏はそつと餅屋に餅代を拂つてやつて、逃げて行く者を追はしめないやうに計らつた。

さなきだに困窮してゐる人夫たちが病氣をした時の、そのみじめさといつたらないが、そんな時にも武内氏は醫者を世話したり藥餌の料を與へたりいろ〲の社會施設を紹介したりした。

七三、俺達の親爺を守れ！

こんな風だから、人夫たちにとつて、武内氏は、こわい親方ではなく、さりとて甘い親爺でもない。氏は日傭勞働者たちの嚴父であつて、同時に慈母である。

數年前、氏の紹介所で、二人の部下が公金費消をやつた。そして、武内氏は所長として引責辭職をしなければならなくなつた。しかし、勞働紹介所は、他の職業紹介所とは違つて、荒くれ男を相手とするものだから、その所長には容易に適任者を得られなかつた。市當局は武内氏を放したくなかつた　しかし、市政に暗躍する人の中には、人間を見る明のない人も多く、たゞ部下の使ひ込みを知らずにゐたのは怪しからんといふ一點を固持して、武内所長の問責を迫る市會議員などもゐて、ついに武内氏を辭任せしめた。

これを聞いて怒つたのは、人夫たちだつた。

「うちの親爺のやうな聖人を首にする奴は、俺等が首を引つこ拔いてくれる」

人夫たちは大擧して市役所に雪崩込んだ。青白きインテリ吏員たちは膽つ玉を冷やして姿を隱した。

武内氏の後任所長が兎に角決定した。しかし、人夫たちは「武内さん以外の所長には反對だ」といつて紹介所に怒鳴り込んだ。市でも困つた。假染にも、一度解雇した武内所長である。人夫の反對があつたからといつて辭令を取消す譯にも行かない。さればといつて、此の儘では後任所長が執務出來ない。

そこで、已むなく、武内氏に囑託として紹介所に引續き執務して貰ひたいと懇請した。武内氏も人夫たちの純情を心から喜んで囑託として居坐つた。

「所長でも、囑託でも同じことですよ」

武内氏はその時、筆者に對し、カンラ、カンラと笑ひ乍ら語つて、些かの憤りをも、不滿をも漏らさなかつた。

武内さんはそういふ人なのである。

七四、武内さんの生立ち

武内氏は備前長船村の生れだ。長船は刀匠として天下に知られた備前長船の出生地であるが、中國山脈の脚下に蟠居するわづか

八十戶の寒村である。

武内氏の家も貧しい農家であつたが、父用三氏が、つゝましく田畑を守つてゐるのには餘りにヤマ氣がありすぎて、鑛山事業などに手を出したところから、祖先傳來の田畑も人手に渡り、つひに村にも居られず、妻子を殘して東京へ出て了つた。

殘されたのは、當時、やつと物心のついた少年勝氏を頭に四人の兄弟とその母者人の五人であつた。

勝少年は父に代つて母を助けて働いた。でも、貧しい農村では、どんなに働いても、一家が辛うじて口を糊するだけだつた。

こんなことでは駄目だ。この際奮發して岡山に出て見やう。岡山は長船のやうな寒村とは譯が違ふ。きつと、善い仕事があるに違ひない。其處で一生懸命に働けば、母も弟たちも、みんな養ふことが出來やう。——

そう考へると、矢も楯も耐らなくなつて、勝少年は單身、長船を後にして岡山に向つた。時に明治四十年五月二十四日、勝氏の年は十四であつた。

しかし、岡山も來て見ればさほどでもない富士山だつた。故郷への仕送りは愚か、自分の口を糊することさへ容易ではなかつた。そこで、勝少年は、さらに大阪へ出て見やうと考へた。大阪には岡山で得られなかつた幸福が待つてゐるやうに考へられたからである。

勝少年は「青い鳥」のチルチル、ミチルのやうに幸福の國をたづれて瀬戸内海を東へ東へと進んだ。この日、明治四十一年元日、勝少年を乘せた笠岡仕立の五十石船は大阪は天保山の波止場に着いた。勝少年は希望に燃えてゐた。

七五、日本一の吉備團子賣り

さすがに大阪は大都會で殷賑を極めてゐた。が、此處でも少年を待ち設けてゐる仕事口とてはなかつた。捜しても〲これはといふ仕事口は見當らなかつた。明けて十五歲の少年のうらぶれた姿を見ただけでは、兩手をひろげて迎ひ入れてくれるといふ人もなかつた。

勝少年は、そこで考へた。一つ商賣をして見やう。それには少年の手でも出來る行商がよからう。行商も資本がないのだから、自分で作つたものを賣つて歩いて見やう。そうだ。郷里にゐた頃の、その少年の日の最もなつかしきたべものであつた、岡山名物黍團子が善い。黍團子なら、自分にも作れるし、屹度、大阪のこどもたちも喜んで買つてくれるに違ひない——

そう考へついて、勝少年は、黍團子屋を始めた。「日本一の黍團子」と銘打つて。

それから毎日、西大阪の横町、裏露路さゝやかな荷を背にして黍團子を賣つて歩く少年の姿が見られた。

幸ひ正直な少年の心を神も嘉し給ふたか、一日、町から町へと賣り歩いて、二升の團子が賣れた。もちろん、少年の熱心がこの賣上げを得させたのである。

二升の團子の賣上は六十錢で、材料代を差引いて半分——三十錢は儲かつた。

七六、故里の母戀し

その頃の事だつた。勝少年は或日、松島遊廓に近い九條の花園橋を、黍團子の荷を肩にし乍ら歩いてゐた。その日は六甲颪が大路の塵を捲き上げてゐて、この行商少年の懷中から腹へ寒さが沁み通つた。

長船では、内海の南風が吹いてゐて、かうまで寒くはないだらうに――そう思ひ乍ら、かじかんだ手に息を吹きかけ吹きかけ、橋を渡つて行つた。

すると、向ふから來懸つた四十恰好の一人の婦人が、寒さにふるえてゐる勝少年の姿を、同情ある眼を以つてまじ／＼と見入つた。婦人の眼にも、正直さうな少年と見えたのであらう。婦人はほゝえみ乍ら少年の傍近くへやつて來た。

團子を買つてくれるのだらうかしら――と思つて、少年の方でも婦人の方へ近寄つて行つた。すると、婦人は何ともいはずに懷中から、湯氣の立つものを取り出して少年の手に渡した。見ればそれはホコ／＼の燒芋だつた。婦人は今燒芋を買つての歸りだつたのだ。そして少年の寒むさうな姿を見てそのうちの幾つかを割愛してくれたのである。

少年は故郷の母の事を思ひ出して、ホロリとなつて、ものも得言はずに、たゞ頭を下げた。

都會にもかうした母のやうな人もゐるのか――過ぎ去つて行く婦人の後姿を、いつまでも／＼眺めて、涙と水洟とを一緒に拳ですゝり上げた。

あゝお母さんはどうしてゐるだらうな、内海とはいへ寒いだらうな。早く一人前になつて、母や弟たちを引取りたいな。それが出來なければ、せめて暖いものでも送つてあげたいな。

勝少年はそれからといふもの、母への仕送りの出來るやうな收入のある仕事をあれこれと物色した。

夏が近づいた。九條の安宿にはのみや、虱が、少年の肌をちくり／＼とさした。

そうだ。のみ取り粉を賣つて見やう。黍團子よりは收入があるに違ひない。

しかし、やつて見ると、のみ取り屋もそうボロイ儲けはなかつた。鯛燒屋をやつて見た。ドラ燒屋もやつて見た。そのいづれも、大したことはなかつた。

七七、神戸葺合新川に住む

大阪にも倦いた。新興の神戸市なら又何か善い仕事があるかも知れない。そう思つて、神戸へ引越した。神戸といつても、貧しい少年を泊めてくれるところは、見るもいぶせき新川の木賃宿の外はなかつた。

かうして、神戸の葺合新川の貧民窟は、武内勝少年を迎へることになつたのだが、これが後年、そこの貧民たちの「無二の友」にならうとは、誰が當時豫想しやうぞ。そうかうしてゐるうちに郷里の母からは、村の生活の困窮を訴へて來た。かてゝ加へて、母の健康が最近思はしくないことさへ報じて來た。それを聞くと、勝少年の心は、もう矢も楯も耐らなくなつて、一家飢死する事も

あるまい。何は兎もあれ、一緒に暮さうと、つひに一家を呼び寄せて了つた。

一家は文字通り、一つ家に住むこととなつた。住む家はむさ苦しくとも、母子五人して一緒に住むことの出來るのは何よりもの喜びであつた。たゞ、東京へ出て歸らぬ父はあつたが――。

母を迎え得た勝少年の喜びは譬へやうもなかつた。しかし、一方、この母や弟妹と五人の家族を自分一人の手で扶養しなければならぬ身の上に思ひ及ぶ時、勝少年は暗然とならざるを得なかつた。彼は傳手を求めて東亞エナメル工場の職工として就職した。職工といつても、まだ十六歳の少年職工である。一日、汗みどろになつて働いて得るところは、わづかに十二錢に過ぎなかつた。銅貨にして十二枚、これで母子五人が、口を糊しなければならない。しかも、母は村にゐた頃から惡かつた。腎臟が次第に惡くなつて、今では寢たり起きたりである。弟三人はまだ皆頑是ない。

勝少年は病める母に、せめて卵の一つでも買ひ與へたい一心から、夕方、工場から戻つて來ると、冷飯をかつこんで、疲れた身體を自ら鞭ちながら、夜へかけて膏藥賣りに出かけて行つた。

七八、職工―膏藥賣―貝釦工

行商は前にも經驗はあるが、以前の行商は晝間の行商で、荷をかついで歩きさへすればよかつた。別に聲を立てるには及ばなかつた。が、此度は夜の行商である。默つて歩いてゐては、誰一人買つてくれる筈もなかつた。

勝少年は小學生のやうな袴をはき、膏藥を入れた鞄を斜に掛け、手に提灯を持つて裏町を歩いて行つた。

「ハー　膏藥！」

この呼賣りの懸け聲が容易に喉から出ないのだ。

勝少年の故郷に近い岡山で、孤兒の父として有名な石井十次先生も、孤兒を育てる資を得るために、醫學校を中途退學して、晴夜の岡山市中を、按摩の流しに出た。その時「按摩上下」といふ聲が仲々に出ずに困つたといふ事が、先生の傳記に出てゐる。武内氏も、石井先生と同じやうな經驗を嘗めた譯であつた。

でも、その呼聲も日のたつにつれて高く出るやうになつたが、肝腎の膏藥の賣行は捗々しくなかつた。雨や風の日など、五十枚を賣るのには夜更けまで歩かなければならなかつた。

五十枚賣つて、二十錢の利益があつたのである。

夜業の膏藥賣りの收益二十錢足らずと、晝の工場の賃錢の十二錢とを合せて三十錢足らずが一家の全收入である。この中から、母のために賣藥の一つも買えば、二十錢そこ／＼である。

膏藥が賣れないで、その二十錢さへ得られない日は、米を買ふことも出來ず、芋粥で一家五人辛うじて飢を凌いだことも幾度かあつた。

七九、父歸る

それから間もなく、勝少年は貝釦の家内工業が割合に利益の多いのを聞き知つて、その方の技術を習ひ始めた。勿論初めは、よその家へ雇はれて行つたのだが、そのうちに技術を習得すると、自分でも獨立してやつて見やうといふ氣になつた。

彼はない中から僅かづゝを積立てゝ、古機械を一臺買入れて自宅に据付けた、そして朝早くから夜晩くまで寸陰をも惜しんで精を出したので、一日に二千個内外の貝釦が出來た。

巧く行くぞ、この分ではお母さんを安心させられる日も遠くはないぞ。

少年の心は前途の希望に奮ひ立つた。それになほもう一つ彼を喜ばしてくれたのは「父歸る」とのおとづれであつた。

勝少年の父用三氏は、覇氣にも富んでゐたが、稍々放浪性のある人で、村を出て東京に行つてゐたが、そこにも落つけず、つひに子等の許へ舞ひ戻つて來たのである。用三氏は筆者も賀川氏の教會で幾度か會つて知つてゐる。漢詩人か何かのやうな長髯を垂らしてゐて、なか／＼面白い人であつた。八卦をよくし、大正七八年頃は新開地へ易者に出てゐた事もあつた。それは後の話であるが――。

八〇、賀川先生を家に迎へて

母と弟を呼び寄せ、さらに父を迎へて、貧しくはあるが、一家には春が訪れたかの思ひがあつた。

その時、父用三氏は、近頃、新川に移り住んで來た賀川先生と呼ばれる青年のあるのを聞き知り、易の一つも立てる人だけに、早速、その青年の家を訪ふて、耶蘇の教なるものを聞いて見た。

青年賀川先生の言葉は、率直な老人の心を囚へた。

「先生、家へその聖書の話をしに來て下さらんかな。家には子供も大勢ゐますから一緒に聞かせて貰ひます。」

と、申込んだ。賀川氏は喜んでその家へ出かけて行つた。恰度、春子さんの家へ出かけると同じやうに。

これぞ、賀川氏が武内氏を最初の弟子として持つに至つた機縁をなすものであつた。

武内氏は賀川氏の弟子となると共に、一方貝釦の仕事も、漸次旺んになつて、十七歳の春には、二十名の少年を雇ふまでになつてゐた。

その後の賀川氏との交渉については既に一部分を記述した。その後の部分は又本文の進捗と共に重れて記すことであらう。

感謝状

長部英三殿
（各通）保良せき子殿

今般第十七回全大阪乳幼兒審査會表彰式ヲ擧行スルニ當リ本聯盟ガ全國ニ魁ケテ兒童愛護ノ首唱實施以來貴下ガ多年ニ亘リ聯盟ノ事業施行ニ就キ熱誠盡瘁セラレタル功ニ對シ記念品ヲ贈呈シ聊感謝ノ意ヲ表ス

昭和十四年十二月六日

日本兒童愛護聯盟名譽會長
全大阪乳幼兒審査會總裁
遞信大臣　永井柳太郎 印

全大阪乳幼兒審査會會長
大阪市長　坂間棟治 印

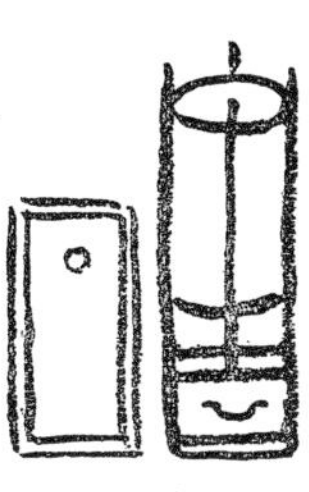

菊五郎吉右衛門の「江戸の夢」を觀る

松阪青溪

このごろ菊五郎がこゝ數年前よく吉右衛門と一座して面白い芝居をしたことに習つて、東京歌舞伎座で兩優對役して絶妙の芝居を見せてくれる。一月狂言の中に宇野信夫作の「江戸の夢」が中々面白かつた。

絶妙な舞踊に觀る人をして感嘆せしめてゐる菊五郎は五代目讓りの生世話ものにも絶妙の伎を研くことを忘れなかつた。十月だつたか演じた「鵜匠の家」も、「半七捕物帳」もさうだつた。隨分陰慘な氣が伴ふのもあるが今度の「江戸の夢」は淡々としてそして人情の機微が出で、親子の情合が實に巧みに織成されてゐる。

とろゝで名高い東海道鞠子の宿の地主武兵衛の家へ、ある日突然若い虚無僧が入つて來て、世話してぐれんかと頼み込んだ。あるじの武兵衛は心よくこの若者を入れてから、遂に娘に氣があつて遂に入聟となつて了つたのだ、序幕は村の秋祭り、聟となつた藤七（菊五郎）がどこかの山で茶の木の株をひいて車にのせて歸つて來る。二幕目もその時から一年經つ、よき聟が出來、娘も子供がやがて出來るらしい樣子、老夫婦もよろこび、二人揃つて江戸見物ときまる前夜が二幕目だ。武兵衛は吉右衛門がしてゐる、そこへ菊五郎の藤七がやつて來て、「江戸見物にはどうか淺草並木町の葉茶屋奈良屋へ立よつて、私が造つたこのお茶の出來榮えを吟味して貰ふやうに立ち寄つてくれ」と頼む。お安いことだと老夫婦は請合ひ、三幕目が江戸の場面で、折柄の三社まつり、葉茶屋奈良屋の門口は祭の人で賑ふ中へ老夫婦がやつて來てあるじにその旨を頼む、菊五郎は二役卽ち奈良屋の主人宗味の老役をやつてゐる。こゝから菊五郎の生世話の妙味が溢れ出て來る、先づ老夫婦からこの旨を聞いて、緣黑の眼鏡をかけて、仙花半紙に茶を少しばかり入れてサラ／＼と寄せつゝ打ち眺めるあたり、遂に一つをとつて口へ含む

「よく出來てゐます」と感嘆し、「この茶をこれまでなさる人はさうよけいあるものでない、……」と考へ、「ともかく私の娘にもこの茶を煎じさせ、私も一煎頂きたい、かた〴〵茶室へ通つてくれ」となつて茶室の場となる。「無」といふ掛物が床にかゝつてゐる、宗味の娘おくみは福助がしてゐる、しとやかでよい、その茶を一煎する、宗味が茶碗を手にとるその通り武兵衛が眞似するのが面白い、朗らかでよい、そして一味の寂しい人世の一つ絲がこの中に繋がつてゐる。「この茶は私の家の一子相傳になり……」から六年前の丁度三社祭りの時、酒の上で喧嘩しそのまゝ行方知れずなつたわが子のことを想ひ出し語りをする、娘は今はいづくにくらしてゐるかと案じるばかりの兄の上を更に涙を浮べつゝ想ひ出す、武兵衛は「そのお子息は——」とたづねると、「とう〳〵亡くなりました」と宗味は云つて空言のやうにして了ふが、想ひの涙、想ひの絲はいよ〳〵濃やかにからみ合ふ。武兵衛も六年前雇ひ入れた藤七が奈良屋の息子と感じても、云はず語らず老ひの涙に想ひを鎖して婆の手をひき急ぎあしで花道を歸り行くのを、宗味と妹のおくみが見送り、「いたらぬ倅をよくお世話下さいます、ありがとうござります、この上ともお頼み申します」と宗味は手を合せて老夫婦の後姿に涙を流す、「お父さま、兄さまはたつしやでゐてゞぢや」とおくみもよろこび涙に咽ぶ、——幕。

菊五郎の頭のよさは月々の芝居によき狂言を出すが、今度はとりわけ淡如たる中に人情の美が溢れて遂に舞踊も史劇もこの芝居で頭の中から消失させたほど感銘が深かつた。

（客舎にて、一月十五日朝記）

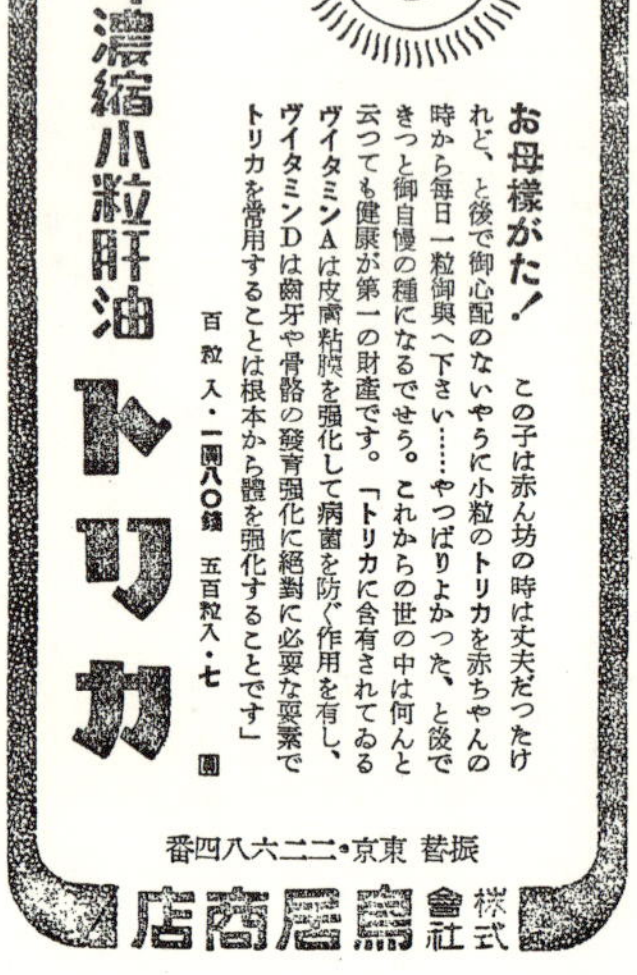

新婚の婦人へ（二）

木下尚江

（九）

すべて人間の知慧と云ふ奴は奴隷的にヒネくれて出來て居る。我等の習慣と云ふ奴は、皆んな卑屈な、苦痛な、縛られたものだ。文明人々々と誇るけれど、なに、皆んな奴隷で生れ、奴隷で育だち、奴隷で死んで行く。然うじやないか、先づ生れたと云ふては襁褓に縛られ、死んだと云ふては棺に針打たれ、身體のある限り此の世の制度の鎖に繋がれて居る。乳母が往々堅い型にはめて赤兒の頭を鑄直ほしたがると云ふことを聞くが、恐ろしい事だ。して見ると、神樣が我等の頭を造り損なかつた爲めに、乳母と學者とで内外から造り替へやうとするんだらう、あゝ〳〵野蠻人がツク〴〵羨ましい。

赤兒の手足を束縛して自由に動かさないと、只だ血液や其他諸液の循行を妨げて、健全な發育の邪魔になる。こんな無法な御用心をして呉れない所では、人間が皆んな丈高く、嚴丈で、皆んな姿勢が立派だ。之とあべこべで、赤兒が襁褓で縛られる所では、背虫、いざり、腰拔——何れを見ても屑の人足ばかりだ。赤兒を隨意に遊ばせたらば、負傷をするだらうとの心配から、其れを縛つて、一生懸命に不具な人間を造つて居る。馬鹿なこと、我等は赤兒に負傷をさせまいとして、却て虛弱に育て上げてしまふ。

斯うした殘酷な束縛が、赤兒の精神及び肉體に及ぼす惡結果を思へ。赤兒に取て第一の感じは、苦痛と云ふことだ。赤兒は爲たいと思ふ必要な運動を悉く邪魔されて居る。鐵鎖に繋がれた囚人よりも悲慘だ。仕方が無いから只だ焦れる。怒りつぽくなる、泣く。赤兒の始めての言語は涙だと君等は言ふ。面白い、如何にも然うだ。赤兒が生れたと見ると、君等は直ぐさま彼等の欲望を遮つて仕舞ふ。

赤兒が生れて、親から受ける第一の御褒美は鐵鎖だ。赤兒が當める始めての御馳走は「苛責」だ。只自由なものは聲ばかりだ。泣いて〳〵滿腹の不平を歎訴するに、何の無理があらうぞ。赤兒が泣くのは、君等が惡いからだ。若し彼れだけに君等を縛り上げたなら、君等は更に何程大聲に泣きわめくだらう。

（十）

去らば此の不道理な不自然な習慣は何處から來た乎。其れは母親が自分の第一の職分を輕蔑し、我が乳房で育てることを嫌ふやうになつたからだ。自分の乳を飲ませないとなれば、是非とも乳母を雇ひ入れねばならぬ。金で雇れた乳母が身には、小兒は氣掛りでは無くて、只だウルさい。赤兒を自由にさせて置くには、斷え見ず張つて居なければならぬ。が、縛つてさへあれば、柱にでも何でも繫いで置ける。泣かうが叫けばうが關まやせぬ。どうせ他人の生んだものだ。

然かし、然う赤兒を自由にばかりして置いては、負傷でもして一生の不具者になりはせぬかなど心配する人がある。是れは證據がめるでも何でも無い餘計な猿智慧と言ふものだ。我等よりも一倍神經質の人達の赤兒で、其れこそ本當に自由に跳ね廻はらせて育てられながら、未だ一人の「びつこ」にも「いざり」にもなつた者が無い。赤兒は未だ其んな危險な場合に我が身を遣る程の運動力を有つて居ない。假令無理な位地にはまり込むことのあつてからが、直ぐウマイ工合に痛苦を覺えて、チャンと自然に避けさせて貰ふ。

母が無ければ赤兒なし。母子の義務は相持ちだ。一方が不所存に出れば、他方も自然と太腐れになる。赤兒の方では、是れが義務だの本分だのと、そんな理窟を知らない前から、我が母親を愛慕する。「肉親」と云ふ響は強いに相違ないが、然しながら若し義務の觀念、日常の所作で絶へず培養して行かない限り、折角の愛情も何時の間にか亡せる。生れもせずに死んだ心とでも言つたものか。斯くて天道は無殘にも其の第一歩に塞がれしまふ。

（十一）

所で、此のお母さんと云ふ奴、兒角變てこ其の正路を間違へ勝ちなものだ。母の役目を怠つたからではなく、却て職務を盡し過ぎて間違へる。赤兒をまるで自分の玩具にしてやり損ふ。赤兒の弱點をば、我子に知らせまいとの苦心から却て甘やかして其れを增長させてしまふ。嚴肅な天然法から我子を避けさせやうとの痴愛に引かれて、苦がい目には逢はせまじと心配し、後の大難をば思はずに目前の小事に我子を疵護ふ。獅子は谷へ蹴落して我子の強弱を試めす。昔希臘のセチス神は、我子をスチック河に投げ込んで其の心身を練つたと云ふ。實に美しい、意味深い敎訓だ。予が今ま述べた愚痴な情知らずの母親のは全く之と反對だ。此のお母さん連は、何れも我子を奇麗に飾り上げ、骨折つて貧乏の準備をやつて居る。前途無限の艱難に出遇ふ時、其れに堪える力の無いやうにと無理に弱虫に育てゝ居る。女性よ、「天」を觀よ。而して「天の足迹について行け。天は不斷に赤兒の活動を奬勵して御座る。天は種々な試驗方法で赤兒を健康に仕上げて御座る。天は赤兒に向て、最初の日から苦痛の何物であるかを敎へて居て下ださるのだ。

實驗は奇麗に育てられた赤兒の方が澤山に死亡することを示して居る。赤兒の身體は、度さへ過ごさないならば、使用しないよりも、使用する方が危險が少くない。去れば一朝遭遇する苦難に堪へられるやうに、平生から育てゝ置け。季節氣候、風土の變化其の他飢渇、疲勞等に鍛へて置け。スチックの河流に小兒を漬けよ。身體が未だ世の惡習に壞されぬ前なら、思ふ存分無難に訓練することが出來るが、一度世間の風に染みた以上、其れを改めることはなか〳〵に六ケしい。大人には堪へ難い改良も、小兒には易々と出來るものだ。つまり赤兒の間は筋肉が柔かで曲げ易いからで。大人になると、剛くて容易に曲らない。去れば我等は生命にも身體にも故障をさせずに小兒を丈夫にすることが出來る。假令多少危險に思はれやうとも、躊躇するに及ばない。危險は何の道、人間の生活に附き物じやないか。同じものなら、危險の小さい時代にやるが可い。

小兒も年と共に價が增して行く。人間の價値が高くなると云ふことは、敎養に要する注意の增したと云ふことで、生命の下落は、死の恐怖が重くなるからだ。去れば我等が小兒の保護に注意するにつけても、別けて其の將來と云ふことを苦慮せねばならぬ。例の「病氣」と云ふ仇敵に對しては、其の來襲を待たずに豫防せねばならぬ。

艱難と云ふ奴、一生を通じて、何時も人間の運だめしだ。苦痛を知つて、始めて本氣に保養することになる。幼少で病氣した人は幸福だ。小兒の病氣は苦痛も輕く、死ぬることも稀だ。痛風に罹つたからとて、自殺したものは無いが、精神の苦悶は、人を失望の淵へ沈ませる。我等は赤兒の運命を憐れと思ふが、眞實憐れなものは斯く申す我等大人の身の上だ。我等の「最大疾病」を見よ。皆な我が身から出で、我身に返つて居る。

（十二）

赤兒は生れ落るが早いか泣く。最初の一年は、涙の中に暮すのだ。で、我等は抱いたり擁へたりして宥めすかすかと思へば、打つたり威したりして默らせやうとする。赤兒を喜ばせるかと見れば、却て自分の好きを赤兒に振舞ふて居る。赤兒のムラ氣に自ら從ふかと思ふと、自分の出來心に赤兒を從はせる。斯くて、赤兒には命令するか、又は命令せられるかの何れかで、中庸の道と云ふものが無い。赤兒の心に始めて萠す一念は「支配」と「服從」との二つである。赤兒は未だ喋れもせぬに命令する。動けもせぬに服從する。惡いとも知らず、と云ふよりも未だ惡るとも出來ないのに叱られる。斯うして我等は赤兒を無理にヒネくれさせて置きながら、罪をば赤兒の天性にナスリつけ、自分で惡く育てゝ置きながら、「どうして斯樣ないやな子が出來たらう」など、ツブやくのが世間の常だ。

こんな親達に「では、君等は赤兒の本來の姿を損ふまいと努めたことがあるか如何だ。」と聞いて見たい。まア一つ赤兒の生れたてから氣を付けたが可い。而して常に注意して成人するまで粗漏にせぬことだ。是れで無ければ所詮ウマく行く筈がない。眞の乳母と云へば母親であると同じで。眞の教師は父親だ。どんな愚鈍な父親でも、其の子の敎育に掛けては、世界第一評判の教師よりもズツと遙に賢明だ。熱心に優る技倆があるものかサ。

所で世間の父親は言ふ『商賣、公務、内外多事で、とても手が及ばない』と。いや御尤、御忙がしからう。其れで小兒の世話なとは出來ないと仰つしやるのか。赤兒は夫婦共働きの果實だ。既に乳を呑ませることを厭やがる妻が居るんだから、敎育を避ける良人の出るも無理はない。世にドンな名畫があらうとも、「一家團欒」の圖に及ぶものは無い。が、如何なる名畫でも、其の一線一畫が手拔けたゞけで、もう全體が題なしになる。若し母親か乳母の勤まらぬやうな弱虫なら、父親は教師が勤まらぬ程に多忙になる。邪魔な小兒は家庭を離れて、寄宿舍か、寺か、學校へ預けられてしまふ。小兒が春を餘所へ持つて行つたと言ふて可からう乎。兩親が秋風を我家へ持ち込んだと言ふが適當か。斯くて兄弟姉妹皆な引き離されて、顏見ることも稀になり、何かの機會に偶々寄り合ふても、只だ厭に四角張つた切口上ばかり並べ合つて、何の事はない、互に知らぬ旅人同然の挨拶だ。兩親の睦みが消え、人生悦樂の泉である家族の交情が涸れたが最後、其の缺乏の補塡として、直に下劣の歡樂が乘り込んで來るのは必然の勢だ。是れしきの理窟は、どんな馬鹿者でも心得て居る筈だが。

食はせたり着せたりしたゞけで、天晴親父顏する連中が多いが、其れは只だ父親の役目の三が一を果したもので、人類からは人と云ふものを預かつて居り、社會からは社會組織の一人を預かり、國家からは公民を預かつて居ると云ふことには氣が付かない。義務を忘れて權利のみを主張するわけには行かぬ。やれ錢が無いだの、忙がしいだの、世間がドウだのと言ひわけをするが、こんなことで小兒の敎育を免役することは出來ない。予は敢て斷言する。此の神聖な敎育の義務を怠つた父は、後日必ず回復の出來ない悲歎の淚に沈むことを。

（十三）

あゝ、「先生」――聞いたゞけでも莊嚴な氣に打たれる。　に若し人物を造り上げやうと思ふならば、自分が只だ人間であるだけでは不可ない。是非とも「父」で無ければならぬ。其れを何事だ、君等は大事な小兒を日雇の敎育屋風情に任せきつて平氣で居る。

さらば此の「先生」は果して最早居らつしやらぬだらうか。現今の如き頽廢した世界では、人の犧牲と云ふものが、果して何程の華嚴に達することが出來るものか、誰も知る力が無い。けれど假りに此の稀有の「先生」を掘り出したと思ひたまへ。先生を知るには先生の事業を理解するが大切だ。そこで、若しも本當に我子を托すべき先生の眞價を心得た父親ならば、最早他人を頼まずに自分でやると云ふ覺悟を持つに相違ない。考へて見たまへ、他人は當てにならぬ。自分で其人に成る方が捷徑だ。同じ次第で、君若し友人を欲しいと思ふなら、君の小兒を其の友人に敎育したまへ。造物の大將は、君、もうチヤンと其のつもりで材ごりをして置かつしやるんだ。

所で、世間の成金連、公私多忙で小兒さへも打棄てゝ置く父親達のやり口を見よ。我が手の義務を捨てゝぼかす爲めに、金で他人を雇ひ込む。あゝ、賣物靈魂。金で父親が買へると思つて居るのか。戲談じや無い。雇ひ込んだのは「先生」では無くて「奴僕」だ。奴僕に育てられる小兒はまた奴僕になる。

眞先生と云ふことでは、世間に八ヶ間敷議論がある。が予は其れに就て第一の條件がある。是れさへ判れば他の理窟は自然に解ける。即ち先生は「敎師屋」では困ると云ふ一事だ。世には金で相場を立てることを許さない尊遺な職務がある。例へば軍人、敎育家。――そこで問題は、我子を敎育するのは誰かと云ふことに

返へる。予は旣に言ふて置いた。即ち君等が自分でやるのだ。君は、拙者には出來ないと言ひなさる。よろしい、君の友人の助力を求めよ。予は此外には道を見ない。

（十四）

以前、予は或る貴族から其子の敎育を賴まれたことがある。餘程予を信じて居る樣子であつた。予が謝絶したので、ブツ〳〵腹立てたさうだが、然し有體に言へば、此の謝絶と云ふ折角の深い實意を少しは褒めて貰つても可ささうなものだ。さうじやないか予が其の依賴を承知した上で、一つ予の方案を間違へたとする。是れ予の敎育の失敗だらう。今度は予の敎育が成功したとする。其れこそ憑い。最早其の息子さん、公爵も何も打棄つて、父親や母親を泣かせるに相違ない。大笑さ。

予は極めて高く敎育家の職務を重んじ、また極めて切に予自身の無資格を知つて居るので、何處から賴まれても皆な斷はつてしまふ。親友からでも言ふて來やうものなら、尙更ら手きびしく拒絶したに相違ない。予が斯んなことを書くのを讀んで、また氣まぐれに「一つお願ひ」などと言ふて來る人の無いとも限らぬが、そんな人には、最早何卒馬鹿な手數をお掛け下さるなと、幾重にも歎願する。實は予も一度此の敎員をやつて見た。而して自分が不適任であることを充分に確めた。で、假りに予の技倆が進んだとしてからが、現時の持論が最早承知しない。けれど世間には今ま尙ほ予の眞意を理解して吳れない人が多いと思ふから、改めて此の宣言をするのである。

（十五）

予は今ま假りに一個の生徒を描き、而して年齡、健康、知識、其他術も敎育に要する才能悉く予の一身に具足せられるものとして置いて、偖て此の生徒の生れた最初から、最早他人の世話が要らない成年までの敎案を立てゝ見やう。空論に厭いた人には、斯うした遣り方も無用ではないらしい。

予の意見は、世間普通の說とは反對で、「先生」は若いに限ると云ふのである。成るだけ若くて、賢いのが可いと言ふのである。出來ることなら、同じやうな小兒にしたい。さうすると、先生が生徒のお友達になれて、面白く遊び戲れる間に、生徒の信用を買ふことが出來る。成年の先生だと、生徒との感情が遠く離れて、ドウもウマく行かない。小兒と云ふものは、年長者を見ると、阿へはするが、愛するものではない。

敎師は經驗のある人に限ると思ふ手合が多い。が、是れは慾ばつた考だ。人は一人敎育すれば、それで結構だ。經驗が成功に必要だと云ふならば、何の權利で最初の小兒を敎へたか、伺つて見たくなる。

一寸申し上げて置くが、赤兒に最初の四年附き添ふのと、二十五年世話するのとは別だ。君等は赤兒が旣に大きくなつた後に、始めて敎師に預けるが、予ならば未だ生れない中から、旣に御賴み申して仕舞ふ。君等の賴んで置く敎員は、四年每に他の生徒と引換へるが、予のお賴みする先生は只一人の小兒を預り通しだ。では、敎員と先生とは違ふと君等は言ふが、其れは馬鹿な話だ。では、君等、生徒と弟子とは違ふと云ふのか。何か知らぬが、小兒には

只つた一個の學問がある。「人間の本分」と云ふ學問だ。學問と言へば是れ一個に定まつて居る。昔しクゼノホン氏は波斯人の敎育のことで、何か小面例に言つて居るが、敎育と云ふものは只だ一個で、決して分割の出來るものではない。此の學問の御主人をば予は「敎員」と呼ぶよりも「先生」と言はせて貰ひたい。指導さへして貰けば、敎授などしてお貰ひ申すに及ばない。敎育家の職務は自ら敎授するのではなく、生徒を開發して自分で發見させることだ。

貧乏人には敎育は要らない。貧乏人は其の生活の境遇から厭應なしに一種の敎育を授かつて居るので、別段に敎育など受けて居ることが出來ないのだ。所で、資產家が其の身分に應じて受ける敎育と云ふ奴は、彼等自身の爲めにも、一般會社の爲めにも、實は大して有難いものでは無い。それに「天然の敎育」と云ふのは人間一生、如何なる境界にも當てはまるやうに育て上げればならぬことだ。されば、世間でやつて居るやうに、金持になれ〳〵と貧乏人の小兒を敎育するのは金持の小兒に貧乏人になる敎育を授けるよりも一層不理屈である。然うだらう。貧乏と金持と二種族の比例を取つて見たまへ。金持が零落して貧乏人になる方が貧乏人から出世して金持になるものに比べて、何割多いとも知れたものじやない。で、我等が人を敎育すると云ふ場合には、金持の小兒を連れて來たい。さすれば、先づ一匹前の人間を社會へ貢献することになる。貧乏人は自分で「人」を仕上げて居るから、心配無用だ。

（十六）

されば今ま我が生徒エミールが、貴族の落胤であらうとも、其れは構はない。兎に角一個の犧牲と、階級思想の偏見から救ひ上げることが出來るのだから可いじやないか。

エミールは孤兒である。父母が存生であらうとも構はない。予に旣に兩親の義務を背負つて立つた以上、兩親の權利も引き繼がれたと云ふものだ。エミールが兩親を尊敬するのは當然だ。然れども予を外にして、誰にも服從するに及ばない。

予が彼に要求する箇條は、天にも地にも只だ是の一つだ。

今一つ付け加して言ふて置きたいのは、予とエミールとの間は、納得づくでない限り、決して別離れないと云ふことである。此は大切な一箇條で、善にあれ惡にあれ、終始其の運命を共にすると云ふ一念が、此の生徒と先生とを結びつけて離れられないものにして吳れる。若し此の二人の心に、早晚別離れずばなるまいと云ふやうな氣が起り、知らぬ人になつた後の寂しい幻影など心に描くやうになつたならば、實は其時兩人の間は旣に知らぬ人になつて居るのである。一たび此の氣が萠ざしたが最後、兩人共に只だ別離れた後の事ばかりを、彼か斯うかと想像し、互に面白くない顏を見合つて暮す外は無い。生徒の方では、先生が看守か鞭かの如く厭なものに見え、先生の方では、生徒が厄介な重荷になつて來る。双方共に只だ早く別離れたい〳〵と思つて居るので、生徒は言ふことを聽かなくなり、先生は世話燒くのが大儀になり、最早一點の愛情をも、其間に見ることが出來なくなる。

第十六回全大阪乳幼兒審査會に於ける

母親のメンタルテスト（四）

伊藤悌一

問　お產は產婆だけの手で生れましたか。

	名	%
產婆	一、〇五三	七九・五
產婆、助手	一三	一・〇
產婆、醫師	四〇	三・〇
產婆、家族	一一	〇・八
產婆、知人	二	〇・二
產婆、傭人	一	〇・一
病院	一一五	八・七
產院	四二	三・二
醫師	二六	二・〇
產婆來宅前出生	二〇	一・五
家族	二	〇・二
計	一、三二五	一〇〇・〇

茲で考へなければならないのは此の調査範圍言ひ換へると審査會の範圍が大阪市を中心としてゐたことです。勿論市外や近縣からの參加者も多少はありましたが、何と言つても病院、產院などが全國中最も普及發達した大阪市內の居住者が大部分でした。ところが調べて見ると純粹の產院（例へば赤十字社產院）でお產をした方が案外少く、總數の僅か三・二%にしか該りません。病院（之は產婦人科病院とか綜合病院を謂ひます）でのお產を加へても全部の一割二分弱でしかありません。そしてお產婆さんの手にかゝつたのが約八割を占めて居ります。

病院、產院の最も多い大阪市でさへこんな狀態ですから、田舍は無論のこと他の都市ではお產婆さんのお世話になる割合がもつと〳〵高いでせう。斯うして見るとお產婆さんの使命の重大さが今更乍ら痛感されずにゐません。そして生れ出でんとする赤ちやんを一人でも殺した

くない人的資源不足の今日、これらの赤ちやんを無事に取上げて第二の國民たるスタートを築いてやるお產婆さんの努めたるや實に重大且つ貴重と言はなければなりますまい。

問　御姙娠中、脚氣、腎臟炎、腎盂炎、發熱等はありませんでしたか。ありましたら病名を書いて下さい。

脚　氣

七　日	一	(發熱三十七度)
十四日	一	
十五日	二	
二十日	四	
三十日	七	
三十五日	一	
四十日	一	
五十日	一	
六十日	五	(此の内一人は發熱三十七度)
九十日	二	
百　日	一	
二百日	一	
日數不明	一九	
計	四六	

腎　臟　炎

五　日	一	
七　日	一	
十　日	一	
三十日	五	
一箇月半	一	(發熱三十七度)
四箇月	一	
五箇月	一	
日數不明	一〇	
計	二一	

姙　娠　腎

七　日	一	
十五日	一	
計	二	

腎　盂　炎

三　日	一	(發熱三十九度)
七　日	一	
日數不明	一	(發熱四十度)
計	三	

脚氣、腎臟炎(合併症)

一箇月	一	(發熱三十八度)
日數不明	一	
計	二	

胃　痙　攣

二　日	一	
日數不明	一	(發熱三十八度)
計	二	

胃　病

十　日	一	
日數不明	一	
計	二	

感　冒

二　日	一	
七　日	一	(發熱三十七度)
十五日	一	
二十日	一	(發熱三十七、八度)
計	四	

發　熱

三十七度	一	
三十七度五、六分	一	
三十八度	二	(內一人は七日間)
三十八度五分	一	
計	五	

氣管支炎	一	(八十日、發熱卅七度四分)
助膜炎	一	(一箇月)
バセドウ氏病	一	
腸カタル	一	(七日、發熱卅九度)
赤痢	一	(二十日、發熱卅九度)
惡阻	一	(五日、發熱卅七度五分)
計	九三	
無病	一、二三二	
計	一、三二五	

さて右の中「惡阻」と答へられた方は問九と間違へたものでせうし、之を所謂疾病扱ひにすると產婦は殆んど全部病氣をしたことになりますから、茲では之だけを別にして考へませう。すると本當に病氣をした方は九十二人ですから全部の七%に該る勘定です。つまり一割にも滿たない譯です。お母樣達が此の樣に無病息災だつたからこそ表彰される程丈夫な赤ちやんが生れたのでせう。之れで見ても姙娠中の母體の健康が如何に大事かといふことが判ると思ひます。

右の表を眺めて直ちに感ずるのは病氣が大部分姙娠そのものと密接な關係を有つたものばかりだといふことです。第一脚氣がさうです。姙娠腎は言ふ迄もなく、腎臟炎、腎盂炎なども姙娠しなければ其の大部分は起きなかつたらうと解釋される位に姙娠と關係の深い病氣です。數はたつた一人ですがバセドウ氏病もまたそれに類するものです。此の樣に姙娠時特有の病氣に冒された方が多いのですが、之は不斷に自分の健康狀態を注意し、少しでも異狀を感じたら直ちに醫師に相談する樣にすれば未然に防止し、或ひは症狀の輕い間に治癒するものであることを覺らねばなりません。

子供のゐる俳風景
―冬の部―

佐藤亞我

竹馬の羽織かむつてかけりけり　　石鼎

竹馬を知らぬ人は居ないと思ひますが、これは元來雪の中を男の子が步き廻つて遊ぶことから始つてゐますので、竹は年中ありますから夏でもよささうなものを矢張り冬のものとなつてゐます。私なども冬の寒い日に風に吹かれ乍ら乘り廻し走り廻つたものです。勇敢なるになると高い〳〵竹馬を作つて軒から乘つてゐました、まるで曲藝の樣なものでした。この句なども大分上手な子供の樣です。寒いものだから頭からスツポリと羽織をかむつて、羽織の紐を口にくわえてタツタ〳〵と走つてゐます。羽織の裾が風はなびいてまるで火事場に急ぐ火消しの樣な恰好です。いかにも竹馬の感じの出てゐる句ではありませんか。

鷺脚の淺水出でゝ光りけり　　紀山

竹馬のことを一名鷺脚(サギアシ)とも云ひます。鷺の脚の樣に長いからです。この句は又一寸覘ひ處が違ひます。少年は竹馬に乘つてゐますが少年に着眼せず、竹馬自身の俳句らしい面白さを見出してゐます。子供は竹馬にのると興味半分に態と高い所に上つて見たり、水の中を涉つて見たりするものです。これは丁度淺い流れを渡つて向ふ岸に出た處でせう。竹馬の水に浸つた部分が靑々と野の日に光つて殊更作者の眼に映つたのです。非常に纖細な着眼點ですが讀者にもよく理解出來る境地と思ひます。

竹馬の地をひくばかり乘りそめぬ　　登代子

もう一つ竹馬の句を出しました。これは始めて竹馬に乘る子か又は極く幼ない子供で、高い竹馬に乘つては危いと母親が心配して、もう地面スレ〳〵假令轉んでも危くない程度の高さと云ふより低さの竹馬を作つて吳れて今ヨチ〳〵と乘りぞめの稽古最中です。「乘りそめ」と云ふことと「地をひくばかり」と云ふ表現が如何にもピツタリとしてゐるではありませんか。登代子女史の母親としての心組にも伺はれて心樂く感ずる句です。

頰染めて聖誕祭の童かな　碧水

クリスマスの光景です。師走の二十五日は空ツ風が吹いて寒いです。寒い外から暖い部屋の中に入ると妙に上氣するものです。上氣して頰が赤くなつた子供にクリスマスの美しい色とりどりの電飾が映えて、殊更に赤く可愛く見えます。而もキリストと云ふ外國の話もサンタクロースと云ふ童話も子供にとつては非常に好奇心にかられる興味深い事に違ひありません。佛壇とは異つた華かなクリスマスの光景に心をときめかしてゐる事も、電飾の爲の「頰染めて」ではなしに、この「染めて」に含まれてゐると思ひます。

雪女郞泣きやみし兒に消えにけり　五沼

雪女郞又は雪女と云ふのは雪の深い國、雪の恐しさを知つてゐる地方の人に傳えられ又信じられてゐる假想物であります。その地方では雪が降るとその雪の中に所謂雪女が現れ彷徨すると信じ或は降り積つた雪の姿が雪女に見えると云つて居ります。そしてこわいものとされてゐるのでありませう。この句でも

「そんなに云ふ事をきかないと雪女郞が來て連れて行つてしまひますョ」

と宥めすかすと、どうやら泣きやんだので

「悧巧々々、さう云ふに默つたら雪女郞ももう來ない」

と云つてゐる樣がよく見えます。

慈しむ子による雪の雀かな　知白

一茶の「我と來て遊べや親のない雀」とよく似てゐます。雪が降ると餌に困つて雀はよく人家に近づき、軒端に飛んで來るものです。稻につく稻雀は子供も親に敎えられて憎み追ひますが、又來る子供は雀が好きでありますし又可愛らしいものであります。餌に困つて軒近く來た雀は、勿論憎くないのですから追ともしない子供、いや反つて米等を一ト握り持つて來て雪の上にパラ〳〵と蒔いて吳れた子供に、樣子を伺ひながらもチョン〳〵と飛びながら近寄つて來るのであります。雪の朝の朗かな光景、童心の境地であります。

默り子の無木たのもし左利き　呵雪

無木は根木とも書きネツキと讀みます。一尺許りの丸棒杭の先端を削り尖らせて泥地や雪の中に打ち立て、之と同じ形の棒杭で打ちつけ、その棒杭を倒したのを分捕る子供の遊戲であります。都會でも街の空地でよくやりますが、田舍では稻を刈つた後の冬田でよく遊んでゐるのを見かけます。相當力のいるもので腕節の强い子が勝

ちます。元來大人でも子供でもですが、餘りチヤア〳〵喋る人は案外實行力の少ないもので、反つて無口の者が物事を遂行したり强かつたりするものです。これもお多聞に漏れず、口數の少ない餘り子供仲間には目立たない子が默々として勝を制して行く、而もこれは左利きの子供です。よく左利きは器用だと云いますが、それなんでせう。この句の場合「默り子」だけで十分面白く「左利き」は不用の樣に思えますが、「左利き」と置いて句の締めくゝりをつけてゐる効果は見逃せません。

手焙りて子の手の悴(かじけ)ほぐしけり　俊晃

說明する迄もなく判然たる句でありますが、日常茶飯事であり乍らこの樣に一句に纒め上げると、いかにも親子の情が溢れるばかりで讀んだ丈でも氣分の良い句となります。この作者は今度兒童文化賞を貰つたコドモアサヒの編輯長であります。

袴着に神の木の實を拾ひけり　元女

袴着と云ふのは七五三の祝の事です。その他髮置、帶解、紐取、帶直しも皆同じであります。十一月十五日、七才、五才、三才の男女の子供の祝であることは衆知の事ですが、髮置と云ふのは昔この日に男子も女子も初めて髮を結つたのです、袴着と云ふのは五才になると男の子は初めて袴を着たので其祝をしましたし、女の子は七才になると今まで紐が付いてゐる着物を着てゐたのをやめて、縫帶を締める事にしてゐたので帶解、紐取、帶直し等と云ふのであります。以上皆七五三の祝の意味です。

扨てこの句の意味は五才になつた男の子が袴を着て奇麗な着物を着て御祝に附近の神樣に詣つて、一ト時をその境内に落ちてゐる木の實を拾つて遊んでゐる所です。神の木の實と云ふのは境内の木より落ちた木の實と云ふ意味です。神樣のお蔭でスク〳〵と育つた男の子、お蔭を謝しに詣つた母親は大きな飴の袋を抱え乍ら元氣な子供を遠く眺めつゝ又新しく感謝してゐることでせう。

帶解の淸水上る雪駄かな　杏村

淸水は京都のキヨミズです。これは七才の女の子が淸水の石段を母親と一緒に上つて行く所です。雪駄、可愛らしい小さな雪駄が石段に音を立てゝゐます。

襟卷の端をはねたる美少年　左山

この少年多少「子供の世紀」の域を脫したる少年かも知れませんが、私が「子供のゐる俳風景」と題して新年春、夏、秋と書いて來まして、一應この稿をこゝで完結しますので、子供もその間に育つてそろ〳〵大人の域に入らうとしてゐるのも無理はありません。襟卷を首に一ト卷き卷きつけて、その端をチョイト後にはねて立つた美少年、勿論都會の子供の感じです。泰西名畵の中になかつたでせうか。(完)

"生めよ"の國策に注文

多子家庭と智能の問題

☆生めよ、殖せよ——と、叫ばれてゐますが六、七兩日開かれた第三回人口問題全國協議會の席上、愛育會教養部主任山下俊郎氏は"子供の數と智能の問題"に就て述べ多子家庭、多產の獎勵には、經濟的補助が望ましいと、國策への注文を述べました。

「子供が多いと頭が惡い」と云ふことは、先天的には遺傳から來る考へと、後天的には環境から來るものと二通り考へられます。天才や劣惡者の場合については、智能は遺傳の力に依るものが大きいと考へられますが、こゝに凡庸な子供について考へますと、その智能に環境が非常に大きな力を持つてゐるものと思ひます。頭が良くても勉强の出來ない子供は後天的のもので、その勉强の方法が惡いのです。

下層階級に多い例ですが、頭がよくても手が屆かない爲に、勉强の出來ない子供があることがよくあります。

そこで子供が增えたら月給を增す等の經濟的補助、生活の指導、子供の敎育の指導、この三つの條件が多產の獎勵と並行してなされなければ、子供の數は增えても、その質はよくなりません。智能的に云へば一人つ兒が最もよいのですが、環境的には三人乃至四人が最適の範圍で、學業の成績も亦三、四人兄弟の者が最もよいやうです。アメリカのターマンが一九二五年カリフオルニア地方の一〇〇〇人の天才兒童の研究において、將來これ以上子供の生れる可能性のない完結家族九二家族について調べたところ、天才兒特に優良な兒童は子供の少い家族に多く、大家族に少いことを發見しました。

又、同じくアメリカのチヤプマン及びウィギンスは一九二五年にニユーイングランドの工業都市における小學校六年より八年に至る兒童のうち、完結家族の兒童六三二人について調査した結果、ターマンの場合と同樣に、小家族の子供は智能高く、大家族の子供は智能が低く、しかも子供の增加は智能の漸次的低下と並行することが示されました。

一九三一年、ゲランデル女史の研究になる經濟的環境と兒童の智能について、通常學級兒童二〇〇人について調べた結果、下層階級においては子供數の影響を受けることが著るしい事實を示してゐる。

之等の研究の結果を總括して大體に於て小家族の子供の平均智能は高く、大家族の子供の平均智能は低く、且つ子供數の增加と智能の低下とは並行すると云ふことが出來るのである。

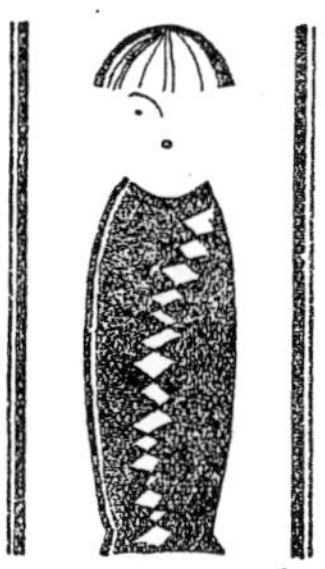

肺炎

大阪市保健部醫務課長
醫學博士　小山義作

肺臟の疾病として生か死か、分岐が頗る速かで最も恐れらるゝものゝ一として肺炎がある。

豫防　本病は肺炎菌の感染によつて起るものではあるが、接觸傳染をするものでないから絕對的の隔離豫防を必要としない。然し乍ら多人數の密集生活する兵營、寄宿舍、工場、學校等の如き處では嚴冬又は初春の寒冷時に多數相次で勃發的に眞性肺炎が發生したり、流行性感冒や百日咳の流行時にその地方に限つて、同時に多數の加答兒性肺炎が頻發することがあるから適當な豫防處置を講ずる事を怠つてはならない。

豫後　肺炎は多くの場合甚だ重患であるのに老人子供を除くの外は、その死亡率比較的少く大概の患者は丁度急な大雷雨に襲はれ、それが去つて跡型もないと同じ樣に綺麗に快復するものである。併し平常より腎臟炎、糖尿病、心臟病或はその他の慢性病を持つ人々が本病を罹患するとその豫後が甚だ惡い者が多く、飮酒者の如きは急に幻視、幻聽、錯覺、譫語等を發する所謂譫妄症を起し豫後不良となるものが多く、特に流感後に惹き起された肺炎はその菌の毒性に應じて、特異の病型を呈し眞性肺炎以上の死亡率を示す事がある。

大阪市に於ける肺炎死亡に就て

最近五年間に於ける大阪市の肺炎死亡數は第一表の通りで昭和十二、三年に於ては全死亡の一四・〇四%を占めてゐる。

(第一表)　自昭和九年至昭和十三年 肺炎死亡調(大阪市)

	男	女	計	總死亡	總死亡百ニ付
昭和九年	三、一五四	二、七二八	五、八八二	四七、〇九九	一〇・三〇
昭和十年	三、三六一	二、八二一	六、一八二	四七、四五九	一三・〇三

昭和十一年	二、九三六	二、四八六	五、四二二	四六、五三八	一一・六八
昭和十二年	三、八〇八	三、一五三	六、九六一	四九、五七一	一四・〇四
昭和十三年	三、八五二	二、九九一	六、八四三	四八、七三四	一四・〇四

昭和十三年中主要死亡原因調（大阪市）

（第二表）

病類	男	女	計	總死亡百ニ付
肺炎	三、八五二	二、九九一	六、八四三	一四・〇四
呼吸器結核	三、六八四	二、九七〇	六、六五九	一三・六六
腦出血	二、二七三	一、五五五	三、八二八	七・八五
先天性弱質	一、六一四	一、二一四	二、八二八	五・八〇
腎臓炎	一、一四六	一、五一六	二、六六二	五・四六
其ノ他ノ結核	九九七	一、二八四	二、二八一	四・六八
惡性癌腫	九九一	一、〇一五	二、〇〇六	四・一三
老衰	七〇五	一、二三〇	一、九三五	三・九五
下痢及腸炎	一、〇四二	八五一	一、八九三	三・八八
赤痢及疫痢	七八〇	八五八	一、六三八	三・三六

昭和十三年中肺炎ニヨル死亡者總數（月別）（大阪市）

（第三表）

月別	男	女	計
一月	七六八	六六四	一、四三二
二月	五三三	四一二	九四五
三月	四六九	三五五	八二四
四月	三八四	二三一	六一五
五月	二六三	一八四	四四七
六月	一七二	一三二	三〇四
七月	一四〇	一一八	二五八
八月	一二一	九八	二一九
九月	一二三	一〇〇	二二三
十月	一五五	一四五	三〇〇
十一月	二二八	一六七	三九五
十二月	五〇六	三七五	八八一
合計	三、八五二	二、九九一	六、八四三

昭和十四年上半期肺炎死亡者數（月別）（大阪市）

月別	男	女	計
一月	二七五	一八一	四五六
二月	二一〇	一八七	三九七
三月	二二八	一六八	三九六
四月	一七五	一四一	三一六
五月	一一六	九七	二一三
六月	八九	六五	一五四
計	一、〇九三	八三九	一、九三二

昭和十三年中の大阪市に於ける死亡類別（第二表）を見ると、肺炎は實に第一位を占めてゐる。昨年は特に乳幼兒が感冒や麻疹に罹り、それより肺炎を併發せるものが甚だ多く、その爲かゝる結果を見たものである。同年中の月別死亡數は第三表の通りで、一月が最高にして二月、十二月、三月が之に次ぐといふ順序である。又昭和十四

年上半期中に於ける肺炎の死亡數は十三年度に比較すれば表示の通り約三分の一に減少してゐる。

病型及その症狀

一、クルーブ性肺炎又は眞性肺炎、本病は病理解剖的には肺胞、並に細小氣管支内に血性凝固性慘出物を生じ肺の大葉が急に空氣の無い硬い組織に變化するものである。

突然惡寒、戰慄、止めどもない咳嗽を發し堪へ難い胸痛を訴へ、强い呼吸困難や頭痛、嘔吐、發熱を伴ひ自分自身は固より傍の者からでも眞に重患の樣に思はるゝものである。

本病は發病後三四日で既に生死の巷を彷徨する程重態に陷る場合があり、特異な鐵鏽色の喀痰を見れば容易に診斷される。熱型は發病後大熱汗して分利に到る迄の數日間は、四十度内外の稽留熱を示しこの間身體は著しく衰弱に陷るものである。かくして融解期に入れば頑强な咳嗽と多量の喀痰を喀出し、漸次氣管支カタルの症狀に移り二三週間で全く快癒するが普通である。

附、異型肺炎、眞性肺炎の外に肺門部近傍に限局して起り、レントゲン檢査によつて始めて診斷の出來る中心性肺炎、病變が全肺に擴大せず一葉にのみ限局する上葉性肺炎又は單葉性肺炎、一肺中の一部が恢復すると實に他部に新病竈を生ずる逍遙性肺炎、發熱も徐々に分利も渙散型をとるといふ樣な不規則の症狀ある老人性肺炎或は無力性肺炎等がある。

二、カタル性肺炎或は氣管支性肺炎、本病は小兒、老人、虛弱者等に感冒後の氣管支カタルに續發して起る事が多い、從つて在來の微熱が漸次上昇して三十九度乃至四十度に及ぶもので、急激な發病をするものでなく解熱も渙散性である。本病では咳嗽、苦痛等一般症狀が眞性肺炎に比して著しく輕微であるが、時として薄い血液を混ずる場合がある事を注意しなくてはならない。本病が重病者に併發する時は比較的死亡率が高いものである。

附、異型肺炎、食物の誤嚥によつて起る嚥下性肺炎、知覺精神の喪失者の如きが誤つて氣道内に異物を吸引したり、喀血喀痰を充分に喀出せられず逆に肺の深部に吸引したり、嬰兒が産道にて汚物を吸引して起す樣な吹引性肺炎、長く平臥する重患者や高齡者等が一方のみの臥位を持續して、下方の部分に血液の沈下を起し其の部の循環が行はれず、その爲に起す高齡肺炎又は就下鬱血性肺炎等がある。

療　法

肺炎は看護の良否が豫後に影響する事が甚だ大きい。それ故病初より熟練せる看護者を選んで看護に當らせな

くてはならない。病室は淸潔にして室溫の急變を避け、室内空氣の新鮮と爽快さに留意し濕度を適當に保たなくてはならない。患者には病初より絶對安靜を命じ面會を謝絶し、兩便も褥中で取り體位變換の要ある時と雖も全然看護者に委ねなくてはならない。而して醫師の診療も必要ある場合に止め、氷嚢を貼し、濕布を施す際でも患者の安靜を可及的妨げぬ樣注意を必要とする。常に口腔齒牙の淸潔に留意して一日數回適當なる消毒劑を用ひて含嗽させ、若し口唇が乾燥せば硼砂グリセリンの如きものを塗布させる。食慾のある限りは果汁、重湯、ソツプ、牛乳、葛湯、リモナーデ、鷄卵等滋養に富む流動物を多量に與へ、番茶、砂糖湯、氷水等の飲料を取らせ、熱に對する體液の枯渇を防禦して、體力の消耗心臓力の衰退を起さざる樣に注意して徐々に熱の分利の發來を待たなくてはならない。

肺炎には確實な特効藥はない。近來アメリカでは血淸療法の効果を認めてゐる樣だが、我が國では未だ之が廣く行はれてゐない。諸種の免疫學的ワクチン類も未だ完成してゐない。

肺炎の初期から用ひてその經過を短縮し熱を過度に上昇せしめないで、稍有効だと見られてゐる藥品にオトプヒン、レミジン等がある。併し輕症な肺炎は自然に治癒し特別の治療を必要としない事があるから、斯る相當强烈な副作用のある藥品を用ひる場合には、醫師の大なる手腕と自信とを必要とする。徒らに不適當なる醫療を施して經過を不良に陷らしむる樣な事があつてはならない。

眞性肺炎に於て患者を最も苦しめる胸痛に對しては少量のモルフイン、パントポン等の皮下注射によつて之を緩解する事が出來る。芥子濕布、又は芥子硬膏の貼布によつても時に効果を收める事もある。

かくして快復期に向つた患者を早期に離床せしめて、再發の憂ひのない樣に特に注意しなくてはならない。

正しき健康道（2）

醫學博士　岡本清纓

榮養に就ては、私は三つの點を申上ぐるに止めておきます。

第一は米の問題、これは今日の國民的常識として白い米はいけない、七分搗か半搗米か胚芽米かでなければ榮養が惡いとは誰しも知つてゐる事實であります。それにも拘はらず實際には仲々行はれません。旅館料理店などで食べる米はいづれも雪の如く白い米であります。『今時白い米を食はせるなんて非國民に近いね』と皮肉つてみても、料理店の主人は

『いや、白い御飯を出しませんとお客樣から小言をいはれて商賣になりません』

と却つて逆ねぢを食つてしまひます。白米の害に就ては申上げませんが、今は實行の時代、七分搗米か胚芽米などを常用すべきであります。最近政府も愈々白米禁止の法令を出さんとするやうでありますが誠に結構であります。

それで七分搗米と白米とはどれだけ違ふか、ビタミンBだけに就て申上げますと、このBが缺乏すると御承知の如く脚氣になりますが、七分搗米を一日三合食べるとして、この中に含まれてゐるビタミンBと同じ分量を、白米三合食べるとすれば副食物をどれだけ食べねばならぬか、といひますと

牛乳	ならば	約一升
キヤベツ	ならは	約七〇〇匁
海苔	ならば	約四十五枚
卵	ならば	約十五個
牛肉	ならば	約三百匁

であります。これだけ食べなければ七分搗米に含むビタ

ミンBに比敵しない。これでは胃袋がたまりません。到底負擔に堪へないし經濟的損失も多大であります。

七分搗か胚芽米か、いづれにしても學者間に多少の意見の相異はあるにしても、白米を絕對禁止すべきは何人にも異論ありません。

畏くも　今上陛下に於かせられましては、既に久しい間七分搗米を御常用遊ばされ賜ふ御盛德を偲び奉りましても、國民は一刻も早く白米食を廢止せねばなりません。

第二は偏食の問題であります。偏食が如何に惡いかも亦よく知られて居ります。しかし偏食の矯正は仲々困難のやうであります。私は東京のある小學校で辨當の調査をした際に、月曜日から土曜日まで連續して卵燒ばかり持つてきた一人の兒童がありましたので、その母親にきいてみますと、

「うちの子供は皆卵燒が大好きで每日それさへ持たせてやれば喜んで食べます。それに卵は榮養の豐富なものですから……」

と得意然と話されました。これは母として考ふべき點であります。どんなに榮養があるからとて、每日同じものばかり、――しかもそれ以外には何も入れないのは生半可な榮養知識で、子を愛する眞の母ではありません。

又京都のある小學校の兒童が、野菜が嫌ひな爲に遂にビタミンC缺乏症の爲めに一命を亡くした例がありますが、その母親は悲嘆に暮れて

「せめて他の子供達が偏食の爲に病氣に罹らないやうに、僅かのお金ですが、これで偏食を矯正する施設をして下さい」

と校長先生に若干の金を出されて、學校の保健のために寄附をされたことを、その校長先生から伺ひました。

かういふ例は決して少くはありません。食物の好き嫌ひのために健康を害し、あたら靑春をむざ〱亡すやうなことがあつては相濟まぬことであります。

人間には各々個性があり趣味嗜好も自ら異ひますから好きなもの嫌ひなものがあるのは當然でせうが、それが榮養的にみて一方に偏り或は大切な成分を攝り得ない場合、或は攝る割合に於て平衡を破るやうな場合には、これを矯正しなければなりません。

偏食の原因は、體質にもよりますが、食べず嫌ひといふのも相當多い。或は色、形、味、匂ひなどで、どうしても食べられないといふ人があります。皆さんは、御自分の嫌ひなものを考へて、それが榮養的にみて大切なものであるならば、好きになる努力をして欲しいと思ひます。例へば人蔘などは嫌ひな人が多いやうですが、あの中にはカロチンといふ橙赤色の色素が澤山含まれてゐて

これが體內に吸收されると肝臟の中でビタミンAに變化します。だから人蔘を食べますとビタミンAを食べたと同じ効果があらはれるのですが、とかく嫌ひの人が多い。この人蔘などは、細かく刻んで他のものに混ぜて形や匂ひを變へて……つまり料理に少し氣をつければ、おいしく食べられるやうになると思ひます。魚が嫌ひなくせにかまぼこは好きだといふ人もありますから、將來家庭人としてよくかういふ點に注意して戴きたいと存じます。

第三は日光であります。太陽光線が人體に作用する力は誠に偉大なものがあります。卽ち皮膚に當ると、皮下の脂肪に極く微量含まれてゐるエルゴステリンといふ葡萄糖の一種が紫外光線のために皮膚の內部でビタミンDに活性化するのであります。日光に當ることはビタミンDを食べたと同じことになります。

然るに**都會生活に於ては**、この紫外光線が煤煙や塵埃のために吸收されてしまつて、我々の皮膚に當る場合には極めて貧弱な力の弱い光線となつてしまひます。その爲にビタミンD缺乏を起しまして甚だしき場合には佝僂病に罹つてしまひます。この病氣は日本でも石川縣、富山縣のある地方で家屋の構造が日光を遮ぎるやうな部落によく發生し、霧の深いロンドンや北歐、或はニューヨークの日光を見ない黑人部落などの子供は殆んど百%罹つてゐるさうであります。其他Dの缺乏のために骨の軟くなる骨軟化症などになります。

乳齒齲齒所有者率（凶作の影響）

		學校名	昭和12年（入學者）男	昭和12年（入學者）女	昭和13年（入學者）男	昭和13年（入學者）女	昭和14年（入學者）男	昭和14年（入學者）女
靑森縣	凶作の影響多し	靑森縣北津輕郡今泉小學校	32%	34%	31%	33%	53%	58%
		同郡藻市小學校	6	5	13	10	63	57
		同郡藤坂村小學校	37	32	31	33	61	57
		同郡三好村小學校	51	56	51	54	62	63
	凶作の影響少し	南津輕郡野澤村小學校	48	50	48	45	42	38
		同郡中鄕村小學校	60	80	77	83	71	74
		靑森市長島小學校	98	99	99	96	97	99
岩手縣	凶作影響多し	江刺郡藤里村小學校	37	50	41	59	69	64

ビタミンDは肝油や魚に多く含まれてゐますから魚を

多く食べることは日光不足を補ふことになる譯であります。

田舍の子供にムシ齒が少く、都會の子供に多いといふのは、他にもいろ〱の原因がありますが一つはこの紫外光線の關係であつて、新鮮な遮ぎるものなき田舍の太陽光線が子供の皮膚に直射するその力が、ビタミンDを豐富にし、骨や齒を丈夫にする爲であります。齒を造る材料は石灰や燐ですがビタミンDが缺乏すると、いくら食べても吸收されずに排泄されてしまひますから、丈夫な齒が出來ません。そこで

齒の質を強くするにはどういふ榮養上の注意を要するかといふと、姙娠中に齒の芽が育ちますから、それを強化するために、カルシウムが一・〇、燐が〇・六といふ割合の食物にビタミンDを攝ればムシ齒に罹りにくい齒が出來るといふ事が動物實驗で證明されて居ります。ところで每日のお獻立でこの割合に作ることは並大抵のことではありませんから、先づ出來るだけカルシウムや燐やビタミンを含んだ物を選んで、しかも消化を害しないやうにして欲しいのであります。御家庭にカルシウムや燐やビタミンを含む食物の表を備へておくことは大切であります。

しかし、皆樣のやうに大きくなつた方は……つまり齒が育つてしまつた方は榮養によつて齒質を强化することは困難であります。姙娠中は乳齒が發育し、授乳期から小學校に入る頃迄は永久齒が成長しますから、その時榮養を與へることが肝腎であります。

現にその證據があります。第一に榮養不足になつた母親から生れた子供のムシ齒が多い例で、昭和六年に東北地方に大凶作がありましたが翌七年に生れた子供が昨年四月小學校に入學しました。この子供達は非常にムシ齒が多いのです。これを前年に比較すると別表の通りで數の大小はあるが、いづれも多いのであります。

又、改善した爲にムシ齒が少くなつた例があります。群馬縣福島町は昭和七年二月から全校兒童に對して所謂部落給食をして居ますが其成績甚だ良く畏くも　今上陛下より侍從の御差遣を受けた全國に稀な光榮ある小學校であります。

含嗽・吸入・濕布の仕方

醫學博士　吉　馴　高　明

含嗽　扁桃線炎で咽頭が痛い時に一番有効であります。豫防的には外出後行ふがよろしい。

◎二%硼酸水　茶匙一杯を一合の微溫湯に溶かせばよろしい。

◎三%過酸化水素　水茶匙二杯のオキシフルを水五勺に稀釋ます。

◎明礬一・五瓦　薄荷水二〇・〇瓦水三〇〇・〇瓦は咽頭の痛みの強い時によろしい。

吸入　扁桃線炎、氣管枝炎で咽頭が痛かつたり、氣管がゼリ〱云ふ時、或は聲が嗄れて出ない時、乾咳の強い時にはよい方法です。外出後に行へば風邪の豫防に役立ちませう。

◎一%重曹水　茶匙半杯を水一合に溶かします。

◎一%重曹食鹽水　茶匙半杯の重曹と同量の食鹽を水一合に溶かします。

赤ちやんに吸入をさせる時には泣かせない樣に時々何回にも行ふがよろしい。皮膚の弱い子供さんは顏の皮膚を荒らさない樣にクリームをつけてあげて下さい。

濕布　フランネルを背から胸迄全體に渡る樣に廣く作り腋下にあたる部分はくりぬいて置きます。之を濕布液に浸して固く絞つて全胸部にあて、その上に油紙を當て、外部を布又はタオルにてまき、紐で固定して濕布帶が腹部にずり落ちない樣にします。

◎氣管枝炎で胸がゼリ〱云つてゐるが特別呼吸困難も熱も無い樣な時にはエキホス、アンチフロズスチン等で朝夕二回行へばよろしい。

◎呼吸困難もあり、肺炎になる惧れがある樣な時には三―五時間每に溫濕布をするがよろしい。但し患兒が眠つてゐる時には無理に起して交換したり夜中に換てやる必要はない。濕布液は二―三%硼酸水、又は〇・一%リバノール溶液を使ひます。

◎肺炎で呼吸困難、高熱を伴ふ時には芥子纒絡法が適應してゐます。西洋芥子末約一〇〇瓦を鉢又は洗面器に入れ、之に手を入れて溫かい程度（四〇度前後）の湯を之と同量注ぎ、よく攪拌して鼻、眼を刺戟する樣になつた時に、フランネル、又は手拭を湯に浸して絞つたものに塗りつけその上に薄いガーゼ一枚を貼りつけて全胸部に出來るだけ廣く纒絡します。皮膚が赤くなつたら取除きます。五分以內で充分赤くなる事もあり、十分以上もかゝる事もあり、尙それ以上かゝる事もありますが、長くかゝる程重症で豫後は惡いと思はねばなりません。

感冒の豫防と其の手當

醫學博士　長濱宗彦

段々と寒さが加はれば感冒に罹り易くなりますから、お母様方は常にお子様の健康狀態を注意せねばなりません。

豫防

寒期中は空氣中の濕度が減じて咽喉を害する虞れがありますから空氣の乾燥せぬ様お子様の寢室には常に鐵瓶や、やかん等をかけて水蒸氣を立たせて室の溫度も略一定に保たしめる必要があります。又睡眠中屋外からの寒い隙間風を眞向に呼吸すると感冒に罹り易いから、お子達の寢床には枕屛風やカーテンにて此隙間風を直接顏に受けぬ様注意する必要があります。又嚴寒に湯婆や炬燵等で寢床を暖める場合には暑すぎてはお子様が夜具をけりぬいだり、又夜具の外に轉げ出して却て感冒に罹る虞れがありますから、餘り寢床の暑すぎない様に注意し、成るべくお子様が眠られたら湯婆や炬燵等は出された方がよいと思ひます。

又人ごみのする劇場や映畫館へお子様をお連れにならぬ方がよろしい。なんとなれば、人ごみの場所では多くの細かい塵芥が空氣中に浮游して居る爲めに、お子様の鼻や咽喉部の粘膜を刺戟してその部に加答兒を起し感冒に罹り易くなるからであります。又冬期では劇場や映畫館等では暖房裝置が施されてありますから其の内では暖かいが外出すると急激に戸外の低い溫度に接するので、抵抗力の弱いお子様は屢々感冒に罹るのであります。若し止むを得ず寒い日に外出する場合や、人ごみの中へお子様をお連れになる場合には「マスク」をかけさせ、歸宅すれば必ず番茶か五十倍の硼酸水で含嗽さす習慣をおつけになるのがよろしいのであります。

以上申し述べた事柄の他にお子達の寒さに對する抵抗を高める必要があります。冬が來たからと云ふて早速それにとりかゝるやうでは駄目です。これは春頃から夏にかけて徐々に抵抗力を築き上げておくことが肝要です。これは決して難かしいことではありません、春から赤ちやんなれば最近流行の赤ちやん體操を毎日四―五分間位行ひ、幼兒では毎日皮膚の乾布摩擦を規則正しく行へば結構です。その他食物にも注意し「カルチュム」や鐵分や、各種「ヴイタミン」の豊富な食物を選んで與へるのであります。又虛弱なお子達には秋口から肝油等の服用を始めるのもよろしい。お母様方が以上のやうな事に注意して實行されたら、大體お子様の感冒を豫防することが出來ます。

手當

お子様は感冒に罹つても熱がなければ元氣に飛び廻るものでありますから無理の出來ぬやう又一寸した風邪氣味でも氣管枝カタールや、肺炎になることがありますから鼻汁を出し、嚏噴や咳嗽をしたら先づ入浴を中止し、過激な運動を戒め、寒風に晒さぬ様注意し、發熱したら早速醫師の診察を受けるのが安全であります。又痰がきれにくい場合には蒸氣吸入をすることが必要です。この吸入のかけ方は患兒の胸のあたりに防水布をかけて着物の濡れないやうにして吸入器を患兒から八―九寸前方に置いて吸入器から發散する蒸氣を吸入させるのです。其際口は開けなくても鼻腔から吸入するのが普通で無理に口を開けさす必要はありませんから、眠つて居る時でも哺乳してゐる時でも容易に出來るのであります。この吸入をかける時の注意ですが、最初吸入器の圓筒の口を患兒と反對の方向に向けて蒸氣を噴き出させて熱湯の飛び出さない事を見定めてからかけないと屢々火傷をさします。又吸入をかけ終つたら患兒の口の邊りを「ガーゼ」か手拭でよく拭つてその部に「クリーム」でも「シッカロール」でも附けてお顏の荒れを防ぐことが必要です。吸入藥としては百倍の重曹水か二百倍の食鹽水でよいのであります。そして一回の分量は附屬の小「コップ」で二杯位宛一日數回行へば充分です。世間では時々吸入器を顚覆させて大きな火傷や火災等を起した例がありますから、其邊の注意も亦必要であります。

又あまり咳嗽が多くて熱が高く痰が澤山たまつて居るやうな場合には胸部の溫濕布罨法や蒸氣吸入を施すことも肝要であります。胸部の溫濕布罨法を行ふには一般に市販の濕布帶、濕布「カバー」等を用ふるのが便利ですが自家製でもよろしい。

先づ濕布帶を溫湯に浸して充分に絞り「カバー」の上に載せ、手早く脊から廻して胸で合せ強く胸部を緊迫しないやうに、又濕布の邊緣が外にはみ出して下着をぬらさぬやうに注意せねばなりません。そして凡そ三―四時間毎に濕布帶の濕りがまだ乾き切らぬうちに交換するのがよろしい。併し睡眠中は其の儘にして成るべく睡眠を妨げぬやうにした方がよろしい。又濕布交換を手早くするために濕布帶を二組用意して置く方が便利であります。又濕布交換時には乾いた手拭で手早く皮膚の濕りを拭ひ取り「シッカロール」か亞鉛華澱粉を撒布して置くと濕布まけが少いのであります。普通濕布には溫湯を用ひるのですが五十倍の硼酸水を用ひる方がよろしい。又咽頭や扁桃腺が赤くなつて咽頭部がイラ〳〵する場合には頸部の溫濕布罨法を行ひ、一日數回五十倍の硼酸水で含嗽すればよいのでありますが、其の部の發赤腫脹して疼痛でもあれば早速醫師の診察を受けるのが安全です。

せき
せきは感冒や肺炎の危險信號ですから、なるべく早目に豫防にも治療にも良いチミツシンで惡化を防いで下さい。特に、お子達やお年寄りのあるご家庭に一瓶をお備へになると、たいへんご便利です。
一圓・一圓八十錢
チミツシン

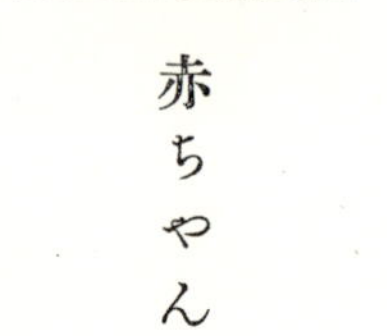

赤ちやんには乾布摩擦を

醫學博士　一色征

赤ちやんの感冒を豫防するには薄着に慣らすとか、汗ばんだ衣服をさけるとか、朝夕、氣候の變り目に注意するとか、又溫かい室内から急に冷たい戸外に出た時に注意すべしとか、或はお母さんが風邪にかゝれば母親がマスクをつけて授乳するとか色々の豫防法があります。

之等の注意はすべて消極的のものですから、更に一歩進めて平常から風邪を引かぬやう積極的に赤ん坊を鍛錬しておく事も必要です。それには育兒體操、日光浴も勿論よろしいから務めて行つて頂き度いのですが、更に皮膚の抵抗力を強めておく事も忘れてはならぬ豫防法であります。大きい子供には冷水摩擦で皮膚の抵抗力を高められますが、幼い赤ん坊には直に之を行ふ事は無理です。從つて赤ちやんには夏頃からその全身を乾布摩擦するのが最も手輕な皮膚の鍛錬法です。即ち赤ん坊を裸にして乾いた柔いタオル又はフランネルで少くとも毎日一回は兩手、兩肢、腹、胸、背中へと全身をこすつてやるのがよろしい。之れに依つて赤ん坊の血行をよくし、新陳代謝を高め發育に對しても良効果をもたらすものであります。之を行ふには朝、目覺めた時とか、夜寢衣に着換へる時とか、入浴時とかの裸體にした時に行へば最も手輕に短時間内に行ひ得るのです。殊に暖かい日に裸にしてやると手足を動かして大層喜ぶものです。

又お天氣の良い日には毎日一、二回は五分間でも十分間でも戸外に出て、外氣に當てゝ皮膚を慣らすのが大變よいのです。

育兒百話欄の廣島博士のお話にあるやうに、本年度は肺炎や感冒に對し既に危險信號が出てゐるのですから、諸先生の色々の風邪に關する注意をよくお守り頂き、併せて乾布摩擦をも毎日缺かさず行つて來るべき冬には風邪を引かせぬやう、萬一風邪を引いても肺炎や其の他の病氣を起さぬやう注意して頂きませう。

育 兒 百 話

感冒に罹らぬ强い身體を作りませう

醫學博士　廣島英夫

昨年上半期の乳兒死亡數は一昨年に比べて三、七四四人も增加してゐます。出生數が減つて乳兒死亡數が增加したのですから死亡率は驚く可き數となります。其中で主な原因を調べてみますと、痲疹と肺炎が著るしく增加してゐます。痲疹が二、四五一、肺炎が二、二八二各れも昨年に比べて增加してゐます。本年一月、二月頃には感冒が流行して肺炎を併發し、その爲めに死亡した者が如何に多かつたかゞ判ります。今から是非健康に注意して感冒や肺炎に罹らぬやう注意して下さい。

感冒に罹らぬやうにするには、是非衣服に注意せねばなりません。小兒は體溫調節機能が十分發育して居らず且身體の表面積は大人に比べて比較的大きいので、寒暑に對して非常に影響を受け易いのです。從つて氣候の變り目、朝夕の溫度の變る時等は殊に注意して、必ず手まめに衣服の着せ方を加減して下さい。一般に厚着にすぎる場合が多い樣ですが、肌着がじつとり汗ばむ樣では着せすぎと考へて下さい。又小兒は常に運動してゐるものです故、遊んでゐる時は靜かにしてゐる時よりも薄着にして下さい。出來る限り日光と新鮮な空氣に接して「子供は風の子」らしくして下さい。祖母さん同樣元氣な小兒に厚着させては、汗が出て苦しく、又運動も出來ません。子供が可哀そうです。又育兒體操の勵行、寢る時はすつかり寢衣に着變へること、人込みの中に出ぬこと、咳嗽をする人に近付かぬこと、朝早く起きて夕早く寢ること、外出後に含嗽すること、身體を淸潔にすること等を實行して下さい。かうして此の冬は是非感冒にかゝらぬやうに致しませう。感冒などに罹らぬ强い身體を作りませう。

去勢とは全然違ふ
遺傳の力は大きい

斷種は精系を通る結紮を切斷するので之は五分を要せぬ小手術であつて手術後身體に何等の變化を及ぼしません。特に性慾の上に何等の變化を來さないことは、この手術が人道的であることを立證するものだと思ひます。世間には往々斷種と去勢とを混同して考へてゐる者がありますが、去勢は血液內に分泌してゐる一種のホルモンを無くするのですから、身體に變化を及ぼし、斷種はホルモンに變化がありませんから、從つて身體に變化が起らないのです。

以上述べたことは、要するに民族の質について遺傳が絕大な力を持つことを前提とします。

例へば、こゝに非常に優秀な人が居るとすると、それは教育がよいからだ、先生がよいからだ、勉强したからだと考へるのが普通ですが、現在の遺傳學によれば環境によるより遺傳による力の方が遙に大きいのです。よくあの人は努力によつて立身出世した等と云ひますが、實は努力すると云ふこと自身、卽ち學問や仕事に興味を覺えて勉强することは唯他から必要に迫られてするのではなく何かそこに內的なものがなければ一心不亂になり得ないのです。

遺傳と云ふことは著名な事實であるのに拘らず、遺傳の力を見逃がしてゐる場合が大變多いのです。

その大きな原因は、或る非常に優秀な人が出た時、その家族を調べると、優秀な人が居ないことが屢屢あるからで之はメンデルの優性の法則を考へれば直に分ることです。また、遺傳分子が潜伏して何代も傳はるからで、中には潜伏しないで直接遺傳する場合もあります。狩野元信の家系が足利時代から德川時代にかけて十世代に亘つて繪の天才が現れてゐる等はその顯著な例と云へませう。

之と反對に、劣惡者の遺傳も全く同樣で低能者が出ると、よく親の教育の惡いことに歸著したがりますが、之は多くの場合遺傳性のものです。

その家系を調べても低能者が居ないのは、その遺傳分子が潜伏して子孫に現れないのです。同じ低能者でも潜伏しないで直接何代も遺傳する場合もあります。その例として有名なのはマルチン・カリカツクの家系で、一青年士官が若い時低能な女と私通して子供を生み、その後立派な婦人と結婚したのですが、この兩者の子孫が詳しい研究の結果明かにされ前者では大部分が浮浪者、惡漢、賣笑婦であり、後者で大學教授、高官その他立派な地位にある者が大多數を占めてゐました。（厚生省公衆衞生院川上博士談）

理解ある使ひ方で
馬鹿も利口に代る
生かせ人的資源

廢物さへ利用更生して二度のお役に立つ時代です。どんな人間でも遊んでゐるときではありません。最近厚生省當局をはじめ各兒童研究機關の間に、〃白痴〃の子供はどうすれば働けるかの問題が眞劍に考へられてゐます。十一月十二日の應用心理學會でもこの特殊兒童問題がとりあげられる筈ですがこれは兒童專門家間から〃精神薄弱兒〃といはれ、世間からは無能力扱ひされて來た不幸な子供たちを、立派に國策線上に奮起させようといふ興味ある課題です。

日本勞働科學研究所の調査によると王子區方面の軍需工場では小學校二年程度の學力しかもたぬ少年工が月收六十圓から八十圓、最高百廿圓もとつてゐるといふことです。この事實こそ、智能の低い精神薄弱兒を力づける一方徒らに世間に對して卑下してゐた氣の毒の親たちに、馬鹿者だつて働かせ方ひとつだといふ確信をあたへることゝ思ひます。幼兒時代の榮食障害や腦炎、腦膜炎その他熱性の病氣によつて、普通の子供より智能の發育がおくれた精神薄弱兒を檢査すると、智能指數の低い子供ほど步き方や姿勢、言葉使ひなどにも異常が認められますが、指數の比較的高い（七五から八五）精神薄弱兒は、一見普通の子供と變つたところがないので、區別しにくいものがありま す。これらの子供を使ふ場合はまづその心理的な特徴を理解することです。

例へば普通の智能をもつ子供なら、第一の仕事にかかつてゐる時でも、第二の仕事の方を急ぐからといつて命令されゝば、すぐ第二の仕事にかゝり、それを完了して再び第一の仕事に戻ることができます。しかし精神薄弱兒は、ダルマの繪を描かせると一日中描いてゐるほど執拗で、その點決して飽きるといふことを知らぬ美點をもつてゐますが、仕事に對して心理的な聯關がないので、掃除をさせる場合でも、雜巾、バケツ、箒など、關係のある三つの道具を持つて來るやう、同時に命令すると失敗しがちです。またこれを口傳でなく文字に書いて讀ませる方法で試驗してみますと、讀むといふことだけで意圖が終つてしまふため、肝腎の道具は忘れて持つて來ません、道具を持つて來るといふ新しい意圖が發生しないのです。そこで命令者として注意せねばならぬことは、この場合非常に不滿な感情を顏に出すことです。すると命令者の顏色や眼つきを見て忘れてゐたことを思ひ出すことがあります。飛行機製作所などでは、この精神薄弱兒を研磨工として使用し、單調な作業につかせてゐますが、要するに精神薄弱兒を使ふには、抽象的に仕事の內容を說明するより、まづ具體的に一つの仕事を指示し、異つた仕事をさせぬやう努めなければなりません。現實と非現實の區別のつかぬこの不幸な子供たちはどんな冗談でも眞實目にとつて人にだまされますからこの點も使ふ場合十分注意する必要があるでせう。（東京高師助教授後藤岩男氏）

戰地で馬と別れる辛さ

靑柳有美

一昨々年當寶塚音樂歌劇學校で、まだ舞臺に起たずに、基本勉强ばかりしてゐる約百三十名ばかりの生徒から、戰地へ慰問袋を送つた時に、之に副へる慰問文の原稿を私は閲讀したのですが、その時に「馬と御一緒でしたら可愛がつてあげて下さい」とか「動物がお目についたら可愛がつてやつて下さい」とかいふ意味の文句を、末文に書き添へてゐるものが五人ばかりあつたのさ、大變に嬉しく感じ、動物愛護の精神が我が音樂歌劇學校の二十に足らぬ女生徒のうちにまで瀰蔓してゐるのに感激を禁じ得なかつたのである。

ところが、今回また當校の本科豫科生約百三十名から、戰地へ慰問袋を送る事と成り、そのうち約七十名の本科生が之に副ふべき慰問文を私が閲讀する事になつたのであるが、そのうちの一人の書いたものは、實に眞情の溢れたもので、其兄が四年前より應召して戰地に出征し、今回漸く原隊に歸還を命ぜられたので、之を訪ねて母が面會のため、隨分遠い路を遠しとも思はず、汽車汽船でゆくと、其兄の班長は大變に其母に同情せられ、遠路を態々面會の爲め來たのであるからとて、其兄に一晩の外泊を許してくれたさうである。

その時に母子は互に抱き合つて唯泣いたのみであつたが母が「戰地を去る時に何が一番辛かつたか」と問ふと、其兄は「戰友と別れる事、就中愛馬に別れるのが一番つらかつた。四年間自分が始終つれてゐた馬であるから、おれ（其兄）の心をよく知り、別れる日には、一日その側を離れず、いよ〳〵の別れ際には、馬も大きな涙を流し、おれ（其兄）も泣いてしまつた」と答へたさうです。そして、原隊へ歸つてきても、其兄は馬の事を思ひ出しては寂しさを感じ、餘所の視る目も氣の毒なほどである、との事が書いてありました。

この外にも色々感激すべきことが書かれてあるが、私は之を讀んで泣かされてしまひました。全く泣かされて獨り居る室で大きな涙をボロボロと流しました。七十通に餘る慰問文のうちで、この生徒の一文ほど私を心より感動させたものはありません。之が寶塚音樂歌劇學校生徒の書いたものだから、皆さんは或は不思議に感ぜらるゝかも知れませんけれど……。

明色美顔水

白色　肌色　濃肌色

粒子に素晴しい新工夫！

複合粒子で
ズバ抜けて
美しく附く
水白粉！

しかも時間が經つ程
一層美しさを増す！

▲「複合粒子」の白粉は
何故特別に美しく附くか！

これまで白粉はキメが細い程良いと言はれたものですが、明色美顔水、明色粉白粉、明色固煉白粉は、その細かいキメに、更に幾多の新工夫を加へて一種獨特の精巧な微妙な狀態に化成してあるのです。ズバ抜けて美しく附く事、不思議なくらゐお化粧保ちの良い事、また附けてから時間が經つ程一層美しさを増す等々の素晴しい化粧効果は全くこの精巧微妙な「複合粒子」の作用によるものです。

7―168

前進譜（編者行路）

◎正月元旦、北市民館に於ける拜賀式に列席し、宮城を遙拜して、聖壽の無窮と帝國の萬歳を祈る、午後八尾の志賀家に集合、遺稿集編纂の初協議をなす、二日、西宮市郊外の冬期福音學校に至り久々にて賀川、杉山兩氏に面會、そして五木莊の河野家、十三の生地家を訪れた、三日、我等一家は北市民館と木下印刷所の姉妹等を北野劇場の新國劇に招待した、「飯島家の人々」にも遭つた。

◎四日、市役所に至り、坂間市長、中井助役始め藤原、田坂兩部長、秘書課長、その他各課長に年頭の挨拶をした、七日、北市民館員池田氏の近衛師團入營につき、午後九時發にて父君、令兄たちと共に同列車にて見送る、乘客超滿員の半數は立ち續けて眠ると云ふ有樣だ、八日、伊豆伊東に一誠と晃彦の墓參をし、九日、安藤鼓泉氏と河原別莊、文泉堂、飯田醫院、それから山本俊平博士の御實家を訪れた、尾上柴舟の歌碑を眼下に見おろせる、蜜柑園のある山腹からは、遠く富嶽を眺められた、十日、着京、十一日「高島屋にて二千六百年記念『我等の皇軍』展を觀る、本聯盟も創設二十周年を記念して、新緑初夏の東都に於て健兒育成展覽會を開催する計劃である、十二日、蒲田ライオン本舗に山崎、平野兩氏を訪れ、永松海軍大佐宅に義母や義妹を見舞つて、内閣統計局の浦上氏を訪ふた。

◎十三日、唐澤老博士邸から外苑の記念繪畫館に至り、慶應病院にて中鉢博士に挨拶し、午後は吉村、岩田二畫伯、柿本博士等を訪れた、十五日、先づ岸邊翁宅より厚生省に至り、佐々木體力局長、宇田川博士、伊藤事務官に、亦陸軍省にては三木醫務局長、梶浦少佐に、愛育會にては保原幹事その他の諸氏に新年の挨拶をした、十六日、廣井先生を訪れ、公衆衛生院を參觀し、松屋、松坂屋にて皇紀展を觀る、十七日早朝、保健館に齋藤潔博士を訪れ、一時間程懇談した、博士には大正十四年歐洲から歸朝された頃より知遇を得て居り、何時も話題が豊富な事と寬大な人格とは人を魅するのである、それより拓務省に宇留野博士を訪ふ、博士とは十數年前、廣島にてお目に懸つたきりだが、讀者の御存じの如く本誌に御寄稿の玉稿は常に育兒知識に資する處が多いのである。

◎十八日、文部省秘書課に二名氏、社會教育局に小山、大場二氏、體育課に大西氏を訪れ、東京病院に戸川博士を、亦午後は永井閣下邸に至る、恰度、勝遞相御來訪中だつた、閣下は約一ケ月中耳炎を患はれたが極めて御元氣で「聯盟は審査會の一貫した權威ある統計を發表したら」と云はれた、夜は丸の内常盤家にて展覽會の初打合せ會を開く、來會者は十三名であつた。

◎二十二日、朝六時半大阪着、午後北市民館にて西田天香氏の講演を聽き、夜は福園にて志賀氏遺稿編纂の第二次協議會を開く、二十四日、北市民館保育組合保姆長茨木てい女史の十年勤續祝賀會に列席、聯盟よりも記念品を贈る、二十六日より三日を費し、鷲尾雨工の『伊達政宗』『神武天皇御繪卷』、相馬翁の『古稀小記』等を讀む、三十日、齋藤館長等と市役所に坂間市長、森下助役、田坂部長、上山會長等を御訪れして志賀氏遺稿集の件を御依頼した、その夜淺井治子女史永眠の報を手にした。

本誌定價　一册金參拾錢　郵稅壹錢五厘
半年分六册　金壹圓六拾錢　郵稅共
一年分十二册　金參圓　郵稅共
誌代郵稅は一切前金の事
前金切の場合は發送中止
郵券代用は一割增のこと

昭和十五年二月十三日印刷
昭和十五年二月十五日發行（毎月一回十五日發行）

兵庫縣武庫郡精道村芦屋
發行兼編輯人　伊藤悌二
大阪市西淀川區海老江上二丁目三七番地
印刷人　木下正人
印刷所　木下印刷所
電話福島㊺〈一五三四番 二四二六番〉

大阪市北區天神橋筋六丁目
大阪市立北市民館内
發行所　日本兒童愛護聯盟
電話堀川㉟〈〇〇〇一番 〇〇〇二番〉
振替大阪五六七六三番

無代進呈

恐るべき鼻病の新治療と云ふ
小冊子御申込次第送呈

鼻
大川ユーカリ吸入器

恐るべきは鼻の病ひ!!

鼻と腦との關係は薄い骨一枚で隣り合せて居るものですから鼻の障害が直に腦へ及ぼす影響はそれは〳〵強大なものです
貞淑であつた御婦人が俄にヒステリー症になつたり頭腦明快で聞えた紳士が急に神經衰弱や憂ウツ症にかゝるのも多くは鼻の病の故なのです……

鼻がつまりますと自然口で呼吸をする樣になりますので最も大切な鼻腔の保護作用と云ふものが働かず從つて咽喉や氣管を痛める原因ともなります
大川ユーカリ吸入器はホンの煙草一本召上るのと同樣一回二三分間づゝ一日に三四回御使用になれば宜敷しいのです
ユーカリ油から發散するユーカリガスを吸入しますと鼻や咽喉のカタルを起してる粘膜に刺戟して仲々効果のあるものです
御婦人や御子樣にも容易に使用出來て決して見苦しいものでもありませんし又携帶至便で電車の中でも事務所でも何處でも御使用になれます

定價〈鼻專用　ユーカリ油付　金一圓也
〃　鼻喉兩用　〃　迚金一圓五〇也
〃　〃　上金二圓也〉

發賣元
東京市日本橋區本町四ノ七
大川式吸入器本舖

基礎鞏固　經營眞摯

創立　明治四拾四年

コドモの保險
日本徴兵

入營・嫁入　準備
出世・教育　資金

子を持つ親心

可愛い子供の爲に何程かづゝの貯金をしてやらうと考へるのは、凡ての親としての至情で、男子ならば適齡迄、女子ならば嫁入迄と誰しも心掛ける所ですが、さて實行はなかなか困難です。

最良の實行方法

徴兵保險、生存保險のコドモ保險は此需用を充たす最良の施設で、一度御加入になれば知らず識らずの間に愛兒の爲に必要な資金が積立てらるゝことになります。

日本徴兵保險株式會社

本社　東京市麹町區内山下町一ノ一

子供の世紀　第十八卷第二號
大正十三年七月二十日第三種郵便物認可
昭和十五年一月二十三日印刷納本
昭和十五年二月十五日發行（毎月一回十五日發行）
【定價金參拾錢】

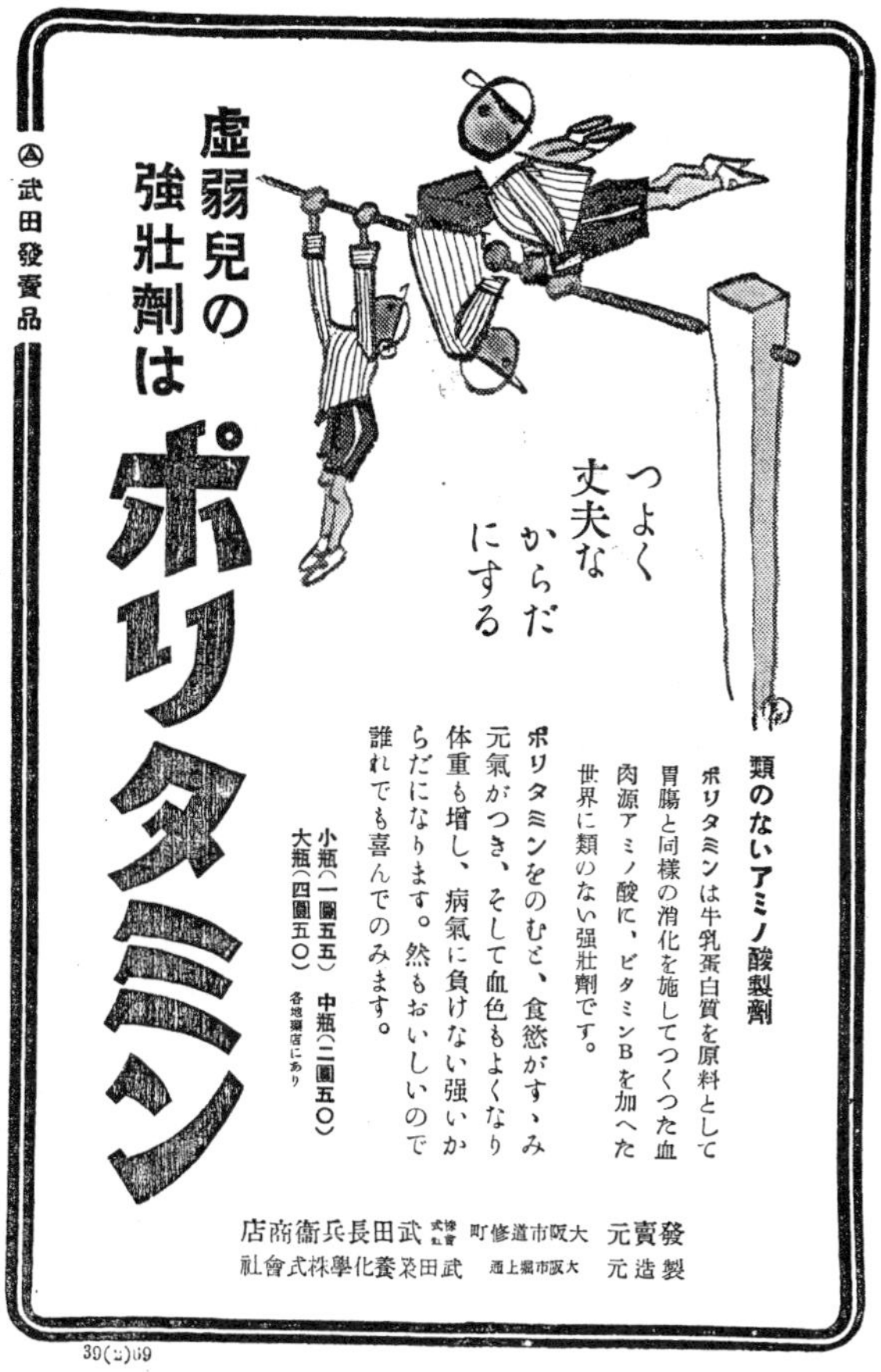

復刻版
子供の世紀 第12巻　ISBN978-4-86617-015-2
第4回配本［第10巻〜第12巻］分売不可　セットコード ISBN978-4-86617-012-1
2017年5月5日発行
揃定価　本体75,000円+税

編・発行者　山本有紀乃
発行所　六花出版
〒101-0051　東京都千代田区神田神保町1-28
電話 03-3293-8787　ファクシミリ 03-3293-8788
e-mail : info@rikka-press.jp

組版　昴印刷
印刷所　栄光
製本所　青木製本
装丁　臼井弘志